# HARIJS POTERS

## UN UGUNS BIĶERIS

# HARRY POTTER

## AND THE GOBLET OF FIRE

J.K. ROWLING

JUMAVA

# HARIJS POTERS

## UN UGUNS BIĶERIS

DŽ. K. ROULINGA

JUMAVA

UDK 821.111 (73) – 93 – 3
Ro 830

*J. K. Rowling*

HARRY POTTER
AND
THE GOBLET OF FIRE



No angļu valodas tulkojuši *Ingus Josts, Ieva Kolmane*
Redaktors *Pauls Bankovskis*
*Agatas Muzes* datorgrafiskais noformējums

ISBN 9984 – 05 – 502 – 7

*Šī grāmata veltīta Pīteram Roulingam,*
*Ridlija kunga piemiņai un Sūzenai Sledenai,*
*kas Harijam palīdzēja iziet tautās*

## PIRMĀ NODAĻA

# MEĻSUDORU NAMS

Mazkārtaviņu iedzīvotāji vēl arvien dēvēja šo māju par Melsudoru namu, kaut arī pār tās slieksni neviens Melsudoru ģimenes loceklis jau daudzus gadus nebija kāpis. Tā stāvēja pakalnā, ar skatu uz ciematu. Vairāki logi bija aiznagloti ar dēļiem, uz jumta trūka ne viena vien dakstiņa, un mājas fasādi aizvilka nepieskatītas efejas tīmeklis. Reiz Melsudoru ģimenes gleznā savrupmāja tika uzskatīta par lielāko un cēlāko būvi vairāku jūdžu apkaimē, bet tagad nams bija mikls, nolaists un neapdzīvots.

Mazkārtavieši bija vienisprātis, kā vecā māja "uzdzenot šermuļus". Pirms pusgadsimta te notika kas dīvains un šausmīgs. Miesta vecākie iedzīvotāji vēl arvien atcerējās šo stāstu ik reizes, kad svaigāku baumu trūka. Izceļojies pa neskaitāmu ļaužu mutēm, stāsts bija tik pamatīgi izpušķots, ka neviens īsti neatcerējās, kas tad īsti bija noticis. Tiesa, visas leģendas versijas sākās vienuviet: pirms piecdesmit gadiem, kādā jaukā vasaras rītā, kad Melsudoru nams vēl arvien bijis labi apkopts un iespaidīgs, istabene ienākusi viesistabā un uzgājusi visus trīs Melsudorus mirušus.

Istabene kliegdama skrējusi lejā no kalna un ciematā pamodinājusi visus, ko varējusi pamodināt.

— Guļ tur ar acīm vaļā! Auksti kā ledus! Vēl arvien savās vakariņu drānās!

Izsauca policiju. Mazkārtaviņas mutuļoja sabiedētā ziņkārē un slikti slēptā satraukumā. Neviens pat necentās izlikties nobēdājies par Melsudoru likteni, jo ciematā ģimeni diez ko neieredzēja. Vecais Melsudora kungs ar kundzi bija bagāti, vīzdegunīgi un rupji, bet pieaugušajam dēlam Tomam šīs nelāgās īpašības piemita vēl lielākā mērā. Ciematniekiem rūpēja tikai viens — uzzināt slepkavas vārdu, jo trīs šķietami veseli cilvēki taču nevar vienā un tajā pašā naktī nomirt dabiskā nāvē.

Nākamais vakars "Pakārtajā klaidonī", miesta krodziņā, pārsita visus peļņas rekordus. Tur bija sanācis vai viss ciems, lai apspriestu slepkavības. Viņu pūles, pametot pavardus, attaisnojās, kad parādījās Melsudoru virēja un pēc dramatiskā uznāciena pavēstīja pēkšņi apklusušajam krogum, ka tikko arestēts vīrs, vārdā Frenks Braiss.

— Frenks?! — izsaucās vairāki ciematnieki. — Tas nav iespējams!

Frenks Braiss strādāja pie Melsudoriem par dārznieku. Viņš dzīvoja viens pats paputējušā namiņā turpat uz Melsudoru zemes. Frenks bija pārnācis no pēdējā kara ar stipri stīvu kāju un nepatiku pret pūļiem un skaļām padarīšanām un kopš pārnākšanas brīža strādāja pie Melsudoriem.

Laudis metās uzsaukt virējai dzērienus un uzzināt vēl kādus sīkumus.

— Šis vienmēr likās tāds dīvains, — pēc ceturtās šerija glāzītes viņa paziņoja ciematniekiem, kas kāri ķēra katru viņas vārdu. — Nedraudzīgs, vai. Ne vienu reizi vien, nē, simtiem reižu piedāvāju viņam padzert tēju. Nekad negribēja pasēdēt, nekad.

— Tā gan, — ieminējās pie bāra sēdoša sieviete, — karā viņam tika ne pa jokam. Frenkam patīk klusa dzīve. Tāpēc jau viņš...

— Kuram tad vēl bija sētas durvju atslēga? — iejaucās virēja. — Dārznieka namiņā, kopš atceros sevi, karājās rezerves atslēga. Vakar naktī durvis neviens neuzlauza, un arī visi logi ir veseli! Frenkam atlika tik ielavīties lielajā mājā, kamēr mēs visi gulējām...

Ciematnieki drūmi saskatījās.

— Man vienmēr likās, ka viņš varētu izmest kaut kādu cunduru, — norūca pie bāra letes sēdošs vīrs.

— No kara viņš atgriezās tāds jocīgs, tas tiesa, — piekrita krodziņa saimnieks.

— Es tak teicu, ka negribētu saķerties ar Frenku, vai ne, Dotiņ? — bāra stūrī sacīja satraukta sieviete.

— Briesmīgs raksturs, — sparīgi mādama, piekrita Dotiņa. — Es atceros, kad viņš vēl bija puika...

Nākamajā rītā Mazkārtaviņās tikai retais šaubījās, ka Melsudoru slepkavībā vainojams Frenks Braiss.

Tikmēr tuvējās kaimiņpilsētas, Lielkārtavu, tumšajā un nemīlīgajā policijas nodaļā Frenks Braiss atkal un atkal stūrgalvīgi atkārtoja, ka esot nevainīgs un ka vienīgais svešinieks, ko dārznieks manījis mājas tuvumā Melsudoru nāves dienā, bijis tumšmatains, bāls pusaudzis. Tādu zēnu neviens cits ciematnieks neatcerējās ievērojis, tāpēc policija uzskatīja, ka Frenks to izgudrojis.

Kad jau likās, ka Frenks iekūlies pamatīgā ķezā, pienāca Melsudoru līķus pētījušo ārstu atzinums un sagrieza visu ar kājām gaisā.

Tik dīvainu atzinumu policisti vēl nekad nebija redzējuši. Izpētījis ķermeņus, ārstu konsīlijs rakstīja, ka neviens no Melsudoriem nav nedz noindēts, nedz nodurts, nošauts, nožņaugts, nosmacēts vai (cik nu viņi varot spriest) citādi apskādēts. Vēl vairāk, mācītie vīri viegli manāmā apjukumā vēstīja, ka Melsudori ir pilnīgi veseli — tikai beigti. Ārsti gan atzīmēja (it kā būtu cieši apņēmušies atrast kaut jelko neparastu), ka visu Melsudoru sejas bija sastingušas šausmās — bet kurš gan, sprieda apmulsušie policisti, kādreiz dzirdējis, ka trīs pieauguši cilvēki būtu *pārbiedēti* līdz nāvei?

Tā kā trūka pierādījumu, ka Melsudori vispār būtu nogalināti, likuma sargiem nācās Frenku atbrīvot. Melsudorus apglabāja Mazkārtaviņu kapsētā, un kādu laiku viņu kopiņas pievilka ziņkārīgos. Ar lielu pārsteigumu un pamatīgām aizdomām ciematnieki ievēroja, ka Frenks Braiss atgriezies savā namiņā turpat līdzās Melsudoru namam.

— Mans viedoklis ir un paliek, ka viņš nobendēja savus saimniekus, un man vienalga, ko saka policisti, — "Pakārtajā klaidonī" visiem klāstīja Dotiņa. — Turklāt, ja viņam būtu kaut drusciņas godaprāta, viņš vāktos projām no šejienes, jo šis tak saprot, ka mēs visu zinām.

Taču Frenks neaizvācās. Viņš turpināja pildīt dārznieka pienākumus. Taču nedz nākamie Melsudoru nama saimnieki, nedz arī aiznākamie ilgi te nepalika. Iespējams, daļēji pie vainas bija arī Frenks, jo katrs jaunais saimnieks atzina, ka mājā jūtoties neomulīgi. Beidzot palicis bez iemītniekiem, nams pamazām zaudēja agrāko spožumu.

* * *

Bagātnieks, kuram piederēja Melsudoru nams, tajā nedz dzīvoja, nedz arī kā citādi māju izmantoja. Ciematā runāja, ka viņš to paturot "nodokļu dēļ", lai gan neviens nesaprata, ko tas īsti nozīmē. Turīgais īpašnieks gan turpināja maksāt Frenkam par dārza pieskatīšanu. Tuvojās Frenka septiņdesmit septītā dzimšanas diena. Dzirde kļuva ar katru dienu vājāka, un arī stīvā kāja traucēja stiprāk nekā agrāk, tomēr jaukā laikā Frenku vēl arvien varēja manīt knibināmies ap puķu dobēm. Tiesa, nezāles pamazām guva virsroku pār veco vīru.

Turklāt Frenkam nācās cīnīties ne tikai ar nezālēm. Viena no ciematiņa puiku izklaidēm bija akmeņu sviešana Melsudoru nama logos. Viņiem patika ar riteņiem izbraukāt mauriņus, kuru kopšana Frenkam sagādāja tik daudz pūļu. Reizi vai divas drosmīgākie pat ielauzās vecajā mājā. Puikas zināja, ka vecais Frenks gādā par māju un dārzu; pāri zālienam klumburojošais, kūju vicinošais un aizsmakušā balsī bļaujošais vecītis viņiem likās lieliska izklaide. Frenks savukārt domāja, ka puikas viņu moka tāpēc, ka, tāpat kā vecāki un vecvecāki, uzskata viņu par slepkavu. Tāpēc, kādā augusta naktī pamodies un ieraudzījis vecajā mājā ko ļoti savādu, viņš vienkārši nosprieda, ka puikas izdomājuši jaunu paņēmienu, kā viņu pakaitināt.

Frenku pamodināja slimā kāja. Uz vecumu tā smeldza arvien negantāk un negantāk. Viņš piecēlās un nokliboja lejā pa kāpnēm uz virtuvi, kur grasījās vēlreiz piepildīt termoforu ar karstu ūdeni — siltums parasti mazināja stīvumu celī. Stāvēdams pie izlietnes un pildīdams tējkannu ar ūdeni, viņš palūkojās uz Melsudoru namu un augšstāva logos pamanīja spīdam gaismu. Frenks uzreiz nojauta, kas noticis, — puikas atkal ielauzušies mājā un, spriežot pēc gaismas drebēšanas, iekūruši istabā uguni.

Tālruņa Frenkam nebija, turklāt kopš pratināšanām Melsudoru nāves sakarā viņš policistiem diez ko neuzticējās. Tūlīt nolicis tējkannu sāņus, viņš, cik nu ātri sāpošā kāja ļāva, steidzās augšā un drīz vien atkal, nu jau apģērbies, atgriezās virtuvē, lai noņemtu no āķīša pie stenderes vecu, sarūsējušu atslēgu. Paķēris pie sienas pieslieto kūju, viņš izgāja tumsā.

Melsudoru nama ārdurvis nebija uzlauztas. Likās, ka arī pa logiem neviens iekšā nav līdis. Frenks apkliboja apkārt mājai, līdz nonāca pie durvīm, ko gandrīz pilnībā bija aizaudušas efejas. Izvilcis veco atslēgu, viņš iebāza to slēdzenē un bez mazākā troksnīša atvēra durvis.

Vīrs nonāca milzīgajā virtuvē. Frenks jau daudzus gadus te nebija spēris savu kāju. Tomēr, par spīti tumsai, viņš atcerējās, kur atradās durvis uz priekšnamu, un taustīdamies devās uz to pusi. Nāsīs sitās trūdu smārds. Sasprindzinājis vājo dzirdi, viņš pūlējās saklausīt augšstāvā soļus vai balsis. Viņš nonāca priekšnamā. Pateicoties sīkrūtotajiem logiem abās durvju pusēs, te bija mazliet gaišāk. Frenks devās augšup pa kāpnēm, svētīdams biezo putekļu kārtu uz akmens pakāpieniem, jo tā krietni vien apslāpēja viņa soļu un nūjas troksni.

Kāpņu laukumiņā viņš pagriezās pa labi un tūlīt saprata, kur atrodas iebrucēji — gaiteņa viņā galā kādas durvis stāvēja puspavērtas, un no spraugas drebelīga gaisma meta garu zelta strēli pāri melnajai grīdai. Frenks lavījās arvien tuvāk un tuvāk durvīm, ciešāk satverdams rokās nūju. Nonācis dažu soļu attālumā no ailas, viņš jau varēja saskatīt nelielu daļiņu istabas.

Vecītis redzēja, ka uguns ir iekurta pavardā. Tas viņu pārsteidza. Frenks apstājās un uzmanīgi ieklausījās, jo no istabas skanēja vīrieša balss, kas likās pazemīga, pat izbijusies.

— Mans kungs, pudelē vēl šis tas ir atlicis, ja jūs vēl esat izsalcis.

— Vēlāk, — atbildēja otra balss. Arī šis runātājs bija vīrietis, taču balss likās dīvaini spalga un auksta — kā pēkšņa ledaina vēja brāzma. Šī otrā balss lika Frenkam nodrebināties. Matiņi uz kakla saslējās stāvus. — Piestum mani tuvāk pie uguns, Tārpasti.

Frenks pagrieza pret durvīm labo ausi, jo ar to vīrs dzirdēja mazliet labāk. Nodzinkstēja stikls — acīmredzot kāds nolika pudeli uz cietas virsmas. Tad atskanēja dobjš troksnis — kāds vilka pa grīdu smagu krēslu. Frenks ieraudzīja maza auguma vīriņu, kurš, uzgriezis durvīm muguru, ņēmās ar krēslu. Mugurā svešiniekam bija garš, melns apmetnis. Cauri retajiem matiem pakausī spīdēja pliks mēnestiņš. Tad vīriņš atkal pazuda skatienam.

— Kur ir Nagīni? — vaicāja aukstā balss.

— Es... es nezinu, kungs, — pirmā balss nervozi atsaucās. — Iespējams, izpēta māju...

— Tu, Tārpasti, izslauksi viņu, pirms dosimies projām, — otrais vīrietis piekodināja. — Man naktī vēl vajadzēs iestiprināties. Ceļojums ir mani pamatīgi nogurdinājis.

Saraucis uzacis, Frenks pielieca ausi vēl tuvāk durvīm, rūpīgi ieklausīdamies sarunā. Iestājās klusuma brīdis, un tad par Tārpasti nosauktais ierunājās vēlreiz.

— Kungs, cik ilgi jūs gatavojaties šeit uzkavēties?

— Kādu nedēļu, — atbildēja aukstā balss. — Varbūt ilgāk. Šī vieta ir gana parocīga, turklāt mūsu iecere vēl nevar īstenoties. Būtu muļķīgi ko pasākt, pirms nav beigusies Pasaules kausa izcīņa kalambolā.

Frenks iebāza ausī vecuma saliekto pirkstu un pagrozīja to. Vainīgs droši vien bija ausu sēra korķis, jo kā gan citādi viņš būtu varējis dzirdēt vārdu "kalambols" — tāda vārda taču vispār nebija!

— Pirms... pirms Pasaules kausa izcīņas kalambolā, kungs? — pārjautāja Tārpastis. (Frenks ar pirkstu vēlreiz sparīgi uzbruka sēram ausī.) — Piedodiet, kungs, es īsti nesaprotu — kāpēc gan mums jāgaida, līdz beigsies Pasaules kauss?

— Tāpēc, muļķi, ka šobrīd uz šo valsti plūst burvji no visas pasaules, un visi Burvestību ministrijas špiki būs likti pie darba, lai vērotu, vai kur nemanīs ko neparastu, lai atkal un atkal pārbaudītu visus iebraucējus. Visi būs vai apsēsti ar drošības pasākumiem, lai tik vientieši ko nemanītu. Tāpēc mēs nogaidīsim.

Frenks atmeta cerības iztīrīt ausi. Viņš bija skaidri dzirdējis vārdus "Burvestību ministrija", "burvji" un "vientieši". Šie izteicieni noteikti nozīmēja kaut ko slepenu, un Frenks spēja iedomāties tikai divas ļaužu sugas, kam būtu iemesls sarunā izmantot kodu, un tās bija spiegi un noziedznieki. Franks vēlreiz sažņaudza pirkstus ap kūju, un, ja vien tas bija iespējams, turpināja ieklausīties vēl ciešāk.

— Tad jūsu augstība paliek pie sava lēmuma? — klusi pārjautāja Tārpastis.

— Protams, Tārpasti, es palieku pie sava lēmuma. — Aukstajā balsī tagad izskanēja draudi.

Iestājās īsa pauze — un tad atkal ierunājās Tārpastis. Šoreiz vārdi vēlās no viņa mutes kā steidzīga straume, it kā viņš dzītu sevi pateikt visu līdz galam, pirms zaudējis dūšu.

— To, kungs, varētu paveikt arī bez Harija Potera.

Pēc garākas pauzes otrā balss klusi izdvesa: — Bez Harija Potera? Tā, tā...

— Kungs, es to nesaku tāpēc, ka man rūpētu puika! — Tārpasta balss ieguva spiedzīgu pieskaņu. — Man viņš nenozīmē neko, itin neko! Vienīgais, ja mēs izmantotu kādu citu raganu vai burvi — jebkuru burvi —, mums izdotos visu paveikt daudz ātrāk! Ja jūs ļautu man uz īsu brīdi atstāt jūs vienatnē — jūs jau zināt, ka spēju ļoti prasmīgi pārvērsties — es pēc pāris dienām atgrieztos ar piemērotu personu...

— Es varētu izmantot citu burvi, — klusi piekrita otrā balss, — tas tiesa...

— Kungs, tā taču būtu daudz prātīgāk, — tā, it kā viņam no pleciem būtu novēlies milzu kalns, iesaucās Tārpastis, — tikt klāt Harijam Poteram būtu ļoti grūti, viņu tik rūpīgi sargā...

— Tāpēc tu piesakies doties projām un sagādāt viņa aizstājēju? Vai tik... vai tik rūpes par mani nav tevi, Tārpasti, pārāk nogurdinājušas? Varbūt šis ieteikums mainīt plānus ir prasts mēģinājums tikt projām no manis?

— Mans kungs! Man... man nav ne mazākā nodoma jūs pamest, ne mazākā...

— Nemelo man! — nošņācās otrā balss. — Es, Tārpasti, vienmēr saožu melus. Tu nožēlo, ka vispār atgriezies pie manis. Es esmu tev pretīgs. Es redzu, kā tu saraujies ik reizes, kad paskaties uz mani, es jūtu, kā tu nodrebinies, man pieskardamies...

— Nē! Mana uzticība jūsu augstībai...

— Tava uzticība nav nekas vairāk kā gļēvums. Tu neatrastos šeit, ja spētu nolīst kur citur. Kā gan es izdzīvošu bez tevis, ja mani ir jābaro ik pēc pāris stundām? Kurš slauks Nagīni?

— Bet jūs, mans kungs, liekaties daudz spēcīgāks...

— Melis, — izdvesa otrā balss. — Es neesmu daudz spēcīgāks, un pāris dienu vienatnē atņemtu man to mazumiņu spēku, ko esmu atguvis tavas neveiklās aprūpes laikā. *Apklusti!*

Kaut ko nesakarīgu buldurēt sākušais Tārpastis tūlīt aprāvās. Vairākas sekundes Frenks spēja saklausīt tikai malkas sprakšķēšanu kamīnā. Tad otrais vīrietis ierunājās atkal, un viņa čuksti vairāk līdzinājās šņācienam.

— Man ir savi iemesli, kāpēc vēlos izmantot tieši zēnu. Esmu to tev skaidrojis jau iepriekš, un es neizmantošu nevienu citu. Esmu gaidījis trīspadsmit gadu. Pāris lieku mēnešu dēļ man gabals nenokritīs. Ja runājam par zēna sargāšanu, domāju, ka mans plāns izrādīsies veiksmīgs. Viss, kas nepieciešams, ir mazumiņš tavas drosmes, Tārpasti, — un tu atradīsi sevī šo drosmi, ja vien nevēlies izbaudīt lorda Voldemorta dusmu varenību...

— Mans kungs, man ir kas sakāms! — Tārpasta balsī tagad skaidri varēja saklausīt paniku. — Mūsu ceļojuma laikā es atkal un atkal apsvēru šo plānu — kungs, Bertas Džorkinsas pazušanu agrāk vai vēlāk ievēros, un, ja mēs turpināsim rīkoties pēc plāna, ja es uzlikšu lāstu...

— Ja? — čukstēja otra balss. — *Ja?* Ja tu, Tārpasti, turpināsi rīkoties atbilstoši plānam, ministrijai nebūt nav jāuzzina, ka pazudis vēl kāds. Tu to paveiksi klusiņām, bez kāda trokšņa; es ar lielāko prieku izdarītu to pats, tikai tādā stāvoklī, kādā šobrīd esmu... paklau, Tārpasti, vēl tikai viens šķērslis jādabū nost, un mūsu ceļš pie Harija Potera būs tīrs. Turklāt es nelūdzu tev to darīt vienatnē. Līdz tam laikam mums būs pievienojies mans *uzticamais* kalps...

— *Es* esmu uzticams kalps, — ar tikko jaušamu aizvainojumu balsī novilka Tārpastis.

— Tārpasti, man ir vajadzīgs kāds ar smadzenēm, kāds, kura uzticība vienmēr bijusi cieta kā klints, bet tu diemžēl nevari lielīties nedz ar vienu, nedz ar otru.

— Es jūs atradu, — Tārpastis sacīja, un tagad viņa balss skanēja manāmi īgni. — Tieši es jūs atradu. Es aizvedu jums Bertu Džorkinsu.

— Tas tiesa, — otrs vīrietis tagad izklausījās uzjautrināts. — Talanta uzplaiksnījums, kādu no tevis, Tārpasti, es nebiju gaidījis — lai gan, ja reiz vēlamies noskaidrot patiesību, tu, kad sagūstīji viņu, nemaz nenojauti, cik noderīga nabadzīte var izrādīties, vai ne?

— Es... es domāju, ka viņa, kungs, var noderēt...

— Melis, — atkal novilka otra balss, un tagad tajā bija skaidri saklausāms nežēlīgs izsmiekls. — Tiesa, nenoliegšu, ka viņas rīcībā esošā informācija izrādījās ļoti vērtīga. Bez tās man nebūtu izdevies radīt mūsu plānu. Un par to es tevi, Tārpasti, atalgošu. Es atļaušu tev izpildīt kādu man ļoti svarīgu uzdevumu, uzdevumu, par kuru daudzi mani sekotāji būtu gatavi atdot savu labo roku...

— Va-vai tiešām, kungs? Kas...? — Tārpastis atkal izklausījās pārbijies.

— Ak, Tārpasti, tu taču nevēlies, lai es sabojātu pārsteigumu?! Tu nospēlēsi lomu pašās beigās... bet apsolu tev, ka tev būs tas gods būt tikpat noderīgam kā Bertai Džorkinsai.

— Jūs... jūs... — Tārpastim pēkšņi aizlūza balss, it kā viņa mute negaidīti būtu izkaltusi kā tuksnesis. — Jūs... nogalināsiet... arī mani?

— Tārpasti, Tārpasti, — otrā balss zīžaini iedūdojās, — kāpēc gan man nogalināt tevi? Bertu es nogalināju tāpēc, ka man nekas cits neatlika. Pēc pratināšanas neko citu ar viņu iesākt nebija iespējams, un nekam citam viņa nebija derīga. Katrā ziņā, ja viņa atgrieztos ministrijā ar ziņu, ka brīvdienu laikā satikusi tevi, tas izraisītu nepatīkamu jautājumu plūdus. Burvjiem, ko pārējie uzskata par mirušiem, labāk nesatikt Burvestību ministrijas raganas ceļmalas krodziņos...

Tārpastis kaut ko nomurmināja tik klusu, ka Frenks vārdus nesaklausīja, taču otrais vīrietis acīmredzot tos dzirdēja, jo atskanēja smiekli — smiekli bez mazākās jautrības pieskaņas, tikpat auksti kā viņa runa.

— *Mēs varējām izmainīt viņas atmiņu?* Varens burvis spēj lauzt Atmiņas burvestību, un tev bija iespēja par to pārliecināties, kad es viņu pratināju. Tā būtu viņas *at-* un *pie-miņas* zaimošana, ja mēs atstātu neizmantotu tās ziņas, ko es izvilku no viņas.

Gaitenī aiz durvīm stāvošais Frenks pēkšņi apjauta, ka roka, kura turēja sažņaugtu kūju, nosvīdusi gluži slapja. Vīrietis ar auksto balsi sprieda par to, kā nogalinājis sievieti, turklāt sprieda bez mazākās nožēlas — drīzāk ar *uzjautrinājumu.* Viņš bija bīstams — bīstams neprātis. Viņš bija iecerējis jaunas slepkavības — pieminētajam zēnam, Harijam Poteram, lai kas viņš būtu, draudēja briesmas...

Frenks zināja, kas viņam jādara. Šis nu reiz bija tas gadījums, kad vajadzēja iet uz policiju. Viņš izzagsies no mājas un dosies taisnā ceļā uz tālruņa būdiņu ciematā... bet, paga, atkal skanēja aukstā balss, un Frenks palika, kur stāvējis, kā piesalis savai vietai, un, sasprindzinājis dzirdi, turpināja klausīties.

— Vēl viens lāsts... mans uzticamais kalps Cūkkārpā... un Harijs Poters būs man nagos, Tārpasti. Tas ir nolemts. Es vairs nevēlos apspriest šo jautājumu. Klusu... Liekas, es dzirdu Nagīni...

Un otrā vīrieša balss pārvērtās. Viņš sāka izdot skaņas, kādas Frenks nekad iepriekš nebija dzirdējis — neredzamais šņāca un sprausloja, neatvilkdams elpu. Frenks nodomāja, ka iebrucēju ķērusi kāda lēkme vai krampji.

Tajā brīdī Frenks tumšajā gaitenī sev aiz muguras saklausīja kaut ko kustamies. Viņš pagriezās un pārakmeņojās bailēs.

Pa gaiteņa tumšo grīdu uz viņa pusi kaut kas slīdēja. Kad šis kaut kas nonāca tuvāk liesmu mestās gaismas strēlei, vecais vīrs ar šausmām aptvēra, ka tā ir milzīga, vismaz pēdu divpadsmit gara čūska. Pārbiedētais Frenks stāvēja kā pienaglots pie vietas un blenza, kā čūskas lunkanais ķermenis platos zigzagos slīd arvien tuvāk pa biezo putekļu kārtu. Ko darīt? Vienīgais atkāpšanās ceļš bija istaba, kurā abi svešinieki plānoja slepkavības. Bet, ja viņš paliks stāvot, čūska viņu noteikti nonāvēs...

Taču, pirms vecais vīrs paguva pieņemt kādu lēmumu, čūska atradās līdzās viņam, tad, par lielu brīnumu, tā paslīdēja garām. Rāpulis devās turp, no kurienes skanēja aukstās balss īpašnieka radītie sprauslojošie, šņācošie trokšņi. Vēl dažas sekundes — un ar trapecveida ornamentu rotātās astes galiņš pazuda durvju spraugā.

Tagad sviedri bija izspiedušies arī uz Frenka pieres, bet roka, kas turēja kūju, drebēja. Istabā aukstā balss turpināja šņākt, un Frenkam prātā iešāvās dīvaina, pat neiespējama doma... *Tas vīrs spēja sarunāties ar čūskām.*

Frenks nesaprata, kas notiek. Vairāk par visu pasaulē viņš vēlējās nokļūt atpakaļ gultā pie sava termofora. Zināmas grūtības radīja apstāklis, ka kājas, šķiet, nevēlējās viņam klausīt. Kamēr viņš drebēdams stāvēja tumšajā gaitenī un centās saņemties, aukstā balss pēkšņi atkal pārgāja uz angļu mēli.

— Klau, Tārpasti, Nagīni ir interesanti jaunumi, — balss paziņoja.

— T-tiešām, mans kungs? — atsaucās Tārpastis.

— Tiešām, tiešām, — noteica balss. — Nagīni stāsta, ka aiz šīs istabas durvīm stāvot kāds vecs vientiesis un noklausoties visu, ko mēs runājam.

Frenkam nebija ne mazākās iespējas paslēpties. Atskanēja soļi, un tad istabas durvis atsprāga vaļā.

Frenka priekšā stāvēja maza auguma vīriņš ar plāniem matiem, smailu degunu un mazām, ūdeņainām actelēm. Svešinieka sejā jaucās bailes un uztraukums.

— Lūdz viņu ienākt, Tārpasti. Vai esi aizmirsis pieklājību?

Aukstā balss skanēja no veclaicīga, pie kamīna piestumta atzveltnes krēsla, taču pašu runātāju Frenks neredzēja. Turpretī čūska gulēja, saritinājusies uz paklājiņa kamīnpriekšā, kā drausmīga parodija par klēpja sunīti.

Tārpastis pamāja, lai Frenks ienāk istabā. Vecais dārznieks vēl arvien jutās satriekts līdz sirds dziļumiem, taču viņš satvēra ciešāk rokā savu kūju un pārkliboja pāri istabas slieksnim.

Vienīgā gaisma nāca no kamīna un meta garas, tramīgas ēnas uz sienām. Frenks blenza krēsla atzveltnē. Tajā sēdošais vīrs, liekas, bija vēl mazāks par savu kalpu, jo Frenks neredzēja pat viņa pakausi.

— Tu, vientiesi, visu dzirdēji? — vaicāja aukstā balss.

— Kas tas par vārdu, kurā tu mani uzrunā? — Frenks izaicinoši atbildēja ar pretjautājumu, jo tagad, atrodoties istabā, tagad, kad bija pienācis laiks rīkoties, viņš jutās drošāk; gluži kā karā — kaujā vienmēr bija vieglāk, nekā gaidot kauju.

— Es tevi uzrunāju par vientiesi, — mierīgi paskaidroja balss. — Tas nozīmē, ka tu neesi burvis.

— Es nezinu, ko tu domā ar burvi, — sacīja Frenks, balsij kļūstot stingrākai. — Zinu vienīgi to, ka šonakt esmu dzirdējis gana daudz lietu, kas spētu ieinteresēt policiju. Jūs esat noslepkavojuši cilvēku, un nedomājat apstāties! Un, ko es jums teikšu, — viņš piebilda, pēkšņas domas iedvesmots, — mana sieva zina, ka devos uz šejieni, tā ka, ja neatgriezīšos...

— Tev nav sievas, — ļoti klusi ierunājās aukstā balss. — Neviens nezina, kur tu esi. Tu nepateici nevienam, kurp ej. Nemelo lordam Voldemortam, vientiesi, jo viņš zina... vienmēr un visu...

— Ak tad tā? — strupi noteica Frenks. — Lords, ko? Nu, īpaši augstās domās par tavām manierēm es gan neesmu, *lorda kungs*. Kāpēc gan tu nepagriezies pret mani kā vīrs, lai varu skatīt tevi vaigā, ko?

— Tāpēc, ka es neesmu nekāds vīrs, vientiesi, — sacīja aukstā balss, tikko skaļāka par liesmu sprēgāšanu. — Es esmu kas daudz, daudz diženāks par vīru. Kaut gan... kāpēc ne? Es ļaušu tev skatīt mani vaigā... Tārpasti, panāc, pagriez krēslu.

Kalps ievaidējās.

— Tārpasti, vai tu dzirdēji, ko es teicu?

Lēnām, saviebis seju, it kā būtu gatavs darīt jebko citu, lai tikai nebūtu jātuvojas kungam un paklājiņam, uz kura gulēja čūska, mazais vīriņš piegāja pie krēsla un sāka to griezt otrādi. Kad krēsla kāja parāva čūskas paklājiņu, rāpulis pacēla augšup savu neglītu trijstūra galvu un klusi iešņācās.

Tagad krēsls bija pavērsts pret Frenku, un dārznieks ieraudzīja, kas tajā sēž. Vecīša kūja izšļuka no rokas un noklaudzēja uz grīdas. Frenks pavēra muti un iekliedzās. Viņš kliedza tik skaļi, ka tā arī nesadzirdēja vārdus, ko izrunāja krēslā sēdošais izdzimtenis, paceldams zizli. Nozibsnīja zaļa gaisma, atskanēja vēja brāzmai līdzīga skaņa, un Frenks Braiss saļima. Viņš bija pagalam, pirms pieskārās grīdai.

Divsimt jūdžu no Mazkārtaviņām no miega pietrūkās zēns, vārdā Harijs Poters.

## OTRĀ NODAĻA

# RĒTA

Harijs gulēja uz muguras, smagi elpodams, kā pēc grūta skrējiena. Zēns bija redzējis varen spilgtu sapni, un viņš pamodās ar sejai piespiestām plaukstām. Vecā, zibens šautrai līdzīgi izlocītā rēta uz pieres dega zem pirkstiem tā, it kā kāds tikko būtu piedūris ādai balti nokaitētu dzelzi.

Vienu plaukstu vēl arvien piespiedis rētai, Harijs pieslējās sēdus un ar otru roku mēģināja uz naktsgaldiņa atrast brilles. Viņš uzlika acenes, un istaba ieguva skaidrāku apveidu. To apspīdēja blāva, miglaini oranža gaisma, ko cauri aizkariem meta ielas laterna.

Harija pirksti atkal pārslīdēja pāri rētai. Tā vēl arvien smeldza. Viņš ieslēdza naktslampiņu, iztrausās no gultas, pārgāja pāri istabai, atvēra drēbju skapi un ieskatījās durvju iekšpusē piestiprinātajā spogulī. Uz viņu skatījās četrpadsmit gadu vecs, kalsens zēns, kura zaļajās acīs zem melnā, nekārtīgā matu cekula jautās apjukums. Harijs atspulgā rūpīgi nopētīja zibens šautrai līdzīgo rētu. Tā izskatījās kā parasti, tomēr sāpes nebija rimušās.

Harijs pūlējās atcerēties, ko bija sapņojis pirms pamošanās. Tas bija licies tik tuvu, it kā viņš pats būtu tur... divus sapnī redzētos cilvēkus zēns pazina, bet vienu — ne... Viņš sasprindzināja atmiņu, sarauca pieri, pūlēdamies atcerēties...

Acu priekšā parādījās neskaidrs tumšas istabas attēls... uz

paklāja pie kamīna gulēja čūska... neliela auguma vīrs, vārdā Pīters, kura iesauka bija Tārpastis... un auksta, spalga balss... balss, kas piederēja lordam Voldemortam. Harijam bija tāda sajūta, it kā lejā pa kaklu vēderā ieslīdētu pamatīgs ledus klucis...

Viņš cieši aizmiedza acis un mēģināja atcerēties, kā Voldemorts izskatījās, tomēr nespēja... Harijs atminējās vien to, ka brīdī, kad pagrieza Voldemorta krēslu un kad viņš, Harijs, ieraudzīja, kas tajā sēž, viņu pārņēma krampjainas šausmas un pamodināja no miega... vai varbūt viņu pamodināja sāpes rētā?

Un kas bija vecais vīrs? Jo sapnī noteikti darbojās arī kāds vecs vīrs. Harijs redzēja, kā viņš saļimst. Vienas vienīgas jukas. Viņš paslēpa seju rokās, aizsegdams guļamistabu un mēģinādams saglabāt acu priekšā slikti apgaismotās istabas attēlu, taču tas līdzinājās plaukstās pasmeltam ūdenim; sīkumi gaisa arvien straujāk, lai kā viņš pūlētos tos noturēt... Voldemorts un Tārpastis sprieda par kādu, ko jau bija nogalinājuši, bet Harijs nespēja atcerēties upura vārdu... un viņi sprieda, kā nogalināt vēl kādu... kā nogalināt... *viņu*...

Harijs atvēra acis un pārlaida skatienu guļamistabai, it kā pūlēdamies ieraudzīt te kaut ko neparastu. Tiesa, neparastu lietu viņa istabā netrūka. Gultas kājgalī atvērta stāvēja milzīga koka mantu lāde, un tajā varēja redzēt katlu, slotaskātu, melnas drānas un vairākas buramvārdu grāmatas. Uz galda mētājās vesels lērums pergamenta ruļļu, bet vai trešdaļu galda virsmas aizņēma liels, tukšs būris, kurā parasti mitinājās viņa polārpūce Hedviga. Uz grīdas līdzās gultai stāvēja atvērta grāmata. Viņš to lasīja vakarnakt pirms iemigšanas. Grāmatas attēlos redzamās figūriņas kustējās. Sviezdami cits citam sarkanu bumbu, bildēs šaudījās spilgti oranžās drānās tērpti, slotaskātiem pieplakuši cilvēciņi.

Harijs piegāja pie grāmatas, pacēla to no grīdas un noskatījās, kā viens no burvjiem gūst lielisku grozu, iemezdams bumbu piecdesmit pēdu augstajā stīpā. Tad zēns aizcirta grāmatu. Pat kalambols — Harijprāt, lieliskākā spēle pasaulē — šobrīd nespēja piesaistīt viņa uzmanību. Viņš nolika grāmatu, ko sauca "Lidojot ar Lielgabaliem", uz naktsgaldiņa, tad piegāja pie loga un atvilka aizkarus, lai paskatītos, kas notiek ārā.

Dzīvžogu iela izskatījās, kā jau pieklājīgai piepilsētas ielai pieklājas izskatīties sestdienas rītā vēl pirms saules lēkta. Visi aizkari bija aizvilkti. Cik nu Harijs pustumsā spēja saskatīt, nekur tuvumā nemanīja nevienu dzīvu radību, pat ne kaķi.

Un tomēr... tomēr... Nomierinājies Harijs atgriezās pie gultas un apsēdās uz maliņas, vēl reizi pārlaizdams pirkstu rētai. Ne jau sāpes viņu uztrauca. Pie sāpēm un ievainojumiem viņš sen bija pieradis. Ja atcerējās kaut vai to reizi, kad viņš bija palicis bez visiem labās rokas kauliem un kauliņiem, un tad tos vienas nakts laikā, ciešot pamatīgas sāpes, nācās ataudzēt. Drīz pēc tam to pašu roku caururba indīgs, pēdu garš ilknis. Vēl tikai pagājušajā gadā Harijs, lidodams ar slotaskātu, novēlās no piecdesmit pēdu augstuma. Zēns bija pieradis pie dīvainiem negadījumiem un ievainojumiem. No tiem nevarēja izvairīties puika, kas mācījās Cūkkārpas raganu un burvju arodskolā un kā magnēts pievilka dažnedažādas nepatikšanas.

Nē, Harijs uztraucās tāpēc, ka iepriekš rēta smeldza toreiz, kad Voldemorts bija kaut kur netālu... taču tagad Voldemorts nevarēja būt šeit... doma, ka Voldemorts varētu slapstīties pa Dzīvžogu ielu, likās absurda un neiespējama...

Harijs uzmanīgi ieklausījās klusumā. Vai tiešām viņš gaidīja, ka iečīkstēsies kāpnes vai aiz durvīm atskanēs apmetņa švīkstoņa? Bet tad Harijs salēcās — un tūlīt arī nomierinājās. Tur, blakus istabā, skanēja viņa brālēna Dūdija varenie, dobjie krācieni.

Harijs piespieda sevi sapurināties. Viņš uzvedās muļķīgi. Mājā šobrīd bija tikai viņš pats, tēvocis Vernons, Petūnijas tante, Dūdijs, un neviens cits. Pārējie, protams, vēl arvien cieši gulēja, sapņodami savus lietišķos un nesāpīgos sapņus.

Dērsliji Harijam visvairāk patika aizmiguši. Jo nomodā no viņiem jelkādu palīdzību gaidīt bija veltīgi. Tēvocis Vernons,

Petūnijas tante un Dūdijs bija vienīgie dzīvie Harija radi. Viņi bija vientieši (cilvēki, kuriem nebija ne mazākā sakara ar maģiju), turklāt viņi nīda un neieredzēja jebkāda veida burvestības, tāpēc Hariju šajā mājā vienmēr sagaidīja ar tādu pašu sirsnību, ar kādu sagaidītu sauso trupi. Pēdējo trīs gadu laikā, kopš Harijs bija uzsācis mācības Cūkkārpā, viņa prombūtni visiem skaidroja ar uzturēšanos Svētā Bruta Apsargājamā centrā zēniem ar nelabojamām kriminālām nosliecēm. Viņi lieliski zināja, ka Harijam kā nepilngadīgam burvim ārpus Cūkkārpas burvestības izmantot aizliegts, tomēr zēnam vienmēr pārmeta jebkuru misēkli, kas notika mājā. Harijam nekad nebija radusies iespēja izrunāties ar audžuvecākiem vai izstāstīt viņiem par dzīvi burvju pasaulē. Pat doma, ka viņš varētu sagaidīt, kad Dērsliji pamostas, un izstāstīt viņiem par sāpošo rētu un saviem prātojumiem par Voldemortu, likās smieklīga.

Tomēr tieši Voldemorta dēļ Harijs vispār bija nonācis Dērsliju pajumtē. Ja nebūtu Voldemorta, nebūtu arī rētas Harija pierē. Ja nebūtu Voldemorta, Harija vecāki vēl arvien būtu dzīvi...

Tonakt Harijs bija tikai gadiņu vecs. Voldemorts, beidzamā gadsimta varenākais tumšais burvis, burvis, kas vienpadsmit gadu bija neatlaidīgi krājis spēkus, iemantodams arvien lielāku varu, tonakt ielauzās Poteru mājā un nogalināja zēna tēvu un māti. Tad Voldemorts pavērsa savu zizli pret Hariju un raidīja pret mazuli lāstu, kas bija nonāvējis daudzas pieaugušas raganas un burvjus, — bet, gluži neticami, šoreiz lāsts neiedarbojās. Tā vietā, lai nogalinātu mazo zēnu, lāsts atlēca un trāpīja pašam Voldemortam. Harijs bija ticis cauri sveikā, paturēdams par piemiņu tikai zibens šautrai līdzīgo rētu uz pieres; Voldemorts turpretī tik tikko izglābās no nāves. Visa viņa vara bija vējā, dzīvība karājās mata galā, tāpēc Voldemorts bēga. Šausmas, kas tik ilgus gadus bija nomākušas raganu un burvju slepeno sabiedrību, bija gaisušas. Voldemorta līdzskrējēji paškīda kur nu kurais, un Harijs Poters iemantoja neparastu slavu.

Harijs pārdzīvoja milzīgu satraukumu, kad savā vienpadsmitajā dzimšanas dienā uzzināja, ka īstenībā ir burvis. Ne mazāk apstulbinoša izrādījās atskārta, ka slēptajā burvju pasaulē gan lieli, gan mazi zināja viņa vārdu. Kad Harijs ieradās Cūkkārpā, visur uz viņu atskatījās, viņam aiz muguras atskanēja čuksti. Tiesa, tagad viņš pie tā visa jau bija pieradis — šīs vasaras beigās viņš dosies uz Cūkkārpu jau ceturto reizi. Harijs ar nepacietību skaitīja dienas, kas bija atlikušas līdz brīdim, kad varēs atgriezties pilī.

Taču līdz mācību gada sākumam vēl bija divas nedēļas. Viņš vēlreiz bezcerīgi pārlaida skatienu istabai, un viņa skatiens apstājās pie dzimšanas dienas apsveikumiem, ko jūlija nogalē bija atsūtījuši divi viņa labākie draugi. Ko viņi teiktu, ja Harijs aizrakstītu un izstāstītu, ka rēta atkal sāp?

Tajā pašā mirklī viņam galvā atskanēja uzstājīgā, satrauktā Hermiones Grendžeras balss.

— *Tava rēta sāpēja? Harij, tas ir ļoti nopietni... Aizraksti profesoram Dumidoram! Bet es tikmēr pastudēšu "Parastās maģiskās kaites un vainas"...Varbūt tur ir kāda norāde par lāstu atstātām rētām...*

Jā, Hermiones atbilde skanētu apmēram šādi: dodies taisnā ceļā pie Cūkkārpas direktora, bet pirms tam vēl vari pameklēt atbildes grāmatā. Harijs pavērās ārā pa logu tintei līdzīgajās, zili melnajās debesīs. Viņš šaubījās, vai šobrīd viņam varētu palīdzēt grāmata. Cik nu Harijs saprata, viņš bija vienīgais, kam izdevies palikt dzīvam pēc Voldemorta lāsta. Tāpēc likās maz ticami, ka simptomi varētu būt norādīti "Parastajās maģiskajās kaitēs un vainās". Ja apsvēra iespēju paziņot par visu direktoram, Harijam nebija ne jausmas, kurp vasaras brīvdienu laikā devās Dumidors. Zēns uz mirkli ļāva vaļu fantāzijai un iedomājās Dumidoru, ar visu garo, sudrabaino bārdu, garajām burvja drānām mugurā un smailo cepuri galvā, izstiepušos kaut kur pludmalē un ieberzējam sauļošanās krēmu garajā, līkajā degunā. Tiesa, lai kur arī Dumidors būtu, Hedviga direktoru atrastu, par to Harijs bija pārliecināts. Harija pūce vienmēr tika galā ar jebkuru sūtījumu nogādi, pat ja adresāts nebija zināms. Bet ko gan viņš rakstītu?

*Mīļo profesor Dumidor! Piedodiet par traucējumu, bet man šorīt sāpēja rēta. Ar cieņu, Harijs Poters.*

Pat neuzrakstīti uz papīra, vārdi izklausījās pagalam muļķīgi. Tad nu Harijs mēģināja iedomāties, kā reaģētu viņa otrs labākais draugs, Rons Vīzlijs. Acumirklī Harija acu priekšā noviļņojās Rona vasarraibumotā seja ar garo degunu. Drauga vaibstos jautās pārsteigums.

— *Tava rēta sāpēja? Bet... bet Pats-Zini-Kas taču nevar būt kaut kur tuvumā, ko? Nu... tu taču to sajustu, vai ne? Viņš atkal mēģinātu tikt tev klāt, vai ne? Es nezinu, Harij, varbūt lāstu atstātās rētas vienmēr mazliet smeldz... Es pavaicāšu tētim...*

Vīzlija kungs bija augstas kvalifikācijas burvis, kurš strādāja Burvestību ministrijas Vientiešu priekšmetu nepareizas izmantošanas birojā, taču, cik saprata Harijs, Artūram Vīzlijam nebija īpašu zināšanu lāstu jautājumos. Katrā ziņā, ja visa Vīzliju ģimene uzzinātu, ka Harijs uztraucas par pāris mirkļiem sāpju, viņš pats īpaši priecīgs nejustos. Vīzlija kundze nervozētu vēl trakāk nekā Hermione, bet Freds un Džordžs, Rona sešpadsmit gadu vecie dvīņubrāļi, varētu nodomāt, ka Harijs pamazām zaudē dūšu. Vīzliju ģimene Harijam patika labāk par visām citām viņam zināmajām ģimenēm pasaulē, kuru katru brīdi viņš gaidīja ielūgumu paviesoties pie Vīzlijiem (Rons reiz kaut ko bilda par Pasaules kausa izcīņu kalambolā), un Harijs nevēlējās, lai visu viņa ciemošanās laiku kāds atkal un atkal pārvaicātu par rētu.

Harijs saspieda pieri ar pirkstu kauliņiem. Viņš taču gribēja vienīgi to (pēc šīs atzīšanās pašam sev viņš pat nokaunējās), kaut viņam būtu kas līdzīgs *vecākiem* — pieaudzis burvis, kuram viņš varētu palūgt padomu, nejuzdamies kā beidzamais muļķis, kāds, kuram viņš rūpētu, kuram būtu kāda pieredze Tumšās maģijas jomā...

Un tad viņš pēkšņi saprata, kur meklēt palīdzību. Atrisinājums bija tik vienkāršs un tik acīm redzams, ka viņš pēcāk brīnījās, kāpēc tā meklēšana aizņēmusi tik daudz laika. Viņam taču bija *Siriuss.*

Harijs izlēca no gultas, vienā acumirklī šķērsoja istabu un apsēdās pie galda. Pavilcis uz savu pusi pergamenta gabalu, viņš ievilka savā ērgļa rakstāmspalvā tinti un uzrakstīja uz lapas *Labdien, Sirius.* Tad zēns uz mirkli apstājās, prātodams, kā labāk izklāstīt problēmu, kas nodarbināja viņa domas. Turklāt viņš nepārstāja brīnīties, kāpēc uzreiz nebija iedomājies Siriusu. Bet, no otras puses, varbūt tas nemaz nebija tik pārsteidzoši — galu galā, to, ka Siriuss ir viņa krusttēvs, Harijs uzzināja tikai pirms diviem mēnešiem.

Iemesls, kāpēc Harijs visus šos gadus nebija neko zinājis par Siriusa pastāvēšanu, izrādījās visai vienkāršs — Siriusam nācās ilgu laiku pavadīt Azkabanā, drausmīgajā burvju cietumā, ko apsargāja radījumi, kurus sauca par atprātotājiem — neredzīgi, dvēseli izsūcoši izdzimumi, kuri pagājušajā gadā apsēda Cūkkārpu, jo uzskatīja, ka tur varētu meklēt no cietuma izbēgušo Siriusu. Taču izrādījās, ka Siriuss bijis ieslodzīts par cita burvja pastrādātām slepkavībām — noskaidrojās, ka vainīgais bija Tārpastis, Voldemorta atbalstītājs, kuru visi uzskatīja par mirušu. Tomēr Harijs, Rons un Hermione zināja, ka Tārpastis ir dzīvs, jo pagājušajā gadā viņi satika nelieti vaigu vaigā. Tiesa, bērnu stāstam noticēja tikai profesors Dumidors.

Veselas lieliskas stundas garumā Harijam likās, ka viņš beidzot varēs pamest Dērsliju pajumti — Siriuss piedāvāja pārnākt dzīvot pie sevis, tikko izdotos panākt viņa attaisnošanu. Taču lieliskais nodoms izjuka — Tārpastis izspruka no viņu rokām, pirms nelieti izdevās aizgādāt līdz Burvestību ministrijas pārstāvjiem, un Siriusam nācās glābt savu dzīvību bēgot. Harijs palīdzēja krusttēvam izbēgt zirgērgļa Švītknābja mugurā. Kopš tā laika Siriuss slēpās no vajātājiem. Jaunās mājas, kurās Harijs būtu dzīvojis, ja ne Tārpasta bēgšana, visu vasaru viņam rādījās sapņos. Atgriezties pie Dērslijiem bija divtik grūti, zinot, ka teju izdevies tikt projām no viņiem uz visiem laikiem.

Par spīti tam, ka viņi nevarēja dzīvot kopā, Siriuss šā un tā

Harijam tomēr palīdzēja. Tieši krusttēva dēļ Harijs tagad drīkstēja turēt skolas lietas savā guļamistabā. Iepriekš Dērsliji to nekad neļāva. No vienas puses, viņi vienādiņ centās Hariju pazemot, no otras puses, viņi tomēr baidījās no Harija burvestībām, tāpēc vienmēr lika ieslēgt skolas mantu lādi pieliekamajā zem kāpnēm. Taču, kopš Dērsliji uzzināja, ka Harija krusttēvs ir bīstams slepkava, audžuvecāku attieksme bija krietni mainījusies — jo Harijs bija piemirsis mājās izstāstīt, ka īstenībā Siriuss nemaz nav vainīgs.

Kopš atgriešanās Dzīvžogu ielā Harijs bija saņēmis divas Siriusa vēstules. Abas reizes tās atnesa nevis pūces (šos putnus vēstuļu nogādei parasti izmantoja burvji), bet gan lieli, krāsaini tropu putni. Hedvigai šie greznie iebrucēji diez ko negāja pie sirds, viņa pat īsti negribēja laist tos nodzerties no sava ūdens trauciņa. Turpretī Harijam eksotiskie lidoņi tīri labi patika. Tie lika zēnam iedomāties palmas un baltu smilšu liedagus, un viņš cerēja, ka, lai kur Siriuss dzīvotu (jo par savu uzturēšanās vietu krusttēvs nekad nerunāja, ja nu kāds pārtvertu viņa vēstules), bēglim klājas labi. Nezin kādēļ Harijam likās maz ticams, ka atprātotāji varētu ilgstoši uzturēties spilgtā saulē; varbūt tieši tāpēc Siriuss bija izvēlējies dienvidzemes. Abas Siriusa vēstules (kas tagad bija noglabātas zem visai noderīga, vaļīga grīdas dēļa gultapakšā) skanēja dzīvespriecīgi, un abās krusttēvs atgādināja, ka Harijs var lūgt viņam padomu, kad vien nepieciešams. Tāda reize bija pienākusi...

Likās, ka galda lampa kļūst arvien blāvāka, jo istabā lēnām iespīdēja auksti pelēkā gaisma, kas vēstīja par saullēkta tuvošanos. Kad, mezdama zeltainu gaismu uz guļamistabas sienām, uzausa saule un tēvoča Vernona un Petūnijas tantes istabā sākās rosība, Harijs novāca no galda saburzītos pergamenta gabalus un vēlreiz pārlasīja pabeigto vēstuli:

*Sveiki, Sirius!*

*Paldies par beidzamo vēstuli — putns gan bija milzīgs, tas tik tikko tika iekšā pa manas istabas logu.*

*Šeit viss kā parasti. Dūdijam ar notievēšanu īpaši neveicas — vēl vakar tante pieķēra brālēnu, kad viņš mēģināja ienest savā guļamistabā taukos vārītus virtulīšus. Vecāki piedraudēja, ka samazinās viņa kabatas naudu, tāpēc viņš pamatīgi sadusmojās un izsvieda pa logu savu PlayStation. Tas ir kaut kas līdzīgs datoram, ar kuru var spēlēt spēles. Mazliet stulba rīcība, jo tagad viņam nav pat "Asins un ķesku" trešās daļas, kas ļautu kaut uz mirkli piemirst par rīšanu.*

*Man klājas puslīdz labi, jo Dērsliji bīstas, ka, ja pasūdzēšos Tev, Tu ieradīsies un parvērtīsi viņus sikspārņos.*

*Šorīt notika kas savāds. Man atkal iesāpējās rēta. Beidzamo reizi tas notika, kad Voldemorts slēpās Cūkkārpā. Tomēr tagad nez vai viņš varētu atrasties manā tuvumā, vai ne? Varbūt tu zini, vai lāstu rētas mēdz sāpēt arī vairākus gadus pēc sadzīšanas?*

*Es nosūtīšu šo vēstuli ar Hedvigu, kad viņa atgriezīsies no medībām. Pasveicini Švītknābi!*

*Harijs*

Jā, vēstule izskatījās labi. Nebija īpašas jēgas pieminēt sapni, jo Harijs nevēlējās, lai izklausās, ka viņš ir uztraucies. Viņš salocīja pergamenta loksni un pastūma to sāņus, lai sūtījums būtu gatavs, kad pārradīsies Hedviga. Tad zēns piecēlās un vēlreiz atvēra drēbju skapi. Nepaskatījies spogulī, viņš saģērbās un devās lejā uz brokastīm.

## TREŠĀ NODAĻA

# IELŪGUMS

Kad Harijs ieradās virtuvē, visi trīs Dērsliji jau sēdēja pie galda. Viņam ienākot un apsēžoties, neviens pat nepaskatījās, nemaz nerunājot par labrītu. Tēvoča Vernona platā, sarkanā seja slēpās aiz lielākās rīta avīzes, bet Petūnijas tante, savilkusi lūpas pār zirdziskajiem zobiem, grieza gabaliņos greipfrūtu.

Dūdijs izskatījās dusmīgs un pagalam neapmierināts ar dzīvi. Šķita, ka šorīt viņš aizņem vēl vairāk vietas nekā parasti, bet tas kaut ko nozīmēja, jo arī parasti viņš viens pats aizņēma visu kvadrātveida galda malu. Kad Petūnijas tante ar vārdiem "Labu ēstgribu, mīļo Dūdij!" nolika uz dēla šķīvja ceturtdaļu nesaldināta greipfrūta, dūšīgais puika paskatījās uz māti ar iznīcinošu skatienu. Kopš vasaras brīvdienu sākuma, kad vecāki ieraudzīja gada atzīmes viņa liecībā, dzīve bija kļuvusi neciešama.

Tēvocis Vernons un Petūnijas tante gan atkal pamanījās atrast atrunas, lai attaisnotu sliktās atzīmes. Petūnijas tante turpināja skandināt, ka Dūdijs esot ļoti talantīgs zēns, kuru skolotāji nesaprotot; tēvocis Vernons uzstāja, ka "viņš gan nevēlētos, lai dēls uzaug par mazu memmīti zubrītāju". Arī aizrādījumiem, ka Dūdijs terorizē skolas biedrus, vecāki pārslīdēja pāri, it kā tas nekas īpašs nebūtu — "Tiesa, puišelis ir dzīvelīgs, taču viņš pat mušai nenodarītu pāri," asarām acīs komentēja Petūnijas tante.

Tomēr liecības beigās bija pāris trāpīgu, skolas medmāsas

rakstītu frāžu, kuras nespēja ignorēt pat tēvocis Vernons un Petūnijas tante. Lai kā Petūnijas tante gaudās, ka Dūdijam esot lieli kauli, ka lielais svars tikai tādi bērnu apaļumi vien esot un ka dēlam kā augošam bērnam esot nepieciešams pietiekami daudz ēdiena, fakts palika fakts — skolas formu ražotāji ziņoja, ka Dūdijam gana lielu golfa bikšu viņu krājumos neesot. Skolas medmāsa bija ievērojusi to, ko Petūnijas tantes skatiens — kas bija tik manīgs, kad vajadzēja ieraudzīt pirkstu nospiedumus uz virtuves spodrajām sienām vai vērot tuvāku un tālāku kaimiņu ikdienas gaitas, — atteicās atzīt — proti, to, ka Dūdijam papildu kalorijas noteikti nebija vajadzīgas, jo viņš jau sasniedzis jauna zobenvaļa apmērus un svaru.

Un tad, pēc neskaitāmām spītēšanās lēkmēm, pēc strīdiem, kas tricināja Harija guļamistabas grīdu un veselas asaru jūras, ko izlēja Petūnijas tante, mājā sāka valdīt jauna kārtība. Pie ledusskapja pielīmēja Smeltingsas skolas medmāsas atsūtītos diētas norādījumus, bet no paša ledusskapja iztukšoja visas Dūdija iecienītās ēdamlietas — gāzētās limonādes un kūkas, šokolādes batoniņus un burgerus. Šo gardumu vietā parādījās augļi, dārzeņi un citi produkti, ko tēvocis īsuma labad sauca par "trušu barību". Lai Dūdijs tik ļoti nepārdzīvotu, Petūnijas tante uzstāja, ka arī pārējiem ģimenes locekļiem jāievēro diēta. Nu viņa pasniedza greipfrūtu Harijam. Zēns pamanīja, ka viņa ceturtdaļa ir krietni mazāka par Dūdija ceturtdaļu. Šķiet, Petūnijas tante uzskatīja, ka Dūdija garastāvokli varētu uzlabot apziņa, ka viņš vismaz dabū vairāk ēdamā nekā Harijs.

Taču Petūnijas tante nezināja, kas slēpjas zem vaļīgajiem grīdas dēļiem Harija guļamistabā. Viņai ne prātā nenāca, ka Harijs diētu nemaz neievēro. Jo brīdī, kad zēns noprata, no kuras puses pūš vējš, un ka viņam, iespējams, nāksies visu vasaru pārtikt no burkāniem, viņš ar Hedvigu steigšus nosūtīja palīgā saucienus saviem draugiem. Un draugi atsaucās, lai neteiktu vairāk. No Hermiones Hedviga pārradās ar pamatīgu kārbu, kas bija pilna ar bezcukura našķiem (Hermiones vecāki bija zobārsti). Hagrids, Cūkkārpas mežzinis, sarūpēja veselu maisu ar pašceptām smilšu kūkām (šīs Harijs vēl nebija nogaršojis; Hagrida pavārmākslai draugu lokā nezin kādēļ nebija īpaši laba slava). Vīzlija kundze ar ģimenes pūci Erolu atsūtīja tik lielu augļu kūku līdz ar veselu lērumu pīrādziņu, ka nabaga vecišķajam un pavārgajam Erolam vajadzēja veselas piecas dienas, lai atkoptos no pārpūles. Turklāt dzimšanas dienā (ko Dērsliji vispār neatcerējās) Harijs saņēma vēl četras lieliskas tortes, pa vienai no Rona, Hermiones, Hagrida un Siriusa. Divas no šīm tortēm Harijs vēl nebija sācis ēst, tāpēc, novilkdams laiku līdz īstajām brokastīm, Harijs bez steigas un kurnēšanās sāka knibināt savu greipfrūtu.

Tēvocis Vernons nosprauslājās (viņš laikam bija izlasījis ko tādu, pret ko izturējās noraidoši), nolaida avīzi un paskatījās uz savu greipfrūta ceturtdaļu.

— Vai tas ir viss? — viņš ērcīgi vaicāja Petūnijas tantei.

Petūnijas tante uzmeta vīram bargu skatienu un tad zīmīgi pamāja uz Dūdija pusi. Dēls jau sen bija notiesājis savu ceturtdaļu un tagad ar varen skābu izteiksmi mazajās sivēna actelēs vēroja Harija augli.

Tēvocis Vernons nopūtās tik smagi, ka lielās, spurainās ūsas nošūpojās vien, un pacēla karoti.

Pie durvīm zvanīja. Tēvocis Vernons iztrausās no krēsla un devās uz priekšnamu. Kamēr māte, cilādama tējkannu, pagrieza galdam muguru, Dūdijs izmanīgi nočiepa no tēva šķīvja atlikušo greipfrūtu.

Harijs dzirdēja, ka pie durvīm kāds sarunājas. Atskanēja smiekli, tad kaut ko pieklājīgi noteica tēvocis Vernons. Tad durvis aizvērās un no priekšnama atskanēja papīra plēšanas skaņa.

Petūnijas tante nolika tējkannu uz galda un sāka snaikstīties ap durvīm, mēģinādama saprast, kur palicis tēvocis Vernons. Ilgi gan gaidīt viņai nenācās. Apmēram pēc minūtes viņas vīrs atgriezās. Viņš izskatījās pārskaities līdz nāvei.

— Tu, — viņš uzrēja Harijam. — Nāc uz viesistabu. Tūlīt pat.

Apjucis un nevarēdams saprast, ko viņš tagad sastrādājis, Harijs piecēlās un, sekodams tēvocim Vernonam, no virtuves iegāja blakus telpā. Tēvocis Vernons ar blīkšķi aizvēra durvis zēnam aiz muguras.

— Tā, — noteica tēvocis Vernons, aizsoļodams pie kamīna un pagriezdamies pret Hariju tā, it kā taisītos paziņot, ka zēns tiek apcietināts. — *Tā.*

Harijam niezēja mēle pārvaicāt "Ko *tā*?", taču viņam nelikās, ka tik agri no rīta vajadzētu pārbaudīt tēvoča Vernona omu, īpaši tāpēc, ka trūcīgā maltīte to jau bija krietni pabojājusi. Tā vietā Harijs savilka seju pieklājīgas ziņkāres izteiksmē.

— Tikko pienāca šī te, — noteica tēvocis Vernons. Viņš novicināja gaisā violeta rakstāmpapīra loksni. — Vēstule. Par tevi.

Harija ziņkāre auga augumā. Kurš gan rakstītu par viņu tēvocim Vernonam? Un kurš gan no viņa paziņām varētu sūtīt vēstuli, izmantojot pastnieku?

Tēvocis Vernons veltīja Harijam vēl vienu iznīcinošu skatienu, tad paskatījās uz vēstuli un sāka skaļi lasīt:

*Sveicināti, Dērslija kungs un kundze,*

*mūs gan neviens nav iepazīstinājis, tomēr esmu pārliecināta, ka Harijs Jums ir daudz stāstījis par manu dēlu Ronu.*

*Iespējams, Harijs Jums jau ir minējis, ka nākamajā pirmdienā notiek Pasaules kausa izcīņa kalambolā, un manam vīram Artūram, caur kolēģiem Maģisko spēļu un sporta veidu nodaļā, izdevās iegādāties ļoti labas biļetes uz šo spēli.*

*Es ceru, ka Jūs ļausiet mums aizvest Hariju uz šo spēli, jo tā ir vienreizēja iespēja. Kausa izcīņa Lielbritānijā nav notikusi jau trīsdesmit gadu, un biļetes ir milzīgs retums. Protams, mēs parūpētos par Hariju atlikušajā vasaras brīvdienu daļā un pavadītu uz vilcienu, kas aizvedīs viņu uz skolu.*

*Būtu ļoti labi, ja Harijs varētu nosūtīt Jūsu atbildi pēc iespējas ātrāk normālajā veidā, jo vientiešu pastnieks nekad nav nesis vēstules uz mūsu māju un es neesmu droša, ka viņš zina, kur īsti tā atrodas.*

*Cerot drīzumā satikt Hariju,*

*Jūsu*

*Mollija Vīzlija*

*P.S. Ceru, ka esmu uzlīmējusi uz aploksnes pietiekami daudz marku.*

Tēvocis Vernons beidza lasīt, iebāza roku iekškabatā un izvilka no tās vēl kaut ko.

— Paskaties uz šo te, — viņš noņurdēja.

Viņš pacēla aploksni, kurā bija pienākusi Vīzlija kundzes vēstule, un Harijs tikko novaldīja smieklus. Aploksni no vienas vietas klāja markas, brīvs bija palicis tikai mazītiņš laukumiņš priekšpusē, kur Vīzlija kundze bija sīksīkā rokrakstā iespiedusi Dērsliju adresi.

— Tad jau viņa ir uzlīmējusi pietiekami daudz marku, — sacīja Harijs, mēģinādams izlikties, ka šāda kļūme var gadīties kuram katram. Tēvoča acis neganti nozibēja.

— Pastnieks to pamanīja, — viņš izspieda caur sakostiem zobiem. — Par visām varītēm gribēja zināt, no kurienes gan tāda vēstule pienākusi. Tāpēc piezvanīja pie durvīm. Izskatījās, ka viņam tā liekas *smieklīga*.

Harijs neko neteica. Cits cilvēks, iespējams, nesaprastu, kāpēc tēvocis Vernons tā uztraucas par dažām liekām markām uz vēstules, taču Harijs bija nodzīvojis pie Dērslijiem pietiekami ilgi, lai zinātu, cik nervozi viņa audžuvecāki izturas pret visu, kas kaut nedaudz atšķiras no normas. Visbriesmīgākā viņiem likās iespēja, ka varētu nākt gaismā viņu saistība (lai cik netieša) ar tādiem cilvēkiem kā Vīzlija kundze.

Tēvocis Vernons vēl arvien blenza uz Hariju, bet zēns tikmēr centās saglabāt sejā pēc iespējas nevainīgu izteiksmi. Ja viņš neizdarīs vai nepateiks ko muļķīgu, iespējams, viņš piedzīvos vienu no jaukākajiem brīžiem dzīvē. Zēns gaidīja, kad tēvocis Vernons ko teiks, taču vīrietis tikai skatījās un skatījās. Harijs nolēma pārtraukt klusumu.

— Tātad — vai es varēšu braukt? — viņš jautāja.

Tēvoča Vernona platā, sarkanā seja noraustījās vieglos krampjos. Ūsas likās īpaši spurainas. Harijam šķita, ka viņš nojauš, kas notika aiz šīm ūsām — tur risinājās grandioza kauja starp tēvoča Vernona diviem visdziļākajiem instinktiem. Ja viņš atļautu Harijam braukt, Harijs būtu laimīgs, un pret to tēvocis Vernons bija sūri un grūti cīnījies trīspadsmit gadu. No otras puses, ja viņš ļautu Harijam nozust, audžudēls pavadītu vasaras brīvdienu atlikumu pie Vīzlijiem un Dzīvžogu iela atbrīvotos no šīs sērgas veselas divas nedēļas ātrāk, nekā varēja cerēt. Un tēvocis Vernons labprātāk redzēja Hariju ejam, nekā nākam. Lai iegūtu papildu laiku pārdomām, tēvocis vēlreiz paskatījās uz Vīzlija kundzes vēstuli.

— Kas ir šī sieviete? — viņš vaicāja, ar nepatiku pētīdams parakstu.

— Jūs viņu redzējāt, — paskaidroja Harijs. — Viņa ir mana drauga Rona mamma, viņa sagaidīja Ronu pie Cūk... pie skolas vilciena pagājušā trimestra beigās.

Viņam gandrīz izspruka "pie Cūkkārpas ekspreša", bet tas noteikti būtu pasliktinājis tēvoča garastāvokli. Dērsliju mājā Harija skolas vārdu nekad skaļi nenosauca.

Tēvocis Vernons savieba savu milzīgo seju, it kā viņš pūlētos atcerēties kaut ko īpaši nepatīkamu.

— Tas depīgais sievišķis? — viņš beidzot noņurdēja. — Vesels bars bērnu ar rudiem matiem?

Harijs sarauca pieri. Viņam šķita, ka lietodams vārdu "depīgs", lai raksturotu kāda cilvēka miesas būvi, tēvocis Vernons mazliet šāva pār strīpu, jo paša dēls Dūdijs nupat bija panācis to, pēc kā tiecās kopš trīs gadu vecuma. Proti, tagad neviens vairs nevarēja noliegt, ka Dūdija platums pārsniedza viņa garumu.

Tēvocis Vernons atkal inspicēja vēstuli.

— Kalambols, — viņš tikko dzirdami nomurmināja. — *Kalambols* — kas tās vēl par blēņām?

Hariju pāršalca jau otrais īgnuma vilnis.

— Tā ir sporta spēle, — viņš strupi paskaidroja, — ko spēlē uz slotas...

— Skaidrs, skaidrs! — tēvocis Vernons skaļi pārtrauca zēnu. Harijs ar zināmu gandarījumu redzēja, ka tēvoci sāk pārņemt viegla panika. Acīmredzot Vernona Dērslija nervi nespēja izturēt to, kā skanēja vārds "slotaskāts" viņa viesistabā. Tēvocis vēlreiz meklēja glābiņu vēstules pētīšanā. Harijs manīja, kā lūpas zem ūsām veido vārdus "nosūtīt Jūsu atbildi pēc iespējas ātrāk normālajā veidā". Tēvocis saviebās.

— Ko viņa ar to domā, *normālajā veidā*? — viņš izgrūda.

— Mums normālajā, — atbildēja Harijs un, pirms tēvocis paguva viņu pārtraukt, piebilda, — ar pūču pastu. Tas ir normāli burvjiem.

Tēvocis Vernons izskatījās tā pārskaities, it kā Harijs tikko būtu izkliedzis kādu pretīgu lamuvārdu. Drebēdams dusmās, tēvocis uzmeta tramīgu skatienu logam, it kā baidītos, ka ieraudzīs tur vismaz dažus kaimiņus, kuri, piespieduši ausi pie rūts, noklausās šo sarunu.

— Cik reižu man tev jāatkārto, lai tu zem šī jumta nepiemini tās savas nenormālības?! — tēvocis nošņācās, sejai pamazām pieņemot plūmju zilu nokrāsu. — Tu, nepateicīgais, te stāvi, saģērbts Petūnijas tantes un manis sagādātajās drānās...

— Tikai kad Dūdijs tajās vairs neietilpa, — ledainā balsī noteica Harijs. Patiešām, mugurā viņam bija milzonīgs svīteris, kura piedurknes zēnam nācās atlocīt reizes piecas, lai spētu rīkoties ar rokām, turklāt svītera apakšmala sniedzās pāri maisiem līdzīgo džinsu ceļgaliem.

— Neuzdrīksties runāt ar mani tādā tonī! — niknumā drebēdams, iesaucās tēvocis Vernons.

Taču Harijs ij netaisījās ko tādu paciest. Pagātnē bija nogrimušas dienas, kad viņam nācās izpildīt visus muļķīgos, Dērsliju izgudrotos likumus. Zēns netaisījās ievērot Dūdija diētu, un viņš netaisījās pieļaut, ka tēvocis Vernons liegtu viņam vienreizējo iespēju noskatīties Pasaules kausa izcīņu kalambolā.

Harijs dziļi ievilka elpu, mazliet nomierinājās un tad sacīja:

— Labi, jūs nelaižat mani uz Pasaules kausu. Vai es drīkstu iet? Man jāpabeidz vēstule Siriusam. Manam krusttēvam.

Tā, tas nu bija paveikts. Burvju vārdi bija izskanējuši. Tagad varēja redzēt, kā violetā krāsa vietumis pagaist no tēvoča Vernona sejas. Nu viņa vaigs drīzāk atgādināja pavirši sajauktu upeņu saldējumu.

— Tu... tu rakstīsi viņam vēstuli? — pārvaicāja tēvocis Vernons uzspēlēti mierīgā balsī, tomēr Harijs redzēja, kā pirmīt pēkšņās bailēs sarāvās viņa acu zīlītes.

— Jā gan, — nevērīgi atbildēja Harijs. — Pagājis jau kāds laiciņš, kopš neesmu viņam rakstījis, un, ja viņš nesaņems vēstuli tuvākajās dienās, var gadīties, ka viņš sāk uztraukties, vai tik man nav noticis kas nelāgs.

Viņš apklusa, lai pavērotu, kādu iespaidu atstās šie vārdi. Zēns gandrīz spēja saskatīt, kā griežas zobratiņi zem tēvoča Vernona biezajiem, tumšajiem, kārtīgā celiņā pāršķirtajiem matiem. Ja viņš mēģinātu aizliegt Harijam rakstīt vēstuli Siriusam, Siriusam varētu rasties aizdomas, ka pret Hariju slikti izturas. Ja viņš aizliegtu Harijam doties uz Pasaules kausa izcīņu kalambolā, Harijs uzrakstītu par to Siriusam, un tad krusttēvs *zinātu*, ka pret Hariju slikti izturas. Tēvocim Vernonam atlika tikai viens. Harijs vēroja, kā tēvoča prātā veidojas izšķirošais lēmums, — sajūta bija tāda, it kā platā, ūsām greznotā seja būtu caurspīdīga. Harijs pūlējās nesmaidīt, saglabāt savos vaibstos vienaldzības izteiksmi. Un tad...

— Labi, lai nu tā būtu. Tu vari taisīties uz to nolāpīto... uz to stulbo... kā to Pasaules kausu tur sauca. Tikai neaizmirsti uzrakstīt un pateikt tiem — tiem *Vīzlijiem*, ka viņiem jāsavāc tevi. Man nav tik daudz laika, lai vadātu tevi pa visu pasauli. Un tu drīksti palikt pie viņiem līdz vasaras beigām. Un aizraksti tam savam — savam krusttēvam... uzraksti... uzraksti, ka brauc pie viņiem.

— Sarunāts, — mundri noteica Harijs.

Viņš pagriezās un devās uz viesistabas durvju pusi, tikko valdīdams vēlmi palēkties gaisā un sajūsmā ieauroties. Viņš dosies... viņš dosies pie Vīzlijiem, viņš dosies skatīties Pasaules kausa izcīņu kalambolā!

Tikko iznācis pa durvīm, viņš priekšnamā gandrīz saskrējās ar Dūdiju, kurš snaikstījās ap durvīm, laikam cerēdams noklausīties, kā tēvs strostē Hariju. Ieraudzījis plato smaidu Harija sejā, brālēns krietni sašļuka.

— Sen nebijām ēduši tik *sātīgas* brokastis, vai ne? — Harijs apvaicājās. — Es jūtos pieēdies līdz ūkai. Un tu?

Smiedamies par apstulbušo izteiksmi Dūdija sejā, Harijs metās augšup pa kāpnēm, lēkdams pāri trīs pakāpieniem uzreiz. Pēc mirkļa viņš iebrāzās guļamistabā.

Vispirms viņš ievēroja, ka atgriezusies Hedviga. Baltā pūce sēdēja savā būrī un, skatīdamās uz Hariju ar savām milzīgajām dzintarkrāsas acīm, klabināja knābi, likdama saprast, ka nav ar kaut ko apmierināta. Pēc īsa mirkļa noskaidrojās arī Hedvigas neapmierinātības iemesls.

— AU! — iebļāvās Harijs.

Kaut kas mazai, pelēkai un pūkainai tenisa bumbiņai līdzīgs trāpīja Harijam pa deniņiem. Harijs saberzēja sasisto vietu un ieraudzīja mazītiņu pūcīti, kuru viegli varētu paslēpt plaukstā. Tā satraukti šaudījās pa istabu kā pūšanas brīdī pasprucis gaisa balons. Tad Harijs aptvēra, ka pūcīte viņam pie kājām nometusi vēstuli. Harijs noliecās un, ieraudzījis Rona rokrakstu, atplēsa aploksni. Aploksnē atradās steigā rakstīta zīmīte.

*Harij, TĒTIS DABŪJA BIĻETES, Īrija pret Bulgāriju, pirmdien vakarā. Mamma uzrakstīja Taviem vientiešiem un vaicāja, vai Tu varētu paciemoties pie mums. Iespējams, viņi jau ir saņēmuši vēstuli, es nezinu, cik ātri strādā vientiešu pasts. Nolēmu drošības labad nosūtīt arī Pumpu.*

Harijs blenza uz vārdu "Pumpa", un tad pacēla acis uz mazo pūcīti, kas tagad pie griestiem riņķoja ap lampas abažūru. Kāds gan putnam bija sakars ar pumpu, Harijs nesaprata. Varbūt viņš nespēja salasīt Rona rokrakstu. Tad Harijs turpināja lasīt vēstuli.

*Mēs brauksim Tev pakaļ tik un tā, vai tas Taviem vientiešiem patiks vai ne, Tu nedrīksti palaist garām Pasaules kausu. Vienīgi mamma un tētis nolēma, ka labāk tomēr būtu izlikties vispirms lūdzam atļauju. Ja vientieši piekrīt, tūlīt sūti Pumpu ar atbildi, un mēs atbrauksim pēc Tevis svētdien ap pieciem. Ja viņi nepiekrīt, tūlīt sūti Pumpu atpakaļ, un mēs vienalga atbrauksim pēc Tevis svētdien ap pieciem.*

*Hermione atbrauks šodien pēcpusdienā. Persijs sācis strādāt — Starptautiskās maģiskās sadarbības nodaļā. Kamēr dzīvosi pie mums, labāk nepiemini vārdu "ārzemes" — Tu nomirsi no garlaicības.*

*Uz drīzu tikšanos — Rons*

— Nomierinies! — Harijs uzsauca mazajai pūcītei, kad tā, bez apstājas čirpstēdama, nolaidās tuvāk viņa galvai. Cik nu Harijs saprata, tas varēja būt lepnums par to, ka putniņam izdevies nogādat vēstuli līdz vajadzīgajam adresātam. — Panāc šurpu, tev būs jāaiznes Ronam mana atbilde.

Pūcīte nolaidās uz Hedvigas būra virsas. Hedviga auksti paskatījās uz augšu, it kā izaicinādama putnēnu panākt tuvāk.

Harijs vēlreiz pagrāba ērgļa rakstāmspalvu, tīru pergamenta loksni un uzšņāpa:

*Ron, viss ir kārtībā, mani vientieši piekrita. Redzamies rīt piecos pēcpusdienā. Nespēju vien sagaidīt.*

*Harijs*

Viņš salocīja zīmīti pēc iespējas mazākā četrstūrītī un tad krietni pamocījās, pirms izdevās piesiet vēstuli pūcītei pie kājas, jo mazais putniņš visu laiku satraukti lēkāja. Tikko vēstule bija nostiprināta, pūcīte pacēlās spārnos, izdrāzās ārā pa logu un projām bija.

Harijs pievērsās Hedvigai.

— Nu, ko, vai jūties gatava tālākam ceļojumam? — viņš vaicāja.

Hedviga cienīgi noūjināja.

— Vai aiznesīsi Siriusam šo manu vēstuli? — zēns vaicāja, paņemdams no rīta tapušo rakstu darbu. — Pagaidi mirklīti... es vēl pierakstīšu pāris vārdu.

Viņš vēlreiz atlocīja pergamentu un uzskribelēja pāris rindiņu:

*P.S. Ja vēlies sazināties ar mani, es būšu pie sava drauga Rona Vīzlija visu atlikušo vasaru. Viņa tētis dabūja mums visiem biļetes uz Pasaules kausa izcīņu kalambolā!*

Pabeidzis vēstuli, Harijs piesēja to Hedvigai pie kājas; viņa stāvēja neparasti stingi, it kā censtos parādīt, kā jāizturas īstai pasta pūcei.

— Lido atpakaļ pie Rona, es no rītdienas viesošos pie viņa, labi? — Harijs paskaidroja pūcei.

Mīļi ieknābusi zēnam pirkstā, Hedviga ar klusu švīkstu atplēta varenos spārnus un izlidoja pa atvērto logu.

Harijs pavadīja pūci ar skatienu, tad palīda zem gultas, izcēla vaļīgo dēli un izvilka pamatīgu dzimšanas dienas tortes gabalu. Viņš apsēdās turpat uz grīdas un sāka mieloties, izbaudīdams pilnīgu svētlaimi. Viņš ēda torti, bet Dūdijam nācās samierināties ar pliku greipfrūtu. Bija saulaina vasaras diena, un rīt viņš aizbrauks no Dzīvžogu ielas, ar rētu atkal viss bija kārtībā, turklāt visai drīz viņam būs iespēja noskatīties Pasaules kausa izcīņu kalambolā. Šādā brīdī vienkārši nebija iespējams uztraukties, pat par lordu Voldemortu ne.

## CETURTĀ NODAĻA

# ATPAKAĻ UZ "MIDZEŅIEM"

Nākamajā rītā vēl pirms divpadsmitiem Harija skolas mantas un citas svarīgas lietas — no tēva mantojumā saņemtais Paslēpnis, Siriusa dāvinātais slotaskāts un apburtā karte, ko viņam pagājušajā gadā iedeva Freds un Džordžs Vīzliji, — bija saguldīti lielajā mantu lādē. Zēns no slēptuves zem vaļīgā grīdas dēļa izņēma visu pārtiku, pārbaudīja katru guļamistabas stūrīti un spraudziņu, lai pārliecinātos, vai kur nepaliek kāda buramvārdu grāmata vai rakstāmspalva. Visbeidzot viņš nocēla no sienas kalendāru, kurā mēdza atzīmēt, cik dienu atlicis līdz pirmajam septembrim, vispirms gan ar lielu gandarījumu nosvītrojis visas dienas, kas palika līdz atgriešanās brīdim Cūkkārpā.

Dzīvžogu ielas ceturtajā namā valdīja ļoti saspringta gaisotne. Neizbēgamā visādu burvju viesošanās viņu namā darīja Dērslijus uzvilktus un viegli aizkaitināmus. Tēvocis Vernons saspringa pavisam, kad Harijs paziņoja par Vīzliju ierašanos jau nākamajā dienā ap pieciem.

— Es ceru, ka tu piekodināji, lai tie ļaudis apģērbjas, kā pienākas, — viņš tūlīt noņurdēja. — Es esmu redzējis tās lupatas, ko jūsējie velk mugurā. Kaut nu viņi vismaz pieklājības pēc apģērbtos kā normāli cilvēki, tas ir viss, ko no viņiem prasa.

Hariju pārņēma nelielas katastrofas priekšnojauta. Reti kad

viņš bija redzējis Vīzlija kungam vai kundzei mugurā ko tādu, ko Dērsliji sauktu par "normālu". Vīzliju jaunākā paaudze brīvdienu laikā reizēm deva priekšroku vientiešu drānām, taču Vīzlija kungs un kundze parasti staigāja garos dažādas nonēsātības pakāpes paltrakos. Hariju neuztrauca tas, ko varētu nodomāt kaimiņi, viņu vairāk nodarbināja tas, cik rupji pret Vīzlijiem izturētos Dērsliji, ja pirmie ierastos drānās, kas atbilstu otro visļaunākajam priekšstatam par burvjiem.

Tēvocis Vernons uzvilka savu labāko uzvalku. Daži to varētu skaidrot kā viesmīlības izpausmi, taču Harijs zināja, ka šoreiz iemesls ir gluži cits — tēvocis Vernons vienkārši vēlējās izskatīties iespaidīgs un draudīgs. Dūdijs turpretī nezin kādēļ likās sarucis. Tam par iemeslu gan nebija diētas panākumi, bet bailes. Iepriekšējā tikšanās ar pieaugušu burvi Dūdijam beidzās ar smuku cūkas astīti bikšu sēžamvietā, tā ka Petūnijas tantei un tēvocim Vernonam nācās vest dēlu uz privātu slimnīcu Londonā un maksāt par astes noņemšanu. Tāpēc Dūdija plaukstas nervozos ceļojumus pāri bikšu dibenam un piesardzīgi sānisko pārvietošanos no telpas uz telpu (lai otrreiz neatsegtu ienaidniekam vārīgo mērķi) nevarēja uzskatīt par īpašu pārsteigumu.

Pusdienas aizritēja gandrīz pilnīgā klusumā. Dūdijs pat nepažēlojās par maltīti (biezpiens ar rīvētām selerijām). Savukārt Petūnijas tante neēda vispār. Salikusi rokas klēpī un savilkusi lūpas murskulī, viņa, šķiet, kodīja pati savu mēli, it kā pūlēdamās novaldīt nikno pārmetumu plūdus, ko viņa alka raidīt Harija virzienā.

— Viņi, protams, brauks ar mašīnu? — galda pretējā pusē ierējās tēvocis Vernons.

— E, — novilka Harijs.

Tas viņam nebija ienācis prātā. Kā gan Vīzliji viņu *paņems*? Mašīnas viņiem, šķiet, vairs nebija, jo vecais fords, kas viņiem reiz piederēja, tagad ganījās savā nodabā pa Aizliegto mežu pie Cūkkārpas skolas. Bet pagājušajā gadā Vīzlija kungs aizņēmās mašīnu no Burvestību ministrijas. Varbūt šogad viņš rīkosies tāpat?

— Droši vien, — piebilda Harijs.

Tēvocis Vernons zem ūsām nosprauslājās. Normālā situācijā tēvocis būtu apjautājies, ar kādu mašīnu tad Vīzlija kungs brauc. Vernons Dērslijs citus vīriešus parasti vērtēja pēc tiem piederošo mašīnu lieluma un dārguma. Taču Harijs šaubījās, vai tēvocis Vernons vērtētu Vīzlija kungu atzinīgāk, ja Rona tētis atbrauktu ar *Ferrari*.

Pēcpusdienas lielāko daļu Harijs pavadīja savā guļamistabā. Viņš nevarēja izturēt Petūnijas tantes indevi ik pa pāris sekundēm lūrēt ārā cauri plānajiem aizkariem, it kā pa radio būtu izskanējis brīdinājums, ka no tuvējā zooloģiskā dārza izbēguši degunradži. Beidzot, bez ceturkšņa piecos, Harijs atgriezās nama pirmajā stāvā un iegāja viesistabā.

Petūnijas tante ar uzmācīgu rūpību kārtoja spilvenus uz dīvāna. Tēvocis Vernons izlikās, ka lasa avīzi, taču viņa mazās ačteles nekustējās, un Harijs bija pārliecināts, ka patiesībā tēvocis saspringdzināti klausās, vai nedzirdēs piebraucam automašīnu. Dūdijs sēdēja, iespiedies atpūtas krēslā. Tuklās rokas Harija brālēns bija pabāzis zem sevis un cieši saņēmis zem dibena. Harijs nespēja izturēt spriedzi. Viņš izgāja no istabas un apsēdās uz pakāpieniem turpat priekšnamā. Zēns nespēja novērst acis no pulksteņa, bet sirds satraukumā sitās straujāk nekā parasti.

Pienāca pieci, tad minūšu rādītājs aizvirzījās tālāk. Tēvocis Vernons, mazliet svīzdams svētku uzvalkā, atvēra ārdurvis, paskatījās vispirms uz vienu, tad arī uz otru pusi, un steidzīgi atvilka galvu atpakaļ.

— Viņi kavējas! — viņš noņurdēja uz Harija pusi.

— Redzu, — atzina Harijs. — Varbūt... ē... kaut kur ir sastrēgums. Vai mazums kas varēja gadīties.

Desmit pāri pieciem... piecpadsmit pāri... Arī Hariju pamazām pārņēma nemiers. Ap pussešiem no viesistabas atskanēja tēvoča Vernona un Petūnijas tantes sarunas strupā murdoņa.

— Nekādas takta izjūtas.

— Un ja nu mums būtu sarunāts doties ciemos?

— Varbūt viņi domā, ka piedāvāsim vakariņas, ja viņi ieradīsies vēlāk.

— Uz to gan lai viņi necer, — noskaldīja tēvocis Vernons. Harijs dzirdēja, kā tēvocis pieceļas un sāk soļot šurpu turpu pa viesistabu. — Lai viņi savāc puiku un brauc, te nebūs nekādas dzīvošanās. Protams, ja viņi vispār parādīsies. Iespējams, viņi sajaukuši dienu. Jāatzīst, ka *šī šlaka* punktualitātei pievērš visai maz vērības. Vai arī viņi devušies ceļā ar kādu cukurdozes izmēra auto, un tas salūz... ĀĀĀĀĀĀĀĀĀĀĀĀĀ!

Harijs salēcās. Aiz viesistabas durvīm notika kas neizprotams — varēja dzirdēt, kā visi trīs Dērsliji panikā metas pāri istabai. Nākamajā mirklī priekšnamā ielidoja pārbiedētais Dūdijs.

— Kas noticis? — iesaucās Harijs. — Kas par lietu?

Taču nelikās, ka Dūdijs būtu spējīgs parunāt. Vēl arvien sakļāvis rokas uz dibena, viņš, cik nu ātri spēja, aizlīgoja uz virtuvi. Harijs iemetās viesistabā.

No Dērsliju viesistabas aizbūvētā kamīna, kurā tagad "kurējās" elektriskā uguns, skanēja skaļi blīkšķi un švīkstoņa.

— Ko tas nozīmē? — elsa Petūnijas tante, atkāpusies līdz pašai sienai un ar šausmām blenzdama uz kamīnu. — Kas tur notiek, Vernon?

Taču ilgi galvu lauzīt viņiem vairs nenācās. Jo aizbūvētajā kamīnā atskanēja balsis.

— Au! Fred, nē... pagaidi, pavirzies atpakaļ, kaut kāda kļūme... pabļauj Džordžam, lai viņš vēl ne... AU! Džordž, nē taču, te nav vietas, drāz tūlīt atpakaļ un pasaki Ronam...

— Tēt, varbūt Harijs mūs dzird... varbūt viņš var izlaist mūs no šejienes...

Kāds sāka ar dūrēm dauzīt dēļus aiz elektriskā kamīna.

— Harij! Harij! Vai tu mūs dzirdi?

Dērsliji aplenca Hariju kā sakaitinātu āmriju pāris.

— Ko tas nozīmē? — ierūcās tēvocis Vernons. — Kas tur notiek?

— Viņi... viņi mēģināja atkļūt šurp ar Lidu pulvera palīdzību, — paskaidroja Harijs, apspiezdams neprātīgu vēlmi iesmieties pilnā kaklā. — Viņi spēj ceļot ar uguns palīdzību — tikai jūs esat aizbūvējuši pavardu... pagaidiet...

Harijs piegāja pie kamīna un, pieliecies tuvāk, iesaucās: — Vīzlija kungs? Vai jūs mani dzirdat?

Klauvējieni apklusa. Skurstenī kāds apklusināja pārējos: — Ššš!

— Vīzlija kungs, te Harijs... Šis kamīns ir aizbūvēts. Jūs netiksiet ārā.

— Nolāpīts! — atskanēja Vīzlija kunga balss. — Kāpēc gan viņiem ievajadzējies aizbūvēt kamīnu?

— Viņiem ir ierīkots elektriskais kamīns, — Harijs paskaidroja.

— Tiešām? — Vīzlija kunga balsī izskanēja neviltota sajūsma. — Eklektiskais, tu teici? Ar *štepseli*? Mī un žē, man tas ir jāredz... padomāsim... au, Ron!

Skurstenī pārējām pievienojās arī Rona balss.

— Ko mēs te darām? Vai kaut kas sagājis greizi?

— Nē, ko tu, Ron, — atskanēja ierasti izsmējīgā Freda balss. — Mēs atrodamies tieši tur, kur vēlējāmies nokļūt.

— Jā, tāda izklaide sen nebija piedzīvota, — piebilda Džordžs, kura balss gan skanēja mazliet apslāpēti, it kā viņš būtu iespiests ar seju sienā.

— Zēni, zēni... — Vīzlija kungs apjucis nomurmināja. — Es mēģinu saprast, ko mums tagad darīt... jā... vienīgā izeja... paej malā, Harij.

Harijs atkāpās pie dīvāna. Tēvocis Vernons savukārt spēra platu soli uz priekšu.

— Paga, paga! — viņš nokliedzās uz kamīna pusi. — Ko tieši jūs tur taisāties darīt...?

BĀC.

Elektriskais kamīns aizlidoja pāri istabai, jo aizbūvētais

pavards izsprāga uz āru, līdz ar atlūzu un gružu mākoni atstādams istabas vidū arī Vīzlija kungu, Fredu, Džordžu un Ronu. Petūnijas tante iespiedzās un atmuguriski pārkrita pāri kafijas galdiņam. Tēvocis Vernons paguva noķert sievu, pirms viņa atsitās pret grīdu. Dērsliju ģimenes galva, nespēdams bilst ne vārda, blenza uz rudmatainajiem Vīzlijiem; īpašu iespaidu, šķiet, atstāja Freds un Džordžs, kuri likās vienādi līdz pēdējam vasarraibumiņam.

— Tā jau ir labāk, — elsdams noteica Vīzlija kungs, nopurinot putekļus no garajām, zaļajām drānām un sakārtojot acenes. — Ak, jā, — jūs droši vien esat Harija tante un tēvocis.

Garš, kalsns un papliku galvvidu, viņš spēra soli uz tēvoča Vernona pusi, taču mājas galva pakāpās vairākus soļus atpakaļ, vilkdams sev līdzi arī Petūnijas tanti. Tēvocis Vernons likās zaudējis runas spēju. Viņa goda uzvalku klāja baltu putekļu kārta, ar tiem bija piebiruši arī mati un ūsas, tāpēc tēvocis izskatījās tā, it kā vienā mirklī būtu kļuvis par gadiem trīsdesmit vecāks.

— E... jā... piedodiet par šo kļūmi, — turpināja Vīzlija kungs, nolaizdams pacelto roku un paskatīdamies atpakaļ uz izārdīto pavardu. — Tā ir mana vaina, man vienkārši neienāca prātā, ka šajā galā mēs varētu netikt no tā ārā. Es izkārtoju, lai jūsu pavardu uz šo pēcpusdienu pieslēdz Lidu tīklam, lai mēs varētu ierasties pakaļ Harijam. Vientiešu pavardus, kā likums, nepieslēdz, taču kāds mans labs paziņa strādā Lidu tīkla sadales stacijā, un viņš man palīdzēja. Neuztraucieties, viss tūliņ būs tip-top. Vispirms es iekuršu uguni, lai puikas tiktu atpakaļ uz mūsmājām, tad es salabošu jūsu pavardu un pats aizteleportēšos.

Harijs bija gatavs saderēt, ka Dērsliji nesaprot nevienu Vīzlija kunga izteikto vārdu. Viņi vēl arvien apstulbuši blenza uz sirmo burvi. Petūnijas tante tika atpakaļ pati uz savām ļodzīgajām kājām un tūlīt paslēpās aiz tēvoča Vernona muguras.

— Sveiks, Harij! — mundri sacīja Vīzlija kungs. — Vai tava mantu lāde ir kārtībā?

— Tā palika otrajā stāvā, — smaidīdams paskaidroja Harijs.

— Mēs to paņemsim, — nevilcinādamies atsaucās Freds. Piemiedzis Harijam ar aci, viņš kopā ar Džordžu izgāja no istabas. Viņi zināja, kur atrodas Harija guļamistaba, jo reiz jau bija nakts melnumā glābuši brāļa draugu no šīs drūmās vietas. Harijam gan bija aizdomas, ka Freds un Džordžs cer uzmest aci Dūdijam; Harijs ne reizi vien bija stāstījis par savu brālēnu.

— Nu, ko, — atkal ierunājās Vīzlija kungs un pašūpoja rokas, kaut kā mēģinādams atrast piemērotus vārdus, lai pārtrauktu ļoti nejauko klusumu. — Ļoti... ē... ļoti jauki jūs šeit esat iekārtojušies.

Tā kā parasti nevainojami tīro viesistabu šobrīd klāja putekļi un ķieģeļu atlūzas, šie vārdi Dērslijiem diez ko pie sirds vis negāja. Tēvoča Vernona seja vēlreiz ieguva dusmīgi violeto nokrāsu, bet Petūnijas tante, šķiet, atkal sāka kodīt mēli. Tiesa, likās, viņi baidās savas jūtas paust skaļi.

Vīzlija kungs tikmēr pētīja istabas iekārtojumu. Viņam patika viss, kas bija saistīts ar vientiešiem. Harijs manīja, ka burvim niez nagi pieiet tuvāk un apskatīt televizoru un videomagnetofonu.

— Arī tie darbojas ar ekeltrību, vai ne? — viņš zinīgi sacīja. — Jā, tiešām, tur ir arī štepseļi. Es krāju štepseļus, — viņš piebilda, vērsdamies pie tēvoča Vernona. — Un baterijas. Man ir milzīga bateriju kolekcija. Mana sieva apgalvo, ka es esot zaudējis prātu, bet tā nu tas ir.

Varēja skaidri redzēt, ka arī tēvocis Vernons uzskata Vīzlija kungu par traku. Mājas galva pavirzījās mazliet pa labi, piesegdams Petūnija tanti, it kā baidītos, ka Vīzlija kungs varētu pēkšņi mesties viņiem virsū.

Istabā pēkšņi atgriezās Dūdijs. Harijs dzirdēja, kā pret trepēm sitās viņa mantu lāde. Acīmredzot šīs skaņas bija izbiedējušas Dūdiju un likušas bēgt no virtuves. Dūdijs, šausmu pilnām acīm vērodams Vīzlija kungu, uzmanīgi lavījās gar sienu, alkdams noslēpties aiz mātes un tēva muguras. Diemžēl tēvoča Vernona rumpis, kas gana droši aizsedza kaulaino Petūnijas tanti, tomēr izrādījās daudz par šauru Dūdija apjomiem.

— Ak, un šis, Harij, droši vien ir tavs brālēns? — iesaucās Vīzlija kungs, vēlreiz braši mēģinādams aizsākt sarunu.

— Jā, — atteica Harijs, — tas ir Dūdijs.

Harijs saskatījās ar Ronu, bet tad abi žigli novērsa skatienus, jo kārdinājums iesmieties pilnā kaklā izrādījās pārāk spēcīgs. Dūdijs vēl arvien turēja pēcpusi, it kā baidītos, ka tā varētu nokrist. Taču likās, ka Vīzlija kungu Dūdija savādā uzvedība patiesi uztrauc. Un tiešām, spriežot pēc balss toņa, kādā Vīzlija kungs turpināja sarunu, Harijs pārliecinājās, ka Rona tētim Dūdijs liekas tikpat traks, cik traks vecais burvis liekas Dērslijiem. Vienīgā atšķirība bija tā, ka baiļu vietā Vīzlija kungs izjuta līdzjūtību.

— Kā tavas brīvdienas, Dūdij? — viņš laipni apvaicājās.

Dūdijs iešņukstējās. Harijs ievēroja, ka nabaga rokas vēl ciešāk satver bezizmēra pēcpusi.

Istabā, nesdami Harija skolas lādi, atgriezās Freds un Džordžs. Ienākdami viņi aplaida skatienu telpai un pamanīja Dūdiju. Dvīņu sejās atplauka identisks, negants smīns.

— Nu, labi, — noteica Vīzlija kungs. — Laikam mums jāpošas ceļā.

Viņš uzrotīja zaļo drānu piedurknes un izvilka zizli. Harijs pamanīja, ka Dērsliji visi kā viens atkāpjas uz sienas pusi.

— *Degātum!* — iesaucās Vīzlija kungs, vērsdams zizli pret caurumu pavarda mutē.

Kamīnā tūlīt iedegās uguns un sāka jautri sprēgāt, it kā degtu tur jau vairākas stundas. Vīzlija kungs izvilka no kabatas mazu maisiņu ar aizvelkamu galu, atsēja to, paņēma no tā šķipsniņu pulvera, ko iesvieda liesmās. Uguns ieguva smaragdzaļu krāsu un uzšāvās vēl augstāk nekā iepriekš.

— Aiziet, ej nu, Fred, — mudināja Vīzlija kungs.

— Tūlīt, — atsaucās Freds. — Nolāpīts... pagaidiet mazliet...

Bija pārplīsusi Freda kabatā iebāztā turziņa ar saldumiem, un tās saturs — lielas, apaļas marmelādes spilgti krāsainos papīriņos — ripoja uz visām pusēm.

Freds sāka rāpot pa istabu, stūķēdams marmelādes atpakaļ kabatā, tad līksmi pamāja Dērslijiem ar roku, spēra soli uz priekšu un, nokliedzies "Uz "Midzeņiem"!", iekāpa tieši liesmās. Petūnijas tante iekliedzās drebelīgā balsī. Atskanēja svelpjoša skaņa, un Freds izgaisa.

— Tagad tu, Džordž, — nokomandēja Vīzlija kungs, — kopā ar lādi.

Harijs palīdzēja Džordžam aizstiept lādi līdz ugunij un pagriezt to uz gala, lai to būtu vieglāk noturēt. Tad vēlreiz atskanēja sauciens "Uz "Midzeņiem"!", svelpoņa, un arī Džordžs bija projām.

— Ron, lido tu nākamais, — rīkoja Vīzlija kungs.

— Uz drīzu tikšanos, — Rons žirgti uzsauca Dērslijiem. Viņš plati uzsmaidīja Harijam, tad iekāpa ugunī, iesaucās "Uz "Midzeņiem"!" un izgaisa.

Pie kamīna tagad stāvēja vairs tikai Harijs un Vīzlija kungs.

— Nu tad... uz redzēšanos, — Harijs atvadījās no Dērslijiem.

Viņi neatbildēja. Harijs paspēra soli uz uguns pusi, taču pie paša pavarda viņam uz pleca uzgūla Vīzlija kunga roka un zēnu aizkavēja. Rona tēvs izbrīnīts skatījās uz Dērslijiem.

— Harijs jums teica "uz redzēšanos", — viņš sacīja. — Vai jūs nedzirdējāt?

— Kāda starpība, — nomurmināja Harijs, vērsdamies pie Vīzlija kunga. — Tiešām, man taču vienalga.

Taču Vīzlija kungs neatlaida Harija plecu.

— Jūs neredzēsiet savu radinieku līdz nākamajai vasarai, — vecais burvis, viegli aizkaitināts, vērsās pie tēvoča Vernona. — Jūs taču negribēsiet šķirties neatvadījušies?

Viņa sejas izteiksme liecināja, ka tēvocis Vernons drudžaini apsver, kā rīkoties. Apziņa, ka viņam pieklājību māca vīrs, kurš tikko uzspridzinājis pusi viņa viesistabas, likās, sagādāja mājastēvam briesmīgas ciešanas.

Taču Vīzlija kungam rokā vēl arvien bija zizlis, un pietika tam uzmest vienu skatienu, lai tēvocis Vernons ļoti negribīgi izgrūstu:
— Tad uz redzēšanos.

— Visu labu, — noteica Harijs, sperdams soli tuvāk zaļajām liesmām. Tās likās kā patīkama, silta elpa. Bet tajā mirklī viņam aiz muguras atskanēja drausmīga gārgšana, un Petūnijas tante sāka pilnā kaklā spiegt.

Harijs apmetās apkārt. Dūdijs vairs neslēpās aiz vecāku mugurām. Viņš bija nometies pie kafijas galdiņa, un izskatījās, ka nabags aizrijies ar apmēram pēdu garu, violetu, glumu priekšmetu, kas karājās viņam ārā no mutes. Vēl pēc apstulbuma mirkļa Harijs aptvēra, ka pēdu garais priekšmets ir Dūdija mēle — un ka resnītim pie kājām uz grīdas mētājas marmelādes spožais papīriņš.

Petūnijas tante nometās uz grīdas līdzās Dūdijam, sagrāba dēla pietūkušās mēles galu un mēģināja izraut to no mutes. Nebija nekāds brīnums, ka Dūdijs iebrēcās un sāka sprauslot vēl trakāk, cenzdamies izrauties no mātes nagiem. Tēvocis Vernons auroja un mētājās ar rokām, tāpēc arī Vīzlija kungam nācās pacelt balsi, lai viņu sadzirdētu.

— Uztraukumam nav pamata, es viņu savedīšu kārtībā! — burvis iekliedzās, dodamies uz Dūdija pusi ar gaisā paceltu zizli, taču Petūnijas tante iekliedzās neiespējami skaļi un metās virsū dēlam, pūlēdamās aizsegt viņu no Vīzlija kunga.

— Bet tiešām! — Vīzlija kungs izmisis nogrozīja galvu. — Tā ir pavisam vienkārša procedūra. Vainīga bija marmelāde... manam dēlam Fredam... reizēm patīk praktiski joki... bet tā ir tikai uzblīduma burvestība... vismaz es tā domāju... lūdzu, es visu vērsīšu par labu...

Taču tā vietā, lai nomierinātos un uzklausītu Vīzlija kungu, Dērsliji ļāvās vēl trakākai panikai. Petūnijas tante histēriski raudāja, vilkdama Dūdija mēli, it kā būtu cieši nolēmusi to noraut pavisam. Dūdijam, kurš bija pakļauts dubultīgajam mātes un mēles spiedienam, šķiet, draudēja nosmakšana. Savukārt tēvocis Vernons, pilnībā zaudējis apvaldu, paķēra no bufetes malas porcelāna figūriņu un no visa spēka svieda ar to Vīzlija kungam. Burvis pieliecās, un greznā lietiņa sašķīda pret izārdīto kamīnu.

— Rimstieties! — dusmīgi iesaucās Vīzlija kungs, vicinādams zizli. — Es mēģinu jums *palīdzēt*!

Aurodams kā ievainots nīlzirgs, tēvocis Vernons pagrāba nākamo porcelāna figūriņu.

— Harij, pazūdi! Vienkārši pazūdi! — zēnam uzkliedza Vīzlija kungs, pievērsis zizli tēvocim Vernonam. — Es tikšu galā!

Harijam gan negribējās palaist garām tik aizraujošu izklaidi, taču tēvoča Vernona sviestā greznumlietiņa aizsvilpa cieši gar zēna kreiso ausi, tāpēc, ātri izsvēris visus "par" un "pret", Harijs nolēma atstāt kaujas lauku Vīzlija kunga ziņā. Vēl pamezdams pēdējo skatienu pāri plecam, zēns iekāpa liesmās un iesaucās "Uz "Midzeņiem"!". Sākdams kustēties, viņš vēl pamanīja, kā Vīzlija kungs ar zižļa raidītu burvestību sašķaida trešo figūriņu tēvoča Vernona rokā. Petūnijas tante iekliedzās un aizsedza dēlu, un Dūdija mēle zvārojās kā milzīga, gļotaina žņaudzējčūska. Nākamajā mirklī Harijs sāka strauji griezties, un Dērsliju istaba izzuda smaragdzaļu liesmu uzplaiksnījumā.

## PIEKTĀ NODAĻA

# VĪZLIJU BURVJU ŠĶAVAS

Piespiedis elkoņus cieši pie sāniem, Harijs griezās arvien ātrāk un ātrāk. Garām zibēja pavards pēc pavarda. Zēnam palika nelaba dūša, un viņš pievēra acis. Kad viņš sajuta, ka kustības ātrums pamazām palēninās, viņš strauji paplēta rokas, apstādamies tieši laikā, lai neizkristu ar seju pa priekšu no Vīzliju virtuves pavarda.

— Vai viņš to apēda? — ziņkārīgi vaicāja Freds, padodams Harijam roku, lai palīdzētu piecelties kājās.

— Apēda gan, — atbildēja Harijs, izsliedamies pilnā augumā. — Kas tas *bija*?

— Milzmēles marmelāde, — žirgti atsaucās Freds. — To izgudrojām mēs ar Džordžu, visu vasaru gaidījām, kad radīsies izdevība izmēģināt...

Mazītiņajā virtuvē uzbangoja varena smieklu vētra. Harijs pagriezās un ieraudzīja pie noberztā koka galda sēžam Ronu un Džordžu kopā ar vēl diviem rudmašiem, ko Harijs nekad iepriekš nebija saticis, lai gan nenācās grūti uzminēt, ka šie jaunie vīrieši ir Bils un Čārlijs, abi vecākie Vīzliju pāra dēli.

— Kā tev, Harij, klājas? — vaicāja tuvākais no svešiniekiem, pasmaidīdams un pasniegdams pretī platu plaukstu, ko Harijs paspieda, sajuzdams zem pirkstiem raupjo ādu un tulznas. Tātad šis droši vien bija Čārlijs, kurš Rumānijā nodarbojās ar pūķiem. Miesas būves ziņā Čārlijs vairāk līdzinājās dvīņiem — šie trīs brāļi bija īsāki un būdīgāki par Persiju un Ronu, kuri savukārt bija garāki un vairāk izstīdzējuši. Čārlijam bija plata, lādzīga, vēju appūsta seja ar tādu daudzumu vasarraibumu, ka viņš izskatījās gandrīz nosauļojies. Viņa rokas greznoja pamatīgi muskuļi, bet uz viena apakšdelma varēja manīt lielu, spīdīgu apdeguma rētu.

Smaidīdams piecēlās arī Bils un sniedza Harijam roku. Bils Hariju pārsteidza. Harijs zināja, ka Bils strādā burvju bankā, pie Gringotiem, un ka savulaik viņš bijis zēnu vecākais Cūkkārpā. Tāpēc Harijs iedomājās, ka Bils būs Persija agrāka izlaiduma modelis, vienmēr uztraucies par kādu noteikumu neievērošanu un kārs uz apkārtējo izrīkošanu. Tomēr Bils izrādījās vienkārši — un Harijam bija grūti atrast citu vārdu viņa raksturošanai — vēsais džeks. Bils bija slaids vīrietis ar gariem, aizmugurē zirgastē saņemtiem matiem. Viņš nēsāja auskaru, pie kura karājās kaut kas līdzīgs ilknim. Viņa apģērbs labi piestāvētu rokmūziķim uz skatuves koncerta laikā, vienīgais, Harijs ievēroja, ka Bila zābaki bija pagatavoti nevis no kāda tur mājlopa, bet gan no pūķa ādas.

Pirms kāds paguva bilst vēl kādu vārdu, ar klusu paukšķi līdzās Džordžam no zila gaisa uzradās Vīzlija kungs. Tik pārskaitušos Harijs Vīzliju vecāko vēl nekad nebija redzējis.

— Fred, tas *nebija smieklīgi*! — viņš sāka strostēt dēlu. — Ko gan tu iebaroji tam vientiešu puikam?

— Es viņam neko neiebaroju, — viltīgi pasmaidījis, Freds atgaiņājās. — Man vienkārši *izbira*... tā bija viņa paša vaina, nevajadzēja mesties virsū un bāzt mutē. Es viņam neliku neko ēst.

— Tev izbira tīšām! — ieaurojās Vīzlija kungs. — Tu zināji, ka viņš to apēdīs, tu zināji, ka viņš ievēro diētu...

— Cik liela uzblīda viņa mēle? — tēvu ziņkāri pārtrauca Džordžs.

— Kad nabaga vecāki atļāva man to samazināt, tā bija pēdas četras gara!

Harijs un brāļi Vīzliji atkal iesmējās.

— Tas *nav smieklīgi*! — Vīzlija kungs kliegšus atkārtoja. — Tāda izturēšanās krietni pasliktina burvju un vientiešu attiecības! Esmu pavadījis pusi dzīves, cīnīdamies par labāku izturēšanos pret vientiešiem, bet manis paša dēli...

— Mēs to neiebarojām viņam tāpēc, ka viņš ir vientiesis! — Freds kaismīgi iebilda.

— Nē, mēs to viņam iebarojām tāpēc, ka viņš visus terorizē! — piemetināja Džordžs. — Vai tiesa, Harij?

— Tiesa kas tiesa, Vīzlija kungs, — Harijs nopietni piekrita.

— Ne jau par to ir runa! — nikni turpināja Vīzlija kungs. — Pagaidiet, es vēl izstāstīšu jūsu mātei...

— Ko izstāstīsi? — viņiem aiz muguras atskanēja sievietes balss.

Virtuvē bija ienākusi Vīzlija kundze, maza auguma, apaļīga sieviete ar bezgala laipnu seju. Tiesa, šobrīd viņas piemiegtajās acīs jautās aizdomas.

— Sveiks, mīļo Harij, — pamanījusi dēla draugu, viņa iesaucās un pasmaidīja. Tad viņas skatiens atkal pievērsās vīram. — *Ko* tu, Artūr, gribēji man izstāstīt?

Vīzlija kungs svārstījās. Harijs saprata — lai kā Vīzlija kungs dusmojās uz Fredu un Džordžu, sievai neko stāstīt viņš nebija taisījies. Iestājās klusums. Vīzlija kungs tramīgi lūkojās uz savu kundzi. Tajā brīdī Vīzlija kundzei aiz muguras virtuves durvīs parādījās divas meitenes. Viena, jaunkundze ar varen kupliem, brūniem matiem un palieliem priekšzobiem, bija Harija un Rona draudzene Hermione Grendžera. Otra, mazāka auguma rudmate, bija Rona jaunākā māsa Džinnija. Abas meitenes uzsmaidīja Harijam. Zēns atsmaidīja, un Džinnija tūlīt nosarka — kopš pirmās viesošanās "Midzeņos" Harijs viņai ļoti patika.

— *Ko* tu, Artūr, gribēji man izstāstīt? — mazliet draudīgi pārjautāja Vīzlija kundze.

— Ak, nieki vien, Mollij, — nomurmināja Vīzlija kungs, — Freds ar Džordžu... bet es izrunāšos ar viņiem pats...

— Ko viņi sastrādājuši šoreiz? — uztraucās Vīzlija kundze. — Ja tam ir kāda saistība ar *Vīzliju Burvju šķavām*...

— Ron, parādi Harijam, kur viņš šogad gulēs! — stāvēdama turpat uz sliekšņa, ierosināja Hermione.

— Viņš zina, kur gulēs, — Rons sacīja. — Manā istabā, turpat, kur pagājušajā...

— Mēs varētu iet visi kopā, — Hermione uzsvērti atkārtoja.

— Ak, — saprazdams mājienu, noteica Rons. — Labi.

— Jā, arī mēs iesim, — Džordžs posās līdzi...

— *Tu paliec, kur esi!* — noskaldīja Vīzlija kundze.

Harijs un Rons izlavījās ārā no virtuves un tad kopā ar Hermioni un Džinniju šķērsoja šauru priekšnamu un sāka kāpt pa šūpīgām kāpnēm, kas līkumoja augšup uz mājas pārējiem stāviem.

— Kas ir *Vīzliju Burvju šķavas*? — Harijs apvaicājās.

Rons ar Džinniju iesmējās, bet Hermione saglabāja nopietnu seju.

— Tīrot Freda un Džordža istabu, mamma pie viņiem atrada veselu kaudzi ar pasūtījuma veidlapām, — klusi paskaidroja Rons. — Garum garās cenu lapas ar viņu pašu izgudrotām mantiņām. Nu, visādiem jokiem. Viltus zižļi un blēņu saldumi, visvisādas lietas. Tas bija lielisks saraksts, nekad nespēju iedomāties, ka viņi tik daudz ko aizraujošu spējuši izdomāt...

— Sprādzieni viņu istabā skanējuši kopš laika gala, bet mums nekad neienāca prātā, ka viņi *taisa* viskautko, — piebilda Džinnija, — mums likās, ka viņiem vienkārši patīk troksnis.

— Vienīgā nelaime — vairākums mantiņu vai, precīzāk, gandrīz visas bija mazliet bīstamas, — atzina Rons, — un, tā kā viņi grasījās tirgot Cūkkārpā, lai piepelnītu kādu bišķi naudas, mamma uz viņiem briesmīgi sadusmojās. Aizliedza viņiem ar to nodarboties un sadedzināja visas pasūtījuma veidlapas... Mamma gan tāpat bija nikna uz dvīņiem. Freds un Džordžs dabūja mazāk SLIMu, nekā viņa bija cerējusi.

SLIMi bija sākuma līmeņa ieskaites maģijā, pārbaudījumi, ko

Cūkkārpas audzēkņiem vajadzēja izturēt piecpadsmit gadu vecumā.

— Un tad izcēlās pamatīgs jandāliņš, — Džinnija paskaidroja, — jo mamma grib, lai dvīņi strādā Burvestību ministrijā tāpat kā tētis, bet viņi paziņoja, ka vienīgā vieta, kur viņi strādāšot, ir pašu joku veikals.

Tajā brīdī pavērās durvis trešā stāva kāpņu laukumiņā un tajās parādījās seja ar brillēm raga ietvarā un ar ļoti saērcinātu izteiksmi.

— Sveiks, Persij, — sveicināja Harijs.

— Ak, sveiks, Harij, — atsaucās Persijs. — Brīnījos, kas sacēlis tādu troksni. Zināt, es te mēģinu strādāt — man jāpabeidz darba ziņojums — un ir visai grūti koncentrēties, ja visu laiku kāds auļo augšup un lejup pa kāpnēm.

— Mēs *neauļojam*, — aizkaitināts aizrādīja Rons. — Mēs kāpjam. Piedod, ja iejaucāmies Burvestību ministrijas pilnīgi slepenajos procesos.

— Un par ko ir šis ziņojums? — apvaicājās Harijs.

— Tas ir paredzēts Starptautiskās maģiskās sadarbības nodaļai, — pašapmierināti atbildēja Persijs. — Mēģinām standartizēt katlu dibenu biezumu. Zināmi ārzemju ražojumi ir mazliet par plānu — sūču skaits pieaug par gandrīz trīs procentiem gadā...

— Šis ziņojums, tas nes mums jaunu pasaules kārtību, — noņurdēja Rons. — Jādomā, mēs varēsim lasīt par to "Dienas Pareģa" pirmajā lappusē, par tavām katlu sūcēm.

Persijs mazliet piesarka.

— Tu vari vīpsnāt, Ron, — viņš aizrautīgi iebilda, — taču, ja netiks panākta kāda starptautiska vienošanās, mums, iespējams, nāksies saskarties ar to, ka tirgu pārpludinās plāniņi, pavirši izgatavoti produkti, kas var izraisīt nopietnas...

— Jā, jā, skaidrs, — brāli pārtrauca Rons un atkal sāka kāpt augšup pa kāpnēm. Persijs aizcirta savas guļamistabas durvis.

Kamēr Harijs, Hermione un Džinnija nopakaļ Ronam pieveica vēl trīs kāpņu laidienus, viņus sasniedza pirmās kliegšanas atbalsis no virtuves. Izklausījās, ka Vīzlija kungs tomēr izstāstījis savai laulātajai draudzenei par marmelādi.

Istaba mājas pažobelē, kur gulēja Rons, izskatījās gandrīz tāpat kā iepriekšējā reizē, kad Harijs te uzturējās. Tie paši Rona mīļākās kalambola komandas, "Čadlijas Lielgabalu", plakāti, kuros pa sienām un slīpajiem griestiem šaudījās spēlētāji oranžās formās, tas pats akvārijs, kurā varžu ikru vietā tagad gozējās viena vienīga, toties ļoti liela varde. Rona vecās žurkas Kašķa te vairs nebija, toties viņa vietā Harijs ievēroja mazītiņo pelēko pūcīti, kas bija atnesusi uz Dzīvžogu ielu Rona rakstīto vēstuli. Pūcīte lēkāja augšup lejup nelielā būrītī un čirpstēja kā traka.

— Aizveries, Pumpa, — noteica Rons, spraukdamies starp divām no četrām istabā iespiestajām gultām. — Freds un Džordžs gulēs te kopā ar mums, jo Bils un Čārlijs izmitināti dvīņu istabā, — viņš paskaidroja Harijam. — Persijam atļāva palikt vienam pašam veselā istabā, jo viņam, lūk, esot *jāstrādā*.

— Klau... kāpēc tu nosauci savu pūcīti par Pumpu? — Harijs pavaicāja Ronam.

— Tāpēc, ka viņš muļķis, — iejaucās Džinnija. — Pūcītes īstais vārds ir Pumperniķelis.

— Jā, un tas nemaz nav muļķīgs vārds, — Rons izsmējīgi piebilda. — Tā viņu nosauca Džinnija, — viņš paskaidroja Harijam. — Viņa uzskata, ka tas skan mīļi. Turklāt es mēģināju vārdu nomainīt, taču bija par vēlu, ne uz kādu citu vārdu pūce neatsaucas. Tā nu viņš kļuva par Pumpu. Man nākas viņu turēt šeit, jo viņš uztrauc Erolu un Hermeju. Ja nu jāsaka atklāti, viņš uztrauc arī mani.

Pumperniķelis laimīgi lidinājās pa būri un griezīgi ūjināja. Harijs pārāk labi pazina Ronu, lai drauga teikto uztvertu nopietni. Rons vienmēr gaudās par savu veco žurku Kašķi, taču šausmīgi bēdājās, kad likās, ka Hermiones runcis Blēžkājis sirmo grauzēju apēdis.

— Kur ir Blēžkājis? — Harijs apvaicājās Hermionei.

— Varētu būt kaut kur dārzā, — viņa atteica. — Viņam patīk ķerstīt rūķus, neko tādu viņš vēl nebija redzējis.

— Darbs Persijam laikam patīk, ko? — apvaicājās Harijs, apsēzdamies uz vienas no gultām un pētīdams griestus, kur plakātos te ielidoja, te pagaisa kāds no "Čadlijas Lielgabalu" spēlētājiem.

— Patīk? — drūmi pārjautāja Rons. — Domāju, viņš pārvāktos dzīvot uz darbu, ja tētis neliktu nākt mājās. Persijs ir apsēsts. Un sargies, ja viņš sāk runāt par savu priekšnieku. *Kā teica Zemvalža kungs... kā es teicu Zemvalža kungam... Zemvalža kungs uzskata... Zemvalža kungs man pavēstīja...* Es nebrīnītos, ja viņi tuvākajās dienās paziņotu par saderināšanos.

— Kā tev, Harij, gāja pa vasaru? — jautāja Hermione. — Vai tu saņēmi sūtījumus ar pārtiku?

— Jā, liels paldies, — sacīja Harijs. — Tās tortes izglāba man dzīvību.

— Un vai esi dzirdējis kādus jaunumus no... — Rons sāka vaicāt, bet tad, uztvēris Hermiones skatienu, aprāvās. Harijs saprata, ka Rons gribēja jautāt par Siriusu. Pagājušajā gadā Rons un Hermione tik daudz palīdzēja, Siriusam glābjoties no Burvestību ministrijas, ka draugi uztraucās par Harija krusttēvu gandrīz tikpat stipri kā pats krustdēls. Tiesa, apspriest šo jautājumu Džinnijas klātbūtnē nelikās prāta darbs. Par to, kā Siriuss izglābās, zināja tikai viņi paši un vēl profesors Dumidors, tāpēc viņi arī bija vienīgie, kas ticēja Siriusa nevainībai.

— Šķiet, ķīviņš norimis, — ierunājās Hermione, lai pārtrauktu neveiklo klusuma brīdi, jo Džinnija ar aizdomām skatījās te uz Ronu, te uz Hariju. — Labāk kāpsim lejā un palīdzēsim jūsu mammai pagatavot vakariņas.

— Labi, — piekrita Rons. Četrotne izgāja no Rona istabas un atkal devās lejup pa kāpnēm. Vīzlija kundze virtuvē bija viena pati, turklāt izskatījās, ka viņas garastāvoklis ir pamatīgi pabojāts.

— Vakariņas mēs ēdīsim dārzā, — viņa paziņoja, kad bērni parādījās virtuves durvīs. — Šeit vienpadsmit cilvēkiem vienkārši nebūs vietas. Meitenes, lūdzu, iznesiet ārā šķīvjus. Bils ar Čārliju kārto galdus. Bet jūs abi parūpējieties par nažiem un dakšiņām, — viņa vērsās pie Rona un Harija. Vienlaikus viņa pamāja ar savu zizli uz izlietnē sabērto kartupeļu pusi, taču laikam kustība izrādījās pārāk strauja, jo tupeņi izlēca no mizām tik sparīgi, ka vairākums atsitās pret sienām vai griestiem.

— Augstā *debess,* — viņa nosūkstījās un pievērsa zizli saslauku liekšķerei, kas sāka slidināties pa grīdu, citu pēc cita uzlasīdama kartupeļus. — Tas tik ir pārītis! — viņa neapvaldīti nošķendējās, liekdamās pie skapīša un vilkdama ārā no tā katlus un pannas. Harijs noprata, ka šie vārdi ir veltīti Fredam un Džordžam. — Nesaprotu, kas ar viņiem notiks tālāk, tiešām nesaprotu. Nekāda mērķa, ja vien par tādu neuzskata iespējami lielāku ziepju savārīšanu...

Ar blīkšķi nosviedusi uz virtuves galda lielu kapara kastroli, viņa tā iekšpusē savicināja zizli. No zižļa gala sāka līt bieza mērce, ko Vīzlija kundze mierīgi turpināja maisīt.

— Un ja vēl viņiem trūktu smadzeņu, — viņa aizkaitināta turpināja, pārceldama kastroli uz plīts un aizdedzinādama uguni ar vēl vienu zižļa piesitienu, — bet nē, viņi izniekо savas gaišās galvas pa tukšo. Ja viņi tuvākajā laikā nesaņemsies, viņi iekulsies pamatīgās nepatikšanās. Par viņiem abiem man no Cūkkārpas ir bijis vairāk pūču nekā par visiem pārējiem bērniem kopā. Ja dvīņi turpinās tādā pašā garā, par viņiem drīz sāks interesēties Maģijas nepiedienīgas izmantošanas birojs.

Vīzlija kundze pabakstīja ar zizli uz galda piederumu atvilktnes pusi. Tā atsprāga vaļā. Harijs un Rons palēca sāņus, jo no atvilktnes izšāvās vairāki naži, pārlidoja pāri virtuvei un sāka kapāt kartupeļus, ko saslauku liekšķere tikko bija sabērusi atpakaļ izlietnē.

— Nesaprotu, kur esam kļūdījušies, viņus audzinot, — sūkstījās Vīzlija kundze, atlikusi zizli sāņus un vilkdama no plauktiem ārā jaunus kastroļus. — Viens un tas pats atkārtojas no gada gadā, viens un tas pats, bet viņi galīgi neklausa — *ATKAL* TAS PATS!

Zizlis, ko Vīzlija kundze bija paķērusi no galda, izdvesa skaļu pīkstienu un pārvērtās milzīgā gumijas pelē.

— Vēl viens viltus zizlis no dvīņu krājumiem! — viņa nobļāvās. — Cik reižu esmu viņiem teikusi, lai neatstāj tos mētājamies pa visām malām!

Viņa paķēra savu īsto zizli un pagriezās, lai ieraudzītu, ka no mērces katla uz plīts mutuļo dūmi.

— Ejam, — žigli nočukstēja Rons, pagrābdams no atvērtās atvilktnes riekšavu ar galda piederumiem, — palīdzēsim Bilam un Čārlijam.

Zēni uzgrieza Vīzlija kundzei muguru un devās uz ķēķa durvīm, kas veda ārā pagalmā.

Nepaspēja viņi paspert ne pāris soļu, kad, augstu izslējis pudeļu slauķim līdzīgo asti, no dārza izlēkšoja Hermiones līkkājainais, rudais runcis Blēžkājis. Viņš dzinās pakaļ radījumam, kas atgādināja dubļiem klātu kartupeli ar īsām kājiņām. Harijs tūlīt saprata, ka tas ir rūķis. Knapi sprīdi garā radījuma mazās, tulznainās kājeles ļoti ātri aizdipēja pāri pagalmam, līdz beidzot radījums ar galvu pa priekšu ienira vienā no gumijas zābakiem, kas juku jukām mētājās pie durvīm. Harijs dzirdēja, kā rūķis neprātīgi smejas — laikam Blēžkājis, ar ķepu pūlēdamies radībiņu aizsniegt, kutināja rūķim sānus. Bet tad no mājas otras puses atskanēja pamatīga skaļuma brīkšķi. Iegājuši dārzā, viņi uzreiz saprata, no kā cēlās šis ļembasts. Bils un Čārlijs bija izvilkuši savus zižļus un sarīkojuši gaisa kauju starp diviem veciem, daudzcietušiem galdiem. Abas mēbeles lidinājās augstu virs zāliena un ik pa brīdim saskrējās, cenzdamās viena otru notriekt zemē. Freds un Džordžs izkliedza uzmundrinājumus, Džinnija smējās, un vienīgi Hermione grozījās mazliet attālāk pie žoga, laikam nespēdama izšķirties starp uzjautrinājumu un uztraukumu.

Bila galdam izdevās varens belziens, un Čārlija galdam nolūza viena kāja. Virs skatītāju galvām kaut kas nograbēja, un visi pacēla acis trokšņa virzienā. No trešā stāva loga galvu bija pabāzis Persijs.

— Vai nevarētu klusāk? — viņš nokliedzās.

— Piedod, Pers, — smaidīdams atvainojās Bils. — Kā veicas ar katlu dibeniem?

— Ļoti slikti, — sapīcis atsaucās Persijs un aizcirta logu. Vēl arvien smejoties, Bils un Čārlijs lika galdiem piezemēties zālienā. Kad galdi nostājās viens otra galā, ar vieglu zižļa kustību Bils piestiprināja nolauzto kāju atpakaļ vietā, kā arī no tukša gaisa uzbūra galdautus.

Kad pienāca septiņi, abi galdi vai lūza no dažnedažādiem Vīzlija kundzes pavārmākslas brīnumiem. Visi deviņi Vīzliji kopā ar Hariju un Hermioni sēdās ieturēt maltīti zem skaidrajām, tumši zilajām debesīm. Puikam, kas visu vasaru bija pārticis no arvien apkaltušākām tortēm, šī likās īsta paradīze, tāpēc — vismaz vakariņu iesākumā — Harijs vairāk klausījās, nekā runāja, jo viņa muti nodarbināja vistas un šķiņķa sacepums, vārītie kartupeļi un salāti.

Galda tālajā galā Persijs gari un plaši stāstīja tēvam par savu katlu dibenu ziņojumu.

— Es apsolīju Zemvalža kungam, ka ziņojums būs gatavs līdz otrdienai, — Persijs plātījās. — Tas ir mazliet ātrāk, nekā viņš cerēja to saņemt, taču man patīk piestrādāt, lai viss būtu kārtībā. Domāju, viņš būs pateicīgs, ka ziņojums sagatavots tik drīz. Jo, redzi, šobrīd mūsu nodaļā darba netrūkst, tik daudz kas jāpagūst vēl līdz Pasaules kausa izcīņai. Maģisko spēļu un sporta veidu nodaļa mums diemžēl nesniedz nepieciešamo atbalstu. Ludo Maišelnieks...

— Man Ludo patīk, — saudzīgi iebilda Vīzlija kungs. — Tieši viņš izkārtoja mums tik labas biļetes uz rītdienas spēli. Arī es viņam mazliet palīdzēju — Ludo brālis Oto bija iekūlies nepatikšanās — viņa zāles pļāvējam, izrādījās, piemita neparastas spējas — taču man izdevās visu noklusināt.

— Ak, Maišelnieks, protams, ir visai *patīkams* vīrs, — Persijs atvairīja tēva iebildumu, — taču nesaprotu, kā gan viņš ticis par nodaļas vadītāju... ja es salīdzinu viņu ar Zemvalža kungu! Es nespēju iedomāties, ka Zemvalža kungs varētu pazaudēt mūsu nodaļas darbinieku un necenstos uzzināt, kas ar pazudušo noticis. Vai tu maz vari aptvert, ka Berta Džorkinsa nav nekur manīta jau vairāk nekā mēnesi? Kā aizbrauca atvaļinājumā uz Albāniju, tā vairs nav rādījusies!

— Jā, es Ludo apvaicājos par Bertu, — saraukdams pieri, sacīja Vīzlija kungs. — Viņš zināja stāstīt, ka arī pirms tam Berta jau zudusi ne vienu vien reizi, — lai gan jāsaka, ja pazudis būtu kāds no manas nodaļas darbiniekiem, es noteikti uztrauktos...

— Protams, Berta ir *bezcerīgs* gadījums, — turpināja Persijs. — Esmu dzirdējis, ka viņu jau gadiem ilgi pārceļ no nodaļas uz nodaļu, no viņas esot vairāk galvassāpju nekā labuma... bet, tik un tā, Maišelniekam vajadzētu pielikt visas pūles, lai dāmu atrastu. Zemvalža kungs ir personiski norūpējies — reiz Berta esot strādājusi mūsu nodaļā, un, zini, man šķiet, Zemvalža kungam viņa ir tīri labi patikusi... taču Maišelnieks tikai smejas un apgalvo, ka viņa droši vien kaut ko sajaukusi kartē un Albānijas vietā aizceļojusi uz Austrāliju. Lai kā arī būtu, — Persijs izdvesa iespaidīgu nopūtu un iedzēra krietnu malku pliederziedu vīna, — mums Starptautiskās maģiskās sadarbības nodaļā ir pietiekami daudz darba, lai vēl meklētu citu nodaļu darbiniekus. Kā tu zini, tūlīt pēc Pasaules kausa izcīņas mums jārīko vēl viens nozīmīgs pasākums.

Viņš daudznozīmīgi noklepojās un paskatījās uz galda pretējo galu, kur sēdēja Harijs, Rons un Hermione. — *Tu*, tēt, zini, par ko es runāju. — Persijs ierunājās mazliet skaļāk. — Nu, par to pilnīgi slepeno.

Rons pārgrieza acis un čukstus paziņoja Harijam un Hermionei: — Kopš viņš sāka strādāt ministrijā, viņš visu laiku mēģina panākt, lai mēs viņam pajautātu, kas tas par pasākumu. Visticamāk, tā būs biezdibena katlu izstāde.

Galda vidū Vīzlija kundze strīdējās ar Bilu par auskaru — šķiet, viņš to bija iegādājies visai nesen.

— ...un vēl tas briesmīgais ilknis, tiešām, Bil... Un ko par to saka bankā?

— Mammu, bankā neviens neliekas ne zinis par to, kā es ģērbjos, ja vien es spēju sarūpēt viņiem gana daudz dārgumu, — pacietīgi attrauca Bils.

— Un arī tavi mati, mīļais, sāk izskatīties jocīgi, — Vīzlija kundze turpināja uzbrukumu, mīļi noglāstīdama savu zizli. — Kaut nu tu ļautu man tos apgriezt...

— Man gan tie patīk, — ierunājās Džinnija, kas sēdēja otrā pusē Bilam. — Tu, mammu, esi tik vecmodīga. Turklāt tie ne tuvu nav tik gari kā profesora Dumidora frizūra...

Blakus Vīzlija kundzei Freds, Džordžs un Čārlijs aizrautīgi sprieda par gaidāmo Pasaules kausa izcīņu.

— Liekas, ka uzvarēs Īrija, — neskaidri noteica Čārlijs, vienlaikus gremodams kartupeli. — Peruāņus pusfinālā viņi nolīdzināja līdz ar zemi.

— Bet bulgāriem ir Viktors Krums, — iebilda Freds.

— Krums ir viens labs spēlētājs, bet īriem izcils ir viss septiņnieks, — Čārlijs strupi secināja. — Žēl, ka Anglija netika tālāk. Tas bija apkaunojoši.

— Kas notika? — ziņkārīgi vaicāja Harijs, tagad īpaši asi izjuzdams laiku, ko, izolēts no burvju pasaules, bija nodirnējis Dzīvžogu ielā. Kalambols bija Harija kaislība. Jau kopš pirmā gada Cūkkārpā viņš spēlēja meklētāja postenī, aizstāvot Grifidora krāsas, turklāt zēnam piederēja ugunsbulta, viena no labākajām sporta slotām pasaulē.

— Dabūja pa mizu no Transilvānijas, trīssimt deviņdesmit pret desmit, — drūmi paskaidroja Čārlijs. — Satriecoša bezspēcība. Velsa zaudēja Ugandai, bet skoti palika kaunā spēlē pret Luksemburgu.

Vīzlija kungs uzbūra sveces, lai izgaismotu satumsušo dārzu, un tad viņi ķērās pie pudiņa (ar mājās gatavotu zemeņu saldējumu). Kad visi bija paēduši, zemu pār galdu jau lidinājās nakts-tauriņi un siltais gaiss smaržoja pēc zāles un sausserža. Harijs jutās lieliski pabarots un mierā ar visu pasaules kārtību. Viņš laiski pavadīja ar skatienu vairākus rūķus, kas, traki smiedamies, cauri rožu krūmiem bēga no Blēžkāja.

Rons uzmanīgi paskatījās visapkārt, lai pārliecinātos, ka pārējie ģimenes locekļi ir iegrimuši sarunās cits ar citu, un tad ļoti klusu vērsās pie Harija: — Nu — *vai* beidzamā laikā esi saņēmis kādu ziņu no Siriusa?

Arī Hermione, uzmanīgi klausīdamās, pievērsās draugiem.

— Esmu gan, — Harijs tikpat klusi atbildēja, — viņš man atsūtīja divas vēstules. Izklausās, ka viņam klājas labi. Aizvakar es viņam aizrakstīju atbildi. Varbūt vēl kāda ziņa pienāks, kamēr mēs uzturamies šeit.

Harijs pēkšņi atcerējās, kāpēc bija rakstījis Siriusam, un gandrīz jau izstāstīja Ronam un Hermionei par sāpošo rētu un par sapni, kas bija viņu pamodinājis... Tomēr izlēma, ka tādā brīdī nevēlas draugus uztraukt, ne tagad, kad viņš pats jutās tik laimīgs un mierīgs.

— Skat, cik daudz rāda pulkstenis, — pēkšņi paskatījusies rokas pulkstenī, nošausminājās Vīzlija kundze. — Jums jau bija jābūt gultā, visiem, visiem. Lai tiktu uz spēli, jums jāceļas pirms saules lēkta. Harij, ja tu man atstātu skolai vajadzīgo lietu sarakstu, es rīt Diagonalejā nopirktu arī visu tev nepieciešamo. Rīt es gādāju skolas lietas visiem pārējiem. Iespējams, pēc Pasaules kausa izcīņas tam vairs neatliks laika, pagājušajā reizē spēle ilga piecas dienas.

— Tiešām?! Kaut nu tā būtu arī šoreiz! — sajūsmināts iesaucās Harijs.

— Es gan par to nepriecātos, — svētulīgi iebilda Persijs. — Man *jānodreb*, iedomājoties, kā izskatīsies saņemtā pasta nodalījums uz mana darba galda, ja es būšu projām veselas piecas dienas.

— Jā, kāds atkal var iemānīt tur pūķa kaku riekšavu, ko, Pers? — noteica Freds.

— Tas bija mēslojuma paraugs no Norvēģijas! — pamatīgi piesarcis, iesaucās Persijs. — Tas nebija nekas *aizvainojošs*!

— Bija gan, — Freds, celdamies no galda, iečukstēja Harijam ausī. — Tos sūdus viņam aizsūtījām mēs.

# SESTĀ NODAĻA

# EJSLĒGA

Harijam likās, ka viņš tikko iegājis Rona istabā un licies gulēt, kad viņu jau purinot modināja Vīzlija kundze.

— Laiks posties, Harij, mīļumiņ, — viņa čukstēja un pavirzījās tālāk, lai pieceltu arī Ronu.

Harijs sataustīja brilles, uzlika tās uz acīm un pieslējās sēdus. Ārā vēl arvien bija tumšs. Mammas pamodinātais Rons kaut ko neskaidri murmināja. Matrača kājgalī Harijs pamanīja, kā no segu jūkļa iznirst vēl divi lieli, izspūruši silueti.

— Vai tiešām jāceļas? — neskaidri noņurdēja Freds.

Zēni ģērbās klusējot, jo jutās pārāk samiegojušies, lai sarunātos. Tad žāvādamies un staipīdamies visi četri devās lejā pa kāpnēm uz virtuvi.

Vīzlija kundze pie plīts maisīja liela katla saturu, bet Vīzlija kungs tikmēr sēdēja pie galda, pārbaudīdams lielu pergamenta biļešu žūksni. Kad virtuvē ienāca zēni, viņš izstiepa uz sāniem rokas, lai puikas varētu labāk saskatīt viņa drēbes. "Midzeņu" saimniekam mugurā bija golfa džemperis un ļoti veci džinsi, turklāt bikses izskatījās viņam mazliet par lielu, tāpēc tās saturēja plata ādas siksna.

— Kā jums šķiet? — viņš ieinteresēti vaicāja. — Ir norādījums, ka ceļot vajadzētu inkognito, Harij, vai es izskatos pēc vientieša?

— Jā, — pasmaidījis atteica Harijs, — uz mata.

— Kur ir Bils un Čārlijs, un Pe-e-ersijs? — jautāja Džordžs, kuram tā arī neizdevās apvaldīti milzīgu žāvu.

— Nu, viņi izmantos teleportāciju, — Vīzlija kundze paskaidroja, pārceldama milzīgo katlu uz galdu un sākdama likt biezputru bļodiņās. — Tāpēc viņi var pagulēt kādu stundiņu ilgāk. Harijs zināja, ka teleportācija ir ļoti sarežģīta; tā nozīmēja pazušanu vienā vietā un gandrīz tūlītēju parādīšanos citur.

— Tad viņi vēl vāļājas pa gultu? — Freds skaudīgi noteica, pavilkdams tuvāk putras bļodu. — Kāpēc arī mēs nevaram aizteleportēties uz spēli?

— Tāpēc, ka jūs vēl neesat pilngadīgi, turklāt neesat nolikuši tiesības, — noskaldīja Vīzlija kundze. — Kur kavējas mūsu meitenes?

Viņa izvēlās no virtuves, un varēja dzirdēt, kā viņa kāpj augšup pa kāpnēm.

— Vai jānoliek tiesības, lai drīkstētu teleportēties? — jautāja Harijs.

— Jā gan, — sacīja Vīzlija kungs, rūpīgi noglabādams biļetes džinsu aizmugures kabatā. — Vēl pirms pāris dienām Maģiskās pārvietošanās nodaļa uzlika sodu pāris tipiņiem, kuri bija nolēmuši izmantot teleportāciju, kaut arī tiesību viņiem nebija. Teleportācija nebūt nav vienkārša un, ja to izmanto neprasmīgi, tas var beigties pagalam bēdīgi. Tie cilvēki, kurus es pieminēju, vienkārši pārdalījās.

Visi pie galda sēdošie, izņemot Hariju, saviebās.

— Kā — *pārdalījās*? — Harijs pārvaicāja.

— Pameta daļu sevis paša teleportācijas vietā, — Vīzlija kungs paskaidroja, jaukdams putrai klāt krietnu devu sīrupa. — Un, protams, iestrēga. Nespēja pakustēties ne uz vienu, ne otru pusi. Nācās izsaukt Nejaušas maģijas gadījumu novēršanas vienību, lai izpestī viņus. Tas viss beidzās ar ne vienu vien sējumu paskaidrojumu, ticiet man, nemaz nerunājot par to, ka vientieši pamanīja neprašu pamestās ķermeņa daļas...

Harijs pēkšņi iedomājās, kā tas būtu, ja viņš uz trotuāra Dzīvžogu ielā ieraudzītu pamestu kāju pāri un acs ābolu...

— Vai viņiem nekas nenotika? — zēns uztraucies vaicāja.

— Nekas briesmīgs, — it kā starp citu atbildēja Vīzlija kungs. — Tiesa, viņiem nācās samaksāt pamatīgu soda naudu, tāpēc nedomāju, ka viņi vēlreiz mēģinās ko tādu bez pienācīgas sagatavošanās. Ar teleportāciju nejoko. Ir daudzi pieauguši burvji, kuri to nemaz neizmanto. Dod priekšroku slotām — tās ir lēnākas, toties drošākas.

— Bet Bils, Čārlijs un Persijs teleportējas labi?

— Čārlijam nācās likt eksāmenu otrreiz, — smīnēdams paziņoja Freds. — Pirmajā reizē viņš izkrita, jo aizteleportējās piecas jūdzes uz dienvidiem no paredzētās vietas, gandrīz nogāzdams no kājām kādu nabaga večiņu, kas devās iepirkties!

— Jā, bet otrajā reizē viņš eksāmenu nolika, — sacīja Vīzlija kundze, pamatīgas smieklu vētras vidū iesoļodama atpakaļ virtuvē.

— Persijs nolika tiesības tikai pirms divām nedēļām, — Džordžs piebilda. — Kopš tā brīža viņš katru rītu teleportējas uz virtuvi brokastīs, lai parādītu visiem, ka viņš to spēj.

Gaitenī atskanēja soļi, un virtuvē, izskatīdamās bālas un samiegojušās, ienāca Hermione un Džinnija.

— Kāpēc bija jāceļas tik agri? — berzēdama acis, Džinnija jautāja un apsēdās pie galda.

— Mums kāds gabaliņš jāiet kājām, — Vīzlija kungs paskaidroja.

— Kājām? — pārvaicāja Harijs. — Vai tad mēs iesim uz spēles vietu kājām?

— Nē, nē, tas ir pārāk tālu, — pasmaidījis noteica Vīzlija kungs. — Mums kājām jānoiet neliels gabaliņš. Tas tāpēc, ka lielam burvju daudzumam ir visai sarežģīti sapulcēties vienuviet un vienlaikus nepievērst vientiešu uzmanību. Arī ikdienā mums jāceļo ļoti uzmanīgi, bet, dodoties uz tādiem milzīgiem pasākumiem kā Pasaules kausa izcīņa...

— Džordž! — Vīzlija kundze iekliedzās tik pēkšņi, ka visi pie galda sēdošie salēcās.

— Ko tad? — jautāja Džordžs nevainīgā balsī, kas nevienu nepārliecināja par viņa nevainību.

— Kas tev tajā kabatā?

— Nekas!

— Nemelo!

Vīzlija kundze pievērsa zizli Džordža kabatai un iesaucās:

— *Šurpum!*

No Džordža kabatas izšāvās vairāki nelieli, spilgti krāsaini priekšmeti. Viņš mēģināja tos pārtvert, taču tie kustējās pārāk ātri — un visi kā viens sabira Vīzlija kundzes pastieptajā rokā.

— Mēs jums tos likām iznīcināt! — Vīzlija kundze pārskaitusies sacīja, uzmetusi skatienu saldumiem, kas nepārprotami bija Milzmēles marmelādes. — Mēs likām visus šos draņķus aizvākt! Tukšojiet kabatas, abi divi!

Tā bija nepatīkama aina. Izskatījās, ka dvīņi bija mēģinājuši iznest no mājas pēc iespējas vairāk marmelādes, un, tikai liekot lietā pieburšanas burvestību, Vīzlija kundzei izdevās to visu sameklēt.

— *Šurpum! Šurpum! Šurpum!* — viņa atkal un atkal sauca, un marmelāde šāvās ārā no gluži neticamām vietām, to skaitā no Džordža žaketes oderes un Freda džinsu atlokiem.

— Mēs to izstrādāšanai ziedojām sešus mēnešus! — Freds satraukts pacēla balsi, skatīdamies, kā māte izmet marmelādi.

— Lieliska nodarbība, kam veltīt pusi gada! — viņa iebļāvās. — Nav nekāds brīnums, ka jūs dabūjāt tik maz SLIMu!

Galu galā gaisotne, kas valdīja mājā promiešanas brīdī, nebija visai draudzīga. Skūpstot Vīzlija kungu uz vaiga, Vīzlija kundze vēl zvēroja dusmās, bet dvīņi izskatījās vēl reizes divas dusmīgāki. Uzmetuši plecos mugursomas, viņi izgāja no mājas, tā arī nepateikuši mātei ne vārda.

— Lai jums labi klājas, — Vīzlija kundze novēlēja, — un

*uzvedieties, kā pieklājas,* — viņa nokliedza pakaļ dvīņu mugurām, taču viņi pat neatskatījās. — Bilu, Čārliju un Persiju es posīšu ceļā ap pusdienlaiku, — Vīzlija kundze piebilda savam vīram, kad viņš kopā ar Hariju, Ronu, Hermioni un Džinniju devās pāri tumšajam pagalmam nopakaļ Fredam un Džordžam.

Bija vēss, un debesīs vēl arvien spīdēja mēness. Tikai blāva, zaļganīga atblāzma pie apvāršņa pa labi liecināja, ka pamazām tuvojas saullēkts. Harijs, lauzīdams galvu, kā gan tūkstoši burvju var ierasties uz Pasaules kausa izcīņu kalambolā, pielika soli un panāca Vīzlija kungu.

— Kā gan visi *pamanās* nokļūt uz spēli tā, lai vientieši neko neievērotu? — zēns vaicāja.

— Tas ir liels organizatorisks uzdevums, — nopūtās Vīzlija kungs. — Nelaime tā, ka uz Pasaules kausu ierodas apmēram simt tūkstoši burvju, un, protams, mūsu rīcībā vienkārši nav tik liela maģiska laukuma, kur viņi visi varētu satilpt. Ir vietas, kur vientieši nespēj iekļūt, bet, iedomājies, kas notiktu, ja simt tūkstošiem burvju vajadzētu saspiesties Diagonalejā vai uz platformas deviņi un trīs ceturtdaļas. Tāpēc mums nācās sameklēt jauku, neapdzīvotu tīreli un paredzēt visus iespējamos pretvientiešu pasākumus. Vai visa ministrija ar to nodarbojās vairākus mēnešus. Vispirms mums nācās paredzēt dažādus ierašanās laikus. Skatītājiem ar lētākām biļetēm vajadzēja ierasties jau divas nedēļas iepriekš. Daļa izmantos vientiešu transporta līdzekļus, taču mēs nevaram piebāzt autobusus un vilcienus ar burvjiem — turklāt atceries, viņi ierodas no visas pasaules. Daži, protams, izmantos teleportāciju, taču mums bija jānosaka drošas parādīšanās vietas, tālu projām no vientiešu acīm. Ja nemaldos, turpat netālu atrodas parocīgs mežiņš, ko izmanto kā teleportācijas galapunktu. Tiem, kas nevēlas teleportēties vai nedrīkst to darīt, ir sagatavotas ejslēgas. Ejslēgas ir priekšmeti, ko izmanto, lai iepriekš noteiktā laikā transportētu burvjus no vienas vietas uz citu. Ja nepieciešams, ejslēgas var vienlaikus izmantot lielas burvju grupas. Britu salās, stratēģiski izdevīgās vietās, ir izvietoti divi simti ejslēgu, un mums tuvākā atrodas Sermuļgalvas kalna virsotnē, un turp arī mēs ejam.

Vīzlija kungs ar roku norādīja uz priekšu, kur pāri Svētūdraines ciemam slējās milzīgs, melns siluets.

— Kādi priekšmeti kalpo par ejslēgām? — Harijam vajadzēja zināt visu.

— Nu, ejslēga var būt jebkas, — paskaidroja Vīzlija kungs. — Protams, izvēlas neuzkrītošas lietas, lai tās nepaceltu vientieši un nesāktu ar tām spēlēties... kaut kas tāds, ko viņi uzskatītu par atkritumiem...

Viņi ar grūtībām vilkās pa tumšo, miklo ceļu starp dzīvžogiem uz ciemata pusi. Varēja dzirdēt tikai soļu troksni. Debesīm lēni izgaismojoties, viņi izsoļoja cauri ciemam. Debesu tintes melnums pamazām pārtapa tumši zilā krāsā. Harijam sala rokas un kājas. Vīzlija kungs ik pa brīdim ieskatījās pulkstenī.

Kāpiens Sermuļgalvas kalnā bija tik smags, ka uz runāšanu prāts nevienam nenesās. Kājas pa brīdim muka trušu alās vai slīdēja uz lieliem melnas zāles kumšķiem. Katrs elpas vilciens atbalsojās ar dūrienu krūtīs un Harija kājas sāka vilkt krampji, līdz beidzot viņi sasniedza kalna virsotni.

— Fū, — elsodams noteica Vīzlija kungs, noņemdams brilles un noslaucīdams džempera malā. — Bet mēs esam paguvuši — mums vēl ir desmit minūtes laika...

Hermione parādījās kalna virsotnē beidzamā, ar abām rokām turēdamās pie sāpošajiem sāniem.

— Tagad atliek vien atrast ejslēgu, — sacīja Vīzlija kungs, uzlikdams atpakaļ brilles un pievērsdamies zemei. — Tas nebūs nekas liels... ejam...

Visi izretojās pa pļavu un sāka meklēt. Taču pēc pāris minūtēm kluso gaisu nodrebināja kliedziens.

— Nāciet šurp, Artūr! Nāc, dēls, mēs to atradām!

Kalna virsotnes otrā pusē pret zvaigžņotajām debesīm varēja saskatīt divus garus stāvus.

— Eimos! — iesaucās Vīzlija kungs un smaidot devās pie saucēja. Pārējie viņam sekoja.

Vīzlija kungs sarokojās ar burvi, kuram bija sarkana seja un pašķidra bārdiņa. Svešais otrā rokā turēja appelējušu, vecu zābaku.

— Iepazīstieties ar Eimosu Digoriju, — teica Vīzlija kungs. — Viņš strādā Maģisko būtņu regulēšanas un kontroles nodaļā. Šķiet, viņa dēlu Sedriku jūs jau pazīstat?

Sedriks Digorijs bija ļoti glīts, gadus septiņpadsmit vecs jauneklis. Cūkkārpā viņš bija Elšpūša komandas kapteinis un meklētājs.

— Sveiki, — sacīja Sedriks, pārlaizdams skatienu visiem klātesošajiem.

Visi atbildēja sveicienam, izņemot Fredu un Džordžu — viņi tikai pamāja ar galvu. Dvīņi vēl arvien nespēja piedot Sedrikam Grifidora komandas zaudējumu Elšpūtim iepriekšējās sezonas pirmajā spēlē.

— Pamatīgi nostaigājāties, ko? — Sedrika tēvs vaicāja Vīzlija kungam.

— Nebija jau tik traki, — uzrunātais atbildēja. — Mēs dzīvojam turpat aiz tā ciema. Un jūs?

— Nācās celties divos, vai ne, Sed? Godīgi runājot, es ļoti priecāšos, kad viņš noliks teleportācijas tiesības. Bet ko tur... es nesūdzos... Es neizlaistu iespēju noskatīties Pasaules kausa izcīņu kalambolā pat par veselu galeonu zutni — un, jāatzīst, par biļetēm gandrīz tik arī nācās samaksāt. Un es laikam tās vēl dabūju pa lēto... — Eimoss Digorijs pārlaida laipnu skatienu trim Vīzliju puikām, Harijam, Hermionei un Džinnijai. — Vai tie, Artūr, visi tavējie?

— Nē, nē, tikai rudgalvji, — Vīzlija kungs paskaidroja, norādot uz savām atvasēm. — Šī ir Hermione, Rona draudzene, un Harijs, Rona draugs...

— Pie Merlina bārdas, — acīm ieplešoties, novilka Eimoss Digorijs. — Harijs? Harijs *Poters*?

— Jā, jā gan.

Harijs bija jau pieradis, ka pirmās tikšanās reizēs cilvēki uz viņu skatās ar lielām acīm, ka viņi uzreiz mēģina ieraudzīt rētu uz pieres; tomēr, par spīti tam, viņš vēl arvien jutās neērti.

— Seds, protams, par tevi ir daudz stāstījis, — turpināja Eimoss Digorijs. — Izstāstīja mums visiem par spēli pagājušajā gadā, kurā jūs tikāties... Un es viņam teicu — Sed, par to tu vēl varēsi pastāstīt saviem mazbērniem... *tu pieveici Hariju Poteru!*

Harijs nesaprata, ko tagad atbildēt, tāpēc neteica ne vārda. Freds un Džordžs atkal sabozās. Arī Sedriks izskatījās mazliet nokaunējies.

— Tēt, Harijs nokrita no slotas, — viņš nomurmināja. — Es taču tev stāstīju... tas bija negadījums...

— Jā, bet *tu* taču nenokriti! — sirsnīgi uzsauca Eimoss, uzsizdams dēlam uz pleca. — Mūsu Seds vienmēr ir tik pieticīgs, vienmēr izturas kā džentlmenis... bet uzvar labākais, es nešaubos, ka Harijs to apliecinās, vai ne, ko? Viens nokrīt no slotas, otrs noturas, nemaz nav jābūt ģēnijam, lai pateiktu, kurš labāk lido!

— Tūlīt būs laiks, — žigli iejaucās Vīzlija kungs, vēlreiz ieskatījies pulkstenī. — Eimos, nezini, vai mēs gaidām vēl kādu?

— Nē, Mīlabi aizceļoja jau pirms nedēļas, bet Foseti tā arī nedabūja biļetes, — Digorija kungs zināja pastāstīt. — Un vairāk mūsējo šajā apvidū vairs nav, vai ne?

— Cik man zināms, nav gan, — Vīzlija kungs noteica. — Tā, paliek vēl minūte... sagatavosimies...

Viņš paskatījās uz Hariju un Hermioni. — Jums tikai jāpieskaras ejslēgai, kaut vai ar pirksta galu...

Traucēja lielās mugursomas, tāpēc visiem deviņiem sastāties ap veco zābaku, ko vēl arvien turēja Eimoss Digorijs, nemaz nebija viegli.

Viņi saspiedās ciešā lokā. Kalna virsotnei pāršalca vēsa vēja brāzma. Neviens nebilda ne vārda. Harijam pēkšņi iešāvās prātā doma, cik gan dīvaini tas izskatītos kāda nejauša garāmgājēja vientieša acīs... deviņi cilvēki, divi no tiem pieauguši vīrieši, kaut ko pustumsā gaida, pieķērušies pie netīra, veca zābaka...

— Trīs... — nomurmināja Vīzlija kungs, ar vienu aci skatīdamies pulkstenī, — divi... viens...

Viss notika vienā acumirklī — sajūta bija tāda, it kā kāds pēkšņi parautu pie nabas piekabinātu āķi; Harijs lidoja uz priekšu, kājas atrāvās no zemes; zēns juta līdzās Ronu un Hermioni, draugi brīdi pa brīdim uzgrūdās viņam; vējam kaucot, viņi visi traucās uz priekšu, un gar acīm ņirbēja dažnedažādu krāsu karuselis; rādītājpirksts likās pielipis pie zābaka, un zābaks kā magnēts vilka viņu uz priekšu, un tad...

Harija pēdas atdūrās pret zemi, viņam mugurā ieskrēja Rons, un Harijs pakrita. Ar smagu būkšķi ejslēga nokrita turpat pie viņa auss.

Harijs paskatījās uz augšu. Vīzlija kungs, Digorija kungs un Sedriks vēl arvien stāvēja kājās, lai gan izskatījās, it kā viņu matus un drēbes būtu papluinījis vējš. Pārējie gulēja zemē līdzās Harijam.

— Pienāca piecos nulle septiņās no Sermuļgalvas kalna, — paziņoja kāda balss.

## SEPTĪTĀ NODAĻA

# MAIŠELNIEKS UN ZEMVALDIS

Harijs atpiņķējās no Rona un piecēlās kājās. Viņi bija nonākuši vietā, kas atgādināja miglainu tīreļa neapdzīvotu nostūri. Viņus sagaidīja divi noguruši un ērcīga izskata burvji. Viens turēja lielu zelta pulksteni, un otrs — lielu pergamenta vīstokli un rakstāmspalvu. Abi bija mēģinājuši saģērbties vientiešu drānās, taču bez īpašiem panākumiem — vīram ar pulksteni mugurā bija tvīda uzvalks komplektā ar zvejnieku zābakiem, kas sniedzās viņam līdz gurniem; viņa kolēģis bija izvēlējies skotu svārciņus un indiāņu pončo.

— Labrīt, Bezil, — sveicināja Vīzlija kungs, paceldams no zemes zābaku un pasniegdams to svārciņos tērptajam burvim, kurš to iemeta lielā kastē ar izmantotām ejslēgām turpat līdzās. Harijs paguva pamanīt, ka tur vēl bija veca avīze, tukša limonādes skārdene un sadurta futbolbumba.

— Sveiks, Artūr, — garlaikoti atsaucās Bezils. — Tevi pie darba nelika, ko? Dažiem gan veicas... mēs te esam nodirnējuši visu nakti... Bet nestāviet gan uz vietas, piecos piecpadsmit mēs gaidām krietnu pulciņu no Melnā meža. Pagaidiet, es sameklēšu, kur ir jūsu apmešanās vieta... Vīzlijs... Vīzlijs... — Burvis sāka ritināt pergamenta vīstokli. — Apmēram ceturtdaļjūdzi no šejienes, pirmais laukums, kurā nonāksiet. Laukuma pārzini sauc Robertsa kungs. Digorijs... otrais laukums... meklējiet Peina kungu.

— Pateicos, Bezil, — Vīzlija kungs noteica un pamāja ar roku pārējiem, lai nāk viņam līdzi.

Nespējot miglā neko daudz saskatīt, viņi devās pāri tuksnesīgajam tīrelim. Pēc minūtēm divdesmit no dūmakas iznira vārti un tiem līdzās — mazs akmens namiņš. Aiz tā Harijs miglā drīzāk nojauta nekā redzēja daudzu jo daudzu telšu spocīgos apveidus. Teltis bija izkārtotas plašā laukā, kas lēzeni cēlās augšup un pie apvāršņa beidzās ar tumšu meža strēmeli. Viņi atvadījās no Digorijiem un piegāja pie namiņa durvīm.

Durvīs stāvēja vīrietis un skatījās uz teltīm. No pirmā acu uzmetiena Harijs saprata, ka šis nu ir vienīgais īstais vientiesis tuvākajā apkaimē. Izdzirdis nācēju soļus, vīrietis pagriezās.

— Labrīt! — mundri sveicināja Vīzlija kungs.

— Labrīt, — atsaucās vientiesis.

— Vai jūs būtu Robertsa kungs?

— Tā gan, — apstiprināja vīrs. — Un kas būtu jūs?

— Vīzlijs, divas teltis, rezervēju vietas pirms pāris dienām.

— Skaidrs, — noteica Robertsa kungs un sāka pētīt pie durvīm piesprausto sarakstu. — Jūsu vietas ir augšā pie meža. Tikai viena nakts?

— Tieši tā, — apstiprināja Vīzlija kungs.

— Tad maksāsiet uzreiz? — vaicāja Robertsa kungs.

— Jā... protams... noteikti... — sastomījās Vīzlija kungs. Viņš pagāja pāris soļu sānis un pasauca pie sevis Hariju. — Palīdzi man, Harij, — viņš nomurmināja, izvilkdams no kabatas vientiešu naudas žūksnīti un pārcilādams banknotes. — Šis ir... ir... desmitnieks, ko? Ak, jā, tagad redzu mazo skaitlīti... tātad šis būs piecnieks?

— Divdesmitnieks, — Harijs pusbalsī izlaboja, juzdamies mazliet neērti, jo manīja, ka Robertsa kungs cenšas saklausīt katru viņu vārdu.

— Jā, tātad tā... nudien nezinu, šie mazie...

— Ārzemnieks? — apvaicājās Robertsa kungs, kad Vīzlija kungs atgriezās pie viņa ar pareizo naudas summu.

— Ārzemnieks? — apmulsis pārvaicāja Vīzlija kungs.

— Jūs neesat pirmais, kam grūtības ar naudu, — paskaidroja Robertsa kungs, cieši nopētīdams Vīzlija kungu. — Pirms desmit minūtēm viens pārītis mēģināja man samaksāt ar apakštasīšu lieluma zelta monētām.

— Tiešām? — nervozi atsaucās Vīzlija kungs.

Robertsa kungs ieskatījās mazā skārda kārbiņā un sāka meklēt atlikumu.

— Nekad šeit nav bijis tāds bars, — viņš pēkšņi noteica, vēlreiz paskatījies uz dūmakas klāto lauku. — Simtiem rezervāciju. Parasti cilvēki atbrauc tāpat...

— Nudien, — Vīzlija kungs pastiepa plaukstu pēc atlikuma, taču Robertsa kungs viņam to tūlīt neatdeva.

— Jā, — viņš domīgi noteica. — Sabraukuši sazin no kurienes. Lērums ārzemnieku. Turklāt ne jau parastu ārzemnieku. Dīvaiņi, vai zināt. Redzēju vienu, kurš staigā apkārt skotu svārciņos un indiāņu apmetnī.

— Tā nav pieņemts? — Vīzlija kungs satraukti jautāja.

— Tas atgādina kaut kādu... pat nemāku teikt... salidojumu, vai? — Robertsa kungs sprieda. — Izskatās, ka visi cits citu pazīst. Kā milzīgās viesībās.

Tajā brīdī līdzās Robertsa kunga mājas durvīm no zila gaisa uzradās burvis veclaicīgās, pusgarās golfa biksēs.

— *Aizmāršum!* — viņš strupi iesaucās, pavērsis zizli pret Robertsa kungu.

Tajā pašā acumirklī Robertsa kunga acis sāka šķielēt, sarauktās uzacis izlīdzinājās un sejā parādījās sapņainas bezrūpības izteiksme. Harijs saprata, ka burvis tikko mainījis Robertsa kunga atmiņu.

— Nometnes plāns, — Robertsa kungs rāmi pavēstīja Vīzlija kungam. — Un atlikums.

— Liels paldies, — Vīzlija kungs pateicās.

Burvis golfa biksēs pavadīja viņus līdz telšu nometnes vārtiem. Viņš izskatījās nomocījies, uz vaigiem melnēja bārdas rugāji un zem acīm vīdēja tumši violeti loki. Kad viņi bija tikuši līdz mežam, kur Robertsa kungs viņus vairs nevarēja dzirdēt, burvis Vīzlija kungam čukstēja: — Ar šito vecīti vienas vienīgas klapatas. Atmiņas burvestību nākas izmantot desmit reižu dienā, citādi sāk uzdot jautājumus. Un Ludo Maišelnieks stāvokli padara tikai ļaunāku. Klīst apkārt, pilnā kaklā spriezdams par āmurgalvām un sviedenēm, nepievēršot ne mazāko vērību pretvientiešu drošības pasākumiem. Nolāpīts, kā es priecāšos, kad viss šis ārprāts būs beidzies. Tiksimies vēlāk, Artūr.

Viņš aizteleportējās.

— Man likās, ka Maišelnieka kungs ir Maģisko spēļu un sporta veidu nodaļas priekšnieks? — Džinnija pārsteigta iesaucās. — Viņam taču vajadzētu zināt, ka pieminēt āmurgalvas, vientiešiem klātesot, nav īpaši labi!

— Vajadzētu gan, — smaidīdams piekrita Vīzlija kungs, palaizdams bērnus pa priekšu cauri telšu apmetnes vārtiņiem, — taču Ludo vienmēr ir mazliet... kā lai pasaka... *vaļīgi* izturējies pret drošības pasākumiem. Tomēr grūti vēlēties aizrautīgāku Sporta nodaļas vadītāju par viņu. Galu galā, reiz viņš pats spēlēja kalambolu Anglijas izlasē. Un viņš bija labākais triecējs "Lipburnas Lapseņu" vēsturē.

Viņi virzījās augšup pa dūmakas klāto lauku starp garajām telšu rindām. Vairākums izskatījās gandrīz parastas. Varēja redzēt, ka to īpašnieki pūlējušies, lai tās iznāktu pēc iespējas vientiesīgākas, taču šur tur varēja manīt arī pārcenšanās pēdas — kādu skursteni, durvju zvanu vai vēja rādītāju. Tiesa, daža laba telts bija nepārprotami burvīga, tāpēc Harijs nebūt nebrīnījās, ka Robertsa kunga galvā atkal un atkal dzima aizdomas. Apmēram lauka vidū slējās ekstravaganta, no svītrota zīda veidota telts, kas drīzāk atgādināja miniatūru pili, un pie tās ieejas piesieti dīžājās vairāki pāvi. Gabaliņu tālāk viņi pagāja garām teltij, kurai bija trīs stāvi un vairāki tornīši. Mazliet nostāk slējās telts ar iekoptu dārziņu tās priekšā, un dārziņā netrūka pat baseiniņa putniem, saules pulksteņa un strūklakas.

— Vienmēr viens un tas pats, — smaidīdams norūca Vīzlija kungs, — sanākot kopā, kādam allaž vajag padižoties. Ā, un te arī mūsu vieta.

Gājēji bija nonākuši līdz pašai meža malai nolaidenā lauka augšpusē. Pie tukša pleķīša zemē bija iedzīta neliela zīme ar uzrakstu "Vīslis".

— Labāku vietu būtu grūti vēlēties! — Vīzlija kungs nopriecājās. — Spēles laukums ir tepat, viņpus mežiņa, tuvāk vairs nevar būt.

Tad viņš nocēla mugursomu no pleciem. — Tā, — Vīzlija kungs noteica, priecīgi saberzēdams rokas, — stingri ņemot, nekādas burvestības nav atļautas, vismaz ne tādās reizēs, kad mēs šādā skaitā sapulcējamies vientiešu teritorijā. Mēs celsim teltis tāpat, ar rokām! Nevajadzētu būt pārāk sarežģīti... vientieši to darot vai katru mīļu dienu... klau, Harij, kā tu domā, ar ko mums vajadzētu sākt?

Harijs nekad iepriekš nebija nakšņojis teltī. Dērsliji nekad neņēma viņu līdzi izbraucienos, parasti atstājot zēnu vecās kaimiņienes, Figa kundzes, uzraudzībā. Tiesa, zēnam kopā ar Hermioni drīz vien izdevās noskaidrot, kur katra kārts un stabiņš liekams, un, kaut arī Vīzlija kungs vairāk traucēja nekā palīdzēja (jo viņu pār mēru uzbudināja iespēja likt lietā koka āmuru), beigās viņiem izdevās uzsliet pārīti pabružātu divvietīgu telšu.

Viņi visi pakāpās atpakaļ un mirkli novērtēja savu veikumu no malas. Nevienam, kas redzētu šīs teltis, nenāktu ne prātā, ka tās pieder burvjiem, nosprieda Harijs. Viņu mulsināja vienīgi tas, ka līdz ar Bila, Čārlija un Persija ierašanos viņu pulciņā būs jau desmit cilvēku. Šķiet, arī Hermione bija pamanījusi šo neatbilstību, jo viņa uzmeta Harijam jautājošu skatienu; bet Vīzlija kungs tikmēr nometās ceļos un ielīda pirmajā teltī.

— Būs gan tā mazliet pašauri, — viņš uzsauca ārā palikušajiem, — taču domāju, ka saspiedīsimies. Lieniet iekšā, uzmetiet aci, kā izskatās.

Harijs pieliecās, palīda zem telts durvju malas — un palika ar vaļā muti. Viņš bija ielīdis tādā kā vecmodīgā trīsistabu dzīvoklī, kurā bija pat vannas istaba un virtuve. Dīvainā kārtā tā iekārtojums atgādināja Figa kundzes dzīvokli — uz dažādajiem krēsliem bija tamborēti pārklājiņi, turklāt varēja just stipru kaķu smaku.

— Nu, galu galā, mums te ilgi nebūs jādzīvo, — noteica Vīzlija kungs, ar kabatlakatiņu noraušot sviedrus no plikā galvvidus, un ielūkojās guļamistabā, kur stāvēja četras divstāvīgas gultas. — Es to aizņēmos no Pērkinsa darbā. Kopš viņš, nabags, saķēris lumbago, nekāda nakšņošana teltīs vairs nesanāk.

Viņš pacēla noputējušu tējkannu un ieskatījās tajā. — Mums vajadzēs ūdeni...

— Nometnes plānā, ko mums iedeva vientiesis, ir atzīmēts krāns, — sacīja Rons, kurš bija ienācis teltī aiz Harija un kuru, šķiet, pilnīgi nepārsteidza telts neparastais interjers. — Tas atrodas lauka otrā pusē.

— Tad jau varbūt tu kopā ar Hariju un Hermioni varētu mums sanest ūdeni... — Vīzlija kungs pasniedza dēlam tējkannu un vēl pāris katlu, — ...bet mēs, pārējie, mēģināsim salasīt kādu malku, lai varētu iekurt uguni.

— Bet mums taču ir plīts, — ieminējās Rons, — kāpēc mēs nevaram vienkārši...?

— Ron, un kā ar pretvientiešu drošību?! — Vīzlija kunga seja staroja pilnīgas laimes priekšnojautās. — Kad īsti vientieši apmetas teltīs, viņi ēdienu gatavo ārpus telts uz atklātas uguns, esmu pats redzējis viņus tā darām!

Ātri apskatījuši meiteņu telti, kura gan bija mazliet mazāka, toties bez kaķu smakas, Harijs, Rons un Hermione ar tējkannu un katliņiem rokā devās cauri visai apmetnei.

Tagad, kad bija uzlēkusi saule un sāka celties migla, viņu skatienam pavērās vesela telšu pilsētiņa, kas pletās uz visām debesu pusēm. Bērni gāja starp telšu rindām arvien lēnāk un lēnāk, jo visapkārt bija tik daudz ko redzēt. Tikai tagad Harijs sāka aptvert, cik daudz raganu un burvju ir pasaulē, jo pirms tam viņš nekad nebija domājis par tiem, kuri dzīvoja citās zemēs.

Modās arī tie apmetnes iedzīvotāji, kuri te bija nakšņojuši. Pirmās cēlās ģimenes ar maziem bērniem. Nekad agrāk Harijs nebija redzējis tik jaunas raganas un burvjus. Pie lielas, piramīdai līdzīgas telts mazs puika, ne vecāks par diviem gadiem, pieliecies ar zizli priecīgi bakstīja gliemi. Gliemis lēnām piepampa krietna desas luņķa resnumā. Brīdī, kad trijotne bija gandrīz blakus teltij, no tās izsteidzās rezgaļa mamma.

— *Cik* reižu, Kevin, es tev esmu teikusi — *neaiztiec... tēta... zizli...* — pē!

Mamma nejauši uzkāpa milzīgajam gliemim, un tas pārsprāga. Viņas rāšanos dzidrajā rīta gaisā varēja sadzirdēt vēl ilgi pēc tam, un tā jaucās ar mazā puišeļa saucieniem: — Tu mini gliemi! Tu mini gliemi!

Gabaliņu tālāk viņi ieraudzīja divas mazas raganiņas, tikko vecākas par Kevinu, kas laidelējās uz rotaļu slotaskātiem. Tie pacēlās no zemes tikai tik daudz, ka meitenīšu kāju pirkstgali vilkās pa miklo zāli. Viņas jau bija ieraudzījis ministrijas darbinieks. Viņš pasteidzās garām Harijam, Ronam un Hermionei, izklaidīgi murminot: — Gaišā dienas laikā! Vecāki droši vien nolēmuši brīvdienā pagulēt ilgāk...

Šur tur no teltīm parādījās arī pieauguši burvji un raganas un sāka gatavot brokastis. Daži, pametuši zaglīgu skatu apkārt, uzbūra liesmas ar zizli, citi pūlējās uzraut sērkociņus ar tādu izteiksmi sejā, it kā būtu pārliecināti, ka nekas nesanāks. Trīs burvji no Āfrikas baltos, garos tērpos par kaut ko nopietni sprieda; turpat uz spilgti violeta ugunskura cepās kaut kas līdzīgs trusim. Tikmēr pulciņš pusmūža amerikāņu raganu jautri pļāpāja zem vizuļiem rotāta audekla, kurš bija nostiepts starp viņu teltīm un uz kura bija rakstīts "Salemas raganu institūts". Iedams garām teltīm, Harijs ik pa brīdim saklausīja frāzes svešās valodās un, kaut gan viņš nespēja saprast nevienu zilbi, pēc runātāju noskaņojuma vien varēja noprast, ka visi ar sajūsmu gaida sporta dzīves ievērojamāko notikumu.

— Klau... vai man ar acīm kaut kas nav kārtībā, vai arī viss pēkšņi ir kļuvis zaļš? — pēkšņi iesaucās Rons.

Ar Rona acīm viss bija kārtībā. Viņi bija nonākuši telšu pudurī, kur visas teltis klāja sulīga āboliņa audzes, tāpēc tās izskatījās pēc maziem dīvainas formas paugurīņiem, kas tikko izdīguši no zemes. Pauguriņu pavērtajās ejās varēja manīt smaidošas sejas. Tad viņiem aiz muguras kāds iesaucās:

— Harij! Ron! Hermione!

Tas bija Šīmuss Finigens, viņu klasesbiedrs no Grifidora. Viņš sēdēja pie savas ar āboliņu apaugušās telts blakus sievietei ar smilškrāsas matiem — tā droši vien bija viņa mamma — un savam labākajam draugam Dīnam Tomasam, arī no Grifidora.

— Kā patīk rotājumi? — smaidīdams jautāja Šīmuss, kad Harijs, Rons un Hermione pienāca sasveicināties. Tajā brīdī Harijs aptvēra, ka āboliņa lapa ir Īrijas nacionālais simbols. — Ministrija gan nav īpašā sajūsmā.

— Kāpēc gan mēs nedrīkstam parādīt sava karoga krāsas? — brīnījās Finigena kundze. — Ja jūs būtu redzējuši, ko bulgāri sakāruši pie *savām* teltīm. Jūs, protams, atbalstīsiet Īriju? — viņa piebilda, spožām acīm nopētīdama Hariju, Ronu un Hermioni.

Kad trijotne apliecināja klasesbiedra mammai savu nodomu tiešām just līdzi īriem, viņi devās tālāk, lai gan Rons pavīpsnāja: — It kā viņu klātbūtnē mēs riskētu apgalvot kaut ko citu.

— Būtu interesanti uzzināt, ko gan bulgāri sakāruši pie savām teltīm? — ieminējās Hermione.

— Aiziesim paskatīties! — ierosināja Harijs, norādīdams uz lielu telšu puduri augstāk nogāzē, virs kura vējā sitās sarkani zaļi baltais bulgāru karogs.

Šeit teltis nebija izrotātas ar augu valsts palīdzību, toties pie katras bija piesprausts plakāts, kas attēloja ļoti īgnu seju zem biezām, melnām uzacīm. Attēls, protams, kustējās, taču tajā redzamais jauneklis tik vien kā mirkšķināja acis un viebās.

— Krums, — klusi paskaidroja Rons.

— Kas? — pārvaicāja Hermione.

— Krums! — atkārtoja Rons. — Viktors Krums, bulgāru meklētājs.

— Izskatās traki drūms, — novilka Hermione, juzdamās neomulīgi starp daudzajiem krumiem, kuri visi mirkšķināja acis un viebās.

— *"Traki drūms"*? — Rons pacēla acis pret debesīm. — Kāda kuram daļa, kā viņš izskatās? Viņš ir neiedomājami lielisks. Turklāt ļoti jauns. Viņam nupat palika tikai astoņpadsmit. Viņš ir *ģēnijs*, pagaidi līdz vakaram, gan pati redzēsi.

Pie krāna laukuma stūrī jau bija sastājusies neliela rinda. Harijs, Rons un Hermione iestājās rindā tūlīt aiz diviem vīriem, kuri kaismīgi strīdējās. Viens no viņiem, ļoti vecs burvis, bija tērpies garā, puķainā sieviešu naktskreklā. Otrs acīmredzot bija ministrijas pārstāvis. Viņš turēja rokā solīdu bikšu pāri un bija novests gandrīz līdz asarām.

— Vienkārši uzvelc šīs te, Ārčij, esi tik labs, tu nedrīksti staigāt apkārt tādā izskatā, vientiesis pie vārtiem visu laiku aizdomīgi skatās uz tevi...

— Es to nopirku vientiešu veikalā, — spītīgi atteica vecais burvis. — Vientieši tādus nēsā.

— Tādus, Ārčij, nēsā vientiešu *sievietes*, nevis vīrieši, vīrieši valkā *šādas*, — skaidroja ministrijas burvis, purinādams rokā solīdo bikšu pāri.

— Es tās mugurā nevilkšu, — saskaities iebilda vecais Ārčijs. — Man, redz, patīk, ka kājstarpi vēdina veselīgs vējiņš.

Hermionei uznāca tik nevaldāma smieklu lēkme, ka viņai nācās izsprukt no rindas un aizskriet aiz tuvākajām teltīm. Atgriezties viņa varēja tikai tad, kad Ārčijs, dabūjis ūdeni, aizgāja.

Trijotne devās atpakaļ cauri telšu pilsētiņai. Tagad viņi kustējās lēnāk, jo ūdens bija diezgan smags. Šur un tur viņi manīja pazīstamas sejas — te bija citi Cūkkārpas audzēkņi ar savām ģimenēm. Olivers Žagars, Grifidora kalambola komandas bijušais kapteinis, kurš pagājušajā pavasarī skolu pabeidza, aizvilka Hariju līdz savai teltij, lai iepazīstinātu ar vecākiem, un pa ceļam sajūsmināts stāstīja, ka parakstījis līgumu ar "Padlmīras Stara" rezerves komandu. Pēc tam draugus ieraudzīja Ernijs Makmilans, ceturtā gada elšpūtis, un Čo Čanga, ļoti glīta meitene, kura spēlēja meklētāja posteni Kraukļanaga komandā. Viņa pamāja un uzsmaidīja Harijam, kurš, strauji celdams roku pretmājienam, nolēja sev visu vēderu ar ūdeni. Lai paglābtos no Rona smīniņa, Harijs steidzīgi norādīja uz krietnu bariņu nekad agrāk neredzētu pusaudžu.

— Kā tu domā, kas viņi ir? — Harijs jautāja. — Viņi taču nemācās Cūkkārpā?

— Droši vien no kādas ārzemju skolas, — sprieda Rons. — Zinu, ka ir arī citas, lai gan neesmu saticis nevienu, kas būtu tādā mācījies. Bilam reiz bija draugs no skolas Brazīlijā, viņi diezgan ilgi sarakstījās... tas gan bija pirms vairākiem gadiem... Viņš gribēja doties apmaiņas braucienā, bet mamma ar tēti nevarēja to atļauties. Kad Bils aizrakstīja, ka viņš tomēr nebrauks, draugs apvainojās un atsūtīja brālim nolādētu cepuri. No tās Bilam izkalta ausis.

Harijs iesmējās, taču paturēja pie sevis pārsteigumu par tikko dzirdēto. Tātad bija arī citas burvju skolas. Protams, viņš sprieda, vērojot telšu apmetnē tik daudzu tautību pārstāvjus, bija muļķīgi domāt, ka Cūkkārpa ir vienīgā tāda veida skola pasaulē. Harijs paskatījās uz Hermioni, kuru tikko dzirdētā ziņa, šķiet, it nemaz nepārsteidza. Neapšaubāmi, viņa par citām burvju skolām bija lasījusi kādā no daudzajām grāmatām.

— Jūs bijāt projām veselu mūžību, — kad trijotne beidzot atgriezās pie Vīzliju teltīm, šķendējās Džordžs.

— Satikām vienu otru paziņu, — paskaidroja Rons, nolikdams zemē katliņu ar ūdeni. — Vai uguni vēl neiekūrāt?

— Tētis izklaidējas ar sērkociņiem, — Freds sacīja.

Vīzlija kungam nekādi neveicās ar uguns iedegšanu, bet ne jau tāpēc, ka viņš necenstos. Visa zeme ap viņu bija piemētāta ar salauztiem sērkociņiem, un viņš pats izskatījās gauži laimīgs.

— Opā! — Vīzlija kungs iesaucās, kad izdevās aizdedzināt sērkociņu, bet tūlīt arī pārsteigumā nosvieda to zemē.

— Iedodiet man, Vīzlija kungs, — laipni aicināja Hermione, paņemdama no Rona tēva sērkociņu kārbiņu un sākdama viņam skaidrot, kā pareizi aizkurt uguni.

Beidzot sāka sprēgāt uguns, taču pagāja vēl vismaz stunda, pirms tā bija pietiekami karsta, lai gatavotu ēdienu. Tiesa, gaidīšana negarlaikoja, jo apkārt visu laiku bija ko redzēt. Viņu telts likās uzcelta tieši līdzās sava veida galvenajam ceļam, kas veda uz spēles laukumu, tāpēc pa to šurpu turpu skraidīja ministrijas darbinieki. Vai katrs no viņiem, iedams garām, sirsnīgi sveicināja Vīzlija kungu. Vīzlija kungs nepārtraukti komentēja notiekošo, galvenokārt Harija un Hermiones dēļ, jo paša bērni zināja pārāk daudz par ministrijas ikdienu, lai tas viņus īpaši interesētu.

— Tas bija Katberts Viltmanis, Goblinu biroja vadītājs... tur nāk Gilberts Aube, viņš darbojas Eksperimentālo burvestību komitejā, kādu laiciņu viņš jau staigā ar tiem ragiem... Sveiks, Ārnij... Arnolds Mierdusis, viņš ir Aizmāršis — no Nejaušas maģijas gadījumu novēršanas vienības, jūs jau saprotat... Teičs ar Kremšķi... viņi ir Neuzbilstamie...

— Kas viņi ir?

— No Noslēpumu nodaļas, tā ir pilnīgi slepena, pat nezinu, ar ko viņi nodarbojas...

Beidzot ugunskurs kārtīgi sprēgāja. Tikko viņi sāka cept olas un desiņas, no meža iznāca Bils, Čārlijs un Persijs.

— Tēt, mēs tikko atteleportējāmies, — pa gabalu skaļi sauca Persijs. — Lieliski, pusdienas!

Kad maltīte jau bija pusē, Vīzlija kungs pēkšņi pielēca kājās. Viņš smaidīdams māja ar roku kādam vīrietim, kas nāca uz ēdēju pusi. — Ahā! — viņš teica. — Pats svētku saimnieks! Ludo!

Ludo Maišelnieks noteikti bija vispamanāmākā persona, ko Harijs līdz šim bija apmetnē redzējis, pamanāmāks pat par veco Ārčiju puķainajā dāmu naktskreklā. Maišelniekam mugurā bija garš kalambola tērps, rotāts platām, horizontālām, spilgti dzeltenām un melnām svītrām. Uz viņa krūtīm greznojās milzīga lapsene. Viņā varēja nojaust vēl nesen spēcīgu vīrieti, kas kļuvis vecāks un mazliet apvēlies. Drēbes cieši nostiepa lielais vēders, kāda viņam noteikti nebija tolaik, kad Maišelnieks spēlēja Anglijas izlasē. Viņa deguns gan bija pamatīgi saplacināts (Harijs nosprieda, ka to droši vien salauzusi nomaldījusies āmurgalva), taču apaļās, zilās acis, īsie, gaišie mati un sārtā sejas krāsa padarīja viņu līdzīgu varen pāraugušam skolas puikam.

— Sveiki, sveiki! — priecīgi sauca Maišelnieks. Viņš gāja tā, it kā pie pēdām būtu piestiprinātas atsperes, un varēja redzēt, ka vīrs ir neprātīgi satraukts.

— Artūr, veco zēn, — viņš elsdams noteica, ticis līdz ugunskuram, — kas par dieniņu, ko?! Kas par dienu! Kas gan varēja vēlēties vēl labāku laiku? Būs skaidra nakts... un pie rīkošanas arī nav kur piekasīties... man gandrīz nav ko darīt!

Maišelniekam aiz muguras garām pasteidzās ministrijas burvju pulciņš (likās, ka viņiem ir iekrituši vaigi), rādīdami ar pirkstiem tālumā, kur acīmredzot burvju līdzekļiem radīta uguns svieda violetas dzirksteles divdesmit pēdu augstumā.

Persijs metās uz priekšu ar pastieptu roku. Laikam kritiskie vārdi, ko viņš veltīja veidam, kā Ludo Maišelnieks vadīja savu nodaļu, netraucēja viņa vēlmei radīt par sevi labu iespaidu.

— Ak, jā, — smaidīdams apķērās Vīzlija kungs, — mans dēls Persijs, viņš tikko sāka strādāt ministrijā... šis ir Freds... nē, Džordžs, piedod... *tas* ir Freds... Bils, Čārlijs, Rons... mana meitiņa Džinnija... un Rona draugi, Hermione Grendžera un Harijs Poters.

Izdzirdējis Harija vārdu, Maišelnieks tikko pamanāmi piemiedza acis un viņa skatiens jau ierasti pašāvās uz augšu, meklējot rētu uz pieres.

— Iepazīstieties, — Vīzlija kungs vērsās pie savējiem, — Ludo Maišelnieks, jūs zināt, kas viņš ir. Pateicoties viņam, mums ir tik labas biļetes...

Maišelnieks starodams pamāja viņiem ar roku, it kā sacīdams, ka šis sīkums nemaz nav pieminēšanas vērts.

— Klau, Artūr, vai nevēlies uzspēlēt totalizatorā? — pēkšņi ievaicājās Maišelnieks, žvadzinādams savu dzeltenmelno drānu kabatā, pēc skaņas spriežot, krietnu lērumu zelta. — Rodijs Pontners lika uz to, ka Bulgārija pirmā gūs grozu — es viņam piedāvāju lielisku likmi, ņemot vērā to, ka Īrijas priekšējais trijnieks ir spēcīgākais, ko esmu redzējis beidzamos gados. Bet mazā Agata Timza saderēja uz pusi daļu viņas zušu audzētavā, ka spēle ilgs nedēļu.

— Ak... nu, ko, — Vīzlija kungs noteica. — Paskatīsimies... viens galeons uz to, ka Īrija uzvarēs?

— Viens galeons? — Ludo Maišelnieks izskatījās mazliet vīlies, taču viņš ātri savaldījās un atguva labo omu. — Ļoti labi, ļoti labi... varbūt vēl kāds vēlas derēt?

— Viņi ir pārāk jauni, lai spēlētu totalizatorā, — Vīzlija kungs novilka. — Mollijai nepatiktu...

— Mēs liekam trīsdesmit septiņus galeonus, piecpadsmit sirpus un trīs knutas, — tēvu pārtrauca Freds, kopā ar Džordžu ātri pārskaitīdami visu savu naudu, — ka Īrija uzvarēs, bet Viktors Krums noķers zibsni. Jā, mēs vēl varētu piemest viltus zizli.

— Jūs taču nerādīsiet Maišelnieka kungam tādas muļķības... — nošņācās Persijs, taču Maišelniekam nebūt nelikās, ka zizlis būtu muļķīgs, gluži otrādi, paņemot zizli no Freda, ministrijas ierēdņa puiciskā seja iemirdzējās no sajūsmas, un, kad zizlis ar skaļu klukstēšanu pārvērtās par gumijas vistu, Maišelnieks sāka pilnā kaklā smieties.

— Lieliski! Nebiju redzējis tik labi nostrādātu viltojumu vairākus gadus! Es dodu par to piecus galeonus!

Persijs apstulbināts sastinga ar pārmetuma izteiksmi sejā.

— Zēni, — tikko dzirdami nomurmināja Vīzlija kungs, — es nevēlos, lai jūs slēgtu derības... tie ir visi jūsu ietaupījumi... jūsu māte...

— Artūr, kāpēc tu gribi visu sabojāt? — Ludo Maišelnieks nodārdināja, satraukti kabatās žvadzinādams monētas. — Viņi ir gana pieauguši, lai zinātu, ko grib! Jūs sakāt, ka Īrija uzvarēs, bet zibsni noķers Krums? Maz ticams, zēni, maz ticams... esmu gatavs jums piedāvāt lielisku likmi... un piemetīsim vēl piecus galeonus par jocīgo zizli, jā...

Vīzlija kungs bezspēcīgi noskatījās, kā Ludo Maišelnieks ar plašu žestu izvelk piezīmju grāmatiņu un rakstāmspalvu un pieraksta dvīņu vārdus.

— Paldies, — noteica Džordžs, paņemdams Maišelnieka pasniegto pergamenta kvīti un noglabādams to savās drēbēs.

Maišelnieks priecīgs atkal pievērsās Vīzlija kungam. — Vai varat man uztaisīt tēju? Es mēģinu nepalaist garām Bērtuli Zemvaldi. Man ir zināmas grūtības ar bulgāru kolēģi, es nesaprotu nevienu viņa sacīto vārdu! Bērtulis noteikti spēs man palīdzēt. Viņš runā kādās simt piecdesmit valodās.

— Zemvalža kungs? — iesaucās Persijs, pēkšņi atdzīvodamies no pārmetošās ledus statujas tēla un teju izkusdams pielūgsmē. — Viņš runā vairāk nekā divsimt valodās! Nāriņu un administrāļu, un troļļu...

— Troļļu valodu jau prot ikviens, — nicīgi noteica Freds, — tev tikai jārāda ar saliektu pirkstu un jāņurd.

Persijs uzmeta brālim iznīcinošu skatienu un nikni sabakstīja ugunskuru, lai ūdens tējkannā uzvārītos vēlreiz.

— Starp citu, Ludo, vai ir kādi jaunumi par Bertu Džorkinsu? — Vīzlija kungs apvaicājās, kad Maišelnieks apsēdās zālē līdzās pārējiem.

— Ne čiku, ne grabu, — omulīgi sacīja Maišelnieks. — Bet gan jau viņa uzradīsies. Nabaga vecā Berta... atmiņa kā caurs katls, un nekādas sajēgas par virzienu. Apmaldījusies, kā es te stāvu. Gan atklīdīs uz darbu kaut kad oktobrī, bet pati uzskatīs, ka vēl arvien ir jūlijs.

— Vai nedomā, ka būtu laiks sūtīt kādu, lai meklē? — Vīzlija kungs piesardzīgi ierosināja, bet Persijs tajā brīdī pasniedza Maišelniekam viņa tēju.

— Bērtulis Zemvaldis vienādiņ skandē to pašu, — apaļajām acīm nevainīgi ieplešoties, novilka Maišelnieks, — taču šobrīd mums vienkārši pietrūkst cilvēku. Rau, kā vilku piemin! Bērtuli!

Pie viņu ugunskura tikko bija atteleportējies vēl viens burvis. Viņš atšķīrās no Ludo Maišelnieka, kas gulēja, izlaidies zālē, savās vecajās Lapseņu drēbēs, itin visā. Bērtulis Zemvaldis bija stīvs, vecāks vīrs ar ļoti taisnu muguru, ģērbies nevainojami izgludinātā uzvalkā un kaklasaitē. Celiņš īsajos, sirmajos matos likās gandrīz nedabiski taisns, bet šaurās, zobu birstītei līdzīgās ūsas izskatījās apgrieztas, izmantojot logaritmu lineālu. Zemvalža kunga kurpes spīdēja kā spoguļi. Harijs uzreiz saprata, kāpēc Persijs savu priekšnieku dievina. Persijs svēti uzskatīja, ka jebkuri noteikumi jāpilda burts burtā, un Zemvalža kungs bija izpildījis norādījumu par tērpšanos vientiešu drānās tik rūpīgi, ka viņu viegli varēja noturēt par bankas ierēdni; Harijs šaubījās, vai pat tēvocim Vernonam izdotos pateikt, kas šis kungs ir īstenībā.

—Bērtuli, vai negribi pieplacināt kādu zāles pudurīti? — kolēģi mundri uzrunāja Ludo Maišelnieks, paplikšķinādams pa zemi sev līdzās.

— Nē, paldies, Ludo, — atteica Zemvaldis, un viņa balsī varēja saklausīt vieglu nepacietību. — Izmeklējos tevi malu malās. Bulgāri pieprasa, lai mēs ieliekam vēl divpadsmit krēslu Īpašo viesu ložā.

— Ak, tad *to* viņi grib? — novilka Maišelnieks. — Es atkal nevarēju saprast, kādu dīvānu vajag noklāt ar kādiem mēsliem... Tas nu gan ir akcentiņš.

— Zemvalža kungs! — bez elpas no uztraukuma iesaucās Persijs. Viņš bija tik savādi pieliecies, ka izskatījās pēc kuprīša. — Vai nevēlaties tasi tējas?

— O, — Zemvalža kungs atbildēja, mazliet pārsteigts paskatīdamies uz Persiju. — Jā, labprāt, paldies, Vezerbij.

Freds un Džordžs gandrīz aizrijās no smiekliem. Persijs ar pamatīgi nosarkušām ausīm sāka darboties ap tējkannu.

— Un, jā, Artūr, es gribētu pārmīt dažus vārdus arī ar tevi, — atcerējās Zemvalža kungs, kad viņa asais skatiens atrada Vīzlija kungu. — Ali Baširs izgājis uz kara takas. Grib aprunāties ar tevi par tavu embargo lidojošo paklāju importam.

Vīzlija kungs grūti nopūtās. — Vēl pirms nedēļas es viņam par šo jautājumu aizsūtīju pūci. Es tikai varu atkārtot to, ko esmu sacījis jau simtām reižu — Apburšanai atļauto priekšmetu reģistrs ir noteicis, ka paklāji ir vientiešu izstrādājums, bet vai tad viņš klausās?

— Šaubos, — piekrita Zemvalža kungs, paņemdams no Persija tējas tasi. — Viņš kā traks vēlas eksportēt uz šejieni.

— Bet Lielbritānijā tie taču nekad neaizstās slotas, ne? — iejautājās Maišelnieks.

— Ali uzskata, ka paklājiem ir tirgus niša ģimenes transportlīdzekļu sektorā, — paskaidroja Zemvalža kungs. — Atceros, manam vectēvam bija divpadsmitvietīgs eksminsters — bet tas, protams, bija vēl pirms paklāju aizlieguma.

Viņš runāja tā, it kā vēlētos, lai nevienam nerastos šaubas, ka arī visi viņa priekšteči ir stingri ievērojuši itin visus likumus.

— Tad jau, Bērtuli, darba laikam netrūkst, ko? — gaisīgi ieminējās Maišelnieks.

— Nesūdzos, — strupi atbildēja Zemvalža kungs. — Organizatoriskais darbs ejslēgu izvietošanai piecos kontinentos nav nekāds joks, Ludo.

— Jūs laikam priecāsieties, kad viss būs galā? — apjautājās Vīzlija kungs.

Ludo Maišelnieks izskatījās sašauts. — Priecāsimies?! Neatceros, kad mums vēl būtu gājis tik jautri... tiesa, nav jau tā, ka nākotne izskatītos bezcerīgi drūma, ko, Bērtuli? Tuvākajā laikā mums organizatoriskā darba netrūks, vai ne?

Zemvalža kungs paskatījās uz Maišelnieku sarauktām uzacīm. — Mēs vienojāmies, ka nesniegsim nekādus paziņojumus, līdz nebūs precizētas...

— ...visas detaļas? — Maišelnieks attrauca un novicināja roku, it kā aizgaiņājot uzmācīgu knišļu baru. — Visi taču to parakstīja, ja? Visi ir tam piekrituši, vai ne? Varu saderēt uz visiem pasaules dārgumiem, tie bērni tik un tā visu drīz vien uzzinās. Galu galā, viss taču notiks Cūkkārpā...

— Klausies, Ludo, mums tomēr būtu jāsatiek bulgāri, — Zemvalža kungs asi pārtrauca Maišelnieka spriedelējumus. — Vezerbij, paldies tev par tēju.

Viņš atdeva neizdzerto tējas tasi atpakaļ Persijam un pagaidīja, kamēr Ludo piecēlās; Maišelnieks ne visai veikli uzslējās kājās, izdzerdams vēl beidzamo tējas lāsi. Viņa kabatās jautri šķindēja zelts.

— Redzēsimies pēcāk! — viņš uzsauca. — Jūs būsiet Ipašo viesu ložā kopā ar mani — es komentēšu spēli! — Viņš pamāja, Bērtulis Zemvaldis eleganti paklanījās, un viņi abi aizteleportējās.

— Tēt, kas notiks Cūkkārpā? — nekavējoties jautāja Freds. — Par ko viņi runāja?

— Drīz vien uzzināsiet, — Vīzlija kungs smaidot atteica.

— Tā ir konfidenciāla informācija līdz brīdim, kad ministrija nolems to paziņot sabiedrībai, — stīvi noskaldīja Persijs. — To neizpauzdams, Zemvalža kungs rīkojās pilnīgi pareizi.

— Ak, aizveries, Vezerbij, — sacīja Freds.

Jo tuvāk nāca vakars, jo satrauktāk zumēja telšu pilsētiņa. Kad sāka krēslot, likās, ka pat gaiss trīc gaidās. Kad pār burvju tūkstošiem kā priekškars nolaidās tumsa, pagaisa beidzamās izlikšanās atliekas — ministrijas pārstāvji šķita beidzot padevušies neizbēgamajam, jo visās apmetnes malās ik pa brīdim varēja manīt atklātas burvestības ainas.

Ik pēc pāris soļiem te atteleportējās, te aizteleportējās dažādu suvenīru tirgoņi ar neparastu mantiņu pilnām atvāžamām pārnēsājamām letēm un stumjamiem ratiņiem. Viņi tirgoja gan spīdošas rozetes — zaļas Īrijas atbalstītājiem, sarkanas Bulgārijas faniem, kas smalkās balstiņās izkliedza spēlētāju vārdus, zaļas, smailas mices ar dejojošām āboliņa lapām, bulgāru šalles ar lauvām, kas tiešām rēca, abu valstu karogus, kurus vēcinot skanēja attiecīgās zemes himna. Varēja iegādāties arī mazus ugunsbultu modelīšus, kas tiešām lidoja, un kolekcionāriem domātas slavenu spēlētāju figūriņas, kas, krūtis izgāzuši, pastaigājās pa īpašnieka plaukstu.

— Visu vasaru krāju tam naudu, — Rons atzinās Harijam, kad viņi abi kopā ar Hermioni izstaigāja tirgotāju pūli, pirkdami sev piemiņas lietiņas. Lai gan Rons nopirka sev cepuri ar dancojošo āboliņu un lielu zaļu rozeti, viņš iegādājās arī mazu bulgāru meklētāja Viktora Kruma figūriņu. Mazais Krums staigāja šurpu turpu pa Rona roku, visu laiku viebdamies, jo turpat viņam virs galvas karājās zaļā rozete.

— Hei, paskaties! — iesaucās Harijs, piesteigdamies pie ratiņiem, kas bija augstu piekrauti ar ierīcēm, kas atgādināja vara tālskatus, tikai tiem vēl bija vesels lērums savādu slēdzīšu un lodziņu.

— Visrāži, — aizrautīgi piedāvāja pārdevējs. — Varat atkārtot spraigākos momentus... skatīties spēli palēninājumā... un sekot kombināciju komentāriem, ja tas nepieciešams. Gandrīz par velti — tikai desmit galeonu gabalā!

— Kāpēc es nopirku šo mici, — sūkstījās Rons, norādīdams uz āboliņa cepuri un ar ilgpilnām acīm pētīdams visrāžus.

— Man, lūdzu, trīs gabalus, — Harijs palūdza pārdevējam.

— Nē, neuztraucies par mani, — piesarkdams iesaucās Rons. Viņš vienmēr jutās mazliet neveikli, kad nācās atcerēties, ka Harijam, kurš mantojumā no vecākiem saņēma nelielu bagātību, bija krietni vairāk naudas nekā viņam.

— Ziemassvētkos tu neko nedabūsi, — Harijs paskaidroja Ronam, iedodams pa visrādim gan draugam, gan Hermionei. — Vismaz nākamajos desmit gados, liec aiz auss.

— Sarunāts, — smaidīdams atteica Rons.

— O, paldies, Harij, — pateicās Hermione. — Es savukārt paņemšu mums programmiņas, skatieties...

Ar krietni vieglākiem naudas zutņiem trijotne atgriezās pie teltīm. Arī Bils, Čārlijs un Džinnija dižojās ar zaļām rozetēm, bet Vīzlija kungam rokā bija Īrijas karogs. Fredam un Džordžam nekādu suvenīru nebija, jo visa viņu naudiņa tagad žvadzēja Maišelnieka kabatās.

Un tad kaut kur aiz meža atskanēja liela gonga zemais zvans. Tūlīt kokos iedegās zaļas un sarkanas laternas, kas apgaismoja ceļu uz stadionu.

— Laiks! — Vīzlija kungs paziņoja, izskatīdamies tikpat satraukts kā visi pārējie. — Nu, tad ejam!

## ASTOTĀ NODAĻA

# PASAULES KAUSA IZCĪŅA KALAMBOLĀ

Piespieduši pie krūtīm savus pirkumus, viņi aiz Vīzlija kunga ašā solī pa laternu izgaismotu taku devās mežā. Visapkārt varēja dzirdēt tūkstošiem cilvēku, visās malās skanēja sasaukšanās un smiekli, brīžam atskanēja kādas dziesmas fragments. Drudžainā satraukuma gaisotne izrādījās ļoti lipīga — Harijs nespēja apvaldīt smaidu. Sarunādamies un skaļi jokodami, viņi pārdesmit minūtēs izgāja cauri mežam un nonāca milzīga stadiona ēnā. Lai gan Harijs varēja saskatīt tikai nelielu daļu no grandiozajām zelta sienām, kas ieskāva spēles laukumu, nebija ne mazāko šaubu, ka šajā celtnē varētu mierīgi ietilpināt vismaz desmit katedrāles.

— Simt tūkstoši sēdvietu, — pamanījis apbrīnas pilno izteiksmi Harija sejā, paskaidroja Vīzlija kungs. — Ministrijas īpašo projektu grupa piecsimt raganu un burvju sastāvā strādāja pie šī stadiona veselu gadu. No visām pusēm apstrādāts ar vientiešu atgaiņāšanas burvestībām. Ja kāds vientiesis nonāca celtnes tuvumā, viņš pēkšņi atcerējās, ka steidzami jābūt kaut kur citur un drāzās projām — un tā jau veselu gadu... Lai viņiem veselība, — burvis sirsnīgi piebilda, virzīdamies uz tuvāko ieeju, ap kuru jau spietoja skaļi čalojošu raganu un burvju pūlītis.

— Labākās vietas! — noteica ministrijas ragana pie ieejas,

pārbaudīdama viņu biļetes. — Īpašo viesu loža! Taisni un līdz pašai augšai, Artūr.

Visas kāpnes stadionā sedza purpursarkani paklāji. Viņi devās uz augšu kopā ar pārējo pūli, kas lēnām kļuva retāks, jo te viena, te otra grupiņa nozuda sektoru durvīs pa kreisi un pa labi. Vīzlija kunga vadītā komanda kāpa arvien augstāk, līdz beidzot sasniedza kāpņu galu. Izrādījās, ka viņu vietas atrodas nelielā ložā virs visa plašā stadiona, tieši vidū starp abām zeltīto vārtu kāršu grupām. Ložā divās rindās bija izvietoti kādi divdesmit ar purpuru un zeltu greznoti krēsli. Harijs kopā ar Vīzlijiem ieņēma vietas pirmajā rindā, paskatījās lejup un saprata, ka neko tik diženu līdz šim nebija spējis pat iztēloties.

Simt tūkstoši raganu un burvju ieņēma savas vietas tribīnēs, kas terasēm līdzīgi cēlās uz augšu apkārt ovālajam spēles laukumam. Visu pārpludināja noslēpumaina zeltaina gaisma, ko likās izstarojam pats stadions. No viņu augstajām vietām laukums izskatījās līdzens kā samts. Laukuma abos galos piecdesmit pēdu augstumā slējās trīs grozu stīpas, bet viņiem tieši pretī, gandrīz Harija acu augstumā, atradās milzīga tāfele. Uz tās te parādījās, te nozuda zelta burti, it kā neredzama milža roka tos uzrakstītu un tūlīt arī nodzēstu. Ieskatījies Harijs saprata, ka tās ir reklāmas.

*Aklais Dundurs. Slota visai ģimenei — droša, uzticama un ar iebūvētu pretaizdzīšanas zvaniņu... Krustmātes Tosjas maģiskais daudztraipu attīrītājs: caur prieku uz tīrību... Skrandesī Tērpi Burvjiem — Londona, Parīze, Cūkmiestiņš...*

Harijs novērsās no tāfeles un paskatījās pāri plecam, kas vēl sēdēs ložā. Pagaidām neviena cita te nebija, izņemot sīku būtni, kas sēdēja pirmspēdējā vietā otrās rindas tālākajā galā. Radībiņa, kuras kājeles bija tik īsas, ka pēdiņas slējās turpat uz krēsla sēdekļa, bija tērpusies trauku dvielī. Tas bija apņemts ap pleciem kā toga. Sīkaliņas seju nevarēja redzēt, jo tā bija paslēpta plaukstās. Tomēr garās, gandrīz sikspārņa ausis šķita dīvaini pazīstamas...

— *Dobij?* — nespēdams noticēt savām acīm, iesaucās Harijs.

Mazā radībiņa pacēla galvu un paglūnēja cauri pirkststarpām, atklādama milzīgas brūnas acis un degunu, kurš gan pēc lieluma, gan pēc apveida atgādināja lielu tomātu. Tas nebija Dobijs — tomēr tas, neapšaubāmi, bija mājas elfs, tāpat kā Harija draugs Dobijs. Reiz Harijs atbrīvoja Dobiju no viņa iepriekšējiem saimniekiem, Malfoju ģimenes.

— Vai kungs tikko nosauca mani par Dobiju? — cauri pirkststarpām ziņkārīgi nopīkstēja elfs. Šai radībiņai balss bija vēl augstāka nekā Dobijam, smalciņa, drebošam pīkstienam līdzīga balstiņa. Harijs iedomājās — lai gan mājas elfiem to noteikt nenācās viegli —, ka šī varētu būt elfu meitene. Arī Rons un Hermione pagriezās, lai redzētu, ar ko Harijs sarunājas. Lai gan viņi bija dzirdējuši draugu stāstām par Dobiju, pašu elfu redzēt nebija iznācis. Atskatījās pat ieinteresētais Vīzlija kungs.

— Atvainojiet, — Harijs sacīja elfam, — es jūs noturēju par kādu paziņu.

— Bet, kungs, arī es pazīst Dobiju! — elfa iečiepstējās. Viņa vēl arvien sedza seju ar rokām, it kā acis žilbinātu gaisma, lai gan Īpašo viesu loža nebūt nebija spoži apgaismota. — Mani, kungs, sauc Vinkija — un jūs, kungs... — aizceļojušas līdz rētai uz Harija pieres, elfas brūnās acis paplētās līdz salātu šķīvju izmēram, — jūs ir Harijs Poters!

— Jā, tā gan, — atzina Harijs.

— Bet Dobijs piemin jūs, kungs, katra vārda galā! — viņa noteica, nolaižot rokas mazliet, mazliet zemāk un bijīgi vērdamās uz Hariju.

— Kā viņam klājas? — apvaicājās Harijs. — Kā viņš bauda savu brīvību?

— Ak, kungs, — nošūpodama galvu, Vinkija atbildēja, — ak, kungs, tikai neuztveriet to kā necieņu, kungs, bet es nezin, vai jūs, kungs, izdarīja Dobijam labu darbu, kad deva viņam brīvību.

— Kāpēc tā? — Harijs uztraukti jautāja. — Kas viņam noticis?

— Brīvība, kungs, sakāpj Dobijam galvā, — Vinkija skumji paskaidroja. — Viņa stāvoklim, kungs, pārmērīgas idejas. Nevar dabūt jaunu darbu, kungs.

— Kāpēc tad nevar? — brīnījās Harijs.

Vinkija pazemināja balsi par pusoktāvu un nočukstēja: — *Viņš, kungs, grib, lai viņam par darbu maksā.*

— Maksā? — Harijs apjucis novilka. — Nu, kāpēc lai viņam nemaksātu?

Varēja redzēt, ka šāds pieņēmums Vinkiju šausmina. Viņa saspieda pirkstus ciešāk, tā, ka tie atkal pa pusei aizsedza viņas seju.

— Mājas elfiem, kungs, nemaksā! — viņa apslāpēti nopīkstēja. — Nē, nē, nē. Es saka Dobijam, es saka viņam, ej, sameklē sev jauku ģimeni un rimsties, Dobij. Viņš visu laiku nēsājas ar kaut kādām trakām blēņām, kungs, un tas mājas elfam nepiestāv. Tu tā skraidīs, Dobij, es saka, un, viens divi, par tevi sāk tincināt Maģisko būtņu regulēšanas un kontroles nodaļa, kā par tādu prastu goblinu.

— Nu, bija jau pienācis laiks arī viņam mazliet pabaudīt dzīvi, — Harijs sacīja.

— Mājas elfiem nav jābauda dzīve, Harij Poter, — strikti noteica Vinkija, vēl arvien slēpdamās aiz plaukstām. — Mājas elfi dara to, ko viņiem liek darīt. Man, Harij Poter, augstumi briesmīgi nepatīk... — viņa pameta īsu mirkli uz ložas malu un noelsās, — ...tak mans saimnieks sūta mani uz Ipašo viesu ložu, un es, kungs, nāk.

— Kāpēc viņš sūta tevi te augšā, ja zina, ka tev nepatīk augstums? — brīnījās Harijs.

— Saimnieks... saimnieks, Harij Poter, vēlas, lai es pasargā viņa vietu, viņš pats ir ļoti aizņemts, — Vinkija paskaidroja, ar galvu pamādama uz tukšo vietu sev līdzās. — Vinkija gribētu būt atpakaļ saimnieka teltī, taču Vinkija, Harij Poter, dara to, ko viņai liek. Vinkija ir laba mājas elfa.

Viņa vēlreiz uzmeta ložas malai bailīgu skatienu, un atkal aizsedza acis. Harijs pievērsās pārējiem.

— Tad tāds izskatās mājas elfs? — nomurmināja Rons. — Dīvaini radījumi, ko?

— Dobijs bija vēl dīvaināks, — Harijs dedzīgi sacīja.

Rons izvilka savu visrādi un sāka pētīt, kā tas darbojas, vērodams pūli stadiona pretējā malā.

— Baigi forši! — viņš iesmējās, raustīdams atkārtojuma slēdzīti uz priekšu un atpakaļ. — Šitā tas vecis urbina degunu atkal... un atkal... un atkal...

Hermione tikmēr aizrāvusies pētīja velveta vāciņos iesieto programmiņu ar zeltīto grāmatzīmi.

— Pirms spēles notiks komandu talismanu parāde, — viņa skaļi nolasīja.

— O, to vienmēr ir vērts noskatīties, — Vīzlija kungs pavēstīja. — Valstu izlases ņem līdzi radījumus no savas dzimtās zemes, nu, jūs saprotat, lai būtu kāds šova elements.

Nākamās pusstundas laikā loža pamazām pildījās. Vīzlija kungs visu laiku spieda rokas ļoti svarīga izskata burvjiem. Persijs lēca kājās neskaitāmas reizes, tāpēc beigu beigās radās iespaids, ka nabags neveiksmīgi mēģina apsēsties uz eža, bet viņam nekādi neizdodas iekārtoties. Kad ieradās Kornēlijs Fadžs, pats burvestību ministrs, Persijs paklanījās tik zemu, ka viņam nokrita un saplīsa brilles. Pamatīgi nokaunējies, viņš ar zizli tās salaboja, bet pēc tam palika sēžam savā vietā, tikai brīdi pa brīdim pametot greizsirdīgu skatienu uz Hariju, ar kuru Kornēlijs Fadžs bija sasveicinājies kā ar vecu draugu. Ministrs un Harijs tiešām bija tikušies jau iepriekš, tāpēc Fadžs tēvišķi paspieda zēna roku, apvaicājās, kā iet, un iepazīstināja ar burvjiem, kas sēdēja viņam blakus.

— Harijs Poters, jūs jau zināt, — viņš skaļi skaidroja Bulgārijas burvestību ministram, kurš bija tērpies greznās, melna samta drānās ar zelta apdari. Nelikās, ka bulgāru amatpersona saprastu kaut vārdu angliski. — *Harijs Poters...* ak, kā lai pasaka, jūs zināt, kas viņš ir... zēns, kurš palika dzīvs pēc Paši-Zināt-Kā uzbrukuma... jūs *zināt*, kas viņš ir...

Bulgāru burvis pēkšņi pamanīja Harija rētu un, rādīdams uz to, sāka kaut ko skaļi un sajūsmināti klāstīt.

— Zināju, ka galu galā mēs sapratīsimies, — Fadžs gurdi pateica Harijam. — Es neesmu nekāds daudzvalodis, man šādos brīžos vajadzīga Bērtuļa Zemvalža palīdzība. Rau, skatos, viņš nolicis savu mājas elfu, lai sargā šim vietu... prātīgi darīts, mūsu bulgāru rezgaļi to vien gaida, lai varētu piesist kādu labāku vietiņu... lūk, tur nāk Lūcijs.

Harijs, Rons un Hermione aši palūkojās turp. Pagriezušies sāniski, cauri otrai rindai uz trijām vēl arvien brīvajām vietām tieši aiz muguras Vīzlija kungam virzījās neviens cits kā mājas elfa Dobija bijušie saimnieki — Lūcijs Malfojs, viņa dēls Drako un sieviete, kas acīmredzot bija Drako māte.

Harijs un Drako Malfojs bija ienaidnieki jau kopš pirmās sastapšanās vilcienā uz Cūkkārpu. Bālais zēns ar asajiem sejas vaibstiem un baltajiem matiem bija ļoti līdzīgs tēvam. Arī māte izrādījās esam gaišmate. Garo un smalko sievieti varētu nosaukt par skaistu, ja vien viņas sejas izteiksme neliktu domāt, ka viņa tieši šobrīd saož kādu šausmīgu smaku.

— Ak, Fadžs, — nonācis līdz burvestību ministram, Malfoja kungs iesaucās un pastiepa sveicienam roku. — Kā jums klājas? Šķiet, jūs neesat sastapis manu sievu Narcisu? Un mūsu dēlu Drako?

— Sveicināti, sveicināti, — smaidīdams un paklanīdamies Malfoja kundzei, teica Fadžs. — Un atļaujiet man stādīt priekšā Oblansk... Obalonsk... kungu... nu, viņš ir Bulgārijas burvestību ministrs, un viņš tik un tā nesaprot nevienu manis teikto vārdu, tā ka — kāda gan starpība. Tā, kas vēl? Artūru Vīzliju jūs taču pazīstat?

Tas bija saspringts mirklis. Vīzlija un Malfoja kungs paskatījās viens uz otru, un Harijs spilgti atcerējās viņu beidzamo tikšanos aci pret aci. Malfoja kunga aukstās, pelēkās acis nomērīja Vīzlija kungu no galvas līdz kājām, tad viņš paskatījās pa labi un pa kreisi uz rindā sēdošajiem.

— Augstais kungs, Artūr, — viņš pusbalsī noteica. — Ko gan jums nācies pārdot, lai nopirktu biļetes Īpašo viesu ložā? Par savu māju jūs taču tik daudz nevarējāt dabūt?

Fadžs, kurš nebija dzirdējis Lūcija Malfoja teikto, sacīja: — Lūcijs tikko ziedoja *ļoti* dāsnu summu Svētā Mango Maģisko slimību un ievainojumu dziednīcai. Viņš, Artūr, te atrodas kā mans viesis.

— Cik... cik jauki, — ar pūlēm smaidīdams, noteica Vīzlija kungs.

Malfoja kunga skatiens savukārt bija pievērsts Hermionei, kura mazliet piesarka, taču acis nenolaida. Harijs skaidri zināja, kas liek Malfoja kungam nepatikā savilkt lūpas. Malfoji lepojās ar to, ka esot tīrasiņi; citiem vārdiem, viņi katru, starp kura senčiem bija vientieši (kā, piemēram, Hermioni), uzskatīja par zemākas šķiras burvjiem. Tiesa, tepat zem deguna burvestību ministram Malfoja kungs neuzdrīkstējās izteikt nekādas piezīmes. Viņš nicīgi pamāja Vīzlija kungam un turpināja iet tālāk pa rindu uz savu vietu. Drako uzmeta Harijam, Ronam un Hermionei nievājošu skatienu un tad apsēdās starp māti un tēvu.

— Glumie āksti, — nomurmināja Rons, kad viņš kopā ar Hariju un Hermioni atkal pievērsās laukumam. Nākamajā mirklī ložā ievirpuļoja Ludo Maišelnieks.

— Vai visi gatavi? — viņš jautāja, apaļajai sejai mirdzot kā milzīgai, satrauktai siera bumbai. — Ministra kungs, vai varam sākt?

— Varam, Ludo, ja vien tu esi gatavs, — omulīgi atbildēja Fadžs.

Ludo izrāva savu zizli, pavērsa pats pret savu kaklu un sacīja: — *Skaļo!*

Tad viņš ierunājās balsī, kas viegli pārspēja nu jau pilnā stadiona rēkoņu un atbalsojās no visām laukuma pusēm: — Dāmas un kungi... laipni lūgtum! Laipni lūgtum uz kalambola Pasaules kausa izcīņas četrsimt divdesmit otro finālu!

Skatītāji sāka kliegt un aplaudēt. Tribīnēs plīvoja karogu tūkstoši, pievienodami nesaskaņotās valstu himnas trakojošajai skaņu jūrai. Uz milzīgās tāfeles stadiona pretējā pusē nodzisa beidzamais reklāmas uzraksts (*Bertija Bota Visgaršu zirnīši — Izaicinājums bezbailīgajiem!*) un parādījās BULGĀRIJA: 0, ĪRIJA: 0.

— Un tagad, lai nestieptu gumiju, es gribētu aicināt laukumā... Bulgārijas izlases talismanus!

Tribīņu labā puse, kas atgādināja sarkani saziedējušu magoņu pļavu, sajūsmā ieaurojās.

— Interesanti, ko viņi būs atveduši? — Vīzlija kungs noteica, paliekdamies uz priekšu krēslā. — Āāā! — viņš pēkšņi norāva brilles un sāka tās spodrināt. — *Sirellas!*

— Kas ir sirella?

Taču tajā mirklī kāds simts sirellu izslīdēja laukumā, līdz ar to Harija jautājums kļuva lieks. Sirellas bija sievietes... visskaistākās sievietes, kādas Harijam bija nācies redzēt... tomēr tās nebija — tās nevarēja būt cilvēki. Īsu mirkli tas Hariju mulsināja, vismaz tik ilgi, kamēr viņš sprieda, kas tās varētu būt, kas varētu likt to ādai mirdzēt mēness spožumā, kas varētu likt to bāli zeltainajiem matiem kā vēdeklim plesties aiz muguras arī pilnīgā bezvējā... bet, kad atskanēja mūzika, Harija prātojumi par to, ka tās varētu nebūt cilvēki, pagaisa, pat vairāk — no viņa galvas pazuda jebkuri prātojumi un domas.

Sirellas sāka deju, un Harija prāts pēkšņi kļuva pilnīgi un svētlaimīgi tukšs kā tikko dzimušam zīdainim. Viņam rūpēja tikai viens — kaut varētu turpināt raudzīties sirellu dejā, jo, ja tās pārtrauktu dejot, tās būtu beigas...

Sirellas dejoja arvien straujāk un straujāk, un cauri Harija apmiglotajam prātam sāka brāzties trauksmainas, īsti neizveidojušās domas. Viņā dzima vēlēšanās paveikt kaut ko ļoti iespaidīgu, paveikt tūlīt. Piemēram, nolēkt no ložas stadionā likās gluži labs risinājums... bet vai tas būtu pietiekami labs?

— Harij, ko tu *dari*? — no milzīga tāluma atskanēja Hermiones balss.

Mūzika apklusa. Harijs samirkšķināja acis. Viņš bija piecēlies kājās, un viena kāja bija uzcelta uz ložas apmales. Viņam līdzās sastindzis stāvēja Rons, atgādinādams daiļlēcēju mirkli pirms atraušanās no tramplīna.

Stadionā atskanēja dusmīgi kliedzieni. Skatītāji nevēlējās, lai sirellas pārtrauktu deju. Arī Harijs bija starp neapmierinātajiem. Viņš, protams, jutīs līdzi Bulgārijai. Un kādēļ gan viņam pie krūtīm bija piesprausta šī lielā, zaļā āboliņa lapa? Rons tikmēr izklaidīgi plūkāja āboliņus nost no savas cepures. Vīzlija kungs, tikko jaušami smaidīdams, pieliecās pie Rona un izņēma cepuri dēlam no rokām.

— Tā tev vēl noderēs, — tēvs sacīja, — kad savu vārdu būs teikuši īri.

— Tiešām? — noprasīja Rons, turpinādams pavērtu muti blenzt uz sirellām, kas tagad bija sastājušās gar vienu laukuma malu.

Hermione nošūpoja galvu. Viņa pasniedzās un atvilka Hariju atpakaļ vietā. — *Nu, vai zini!* — viņa noteica.

— Un tagad, — nodimdēja Ludo Maišelnieka balss, — lūdzu, paceliet gaisā zižļus... lai varētu godam sagaidīt Īrijas valsts izlases talismanus!

Nākamajā mirklī stadionā iešāvās milzīga bumba, kas atgādināja zaļi zeltītu komētu. Apmetusi vienu loku ap stadionu, tā sadalījās divās mazākās komētās, kas aiztraucās katra uz savu laukuma galu. Pāri laukumam pēkšņi pārmetās varavīksne, kas savienoja abas gaismas lodes. Pūlis tik spēja dvest "oooooo" un "āāāāāā", it kā viņi skatītos grandiozu salūtu. Pēc brīža varavīksne pamazām izgaisa, gaismas bumbas pietuvojās viena otrai un atkal saplūda vienā. Beidzot tās izveidoja gigantisku mirdzošu āboliņa lapu, kas pacēlās augstu debesīs un sāka planēt virs tribīnēm. No āboliņa lapas sāka birt kas līdzīgs zelta lietum...

— Lieliski! — iesaucās Rons, kad āboliņa lapa slīdēja pāri viņu galvām un izrādījās, ka no tās tiešām krīt smagas zelta monētas, kas atsitas pret galvām un krēsliem. Ieskatīdamies ciešāk āboliņa lapā, Harijs saprata, ka to veido tūkstoši mazu, bārdainu vīriņu sarkanās vestītēs un katram no viņiem rokā ir mazītiņš, zeltains vai zaļš vējlukturītis.

— Rūķīši! — Vīzlija kungs pārkliedza pūļa vētrainos aplausus, kaut gan krietna skatītāju daļa vēl arvien atradās zem krēslu rindām, meklēdama monētas un cīnīdamās par tām ar kaimiņiem.

— Te tev būs, — Rons priecīgi auroja, iespiezdams Harijam plaukstā riekšavu zelta monētu. — Tas par visrādi. Tomēr nopērc man Ziemassvētku dāvanu, labi?

Milzīgā āboliņa lapa izšķīda, rūķīši lēnām nolaidās uz laukuma sirellām pretējā pusē. Viņi sasēdās gar laukumu sakrustotām kājām, gatavi skatīties spēli.

— Un tagad, dāmas un kungi, aicināsim laukumā... Bulgārijas kalambola izlasi! Jūsu uzmanībai — Dimitrovs!

No ieejas kaut kur dziļi stadionā izšāvās sarkanā tērpts cilvēks uz slotaskāta. Skanot bulgāru līdzjutēju vētrainajiem aplausiem, spēlētājs izdrāzās laukumā tik ātri, ka viņa tēls likās izplūdis.

— Ivanova!

Parādījās otrs spēlētājs sarkanā formā.

— Zogrāfs! Levskis! Vulčanovs! Volkovs! U-u-u-u-u-u-u-un — *Krums*!

— Tas ir viņš, tas ir viņš! — iebļāvās Rons, sekodams Krumam ar savu visrādi. Harijs žigli pievērsa beidzamajam spēlētājam arī savējo.

Viktors Krums bija kalsns, tumsnējs, ar iedzeltenu sejas krāsu; viņam bija liels, līks deguns un biezas, melnas uzacis. Viņš izskatījās kā pāraudzis plēsīgais putns. Bija grūti noticēt, ka viņš ir tikai astoņpadsmit gadu vecs.

— Un tagad, lūdzu, sveiciet Īrijas kalambola izlasi! — ieaurojās Maišelnieks. — Iepazīstinām spēlētājus — Konolijs! Raiens! Trojs! Maleta! Morena! Kviglijs! U-u-u-u-u-un — *Linčs*!

Septiņas zaļas, izplūdušas figūras izlidoja laukumā. Harijs pagrieza nelielu podziņu uz visrāža sāniem, lai palēninātu spēlētāju kustības tik daudz, ka uz viņu slotām varēja izlasīt nosaukumu "Ugunsbulta", bet uz mugurām kļuva redzami sudraba diegiem izšūtie vārdi.

— Vēl gribu jums stādīt priekšā mūsu tiesnesi, kas ieradies no tālās Ēģiptes, Starptautiskās Kalambola asociācijas slaveno virsburvi Hasanu Mostafu!

Laukumā uznāca maza auguma, kalsns burvis. Viņa galva bija noskūta gluda kā ola, toties ūsas varbūt pat pārspēja tēvoča Vernona rotu. Mugurā tiesnesim bija stadiona krāsām pieskaņots zeltīts tērps. Zem ūsām varēja pamanīt sudraba svilpes galiņu. Vienā rokā tiesnesis nesa lielu koka kasti, bet otrā padusē bija pasista viņa slota. Harijs pagrieza visurrādītāja ātrumu atpakaļ uz normālu un redzēja, kā Mostafa uzkāpj uz sava slotaskāta un atsper vaļā kastes vāku — no tās gaisā uzšāvās četras bumbas: sarkanā sviedene, divas melnās āmurgalvas un (Harijs to manīja nozibam tikai īsu jo īsu mirkli, jo pēc tam lodīte izzuda no skatiena) mazītiņais, spārnotais zelta zibsnis. Skaļi nosvilpies, Mostafa uzšāvās gaisā pakaļ bumbām.

— Spē-ē-ē-ē-ē-ē-le ir SĀKUSIES! — ieaurojās Maišelnieks. — Sviedene ir pie Maletas. Piespēle Trojam! Morena! Dimitrovs! Atkal Maleta! Trojs! Levskis! Morena!

Tas bija cita līmeņa kalambols, neko tādu Harijs nebija redzējis. Viņš spieda visrādi pie acīm tik kaismīgi, ka brilles griezās virsdegunē. Spēlētāji pārvietojās neaptveramā ātrumā — dzinēji piespēlēja sviedeni cits citam tik strauji, ka Maišelnieks tikko spēja nosaukt viņu vārdus. Harijs pagrieza palēninājuma pogu visrāža labajos sānos, nospieda komentāru pogu virspusē, un notikumi viņa acu priekšā sāka risināties krietni lēnāk; vienlaikus uz attēla parādījās mirgojoši purpurkrāsas burti, bet ausīs turpināja dārdēt pūļa saceltais troksnis.

"*Vanaggalvas uzbrukuma ķīlis,*" viņš lasīja, vērodams, kā visi trīs Īrijas izlases dzinēji sakļaujas cieši kopā ar Troju centrā un mazliet priekšā Maletai ar Morenu. Tā trijotne traucās uz bulgāru grozu pusi. Nākamajā mirklī parādījās uzraksts "*Porskova šķēres*", jo Trojs izlikās, ka ceļas augšup, aizvilinādams sev līdzi bulgāru dzinēju Ivanovu, bet īstenībā viņš piespēlēja sviedeni uz leju Morenai. Viens no bulgāru triecējiem, Volkovs, ar savu strupo vāli iezvēla pa garām lidojošo āmurgalvu, raidīdams to Morenas virzienā, Morena pieliecās, lai izvairītos no melnās bumbas, un viņai izkrita sviedene. Levskis, kurš lidoja zemāk, pārķēra bumbu...

— TROJS GŪST GROZU! — ieaurojās Maišelnieks. Stadionu nodrebināja aplausu un sajūsmas saucienu vētra. — Desmit pret nulli Īrijas labā!

— Ko tas nozīmē? — nokliedzās Harijs, apjucis grozīdams savu visrādi uz visām pusēm. — Sviedene taču ir Levskim?!

— Harij, ja tu neskatīsies spēli normālā ātrumā, tu palaidīsi garām vēl daudz ko! — uzsauca Hermione, dancodama pie sava krēsla un mētādama pa gaisu rokas. Tikmēr Trojs aplidoja laukumam goda apli. Harijs žigli noņēma visrādi no acīm un ieraudzīja, ka rūķīši no laukuma malas atkal pacēlās gaisā, lai izveidotu milzīgo, mirdzošo āboliņa lapu. No pretējās puses viņus drūmiem skatieniem vēroja sirellas.

Dusmodamies pats uz sevi, Harijs pārslēdza ātrumu atpakaļ uz normālo. Spēle turpinājās.

Harijs pietiekami labi izprata kalambolu, lai redzētu, ka īru dzinēji ir vienkārši lieliski. Viņi darbojās kā viens vesels, viņi pārvietojās tik ātri un precīzi, it kā spētu lasīt cits cita domas. Rozete Harijam pie krūtīm atkal un atkal pīkstēdama atkārtoja trijotnes vārdus: — *Trojs* — *Maleta* — *Morena!*

Desmit minūšu laikā Īrija guva vēl divus grozus, palielinot rezultāta starpību līdz trīsdesmit pret nulli, izraisīdami sajūsmas rēcienu un aplausu vētru zaļi tērpto līdzjutēju rindās.

Spēle kļuva vēl ātrāka, tomēr arī asāka. Bulgāru triecēji Volkovs un Vulčanovs blieza āmurgalvas īru dzinēju virzienā no visa spēka, un reižu reizēm viņiem izdevās izjaukt īru trijotnes spožākās kombinācijas. Divas reizes Īrijas dzinējiem nācās pajukt uz visām pusēm, un tad beidzot Ivanovai izdevās izlauzties cauri īru priekšējai līnijai, izvairīties no sarga Raiena un gūt pirmo grozu Bulgārijas labā.

— Bāziet pirkstus ausīs! — Vīzlija kungs nokomandēja, jo sirellas sāka sajūsmā dejot. Harijs aizmiedza arī acis — viņš negribēja novērsties no spēles. Pēc pāris sekundēm zēns uzdrīkstējās vēlreiz paskatīties uz laukumu. Sirellas vairs nedejoja, un sviedene atkal bija bulgāriem.

— Dimitrovs! Levskis! Dimitrovs! Ivanova — pagaidiet! — ieaurojās Maišelnieks.

Simt tūkstošiem burvju un raganu vienlaikus aizrāvās elpa — abi meklētāji, Krums un Linčs, drāzās lejup cauri dzinēju burzmai tādā ātrumā, it kā tikko būtu bez izpletņiem izlēkuši no lidmašīnas. Harijs vēroja viņu kritienu ar visrāža palīdzību, pūlēdamies saskatīt, kur tad ir zibsnis...

— Viņi ietrieksies zemē! — līdzās Harijam iekliedzās Hermione.

Viņas paredzējums piepildījās tikai pa pusei — pēdējā iespējamā acumirklī Krums izgriezās no pikējuma un uzšāvās stāvus gaisā. Tikmēr Linčs ar trulu būkšķi, kas pārskanēja visu stadionu, ietriecās zemē. Īru tribīnes pāršalca smaga nopūta.

— Muļķis! — Vīzlija kungs novaidējās. — Tā bija Kruma māņkustība!

— Pārtraukums! — nodārdēja Maišelnieka balss. — Laukumā dodas īpaši apmācītu medburvju brigāde, lai pārbaudītu Eidena Linča gatavību turpināt spēli!

— Gan jau būs labi, viņš tikai pamatīgi izgāzās! — Čārlijs mierinādams paskaidroja Džinnijai, kas bija pārkārusies pār ložas malu un izskatījās satriekta. — Protams, tieši to Krums arī gribēja...

Harijs žigli uzspieda atkārtojuma un komentāru pogu un vēlreiz ieskatījās visrādī.

Viņš vēroja, kā Krums un Linčs atkal traucas lejup, tikai tagad palēnināti. *"Vronska pikējums — bīstama meklētāja māņkustība,"* paziņoja mirdzošie purpura burti uz attēla. Harijs redzēja, kā Kruma seja saviebjas no koncentrēšanās, kā viņš izgriežas no pikējuma tieši īstajā mirklī, bet Linčs pa to laiku ietriecas zemē. Tad zēns saprata — Krums zibsni pat neredzēja, viņš vienkārši piespieda Linču akli viņam sekot. Harijs nekad nebija redzējis kādu tā lidojam; izskatījās, ka Krums vispār neizmanto slotaskātu; bulgāru meklētājs šķēla gaisu tā, it kā gravitācijas nebūtu, it kā viņš pats neko nesvērtu. Harijs pagrieza visrādi atpakaļ normālā ātrumā un pievērsās Krumam. Meklētājs meta plašus lokus virs Linča, kuru medburvji mēģināja dabūt pie samaņas, dzirdīdami ar kaut kādu brūvējumu. Harijs pievilka visrādī tuvāk Kruma seju un ievēroja, kā bulgāru jaunekļa acis no simt pēdu augstuma nopēta katru laukuma sprīdi. Viņš izmantoja Linča dakterēšanas laiku, lai bez traucēkļiem meklētu zibsni.

Galu galā Linčs atkal tika uz kājām, un no zaļajām tribīnēm atskanēja skaļas urravas. Īru meklētājs uzkāpa uz savas ugunsbultas un šāvās gaisā. Viņa atgriešanās spēlē, šķiet, deva Īrijai jaunus spēkus. Kad Mostafa nosvilpās, zaļo dzinēji metās cīņā, liekot lietā kombinācijas un izveicību, kādu Harijs nekad iepriekš nebija redzējis.

Pēc piecpadsmit minūšu ātras un nežēlīgas cīņas Īrijai izdevās gūt vēl desmit grozus. Tagad viņi bija vadībā ar simt trīsdesmit pret desmit, un spēle kļuva arvien rupjāka.

Kad Maleta vēlreiz ar sviedeni padusē šāvās uz groza kāršu pusi, bulgāru sargs Zogrāfs izlidoja viņai pretī. Tālāk viss notika tik ātri, ka Harijs pat nepaguva izsekot visām spēlētāju kustībām, taču īru līdzjutēju sašutuma kliedzieni un Mostafas svilpes garais, spalgais trellis liecināja, ka bulgāru spēlētājs pārkāpis noteikumus.

— Un Mostafa brīdina bulgāru sargu par spēli ar augstu

paceltiem elkoņiem! — Maišelnieks paziņoja satrauktajiem skatītājiem. — Jā, un tiesnesis piešķir soda metienu Īrijas labā!

Rūķīši, kuri pārkāpuma brīdī uzšāvās gaisā kā mirdzošu lapseņu spiets, tagad žigli pārkārtojās, lai izveidotu gaisā vārdus "HA, HA, HA". Sirellas laukuma pretējā pusē pielēca kājās, dusmīgi sapurināja matus un atkal sāka dejot.

Visi Vīzliji un Harijs žigli sabāza pirkstus ausīs, bet Hermione, uz kuru sirellu valdzinājums neiedarbojās, drīz vien raustīja Hariju aiz piedurknes. Viņš pagriezās pret meiteni, un Hermione nepacietīgi izvilka vienu pirkstu Harijam no auss.

— Paskaties uz tiesnesi! — viņa ķiķinādama sacīja.

Harijs palūkojās lejā uz laukumu. Hasans Mostafa bija nolaidies tieši dejojošo sirellu priekšā un izturējās pagalam dīvaini. Viņš atkal un atkal demonstrēja savus bicepsus un izteiksmīgi glaudīja ūsas.

— Tā, tas nu ir par daudz! — bargi iesaucās Ludo Maišelnieks, kaut arī viņa balsī varēja saklausīt uzjautrinājumu. — Vai kāds varētu iepļaukāt tiesnesi?!

Iebāzis pirkstus ausīs, pāri laukumam pārskrēja kāds medburvis un kārtīgi iespēra Mostafam pa pēcpusi. Mostafa, šķiet, atguva sajēgu. Harijs, vērodams tiesnesi, saprata, ka viņš jūtas neizsakāmi neērti. Tagad viņš kaut ko kliedza sirellām, kuras gan pārstāja dejot, tomēr to sejās jautās dumpīgs niknums.

— Ja vien es nekļūdos, Mostafa mēģina noraidīt no laukuma Bulgārijas izlases talismanus! — paziņoja Maišelnieka balss. — *Te* nu notiek kas iepriekš nepiedzīvots... oi, tas varētu beigties nelāgi...

Un tā tiešām notika — bulgāru triecēji Volkovs un Vulčanovs nolaidās katrs savā pusē Mostafam un dusmīgi kaut ko centās viņam iestāstīt, mādami uz rūķīšu pusi, kuri tagad bija izveidojuši ņirdzīgu "HI, HI, HI". Bulgāru argumenti Mostafu laikam īpaši nepārliecināja. Viņš bakstīja ar pirkstu debesīs, skaidri norādīdams spēlētājiem, lai viņi ceļas gaisā, bet, kad bulgāri atteicās, tiesnesis divreiz īsi nosvilpās.

— *Divi* soda metieni Īrijas labā! — skaļi paziņoja Maišelnieks, un bulgāru līdzjutēji dusmās iekaucās. — Volkovam un Vulčanovam labāk kāpt atpakaļ uz slotām... jā... viņi paceļas gaisā... un Trojs paņem sviedeni...

Tik mežonīgu spēli viņi vēl nebija redzējuši. Abu komandu triecēji darbojās bez žēlastības: īpaši jau Volkovam un Vulčanovam, šķiet, bija vienalga, kam trāpa viņu vāles — āmurgalvām vai cilvēkiem, tik nikni tās svilpa gaisā. Dimitrovs uzskrēja tieši virsū Morenai, kura tajā brīdī lidoja ar sviedeni, gandrīz notriekdams Īrijas spēlētāju no slotas.

— *Sods!* — vienā balsī ieaurojās īru līdzjutēji, pielēkdami kājās kā milzīgs, zaļš vilnis.

— Sods! — tūkstošu saucienu atbalsoja Ludo Maišelnieka ar burvestības palīdzību pastiprinātā balss. — Dimitrovs bloķē Morenu, tīšām ielidodams viņas trajektorijā, un tam vajadzētu nozīmēt vēl vienu soda metienu — jā, atskan tiesneša svilpe!

Rūķīši atkal pacēlās gaisā, šoreiz, lai izveidotu milzīgas rokas attēlu, kurš parādīja sirellām ļoti rupju žestu. Tajā brīdī sirellas zaudēja apvaldu. Tās metās pāri laukumam un sāka sviest rūķīšiem virsū ko līdzīgu uguns riekšām. Vērodams notiekošo visrādī, Harijs redzēja, ka no sirellu skaistuma vairs nav ne miņas. Pat vairāk — to sejas kļuva garākas, pārvērzdamās putnu galvās ar asiem, draudīgiem knābjiem, bet no pleciem izsprāga gari, zvīņām klāti spārni...

— Un *tas*, zēni, — Vīzlija kungs mēģināja pārkliegt pūļa aurus, — ir vēl viens pierādījums, ka nekad nevajag sievieti vērtēt tikai pēc izskata.

Ministrijas burvji pa vienam un pulciņos steidzās laukumā, lai izšķirtu sirellas un rūķīšus, taču viņiem lāga neveicās; bet drīz kļuva skaidrs, ka plēšanās uz zemes ir tikai attāla atblāzma tai kaujai, kas noritēja gaisā. Harijs raustīja visrādi te uz vienu, te uz otru pusi, jo sviedene lidoja no spēlētāja pie spēlētāja lodes ātrumā...

— Levskis... Dimitrovs... Morena... Trojs... Maleta... Ivanova... atkal Morena... Morena... MORENA GŪST GROZU!

Taču īru līdzjutēju urravas tikko varēja dzirdēt skaņu jūklī, kas sastāvēja no sirellu ķērcieniem, blīkšķiem, ko jezgā raidīja ministrijas darbinieku zižļi, un Bulgārijas atbalstītāju dusmīgajiem rēcieniem. Spēle gan tūlīt turpinājās. Sviedene nonāca pie Levska, tad Dimitrova...

Iru triecējs Kviglijs no visa spēka iezvēla garām lidojošajai āmurgalvai, raidīdams to Kruma virzienā. Bulgāru meklētājs nepaguva pieliekties pietiekami ātri, un smagā bumba trāpīja viņam sejā.

Tribīnes pāršalca vaids. Izskatījās, ka Krumam ir lauzts deguns, visur lija asinis, taču Hasans Mostafa nesvilpa. Viņa uzmanību bija novērsis neparedzēts notikumu pavērsiens — viena no sirellu sviestajām uguns riekšām bija aizdedzinājusi tiesneša slotas asti.

Harijs lūdzās, kaut kāds ievērotu, ka Krumam nepieciešama palīdzība. Kaut arī zēns turēja īkšķi par Īriju, Krums noteikti bija pamanāmākais spēlētājs laukumā. Acīmredzot Rons juta to pašu.

— Pārtraukumu! Nu tak, viņš nevar spēlēt tādā stāvoklī, paskatieties uz viņu...

— *Paskaties uz Linču!* — Harijs ieaurojās.

Jo īru meklētājs pēkšņi metās pikējumā, un Harijs bija pārliecināts, ka šoreiz runa nav par Vronska izkopto māņkustību, šoreiz viss bija pa īstam...

— Viņš redz zibsni! — Harijs kliedza. — Viņš to redz! Paskaties, kā viņš lido!

Apmēram puse skatītāju aptvēra, kas īsti notiek. Īrijas atbalstītāji pielēca kājās zaļā, skaļā vilnī, ar kliedzieniem mudinādami savu meklētāju uz priekšu... taču Krums izrādījās turpat līdzās. Kā viņš spēja saskatīt, kur lido, Harijs nesaprata. Gaisā aiz bulgāru meklētāja šķīda asiņu šļakatas, taču viņš tuvojās Linčam, un viņi abi kopā atkal tuvojās zemei...

— Viņi ietrieksies zemē! — iekliedzās Hermione.

— Neietrieksies! — atbļāva Rons.

— Linčs ietrieksies! — tikpat skaļi savu viedokli pauda Harijs. Viņam izrādījās taisnība — jau otro reizi Linčs ar drausmīgu spēku atsitās pret zemi, turklāt šoreiz viņam pāri bradādams metās saniknoto sirellu pūlis.

— Zibsnis, kura palika zibsnis? — auroja Čārlijs tālāk rindā.

— Viņš to noķēra... Krums to noķēra... spēle ir galā! — kliegšus atbildēja Harijs.

Krums, kura sarkanās drēbes bija piesūkušās ar pārsistā deguna asinīm, lēnām cēlās gaisā, pastiepis uz augšu dūri, kurā mirdzēja kaut kas zeltains.

Rezultātu tāfele pulsēdama zibināja uzrakstu BULGĀRIJA: SIMT SEŠDESMIT, ĪRIJA: SIMT SEPTIŅDESMIT. Pūlis, šķiet, vēl arvien nesaprata, kas noticis. Murdoņa kā milzīgs starpkontinentāls aviolaineris, kas lēnām iedarbina savus turbodzinējus, Īrijas līdzjutēju tribīnēs arvien pieņēmās spēkā, līdz stadiona zaļo pusi pārņēma sajūsmas kliedzienu virpulis.

— ĪRIJA IR UZVARĒJUSI! — ieaurojās Maišelnieks, kuru, tāpat kā īrus, spēles negaidītās beigas likās pārsteigušas nesagatavotu. — KRUMS NOĶER ZIBSNI... TAČU ĪRIJA UZVAR... augstā debess, šķiet, neviens no mums to negaidīja!

— Kāpēc gan viņš ķēra zibsni? — neizpratnē kliedza Rons, vienlaikus sajūsmā lēkādams un aplaudēdams sev virs galvas. — Viņš, muļķis, pabeidza spēli, kad Īrija bija simt sešdesmit punktu priekšā!

— Viņš apzinājās, ka tuvāk īriem viņi vairs netiks, — arī skaļi aplaudēdams, atsaucās Harijs, — Īrijas dzinēji bija galvas tiesu pārāki... viņš vienkārši gribēja teikt pēdējo vārdu, tas arī viss...

— Drosmīgs gan viņš ir, vai ne? — Hermione piebilda, pārliekusies pāri ložas malai, lai redzētu, kā Krums nolaižas uz laukumu un kā uz viņa pusi cauri rūķīšu un sirellu kaujas laukam ar zižļu palīdzību ceļu sev lauž medburvji. — Viņš izskatās briesmīgi...

Harijs atkal pacēla visrādi pie acīm. Bija grūti saskatīt, kas notika lejā, jo rūķīši līksmi šaudījās virs laukuma. Tomēr viņam izdevās ieraudzīt Krumu medburvju ielenkumā. Bulgāru meklētājs izskatījās vēl īgnāks nekā parasti un neļāva medburvjiem pat noslaucīt no sejas asinis. Ap Krumu pulcējās arī pārējie komandas biedri, viņi purināja galvu un izskatījās nomākti. Turpat netālu priecīgi dejoja Īrijas spēlētāji, un pār viņu galvām lija komandas talismanu kaisītais zelts. Visā stadionā plīvoja karogi, un no visām pusēm dārdēja Īrijas himna. Sirellas pamazām atguva savus valdzinošos apveidus; tiesa, tās tagad likās nomāktas un nelaimīgas.

— Tomēr mes tsinijamies, cik spejam, — Harijam aiz muguras kāds drūmi noteica. Viņš paskatījās atpakaļ. Runātājs bija bulgāru burvestību ministrs.

— Jūs runājat angliski?! — Fadžs iesaucās; viņš izklausījās pārskaities. — Un jūs ļāvāt man visu dienu plātīties ar rokām!

— Nu, tas likas ljoti jocigi, — paraustīdams plecus, atbildēja bulgāru ministrs.

— Kamēr Īrijas komanda savu talismanu pavadībā veic goda apli, Īpašo viesu ložā tiek ienests pats kalambola Pasaules kauss! — pāri stadionam nodimdēja Maišelnieka balss.

Harija acis pēkšņi apžilbināja balta, neizturami spoža burvju gaisma, kas pārpludināja Īpašo viesu ložu, lai tās iekšpuse būtu saskatāma no visa stadiona. Zēns, samiedzis acis, paskatījās uz ieeju un ieraudzīja, kā divi aizelsušies burvji ienes ložā milzīgu zelta kausu un nodod to Kornēlijam Fadžam, kurš vēl arvien izskatījās ļoti neapmierināts par to, ka visu dienu pilnīgi veltīgi lietojis zīmju valodu.

— Tagad es lūgtu vētrainus aplausus šāsdienas galantajiem zaudētājiem — Bulgārijas izlasei! — nokomandēja Maišelnieks.

Pa kāpnēm ložā ienāca septiņi sašļukuši Bulgārijas spēlētāji. Pūlis atzinīgi aplaudēja. Harijs redzēja uz ložas pusi pavērstu visrāžu lēcu tūkstošus.

Bulgārijas spēlētāji pa vienam ienāca ložā, starp rindām, un

Maišelnieks nosauca katra vārdu, bet paši spēlētāji tikmēr sarokojās ar savu ministru un tad arī ar Fadžu. Krums ienāca ložā pēdējais. Viņš izskatījās patiešām draņķīgi. Abas uzdauzītās acis iespaidīgi izcēlās asiņainajā sejā. Viņš vēl arvien dūrē sažņaugtu turēja zibsni. Harijs ievēroja, ka uz zemes Krums izskatās krietni neveiklāks nekā gaisā. Bulgāru meklētājs ejot mazliet gāzelējās, un viņam bija ļoti apaļa mugura. Taču, kad nosauca Kruma vārdu, viss stadions sumināja viņu ar ausis plosošu rēcienu.

Un tad ložā ienāca Īrijas komanda. Eidenu Linču atbalstīja Morena un Konolijs. Izskatījās, ka īru meklētājs tā arī nav atguvies pēc otrā trieciena, jo viņa acis vēl arvien šķielēja katra uz savu pusi. Taču viņš laimīgi pasmaidīja, kad Trojs un Kviglijs pacēla kausu gaisā un stadionā nodārdēja sajūsmas pērkons. Harija plaukstas no aplaudēšanas bija kļuvušas pilnīgi nejutīgas.

Beigu beigās, kad Īrijas komanda izgāja no ložas, lai uz savām slotām aplidotu ap stadionu vēl vienu goda apli (Eidens Linčs sēdēja Konolija slotas aizmugurē, apķēries komandas biedram ap vidukli un vēl arvien dīvaini smaidīdams), Maišelnieks pavērsa zizli pret savu kaklu un nomurmināja: — *Kluso!*

— Šo spēli visi pieminēs gadiem, — viņš aizsmacis noteica, — kāds negaidīts pavērsiens... žēl, ka viss beidzās tik ātri... ak, jā... cik tad īsti es esmu jums parādā?

Jo Freds ar Džordžu, pārkāpuši pāri pirmās rindas krēslu atzveltnēm, ar platu smaidu sejā un pastieptām rokām jau stāvēja Ludo Maišelnieka priekšā.

## DEVĪTĀ NODAĻA

# TUMŠĀ ZĪME

— Tikai *nesakiet* mammai, ka slēdzāt derības, — Vīzlija kungs piekodināja Fredam ar Džordžu, kad viņi visi kopā sāka virzīties lejup pa purpura paklājiem klātajām kāpnēm.

— Neuztraucies, tēt, — atbildēja smaidīgais Freds, — mēs esam nolēmuši šo naudiņu ieguldīt, tāpēc tās konfiskācija neietilpst mūsu plānos.

Vīzlija kungs, šķiet, kādu brīdi apsvēra, vai nepajautāt, kur tad dvīņi to ieguldīs, taču pēc pārdomu mirkļa likās nospriežam, ka nemaz nevēlas to zināt.

Drīz vien viņi iejuka pūlī, kas no stadiona plūda atpakaļ uz telšu pilsētiņu pa to pašu laternām apgaismoto taku. Nakts dzidrajā gaisā no visām pusēm skanēja aizsmakusi dziedāšana. Virs pūļa galvām tarkšķēdami un vicinādami savus vējlukturīšus šaudījās rūķīši. Kad Vīzliji kopā ar Hariju un Hermioni nonāca pie savām teltīm, nevienam uz gulēšanu prāts īsti nenesās, un, ņemot vērā apkārt valdošo troksni, Vīzlija kungs piekrita, ka viņi visi kopā pirms došanās pie miera varētu izdzert pa krūzei kakao. Drīz vien viņi jautri strīdējās par redzēto spēli. Vīzlija kungs ielaidās garā diskusijā par spēli ar augstu paceltiem elkoņiem, Čārlijs viņam iebilda. Tikai tad, kad Džinnija, izgāžot tasi karstās šokolādes, aizmiga uz mazā galdiņa malas, Vīzlija kungs lika pārtraukt mutiskos spēles atkārtojumus un sūtīja visus uz dusu. Hermione un Džinnija devās uz blakus telti, bet Harijs un pārējie Vīzliji pārģērbās naktskreklos un iekārtojās guļamistabas lāviņās. No nometnes pretējās puses vēl arvien skanēja skaļa dziedāšana un dīvaini blīkšķi.

— Kā es priecājos, ka man šodien nebija jāstrādā, — miegaini nomurmināja Vīzlija kungs, — es negribētu būt to ādā, kuri tagad iet pie īriem un iegalvo, ka svinēšana jāpārtrauc.

Harijs, kurš gulēja otrā stāva gultā virs Rona, skatījās telts audekla griestos. Brīdi pa brīdim varēja redzēt nozibam kādu rūķīša vējlukturīti, bet pārsvarā viņš atcerējās vienu vai otru no Kruma izcilajiem manevriem. Tā vien nagi niezēja tikt mugurā savai ugunsbultai un izmēģināt Vronska pikējumu... Žagaram ar visām viņa kustīgajām diagrammām nebija izdevies Harijam izskaidrot, kā šis paņēmiens varētu izskatīties... tad Harijs ieraudzīja sevi formā, kurai uz muguras bija izšūts viņa vārds un iedomājās sajūtu, kāda varētu pārņemt, dzirdot, kā simt tūkstošu pūlis ierēcas pēc tam, kad visās stadiona malās atbalsojusies Ludo Maišelnieka balss: — Jūsu uzmanībai... *Poters*!

Harijs tā arī nesaprata, vai viņš tobrīd jau bija aizmidzis vai ne — fantāzija par Kruma cienīgo lidojumu tikpat labi varēja parādīties arī sapnī. Viņš aptvēra vienīgi to, ka pēkšņi Vīzlija kungs kaut ko kliedz.

— Celieties! Ron, Harij... ātrāk, celieties, nekavējoties!

Harijs strauji pierāvās sēdus, un viņa galva atsitās pret audeklu.

— Kas ir? — viņš vaicāja.

Viņš neskaidri nojauta, ka noticis kas nelāgs. No telšu pilsētiņas puses nākošie trokšņi izklausījās savādi. Dziedāšanu vairs nedzirdēja. Varēja dzirdēt kliedzienus un skrejošu kāju dipoņu.

Noslīdējis no gultas, viņš pasniedzās pēc drānām, taču Vīzlija kungs, kurš pats bija uzvilcis džinsus pāri pidžamai, uzsauca: — Nav laika, Harij, paķer jaku un ej ārā — ātrāk!

Harijs izsteidzās no telts, un viņam uz papēžiem sekoja arī Rons.

Nedaudzo vēl degošo ugunskuru gaismā Harijs ieraudzīja, ka cilvēki skrien uz meža pusi, bēgdami no kaut kā, kas pāri laukumam viņiem tuvojās; no kaut kā, kas brīdi pa brīdim dīvaini noplaiksnīja un izgrūda šāvieniem līdzīgus trokšņus. Skaļa ņirgšana, smieklu šaltis un piedzērušu cilvēku bļāvieni nāca arvien tuvāk. Beidzot spēcīgas zaļas gaismas uzliesmojums izgaismoja notiekošo.

Cieši sastājušos burvju bariņš virzījās cauri telšu pilsētiņai ar augšup paceltiem zižļiem. Harijs piemiedza acis... izskatījās, it kā viņiem nebūtu seju... tad viņš saprata, ka burvju galvas sedz... kapuces, bet sejas paslēptas aiz maskām. Augstu virs viņiem gaisā kārpījās četras groteski izlocītas figūras. Likās, ka burvji uz zemes būtu marionešu dīdītāji, bet cilvēki gaisā — lelles, ko rausta neredzamas aukliņas, kuras savienotas ar zižļu galiem. Divas figūras bija mazākas par pārējām.

Pūlītim pievienojās arvien jauni un jauni burvji — viņi smējās un rādīja augšup uz lidojošajiem ķermeņiem. Pūlim pieaugot, viņi apgāza un samina teltis. Reizi vai divas Harijs redzēja, kā kāds no soļotājiem ar zizli aizmēž no ceļa traucējošu telti. Vairākas teltis aizdegās. Kliedzieni kļuva arvien skaļāki.

Viena no degošajām teltīm pēkšņi izgaismoja gaisā kūleņojošos cilvēkus, un Harijs ievēroja, ka viens no viņiem ir Robertsa kungs, telšu apmetnes pārzinis. Varēja nojaust, ka pārējie trīs ir viņa sieva un bērni. Viens no burvjiem parāva zizli, liekot Robertsa kundzei apgriezties ar kājām gaisā. Viņas naktskrekls nošļuka, atsegdams apjomīgas bumbierenes. Nabaga sieviete mēģināja piesegties, bet pūlis zem viņas ļaunā priekā ūjināja un auroja.

— Tas ir pretīgi, — nomurmināja Rons, ievērojis, ka mazākais no vientiešu bērniem sešdesmit pēdu virs zemes sāk griezties kā vilciņš. Mazā galviņa ļengani zvalstījās te uz vienu, te uz otru pusi. — Tas patiešām ir pretīgi...

Piesteidzās arī Hermione un Džinnija, vilkdamas pāri naktskrekliem mēteļus. Aiz viņām parādījās arī Vīzlija kungs. Tajā pašā mirklī no zēnu telts, pilnīgi saģērbušies, atrotītām piedurknēm un paceltiem zižļiem izsteidzās Bils, Čārlijs un Persijs.

— Mēs palīdzēsim ministrijai, — Vīzlija kungs uzsauca, cenzdamies pārkliegt apkārt valdošo troksni un arī uzrotīdams piedurknes. — Jūs visi — pazūdiet mežā, un *turieties kopā*. Es atnākšu jums pakaļ, kad būsim tikuši galā ar šo ļembastu!

Bils, Čārlijs un Persijs jau skrēja pretim pūlim. Vīzlija kungs metās pakaļ dēliem. Ministrijas burvji no visām pusēm steidzās uz nekārtību vietu. Pūlis zem Robertsu ģimenes arvien tuvojās.

— Ejam, — Freds sacīja, paņemdams Džinniju pie rokas un vilkdams māsu uz meža pusi. Harijs, Rons, Hermione un Džordžs sekoja. Nonākuši līdz pirmajiem kokiem, viņi atskatījās. Pūlis zem Robertsu ģimenes likās vēl lielāks. Bērni redzēja, kā ministrijas burvji mēģina izlauzties cauri cilvēku rindām, lai piekļūtu maskotajiem burvjiem pūļa vidū, taču īpaši viegli tas nevedās. Izskatījās, ka ministrijas pārstāvji baidās izmantot burvestības, lai nenodarītu pāri Robertsu ģimenei.

Krāsainās laternas, kas iepriekš izgaismoja ceļu uz stadionu, nu jau bija izdzēstas. Starp kokiem klīda tumši stāvi. Raudāja bērni. Satraukti kliedzieni un panikas pārņemtas balsis tricināja auksto nakts gaisu. Harijs juta, kā viņu te uz vienu, te uz otru pusi stumda cilvēki, kuru sejas viņš nespēj saskatīt. Tad Rons iebļāvās sāpēs.

— Kas notika? — satraukti iesaucās Hermione, apstādamās tik pēkšņi, ka Harijs uzskrēja viņai virsū. — Ron, kur tu esi? Ak, es, muļķe, — *spīžo*!

Viņas zižļa galā iedegās gaismiņa, un meitene ar šauro staru izgaismoja taku. Rons gulēja garšļaukus zemē.

— Paklupu uz koka saknes, — viņš dusmīgi noteica, atkal pieceldamies kājās.

— Nu, ar tāda izmēra pēdām grūti ir nepaklupt, — kāds aiz muguras novilka.

Harijs, Rons un Hermione strauji atskatījās. Netālu no viņiem, atspiedies pret koka stumbru un izskatīdamies pilnīgi mierīgs, stāvēja Drako Malfojs. Rokas viņš bija sakrustojis uz krūtīm. Viņš likās vērojis nometnē notiekošo no koku aizsega.

Rons pasūtīja Malfoju turp ar tādiem vārdiem, kādus Vīzliju jaunākais dēls noteikti nebūtu atļāvies savas mātes klātbūtnē.

— Pievaldi mēli, Vīzlij, — bālajām acīm nozibot, teica Malfojs. — Vai tik jums nav jāsteidzas tālāk? Jūs taču negribēsiet, lai pamana *viņu*, ko?

Viņš pamāja uz Hermioni, un tajā mirklī no apmetnes puses atskanēja bumbas sprādzienam līdzīgs troksnis. Apkārtējos kokus izgaismoja zaļas gaismas uzplaiksnījums.

— Ko tas nozīmē? — Hermione izaicinoši jautāja.

— Grendžera, viņi neieredz *vientiešus*, — Malfojs paskaidroja. — Varbūt arī tu vēlies patirināties gaisā, demonstrēdama savus pantalonus? Ja tā, pagaidi tepat... viņi nāk tieši uz šo pusi, un mēs varētu par to gardi pasmieties.

— Hermione ir ragana, — noņurdēja Harijs.

— Tev, Poter, ir tiesības uz savu viedokli, — ļauni smaidīdams sacīja Malfojs. — Ja jūs uzskatāt, ka viņi neatšķirs draņķasini, palieciet vien uz vietas.

— Pievaldi mēli! — iesaucās Rons. Visi klātesošie labi zināja, ka "draņķasine" bija ļoti rupjš lamuvārds, ko lietoja, ja gribēja aizvainot raganu vai burvi, kura vecāki bija vientieši.

— Liecies mierā, Ron, — ieraudzījusi, ka draugs sper soli uz Malfoja pusi, Hermione iesaucās un saķēra Ronu aiz rokas.

Klajumā atskanēja vēl viens sprādziens, skaļāks par visiem iepriekšējiem. Vairāki tuvumā stāvošie iekliedzās.

Malfojs klusi ieķiķinājās. — Viegli gan viņus ir sabiedēt, ko? — viņš laiski noteica. — Cik noprotu, tētis lika jums paslēpties? Kur tad viņš pats — cenšas glābt vientiešu ādu?

— Un kur tad ir *tavi* vecāki? — dusmām augot augumā, jautāja Harijs. — Klajumā, paslēpušies aiz maskām?

Vēl arvien smaidīdams, Malfojs pievērsās Harijam. — Nu, ja arī viņi tur būtu, es nez vai tev, Poter, teiktu, vai ne?

— Paklausieties, — ar riebumu sejā paskatījusies uz Malfoju, Hermione sacīja, — labāk iesim un sameklēsim pārējos.

— Labāk nesnaiksti savu lielo, spuraino galvu, Grendžera, — noņirdzās Malfojs.

— *Iesim,* — atkārtoja Hermione, vilkdama Hariju un Ronu uz priekšu pa taku.

— Varu saderēt, ka viņa tēvs *ir* viens no tiem! — iekarsis sacīja Rons.

— Cerēsim, ka ministrijai izdosies viņu notvert, — kaismīgi novēlēja Hermione. — Pag, vai tik mēs neesam nomaldījušies! Kur ir pārējie?

Fredu, Džordžu un Džinniju nekur nemanīja, kaut gan taka bija pilna ar cilvēkiem. Visi vēl arvien bažīgi atskatījās uz jandāliņu telšu apmetnes centrā.

Pidžamās tērptu pusaudžu bariņš kaut ko skaļi apsprieda mazliet nostāk no takas. Kad viņi pamanīja Hariju, Ronu un Hermioni, meitene ar biezIem, sprogainiem matiem pagriezās un aši noteica: — *Où est Madame Maxime? Nous l'avons perdue...*

— E... ko viņa teica? — brīnījās Rons.

— O... — Meitene, kura tikko bija runājusi, uzgrieza viņam muguru. Kad trijotne devās tālāk, viņi skaidri dzirdēja, kā meitene pavēsta pārējiem: — Cukarpa.

— Bosbatona, — nomurmināja Hermione.

— Atvaino? — Harijs pārjautāja.

— Viņi acīmredzot ir no Bosbatonas, — Hermione paskaidroja. — Nu... no Bosbatonas Maģijas akadēmijas. Esmu par to lasījusi grāmatā "Maģiskās izglītības iespēju izvērtējums Eiropā".

— Ak, grāmatā... skaidrs, — Harijs noteica.

— Freds un Džordžs nevarēja aizklīst nekur tālu, — Rons nosprieda, izvilkdams savu zizli un, tāpat kā Hermione, iedegdams tā galā gaismiņu. Harijs sāka meklēt savējo — taču nespēja atrast. Jakas kabatās viņš atrada tikai visrādi.

— Nevar būt... Es esmu pazaudējis zizli!

— Tu joko?

Rons un Hermione pacēla savus zižļus augstāk, lai to mestie šaurie stari izgaismotu zemi plašākā lokā. Harijs aplaida skatienu visapkārt, taču zizli nekur nemanīja.

— Varbūt tas palika teltī? — Rons ieminējās.

— Varbūt izkrita no kabatas, kad mēs skrējām? — Hermione uztraukusies sacīja.

— Jā, — Harijs noteica, — varbūt...

Esot burvju pasaulē, zizlis Harijam gandrīz vienmēr bija līdzi, un atklājums, ka šādā brīdī nāksies iztikt bez burvja galvenā rīka, lika viņam justies neaizsargātam.

Aiz muguras kaut kas nočabēja, un visi trīs bērni salēcās. Tur no tuvējā krūmu pudura ārā lauzās mājas elfa Vinkija. Viņa kustējās ļoti dīvaini, izskatījās, ka kaut kādi neredzami spēki pūlētos viņu noturēt un atvilkt atpakaļ krūmos.

— Apkārt ir sliktie burvji! — viņa apjukusi nopīkstējās, pieliekdamās uz priekšu un pūlēdamās tikt tālāk uz priekšu. — Cilvēki augstu... augstu gaisā! Vinkija taisās, ka tiek!

Un elfa, elšot un pīkstot cīnīdamās pret kavējošo spēku, pazuda kokos takas otrā pusē.

— Kas viņai lēcies? — Rons brīnījās, noskatīdamies viņai nopakaļ. — Kāpēc viņa nevarēja paskriet normāli?

— Varu saderēt, ka viņa nebija palūgusi atļauju paslēpties, — Harijs nosprieda. Viņš atcerējās Dobiju — ikreiz, kad viņš darīja ko tādu, kas Malfojiem nepatiktu, viņš pats sāka sevi iekaustīt.

— Jāsaka, mājas elfi atrodas *ļoti* neapskaužamā stāvoklī! — ar sašutumu balsī paskaidroja Hermione. — Tā ir visīstākā verdzība! Tā saucamais Zemvalža kungs lika nabadzītei kāpt uz stadiona augstāko vietu, par spīti viņas bailēm no augstuma, un tagad viņš Vinkiju nobūris tā, ka viņa nespēj aizbēgt pat tad, kad kāds bradā teltis! Kāpēc neviens *nedara* neko, lai to novērstu?!

— Jā, bet elfi taču ir laimīgi, vai ne? — Rons iebilda. — Tu dzirdēji, ko spēles laikā teica mūsu vecā labā Vinkija... "Mājas elfiem nav jābauda dzīve"... Viņai patīk, ka viņu kāds komandē...

— Pie tā vainīgi tādi, kā *tu*, Ron, — Hermione iekarsusi norādīja, — tādi, kas atbalsta satrunējušus un netaisnīgus viduslaiku paradumus tikai tāpēc, ka viņi ir pārāk slinki, lai...

No mežmalas atskanēja vēl viens skaļš blīkšķis.

— Varbūt labāk zūdam no šejienes? — Rons ierosināja, un Harijs redzēja, ka draugs pamet nemierīgu skatienu uz Hermiones pusi. Iespējams, Malfoja teiktais bija taisnība, varbūt Hermionei *tiešām* draudēja briesmas. Viņi atkal sāka iet. Harijs nerimās apčamdīt kabatas, kaut zināja, ka zižļa tur nav.

Viņi virzījās pa tumšo taku arvien dziļāk mežā, vēl arvien pūlēdamies ieraudzīt Fredu, Džordžu un Džinniju. Trijotne pagāja garām goblinu bariņam, kuri tarkšķēdami kaut ko apsprieda pie maisa ar zeltu; to viņi droši vien bija laimējuši, slēdzot derības par spēles iznākumu. Šķiet, ka viņus pilnīgi neuztrauca jampadracis telšu pilsētiņā. Vēl pēc gabaliņa viņi nonāca takas posmā, ko apmirdzēja sudrabota gaisma. Pametuši skatienu cauri kokiem, viņi klajumiņā ieraudzīja trīs slaidas un skaistas sirellas, ap kurām sapulcējies jaunu burvju bariņš. Burvji cits caur citu ļoti skaļi slavēja savas labās īpašības.

— Es gadā nopelnu savus simt maisus galeonu, — viens no burvjiem kliedza. — Es esmu pūķu mednieks no Bīstamu radību likvidācijas komitejas.

— Neesi tu nekāds pūķu mednieks, — auroja lielībnieka draugs, — tu esi trauku mazgātājs "Caurajā katlā"... toties es esmu vampīru likvidētājs, esmu nolaidis no kātiem jau deviņdesmit nešķīsteņu...

Iejaucās trešais jaunais burvis, kura pūtes varēja saskatīt pat sirellu izstarotajā dūmakaini sudrabotajā gaismā: — Es zinu, ka kļūšu par jaunāko burvestību ministru pasaulē.

Harijs tikko novaldīja smieklus. Zēns pazina pūtaino burvi — viņu sauca Stens Šanpaiks, un viņš strādāja par konduktoru trīsstāvu Knakts autobusā.

Harijs pagriezās, lai paziņotu par to Ronam, taču Rona seja izskatījās dīvaini šļaugana, un nākamajā mirklī Rons jau bļāva:

— Vai es jums teicu, ka esmu izgudrojis slotaskātu, ar kuru varēs aizkļūt līdz Jupiteram?

— *Nu vai zini!* — Hermione atkal noteica. Meitene kopā ar Hariju sagrāba draugu aiz rokām, apgrieza ar seju pretējā virzienā un aizveda tālāk mežā. Kad sirellu un to pielūdzēju balsu troksni vairs nevarēja dzirdēt, viņi bija nonākuši dziļi jo dziļi meža biezoknī. Izskatījās, ka šeit viņi ir vieni. Apkārt bija daudz klusāks.

Harijs pameta skatienu visapkārt. — Varbūt visprātīgākais būtu palikt tepat? Mēs dzirdētu katru, kas tuvotos no jūdzes attāluma.

Tikko viņš izteica šos vārdus, no koku pudura viņiem tieši priekšā iznāca Ludo Maišelnieks.

Pat vārgajā, divu zižļu mestajā gaismā Harijs varēja saskatīt, ka Maišelnieks ir pārvērties līdz nepazīšanai. Viņš vairs neizskatījās pēc omulīga sārtvaidža, arī atsperīgums no viņa gaitas likās zudis. Ludo Maišelnieks šobrīd likās bāls kā krīts un saspringdzis.

— Kas tur ir? — viņš jautāja, mirkšķinādams acis gaismas starā un pūlēdamies saskatīt bērnu sejas. — Ko jūs te vieni paši darāt?

Bērni pārsteigti saskatījās.

— Nu... nometnē izcēlušās jukas, — Rons sacīja.

Maišelnieks paskatījās uz zēnu. — Kas?

— Telšu pilsētiņā... Kaut kādi aptrakuši mūsējie dabūja savos nagos vientiešu ģimeni...

Maišelnieks skaļi nolamājās. — Nolāpīts! — viņš, izskatīdamies teju vai prātu zaudējis, nomurmināja un, neteicis ne vārda, ar klusu paukšķi aizteleportējās.

— Maišelnieka kungs, šķiet, vairs nepārvalda situāciju? — saraukusi pieri, sacīja Hermione.

— Tomēr viņš bija izcils triecējs, — Rons noteica, pārējiem pa priekšu iedams vēl tālāk projām no takas uz neliela klajuma pusi.

Tad viņš apsēdās sausas zāles laukumiņā kāda koka pakājē. — "Lipburnas Lapsenes" viņa karjeras laikā trīs reizes pēc kārtas uzvarēja līgas čempionātā.

Rons izņēma no kabatas mazo Kruma figūriņu, nolika to zemē un sāka vērot, kā tā pastaigājas. Tāpat kā īstais Krums, arī viņa atveids staigāja, mazliet gāzelēdamies, un viņam bija mazliet kumpa mugura. Uz savām līkajām kājām viņš izskatījās krietni necilāk kā uz sava slotaskāta. Harijs ieklausījās trokšņos no nometnes puses. Vēl arvien valdīja klusums; varbūt jukas bija beigušās.

— Ceru, ka ar pārējiem nekas nav noticis, — pēc mirkļa ierunājās Hermione.

— Viss būs kārtībā, — Rons sacīja.

— Iedomājies, ja tavs tētis noķertu Lūciju Malfoju, — noteica Harijs, apsēzdamies līdzās Ronam un vērodams, kā mazā Kruma figūriņa lempīgi klīst pa kritušajām lapām. — Viņš vienmēr teicis, ka labprāt dabūtu kādus pierādījumus par Malfoja tumšajām lietiņām.

— Tad nu gan mūsu draudziņš Drako vairs nesmaidītu, — Rons piemetināja.

— Man tomēr žēl to vientiešu, — uztraukusies atgādināja Hermione. — Ja nu viņus nevarēs nolaist zemē?

— Gan jau varēs, — Rons mierinoši sacīja, — gan jau kaut ko izdomās.

— Neprāts, ja tā padomā, kaut ko tādu iesākt naktī, kad te ir vai visa Burvestību ministrija! — Hermione brīnījās. — Nu, kā viņi domā izvairīties no atbildības? Kā jūs domājat, vai viņi bija sadzērušies, vai viņi ir vienkārši...

Meitene pēkšņi apklusa un paskatījās pāri plecam. Arī Harijs un Rons strauji atskatījās. Izklausījās, ka klajumam kāds streipuļodams tuvojas. Viņi gaidīja, ieklausīdamies starp tumšajiem kokiem skanošos nevienmērīgajos soļos. Soļi negaidot apklusa.

— Kas tur ir? — Harijs iesaucās.

Klusums. Harijs piecēlās kājās un paskatījās aiz koka, pie kura viņi ar Ronu sēdēja. Bija pārāk tumšs, lai varētu redzēt īpaši tālu, taču zēns spēja sajust, ka turpat aiz viņa redzamības robežas kāds stāv.

— Vai te kāds ir? — viņš jautāja.

Un tad, bez mazākā brīdinājuma, klusumu pāršķēla balss, kādu viņi iepriekš mežā nebija dzirdējuši. Turklāt tas nebija baiļu kliedziens, bet drīzāk burvestība.

— *MORSMORDRE!*

Un no tumsas sabiezējuma, kurā bija urbušās Harija acis, izšāvās kaut kas milzīgs, zaļš un mirgojošs. Tas pacēlās pāri koku galotnēm un uzlidoja debesīs.

— Kas te...? — Ronam aizrāvās elpa. Viņš pierāvās kājās, nenolaizdams acu no dīvainā veidojuma.

Īsu mirkli Harijam likās, ka tā varētu būt vēl viena rūķīšu veidota figūra. Tad viņš saprata, ka tā ir milzīga miroņgalva, ko veidoja kaut kas līdzīgs smaragdzaļām zvaigznēm. No galvaskausa mutes kā mēle šaudījās čūska. Bērni skatījās, kā miroņgalva, mirdzēdama zaļganu dūmu oreolā kā melnajās debesīs iezīmēts jauns zvaigznājs, ceļas arvien augstāk un augstāk.

Pēkšņi mežā visapkārt viņiem atskanēja šausmu pilni kliedzieni. Harijs nesaprata, kāpēc, taču vienīgais iespējamais iemesls likās miroņgalvas negaidītā parādīšanās — acīmredzot tā jau bija pacēlusies pietiekami augstu, lai izgaismotu visu mežu, līdzīgi šausminošai neona reklāmai. Zēns ar acīm urbās tumsā, pūlēdamies saskatīt cilvēku, kas uzbūris galvaskausu, taču nevienu nemanīja.

— Kas tur ir? — viņš vēlreiz iekliedzās.

— Harij, nāc, *kusties* taču! — Hermione bija sagrābusi viņa jaku pie pleciem un vilka viņu atmuguriski projām.

— Kas noticis? — Harijs jautāja, pārsteigts ieraudzījis, ka draudzenes seja ir krīta bāla un tajā sastingusi šausmu izteiksme.

— Tā, Harij, ir Tumšā zīme! — Hermione novaidējās, cik spēka, vilkdama zēnu tālāk. — Pats-Zini-Kā zīme!

— *Voldemorta...?*

— Harij, *kusties*!

Harijs pagriezās — Rons steidzīgi pieliecās, lai paņemtu savu mazo Krumu, un viņi visi trīs metās pār klajumam, taču, pirms viņi paguva spert vairāk par pāris steidzīgiem soļiem, gara paukšķu kārta pavēstīja par savu divdesmit burvju parādīšanos no zila gaisa. Atteleportējušies burvji ielenca bērnus.

Harijs apmetās riņķī un sekundes daļā paguva pamanīt vienu — visi divdesmit burvji bija pacēluši savu zizli un visi divdesmit zižļi bija pievērsti viņam, Ronam un Hermionei. Daudz nedomādams, Harijs nokliedzās: — Gulties! — un, sagrābis draugus, norāva viņus zemē.

— *STULBO!* — ierēcās divdesmit balsu, un nozibēja žilbinošu uzplaiksnījumu virkne. Harijs juta, kā uz galvas nošūpojas mati, it kā klajumu būtu pārskrējusi spēcīga vēja brāzma. Pacēlis par mata tiesu galvu, viņš redzēja nikni sarkanas gaismas zibšņus izšaujamies no zižļiem, aizlidojam pāri nokritušo galvām. Vairāk zibšņi saskrējās gaisā, citi atsitās pret koku stumbriem un aizlēkāja tumsā...

— Beidziet! — nokliedzās pazīstama balss. — BEIDZIET! *Tas ir mans dēls!*

Harija mati pārstāja šūpoties. Viņš pacēla galvu mazliet augstāk. Tieši pretī stāvošais burvis nolaida zizli. Zēns apvēlās otrādi un ieraudzīja, ka uz trijotnes pusi nāk pārbiedētais Vīzlija kungs.

— Ron... Harij... — Vīzlija kunga balss drebēja, — ...Hermione... vai jums nekas nekaiš?

— Paej malā, Artūr, — sacīja dzedra, strupa balss.

Tā piederēja Zemvalža kungam. Viņš kopā ar vairākiem citiem ministrijas burvjiem tuvojās bērniem. Harijs piecēlās kājās un pagriezās uz viņu pusi. Zemvalža kunga seju bija sašķiebušas ārprātīgas dusmas.

— Kurš no jums to izdarīja? — viņš uzbruka, un dzestro acu skatiens lēkāja no viena bērna uz otru. — Kurš no jums uzbūra Tumšo zīmi?

— Mums ar to nav nekāda sakara! — norādīdams uz miroņgalvu, iesaucās Harijs.

— Mēs neko nedarījām! — Rons piebalsoja, berzēdams elkoni un ar sašutumu raudzīdamies uz tēvu. — Kāpēc jūs gribējāt mums uzbrukt?

— Nemelojiet, kungs! — Zemvalža kungs pavēlēja. Viņa zizlis vēl arvien bija pievērsts Ronam, un likās, ka Zemvalža acis tūlīt izsprāgs no pieres. Šķita, ministrijas ierēdnis ir mazliet nojūdzies. — Mēs jūs pieķērām nozieguma vietā!

— Bērtuli, — čukstus nomurmināja nepazīstama ragana garos vilnas rītasvārkos, — tie taču ir bērni, Bērtuli, viņi nekad nespētu...

— No kurienes parādījās zīme? — žigli iejaucās Vīzlija kungs.

— No turienes, — drebēdama atbildēja Hermione un norādīja uz vietu, no kuras bija atskanējusi balss, — tur aiz kokiem kāds bija... izkliedza vārdus — izklausījās pēc buramvārdiem...

— Ak, tad stāvēja tur, vai tiešām? — pievērsdams izvelbtās acis Hermionei, pārvaicāja Zemvalža kungs, turklāt katrs viņa sejas vaibsts pauda neticību. — Pateica buramvārdus, ko? Jūs, jaunkundzīt, liekas, ļoti smalki zināt, kā izsaucama zīme...

Taču, šķiet, neviens cits ministrijas burvis, izņemot Zemvalža kungu, pat nepieļāva iespēju, ka Harijs, Rons vai Hermione varēja uzburt miroņgalvu. Gluži otrādi, tūlīt pēc Hermiones vārdiem viņi vēlreiz pacēla zižļus, tikai šoreiz pavērsa tos Hermiones norādītajā virzienā, un, piemieguši acis, mēģināja kaut ko saskatīt starp tumšajiem kokiem.

— Mēs esam ieradušies par vēlu, — papurinājusi galvu, noteica ragana vilnas rītasvārkos. — Viņi jau ir projām, aizteleportējušies.

— Nedomāju gan, — teica burvis ar pašķidru brūnu bārdiņu. Tas bija Eimoss Digorijs, Sedrika tēvs. — Mūsu stulbekļi aizlidoja uz to pusi... ja tur kāds bija, tie, iespējams, viņu ķēra...

— Eimos, esiet piesardzīgs! — brīdinoši iesaucās vairāki burvji, kad Digorija kungs, iztaisnojis plecus, pacēla zizli, pārgāja pāri klajumam un nozuda tumsā. Hermione noskatījās, kā burvis pazūd tumsā, ar roku aizspiedusi muti.

Pēc pāris sekundēm atskanēja Digorija sauciens.

— Jā! Mēs trāpījām! Te kāds ir! Bezsamaņā! Tas ir... nē... nolāpīts...

— Tu kādu noķēri? — iesaucās Zemvalža kungs, un viņa balsī izskanēja neticība. — Ko? Kas tur ir?

Klajumā stāvošie dzirdēja lūstam zarus, nočabēja uz zemes sakritušās lapas, tad atskanēja Digorija kunga smagie soļi, un vēl pēc mirkļa viņš atkal parādījās starp kokiem. Rokās viņš nesa mazītiņu, ļenganu stāvu. Harijs uzreiz pazina trauku dvieli. Tā bija Vinkija.

Zemvalža kungs nedz pakustējās, nedz bilda kādu vārdu, kad Digorija kungs nolika Zemvalža kunga mājas elfu uz zemes saimniekam pie kājām. Pāris mirkļu Zemvalža kungs palika stāvam apstulbināts; bālajā sejā liesmojošās acis viņš nenolaida no Vinkijas. Tad viņš pamazām atguva runas spēju.

— Tas... nav... iespējams... — viņš raustīgi sacīja. — Nē...

Tad viņš strauji apgāja apkārt Digorija kungam un devās uz to vietu, kur Digorijs bija atradis Vinkiju.

— Velti, Zemvalža kungs, — Digorija kungs nokliedza viņam nopakaļ. — Neviena cita tur vairs nebija.

Taču Zemvalža kungs, šķiet, negrasījās ticēt Digorija teiktajam uz vārda. Varēja dzirdēt, kā tumsā nozudušais burvis, kaut ko meklējot, laužas cauri krūmiem.

— Mazliet mulsinoši, — drūmi noteica Digorija kungs, nopētīdams bezsamaņā guļošo Vinkiju. — Bērtuļa Zemvalža mājas elfa... es gribēju teikt...

— Liecies mierā, Eimos, — klusi sacīja Vīzlija kungs, — tu taču nedomā, ka vainojama elfa? Tumšā zīme ir burvja darbs. Tās izsaukšanai nepieciešams zizlis.

— Jā, — nopūtās Digorija kungs, — un viņai *bija* zizlis.

— *Ko?* — iesaucās Vīzlija kungs.

— Re, paskaties. — Digorija kungs pacēla zizli un parādīja Vīzlija kungam. — Tas bija viņai rokā. Ar to vien ir pārkāpts Zižļu lietošanas koda trešais paragrāfs. *Būtnēm, kas nav cilvēki, ir aizliegts nēsāt vai lietot zizli.*

Tajā mirklī atskanēja vēl viens paukšķis, un līdzās Vīzlija kungam atteleportējās Ludo Maišelnieks. Izskatīdamies aizelsies un pilnīgi apjucis, viņš apgriezās uz vietas, blenzdams augšup uz smaragdzaļo miroņgalvu.

— Tumšā zīme! — viņš elsdams izdvesa un ar jautājošu izteiksmi sejā pagriezās pret kolēģiem, gandrīz uzkāpjot virsū Vinkijai. — Kas to izdarīja? Vai jūs noķērāt vainīgos? Bērtuli! Kas te notiek?

Zemvalža kungs atgriezās no biezokņa tukšām rokām. Viņa seja vēl arvien bija līķa bālumā. Rokas un zobbirstītei līdzīgās ūsas drebēja.

— Kur tu biji, Bērtuli? — Maišelnieks vaicāja. — Kāpēc tu nebiji uz spēli? Elfa visu laiku sargāja tavu vietu... Krupiska būšana! — Maišelnieks iesaucās, pamanījis sev pie kājām guļošo Vinkiju. — Kas tad ar *viņu* noticis?

— Es biju aizņemts, Ludo, — Zemvalža kungs izdvesa, runādams tik tikko dzirdamā balsī, vāri kustinādams lūpas. — Mana elfa ir apstulbota.

— Apstulbota? Kurš tad — jūs, draugi? Bet kāpēc...?

Maišelnieka apaļās, spīdīgās sejas izteiksme liecināja, ka viņš beidzot sāk kaut ko saprast. Viņš paskatījās augšup uz miroņgalvu, tad lejā uz Vinkiju un visbeidzot pievērsās Zemvalža kungam.

— Tas *nav* iespējams! — Maišelnieks papurināja galvu. — Vinkija? Uzbūrusi Tumšo zīmi? Viņa taču nezinātu, kā to izdarīt! Un, lai kaut ko iesāktu, viņai bija vajadzīgs vismaz zizlis!

— Viņai bija zizlis, — Digorija kungs paskaidroja. — Es atradu viņu ar zizli rokā. Ja jūs, Zemvalža kungs, neiebilstat, manuprāt, mums būtu jāuzklausa, ko savai aizstāvībai varētu teikt pati elfa.

Zemvaldis nekādi neizrādīja, vai ir dzirdējis Digorija kunga teikto, taču Digorija kungs, liekas, viņa klusēšanu uztvēra kā piekrišanu. Digorija kungs pacēla savu zizli, pavērsa to pret Vinkiju un sacīja: — *Modinātum!*

Vinkija vārgi sakustējās. Milzīgās, brūnās acis lēni pavērās, un elfa vairākas reizes apstulbusi tās pamirkšķināja. Burvju pulciņš klusēdams vēroja, kā viņa drebēdama pieceļas sēdus. Vispirms viņa ievēroja Digorija kunga kājas. Elfa trīcēdama pacēla acis, lai ieskatītos burvja sejā. Tad, vēl lēnāk, viņa paskatījās augšup debesīs. Viņas lielajās, mirdzošajās acīs Harijs ieraudzīja divus milzīgā galvaskausa atspulgus. Viņai aizrāvās elpa. Pametusi izmisušu skatienu apkārt ļaužu pilnajam klajumam, viņa sāka izbiedēti šņukstēt.

— Elfa! — stingrā balsī ierunājās Digorija kungs. — Vai jūs zināt, kas es esmu? Es strādāju Maģisko būtņu kontroles nodaļā!

Sēžot turpat zemē, Vinkija sāka šūpoties uz priekšu un atpakaļ. Elfas elpa kļuva saraustīta. Harijs pēkšņi atcerējās Dobiju brīžos, kad mājas elfu pārņēma šausmas par paša nepaklausību saimniekam.

— Kā jūs redzat, šeit pirms neilga brīža ir uzburta Tumšā zīme, — Digorija kungs uzrunāja Vinkiju. — Un tūlīt pēc tam mēs atradām jūs tieši zem šīs zīmes. Ko jūs varētu paskaidrot?

— Es... es... es to nedarīja, kungs! — Vinkija noelsās. — Es nezina, kā to darīt, kungs!

— Kad mēs jūs atradām, jums rokā bija zizlis! — Digorija kungs nelikās mierā, kratīdams atrasto zizli elfas acu priekšā. Bet tajā brīdī, kad zizli apgaismoja miroņgalvas mestā zaļā gaisma, kas bija pielējusi visu klajumu, Harijs zizli pazina.

— Ei, tas ir mans! — zēns iesaucās.

Visi klajumā stāvošie paskatījās uz Hariju.

— Kā, lūdzu? — nespēdams noticēt savām ausīm, pārvaicāja Digorija kungs.

— Tas ir mans zizlis! — Harijs paskaidroja. — Es to pazaudēju!

— Tu to pazaudēji? — neticīgi pārvaicāja Digorija kungs. — Vai tā ir atzīšanās? Tu pazaudēji to pēc tam, kad uzbūri Tumšo zīmi?

— Eimos, padomā, ar ko tu runā! — dusmīgi iesaucās Vīzlija kungs. — Kā tev šķiet, vai *Harijs Poters* varētu uzburt Tumšo zīmi?

— E... protams, nē, — nomurmināja Digorija kungs. — Piedodiet... es aizrāvos...

— Turklāt es to nepazaudēju šeit, — Harijs teica, pamādams ar īkšķi uz koku puduri zem galvaskausa. — Es pamanīju, ka man nav zižļa, tikko mēs iebēgām mežā.

— Tātad, — Digorija kungs sacīja un, sejas izteiksmei nocietinoties, atkal pagriezās pret Vinkiju, kas saknupusi sēdēja viņam pie kājām. — Tātad, jūs, elfa, atradāt šo zizli? Jūs to pacēlāt un nolēmāt mazliet izklaidēties, vai tā?

— Es, kungs, ar to nedarīja nekādas burvestības! — iepīkstējās Vinkija, asarām mazās straumītēs līstot abās pusēs saplacinātajam deguna bumbulim. — Es ir... es ir... es tikai ir to pacelt, kungs! Es netaisīja Tumšo zīmi, kungs, es nezina, kā!

— Tā nebija elfa! — Hermione iejaucās sarunā. Meitene izskatījās ļoti uztraukusies, stāvot ministrijas burvju vidū, taču viņas balsī tik un tā izskanēja pārliecība. — Vinkijai ir smalka, spiedzīga balstiņa, bet balss, kas izteica buramvārdus, bija daudz dobjāka! — Viņa paskatījās uz Hariju un Ronu, it kā lūgdama draugu atbalstu. — Tā neizklausījās pēc Vinkijas balss, vai ne?

— Nē, — papurinājis galvu, apstiprināja Harijs. — Tā noteikti nebija elfa.

— Jā, tā bija cilvēka balss, — Rons piekrita.

— Labi, mēs tūlīt redzēsim, — Digorija kungs noņurdēja, šķiet, īpaši nepaļaudamies uz tikko dzirdēto. — Nav nekā vienkāršāka, kā noteikt, kāda ir pēdējā ar zizli veiktā burvestība, vai jūs, elfa, to zinājāt?

Vinkija drebēdama izmisīgi papurināja galvu, tā ka milzīgās ausis sitās gar viņas vaigiem. Digorija kungs vēlreiz pacēla savu zizli un pielika tā galu pie Harija zižļa gala.

— *Teicto iepriekšējum!* — Digorija kungs ierēcās.

Harijs dzirdēja, kā Hermione bailēs iekliedzas, jo no divu zižļu saskaršanās punkta izšāvās milzīga miroņgalva ar čūskas mēli, taču tā bija tikai debesīs redzamā zaļā galvaskausa ēna. Likās, to veidoja biezi, pelēki dūmi — tas bija burvestības rēgs.

— *Dzēsnost!* — Digorija kungs nokliedzās, un dūmu veidotais galvaskauss izgaisa, kā nebijis.

— Tātad, — kad Digorija kungs vēlreiz palūkojās lejup uz Vinkiju, kura vēl arvien konvulsīvi raustījās, viņa balsī izskanēja mežonīgs triumfs.

— Es to nav darīt! — viņa pīkstēja, acīm izspiežoties šausmās. — Es to nav, es to nav, es to nav zināt, kā! Es ir laba elfa, es nav lietot zižļus, es nav zināt, kā!

— *Jūs, elfa, esat pieķerta nozieguma vietā!* — Digorija kungs nerimās aurot. — *Atmaskota ar pārkāpumā vainīgo zizli rokā!*

— Eimos, — Vīzlija kungs skaļi ierunājās, — pārdomā visu vēlreiz... tikai ļoti nedaudzi burvji zina, kā paveikt šo burvestību... kur gan viņa varēja to iemācīties?

— Varbūt Eimoss grib teikt, — katrā Zemvalža kunga izteiktajā zilbē skanēja ledainas dusmas, — ka es no darba brīvajā laikā mēdzu mācīt saviem kalpiem izsaukt Tumšo zīmi?!

Iestājās dziļš, nepatīkams klusums.

Eimoss Digorijs pēkšņi izskatījās pārbijies. — Zemvalža kungs... nē... nekā tamlīdzīga...

— Jūs tikko teju vai apvainojāt divus šajā klajumā stavošus cilvēkus, un viņiem abiem *vismazāk* būtu iespējams piedēvēt saistību ar Tumšās zīmes uzburšanu! — nu jau Zemvalža kungs gandrīz rēja. — Jūs teju apvainojāt Hariju Poteru — un mani! Es pieļauju, ka jūs, Eimos, esat kaut jelko dzirdējis par šo zēnu?

— Protams... visi zina... — Digorija kungs nomurmināja, izskatīdamies pagalam sašļucis.

— Un es ceru, ka jūs, gadiem ilgi strādājot man līdzās, atceraties kaut dažus no neskaitāmi daudzajiem apliecinājumiem manam naidam un nicinājumam pret tumšajām zintīm un burvjiem, kas tās izmanto? — Zemvalža kungs kliedza, acīm atkal izspiežoties no dobumiem.

— Zemvalža kungs, es... es ne mirkli nepieļāvu iespēju, ka jūs varētu būt ar to saistīts! — murmulēja Eimoss Digorijs, nosarkdams tā, ka to varēja manīt pat zem viņa pašķidrās brūnās bārdeles.

— Ja jūs apvainojat manu elfu, jūs, Digorij, apvainojat mani! — Zemvalža kungs nelikās mierā. — Kur tad vēl viņa varēja iemācīties to uzburt?!

— Viņa... viņa varēja to... daudz kur...

— Tieši tā, Eimos, — iejaucās Vīzlija kungs. — *Viņa zizli varēja pacelt daudz kur*... Vinkija? — viņš klusi un laipni vērsās pie elfas, taču mazā radībiņa noraustījās, it kā arī Vīzlija kungs uz viņu kliegtu. — Kur tieši tu atradi Harija zizli?

Vinkija burzīja sava trauku dvieļa malu tik spēcīgi, ka audums viņas pirkstos sāka irt.

— Es... es ir to atrast... atrast to tur, kungs... — viņa nočukstēja, — tur... starp kokiem, kungs...

— Vai redzi, Eimos? — Vīzlija kungs turpināja. — Tas, kurš uzbūra Tumšo zīmi, iespējams, aizteleportējās projām no šejienes, tikko bija to izdarījis, atstādams Harija zizli mētājamies zemē. Noziedznieks rīkojās prātīgi, neizmantodams pats savu zizli, jo tas varēja viņu nodot. Un Vinkijai nelaimējās, jo viņa uzgāja zizli pāris mirkļu pēc tam un to pacēla...

— Bet tad jau viņa ir atradusies pāris soļu no vainininieka! — nepacietīgi ieminējās Digorija kungs. — Elfa! Vai jūs kādu redzējāt?

Vinkija sāka drebēt vēl trakāk nekā iepriekš. Viņas milzīgās acis lēkāja no Digorija kunga uz Ludo Maišelnieku un tad uz Zemvalža kungu.

Tad viņa nožagojās un teica: — Es ir redzēt nevienu, kungs... nevienu...

— Eimos, — Zemvalža kungs īsi noteica, — es gluži labi apzinos, ka normālos apstākļos jūs vēlētos aizturēt Vinkiju, lai nopratinātu viņu savā nodaļā. Tomēr es gribētu jūs lūgt uzticēt to man pašam.

Izskatījās, ka Digorija kungam šis priekšlikums diez ko nepatīk, taču Harijam bija skaidrs, ka Zemvalža kunga stāvoklis ministrijā bija tik nozīmīgs, ka Digorija kungs neuzdrīkstējās iebilst.

— Varat nebažīties — viņa tiks sodīta, — Zemvalža kungs ledainā balsī piebilda.

— S-s-saimniek... — Vinkija sāka stostīties, paceldama pret Zemvalža kungu acis, kas bija pieriesušās ar asarām. — S-s-saimniek, l-l-lūdzu...

Zemvalža kungs paskatījās uz savu elfu, viņa vaibsti it kā kļuva asāki, katra grumba tagad likās dziļāka nekā pirms brīža. Viņa skatienā nemanīja ne mazākās žēlastības. — Vinkija šonakt uzvedās tā, kā es nekad nespēju pat iedomāties, — viņš lēnām noteica. — Es liku viņai palikt teltī. Es liku viņai palikt vietā, kamēr es pats tiktu galā ar sajukumu. Un tagad es uzzinu, ka viņa mani nav klausījusi. *Tas nozīmē drēbes.*

— Nē! — iespiedzās Vinkija, mezdamās Zemvalža kungam pie kājām. — Nē, saimniek! Tikai ne drēbes, tikai ne drēbes!

Harijs zināja, ka mājas elfu var atbrīvot, pasniedzot viņam (vai viņai) īstas drēbes. Bija žēl skatīties, kā Vinkija, raudādama pie Zemvalža kunga kājām, spieda sev klāt savu trauku dvieli.

— Bet viņa taču bija nobijusies! — Hermione dusmīgi izspēra, mezdama zibeņus Zemvalža kunga virzienā. — Jūsu elfa baidās no augstuma, un maskotie burvji bija pacēluši gaisā cilvēkus! Jūs nevarat vainot Vinkiju par to, ka viņa baidījās trāpīties šiem neliešiem ceļā!

Zemvalža kungs paspēra soli atpakaļ, atraudamies no savas elfas un paskatīdamies uz viņu tā, it kā Vinkija būtu kas netīrs un sapuvis, kas tāds, kas apgāna viņa spoguļspožās kurpes.

— Man nav vajadzīga mājas elfa, kas man neklausa, — viņš auksti pasludināja, pavērdamies uz Hermioni. — Man nav vajadzīga kalpone, kas aizmirst savu pienākumu pret saimnieku un pret saimnieka labo vārdu.

Vinkija raudāja tik skaļi, ka viņas elsas atbalsojās no visām klajuma pusēm.

Iestājās nepatīkams klusums, ko pārtrauca Vīzlija kungs. Viņš klusi noteica: — Tad nu es laikam vedīšu savējos atpakaļ uz telti, ja nevienam nav iebildumu. Eimos, šis zizlis jau pateica mums visu, ko spēja — vai tu, lūdzu, varētu atdot to Harijam...

Digorija kungs pasniedza Harijam zizli, un zēns iebāza to kabatā.

— Iesim nu, — Vīzlija kungs klusi uzrunāja trīs draugus. Taču Hermione, šķiet, pat netaisījās kustēties. Viņas skatiens vēl arvien bija piekalts raudošajai elfai. — Hermione! — nu jau neatlaidīgāk iesaucās Vīzlija kungs. Meitene pagriezās un pakaļ Harijam un Ronam izgāja no klajuma.

— Kas tagad notiks ar Vinkiju? — Hermione jautāja.

— Es nezinu, — Vīzlija kungs atzinās.

— Kā gan viņi izturējās pret Vinkiju! — Hermione nespēja rimties. — Digorija kungs visu laiku saukāja viņu par "elfu"... un Zemvalža kungs! Gluži labi zinot, ka viņa to nav darījusi, tomēr ņem un draud atlaist nabadzīti! Viņam pilnīgi nerūp tas, kā viņa bija nobijusies vai nobēdājusies — viņš izturējās tā, it kā viņa nemaz nebūtu cilvēks!

— Nu, viņa nav cilvēks, — Rons piebilda.

Hermione pagriezās pret draugu. — Tas, Ron, nenozīmē, ka viņai nav jūtu, tas ir tik pretīgi, kā...

— Hermione, es tev pilnībā piekrītu, — Vīzlija kungs viņu strauji pārtrauca, mudinādams meiteni iet uz priekšu, — tomēr šis nav piemērotākais laiks elfu tiesību apspriešanai. Es gribētu ātrāk atgriezties pie mūsu telts. Kas notika ar pārējiem?

— Mēs viņus tumsā kaut kur pazaudējām, — Rons sacīja. — Tēt, kāpēc visi tā uztraucas par to miroņgalvu?

— Es visu paskaidrošu, kad atgriezīsimies teltī, — Vīzlija kungs saspringti atbildēja.

Taču tad, kad viņi sasniedza meža malu, viņiem nācās aizkavēties.

Tur, kur beidzās laukums, bija sapulcējies liels pulks izbijušos raganu un burvju. Ieraudzījuši Vīzlija kungu iznākam no meža, vairāki burvji metās viņam pretī. — Kas tur notika? Kas to uzbūra? Artūr... tas taču nebija... *viņš*? — satrauktas balsis cita caur citu jautāja.

— Protams, tas nebija viņš, — nepacietīgi atteica Vīzlija kungs. — Mēs nezinām, kas to izdarīja, izskatās, ka vainīgais paguva aizteleportēties. Tagad, piedodiet, es labprāt dotos pie miera.

Vīzlija kungs izvadīja Hariju, Ronu un Hermioni cauri pūlim, un četrotne atgriezās nometnē. Te viss bija mierīgi, no maskotajiem burvjiem vairs nebija ne miņas. Tiesa, klajumā vēl kūpēja vairākas izpostītas teltis.

No zēnu telts parādījās Čārlija galva.

— Tēt, kas notika? — tumsā atskanēja Čārlija balss. — Freds, Džordžs un Džinnija atgriezās sveiki un veseli, bet pārējie...

— Pārējie ir kopā ar mani, — atbildēja Vīzlija kungs, pieliekdamies un ielīzdams teltī. Harijs, Rons un Hermione viņam sekoja.

Bils sēdēja pie mazā virtuves galdiņa, piespiedis pie rokas palagu, cauri kuram sūcās asinis. Čārlijam bija pamatīgi saplēsts krekls, bet Persiju greznoja pārsists deguns. Freds, Džordžs un Džinnija izskatījās sveiki un veseli, lai gan arī viņu āriene liecināja par nupat pārciestajiem uztraukumiem.

— Vai jūs, tēt, dabūjāt viņu rokā? — Bils dusmīgi vaicāja. — To, kurš uzbūra Tumšo zīmi?

— Nē, — Vīzlija kungs atbildēja. — Mēs atradām Bērtuļa Zemvalža elfu ar Harija zizli rokā, taču mums nav ne mazākās nojausmas, kurš īsti uzbūra pašu zīmi.

— *Ko?* — Bils, Čārlijs un Persijs vienā balsī iesaucās.

— Harija zizlis? — pārvaicāja Freds.

— *Zemvalža kunga elfa?* — pamatīgi satraukts, atkārtoja Persijs.

Harijam, Ronam un Hermionei palīdzot, Vīzlija kungs pastāstīja, kas bija noticis mežā. Kad stāsts bija galā, Persijs sašutumā piepūtās.

— Nu, Zemvalža kungs rīkojās pilnīgi pareizi, atbrīvodamies no tādas elfas! — viņš paziņoja. — Skriet kaut kur projām, ja viņai cieši piekodināts to nedarīt... apkaunot Zemvalža kungu visas ministrijas priekšā... kā gan tas izskatītos, ja viņa nonāktu Regulēšanas un kontroles nodaļas darbinieku ziņā...

— Viņa neko sliktu neizdarīja — viņai vienkārši nelaimējās, jo Vinkija nepareizajā laikā bija nepareizajā vietā! — Hermione uzšņāca Persijam, kurš izskatījās pagalam pārsteigts. Hermione līdz šim ar Persiju bija sapratusies visai labi — katrā ziņā labāk nekā pārējie.

— Hermione, burvis Zemvalža kunga amatā nevar atļauties mājas elfu, kas naktīs skraida pa mežiem ar zizli rokā! — pompozi sacīja Persijs, atguvies no negaidītā uzbrukuma.

— Viņa nekur neskraidīja! — Hermione kliedza. — Viņa vienkārši pacēla zizli no zemes!

— Paklausieties, vai kāds var man paskaidrot kaut ko sīkāk par to miroņgalvu? — nepacietīgi iejaucās Rons. — Tā nevienam neko sliktu neizdarīja... kāpēc ap to sacēlās tāds tracis?

— Es jau tev, Ron, sacīju, tā ir Pats-Zini-Kā simbols, — Hermione teica, pirms atbildēt paguva kāds cits. — Es par to lasīju "Tumšo zinšu uzplaukumā un sabrukumā".

— Un tā nebija manīta trīspadsmit gadu, — klusi piebilda Vīzlija kungs. — Protams, cilvēkus pārņēma šausmas... daudzi droši vien nosprieda, ka atgriezies Pats-Zini-Kas.

— Es tomēr nesaprotu, — saraucis pieri, nomurmināja Rons. — Nu... tas taču ir tikai apveids gaisā...

— Ron, Pats-Zini-Kas un viņa līdzskrējēji uzbūra Tumšo zīmi ik reizes, kad bija kādu nogalinājuši, — Vīzlija kungs pacietīgi skaidroja. — Ja tu zinātu, kādas bailes tā iedvesa... tu nespēj pat iedomāties, tu esi pārāk jauns. Iztēlojies, tu, atgriežoties mājās, ieraugi virs savas mājas lidināmies Tumšo zīmi un saproti, kas tevi sagaida... — Vīzlija kungs saviebās. — Tas bija ļaunākais, kas varēja notikt... pats ļaunākais...

Uz brīdi iestājās klusums.

Tad Bils, paceldams palagu no rokas, lai apskatītu brūci, piebilda: — Lai nu kas to uzbūra, mums šī zīme šovakar diemžēl nepalīdzēja. Tikko nāvēži to ieraudzīja, viņi pārbijās un visi aizteleportējās, un mēs nepaguvām atmaskot kaut vienu no viņiem. Toties mums izdevās noķert Robertsus, pirms viņi nogāzās zemē. Šobrīd viņiem pārveido atmiņu.

— Nāvēži? — Harijs pārvaicāja. — Kas ir nāvēži?

— Tā sevi dēvēja Pats-Zini-Ka atbalstītāji, — Bils paskaidroja. — Manuprāt, šonakt mēs redzējām viņu pārpalikumus — vismaz tos, kuri nenonāca Azkabanā.

— Mēs, Bil, nevaram pierādīt, ka tie bija viņi, — Vīzlija kungs nopūtās. — Kaut arī — droši vien tev taisnība, — viņš bezcerīgi piebilda.

— Jā, es varu saderēt, ka tā bija, — pēkšņi iesaucās Rons. — Tēt, mēs mežā satikām Drako Malfoju, un viņš būtībā atzina, ka viņa tēvs ir viens no tiem psihiem maskās! Un mēs visi zinām, ka Malfoji pinās ar Paši-Zināt-Ko!

— Bet ko gan Voldemorta atbalstītāji... — Harijs iesāka. Taču visi apkārtējie satrūkās — kā vairākums cilvēku burvju pasaulē, arī Vīzliji izvairījās nosaukt Voldemortu vārdā. — Piedodiet, — žigli atvainojās Harijs. — Bet ko gan Paši-Zināt-Kā atbalstītāji mēģināja panākt, paceļot gaisā vientiešus? Kāda gan no tā bija jēga?

— Jēga? — Vīzlija kungs noteica un nedroši iesmējās. — Harij, tā viņi vienkārši izklaidējas. Puse no visām vientiešu slepkavībām Paši-Zināt-Kā varas gados notika prieka pēc. Šonakt viņi iedzēra un acīmredzot nespēja savaldīties, neatgādinājuši mums, pārējiem, ka viņu rindās vēl arvien ir pietiekami daudz neliešu. Tāds mazs salidojums, — Vīzlija kunga pēdējos vārdos izskanēja pretīgums.

— Bet, ja viņi *bija* nāvēži, tad kāpēc viņi aizteleportējās, ieraudzījuši Tumšo zīmi? — vaicāja Rons. — Viņam taču bija jāpriecājas, to ieraugot, ne?

— Ron, pakustini mazliet savas smadzenes, — Bils sacīja.

— Ja viņi tiešām bija nāvēži, viņi darīja visu iespējamo, lai nenokļūtu Azkabanā, kad Paši-Zināt-Kas cieta sakāvi. Viņi meloja, ka Paši-Zināt-Kas piespiedis viņus nogalināt un mocīt cilvēkus. Varu saderēt, ka viņi no sava bijušā pavēlnieka atgriešanās baidās vēl vairāk nekā mēs, pārējie. Kad Paši-Zināt-Kas zaudēja varu, viņi noliedza jelkādu saistību ar viņu un atgriezās starp mums, lai turpinātu normālu dzīvi... Nedomāju gan, ka Paši-Zināt-Kas būtu pārāk apmierināts ar viņu aizmirsušajiem, vai ne?

— Tātad... vai tas, kurš uzbūra Tumšo zīmi... — lēnām ierunājās Hermione, — to darīja, lai izrādītu atbalstu nāvēžiem vai lai aizbiedētu viņus?

— Mēs, Hermione, varam tikai minēt, — Vīzlija kungs atbildēja. — Bet viens gan ir skaidrs... tikai nāvēži zināja, kā uzburt šo zīmi. Es būtu ļoti pārsteigts, ja cilvēks, kas to uzbūra šonakt, reiz pats nebūtu bijis nāvēdis, pat ja viņš tāds vairs nav... Klausieties, ir ļoti vēls, un, ja mamma uzzinās par šāsnakts notikumiem, viņa uztrauksies ne pa jokam. Mums tagad vajadzētu vēl pāris stundu pagulēt un tad no rīta mēģināt tikt uz kādu agrāku ejslēgu, lai atgrieztos.

Harijs uzlīda atpakaļ savā guļvietā. Galvā vēl arvien dunēja. Zēns saprata, ka viņam būtu jājūt nogurums, jo bija jau trīs naktī, taču miegs viņam nenāca ne prātā — viņš bija nomodā, un viņš bija uztraucies.

Tikai pirms trijām dienām — kaut arī likās, ka tas notika krietni senāk, bija pagājušas tikai trīs dienas, — viņš pamodās no tā, ka rētu plosīja dedzinošas sāpes. Un šonakt, pirmo reizi pēc trīspadsmit gadiem, debesīs atkal bija parādījusies lorda Voldemorta zīme. Ko tas viss nozīmēja?

Viņš iedomājās vēstuli, ko bija uzrakstījis Siriusam pirms aizbraukšanas no Dzīvžogu ielas. Vai Siriuss jau bija to saņēmis? Kad viņš atbildēs? Harijs raudzījās telts audeklā, taču nekādas lidojošas fantāzijas šoreiz nepalīdzēja aizmigt. Harijs iesnaudās vien krietnu brīdi pēc tam, kad teltī atskanēja Čārlija krākšana.

## DESMITĀ NODAĻA

# TRĀDIRĪDIS MINISTRIJĀ

Pēc pāris stundām miega Vīzlija kungs visus pamodināja. Teltis Vīzlija kungs sapakoja ar maģijas palīdzību, un viņi pēc iespējas ātrāk devās projām no telšu apmetnes. Pie apmetnes vārtiņiem viņi pagāja garām Robertsa kungam, kura sejā maldījās dīvaina, izklaidīga izteiksme; aizejošos viņš pavadīja ar rokas mājienu un neskaidru "Priecīgus Ziemassvētkus!".

— Viņš atlabs, — Vīzlija kungs klusi mierināja pārējos, kad viņi aizsoļoja pāri tīrelim. — Reizēm, kad cilvēka atmiņu izmaina, viņš uz brīdi tā kā mazliet apjūk, bet viņam, nabagam, nācies aizmirst pamatīgus pārdzīvojumus.

Tuvodamies vietai, kur dalīja ejslēgas, viņi dzirdēja daudzas satrauktas balsis. Kad viņi nonāca līdz Bezilam, ejslēgu pārzinim, izrādījās, ka viņu jau apsēdis prāvs bariņš raganu un burvju, un visi uzstāja, ka vēlas pēc iespējas ātrāk pamest apmetni. Vīzlija kungs ātri izrunājās ar Bezilu, un viņi iestājās rindā. Drīz vien ar vecas auto riepas palīdzību viņi atgriezās Sermuļgalvas kalnā. Saule vēl nebija īsti uzlēkusi. Pirmo saulstaru gaismā viņi izsoļoja cauri Svētūdraines ciemam un raiti devās uz "Midzeņu" pusi. Viņi sarunājās maz, jo bija ļoti noguruši un ilgojās pēc iespējas ātrāk nokļūt pie brokastu galda. Tikko viņi pagriezās un iegāja celiņā starp dzīvžogiem, kura galā vīdēja "Midzeņu" siluets, miklo gaisu pāršķēla kliedziens.

— Ak, paldies žēlīgajām debesīm, paldies debesīm!

Vīzlija kundze, kas acīmredzot bija gaidījusi viņus pagalmā, metās viņiem pretī, vēl arvien ar guļamistabas čībām kājās. Viņas seja bija bāla un saspringta, bet rokā viņa turēja samaidzītu "Dienas Paregā" eksemplāru. — Artūr... es tā uztraucos... *tā uztraucos...*

Vispirms Vīzlija kundze apskāva savu vīru, un no viņas ļenganās rokas izšļuka un nokrita zemē "Dienas Pareģis". Paskatījies lejup, Harijs ieraudzīja virsrakstu "ŠAUSMU AINAS ĶALAMBOLA PASAULES KAUSĀ", ko papildināja raustīgs, melnbalts fotoattēls, kurā virs koku galotnēm bija iemūžināta Tumšā zīme.

— Sveiki un veseli, — Vīzlija kundze izklaidīgi murmināja, atlaizdama laulāto draugu un ar piesarkušām acīm nopētīdama pārējos, — jūs esat dzīvi... ak, *zēni...*

Un, visiem par lielu pārsteigumu, viņa apskāva Fredu un Džordžu un pievilka tik cieši sev klāt, ka dvīņu galvas saskrējās.

— *Au!* Mammu... tu mūs nožņaugsi...

— Pirms jūs devāties projām, es uz jums sakliedzu! — Vīzlija kundze noteica un sāka šņukstēt. — Es par to vien domāju! Ja nu Paši-Zināt-Kas būtu ticis jums klāt?! Ja nu pēdējais, ko es jums teicu, izrādītos pārmetums, ka jūs nedabūjāt pietiekami daudz SLIMu?! Ak, Fred... ak, Džordž...

— Mollij, nomierinies, mums nekas nekaiš, — gādīgi noteica Vīzlija kungs, atbrīvodams dvīņus no sievas tvēriena un uzmanīgi vadīdams uztraukto sievieti uz mājas pusi. — Bil, — viņš pusbalsī piebilda, — pacel, lūdzu, to avīzi, gribu redzēt, kas tur sarakstīts...

Kad viņi visi saspiedās mazītiņajā virtuvītē un Hermione uzvārīja Vīzlija kundzei tasi ļoti stipras tējas, kurā pēc Vīzlija kunga piekodinājuma ielēja vēl šļuciņu Ogdena Vecā ugunsviskija, Bils pasniedza mājas saimniekam laikrakstu. Vīzlija kungs pārlaida acis pirmajai lappusei, bet Persijs tikmēr skatījās tēvam pār plecu.

— Tā jau es domāju, — drūmi novilka Vīzlija kungs. — *Ministrija netiek galā... vainīgie nav aizturēti... nolaidība drošības jautājumos...*

*Tumšie burvji dara, ko grib... nacionāls apkaunojums...* Kas to rakstījis? Ak... protams... Rita Knisle.

— Tai dāmai ir zobs uz Burvestību ministriju! — nikni noteica Persijs. — Pagājušajā nedēļā viņa apgalvoja, ka mēs velti tērējam laiku, bakstīdamies ap katlu biezumu, tā vietā lai cīnītos pret vampīriem! It kā *Norādījumu par izturēšanos pret neburvjiem-puscilvēkiem* divpadsmitajā paragrāfā nebūtu *specifiski* norādīts...

— Persij, mums te visiem ir viens lūgums, — nožāvādamies brāli pārtrauca Bils, — aizveries.

— Arī mani ir pieminējusi, — noteica Vīzlija kungs, nonācis līdz "Dienas Pareģa" raksta beigām un ieplezdams aiz brillēm paslēptās acis.

— Kur? — Vīzlija kundze iesaucās, gandrīz aizrīdamās ar tēju un viskiju. — Ja būtu to ievērojusi, vismaz zinātu, ka tu esi dzīvs!

— Nē, mana vārda te nav, — Vīzlija kungs paskaidroja. — Paklausieties: "*Ja pārbiedētie burvji un raganas, kuri, elpu aizturējuši, gaidīja jaunumus meža malā, cerēja no Burvestību ministrijas saņemt kādu skaidrojumu vai mierinošu ziņu, viņi diemžēl rūgti vīlās. Kādu laiku pēc Tumšās zīmes parādīšanās no meža iznāca kāds ministrijas pārstāvis un paziņoja, ka neviens neesot ievainots, taču atteicās sniegt jebkādu plašāku informāciju. Mēs vēl redzēsim, vai ar šo apgalvojumu būs gana, lai kliedētu baumas, ka apmēram stundu vēlāk no meža iznesti vairāki cietušie.*" Nu, vai zināt, — sakaitināts izsaucās Vīzlija kungs, pasniegdams avīzi Persijam. — Tik tiešām, neviens *nebija* ievainots, ko tad man vajadzēja teikt? *Baumas, ka no meža iznesti vairāki cietušie...* skaidrs, ka baumu netrūks, ja reiz viņa tās nodrukājusi. Viņš smagi nopūtās. — Mollij, man nāksies doties uz darbu, ar to visu mums vēl būs pamatīga noņemšanās.

— Es iešu kopā ar tevi, tēvs, — svarīgi piebilda Persijs. — Zemvalža kungam būs nepieciešami visi nodaļas darbinieki. Turklāt varēšu nodot savu ziņojumu par katliem viņam tieši rokās.

Persijs izmetās no virtuves.

Vīzlija kundze izskatījās sarūgtināta. — Artūr, tev taču ir atvaļinājums! Turklāt notikušajam nav nekāda sakara ar tavu nodaļu, gan jau viņi tiks galā arī bez tevis!

— Man, Mollij, tomēr vajadzētu parādīties ministrijā, — Vīzlija kungs uzstāja. — Esmu pasliktinājis situāciju. Es tikai pārģērbšos un došos ceļā...

— Vīzlija kundze, — pēkšņi ierunājās Harijs, nespēdams vairs nociesties, — vai gadījumā Hedviga neatlidoja ar man domātu vēstuli?

— Hedviga, dārgumiņ? — izklaidīgi pārvaicāja Vīzlija kundze. — Nē... nē, nekādi sūtījumi jūsu prombūtnes laikā nepienāca.

Rons un Hermione ziņkārīgi paskatījās uz Hariju.

Uzmetis draugiem zīmīgu skatienu, Harijs noteica: — Ron, vai neiebilsti, ja es uznestu savas mantas uz tavu istabu un tur nomestu?

— Labi... es laikam iešu kopā ar tevi, — Rons uzreiz atsaucās. — Un tu, Hermione?

— Es arī, — meitene žigli piekrita, un viņi visi trīs izsoļoja no virtuves un devās augšā pa kāpnēm.

— Kas noticis, Harij? — Rons jautāja uzreiz, kā viņi aizvēra aiz sevis bēniņu istabas durvis.

— Es jums neizstāstīju vienu lietu, — Harijs atzinās. — Svētdien no rīta mani pamodināja sāpes vecajā rētā.

Rons un Hermione pirmajā mirklī izturējās gandrīz tieši tā, kā Harijs bija iedomājies, gulēdams Dzīvžogu ielas guļamistabā. Hermionei aizrāvās elpa, un viņa tūlīt sāka bērt padomus, norādīdama gan veselu rindu uzziņu grāmatu, gan piesaukdama visus iespējamos palīgus, sākot no Baltusa Dumidora līdz Pomfreja madāmai, Cūkkārpas slimnīcas pārzinei.

Ronu šī ziņa vienkārši apstulbināja. — Bet... viņš taču tur nevarēja būt? Pats-Zini-Kas? Klau — beidzamo reizi tev rēta sāpēja tad, kad viņš slēpās Cūkkārpā, vai ne?

— Esmu pārliecināts, ka Dzīvžogu ielā viņa nebija, — Harijs

sacīja. — Bet es viņu redzēju sapnī... viņu un Pīteru — nu, tu atceries, Tārpasti. Es nespēju atcerēties visu sapni, taču viņi plānoja, kā nonāvēt... kādu cilvēku.

Zēns mirkli vilcinājās un gandrīz jau pateica "mani", taču nespēja piespiest sevi pateikt visu līdz galam, jo nevēlējās, lai Hermione kļūtu vēl satrauktāka, nekā viņa jau izskatījās.

— Tas jau tikai sapnis, — uzmundrinoši noteica Rons. — Kaut kāds murgs.

— Jā, bet vai tikai murgs? — Harijs jautāja, pavērdamies ārā pa logu, aiz kura debesis pamazām kļuva arvien gaišākas. — Tas ir dīvaini, vai ne? Man sāk sāpēt rēta, un trīs dienas vēlāk nāvēži sarīko mazu parādi un debesīs atkal uzvijas Voldemorta zīme.

— Nepiemini — viņa — vārdu! — cauri sakostiem zobiem nošņāca Rons.

— Un vai atceries, ko teica profesore Trilonija? — Harijs turpināja, nelikdamies ne zinis par Ronu. — Pagājušā mācību gada beigās?

Profesore Trilonija Cūkkārpā pasniedza pareģošanu.

Baiļu izteiksme nozuda no Hermiones sejas, un meitene nicīgi nospurdzās. — Ak, Harij, tu taču neņem nopietni visu, ko gvelž tā vecā viltvārde?!

— Tevis tur nebija, — Harijs palika pie sava. — Tu nedzirdēji, kā viņa to pateica. Šoreiz viss notika citādi. Es jau stāstīju — viņa iegrima tādā kā transā, īstā transā. Un teica, ka Tumsas pavēlnieks atkal celšoties... *varenāks un briesmīgāks nekā iepriekš*... un viņam tas izdošoties tāpēc, ka pie viņa atgriezīšoties viņa kalps... un tajā naktī aizbēga Tārpastis.

Iestājās klusums. Rons izklaidīgi plūkāja caurumu gultas pārklājā, ko greznoja "Čadlijas Lielgabali".

— Kāpēc tu, Harij, jautāji, vai atlidojusi Hedviga? — Hermione pēc mirkļa iejautājās. — Vai gaidi kādu vēstuli?

— Es uzrakstīju par savu rētu Siriusam, — paraustījis plecus, Harijs atteica. — Gaidu viņa atbildi.

— Laba doma! — sejas izteiksmei noskaidrojoties, uzslavēja Rons. — Varu derēt, Siriuss zinās, ko darīt!

— Es cerēju, ka viņš atbildēs ātri, — Harijs piebilda.

— Bet mēs taču nezinām, kur viņš atrodas... Viņš taču var būt Āfrikā vai kādā citā tālā zemē, vai ne? — prātīgi sacīja Hermione. — *Tik* tālu Hedviga trijās dienās neaizlidos.

— Jā, protams, — piekrita Harijs, taču skatiens debesīs, kurās nemanīja Hedvigu, atstāja nomācoša smaguma sajūtu.

— Ejam, Harij, uzspēlēsim dārzā kalambolu, — Rons ierosināja. — Ejam — būsim trīs pret trīs, Bils, Čārlijs, Freds un Džordžs arī spēlēs... varēsi izmēģināt Vronska pikējumu...

— Ron, — Hermione ierunājās balsī, kuras tonis vien, šķiet, pauda Nedomāju-ka-tu-esi-īpaši-iejūtīgs attieksmi, — šobrīd Harijs nevēlas spēlēt kalambolu... viņš ir uztraucies un noguris... mums visiem būtu jādodas pie miera...

— Jā, es labprāt uzspēlētu kalambolu, — Harijs pēkšņi noteica. — Pagaidi, es paķeršu savu ugunsbultu.

Hermione izgāja no istabas, nomurminājusi vienu vārdu, kas ļoti izklausījās pēc "*Puišeļi*".

* * *

Nākamās nedēļas laikā gan Vīzlija kungu, gan Persiju mājās sastapt varēja visai reti. Abi aizgāja agri no rīta, vēl pirms pārējie modās, bet ik vakarus atgriezās krietni pēc vakariņām.

— Tas tik bija jandāliņš, — svētdienas vakarā, pirms skolēniem bija jādodas atpakaļ uz Cūkkārpu, svarīgi paziņoja Persijs. — Visu nedēļu dzēsu ugunsgrēkus. Cilvēki vienā laidā sūtīja kaucekļus un, protams, ja to tūlīt neatver, kauceklis uzsprāgst. Mans galds ir apsvilis no vienas vietas, turklāt no manas labākās rakstāmspalvas palikuši tikai pelni.

— Kāpēc viņi sūta kaucekļus? — jautāja Džinnija, sēdēdama uz paklāja viesistabas kamīna priekšā un ar rīmlenti labodama savu "Tūkstoš burvju augu un sēņu" eksemplāru.

— Žēlojas par drošības pasākumiem Pasaules kausa izcīņas laikā, — Persijs paskaidroja. — Vēlas saņemt kompensāciju par izpostīto īpašumu. Mandanguss Flečers ir iesniedzis prasību par telti ar divpadsmit guļamistabām un džakuzi, taču es viņam redzu cauri. Manā rīcībā ir pārbaudīta informācija, ka viņš gulēja uz kailas zemes zem apmetņa, kas uzsprausts uz kociņiem.

Vīzlija kundze paskatījās uz vectēva pulksteni, kas stāvēja istabas stūrī. Harijam šis pulkstenis patika. Tas gan nekur nederēja, ja bija nepieciešams uzzināt pareizu laiku, toties citādi no tā varēja iegūt ļoti noderīgu informāciju. Pulkstenim bija deviņi zelta rādītāji, un uz katra no tiem bija iegravēts kāda Vīzliju ģimenes locekļa vārds. Uz ciparnīcas nebija skaitļu, toties bija redzami uzraksti, kas norādīja ģimenes locekļu iespējamo atrašanās vietu. Te bija ne tikai vārdi "mājās", "skolā" un "darbā", bet arī "pazudis", "slimnīcā", "cietumā" un tur, kur uz parasta pulksteņa bija divpadsmit, "nāves briesmās".

Astoņi rādītāji šobrīd atdusējās uz uzraksta "mājās", tikai pats garākais, Vīzlija kunga rādītājs, vēl arvien kavējās uz vārda "darbā". Vīzlija kundze nopūtās.

— Jūsu tēvam nākas iet uz darbu nedēļas nogalē pirmo reizi kopš Paši-Zināt-Kā laikiem, — viņa sacīja. — Ministrijā viņu nostrādina par traku. Ja viņš drīz neatgriezīsies mājās, viņa vakariņas būs pagalam.

— Redziet, tēvs uzskata, ka viņam jāvērš par labu pēc spēles pieļautā kļūda, — ierunājās Persijs. — Taisnību sakot, viņš rīkojās mazliet neapdomīgi, sniegdams publisku paziņojumu, nesaskaņojis to ar savas nodaļas vadītāju...

— Neuzdrīksties pārmest miesīgam tēvam par blēņām, ko sarakstījusi tas nolāpītais Knišļu bābietis! — Vīzlija kundze kaismīgi metās aizstāvēt vīru.

— Ja tētis neko nebūtu pateicis, vecā Rita tikai pieminētu, cik nožēlojami, ka neviens ministrijas pārstāvis nav sniedzis komentāru, — noteica Bils, kurš tobrīd spēlēja šahu ar Ronu. — Rita

Knisle nekad nevienam nav veltījusi labu vārdu. Varbūt atceraties, reiz viņa intervēja visus Gringotu lāstu uzlauzējus un nosauca mani par "garmataino ākstu"?

— Mīļais, tie *ir* mazliet par garu, — Vīzlija kundze izmantoja izdevību paust savu viedokli par dēla frizūru. — Ja tu man ļautu...

— Mammu, *nē*.

Lietus sitās pret viesistabas logu. Hermione bija iegrimusi "Burvju vārdu hrestomātijā 4. apmācības gadam". Šo grāmatu gan viņai, gan Harijam un Ronam Diagonalejā bija nopirkusi Vīzlija kundze. Čārlijs lāpīja ugunsdrošu cepuri ar sejas masku. Harijs pulēja savu ugunsbultu. Viņam pie kājām pavērts stāvēja Slotaskāta kopšanas komplekts, ko viņam trīspadsmitajā dzimšanas dienā uzdāvināja Hermione. Freds ar Džordžu bija nolīduši istabas tālajā stūrī. Viņi sačukstējās un kaut ko pa brīdim pierakstīja uz pergamenta gabala.

— Ko jūs abi tur darāt? — ievērojusi dvīņu darbošanos, ar aizdomām vaicāja Vīzlija kundze.

— Mājasdarbs, — izklaidīgi atteica Freds.

— Nesmīdiniet tautu, jums vēl ir brīvdienas, — Vīzlija kundze nelikās mierā.

— Jā, mēs ar to esam mazliet aizkavējušies, — sacīja Džordžs.

— Vai tikai jūs nerakstāt jaunu *pasūtījuma veidlapu*, ko? — Vīzlija kundze tincināja. — Vai tikai jūs nedomājat atsākt tirgošanos ar *Vīzliju burvju šķavām*?

— Klau, mammu, — Freds teica, paceldams skatienu uz Vīzlija kundzi, un viņa acīs varēja nolasīt sāpes. — Ja rīt Cūkkārpas ekspresis kaut kur ieskries un mēs ar Džordžu aiziesim bojā, kā tu jutīsies, apzinoties, ka beidzamie vārdi, ko mēs no tevis dzirdējām, bija pilnīgi nepamatoti apvainojumi?

Istabā atskanēja smiekli; smējās pat Vīzlija kundze.

— Paskat, jūsu tēvs jau ir ceļā! — viņa pēkšņi iesaucās, pametusi acis uz pulksteni.

Vīzlija kunga rādītājs bija negaidīti pārlēcis no "darbā" uz "ceļā"; vēl pēc mirkļa tas nodrebēdams apstājās uz atzīmes "mājās" kopā ar pārējiem rādītājiem. No virtuves atskanēja mājas saimnieka balss.

— Eju, Artūr! — atsaucās Vīzlija kundze, izsteigdamās no istabas.

Pēc maza brītiņa siltajā viesistabā, nesdams paplāti ar vakariņām, ienāca Vīzlija kungs. Viņš izskatījās pagalam noguris.

— Jā, šoreiz uguns ir pakulās, — viņš stāstīja sievai, apsēzdamies atzveltnes krēslā pie kamīna un mazliet negribīgi knibinādamies ap tādu kā sačokurojušos puķkāposta gabaliņu. — Rita Knisle visu nedēļu nosložņāja ap ministriju, pūlēdamās uzošņāt vēl kādu kļūmi. Un tagad viņa dabūjusi zināt par nabaga vecās Bertas pazušanu. Tas būs "Pareģa" pirmās lappuses virsraksts rīt no rīta. Es Maišelniekam *teicu*, ka viņam sen jau vajadzēja sūtīt kādu, lai sameklē pazudušo.

— Zemvalža kungs viņam to skandēja no dienas dienā nedēļām ilgi, — žigli piebilda Persijs.

— Zemvaldim ir ļoti paveicies, ka Rita neko nezina par Vinkiju, — saskaities sacīja Vīzlija kungs. — Tur virsrakstu pietiktu vairākām nedēļām, ja Ritai tiktu ausīs stāsts par Zemvalža kunga mājas elfu, kam rokā bija zizlis, ar kuru uzburta Tumšā zīme.

— Manuprāt, mēs visi bijām vienisprātis, ka tā elfa gan rīkojās bezatbildīgi, tomēr viņa *nevarēja* uzburt pašu zīmi? — savu elku kaismīgi aizstāvēja Persijs.

— Ja tu gribi zināt manu viedokli, Zemvalža kungam ir briesmīgi laimējies, ka "Dienas Pareģī" neviens nenojauš, cik zemiski viņš izturas pret elfiem! — dusmīgi iejaucās Hermione.

— Paklau, Hermione, padomā pati! — Persijs palika pie sava. — Tāds augsta ranga ministrijas ierēdnis kā Zemvalža kungs ir pelnījis, lai viņa kalpi būtu absolūti paklausīgi...

— Viņa *vergi*, tu gribēji teikt! — Hermione izlaboja, nu jau visai augstos toņos. — Jo viņš taču *nemaksā* Vinkijai, vai ne?

— Man šķiet, jūs labāk varētu uziet savās istabās un

pārliecināties, vai esat sakārtojuši visu rītdienai! — Vīzlija kundze sacīja, pārtraukdama strīdu. — Nu, ejiet, ejiet...

Harijs salika visus piederumus atpakaļ Slotaskāta kopšanas komplektā, pārmeta ugunsbultu pār plecu un kopā ar Ronu devās augšā pa kāpnēm. Mājas augšējā stāvā lietus likās vēl skaļāks, turklāt te tam piebalsoja skaļi vēja svilpieni un vaidi, nemaz nerunājot par bēniņos dzīvojošā spoka kaucieniem, kuri laiku pa laikam nomāca visus citus trokšņus. Kad viņi ienāca istabā, Pumperniķelis atkal sāka čiepstēt un svaidīties pa savu būri. Likās, ka pussakārtotās mantu lādes satrauc mazuli ne pa jokam.

— Iemet viņam dažus Pūču akmentiņus, — bilda Rons, pasviezdams Harijam putnu barības paciņu, — varbūt viņš vismaz uz kādu brīdi apklusīs.

Harijs izstūma pāris Pūču akmentiņu cauri Pumperniķeļa būra režģiem un tad atkal pagriezās pret savu mantu lādi. Hedvigas būris vēl arvien stāvēja tukšs.

— Pagājis jau vairāk par nedēļu, — Harijs sacīja, vērodams laktiņu, uz kuras neviens nesēdēja. — Ron, tu taču nedomā, ka Siriusu varēja noķert?

— Nē, par to būtu pierakstīts pilns "Dienas Pareģis", — atbildēja Rons. — Ministrijai ļoti kārotos parādīt, ka viņi ir noķēruši vismaz *kādu*, vai ne?

— Jā, droši vien tev taisnība...

— Re, te ir lietas, ko mamma tev nopirka Diagonalejā. Un mazliet zelta no tava kambara... un viņa vēl ir izmazgājusi tavas zeķes.

Rons sagāza uz Harija šaurās gultas veselu saiņu kaudzi un nometa līdzās kaudzei arī naudas zutni un zeķu mudžekli. Harijs sāka izsaiņot pirkumus. Bez Mirandas Peļuvanagas "Burvju vārdu hrestomātijas 4. apmācības gadam" te vēl bija sauja jaunu rakstāmspalvu, ducis pergamenta ruļļu un papildinājumi mikstūru gatavošanas komplektam — viņam gāja uz beigām lauvzivju asaku pulveris un beladonnas izvilkums. Brīdī, kad zēns stūķēja apakšveļu katlā, viņam aiz muguras atskanēja Rona vaids.

— Kas tad *tas* tāds?

Draugs turēja rokās kaut ko, kas Harijam atgādināja garu kastaņbrūna samta kleitu. Ap kakla izgriezumu pletās mežģīņu josla, kas gan likās mazliet appelējusi, un līdzīgas mežģīnes greznoja arī aproces.

Pie durvīm pieklauvēja, un istabā ienāca Vīzlija kundze, nesdama klēpi tikko izmazgātu Cūkkārpas formu.

— Tā, te ir jūsējās, — viņa sacīja, sašķirodama visu divās kaudzītēs. — Salieciet lādēs uzmanīgi, lai drēbes nesaburzās.

— Mammu, tu man esi iedevusi Džinnijas jauno kleitu, — Rons pasniedza mātei kastaņbrūni mežģīņoto izstrādājumu.

— Ko nu niekus, — Vīzlija kundze atbildēja. — Tas domāts tev. Izejamā kārta.

— *Kas?* — šausmās pārvaicāja Rons.

— Izejamā kārta! — teica Vīzlija kundze. — Skolas sarakstā bija norādīts, ka šogad jums nepieciešama izejamā kārta... drānas svinīgiem gadījumiem.

— Tu laikam joko, — Rons neticīgi nogrozīja galvu. — Es taču tādu nevilkšu mugurā.

— Tādas nēsā visi, Ron! — pikti sacīja Vīzlija kundze. — Tās visas ir līdzīgas! Pat tēvam ir tādas pašas smalkām pieņemšanām!

— Es drīzāk iešu pliks, nekā vilkšu mugurā kaut ko tādu! — Rons spītīgi palika pie sava.

— Nemuļķojies, — Vīzlija kundze norāja dēlu, — tev ir jābūt izejamai kārtai, tā minēta tavā skolas sarakstā! Arī Harijam es tādu nopirku... Harij, parādi viņam savējo...

Mazliet uztraucies, Harijs atvēra pēdējo iepirkumu saini. Tiesa, viņa izejamā kārta nebija tik briesmīga, kā viņš baidījās. Viņa svinīgās drānas nebija rotātas ar mežģīnēm. Istenībā tās bija gluži līdzīgas ikdienas skolas tērpam, tikai izejamā kārta bija tumši zaļa, nevis melna.

— Mīļais, man likās, tās izcels tavu acu krāsu, — gādīgi paskaidroja Vīzlija kundze.

— Nu, šīs jau ir normālas! — Rons dusmīgi noteica, pētīdams Harija drānas. — Kāpēc man nevarēja pirkt tādas pašas?

— Nu, tāpēc ka tavējās man nācās pirkt lietotu drēbju veikalā, un tur nebija pārāk liela izvēle! — nosarkdama teica Vīzlija kundze.

Harijs novērsās. Viņš labprāt Vīzlijiem atdotu pusi naudas, kas glabājās Gringotu kambarī, taču zināja, ka Vīzliji to nekad nepieņems.

— Mugurā es to nevilkšu, — Rons spītīgi paziņoja. — Nekad.

— Jauki, — nu reiz pietika arī Vīzlija kundzei. — Ej pliks. Un, Harij, esi tik mīļš, nobildē viņu. Lai es varu no sirds izsmieties.

Viņa izgāja no istabas un aizcirta aiz sevis durvis. Zēniem aiz muguras atskanēja dīvains troksnis. Pumperniķelis bija aizrijies ar īpaši lielu Pūču akmentiņu.

— Kāpēc viss, kas man pieder, ir tik nožēlojams? — sirdīgi noškendējās Rons, dodamies pāri istabai, lai atbrīvotu Pumperniķeļa knābi.

## VIENPADSMITĀ NODAĻA

# CŪKKĀRPAS EKSPRESĪ

Kad nākamajā rītā Harijs pamodās, gaisā nepārprotami bija jaušama brīvdienu beigu noskaņa. Logā vēl arvien sitās smagas lietus lāses. Harijs uzvilka džinsus un svīteri; skolas drēbēs viņi pārģērbsies, braucot Cūkkārpas ekspresī.

Viņš, Rons, Freds un Džordžs devās brokastīs un bija tikuši līdz otrā stāva kāpņu laukumiņam, kad pavērās durvis un tajās parādījās satrauktā Vīzlija kundze.

— Artūr! — viņa nokliedzās tā, ka noskanēja visa kāpņu telpa. — Artūr! Steidzams ziņojums no ministrijas!

Harijs piespiedās pie sienas, lai palaistu garām Vīzlija kungu, kas, uzvilcis savas drēbes ar mugurpusi uz priekšu, notenterēja lejā pa kāpnēm un pagaisa no skata. Kad Harijs kopā ar pārējiem tika līdz virtuvei, viņi ieraudzīja Vīzlija kundzi nervozi rokamies bufetes atvilktnēs: — Kaut kur te bija jābūt rakstāmspalvai!

Vīzlija kungs savukārt bija noliecies pie pavarda un sarunājās ar...

Harijs aizmiedza acis un tad atkal atvēra tās, lai pārliecinātos, ka tās rāda pareizi.

Starp liesmām pavardā kā liela, bārdaina ola karājās Eimosa Digorija galva. Tā bēra vārdus kā pupas, it nemaz nelikdamies zinis par garām lidojošajām dzirkstelēm un liesmām, kas ložņāja ap ausīm.

— ...vientiešu kaimiņi dzirdējuši būkšķus un kliedzienus, tāpēc izsaukuši — kā viņus tur sauca — plīsistus, vai? Artūr, būtu labi, ja tu skrietu uz šejieni...

— Še! — aizelsusies sacīja Vīzlija kundze, iespiezdama vīram rokās pergamenta gabalu, tintes pudeli un apgrauztu rakstāmspalvu.

— ...tiešām laimējās, ka es par to dabūju dzirdēt, — Digorija kunga galva turpināja, — vajadzēja atnākt uz biroju agrāk, lai nosūtītu dažas pūces, tāpēc es uzskrēju virsū Maģijas nepiedienīgas izmantošanas biroja čaļiem, kas tieši taisījās ceļā... ja par šo gadījumu uzzinās Rita Knisle, Artūr...

— Ko saka Trakacis? — vaicāja Vīzlija kungs, atskrūvēdams tintes pudeli, iemērkdams tajā spalvu un sagatavodamies pierakstīt.

Digorija kungs pārgrieza acis. — Apgalvo, ka esot dārzā dzirdējis kādu zogamies. Esot lavījušies uz mājas pusi, taču svešiniekiem uzbrukušas viņa atkritumu tvertnes.

— Ko tad tās atkritumu tvertnes izdarīja? — Vīzlija kungs jautāja, vienlaikus cenzdamies visu pierakstīt.

— Sacēlušas pamatīgu troksni un šāvušas mēslus uz visām pusēm, cik nu es varēju noprast, — paskaidroja Digorija kungs. — Laikam viena no atkritumu kastēm vēl arvien šaudījās pa pagalmu, kad ieradās tie plīsisti...

Vīzlija kungs novaidējās. — Un kādas ziņas par iebrucēju?

— Artūr, tu taču pazīsti Trakaci, — nopūtās Digorija kunga galva, atkal izvalbīdama acis. — Kāds nakts vidū ložņājis pa viņa pagalmu? Drīzāk jau kaut kur pāris māju tālāk klīst kāds līdz nāvei pārbiedēts, kartupeļu mizām nomētāts runcis. Taču, ja Trakacim klāt tiks Maģijas nepiedienīgas izmantošanas biroja nagu maucēji, ar viņu būs cauri — pats zini, kas par viņu jau sakrājies... mums jāpanāk, ka viņu soda pēc kāda otršķirīga panta, varbūt no tavas jomas — ko viņš dabūtu par sprāgstošām atkritumu tvertnēm?

— Varbūt brīdinājumu, — vēl arvien kaut ko žigli skribelēdams un saraucis uzacis, atbildēja Vīzlija kungs. — Vai Trakacis nelietoja savu zizli? Neuzbruka nevienam?

— Varu derēt, ka viņš pielēca no gultas un sāka bliezt pa visu, kam no loga varēja trāpīt, — Digorija kungs sacīja, — taču to būs grūti pierādīt, jo cietušo nav.

— Labi, es nesos, — Vīzlija kungs noteica, iebāza pergamenta gabalu ar saviem pierakstiem kabatā un izmetās ārā no virtuves.

Digorija kunga galva pievērsās Vīzlija kundzei.

— Piedod, Mollij, — galva nu jau mierīgāk sacīja, — par ielaušanos tādā agrumā un visu pārējo... taču Artūrs ir vienīgais, kas spēs paglābt Trakača ādu, un Trakacim rīt pirmā diena jaunajā darbā. Kāpēc viņam vajadzēja to ļembastu sarīkot tieši šonakt?

— Būs jau labi, Eimos, — Vīzlija kundze teica. — Pirms skrien tālāk, vai nevēlies kādu grauzdiņu? Vai varbūt varu piedāvāt ko citu?

— Jā, labprāt, — Digorija kungs nopriecājās.

Vīzlija kundze paņēma no kaudzes, kas stāvēja uz virtuves galda, ar sviestu apsmērētu grauzdiņu, saņēma to ar kamīna knaiblēm un ielika Digorija kungam mutē.

— Falties, — viņš nošļupstēja, un tad ar klusu paukšķi izgaisa.

Harijs dzirdēja, kā Vīzlija kungs steigšus atvadās no Bila, Čārlija, Persija un meitenēm. Pēc piecām minūtēm viņš bija atpakaļ virtuvē un, nu jau apģērbis savas drānas pareizi, sukāja matus.

— Man tagad jāpasteidzas — lai jums labi sokas, puiši, — Vīzlija kungs novēlēja Harijam, Ronam un dvīņiem. Viņš uzmeta plecos apmetni un sagatavojās teleportācijai. — Mollij, vai tu tiksi ar visiem bērniem līdz Kingskrosai?

— Protams, — sieva atbildēja. — Izpestī Trakaci, gan jau mēs tiksim galā.

Mirkli pēc Vīzlija kunga izgaišanas virtuvē ienāca Bils un Čārlijs.

— Vai kāds te pieminēja Trakaci? — Bils vaicāja. — Ko viņš atkal sastrādājis?

— Viņš apgalvojot, ka šonakt kāds mēģinājis ielauzties viņa mājā, — Vīzlija kundze paskaidroja.

— Trakacis Tramdāns? — domīgi novilka Džordžs, ziezdams ievārījumu uz sava grauzdiņa. — Vai tas nav tas prātu izkūkojušais...

— Jūsu tēvs ir ļoti augstās domās par Trakaci Tramdānu, — Vīzlija kundze stingri pārtrauca dēlu.

— Jā, mūsu tētis jau arī krāj štepseļus, vai ne? — Freds klusi piemetināja, kad Vīzlija kundze izgāja no virtuves. — Tāds tādu atrod...

— Tramdāns savulaik bija izcils burvis, — Bils zināja teikt.

— Viņš ir vecs Dumidora draugs, vai ne? — atcerējās Čārlijs.

— Taču arī Dumidoru nevar nosaukt par *normālu*, ko? — sacīja Freds. — Nu, protams, viņš ir ģēnijs, un tā tālāk...

— Kas īsti *ir* Trakacis? — Beidzot pie vārda tika Harijs.

— Tagad aizsūtīts pelnītā atpūtā, bet kādreiz strādāja ministrijā, — Čārlijs paskaidroja. — Esmu viņu pat vienreiz saticis, kad tētis mani paņēma līdzi uz darbu. Trakacis bija aurors — turklāt viens no labākajiem... tā sauc Tumšo burvju ķērājus, — viņš piebilda, redzēdams neizpratnes izteiksmi Harija sejā. — Puse no Azkabanas kamerām apdzīvo viņa sarūpētie iemītnieki. Viņš ir iedzīvojies ne vienā vien ienaidniekā... galvenokārt viņu neieredz arestēto radinieki... un esmu dzirdējis, ka, gadiem ritot, vecītis esot galīgi nojūdzies. Nevienam neuzticoties. Šim itin visur rēgojoties Tumšie burvji.

Bils un Čārlijs nolēma pavadīt skolēnus uz Kingskrosas staciju, taču Persijs, gari un plaši atvainodamies, paziņoja, ka viņam tiešām esot jādodas uz darbu.

— Es šobrīd vienkārši nevaru atļauties brīvdienas, — viņš pārējiem skaidroja. — Zemvalža kungs man uzticas arvien vairāk.

— Jā, vai zini, ko, Persij? — brāli nopietni uzrunāja Džordžs. — Man pat liekas, ka viņš drīz varētu iemācīties tavu vārdu.

Vīzlija kundze, saņēmusi visu dūšu, ķērās pie tālruņa ciemata pasta nodaļā, lai pasūtītu trīs parastos vientiešu taksometrus, kas aizvestu viņus uz Londonu.

— Artūrs mēģināja sarunāt mums ministrijas mašīnas, — Vīzlija kundze pačukstēja Harijam, kad viņi, lietum līstot, stāvēja pagalmā un vēroja, kā taksometru vadītāji krāva mašīnās sešas smagas Cūkkārpas mantu lādes. — Taču izrādījās, ka nevienas brīvas neesot... ak, viņi gan neizskatās īpaši priecīgi, ko?

Harijam nebija ne mazākās vēlēšanās klāstīt Vīzlija kundzei, ka vientiešu taksisti ļoti reti pārvadā pagalam uztraukušās pūces, jo no Pumperniķeļa sacelta trokšņa vien visiem plīsa ausis. Visu vēl vairāk pasliktināja vairākas Doktora Filibastera brīnumainās mitrumdrošās, nekarstošās uguņošanas raķetes, kas negaidīti aizgāja pa gaisu, kolīdz atsprāga Freda mantu lāde. Šoferis, kas nesa nelaimīgo lādi, iekliedzās bailēs un sāpēs, jo satrauktais Blēžkājis uzskrēja augšā pa viņa kāju kā pa koku.

Brauciens bija neērts, jo, pēc tam kad mašīnās bija ieceltas milzīgās lādes, pašiem pasažieriem daudz vietas nepalika. Pagāja krietns laiciņš, kamēr Blēžkājis nomierinājās no raķešu pārbīļa, tāpēc, ierodoties Londonā, Harijs, Rons un Hermione bija pamatīgi saskrāpēti. Viņi atviegloti uzelpoja, kad pie Kingskrosas stacijas tika ārā no mašīnām, kaut arī lietus gāza vēl pamatīgāk nekā iepriekš un, nesdami savas lādes pāri ielai, viņi izmirka līdz ādai.

Harijs jau bija iemanījies nokļūt uz platformas numur deviņi un trīs ceturtdaļas. Lai uz tās tiktu, vajadzēja vienkārši iziet cauri šķietami monolītajai barjerai, kas norobežoja devīto platformu no desmitās. Grūtāk bija ievērot piesardzību un rīkoties pietiekami neuzkrītoši, lai nepievērstu vientiešu uzmanību. Šoreiz viņi devās cauri barjerai mazos pulciņos. Pirmie gāja Harijs, Rons un Hermione, jo Pumperniķeļa un Blēžkāja dēļ viņi izskatījās visaizdomīgākie. Trijotne, pļāpādami par kaut ko nebūtisku, it kā nevērīgi atspiedās pret barjeru — un sāniski izslīdēja tai cauri... un viņu priekšā materializējās platforma numur deviņi un trīs ceturtdaļas.

Cūkkārpas ekspresis, ar spoži sarkanu tvaika lokomotīvi priekšgalā, jau stāvēja pie perona, un no skursteņa vēlās biezi dūmu mutuļi, kuros daudzie Cūkkārpas audzēkņi un viņu vecāki atgādināja tumšus spokus. Izdzirdējis dūmakā tik daudzu pūču ūjināšanu, Pumperniķelis sāka trakot vēl nevaldāmāk. Harijs, Rons un Hermione devās meklēt vietas, un drīz vien draugi sakrāva savas mantas kupejā, kas atradās apmēram vilciena vidū. Tad viņi vēlreiz nolēca uz perona, lai atvadītos no Vīzlija kundzes, Bila un Čārlija.

— Iespējams, es tikšos ar jums ātrāk, nekā jūs domājat, — noslēpumaini smaidīdams, noteica Čārlijs un apskāva Džinniju.

— Kāpēc? — ziņkārīgi jautāja Freds.

— Tad jau redzēsiet, — Čārlijs izvairīgi sacīja. — Tikai nesakiet Persijam, ka es pieminēju šo iespēju... galu galā, tā ir "konfidenciāla informācija līdz brīdim, kad ministrija nolems to paziņot sabiedrībai".

— Jā, es pat šogad gribētu atgriezties Cūkkārpā, — iebāzis rokas kabatās, teica Bils un gandrīz ar skaudību paskatījās uz vilcienu.

— *Kāpēc?* — nepacietīgi vaicāja Džordžs.

— Jums būs ļoti interesants gads, — acīs uzzibot nerātnām uguntiņām, Bils piebilda. — Varbūt es pat paņemšu atvaļinājumu, lai pavērotu, kā viss norisināsies...

— *Kas* norisināsies? — Nu arī Ronam pietrūka pacietības.

Taču nosvilpa lokomotīve, un Vīzlija kundze skubināja skolēnus uz vagona durvju pusi.

— Paldies par iespēju paciemoties pie jums "Midzeņos", — Hermione pateicās Vīzlija kundzei, un viņi visi sakāpa vilcienā, aizvēra vagona durvis un izliecās pa logu, lai vēl pārmītu pēdējos vārdus ar Vīzliju mammu.

— Jā, Vīzlija kundze, paldies jums par visu, — Harijs sacīja.

— Ak, man bija patiess prieks, — atbildēja Vīzlija kundze. — Es ielūgtu jūs arī uz Ziemassvētkiem, taču... manuprāt, jūs šogad gribēsiet palikt Cūkkārpā... Jums būs savi iemesli.

— Mammu! — aizkaitināts iesaucās Rons. — Kas ir tas, ko jūs trīs zināt un nesakāt mums?

— Domāju, ka arī jūs to uzzināsiet jau šovakar, — smaidīdama dēlu mierināja Vīzlija kundze. — Tas būs ļoti aizraujoši — tomēr es priecājos, ka noteikumi ir mainīti...

— Kādi noteikumi? — vienā balsī iesaucās Harijs, Rons, Freds un Džordžs.

— Esmu pārliecināta, ka profesors Dumidors jums visu izstāstīs... lūdzu, uzvedieties, kā nākas, labi? *Labi*, Fred? Un tu, Džordž?

Lokomotīve skaļi nošņācās, un vilciens sāka kustēties.

— Pasakiet, kas notiks Cūkkārpā! — Freds kliedza, izliecies pa logu, bet Vīzlija kundze, Bils un Čārlijs pamazām attālinājās. — Kādus noteikumus viņi ir mainījuši?

Taču Vīzlija kundze tikai pasmaidīja un pamāja ar roku. Pirms vilciens iebrauca pirmajā līkumā, viņa, Bils un Čārlijs jau bija aizteleportējušies no perona.

Harijs, Rons un Hermione iegāja atpakaļ savā kupejā. Logos triecās milzīgas lietus lāses, tāpēc aiz tiem gandrīz neko nevarēja saskatīt. Rons atvēra savu lādi, izvilka no tās kastaņbrūno izejamo kārtu un uzsvieda to Pumperniķeļa būrim, lai apklusinātu mazuļa ūjināšanu.

— Maišelnieks mums gribēja izstāstīt, kas notiks Cūkkārpā, — viņš sabozies atgādināja un apsēdās līdzās Harijam. — Atceries, pirms Pasaules kausa spēles? Bet paša māte nepasaka ne pušplēsta vārdiņa. Nesaprotu, kāpēc...

— Ššš! — pēkšņi nošņācās Hermione, piespieda pirkstu pie lūpām un norādīja uz blakus kupeju. Harijs un Rons ieklausījās un cauri pavērtajām durvīm sadzirdēja pazīstamu balsi, kas gari stiepa vārdus.

— ...tēvs patiesībā gribēja mani sūtīt uz Durmštrangu, nevis Cūkkārpu, tā lūk. Jo, redz, viņš pazīst turienes direktoru. Nu, jūs jau zināt manu viedokli par Dumidoru — tas vīrs tā mīl draņķasiņus, ka bail, bet Durmštrangā tādas padibenes neuzņem. Bet mātei nepatika, ka man būtu jāmācās tik tālu no mājām. Tēvs apgalvo, ka arī Tumšo zinšu jautājumam Durmštrangā ir cita pieeja nekā Cūkkārpā. Durmštrangas audzēkņi *apgūst* Tumšās zintis, ne tikai aizsardzības blēņas kā mēs...

Hermione piecēlās, uz pirkstgaliem pielavījās pie kupejas durvīm un aizvēra tās, apklusinādama Malfoja balsi.

— Tātad viņš uzskata, ka Durmštranga būtu šim vairāk piemērota, ko? — viņa dusmīgi sacīja. — Es arī nebūt nesūdzētos, ja viņš *būtu* izvēlējies citu skolu, tad mums nenāktos pieciest viņa izlēcienus.

— Vai Durmštranga ir vēl kāda burvju skola? — Harijs jautāja.

— Tieši tā, — pavīpsnāja Hermione, — un tai ir briesmīga slava. "Maģiskās izglītības iespēju izvērtējums Eiropā" apgalvo, ka tur milzīga vērība tiekot veltīta Tumšajām zintīm.

— Šķiet, esmu par to dzirdējis, — Rons nenoteikti ieminējās. — Kur tā atrodas? Kādā valstī?

— Nu, to neviens īsti nezina, — pārsteigta par jautājumu, sacīja Hermione.

— Kāpēc tad ne? — Harijs vaicāja.

— Katra burvju skola parasti cenšas būt pārāka par citām. Durmštranga un Bosbatona slēpj savu atrašanās vietu, lai neviens nevarētu nozagt viņu noslēpumus, — kā senzināmu faktu paziņoja Hermione.

— Liecies nu mierā! — Rons iesmiedamies brīnījās. — Durmštrangai jābūt apmēram tikpat lielai kā Cūkkārpai — kā tad ir iespējams noslēpt tādu milzīgu draņķa pili?!

— Bet Cūkkārpa taču *ir* paslēpta, — nu bija Hermiones kārta brīnīties, — to zina jebkurš... nu, vismaz jebkurš, kurš ir lasījis "Cūkkārpas vēsturi".

— Tātad tikai tu, — noteica Rons. — Kā var noslēpt tādu šķūni kā Cūkkārpa?

— Tā ir apburta, — Hermione paskaidroja. — Ja vientiesis paskatās uz to, viņš redz tikai vecas, grūstošas drupas un virs ieejas piestiprinātu zīmi "BĪSTAMI! NEIENĀKT! APDRAUD DZĪVĪBU!".

— Tātad arī Durmštranga svešiniekam atgādinātu drupas?

— Iespējams, — paraustīdama plecus, atbildēja Hermione, — vai varbūt viņi ir izmantojuši vientiešu atgaiņāšanas burvestības — tāpat kā Pasaules kausa stadionam. Un, lai to neuzietu nepiederoši burvji, viņi padarījuši to Neuzmērāmu...

— Vēlreiz, lūdzu?

— Nu, var noburt ēku tā, ka to nav iespējams uzmērīt uz kartes, saprotat?

— Ja tu tā saki... — Harijs novilka.

— Tomēr, manuprāt, Durmštranga atrodas kaut kur tālu ziemeļos, — Hermione domīgi turpināja. — Ļoti aukstā zemē, jo viņu formas tērpā ir arī zvērādu apmetņi ar kapucēm.

— Kādas gan mums pavērtos iespējas, — Rons sapņaini piebilda. — Cik gan viegli būtu nogrūst Malfoju no šļūdoņa un izlikties, ka tas bijis nelaimes gadījums... žēl gan, ka mātei viņš patīk...

Jo tālāk vilciens virzījās uz ziemeļiem, jo lietus kļuva stiprāks. Debesis bija tik tumšas un logi tik aizsvīduši, ka lukturus vilcienā iededza jau ap pusdienlaiku. Kad gaitenī grabēdami parādījās pusdienu ratiņi, Harijs nopirka veselu kaudzi katliņkūku sev un draugiem.

Dienas gaitā trijotnes kupeju apciemoja vēl vairāki viņu draugi, arī Šīmuss Finigens, Dīns Tomass un Nevils Lēniņš, ļoti aizmāršīgs apaļvaidzis, kuru bija uzaudzinājusi visai strikta raganu vecmāmiņa. Šīmuss vēl arvien nēsāja savu Īrijas līdzjutēja rozeti. Izskatījās gan, ka tās maģija pamazām iet mazumā; tā vēl arvien pīkstēja "*Trojs! Maleta! Morena!*", taču mazā balstiņa izklausījās pagalam vārga un nogurusi. Pēc kādas pusstundas Hermionei apnika bezgalīgās sarunas par kalambolu, tāpēc viņa atkal ierakās "Burvju vārdu hrestomātijā 4. mācību gadam" un sāka apgūt aicinājuma burvestību.

Nevils greizsirdīgi klausījās, kā pārējie ar aizrautību pārdzīvoja Pasaules kausa izcīņas notikumus.

— Vecmāmiņa negribēja skatīties, — viņš bēdīgi sacīja. — Nenopirka biļetes. Bet izklausās vareni.

— Bija jau arī, — Rons atzina. — Paskaties, Nevil...

Rons pasniedzās pie bagāžas plauktā ieceltās mantu lādes un izvilka no tās Viktora Kruma figūriņu.

— *Vaaauč!* — skaudīgi novilka Nevils, kad Rons pabīdīja mazītiņo Krumu skolasbiedra apaļīgajā plaukstā.

— Turklāt mēs viņu redzējām tik tuvu, kā es tagad redzu tevi, — klāstīja Rons. — Mēs sēdējām Īpašo viesu ložā...

— Pirmo un pēdējo reizi mūžā, Vīzlij...

Durvīs stāvēja Drako Malfojs. Aiz viņa snaikstījās Krabe un Goils, Drako milzīgie, slepkavnieciskā izskata drauģeļi, kuri pa vasaru izskatījās pastiepušies vēl vismaz par pēdu. Acīmredzot viņi bija dzirdējuši sarunu, jo Dīns un Šīmuss ienākot atstāja vaļā kupejas durvis.

— Šķiet, mēs neielūdzām tevi, Malfoj, mums pievienoties, — dzedri norādīja Harijs.

— Vīzlij... kas tad *tas*? — ievaicājās Malfojs, norādīdams uz Pumperniķeļa būri. No tā nokarājās Rona svinību drānu piedurkne, kas šūpojās vilciena kustības ritmā. Appelējušās mežģīnes uz aproces bija redzamas kā uz paplātes.

Rons mēģināja aizvākt drānas no pārējo acīm, taču Malfojs izrādījās ašāks; Drako sagrāba piedurkni un parāva.

— Paskat tik! — pilnīgā svētlaimē iesaucās Malfojs, pacelдams Rona drānas un rādīdams tās Krabem un Goilam. — Vīzlij, tu taču netaisījies šo te *vilkt* mugurā, ko? Nu, protams, tas bija moderni — bet pirms zināma laiciņa, kādā 1890. gadā, vai...

— Ieknāb sūdā, Malfoj! — Rons uzkliedza, nosarcis izejamās kārtas krāsā. Viņš izrāva tās ņirdzējam no rokām. Malfojs locījās nicinošos smieklos, un arī Krabe ar Goilu stulbi rēca.

— Kā būs, Vīzlij, vai pieteiksies? Mēģināsi uzspodrināt dzimtas vārdu? Turklāt paredzētas arī naudas balvas... ja uzvarēsi, varēsi atļauties nopirkt pieklājīgu drānu kārtu...

— Ko tu tur gvelz? — Rons pārtrauca Drako.

— *Vai tu taisies pieteikties?* — Malfojs atkārtoja. — *Tu* jau nu gan, Poter, pieteiksies, ko? Tu taču nekad nepalaid garām iespēju izrādīties?

— Vai nu paskaidro, par ko tu pļāpā, vai arī tinies, Malfoj, — īgni novilka Hermione, pacēlusi acis no "Burvju vārdu hrestomātijas 4. mācību gadam".

Malfoja bālajā sejā atplauka jautrs smīns.

— Nestāstiet, ka jūs neko *nezināt*? — viņš līksmi vaicāja. — Šitam tēvs un brālis strādā ministrijā, un jums nav ne mazākā *priekšstata*? Žēlīgais Dievs, *mans* tēvs man visu izstāstīja pirms veselas mūžības... esot dzirdējis no paša Kornēlija Fadža. Nu, jā, mans tēvs vienmēr ir uzturējis labus sakarus ar ministrijas vadošajiem ļaudīm... var jau būt, ka tavējais, Vīzlij, ieņem pārāk zemu amatu, lai būtu par to dzirdējis... jā... iespējams, viņa klātbūtnē par svarīgiem jautājumiem vienkārši nav pieņemts runāt...

Vēlreiz iesmējies, Malfojs pamāja Krabem un Goilam, un visi trīs nozuda gaitenī.

Rons piecēlās kājās un aizcirta kupejas slīdošās durvis ar tādu spēku, ka tām izbira stikls.

— *Ron!* — Hermione pārmetoši sacīja un, izvilkusi savu zizli, nomurmināja: "*Lāpītum!*" Stikla lauskas atkal izveidoja veselu rūti, kas iegūla atpakaļ durvīs.

— Šis uzvedas tā, it kā zinātu visu, bet mēs — neko... — Rons noņurdēja. — *Mans tēvs vienmēr ir uzturējis labus sakarus ar ministrijas vadošajiem ļaudīm*... Tētis varētu dabūt paaugstinājumu kaut vai šodien... viņam vienkārši patīk tas, ko viņš dara...

— Protams, — klusi piekrita Hermione. — Neļauj, lai Malfojs tev, Ron, sabojā dzīvi...

— Viņš! Sabojās! Viņam gan gribētos! — Rons noteica un, pagrābis saujā vienu no atlikušajām katliņkūkām, saspieda to pankūkā.

Rona garastāvoklis neuzlabojās līdz pat brauciena beigām.

Viņš nebilda gandrīz ne vārda, kad pienāca laiks pārģērbties skolas drānās. Un viņš vēl arvien bija piepūties kā pūķis, kad Cūkkārpas ekspresis samazināja ātrumu un beidzot apstājās piķa melnā tumsā iegrimušajā Cūkmiestiņa stacijā.

Kad vilciena durvis atvērās, augstu virs galvas atskanēja pērkona grāviens. Kāpjot ārā no vilciena, Hermione ietina Blēžkāji apmetnī, bet Rons atstāja savu izejamo kārtu uzklātu pāri Pumperniķeļa būrim. Iet bija iespējams, tikai noliecot galvas un pieverot acis, jo lietus bija tik blīvs un lāses krita tik strauji, it kā virs viņu galvām kāds atkal un atkal tukšotu ledaina ūdens spaiņus.

— Sveiks, Hagrid! — Harijs nokliedzās, pamanījis perona viņā galā milzīgu siluetu.

— Kā klājs, Harij? — milzis nodimdināja un pamāja ar roku. — Tiksims mielastā, ja mēs nenoslīks!

Bija ierasts, ka pirmziemnieki uz Cūkkārpas pili pirmo reizi brauc laivās pāri ezeram kopā ar Hagridu.

— Fūūū, es gan tādā laiciņā negribētu kuģot pāri ezeram, — drebinoties un kopā ar pārējo pūli lēnītēm virzoties uz tumšās platformas tālo galu, izteiksmīgi noteica Hermione. Pie stacijas skolēnus un skolotājus sagaidīja kāds simts kariešu bez zirgiem. Harijs, Rons, Hermione un Nevils ierāpās vienā no tām un, tikuši zem jumta, aizcirta durvis. Vēl pēc kāda laiciņa karietes ar sparīgu rāvienu sāka kustēties un garā ratu virtene, grabot un šķaidot peļķes, traucās uz Cūkkārpas pils pusi.

## DIVPADSMITĀ NODAĻA

# TREJBURVJU TURNĪRS

Bīstami šūpodamās vējā, kura brāzmas arvien vairāk atgādināja īstu vētru, karietes izvēlās cauri vārtiem, kuru abās pusēs godasardzē stāvēja spārnoti vepri, un devās augšup pa plato piebraucamo ceļu. Pieliecies pie lodziņa, Harijs redzēja, kā Cūkkārpa arvien tuvojas. Aiz biezā lietus aizkara daudzo izgaismoto logu kontūras likās mazliet izplūdušas un pašas ugunis savādi mirgoja. Kad viņu kariete apstājās pie akmens pakāpienu laidiena, kas veda uz milzīgajām ozolkoka durvīm, tumšās debesis pāršķēla zibens šautra. Skolēni no priekšā braukušajām karietēm jau steidzās augšup pa kāpnēm un cits pēc cita nozuda pilī. Harijs, Rons, Hermione un Nevils arī izlēca no karietes un metās augšup pa pakāpieniem, paceldami galvas tikai tad, kad nonāca milzīgās, lāpu izgaismotās ieejas zāles drošībā pie lieliskajām marmora trepēm, kas veda dziļāk pilī.

— Nolāpīts, — purinādams galvu un apšļakstīdams tuvāk stāvošos, noteica Rons, — ja tā turpināsies, ezers izies no krastiem. Es esmu izmirc... AU!

Ronam uz galvas uzkrita — un pārsprāga — milzīgs, sarkans, ar ūdeni pildīts balons. Vēlreiz apliets un sprauslādams, Rons pastreipuļoja soli sāņus un uzskrēja virsū Harijam. Tajā brīdī no griestiem nolidoja otra ūdens bumba, kas gandrīz trāpīja Hermionei. Tā pārplīsa Harijam pie pašām kājām, pieliedama sporta kurpes un samērcēdama zeķes ar auksta ūdens šalti. Apkārt stāvošie iekliedzās un sāka spiesties tālāk no apdraudētās zonas — Harijs pacēla acis augšup un ieraudzīja divdesmit pēdu augstumā lidināmies poltergeistu Pīvzu, mazu vīriņu ar zvaniņiem izgreznotā cepurē un oranžā tauriņā. Poltergeista plato, ļauno ģīmi nupat bija savilkusi rūpīgas koncentrēšanās izteiksme — viņš mērķēja uz kārtējo upuri.

— PĪVZ! — atskanēja dusmīga balss. — Pīvz, nāc lejā TŪLĪT!

Profesore Maksūra, skolas direktora vietniece un Grifidora nama galva, bija izsteigusies no līdzās esošās Lielās zāles. Viņa paslīdēja uz slapjās grīdas un tikai beidzamajā brīdī paguva apķerties Hermionei ap kaklu, lai nenokristu. — Au... piedodiet, Grendžeras jaunkundz...

— Nekas, profesore! — Hermione noelsās un sāka berzēt cietušo kaklu.

— Pīvz, laidies lejā NEKAVĒJOTIES! — profesore Maksūra norējās, sakārtodama noškiebušos cepuri un mezdama dusmu zibeņus ar acīm, ko slēpa acenes stūrainos rāmjos.

— Es neko nedaru! — tarkšķēja Pīvzs, sviezdams ar ūdens bumbu vairāku piektgadnieču virzienā; meitenes iespiedzās un iespruka Lielajā zālē. — Viņi taču jau ir slapji, vai ne? Es tikai drusku pašļakstinos! Vīīīīīīīīīīīī! — Un viņš notēmēja vēl vienu bumbu uz bariņu otrziemnieku, kuri tikko bija ienākuši pa lielajām durvīm.

— Es izsaukšu direktoru! — profesore Maksūra uzkliedza. — Es tevi brīdinu, Pīvz...

Pīvzs izbāza mēli, pameta savu beidzamo bumbu gaisā un, kaut ko trakā ātrumā kladzinādams, uzšāvās augšā pa marmora kāpnēm.

— Nu, kustieties uz priekšu! — profesore Maksūra mudināja samirkušo pūli. — Iekšā Lielajā zālē, ejiet taču!

Harijs, Rons un Hermione pārslidinājās pāri ieejas zālei un izgāja cauri lielajām divviru durvīm telpas labajā pusē. Rons pusbalsī nolamājās katru reizi, kad nācās atglaust no pieres izmirkušos matus, kas visu laiku krita acīs.

Mācību gada sākuma svinībām izrotātā Lielā zāle, protams, izskatījās lieliski. Zelta šķīvji un kausi zaigoja gaismā, ko meta daudzi simti gaisā virs galdiem peldošu sveču. Ap visiem četriem namu galdiem sasēdušies čaloja skolnieki; zāles tālajā galā, gar piektā galda vienu malu, ar seju pret saviem audzēkņiem, sēdēja pasniedzēji. Zālē bija ļoti silti. Harijs, Rons un Hermione pagāja garām slīdeņiem, kraukļanagiem un elšpūšiem un kopā ar pārējiem sava nama biedriem apsēdās pie Grifidora galda zāles tālajā galā līdzās Gandrīz-Bezgalvas-Nikam, Grifidora spokam. Pērļaini balts un puscaurspīdīgs, Niks arī šovakar bija tērpies iemīļotajā kamzolī ar īpaši milzīgiem kruzuļiem, kas vienlaikus pildīja divus uzdevumus — gan padarīja spoka izskatu uzsvērti svinīgu, gan neļāva viņa daļēji nocirstajai galvai pārlieku stipri šūpoties.

— Labs vakars, — Niks starodams sveicināja draugu trijotni.

— Kā nu kuram, — noteica Harijs, novilkdams sporta kurpes un izliedams no tām ūdeni. — Ceru, ka viņi pasteigsies ar šķirošanu, es mirstu badā.

Jauno skolēnu šķirošana pa namiem notika katra mācību gada sākumā, taču nelaimīgā kārtā bija iegadījies tā, ka Harijs to bija redzējis tikai vienreiz, kad pats nokļuva Grifidora namā. Tāpēc viņš ar zināmu nepacietību gaidīja šī vakara svarīgāko notikumu.

Tobrīd no galda viņa gala atskanēja ļoti satraukta balss:
— Heijā, Harij!

Tās īpašnieks izrādījās Kolins Krīvijs, trešā gada audzēknis, kurš Hariju uzskatīja par varoni.

— Sveiks, Kolin, — gurdi atsaucās Harijs.

— Zini, ko, Harij? Zini, ko? Šogad sāk mans brālis! Mans brālis Deniss!

— E... labi gan, — Harijs atbildēja.

— Viņš ir baigi uztraucies! — turpināja Kolins, gandrīz lēkādams augšup lejup uz sava krēsla. — Ceru, ka viņš tiks Grifidorā! Turi īkšķi, labi, Harij?

— Mm... sarunāts, — sacīja Harijs un atkal pagriezās pret Hermioni, Ronu un Gandrīz-Bezgalvas-Niku. — Brāļi un māsas taču parasti tiek tajos pašos namos, vai ne? — viņš piebilda. Viņš sprieda pēc Vīzlijiem, jo visi septiņi šīs ģimenes bērni bija nokļuvuši Grifidorā.

— Ne vienmēr, — zināja teikt Hermione. — Parvati Patilas dvīņu māsa tika Kraukļanagā, bet viņas ir pilnīgi vienādas — tad jau viņām noteikti bija jābūt kopā.

Harijs paskatījās uz skolotāju galdu. Likās, ka tukšu vietu tur ir vairāk nekā parasti. Hagrids, protams, vēl arvien cīnījās pāri ezeram kopā ar pirmziemniekiem. Profesore Maksūra acīmredzot uzraudzīja ieejas zāles grīdas žāvēšanas procedūru. Taču tukšs bija vēl viens krēsls, un Harijs nevarēja saprast, kurš no pasniedzējiem nav ieradies uz mielastu.

— Kurš šogad mums mācīs aizsardzību pret tumšajām zintīm? — ievaicājās Hermione, kas arī pētīja pasniedzēju rindas.

Līdz šim neviens šī priekšmeta pasniedzējs nebija palicis skolā ilgāk par viena mācību gada trijiem trimestriem. No līdzšinējiem Harijam vislabāk patika profesors Vilksons, bet viņš iesniedza atlūgumu iepriekšējā mācību gada beigās. Harijs vēlreiz nopētīja visus pie galda sēdošos. Tur tiešām nebija nevienas jaunas sejas.

— Varbūt viņiem nevienu nav izdevies atrast? — mazliet satraukti ieminējās Hermione.

Harijs nopētīja galdu rūpīgāk. Mazītiņais profesors Zibiņš, burvestību pasniedzējs, sēdēja uz pamatīgas spilvenu kaudzes līdzās herboloģijas skolotājai, profesorei Asnītei, kuras izspūrušo, sirmo frizūru vainagoja sašķiebusies cepure. Viņa tobrīd sarunājās ar profesori Sinistru no astronomijas nodaļas. Otrā pusē profesorei Sinistrai sēdēja mikstūru pasniedzējs Strups, vīrs ar iedzeltenu sejas ādu, līku degunu un salipušām matu šķipsnām — cilvēks, kuru Harijs Cūkkārpā mīlēja vismazāk. Harija nepatikai pret Strupu varēja līdzināties vienīgi Strupa naids pret Hariju, naids, kas (ja vien tas bija iespējams) iepriekšējā mācību gada laikā kļuva vēl stiprāks, īpaši pēc tam kad Harijs palīdzēja Siriusam par mata tiesu izsprukt no Strupa pārāk lielā degungala. Izrādījās, ka Strups un Siriuss jau skolas gados bijuši ienaidnieki.

Otrā pusē Strupam atradās tukšs krēsls, kas, sprieda Harijs, varēja būt profesores Maksūras vieta. Tālāk, pašā galda vidū, sēdēja profesors Dumidors, Cūkkārpas direktors, kura garie, sudrabainie mati un bārda zaigoja sveču gaismā. Direktora greznās, tumši zaļās drānas puškoja daudzas izšūtas zvaigznes un mēneši. Dumidora garo, tievo pirkstu gali balstījās pret otras rokas pirkstu galiem, un uz šī tiltiņa viņš bija atspiedis zodu, cauri savām pusmēnešu brillēm skatīdamies augšup uz griestiem it kā iegrimis dziļās domās. Arī Harijs pacēla skatienu pret griestiem. Tie bija apburti, lai izskatītos kā debesis virs pils. Nekad iepriekš tie nebija likušies tik draudīgi. Melni un violeti mākoņi traucās pāri mutuļojošajam jumam, bet, kad ārpusē atskanēja kārtējais pērkona grāviens, pāri griestiem noplaiksnīja sazarota zibens pātaga.

— Pasteidzieties taču, — novaidējās Harijam līdzās sēdošais Rons. — Es spētu apēst veselu zirgērgli.

Tikko Rons izteica šos vārdus, atvērās Lielās zāles durvis, un iestājās klusums. Uz zāles tālāko galu devās gara jauno skolēnu virtene profesores Maksūras vadībā. Ja Harijs, Rons un Hermione bija samirkuši, pirmziemnieku aprakstīšanai piemērotu vārdu būtu grūti atrast. Izskatījās, ka viņi ezeram pāri peldējuši, nevis braukuši laivās. Jauniņie visi kā viens drebēja no aukstuma un satraukuma. Viņi zosu gājienā nosoļoja gar pasniedzēju galdu un apstājās rindā ar seju pret pārējiem skolēniem. Pats mazākais no pirmziemniekiem, zēns ar peļu pelēkiem matiem, bija ietīts milzīgā paltrakā, kurā Harijs pazina Hagrida kurmjādu mēteli. Mētelis mazajam puikam bija tik ļoti par lielu, ka viņš tajā bija savīstīts kā spalvainā, melnā teltī. Zēna mazā seja, kas vīdēja virs mēteļa apkakles, likās tik satraukta, ka, šķita, šis satraukums viņam varētu sagādāt sāpes. Nostājies vienā rindā ar satrauktajiem vienaudžiem, viņš pamanījās pārmīt skatienus ar Kolinu Krīviju, tad pacēla augšup abus īkšķus un bez skaņas, tikai ar lūpām paziņoja: — Es iekritu ezerā!

Izskatījās, ka šāds notikumu pavērsiens viņu bezgalīgi sajūsmināja.

Profesore Maksūra nolika pirmziemnieku priekšā trīskāju ķebli, bet uz tā uzlika neticami vecu, netīru, salāpītu burvju cepuri. Jaunie skolnieki blenza uz dīvaino galvassegu. Arī pārējie skatījās uz cepuri. Mirkli valdīja klusums. Tad vietā, kur sākās cepures mala, pavērās platai mutei līdzīgs plīsums, un cepure sāka dziedāt:

*Es saku, senos, sirmos aizlaikos,*
*Kad mana jaunība vēl šķita zaļojam,*
*Bij divreiz divi dižendiži burvji,*
*Ko daudzināt vēl šodien nerimstam.*
*Tas brašais Grifidors no dumbrāja,*
*Tas taisnais Kraukļanags no pļavas,*
*Tas piemīlīgais Elšpūtis no tīreļa,*
*Tas izmanīgais Slīdenis no gravas.*
*Tie četri ņēmās gaišu sapni lolot,*
*Un visi kaldināja kopus plānu traku,*
*Kā jaunos burvjus audzināt un skolot, —*
*Tā dibinājās Cūkkārpa, es saku.*
*Un divreiz divi dižendižie burvji*
*Tad nošķīra tur katrs savu namu,*
*Ikkatrā noteikdami savu tikumu,*
*Par visiem citiem dziļāk apgūstamu.*
*Tā grifidoru namā likums noteica,*
*Ka drosminieka dūša godā ceļama;*
*Pie kraukļanagiem smalka gudrība*
*Bij pašā lielākajā vērtē turama;*
*Pie elšpūšiem viscentīgākie tika*
*Par pašiem labākajiem atzīti;*

*Pie slīdeņiem bez slavas nepalika*
*Neviens, kurš apveltīts ar godkāri.*
*Un dižendižie burvji, kamēr jaudāja,*
*Mācekļu pulku paši namos šķiroja,*
*Tak raizējās, ka to vairs neiespēs,*
*Kad gulēs kapā un tur sadēdēs.*
*Es saku, tas bij brašais Grifidors,*
*Kurš norāva no galvas mani — mici vāju,*
*Lai es caur burvestību prātā pieņemtos*
*Un pārvērstos par Mici Šķirotāju!*
*Un nu, ja uzvilksi tu mani ausīm pāri,*
*Es izstaigāšu tavu domu taku*
*Un pavēstīšu, kuram namam deri —*
*Nav gadījies man pievilties, es saku!*

Kad Šķirmice beidza dziedāt, Lielajā zālē nogranda vētraini aplausi.

— Tā nebija tā pati dziesma, ko viņa dziedāja mūsu šķirošanas reizē, — noteica Harijs, kopā ar pārējiem sizdams plaukstas.

— Katru gadu tā dzied citu dziesmu, — Rons paskaidroja. — Cepurei droši vien ir diezgan garlaicīga dzīve, vai ne? Manuprāt, viņa visu gadu to vien dara, kā sacer nākamo dziesmu.

Profesore Maksūra atritināja garu pergamenta rulli.

— Tas, kura vārdu es nosaukšu, uzliks šo cepuri un apsēdīsies uz ķebļa, — viņa paskaidroja pirmziemniekiem. — Kad cepure nosauks jūsu namu, jūs dosieties apsēsties pie attiecīgā galda.

— Akerlijs Stjuarts!

Rindas priekšā, no galvas līdz kājām drebēdams, iznāca puika, paņēma Šķirmici, uzlika to galvā un apsēdās uz ķebļa.

— *Kraukļanags!* — nokliedzās cepure.

Stjuarts Akerlijs noņēma cepuri un steidzās ieņemt vietu pie Kraukļanaga galda, kur viņu sagaidīja ar aplausiem. Harijs pamanīja Čo, Kraukļanaga kalambola komandas meklētāju, kas sveica

Stjuarta Akerlija pievienošanos viņas namam ar skaļu ūjināšanu. Uz īsu mirkli Harijam sirdī nozibēja vēlme arī pašam apsēsties pie Kraukļanaga galda.

— Bedoks Malkolms!

— *Slīdenis!*

Sajūsmas saucieni atskanēja pie galda zāles pretējā pusē. Harijs redzēja Malfoju aplaudējam, kad Bedoks pievienojās slīdeņiem. Harijs sāka prātot, nez vai Bedoks zināja, ka no Slīdeņa nama nācis visvairāk Tumšo raganu un burvju. Freds un Džordžs pavadīja Malkolmu Bedoku ar šņācieniem.

— Brenstone Eleanora!

— *Elšpūtis!*

— Dobsa Emma!...

Šķirmice turpināja savu darbu; zēni un meitenes, daži vairāk, daži mazāk nobijušies, cits pēc cita sēdās uz trīskāju ķebļa. Rinda pamazām kļuva īsāka. Profesore Maksūra bija tikusi līdz burtam "K".

— Koldvels Ouens.

— *Elšpūtis!*

— Krīvijs Deniss!

Sīkais Deniss Krīvijs paspēra pāris soļu uz priekšu, pamanīdamies aizķerties Hagrida kurmjādu mētelī un gandrīz nokrizdams. Tajā brīdī zālē pa mazākām durvīm, kas atradās aiz skolotāju galda, ieslīdēja pats Hagrids. Viņš bija reizes divas garāks un vismaz trīs reizes platāks par parastu cilvēku. Garie, nekoptie un izspūrušie mati un bārda vērta viņa izskatu mazliet bīstamu, taču šis iespaids bija maldīgs, jo Harijs, Rons un Hermione lieliski zināja, ka Hagridam ir ļoti laba sirds. Apsēzdamies pie skolotāju galda, viņš piemiedza trijiem draugiem ar aci un tad pievērsās Denisam Krīvijam, kurš tobrīd lika galvā Šķirmici. Plīsums pie cepures malas papletās...

— *Grifidors!* — cepure izsaucās.

Hagrids aplaudēja kopā ar grifidoriem, kad Deniss Krīvijs,

plati smaidīdams, noņēma cepuri, nolika to atpakaļ uz ķebļa un steidzās apsēsties līdzās savam brālim.

— Kolin, es iekritu ezerā! — viņš nekavējoties paziņoja, atkrizdams tukšā vietā. — Tas bija lieliski! Un kaut kas ūdenī dzīvojošs sagrāba mani un iestūma atpakaļ laivā!

— Vaaauč! — brālim tikpat kaismīgi atbildēja Kolins. — Tas droši vien bija milzu kalmārs!

— *Tiešām?!* — Deniss burtiski līksmoja, it kā pat pārdrošākajos sapņos nebūtu cerējis ievelties vētras satrakotā, bezgalīgi dziļā ezerā, lai no turienes viņu atkal drošībā izstumtu milzīgs jūras briesmonis.

— Denis! Denis! Vai redzi to zēnu tur, tālāk? Ar melnajiem matiem un brillēm? Redzi? *Vai tu, Denis, zini, kas viņš ir?*

Harijs pagriezās uz pretējo pusi un, acis nenolaizdams, blenza uz Šķirmici.

— Kvērka Orla!

— *Kraukļanags!*

Šķirošana turpinājās; zēni un meitenes, kuru sejās atspoguļojās dažādu pakāpju izbīlis, cits pēc cita devās pie trīskāju ķebļa. Kad profesore Maksūra tika līdz burtam "L", rinda bija krietni sarukusi.

— Ak, vai tiešām nevarētu pasteigties, — ievaidējās Rons un sāka masēt vēderu.

— Nu, Ron, šķirošana ir daudz svarīgāka par ēšanu, aizrādīja Gandrīz-Bezgalvas-Niks, kamēr Lora Medlija kļuva par elšpūti.

— Protams, bet tikai tad, ja tu esi miris, — Rons noburkšķēja.

— Es ceru, ka šāgada grifidori neliks mums vilties, — prātoja Gandrīz-Bezgalvas-Niks, ar aplausiem sagaidīdams Natālijas Makdonaldas pievienošanos Grifidora galdam. — Mēs taču negribam, lai pārtrūkst uzvaru sērija, ko?

Beidzamajos trijos gados pēc kārtas Grifidors bija uzvarējis Skolas čempionātā.

— Pričards Greiems!

— *Slīdenis!*

Ar Kevinu Vitbiju (kurš pievienojās Elšpūtim) Šķirošanas ceremonija beidzās. Profesora Maksūra paņēma cepuri un ķebli un iznesa tos no zāles.

— Bija jau laiks, — Rons noteica un pagrāba nazi un dakšiņu, ar kārām acīm urbdamies savā zelta šķīvī.

Tagad piecēlās profesors Dumidors. Pacēlis rokas sveicienam, viņš plati uzsmaidīja skolēniem zālē.

— Gribu jums teikt tikai divus vārdus, — viņš paziņoja, dobjajai balsij atbalsojoties pret zāles sienām. — *Triepiet māgā!*

— Skat, skat! — Harijs un Rons skaļi iesaucās, vērodami, kā tukšie šķīvji pildās ar dažnedažādiem ēdieniem.

Gandrīz-Bezgalvas-Niks sērām acīm vēroja, kā Harijs, Rons un Hermione piekrauj savus šķīvjus.

— Ā, tā ih lapk, — piebāzis muti ar kartupeļu biezeni, labsajūtā novilka Rons.

— Jums paveicās, ka šovakar vispār tiekat pie ēšanas, — zināja sacīt Gandrīz-Bezgalvas-Niks. — Pirmīt virtuvēs izcēlās pamatīgs tracis.

— Kāpēc? Ka otik? — viļādams mutē pamatīgu steika gabalu, jautāja Harijs.

— Pīvzs, protams, — papurinājis galvu, kas draudīgi nošūpojās, turpināja skaidrot Gandrīz-Bezgalvas-Niks. Tad viņš saraustīja greznos kruzuļus mazliet augstāk ap kaklu. — Parastais ķīviņš, vai zin. Arī viņš gribēja nākt uz mielastu — nu, par to, protams, nevar būt ne runas, jūs jau zināt, kāds viņš ir, pilnīgi bez kādām manierēm, tikko ierauga šķīvi ar ēdienu, tūlīt kādam ar to sviež. Mums bija rēgu sapulce — Resnais Brālis uzskatīja, ka vajadzētu Pīvzam dot iespēju apliecināt sevi, — taču, manuprāt, ļoti apdomīgi pret to iebilda Asiņainais barons.

Asiņainais barons bija Slīdeņa spoks, izdēdējusi un pārsvarā klusējoša parādība, ko klāja sudraboti asins traipi. Viņš bija vienīgais visā Cūkkārpā, kurš spēja valdīt Pīvzu.

— Jā, mums jau likās, ka Pīvzs nav īpaši labā omā, — Rons drūmi noteica. — Ko tad viņš sadarīja virtuvēs?

— Ak, kā jau parasti, — paraustīdams plecus, noteica Gandrīz-Bezgalvas-Niks. — Jandāliņš un trādirīdis. Katli un pannas pa gaisu. Grīda līdz potītēm zupā. Pārbiedētie mājas elfi nezina, kur sprukt...

*Klank.* Hermione apgāza savu zelta kausu. Ķirbju sula lēnām, bet neapturami pletās pa galdautu, nokrāsodama vairākas baltā auduma olektis oranžas, taču Hermione tam nepievērsa ne mazāko uzmanību.

— Vai tad *te* ir mājas elfi? — viņa, šausmu pārņemta, blenza uz Gandrīz-Bezgalvas-Niku. — Te, *Cūkkārpā*?

— Protams, — atbildēja Gandrīz-Bezgalvas-Niks, izskatīdamies pārsteigts par tādu uztraukumu. — Turklāt, ja nemaldos, šeit dzīvo lielākais mājas elfu skaits vienā namā visās Britu salās. Pāri par simtu.

— Es nekad nevienu neesmu redzējusi! — Hermione turpināja brīnīties.

— Nu, dienas laikā viņi gandrīz nekad neiziet no virtuves, saproti? — Gandrīz-Bezgalvas-Niks skaidroja. — Pārējā skolā viņi parādās tikai naktī, lai visu iztīrītu... sakārtotu pavardus, vēl šo to... nu, mājas elfu jau nemaz nevajadzētu redzēt, vai ne? Tā taču ir laba mājas elfa pazīme, ka tu viņu nemaz nemani!

Hermione blenza uz rēgu.

— Bet viņiem taču *maksā*? — Viņa nelikās mierā. — Viņiem ir paredzēti *atvaļinājumi*, ko? Un... un slimības lapas, un pensijas, un viss, kas pienākas?

Gandrīz-Bezgalvas-Niks sāka tik līksmi smieties, ka kruzuļi sagriezās un spoka galva novēlās no pleciem, palikdama karājoties pāris centimetru platajā spokainās ādas un muskuļu ļerpatā, kas to savienoja ar nabaga kaklu.

— Slimības lapas un pensijas? — viņš atkārtoja, uzceldams galvu atpakaļ uz kakla un kaut cik to nostiprinādams ar kuplajiem kruzuļiem. — Mājas elfi negrib slimības lapas un pensijas!

Hermione raudzījās šķīvī, no kura tikko bija sākusi ēst, nolika nazi un dakšiņu un pastūma ēdienu projām no sevis.

— Nu, liecies mierā, Her-mī-ome, — Rons nopūtās, un no viņa mutes nejauši izsprukušās Jorkšīras pudiņa drupatas nobira pāri Harijam. — Ops — pietot, Arij... — Viņš norija kumosu. — Pieteikdama bada streiku, tu nepanāksi slimības lapas.

— Vergu darbs, — smagi pūzdama, noteica Hermione. — Tādas ir šīs vakariņas. *Vergu darbs.*

Un viņa atteicās apēst kaut vienu kumosu.

Lietus vēl arvien smagi triecās augstajos, tumšajos logos. Vēl viens pērkona grāviens satricināja rūtis, un vētras plosītie griesti vēlreiz uzplaiksnīja, izgaismojot zelta šķīvjus, no kuriem tajā brīdī nozuda siltā ēdiena atliekas, lai dotu vietu saldajam.

— Hermione, sīrupa pīrāgs! — Rons komentēja, tīšām vēdinādams gardumu smaržu uz draudzenes pusi. — Korinšu pudiņš, skaties! Šokolādes torte!

Taču skatiens, ko Hermione veltīja Ronam, tik ļoti atgādināja profesores Maksūras slavenos acu zibeņus, ka Rons padevās un nolēma neizaicināt likteni.

Kad arī saldie ēdieni bija iznīcināti un pēdējās drupatas pagaisa no šķīvjiem, atstādamas tos spožus un tīrus, Baltuss Dumidors vēlreiz piecēlās kājās. Čalošana, kas pildīja zāli, norima gandrīz uzreiz, tā kā dzirdēt varēja tikai vēja kaucienus un lietus sišanos rūtīs.

— Tā! — Dumidors sacīja, aplaizdams zālei līksmu skatienu. — Tagad, kad mēs visi esam pabaroti un padzirdīti (pēc šiem vārdiem Hermione skaļi pavīpsnāja), es gribētu vēlreiz lūgt jūsu uzmanību, jo man ir daži paziņojumi.

— Skolas uzraugs Filča kungs lūdza darīt zināmu, ka pilī aizliegto lietu saraksts šogad papildināts ar spiedzošajiem jo-jo, ilkņotajiem metamajiem šķīvīšiem un atkalbelzīgajiem bumerangiem. Pilnajā sarakstā, ja mani atmiņa nevīļ, tagad varētu būt kādi četrsimt trīsdesmit septiņi priekšmeti, un šo sarakstu iespējams apskatīt Filča kunga kabinetā, ja kādam ir vēlēšanās.

Dumidora lūpu kaktiņi aizdomīgi noraustījās.

Tad viņš turpināja: — Kā vienmēr, gribu atgādināt jums visiem, ka Aizliegtais mežs skolas teritorijā tā arī paliek aizliegts, tāpat kā Cūkmiestiņš pirmo divu gadu audzēkņiem.

— Tāpat man ir uzdots sirdi plosošais pienākums paziņot jums, ka šogad kalambola sacensības starp namu komandām nenotiks.

— *Ko?* — Harijam aizrāvās elpa. Viņš paskatījās uz Fredu un Džordžu, kuri kopā ar viņu spēlēja Grifidora izlasē. Viņi, šķiet, veltīja Dumidoram klusus lāstus, jo bija tā satriekti, ka nespēja bilst ne skaņas.

Dumidors turpināja: — Tam par iemeslu ir kāds pasākums, kas sāksies oktobrī un turpināsies visu atlikušo mācību gadu, prasot no skolotājiem daudz laika un darba — taču esmu pārliecināts, ka arī jums tas sagādās ļoti daudz aizraujošu brīžu. Man ir milzīgs prieks paziņot, ka šogad Cūkkārpai...

Taču tajā mirklī atskanēja apdullinošs pērkona grāviens un ar skaļu blīkšķi atsprāga Lielās zāles durvis.

Uz sliekšņa, balstīdamies uz garas kūjas, stāvēja melnā ceļojuma apmetnī tērpies vīrs. Visu zālē sēdošo skatieni pievērsās svešiniekam, kuru pēkšņi izgaismoja zibens šautra, kas pāršķēla tumšos griestus. Vīrietis nolaida kapuci un izpurināja no tās garu, nosirmojušu, tumši pelēku matu krēpes; tad viņš devās uz skolotāju galda pusi.

Pēc svešinieka katra otrā soļa zālē atbalsojās dobjš *klank*. Kad vīrietis nonāca līdz skolotāju galda galam, viņš pagriezās pa labi un, smagi pieklibodams, pagājās pretī Dumidoram. Hermionei izbailēs aizrāvās elpa.

Zibens uzliesmojums izgaismoja vīrieša sejas aso profilu, un neko tādu Harijs iepriekš nebija redzējis. Tā izskatījās kā izgrebta no laika zoba saēsta koka, turklāt tēlnieka priekšstats par to, kā jāizskatās cilvēka sejai, šķiet, bijis visai aptuvens, turklāt meistars nebija visai izveicīgi rīkojies ar kaltu. Likās, ka ikvienu ādas laukumiņu klāj rētas. Mute atgādināja ieslīpu cirtienu, un arī degunam bija izrauts pamatīgs robs. Bet visbriesmīgākās izskatījās vīra acis.

Viena no tām bija maza, tumša un spoža. Otra bija liela, apaļa kā monēta un nedabīgi spilgti zila. Zilā acs nepārtraukti kustējās. Tā nemirkšķināja, bet grozījās te uz augšu, te uz leju, te no vienas puses uz otru, turklāt pilnīgi neatkarīgi no īstās acs. Visbeidzot tā apgriezās otrādi, it kā skatītos iekšā vīra galvā, un brīdi redzams bija tikai acs baltums.

Svešinieks pienāca pie Dumidora un pastiepa skolas direktoram roku, uz kuras rētu nebija mazāk kā uz sejas. Dumidors paspieda roku, nomurminādams dažus vārdus, ko Harijs nespēja saklausīt. Likās, direktors svešiniekam kaut ko jautā, jo nepazīstamais nesmaidot papurināja galvu un pusbalsī atbildēja. Dumidors pamāja un norādīja vīrietim uz tukšo vietu pie savas labās rokas.

Svešais apsēdās, atmeta tumši pelēko matu krēpes no sejas, pavilka uz savu pusi šķīvi ar desām, pacēla to pie sava deguna atliekām un apostīja. Tad viņš izvilka no kabatas mazu nazīti, uzdūra uz tā smailes desu un sāka ēst. Viņa parastā acs bija pievērsta desām, bet zilā vēl arvien meta kūleņus, nepārtraukti vērodama zāli un skolēnus.

— Ļaujiet jums stādīt priekšā pasniedzēju, kurš jums turpmāk palīdzēs apgūt aizsardzību pret Tumšajām zintīm, — valdošajā klusumā atskanēja Dumidora mundrā balss. — Profesors Tramdāns.

Parasti jaunos pasniedzējus sveica ar aplausiem, taču šoreiz neaplaudēja nedz skolēni, nedz pārējie pasniedzēji, izņemot Dumidoru un Hagridu. Abu plaukšķināšana klusumā atbalsojās pārāk uzkrītoši, un arī viņi drīz vien meta mieru. Likās, visus ir sastindzinājis Tramdāna dīvainais izskats, un gan skolēni, gan pieaugušie to vien spēja kā blenzt uz jauno pasniedzēju.

— Tramdāns? — Harijs čukstus jautāja Ronam. — *Trakacis Tramdāns?* Tas pats, kuram šorīt no rīta palīgā steidzās tavs tētis?

— Laikam jau, — bijības pilnā balsī nomurmināja Rons.

— Kas ar viņu ir noticis? — Hermione čukstus vaicāja. — Kas noticis ar viņa *seju*?

— Nezinu, — Rons tāpat čukstus atbildēja, ar apbrīnas pilnu skatienu vērdamies Tramdānā.

Tramdānu remdenā uzņemšana, šķiet, pilnīgi neuztrauca. Nelikdamies ne zinis par krūku ar ķirbju sulu uz galda, viņš atkal iebāza roku sava ceļojuma apmetņa krokās un, izvilcis blašķi, iedzēra no tās pamatīgu malku. Kad viņš pacēla roku pie mutes, apmetnis pacēlās kādu sprīdi virs zemes, un Harijs zem galda pamanīja pāris collu no koka tēstas kājas, kas beidzās ar nagainu ķetnu.

Dumidors atkal noklepojās.

— Kā jau minēju, — viņš uzsmaidīja audzēkņu jūrai, kas vēl arvien apstulbusi vērās uz Trakaci Tramdānu, — šogad Cūkkārpai ir tas gods nākamajos mēnešos kļūt par ļoti aizraujoša pasākuma norises vietu. Tas ir pasākums, kas nav rīkots nu jau vairāk nekā gadsimtu. Es ar milzīgu prieku vēlos jums paziņot, ka šogad Cūkkārpā norisināsies Trejburvju turnīrs.

— Jūs JOKOJAT! — skaļi iesaucās Freds Vīzlijs.

Spriedze, kas valdīja zālē kopš Tramdāna ierašanās, pēkšņi pazuda, kā nebijusi.

Gandrīz visa zāle smējās, un pat Dumidors atzinīgi pasmaidīja.

— Es *nejokoju*, Vīzlija kungs, — direktors sacīja, — lai gan, ja reiz jūs pieminējāt jokus, es vasarā dzirdēju lielisku anekdoti par to, kā trollis, riebēja un rūķītis ieiet bārā...

Profesore Maksūra skaļi noklepojās.

— E... varbūt šis nav īsti piemērots brīdis... laikam nē... — Dumidors pieklusa. — Kur es paliku? Ak, jā, pie Trejburvju turnīra... nu, daži no jums nezinās, kas ir šis turnīrs, tāpēc ceru, ka tie, kas to *zina*, piedos man nelielu paskaidrojumu un pakavēs sev laiku paši.

— Trejburvju turnīrs, — turpināja Dumidors, — pirmoreiz

notika pirms apmēram septiņsimt gadiem kā draudzības sacensības starp trijām Eiropas lielākajām burvju skolām — Cūkkārpu, Bosbatonu un Durmštrangu. Vispirms katra skola izvēlēja čempionu, kas to pārstāvēs, un tad trīs čempioni sacentās, izpildot trīs maģiskus uzdevumus. Skolas uzņēma turnīru cita pēc citas vienu reizi katros piecos gados, un tolaik uzskatīja, ka tas ir labākais veids, kā veidot saiknes starp dažādu tautību jaunajām raganām un burvjiem — vismaz līdz laikam, kad nāves gadījumu skaits kļuva tik liels, ka turnīra rīkošanu pārtrauca.

— *Nāves gadījumu skaits?* — Hermione nočukstēja, izskatīdamās ne pa jokam uztraukusies. Taču nelikās, ka līdzīgas bažas mulsinātu īpaši daudzus zālē sēdošos skolniekus. Daudzi satraukti sačukstējās, un arī Harijam daudz vairāk kārojās uzzināt vēl kaut ko par pašu turnīru, nevis uztraukties par nāves gadījumiem pirms daudziem gadsimtiem.

— Pēdējo gadsimtu laikā vairākkārt mēģināts atjaunot turnīru, — Dumidors stāstīja tālāk, — taču šie mēģinājumi izrādījās neveiksmīgi. Tiesa, mūsu pašu ministrijas Starptautiskās maģiskās sadarbības nodaļa saziņā ar Maģisko spēļu un sporta veidu nodaļu izlēma, ka pienācis laiks vēl vienam mēģinājumam. Visu vasaru mēs strādājām, lai gādātu, ka šoreiz mūsu labākie jaunieši nav pakļauti nāves briesmām.

— Bosbatonas un Durmštrangas skolu direktori ieradīsies pie mums oktobrī kopā ar savās skolās izvēlētajiem censoņu kandidātiem, bet pati censoņu izvēle notiks Visu Svēto vakarā. Neitrāls tiesnesis noteiks, kuri audzēkņi ir cienīgi sacensties par Trejburvju kausu, lai uzspodrinātu savas skolas labo vārdu. Turklāt uzvarētāju gaida arī tūkstoš galeonu liela naudas balva.

— Es piedalos! — gabaliņu tālāk pie Grifidora galda atskanēja Freda Vīzlija šņāciens. Viņa seju apstaroja sajūsma par šādu iespēju iegūt gan slavu, gan bagātības. Tiesa, viņš nebūt nebija vienīgais, kas iedomājās sevi Cūkkārpas censoņa lomā. Pie katra nama galda Harijs manīja cilvēkus, kuri vai nu acīgi vēroja Dumidoru, vai kaismīgi sačukstējās ar blakussēdētājiem. Taču tad Dumidors atkal ierunājās, un zāle vēlreiz apklusa.

— Lai kā jūs visi gribētu atgādāt Trejburvju kausu uz Cūkkārpu, — viņš turpināja, — turnīrā iesaistīto skolu direktori kopā ar Burvestību ministriju izlēma, ka šogad dalībniekiem nosakāmi vecuma ierobežojumi. Tikai pilngadīgi studenti — proti, tādi, kuri ir vismaz septiņpadsmit gadu veci, — drīkstēs pieteikties sacensībām. Šis... — Dumidors bija spiests mazliet pacelt balsi, jo pēc viņa iepriekšējiem vārdiem šur tur zālē atskanēja sašutuma pilni izsaucieni un arī Vīzliju dvīņi izskatījās ne pa jokam noskaitušies, — ...šis noteikums mums likās nepieciešams, ņemot vērā to, ka turnīra uzdevumi būs grūti un bīstami, lai kā mēs pūlētos mazināt risku. Turklāt ir maz ticams, ka audzēkņi, kuri nemācās skolā sesto vai septīto gadu, spētu tikt galā ar uzdevumiem. Es pats personīgi parūpēšos, lai jaunākiem skolēniem neizdotos apvest ap stūri mūsu neitrālo tiesnesi un kļūt par Cūkkārpas censoni. — Dumidora gaiši zilās acis uzdzirkstīja, pārslīdot Freda un Džordža sejām, kas vēstīja par dumpi uz kuģa. — Tāpēc es lūgtu jūs netērēt laiku, pūloties iesniegt savus vārdus, ja jums vēl nav septiņpadsmit.

— Bosbatonas un Durmštrangas delegācija, — Dumidors skaidroja, — ieradīsies oktobrī un paliks pie mums lielāko gada daļu. Zinu, ka jūs visādi palīdzēsiet mūsu viesiem viņu uzturēšanās laikā un no visas sirds atbalstīsiet Cūkkārpas censoni, kad tāds tiks noteikts. Bet tagad jau ir vēls, un es zinu, cik svarīgi jums būt spirgtiem un mundriem rīt no rīta, sākot pirmās jaunā mācību gada stundas. Laiks gulēt!

Dumidors apsēdās un pievērsās Trakacim Tramdānam. Zāli pāršalca troksnis, jo studentu simti cēlās kājās un devās uz divviru durvīm, kas izgāja uz ieejas zāli.

— Viņi nedrīkst tā rīkoties! — sūkstījās Džordžs Vīzlijs, kurš, tā vietā, lai pievienotos pūlim un virzītos ārā no zāles, piecēlies kājās, ar zvērojošu skatienu vērās uz Dumidoru. — Mums septiņpadsmit paliek aprīlī, kāpēc gan mēs nevarētu izmēģināt roku?

— Mani no pieteikšanās viņi neatturēs, — spītīgi paziņoja Freds, arī veltīdams pasniedzēju galdam niknu acumirkli. — Čempioni drīkstēs darīt veselu lērumu lietu, ko normālam skolēnam nekad neļautu. Un vēl tūkstoš galeonu naudas balva!

— Jā, — novilka Rons ar sapņainu izteiksmi sejā. — Jā, tūkstoš galeonu...

— Mostieties, — Hermione uzsauca brāļiem, — ja jūs nesāksiet kustēties, mēs paliksim zālē vienīgie.

Harijs, Rons, Hermione, Freds un Džordžs arī devās uz Izejas zāles pusi. Pa ceļam Freds un Džordžs apsprieda veidus, kā Dumidors varētu liegt pieteikties turnīram audzēkņus, kas jaunāki par septiņpadsmit gadiem.

— Kurš būs neitrālais tiesnesis, kas noteiks censoni? — Harijs jautāja.

— Nezinu, — Freds atbildēja, — bet tieši viņu mums nāksies piemuļķot. Es, Džordž, domāju, ka pāris pilienu vecuma mikstūras varētu būt gana...

— Dumidors taču zina, ka jums vēl nav septiņpadsmit, — iebilda Rons.

— Jā, bet ne jau viņš nosaka, kurš kļūs par censoni, vai ne? — Freds prātīgi sacīja. — Tad, kad šis tiesnesis zinās, kurš vēlas piedalīties sacensībā, viņš izvēlēsies labāko pārstāvi no katras skolas, manuprāt, īpaši neliekoties zinis par vecumiem. Dumidors nepiespiedīs mūs atteikties no vārdu iesniegšanas.

— Bet dažs labs ir gājis bojā! — uztrauktā balsī atgādināja Hermione, kad viņi izgāja cauri durvīm, ko slēpa gobelēns, un nokļuva citās, šaurākās kāpnēs.

— Jā, — bezrūpīgi atsaucās Freds, — bet tas taču bija pirms sazin cik tur gadiem, ne? Un vispār, kur tad ir kāda laba izklaide bez drusciņas riska? Klau, Ron, ja mēs atradīsim iespēju apšmaukt Dumidoru, vai arī tu pieteiksies?

— Kā tu domā? — Rons jautāja Harijam. — Nebūtu slikti pieteikties, ko? Taču viņi laikam gribēs kādu vecāku... nezinu, vai esam gana daudz iemācījušies...

— Es jau nu noteikti neesmu, — Fredam un Džordžam aiz muguras atskanēja Nevila skumjā balss. — Tiesa, mana vecmāmiņa droši vien gribētu, lai es piesakos, viņa vienmēr atkal un atkal atgādina, kā man jāturpina spodrināt dzimtas gods. Man nāksies... ak vai...

Nevila kāja bija iemukusi pakāpienā trepju laidiena vidū. Šādu viltus pakāpienu Cūkkārpā nebija mazums; audzēkņi, kas te kādus gadus mācījās, parasti nedomājot tiem pārlēca pāri, taču Nevils bija slavens ar savu cauro atmiņu. Harijs un Rons paķēra biedru zem padusēm un izpestīja no nelaimes, bet bruņutērps augšējā kāpņu laukumiņā tikmēr čīkstēdams un grabēdams aizsmakušā balsī smējās.

— Aizveries, muļķi, — noteica Rons un, garām ejot, aizcirta tam sejsegu.

Viņi kāpa augšup, uz ieeju Grifidora tornī, ko slēpa liels resnas, sārta zīda kleitā tērptas kundzes portrets.

— Parole? — viņa vaicāja, kad draugu pulciņš tuvojās.

— Pupu mizas, — atsaucās Džordžs, — man lejā pateica viens prefekts.

Portrets pagriezās, atsegdams caurumu sienā, pa kuru viņi visi ielīda apaļajā koptelpā, ko sildīja kamīnā sprēgājoša uguns. Istaba bija pilna ar mīkstiem atzveltnes krēsliem un galdiem. Hermione uzmeta jautri lēkājošajām liesmām drūmu skatienu, un Harijs skaidri dzirdēja viņu nomurminām *"vergu darbs"*. Tad draudzene novēlēja viņiem labunakti un nozuda durvīs, kas veda uz meiteņu guļamtelpām.

Harijs, Rons un Nevils uzkāpa pa beidzamajām vītņu kāpnēm un nonāca savā guļamistabā pašā torņa virsotnē. Pie sienām stāvēja piecas gultas ar tumši sarkaniem aizkariem, un katrai kājgalī atradās īpašnieka mantu lāde. Dīns un Šīmuss jau posās pie miera. Šīmusam pie galvas balsta bija piesprausta viņa Īrijas rozete, bet virs Dīna naktsgaldiņa karājās Viktora Kruma plakāts. Līdzās bija piesprausts arī viņa vecais *West Ham* futbola komandas plakāts.

— Nojūgties var, — Rons nopūtās un nošūpoja galvu, simto reizi brīnīdamies par pilnīgi nekustīgajiem futbolistiem.

Harijs, Rons un Nevils pārģērbās pidžamās un ielīda gultā. Kāds — turklāt pilnīgi noteikti mājas elfs — bija starp palagiem ielicis sildāmpannas. Tas bija tik jauki — gulēt siltā gultā un klausīties, kā ārā plosās vētra.

— Varbūt arī es izmēģināšu laimi, — tumsā atskanēja Rona miegainā balss, — ja vien Freds ar Džordžu tiks skaidrībā, kā to izdarīt... turnīrs... nekad neko nevar zināt, vai ne?

— Laikam jau nē, — Harijs apgriezās uz otriem sāniem. Viņam gar acīm zibēja jaunas, satraucošas ainas... viņam izdodas pārliecināt neitrālo tiesnesi, ka viņam ir septiņpadsmit... viņš kļūst par Cūkkārpas censoni... viņš stāv visas skolas priekšā, pacēlis rokas triumfā, un visi sajūsmā aplaudē un kliedz... viņš tikko ir uzvarējis Trejburvju turnīrā... pūlī īpaši skaidri saskatāma ir Čo seja, kas apbrīnā staro...

Harijs uzsmaidīja savam spilvenam, priecādamies, ka to, ko šobrīd redz viņš, Rons nespēj saskatīt.

## TRĪSPADSMITĀ NODAĻA

# TRAKACIS TRAMDĀNS

Kad pienāca rīts, vētra bija iztrakojusies un norimusi. Tiesa, Lielās zāles griesti vēl arvien bija apmākušies. Kamēr Harijs, Rons un Hermione pie brokastgalda pētīja jaunos stundu sarakstus, pāri viņu galvām vēlās smagi, alvas pelēki mākoņi. Pāris vietu tālāk Freds, Džordžs un Lī Džordans apsprieda dažādus maģiskus līdzekļus, kas varētu padarīt viņus vecākus un ļautu iesaistīties Trejburvju turnīrā.

— Šodien stundas tīri ta nekas... visu rītu svaigā gaisā, — sacīja Rons, ar pirkstu braukdams pāri pirmdienas nodarbību sarakstam, — herboloģija ar elšpūšiem un maģisko būtņu kopšana... nolāpīts, atkal kopā ar slīdeņiem...

— Dubultā pareģošana pēcpusdienā, — Harijs novaidējās, paskatīdamies zemāk. Pareģošana viņam patika vismazāk no visām mācībām, ja neskaitīja mikstūras. Profesore Trilonija atkal un atkal pareģoja, ka Harijam draud nāve, un tas zēnu drausmīgi kaitināja.

— Tev vajadzēja no tās atteikties, tāpat kā man, vai ne? — žirgti aizrādīja Hermione, apsmērēdama sev vēl vienu grauzdiņu. — Tad tu varētu mācīties kaut ko sakarīgāku, kaut vai to pašu aritmantiku.

— Es skatos, tu atkal ēd, — noteica Rons, vērodams, kā Hermione uzziež uz grauzdiņa arī pamatīgu kārtu ievārījuma.

— Nospriedu, ka ir labāki veidi, kā cīnīties par elfu tiesībām, — viņa augstprātīgi paziņoja.

— Jā... turklāt tev gribējās ēst, — smaidīdams piebilda Rons.

Pēkšņi virs viņiem kaut kas nočabēja, un pa atvērtajiem logiem ielaidās savs simts pūču, piegādādamas rīta pastu. Harijs instinktīvi palūkojās uz augšu, taču starp brūnajiem un pelēkajiem putniem nevienu baltu nemanīja. Pūces sāka riņķot virs galdiem, meklēdamas vēstuļu un paciņu adresātus. Liela purva pūce pielidoja pie Nevila Lēniņa un nometa viņam klēpī paciņu — Nevils vienmēr aizmirsa mājās kādu skolai nepieciešamu lietu. Zāles otrā malā Drako Malfoja ūpis bija nolaidies saimniekam uz pleca ar sainīti, kurā, šķiet, bija parastie saldumi un kūkas no mājām. Cenzdamies nomākt vilšanās sajūtu, Harijs ar divkāršu sparu ķērās pie savas biezputras. Vai iespējams, ka Hedvigai kas noticis un Siriuss vēl nav saņēmis viņa vēstuli?

Viņš turpināja raizēties, arī brizdams pa izmirkušo taku līdz trešajai siltumnīcai, bet tur viņa uzmanību pievērsa profesore Asnīte, izrādīdama skolēniem visneglītākos augus, kādus Harijs jebkad bija redzējis. Īstenībā tie mazāk atgādināja augus un vairāk līdzinājās resniem, melniem, milzīgiem gliemjiem, kas stāvus slējās ārā no zemes. Augi mazliet šūpojās, un uz katra no tiem bija vairāki lieli, spoži pampumi, kas šķita pilni ar kaut kādu šķidrumu.

— Buboņbumbuļi, — profesore Asnīte mundri paziņoja. — Tie jāizspiež. Jūs savāksiet strutas...

— *Ko?* — pārjautāja Šīmuss Finigens, un viņa balsī izskanēja pretīgums.

— Strutas, Finigen, strutas, — atkārtoja profesore Asnīte, — turklāt tās ir ļoti vērtīgas strutas, tāpēc gādājiet, lai nekas neietu zudumā. Jūs savāksiet strutas, kā jau teicu, šajās pudelēs. Velciet rokās savus pūķādas cimdus — ja buboņbumbuļu strutas nokļūst uz ādas neatšķaidītā veidā, sekas var būt neparedzamas...

Buboņbumbuļu spiešana izrādījās pretīga nodarbošanās, tomēr tā sagādāja arī savādu gandarījumu. Augonim pārplīstot, no tā izvēlās pamatīgs kunkulis bieza, dzeltenzaļa, pēc benzīna stipri vien smirdoša šķidruma. Kā bija norādījusi profesore Asnīte, viņi šo šķidrumu tecināja pudelēs, un stundas beigās bērniem bija izdevies savākt pāris litru strutu.

— Pomfreja madāma priecāsies, — profesore Asnīte noteica, aizkorķēdama beidzamo pudeli. — Buboņbumbuļu strutas ir nepārspējams līdzeklis pret īpaši grūti ārstējamām pūtīšu formām. Citādi audzēkņi izmisumā mēdz ķerties pie visai pārspīlētiem ādas problēmu risinājumiem.

— Tā kā nabaga Eloīze Midžena, — pusbalsī nopūtās elšpūte Hanna Abota. — Mēģināja savas pūtītes nolādēt.

— Muļķa skuķis, — nošūpojusi galvu, piebilda profesore Asnīte. — Tomēr Pomfreja madāmai izdevās viņas degunu saglābt.

Pāri izžulgušajam skolas pagalmam, vēstīdama par stundas beigām, no pils puses vēlās dobja zvana skaņa, un skolēnu grupiņas izšķīrās. Elšpūši kāpa atpakaļ augšā pa skolas akmens pakāpieniem, jo viņiem nākamā nodarbība bija pārvērtības; savukārt grifidori devās pretējā virzienā, lejup pa nolaideno zālienu uz Hagrida koka būdiņas pusi, kas slējās Aizliegtā meža malā.

Hagrids gaidīja pie namiņa, ar vienu roku turēdams sava milzīgā medību suņa Ilkņa kaklasiksnu. Viņam pie kājām stāvēja vairākas atvērtas koka kastes, un Ilknis smilkstēja un rāvās uz priekšu, laikam gribēdams izpētīt kastu saturu smalkāk. Kad bērni pienāca tuvāk, viņu ausis sasniedza dīvaini graboši trokšņi, kurus brīdi pa brīdim pārmāca kas līdzīgs nelieliem sprādzieniem.

— Labsrīts! — uzsmaidīdams Harijam, Ronam un Hermionei, noducināja Hagrids. — Labāk pagaid slīdeņus, viņi tak negribēs palaist garām šo te — spridzekļmūdžus!

— Kā, lūdzu? — Rons pārjautāja.

Hagrids norādīja uz kastēm.

— Pē! — iespiedzās Lavendera Brauna, atlēkdama atpakaļ.

Pēc Harija ieskatiem, "Pē!" izrādījās iespējami precīzākais no īsiem spridzekļmūdžu raksturojumiem. Tie atgādināja saspiestus bezbruņu omārus. Drausmīgi bālajiem un glumajiem radījumiem no visai dīvainām vietām ārā spraucās kājas, turklāt tiem nebija skaidri saskatāmu galvu. Katrā kastē bija kāds simts briesmonīšu, katrs no tiem bija apmēram sprīdi garš. Tie līda cits citam pāri, ik pa brīdim akli ieskriedami kastu malās. No mūdžiem nāca ļoti spēcīga pūstošu zivju smaka. Brīdi pa brīdim no radījuma gala izšāvās dzirksteles, atskanēja kluss *puf*, un mūdzis aizlidoja krietnu gabaliņu uz priekšu.

— Tikko izšķīlušs, — lepni paziņoja Hagrids, — tā kā jūs varēs paši šos izaudzēt! Iedomājs, ka tas būt labs projekts!

— Un *kāpēc* gan mums tos izaudzēt? — jautāja dzedra balss.

Bija ieradušies slīdeņi. Runātājs izrādījās Drako Malfojs. Krabe un Goils vadoņa vārdus pavadīja ar atzinīgiem smiekliņiem.

Hagridu šis jautājums, šķiet, pārsteidza nesagatavotu.

— Nu, ko tie *dara*? — turpināja Malfojs. — Kāda ir to *jēga*?

Hagrids pavēra muti, acīmredzot saspringti domādams. Pāris sekundes valdīja klusums, tad milzis strupi atbildēja: — Par to, Malfoj, tu uzzinās nākamā stundā. Šodien jūs šos tik baros. Jūs var izmēģināt vairākas lietas — man tādi nekad nav bijuš, tāpēc nezin, kas šiem labāk garšo. Man ir skudru olas un varžu aknas, un vēl mazliet zalkšu — no sākuma provējiet pa mazumiņam no katra.

— Vispirms strutas, un tagad šis te, — noņurdēja Šīmuss.

Tikai senā draudzība, kas saistīja Hariju, Ronu un Hermioni ar Hagridu, piespieda bērnus pagrābt pa riekšai staipīgi pilošo varžu aknu un nolaist tās kastēs, lai mēģinātu iekārdināt spridzekļmūdžus. Harijs nespēja nomākt sajūtu, ka viss šis pasākums ir pilnīgi bezjēdzīgs, jo mūdzim nekur nemanīja muti.

— *Au!* — pēc minūtēm desmit iekliedzās Dīns Tomass. — Man trāpīja!

Izskatīdamies uztraucies, pie zēna piesteidzās Hagrids.

— Šis izšāva no gala! — dusmīgi skaidroja Dīns, rādīdams Hagridam apsvilināto roku.

— Jā, tas var gadīts, kad šie spridzins, — pamājis ar galvu, Hagrids atzina.

— Pē! — Lavenderas Braunas domas nemainījās. — Hagrid, kas viņiem ir tas asais?

— Ā, dažiem no mūdžiem ir dzelksnis, — aizrautīgi klāstīja Hagrids (un Lavendera žigli izvilka roku no kastes). — Manuprāt, tie ir tēviņi... mātītēm ir tādi kā piesūcekņi uz vēdera... pieļauj, ka ar tiem šīs sūc asini.

— Nu, tad man skaidrs, kāpēc mēs meģinām tos izaudzēt, — sarkastiski piebilda Malfojs. — Kurš gan nevēlētos sev mājās dzīvniecinu, kurš spēj vienlaikus dedzināt, dzelt un kost?

— Tas, ka mūdži nav īpaši glīti, nenozīmē, ka tie nebūtu noderīgi, — Hermione dusmīgi sacīja. — Pūķu asinīm piemīt tūkstoš burvīgu īpašību, bet neviens taču netur pūķi kā mājdzīvnieku!

Harijs un Rons paskatījās uz Hagridu un pasmaidīja. Milzis tikko manāmi atbildēja zēniem ar smaidu, ko no pārējo skatieniem visai veiksmīgi slēpa kuplā bārda. Hagrids pūķi mājdzīvnieciņa vietā gribētu vairāk par visu pasaulē — to Harijs, Rons un Hermione zināja ļoti labi. Vienu brīdi, kad trijotne skolā mācījās pirmo gadu, milzis pat mēģināja audzināt pūķi, nevaldāmu Norvēģijas kupraini, vārdā Norberts. Hagridam vienkārši patika bīstami dzīvnieki — jo tie nāvējošāki, jo labāk.

— Nu bet mūdži vismaz ir mazi, — sacīja Rons, kad vēl pēc apmēram stundas viņi devās atpakaļ uz pili pusdienās.

— *Tagad* tie ir mazi, — nokaitināta sacīja Hermione, — bet, kad Hagrids atklās, ko īsti tie ēd, nebūs nekāds brīnums, ja nezvēri sasniegs pusotra metra garumu.

— Vai tad neko nemainītu arī tas, ja ar to palīdzību varētu izārstēt jūras slimību vai ko tamlīdzīgu? — šķelmīgi smaidīdams, pajautāja Rons.

— Tu brīnišķīgi zini, ka es to pateicu tikai tāpēc, lai aizbāztu muti Malfojam, — Hermione teica. — Īstenībā, es uzskatu, ka Drako bija taisnība. Labākais būtu tos iemīdīt zemē, pirms tie iemīda zemē mūs.

Apsēdušies pie Grifidora galda, viņi ķērās pie jēra karbonādes un kartupeļiem. Hermione metās virsū ēdienam tādā ātrumā, ka Harijs un Rons pārsteigti paskatījās uz draudzeni.

— E... vai tā ir jauna pieeja elfu jautājuma risināšanai? — Rons jautāja. — Tu tagad cīnīsies par viņu slimības lapām vemjot?

— Nē, — Hermione nopietni atbildēja, cik nu nopietni viņai tas izdevās ar sparģeļu pilnu muti. — Man vienkārši jāsteidzas uz bibliotēku.

— *Ko?* — Rons nespēja noticēt tikko dzirdētajam. — Hermione, šī ir pirmā skolas diena! Mums pat nav uzdots neviens mājasdarbs!

Hermione paraustīja plecus un turpināja rīt tādā tempā, it kā nebūtu ēdusi vairākas dienas. Tad viņa pielēca kājās, noteica: — Tiksimies vakariņās! — un zibenīgi izmetās no Lielās zāles.

Kad atskanēja zvans, vēstīdams par pēcpusdienu stundu sākumu, Harijs un Rons devās uz Ziemeļu torni, kur šauru vītņu kāpņu galā sudrabotas virvju kāpnītes veda uz apaļu lūku griestos. Tā bija ieeja profesores Trilonijas valstībā.

Tikko zēni uzkāpa augšā pa virvju kāpnītēm, nāsīs iesitās pazīstama salda smarža, ko izplatīja kamīnā degošās zālītes. Kā jau parasti, visi aizkari bija aizvilkti; apaļā istaba grima blāvā sarkanīgā gaismā, ko meta vesels lērums šallēs un lakatos ievīstītu lampu. Harijs un Rons izlīkumoja cauri ar pukainu audumu apvilktu, jau aizņemtu klubkrēslu un spilvenkrēslu jūklim un apsēdās pie vēl viena maza, apaļa galdiņa.

— Labdien, — tieši Harijam aiz muguras atskanēja profesores Trilonijas noslēpumainā balss, likdama zēnam salēkties.

Profesore Trilonija, ļoti tieva dāma ar milzīgām acenēm, kuras viņai likās pārāk lielas, skatījās uz Hariju ar traģisku izteiksmi acīs — turklāt šī izteiksme parādījās viņas sejā katru reizi, kad viņa ieraudzīja Hariju. Kamīna liesmu gaismā mirgoja ierastais dažādu vizuļu, ķēžu un sprādžu lērums.

— Jūs, mīļo zēn, kaut kas nodarbina, — viņa skumjā balsī

vērsās pie Harija. — Mana iekšējā acs redz, ka aiz jūsu drošās sejas slēpjas satraukta dvēsele. Un diemžēl man jāsaka, ka jūsu bažas ir pamatotas. Jums priekšā, ak, vai, ir grūti laiki... ļoti grūti... baidos, ka tas, no kā jūs vairāties, tomēr pienāks... turklāt, iespējams, ātrāk, nekā jūs domājat...

Nu viņa runāja gandrīz čukstus. Rons paskatījās uz Hariju un pārgrieza acis, Harijs sastingušu skatienu blenza uz draugu. Profesore Trilonija paslīdēja viņiem garām un ar seju pret klasi atkrita lielā atzveltnes krēslā ar milzīgiem paroceņiem — klases priekšā pie kamīna. Lavendera Brauna un Parvati Patila, kuras gluži vai pielūdza profesori Triloniju, sēdēja spilvenkrēslos turpat līdzās pasniedzējai.

— Mani mīļie, pienācis laiks ielūkoties zvaigznēs, — viņa paziņoja. — Planētu kustībā un noslēpumainajās zīmēs, ko tās atklāj tikai tiem, kas izprot debesu dejas soļus. Cilvēka likteni iespējams atklāt, atšķetinot samudžinātos planētu starus...

Taču Harijs jau domāja par kaut ko citu. Iesmaržotā uguns allaž uzdzina miegu un gurdenumu, profesores Trilonijas pļāpas par pareģošanu parasti zēnu neaizrāva — tomēr viņš nespēja nedomāt par viņas teikto. *Baidos, ka tas, no kā jūs vairāties, tomēr pienāks...*

Bet gan jau Hermionei bija taisnība, Harijs sakaitināts prātoja, profesore Trilonija tiešām bija veca viltvārde, nekas vairāk. Šobrīd viņš taču ne no kā nebaidījās... nu, ja vien neņem vērā bažas par to, ka varētu saņemt ciet Siriusu... ko gan varēja zināt profesore Trilonija? Viņš jau sen bija nonācis pie secinājuma, ka viņas pareģošana nav nekas cits kā vien minēšana uz labu laimi un spokains runasveids.

Izņemot, protams, to reizi pagājušā trimestra beigās, kad viņa paredzēja Voldemorta atgriešanos... un, kad Harijs izstāstīja Dumidoram par notikušo, pats skolas direktors atzina, ka, viņaprāt, transs bijis īsts...

— *Harij!* — Rons nomurmināja.

— Ko?

Harijs paskatījās apkārt; visa klase blenza uz viņu. Zēns pieslējās taisnāk; šķiet, karstuma un paša domu pārmākts, viņš bija gandrīz aizsnaudies.

— Es teicu, mans mīļais, ka jūs acīmredzot esat dzimis zem ļaunu vēstošās Saturna zīmes, — sacīja profesore Trilonija, un viņas balsī izskanēja tikko jaušama nožēla par to, ka Harijs acīmredzot nebija kā apburts klausījies viņas vārdos.

— Dzimis zem — kā, piedodiet? — Harijs pārjautāja.

— Zem Saturna, dārgais, zem planētas Saturna zīmes! — atkārtoja profesore Trilonija, nu jau izklausīdamās manāmi apbēdināta, ka Hariju šī ziņa nesastindzina. — Es teicu, ka jūsu dzimšanas brīdī Saturns debesīs noteikti ieņēma ļoti spēcīgu pozīciju... jūsu tumšie mati... jūsu necilais augums... traģiskie zaudējumi jau agrā bērnībā... domāju, ka nekļūdīšos, mīļais, apgalvodama, ka jūs esat dzimis ziemā?

— Neesmu gan, — Harijs sacīja, — mana dzimšanas diena ir jūlijā.

Rons smieklu lēkmi žigli pārvērtā mokošā klepū.

Vēl pēc pusstundas katrs skolēns bija saņēmis sarežģītu, apaļu grafiku un centās atzīmēt tajā planētu stāvokli savā dzimšanas brīdī. Tas izrādījās garlaicīgs uzdevums, jo visu laiku nācās meklēt ciparus tabulās un rēķināt leņķus.

— Man te iznāca divi Neptūni, — Harijs pēc brīža norūca, blenzdams savā pergamentā, — tā taču nevar būt, ko?

— Āāāāā, — Rons gari novilka, atdarinādams profesores Trilonijas noslēpumainos čukstus, — kad debesīs parādās divi Neptūni, tā, Harij, ir droša zīme, ka piedzimis briļļains punduris...

Turpat līdzās sēdošie Šīmuss un Dīns skaļi iespurdzās, tomēr spurgšana neizrādījās gana skaļa, lai nomāktu Lavenderas Braunas satraukuma pilnos spiedzienus: — Ak, profesore, paskatieties! Šķiet, man viena planēta ir palikusi neizskaitļota! Ak, kura gan tā varētu būt, profesore?

— Tas ir Urāns, mīļā, — iemetusi acis attēlā, paskaidroja profesore Trilonija.

— Lavendera, vai arī es varētu paskatīties uz Urānu? — Rons ievaicājās.

Diemžēl profesore Trilonija dzirdēja Rona jautājumu, un, iespējams, tieši tādēļ stundas beigās uzdeva veselu kaudzi mājasdarbu.

— Izmantojot savu planetāro shēmu, visos sīkumos izpētiet, kā planētu kustība jūs iespaidos nākamajā mēnesī, — viņa noskaldīja, vairāk atgādinādama profesori Maksūru nekā ierasto pasaku feju. — Un lai darbs būtu gatavs nodošanai nākamo pirmdien! Negribu dzirdēt nekādus aizbildinājumus!

— Vecā ragana! — sarūgtināts noņurdēja Rons, kad draugi piebiedrojās skolēnu straumei, kas plūda lejup pa kāpnēm uz Lielo zāli vakariņot. — Dabūsim nosēdēt pie tā visu nedēļas nogali, kā likts!

— Kaudze ar mājasdarbiem? — panākusi zēnus, mundri vaicāja Hermione. — Bet *mums* profesors Vektors neuzdeva pilnīgi neko!

— Nu, paldies profesoram Vektoram, — neiecietīgi norūca Rons.

Drīz vien viņi sasniedza Ieejas zāli — tā bija stāvgrūdām pilna ar cilvēkiem, kuri gaidīja vakariņas. Tikko draugi ieņēma vietu rindas galā, viņiem aiz muguras atskanēja skaļa balss.

— Vīzlij! Hei, Vīzlij!

Harijs, Rons un Hermione atskatījās. Aiz muguras stāvēja Malfojs, Krabe un Goils, un visa trijotne likās ar kaut ko varen apmierināta.

— Kas ir? — Rons strupi vaicāja.

— Vīzlij, tavs tētis atkal ticis avīzē! — sacīja Malfojs, vicinādams "Dienas Pareģa" numuru. Tad, ļoti skaļi, lai visi ieejas zālē viņu dzirdētu, sāka lasīt. — Paklausieties!

*JAUNAS KĻŪMES BURVESTĪBU MINISTRIJĀ*

*Šķiet, ka nekārtības Burvestību ministrijā nekad nebeigsies, raksta speciālā korespondente Rita Knisle. Nesen mēs rakstījām par ministrijas ierēdņu nespēju savaldīt pūli kalambola Pasaules kausa laikā, kā arī par kādas ministrijas raganas neizskaidrojamo pazušanu. Tagad, pateicoties Vientiešu priekšmetu nepareizas izmantošanas biroja darbiniekam Arnoldam Vīzlijam, ministrija atkal piedzīvojusi apkaunojošus brīžus.*

Malfojs pacēla acis.

— Iedomājies, Vīzlij, pat nespēj pareizi uzrakstīt nabaga vārdu, it kā viņš būtu tukša vieta, ko? — viņš ķērca.

Tagad viņa teikto klausījās jau pilnīgi visi. Malfojs ar cēlu žestu izgludināja avīzi un turpināja lasīt:

*Arnolds Vīzlijs, kuru pirms diviem gadiem apsūdzēja par lidojošas mašīnas glabāšanu, vakar tika iejaukts incidentā ar vairākiem vientiešu kārtības sargātājiem ("policistiem"). Par satraukuma iemeslu kalpoja vairākas agresīvi noskaņotas atkritumu kastes. Cik var spriest, Vīzlija kungs devās talkā Trakacim Tramdānam, pensionētam auroram, kurš aizgāja no darba ministrijā, kad vairs nespēja atšķirt rokas spiedienu no slepkavības mēģinājuma. Kā varēja iedomāties, notikuma vietā pie Tramdāna kunga pamatīgi nobruņotās mājas Vīzlija kungam nācās atzīt, ka Tramdāna kungs kārtējo reizi sacēlis viltus trauksmi. Vīzlija kungs bija spiests pārveidot vairākas atmiņas, pirms viņam izdevās atbrīvoties no policistiem, taču ierēdnis atteicās atbildēt uz "Dienas Pareģa" jautājumu, kāpēc viņš iesaistījis ministriju šādā apšaubāmā un, iespējams, apkaunojošā incidentā.*

— Un re, kur bilde, Vīzlij! — Malfojs sauca, pārlocīdams laikrakstu un paceldams to gaisā. — Tavi vecāki pie savas mājas — ja vien to var saukt par māju! Klau, vai tavai mammai nevajadzētu nomest kādu kilogramu svara, ko?

Rons dusmās drebēja. Visi zālē stāvošie blenza uz viņu.

— Kaut tu, Malfoj, aizrītos, — Harijs uzsauca. — Paklau, Ron...

— Ak, jā, runā, ka tu, Poter, pa vasaru esot pie šiem ciemojies, vai ne? — Malfojs turpināja ņirgt. — Pastāsti, vai viņa māte tiešām ir tik resna, vai tikai bildē tā izskatās?

— Un kā, Malfoj, ar *tavu* māmiņu? — sacīja Harijs, un vienlaikus viņi abi ar Hermioni aiz drānām turēja Ronu, lai neļautu viņam mesties virsū Malfojam. — Kāpēc viņai ir tāda sejas izteiksme, it kā zem deguna būtu piekārts sūds? Vai viņa tā izskatās vienmēr, vai tikai tad, kad ir kopā ar tevi?

Malfoja seja tikko jaušami piesarka. — Poter, neuzdrīksties tā runāt par manu māti!

— Tad turi muti ciet! — dusmīgi noskaldīja Harijs un uzgrieza Malfojam muguru.

BĀC!

Vairāki cilvēki iespiedzās — un Harijs juta, kā viņam gar vaigu aizbrāžas kaut kas balti nokaitēts. Viņš iegrūda roku drēbēs, meklēdams savu zizli, taču, vēl pirms paguva tam pieskarties, atskanēja vēl viens skaļš BĀC, un ieejas zāli satricināja skaļš rēciens.

— TĀ GAN, PUISIT, NEKAD VAIRS NEDARI!

Harijs strauji pagriezās. Lejup pa marmora kāpnēm kliboja profesors Tramdāns. Rokā viņam bija pacelts zizlis — un tas bija pievērsts spoži baltam seskam, kas trīcēdams drebēdams locījās uz grīdas akmens plāksnēm tieši tur, kur pirms mirkļa bija stāvējis Malfojs.

Zālē iestājās stindzinošs klusums. Neviens, izņemot Tramdānu, nekustējās. Tramdāns pagriezās un paskatījās uz Hariju — vismaz burvja veselā acs pievērsās zēnam, jo mākslīgā tobrīd raudzījās iekšā burvja galvā.

— Vai viņš tev trāpīja? — Tramdāns noņurdēja. Viņa balss dobji čerkstēja.

— Nē, — atbildēja Harijs, — garām.

— NEAIZTIEC! — Tramdāns iekliedzās.

— Ko neaiztikt? — Harijs izbrīnīts pārvaicāja.

— Es to neteicu tev, bet viņam! — Tramdāns norūca, ar

pamezdams ar īkšķi pāri plecam uz Krabi, kurš noliecies sastinga virs baltā seska. Izskatījās, ka Tramdāna mākslīgā acs ir noburta un tiešām spēj redzēt arī to, kas notiek burvim aiz muguras.

Tramdāns sāka klibot uz Krabes, Goila un seska pusi. Zvēriņš šausmās nopīkstēja un metās bēgt uz pazemes labirintu pusi.

— Tā nu gan ne! — ierēcās Tramdāns un vēlreiz pret sesku pacēla zizli — tas uzlidoja desmit pēdas gaisā, tad smagi atsitās pret grīdu un atkal atlēca gaisā.

— Es nevaru ciest cilvēkus, kuri uzbrūk tad, kad pretinieks uzgriezis muguru, — raupjā balsī turpināja Tramdāns, bet sesks tikmēr, sāpēs skaļi spiegdams, atkal un atkal atlēca no grīdas. — Nožēlojama, gļēva, pretīga rīcība...

Sesks plivinājās gaisā, kājām un astei bezspēcīgi mētājoties.

— Profesor Tramdān! — pēkšņi atskanēja satriekta balss.

Lejup pa kāpnēm, apkrāvusies ar grāmatām, nāca profesore Maksūra.

— Labdien, profesore Maksūra, — mierīgi sveicināja Tramdāns, triekdams sesku pret grīdu arvien spēcīgāk.

— Ko... ko jūs darāt? — profesore Maksūra vaicāja, ar acīm sekodama lēkājošā seska trajektorijai gaisā.

— Mācu, — Tramdāns paskaidroja.

— Mācāt?... Tramdān, vai *tas ir skolnieks*? — profesore Maksūra iespiedzās, un grāmatas izbira viņai no rokām.

— Ir gan, — apstiprināja Tramdāns.

— Nē! — profesore Maksūra nokliedzās un metās lejā pa kāpnēm, vienlaikus izvilkdama savu zizli. Vēl pēc mirkļa Drako Malfojs ar skaļu paukšķi atguva agrāko izskatu. Viņš gulēja kņūpus uz grīdas, bet parasti kārtīgi saķemmētie gaišie mati tagad bija salipuši pie nosvīdušās sarkanās sejas. Zēns viebdamies pieslējās kājās.

— Tramdān, mēs *nekad* neizmantojam pārvērtības, lai sodītu! — vārgā balsī mēģināja paskaidrot profesore Maksūra. — Domāju, ka profesors Dumidors jums to paskaidroja?

— Jā, iespējams, viņš ko tamlīdzīgu minēja, — atzina Tramdāns, nevērīgi pakasīdams zodu, — taču man likās, ka krietns pārsteigums sapurinās...

— Tramdān, mēs uzdodam pēcstundu darbus! Vai runājam ar pārkāpēja nama vecāko!

— Skaidrs, kas man jādara, — Tramdāns sacīja, ar milzīgu nepatiku vērodams Malfoju.

Malfoja acis vēl arvien asaroja no pārciestajām sāpēm un pazemojuma, un viņš ar briesmīgu naidu skatījās uz Tramdānu, kaut ko pusbalsī murminādams. Viena no frāzēm, ko sadzirdēja Tramdāns, bija "mans tēvs".

— Ak tā? — klusi pārvaicāja Tramdāns, paklibodams pāris soļu uz priekšu. Zālē skaļi atbalsojās viņa koka kājas klaudzieni. — Nu, puisīt, tavu tēvu es jau sen pazīstu... piekodini viņam, ka Tramdāns neizlaidīs no acīm arī viņa dēliņu... pasveicini viņu no manis... kas bija tava nama vecākais, Strups, vai?

— Jā, — aizvainoti novilka Malfojs.

— Vēl viens sens draudziņš, — Tramdāns noņurdēja. — Es jau gribēju aprunāties ar veco labo Strupu... nāc nu... — Un profesors sagrāba Malfoja augšdelmu un veda viņu projām uz pazemes kambaru pusi.

Profesore Maksūra vēl kādu brīdi bažīgi vēroja aizejošo pāri, tad ar zizli pamāja uz nokritušo grāmatu pusi. Tās uzlidoja gaisā un sagūla atpakaļ viņai rokās.

— Nesakiet neko, — Rons pusbalsī piekodināja Harijam un Hermionei, kad vēl pēc dažām minūtēm viņi apsēdās pie Grifidora galda. Apkārt sēdošie dzīvi apsprieda tikko piedzīvoto.

— Kāpēc ne? — pārsteigti vaicāja Hermione.

— Tāpēc, ka vēlos atcerēties šo mirkli uz laiku laikiem, — aizvēris acis un pavērsis seju pret griestiem, sacīja Rons. — Drako Malfojs, brīnumainais lēkājošais sesks...

Harijs un Hermione iesmējās, un tad Hermione ņēmās kraut uz visu triju draugu šķīvjiem liellopa gaļas sautējumu.

— Jāteic gan — viņš varēja savainot Malfoju, — viņa ieminējās. — Labi, ka parādījās profesore Maksūra un viņu izglāba...

— Hermione! — dusmīgi iesaucās Rons, pavēris acis. — Tu mēģini izbojāt manas dzīves skaistākos mirkļus!

Hermione kaut ko neskaidri attrauca un milzīgā ātrumā ķērās pie ēšanas.

— Tikai nesaki, ka vakarā atkal iesi uz bibliotēku? — vērodams draudzeni, vaicāja Harijs.

— Nāksies, — pilnu muti atbildēja Hermione. — Daudz kas jāpagūst.

— Tu taču teici, ka profesors Vektors...

— Tas nav saistībā ar mācībām, — Hermione paskaidroja. Vēl pēc piecām minūtēm, atstājusi uz galda tukšu šķīvi, viņa nozuda.

Tikko meitene bija projām, viņas vietu ieņēma Freds Vīzlijs.

— Kāds tad ir tas Tramdāns? — viņš jautāja. — Krutais vecis?

— Vairāk nekā krutais, — noteica Džordžs, apsēzdamies pretī dvīņubrālim.

— Superkrutais, — savu versiju piedāvāja dvīņu labākais draugs Lī Džordans, ieņemdams vietu līdzās Džordžam. — Mums pēcpusdienā pie viņa bija stunda, — viņš paziņoja Harijam un Ronam.

— Un kā stunda? — Harijs ziņkāri vaicāja.

Freds, Džordžs un Lī zīmīgi saskatījās.

— Tādā stundā vēl nekad nebiju bijis, — Freds atzinīgi noteica.

— Vecīt, viņš *zina,* — Lī piebilda.

— Ko zina? — pārvaicāja Rons, paliekdamies uz priekšu.

— Zina, ko nozīmē *darīt to,* — Džordžs iespaidīgi paziņoja.

— Ko darīt? — tagad bija Harija kārta pārjautāt.

— Cīnīties pret tumšajām zintīm, — paskaidroja Freds.

— Viņš ir piedzīvojis visu, — Džordžs sacīja.

— Satriecoši, — piebilda Lī.

Rons izvilka no somas stundu sarakstu.

— Mums jāgaida līdz ceturtdienai! — Viņa balsī izskanēja rūgta vilšanās.

## ČETRPADSMITĀ NODAĻA

# NEPIEĻAUJAMIE LĀSTI

Nākamās divas dienas pagāja bez ievērojamiem notikumiem, ja neskaita to, ka Nevils mikstūru nodarbībā izkausēja jau sesto katlu. Profesors Strups, kurš vasaras laikā likās apguvis jaunus atriebes paņēmienus, sodīja Nevilu ar pēcstundu darbiem. Nevils atgriezās koptelpā, būdams tuvu nervu sabrukumam, jo viņam bija uzdots izķidāt veselu mucu ar ragainajiem krupjiem.

— Vai tu nezini, kāpēc Strups ir tik briesmīgā omā? — Rons vaicāja Harijam, vērodams, kā Hermione māca Nevilam beršanas burvestību, lai palīdzētu iztīrīt varžu gļotas no nagu apakšas.

— Zinu, — atteica Harijs. — Tramdāns.

Visi runāja, ka Strups vēloties mācīt aizsardzību pret tumšajām zintīm, un jau ceturto gadu pēc kārtas šis amats tika kādam citam. Strups neieredzēja arī iepriekšējos tumšo zinību pasniedzējus, turklāt nevairījās šo nepatiku klaji izrādīt — taču izskatījās, ka pret Trakaci Tramdānu viņš piesargās atklāti demonstrēt savas patiesās jūtas. Patiešām, kad vien Harijs manīja abus tuvumā — vai nu maltīšu laikā, vai skolas gaiteņos —, zēnam stipri vien likās, ka Strups vairās Tramdāna skatiena, vienalga, vai tā bija bijušā aurora parastā vai burvju acs.

— Domāju, ka Strups tā kā baidās no viņa, vai ne? — Harijs domīgi noteica.

— Iedomājies, kā būtu, ja Tramdāns pārvērstu Strupu par ragaino krupi, — skatienam aizmiglojoties, sapņoja Rons, — un tad kārtīgi izlecinātu pa viņa pazemes kambari...

Ceturtā mācību gada grifidori ar tādu nepacietību gaidīja Tramdāna pirmo stundu, ka ceturtdien uz pusdienām aizsteidzās ātrāk nekā parasti, lai pulcētos pie klases durvīm jau krietnu laiciņu pirms zvana.

Trūka vienīgi Hermiones — viņa parādījās tikai pirms paša sākuma.

— Biju...

— ...bibliotēkā, — Harijs pabeidza teikumu draudzenes vietā. — Ejam ātrāk, citādi nedabūsim labākās vietas!

Viņi steigšus ieņēma trīs krēslus tieši pretī skolotāja galdam, izvilka savus grāmatas "Tumšie spēki: pašaizsardzības rokasgrāmata" eksemplārus un, valdot neparastam klusumam, sāka gaidīt pasniedzēju. Drīz vien gaitenī atskanēja Tramdāna viegli atpazīstamie, klaudzošie soļi, un tur jau arī nāca viņš pats, izskatīdamies tikpat dīvains un biedējošs kā parasti. Zem garajām drānām varēja manīt koka ķetnu.

— Varat tās aizvākt, — viņš norūca, pieklibodams pie galda un apsēzdamies, — tās grāmatas. Jums tās nebūs vajadzīgas.

Skolēni salika grāmatas atpakaļ somās, un Ronam sajūsmā iemirdzējās acis.

Tramdāns paņēma skolēnu sarakstu, atmeta sāņus nekārtīgo sirmo matu garo ērkuli, lai tas nekristu acīs, un ar neizprotamu izteiksmi šķībajā, rētu klātajā sejā sāka saukt bērnu vārdus. Viņa parastā acs lēnām slīdēja lejup pa sarakstu, bet burvju acs vienādiņ grozījās, rūpīgi nopētīdama katru skolēnu, kas atsaucās uz savu vārdu.

— Tā, — profesors noteica, kad atsaucās beidzamais sarakstā minētais, — es saņēmu vēstuli no profesora Vilksona, kurā viņš apraksta mācību vielu, ko jūs apguvāt pagājušajā gadā. Labi esat pastrādājuši, apgūstot tumšos radījumus, — cik noprotu, jūs zināt, kā tikt galā ar bubuļiem, sarkanajām beretēm, tuppankiem, dūņpirkstēm, kapām un vilkačiem, vai pareizi?

Klasē atskanēja apstiprinoša murdoņa.

— Tomēr, runājot par lāstiem, jūs esat atpalikuši, turklāt atpalikuši visai pamatīgi, — Tramdāns turpināja. — Tāpēc man būs jāsāk skaidrot no pašiem pamatiem, ko viens burvis var izdarīt otram. Man ir viens gads, lai iemācītu jums, kā cīnīties ar tumšajām...

— Vai tad jūs nepaliksiet skolā ilgāk? — Ronam izspruka.

Tramdāna burvju acs apmeta kūleni un pievērsās Ronam. Rons izskatījās ne pa jokam sabijies, taču pēc mirkļa Tramdāns pasmaidīja — tā bija pirmā reize, kad Harijs redzēja profesoru smaidām. Smaids lika pasniedzēja rētainajai sejai izskatīties vēl šķībākai un saverkšķītākai, tomēr vienlaikus tas bija arī pamatīgs atvieglojums — tātad briesmīgais Tramdāns prata draudzīgi pasmaidīt. Arī Rons nopūtās, it kā būtu izsprucis no pūķa nagiem.

— Tu laikam būsi Artūra Vīzlija dēls, ko? — Tramdāns vaicāja. — Tavs tēvs pirms pāris dienām izpestīja mani no pamatīgām nepatikšanām... jā, es palikšu skolā tikai vienu gadu. Pēc īpaša Dumidora lūguma... vienu gadu, un tad atpakaļ savā klusajā pensijā.

Pasniedzējs paskarbi iesmējās un tad sasita samezglotās plaukstas.

— Labs ir — ķeramies vērsim pie ragiem. Lāsti. Ir dažāda stipruma un dažādu veidu lāsti. Atbilstoši Burvestību ministrijas nostādnei man būtu jāiemāca jums pretlāsti, un viss. Es nedrīkstētu jums rādīt, kādu postu spēj nodarīt nelikumīgie tumšie lāsti, jo jūs vēl nemācāties Cūkkārpā sesto gadu. Uzskata, ka līdz tam vecumam jūs neesat pietiekami pieauguši, lai tiktu galā ar visai nepatīkamo skatu. Taču profesors Dumidors ir labākās domās par jūsu nerviem, viņš domā, ka jūs spēsiet to paciest. Arī es uzstāju — jo ātrāk jūs zināsiet, ar ko var nākties sastapties, jo labāk. Kā gan jūs varat aizsargāties pret to, ko nekad neesat redzējuši? Burvis, kurš grasīsies nolādēt jūs ar nelikumīgu lāstu, nestāstīs jums, ko taisās darīt. Viņš neizturēsies pret jums jauki un pieklājīgi. Jums ir jābūt vienmēr gataviem. Jums ir jābūt modriem un vērīgiem. Un, kad es runāju, jums, Braunas jaunkundz, labāk nolikt savus pergamentus malā.

Lavendera salēcās un nosarka. Viņa tiešām zem sola rādīja Parvati savu pabeigto horoskopu. Acīmredzot Tramdāna burvju acs spēja redzēt arī cauri kokam, ne tikai cauri viņa pakausim.

— Tātad... vai kāds no jums zina, kādi ir pēc burvju likumiem vissmagāk sodāmie lāsti?

Gaisā nedroši paslējās vairākas rokas, to starpā Rona un Hermiones. Tramdāns norādīja uz Ronu, lai gan profesora burvju acs vēl arvien bija pievērsta Lavenderai.

— E, — Rons minstinoties iesāka, — mans tēvs stāstīja par kādu lāstu... to, ja nemaldos, sauca par *Valdum* lāstu, vai pareizi?

— Pareizi gan, — atzinīgi noteica Tramdāns. — Tavs tēvs to *gluži* labi zina. Savulaik šis *Valdum* lāsts sagādāja ministrijai ne mazumu galvassāpju.

Tramdāns smagi pierausās uz savām dažādajām kājām, atvēra galda atvilktni un izcēla no tās stikla trauku. Traukā šurpu turpu skraidelēja trīs lieli, melni zirnekļi. Harijs juta, kā Rons pavirzās mazliet atpakaļ — draugs ienīda zirnekļus.

Tramdāns iebāza traukā roku, noķēra vienu no zirnekļiem un pacēla to uz plaukstas tā, lai visa klase varētu to saskatīt.

Tad viņš pacēla savu zizli pret zirnekli un nomurmināja:
— *Valdum!*

Zirneklis nolēca no Tramdāna plaukstas un sāka šūpoties šurpu turpu smalkā zīda pavedienā, gluži kā uz trapeces. Kukainis nostiepa kājas, tad gaisā apmeta atmugurisku salto. Tajā brīdī pavediens pārtrūka, un zirneklis nokrita uz Tramdāna galda, kur sāka griezties riteniski. Tramdāns paraustīja savu zizli, un zirneklis pacēlās uz divām pakaļkājām, lai laistos aizrautīgā stepa dejā.

Visi smējās — visi, izņemot Tramdānu.

— Jums liekas, tas ir smieklīgi? — viņš noņurdēja. — Jums patiktu, ko, ja es ko tādu izdarītu ar jums?

Smiekli vienā mirklī apklusa.

— Pilnīga vara pār upuri, — Tramdāns klusi turpināja, bet zirneklis tikmēr savilkās kamoliņā un sāka mest kūleņus. — Es varētu likt tam izlēkt pa logu, noslīcināties, mesties kādam no jums mutē...

Rons nevilšus nodrebinājās.

— Pirms daudziem gadiem daudzas raganas un burvjus kontrolēja ar *Valdum* lāsta palīdzību, — Tramdāns paskaidroja, un Harijs saprata, ka profesors runā par Voldemorta ziedu laikiem. — Ministrijai nācās krietni pasvīst, lai saprastu, kuru piespieda darīt nelietības un kurš šīs nelietības darīja pēc brīvas gribas.

— Pret *Valdum* lāstu var cīnīties, — Tramdāns pēc brīža piebilda, — un es jums mācīšu, kā to darīt, taču ir nepieciešams milzīgs gribasspēks, un ne katrs ar to var lepoties. Ja iespējams, labāk izvairīties, lai šis lāsts jūs neķer. PASTĀVĪGA MODRĪBA! — viņš pēkšņi norēja tā, ka visa klase salēcās.

Tramdāns paņēma kūleņojošo zirnekli un iemeta to atpakaļ traukā. — Kurš zina vēl kādu lāstu? Vēl kādu nelikumīgu lāstu?

Gaisā atkal uzšāvās Hermiones un, Harijam par brīnumu, arī Nevila roka. Vienīgā stunda, kurā Nevils mēdza brīvprātīgi pieteikties atbildēt, bija herboloģija, un tajā Lēniņam veicās vislabāk. Arī pats Nevils tobrīd izskatījās pārsteigts par savu uzdrīkstēšanos.

— Lūdzu! — Tramdāns sacīja, un viņa burvju acis apmeta kūleni, lai pievērstos Nevilam.

— Ir vēl viens — *Mokum* lāsts, — klusā, taču skaidri sadzirdamā balsī sacīja Nevils.

Tramdāns tagad skatījās uz Nevilu ļoti cieši, turklāt šoreiz ar abām acīm.

— Tavs uzvārds ir Lēniņš? — pasniedzējs jautāja, un burvju acs pagriezās lejup, lai vēlreiz paraudzītos skolēnu sarakstā.

Nevils nemierīgi pamāja ar galvu, taču Tramdāns vairāk neko nejautāja. Pagriezies pret pārējo klasi, viņš izzvejoja no trauka nākamo zirnekli un nolika uz galda. Kukainis sastinga, laikam baidoties pat pakustēties.

— *Mokum* lāsts, — Tramdāns turpināja. — Zirneklim jābūt mazliet lielākam, lai jūs labāk saprastu, par ko ir runa, — viņš noteica, pavērsdams zizli pret kukaini. — *Blīstum!*

Zirneklis uzblīda — tagad tas bija lielāks par tarantulu. Atmezdams jebkuru izlikšanos, Rons pastūma savu krēslu atpakaļ, pēc iespējas tālāk no Tramdāna galda.

Tramdāns vēlreiz pacēla savu zizli, atkal pievērsa to zirneklim un nomurmināja: — *Mokum!*

Tajā pašā acumirklī zirnekļa kājas piekļāvās ķermenim, tas apvēlās uz muguras un, valstoties no vienas puses uz otru, sāka briesmīgi raustīties. Zirneklis neizdvesa ne skaņas, taču Harijs skaidri zināja, ka, ja tam būtu balss, kliedzieni liktu sastingt šausmās visiem klātesošajiem. Tramdāns vēl arvien turēja savu zizli paceltu, un zirneklis drebēja un raustījās arvien nevaldāmāk...

— Beidziet, — spalgi iekliedzās Hermione.

Harijs pagriezās, lai paraudzītos uz draudzeni. Viņa nelūkojās uz zirnekli, bet uz Nevilu. Sekodams meitenes skatienam, Harijs ieraudzīja, ka Nevila rokas, sažņaugtas dūrēs, drebēja uz sola. Lēniņa pirkstu kauliņi no sasprindzinājuma bija gluži balti, bet acis — šausmās plati ieplestas.

Tramdāns pacēla zizli. Zirnekļa kājas atslāba, taču tā ķermenis turpināja raustīties.

— *Mazinātum!* — Tramdāns nomurmināja, un zirneklis saruka atpakaļ līdz sākotnējam izmēram. Pasniedzējs to ielika atpakaļ traukā.

— Sāpes, — profesors klusi noteica. — Ja jūs protat *Mokum* lāstu, jums nav vajadzīgas skrūvspīles un naži, lai kādu spīdzinātu... Arī šis lāsts savulaik bija visai populārs.

— Labi... kurš no jums zina nosaukt vēl kādu lāstu?

Harijs palūkojās apkārt. No klasesbiedru sejām varēja noprast, ka visi prāto, kas gan notiks ar beidzamo zirnekli. Hermiones roka viegli drebēja, kad viņa to pacēla jau trešo reizi.

— Lūdzu! — paskatījies uz meiteni, sacīja Tramdāns.

— *Avada Kedavra,* — Hermione nočukstēja.

Vairāki cilvēki, to skaitā arī Rons, veltīja Hermionei bažīgus skatienus.

— Tā, — Tramdāns teica, un viņa greizās mutes kaktiņos iezagās vēl viens tikko jaušams smaids. — Jā, vispēdējais un visļaunākais. *Avada Kedavra*... slepkavošanas lāsts.

Pasniedzējs iebāza roku stikla traukā. It kā nojauzdams, kas viņu sagaida, trešais zirneklis izmisīgi metās projām pa trauka dibenu, cenzdamies izvairīties no Tramdāna pirkstiem, taču pasniedzējs kukaini notvēra un nolika uz galda. Zirneklis, cik jaudas, metās bēgt pa koka plakni.

Tramdāns pacēla zizli, un nelāga priekšnojauta lika tirpām pārskriet pār Harija muguru.

— *Avada Kedavra!* — Tramdāns nokliedzās.

Visus apžilbināja ļoti spilgtas zaļas gaismas zibsnis, un atskanēja troksnis, kas lika domāt, ka gaisā kustas kaut kas milzīgs un neredzams. Tajā pašā mirklī zirneklis apvēlās uz muguras. Uz tā ķermeņa nemanīja ne skrambiņas, tomēr tas neapšaubāmi bija pagalam. Vairākas meitenes apslāpēti iekliedzās. Rons brīdī, kad zirneklis metās uz viņa pusi, atgāzās vēl tālāk atpakaļ un gandrīz novēlās no krēsla.

Tramdāns notrauca beigto zirnekli no galda uz grīdas.

— Nekā jauka, — viņš mierīgi turpināja. — Nekā patīkama. Turklāt šim lāstam nav pretlāsta. To nav iespējams bloķēt. Ir zināms tikai viens cilvēks, kurš izdzīvojis pēc šī lāsta, un viņš šobrīd sēž šajā klasē, tieši manā priekšā.

Abas Tramdāna acis ieurbās Harijā, un zēns juta, ka piesarkst. Viņš juta, ka arī visi citi klasē sēdošie skatās uz viņu. Harijs pievērsa skatienu tukšajai tāfelei, it kā tā viņu būtu apbūrusi, kaut gan, taisnību sakot, zēns neko neredzēja...

Tātad tā bija miruši viņa vecāki... gluži kā nabaga zirneklis. Vai arī uz viņu ķermeņiem nepalika ne skrambiņas? Vai viņi vienkārši ieraudzīja zaļas gaismas uzplaiksnījumu un izdzirdēja nāvi vēstošo šalkoņu, pirms drausmīgais lāsts izdzēsa viņu dzīvības?

Jau vairāk nekā trīs gadus, kas bija pagājuši kopš mirkļa, kad Harijs uzzināja, ka viņa vecāki noslepkavoti, kopš mirkļa, kad viņš uzzināja, kas īsti notika tajā liktenīgajā naktī, zēns atkal un atkal iztēlojās viņu nāvi. Kā Tārpastis nodeva Harija vecāku slēptuvi Voldemortam, un kā tumšo spēku vadonis bija ieradies ciematiņā, lai atrastu Poteru namiņu. To, kā Voldemorts vispirms nogalināja Harija tēti. Kā Džeimss Poters centās aizkavēt uzbrucēju, saukdams, lai sieva ņemot Hariju un bēgot... Kā Voldemorts panāca Liliju Poteri, pavēlēja viņai paiet malā, lai viņš varētu nogalināt Hariju... kā zēna māte lūdzās, lai Voldemorts nogalina viņu, bet atstāj zīdaini dzīvu, kā viņa aizsedza dēlu ar savu ķermeni... un kā Voldemorts nogalināja arī jauno sievieti, lai pievērstu zizli Harijam...

Harijs to uzzināja pagājušogad, kad cīnījās pret atprātotājiem, un viņam ausīs skanēja vecāku pirmsnāves kliedzieni. Viena no briesmīgākajām atprātotāju spējām ir likt saviem upuriem vēlreiz izdzīvot savas dzīves briesmīgāko brīdi un bezspēcīgi nogrimt izmisumā...

Tramdāns atkal kaut ko stāstīja, taču Harijam likās, ka pasniedzēja balss skan no milzīga tāluma. Ar pamatīgu piepūli zēns atgriezās tagadnē un ieklausījās Tramdāna vārdos.

— *Avada Kedavra* ir lāsts, kas kļūst bīstams tikai spēcīga burvja arsenālā. Ja šobrīd jūs visi izvilktu savus zižļus, pavērstu pret mani un izrunātu lāsta vārdus, manuprāt, smagākais ievainojums, ko jūs spētu man nodarīt, būtu puns pierē. Taču par to nav runa. Es neesmu šeit, lai mācītu jums lāstus.

— Tātad, — Tramdāns turpināja, — ja reiz pret šo lāstu nav pretlāsta, kāpēc es jums to vispār rādu? *Es to rādu tāpēc, ka jums par to ir jāzina.* Jums jāzina, kas var būt pats ļaunākais. Jūs nevēlaties nonākt situācijā, kurā pret jums var vērst šo lāstu. PASTĀVĪGA MODRĪBA! — pasniedzējs vēlreiz norēcās, un visa klase atkal salēcās.

— Šos trīs lāstus — *Avada Kedavra, Valdum* un *Mokum* — vienā vārdā dēvē par Nepieļaujamajiem lāstiem. To izmantošana pret jebkuru cilvēcisku būtni var nozīmēt mūža ieslodzījumu Azkabanā. Tāda ir likme. Un mans uzdevums ir iemācīt, kā pret šiem lāstiem cīnīties. Jums ir jābūt gataviem. Jums ir jābūt apbruņotiem. Taču viscītīgāk jums nepieciešams apgūt *pastāvīgu, neatslābstošu modrību*. Paņemiet spalvas... un pierakstiet...

Stundas atlikušo daļu viņi pavadīja, pierakstot ziņas par katru no Nepieļaujamajiem lāstiem. Neviens skolēns nebilda ne vārda līdz pašam zvanam, bet, kad Tramdāns viņus atlaida un bērni izgāja no klases, sarunu slūžas spruka vaļā. Vairākums apbrīnas pilnās balsīs cits caur citu apsprieda lāstus: — Vai tu redzēji, kā tas raustījās? ...un kā viņš to nonāvēja — mirklis, un viss bija cauri!

Viņi runāja par stundu, Harijs pie sevis nodomāja, it kā apspriestu satraucošu cirka izrādi, taču viņam pašam tā nebija likusies diez ko izklaidējoša. Hermione, šķiet, jutās līdzīgi.

— Pasteidzieties, — viņa saspringtā balsī mudināja Hariju un Ronu.

— Tikai nesaki, ka atkal tā nolāpītā bibliotēka? — Rons saviebās.

— Nē, — savaldīgi atbildēja Hermione, norādīdama sānu gaitenī, kas nogriezās no galvenā. — Paskatieties uz Nevilu.

Nevils stāvēja pustukšā gaiteņa vidū viens pats un blenza akmens sienā ar tādām pašām šausmās plati ieplestām acīm, ar kādām viņš bija vērojis zirnekli, kuram Tramdāns uzsūtīja *Mokum* lāstu.

— Nevil? — Hermione klusu uzrunāja zēnu.

Nevils atskatījās.

— O, sveiki, — zēna balss skanēja daudz spalgāk nekā parasti. — Interesanta stundiņa, ko? Nezin kas šovakar būs vakariņās, — es... es esmu izsalcis kā vilks. Un jūs?

— Nevil, vai tev nekas nekaiš? — Hermione vaicāja.

— Nē, nē, nekas, — Nevils buldurēja, tajā pašā neparasti spalgajā balsī. — Ļoti interesantas vakariņas... es gribēju teikt, stundas... ko ēdīsim?

Rons uzmeta Harijam apjukušu skatienu.

— Nevil, kas...?

Tajā mirklī viņiem aiz muguras atskanēja savādā klaudzēšana. Atskatījušies bērni ieraudzīja, ka uz viņu pusi klibo profesors Tramdāns. Visi četri apklusa, bažīgi vērodami pasniedzēju. Taču profesors uzrunāja četrotni daudz klusākā un laipnākā balsī, nekā viņi bija pieraduši dzirdēt.

— Neuztraucies, dēliņ, — Tramdāns vērsās pie Nevila. — Varbūt gribi uz mirkli ienākt manā kabinetā? Nāc nu... iedzersim tasi tējas...

Šķiet, iespēja dzert tēju kopā ar Tramdānu satrauca Nevilu vēl vairāk. Viņš nekustīgi stāvēja uz vietas un klusēja.

Tramdāna burvju acs pievērsās Harijam. — Un tev, Poter, nekas nekaiš, ko?

— Nē, — gandrīz izaicinoši atbildēja Harijs.

Tramdāna zilā acs, vērodama Hariju, acs dobumā viegli drebēja.

Tad pasniedzējs sacīja: — Jums tas ir jāzina. Jā, es pieļauju, tas liekas skarbi, *taču jums tas ir jāzina*. Nav jēgas izlikties... labi... ejam, Lēniņ, man ir daža laba grāmata, kas varētu tevi interesēt.

Nevils lūdzoši paskatījās uz Hariju, Ronu un Hermioni, taču trijotne neko neteica, tāpēc Nevilam nekas cits neatlika kā vien ļaut, lai viena no Tramdāna mezglainajām rokām, uzlikta zēnam uz pleca, aizstūrē nabagu projām pa gaiteni.

— Ko tas viss nozīmē? — Rons vaicāja, vērodams, kā Nevils kopā ar Tramdānu pazūd aiz gaiteņa stūra.

— Nezinu, — domīgi noteica Hermione.

— Tā tik bija stundiņa, ko? — Rons vērsās pie Harija, kad draugi devās uz Lielās zāles pusi. — Fredam un Džordžam bija taisnība, vai ne? Tramdāns, viņš tiešām zina. Kad viņš ķērās pie *Avada Kedavra* lāsta, kā tas zirneklis *nomira*, it kā kāds būtu vienkārši nopūtis...

Taču, ievērojis Harija sejas izteiksmi, Rons pēkšņi apklusa un nerunāja līdz pašai Lielajai zālei, kad ieteicās, ka šovakar vajadzētu ķerties pie profesores Trilonijas uzdotajiem mājasdarbiem, jo to izpilde prasīšot ne vienu vien stundu.

Hermione nepiebiedrojās Harija un Rona sarunai vakariņu laikā. Kā jau pēdējā laikā ierasts, viņa pieveica savu maltīti neprātīgi ātri, un tad atkal aizsteidzās uz bibliotēku. Harijs un Rons kopā devās uz Grifidora torni. Harijs, kurš visu vakariņu laiku bija domājis par Nepieļaujamajiem lāstiem, atkal atgriezās pie šīs tēmas.

— Vai Tramdānam un Dumidoram nebūtu nepatikšanas, ja ministrija uzzinātu, ka mēs esam redzējuši lāstus? — Harijs vaicāja, kad zēni tuvojās Resnajai kundzei.

— Jā, droši vien, — sprieda Rons. — Taču Dumidors vienmēr ir rīkojies pēc sava prāta, vai ne? Un Tramdāns jau gadiem ilgi atkal un atkal iekuļas nepatikšanās. Vispirms metas uzbrukumā un tikai pēc tam vaicā, kas īsti noticis, — ņem par piemēru kaut vai viņa atkritumu tvertnes. Pupu mizas.

Resnās kundzes portrets pasitās sāņus un atsedza ieejas caurumu. Zēni ierapās Grifidora koptelpā. Tā bija cilvēku pilna, un visapkārt valdīja troksnis.

— Nu tad beidzot ķeramies pie pareģošanas? — jautāja Harijs.

— Laikam jau, — novaidejās Rons.

Viņi devās uz guļamistabu, lai paņemtu nepieciešamās grāmatas un tabulas. Guļamistabā viņi sastapa Nevilu, kurš tur sēdēja uz savas gultas gluži viens, lasīdams grāmatu. Klasesbiedrs izskatījās daudz mierīgāks nekā Tramdāna stundas beigās, kaut gan īsti atguvies vēl nelikās. Nevila acis bija pamatīgi piesarkušas.

— Kā klājas, Nevil? — apvaicājās Harijs.

— Viss kārtībā, — Nevils atsaucās, — paldies par apjautāšanos. Lasu grāmatu, ko man aizdeva profesors Tramdāns...

Viņš pacēla grāmatu, lai Harijs varētu izlasīt virsrakstu — "Vidusjūras burvju ūdensaugi un to īpašības".

— Acīmredzot profesore Asnīte pastāstījusi profesoram Tramdānam, ka man ļoti labi padodas herboloģija, — Nevils paskaidroja. Viņa balsī varēja sadzirdēt tikko jaušamu lepnumu, ko Harijs nekad iepriekš nebija dzirdējis. — Profesoram likās, ka šī varētu mani interesēt.

Pateikt Nevilam, ko par viņu domā profesore Asnīte, Harijs domāja, bija ļoti taktisks veids, kā Lēniņu uzmundrināt, jo nabags reti kad dzirdēja kādu atzinīgu vārdu. Šādi būtu rīkojies, piemēram, profesors Vilksons.

Harijs un Rons paņēma savus "Kliedējot nākotnes miglu" eksemplārus un atgriezās koptelpā, atrada brīvu galdu un sāka pildīt paredzējumus nākamajam mēnesim. Pēc stundas izrādījās, ka neko dižu paveikt viņiem nav izdevies, lai gan viss galds bija piemētāts ar pergamenta gabaliem un gabaliņiem, kurus klāja aprēķini un simboli. Harijs juta, ka viņa prāts sāk aizmigloties, it kā to pamazām pildītu profesores Trilonijas iekurto kamīnu izgarojumi.

— Man nav ne mazākās nojausmas, ko tas varētu nozīmēt, — viņš noteica, ar acīm pārbraukdams garai aprēķinu rindai.

— Zini, ko, — atbildēja Rons, kura mati stāvēja saslējušies gaisā, jo izmisumā viņš nemitīgi brauca tiem cauri ar pirkstiem, — es domāju, mums vajadzētu atgriezties pie vecajiem pareģošanas paņēmieniem.

— Tu domā izdomātos pekstiņus?

— Jā, — Rons atteica, notraukdams no galda apskribelēto pergamenta lokšņu jūkli, iemērkdams spalvu tintē un sākdams rakstīt uz jaunas lapas.

— Nākamajā pirmdienā, — viņš skribelēdams purpināja, — man, iespējams, piemetīsies klepus, uz ko norāda Marsa un Jupitera nelabvēlīgā attiecība. — Viņš pacēla acis uz Hariju. — Tu taču pazīsti viņu — ja vien mājasdarbā būs pietiekami daudz nelaimju, viņa to ņems par pilnu.

— Tiesa, — atsaucās Harijs, saburzīdams savu pirmo mēģinājumu un pāri čalojošu pirmgadnieku bariņa galvām iesviezdams tieši pavarda liesmās. — Labi... pirmdien *man* draudēs... teiksim... apdegumi.

— Desmitniekā, — drūmi piebilda Rons, — pirmdien mums ir nodarbība ar mūdžiem. Nu tad otrdien, *es*... ēēē...

— Pazaudēsi kaut ko sirdij dārgu, — ieminējās Harijs, ideju meklējumos šķirstīdams "Kliedējot nākotnes miglu".

— Laba doma, — Rons atsaucās, to pierakstīdams. — Un tas viss... ēēē... Merkūra dēļ. Varbūt tu varētu saņemt dūrienu mugurā no kāda, ko uzskatīji par draugu?

— Protams... lieliski... — Harijs ātri pierakstīja drauga ieteikumu, — jo Venera ir divpadsmitajā pozīcijā.

— Un trešdien, šķiet, es varētu zaudēt kautiņā.

— Klau, es arī taisījos kauties... Labi, es paspēlēšu derībās.

— Jā, jo tu derēsi, ka es vinnēšu klopi...

Nākamās stundas laikā viņi turpināja izgudrot pareģojumus (kuri kļuva arvien traģiskāki un traģiskāki), bet koptelpa ap viņiem tikmēr pamazām tukšojās, jo skolēni devās uz guļamistabām. Pie viņiem pienāca Blēžkājis, viegli ielēca tukšā krēslā un cieši nopētīja Hariju, gluži kā to darītu Hermione, nojauzdama, ka viņi nepilda mājasdarbu, kā pienāktos.

Pūlēdamies izdomāt vēl neizmantotu nelaimi, Harijs pārlaida skatienu koptelpai un ieraudzīja pie pretējās sienas sēžam Fredu un Džordžu. Dvīņi bija sabāzuši galvas kopā un, ar spalvām rokās, kaut ko rakstīja uz kopīga pergamenta gabala. Tas bija visai neparasts skats — redzēt Fredu un Džordžu, nolīdušus telpas stūrī un klusi kaut ko rakstām. Parasti dvīņiem patika atrasties uzmanības centrā, tur, kur notika kaut kas spontāns un neparedzēts. Tajā, kā viņi bija nolīkuši pāri pergamenta lapai, jautās kaut kas noslēpumains. Harijam tas atgādināja viņu kopīgo darbošanos "Midzeņos". Vispirms Harijs iedomājās, ka dvīņu nodarbe varētu būt jauna *Vīzliju burvju šķavu* pasūtījuma veidlapa, tomēr šoreiz viss izskatījās citādi. Ja tie būtu viņu izgudrojumi, līdzās droši vien joka pēc sēdētu arī Lī Džordans. Harijs sāka prātot, vai dvīņu nodarbe nav kas ar Trejburvju turnīru saistīts.

Kamēr Harijs skatījās uz dvīņiem, Džordžs papurināja galvu, kaut ko izsvītroja ar spalvu un ļoti klusā balsī vērsās pie brāļa. Par spīti tam, ka viņš runāja gandrīz čukstus, teikto varēja dzirdēt arī gandrīz tukšās istabas otrā malā. — Nē... tad izklausīsies, ka mēs viņu apsūdzam. Mums jābūt uzmanīgiem...

Džordžs pamanīja, ka Harijs viņus vēro. Harijs uzsmaidīja Rona brālim un žigli pievērsās saviem pareģojumiem — viņš nevēlējās, lai Džordžs domātu, ka viņš noklausās. Drīz pēc tam dvīņi satina savu pergamentu rullī, novēlēja labunakti un devās pie miera.

Minūtes desmit pēc Freda un Džordža aiziešanas atkal atvērās portreta ieeja un koptelpā ierāpās Hermione, azotē nesdama pergamenta rituļu žūksni un otrā padusē iespiedusi kārbu, kurā kaut kas grabēja. Blēžkājis iemurrājās un uzmeta kūkumu.

— Sveiki, — viņa uzsauca draugiem, — tikko visu pabeidzu!

— Arī es esmu galā! — triumfējoši atbildēja Rons, nosviezdams spalvu.

Hermione apsēdās, salika savas lietas tukšā krēslā un pievilka Rona pareģojumus tuvāk.

— Neizskatās gan, ka tevi gaida īpaši veiksmīgs mēnesis, ko? — viņa izsmējīgi ievaicājās, bet Blēžkājis tikmēr ieritinājās viņai klēpī.

— Nu, vismaz es zinu, no kā sargāties, — Rons nožāvājās.

— Šķiet, tu slīksi veselas divas reizes, — Hermione ieminējās.

— Tiešām? — pārvaicāja Rons, ar acīm pārskriedams saviem pareģojumiem. — Labāk es nomainīšu vienu slīkšanu ar... mani varētu saspert satrakojies zirgērglis.

— Vai jums nešķiet, ka tas viss izskatās pēc pārāk acīm redzamiem izdomājumiem? — Hermione jautāja.

— Kā tu uzdrīksties?! — mākslotā sašutumā iesaucās Rons. — Mēs esam nostrādājušies kā mājas elfi!

Hermione savilka uzacis.

— Tas tikai tāds teiciens, — steidzīgi piebilda Rons.

Arī Harijs nolika spalvu, kā pēdējo pierakstīdams pareģojumu, ka viņš, iespējams, ies bojā, zaudējot galvu.

— Kas tev tajā kastē? — viņš vaicāja.

— Jocīgi, ka tu par to jautā, — veltījusi negantu skatienu Ronam, atbildēja Hermione. Viņa noņēma kārbas vāku un parādīja draugiem tās saturu.

Kārbā bija kādas piecdesmit dažādu krāsu nozīmītes, tiesa, uz visām bija vieni un tie paši burti — VEMT.

— Kāpēc vemt? — vaicāja Harijs, paņemdams rokās nozīmīti un nopētīdams to. — Ko tas nozīmē?

— Nevis *vemt,* — nepacietīgi paskaidroja Hermione, — bet V-E-M-T. Saīsinājums no Vergojošo elfu maznodrošinātās tiesības.

— Nekad neesmu ko tādu dzirdējis, — Rons novilka.

— Skaidrs, ka neesi, — mundri apstiprināja Hermione, — es šo organizāciju nupat tikai nodibināju.

— Tiešām? — mazliet pārsteigts sacīja Rons. — Un cik tad tajā ir biedru?

— Nu... ja pievienosieties jūs abi, tad trīs, — Hermione atbildēja.

— Un tev šķiet, ka mēs vēlamies klīst apkārt ar nozīmīti, uz kuras rakstīts "vemt", pie krūtīm, ko? — Rons sacīja.

— V-E-M-T! — iekarsusi atkārtoja Hermione. — Es apsvēru arī *Izbeidziet citu maģisko būtņu apkaunojošo izmantošanu un cīnieties par viņu likumiskā stāvokļa izmaiņām!* — taču tas likās mazliet par garu. Es nolēmu to izmantot kā mūsu manifesta virsrakstu.

Meitene novicināja viņiem deguna priekšā atnesto pergamenta lokšņu žūksni. — Es bibliotēkā visu izpētīju. Elfu paverdzināšana ilgst jau daudzus gadsimtus. Nespēju noticēt, ka līdz šim neviens par to nav pat iedomājies.

— Hermione — atver savas ausis un paklausies, — Rons skaļi sacīja. — Viņiem. Tas. Patīk. Viņiem *patīk* vergot.

— Mūsu īstermiņa mērķis, — Hermione turpināja, runādama vēl skaļāk par Ronu un izturēdamās tā, it kā neko nebūtu dzirdējusi, — ir nodrošināt mājas elfiem taisnīgu samaksu par padarīto darbu un labus darba apstākļus. Mūsu ilgtermiņa mērķis ir panākt izmaiņas likumā par zižļu neizmantošanu un nodrošināt elfa iekļaušanu Maģisko būtņu regulēšanas un kontroles nodaļas sastāvā, jo tas ir kauns, ka viņiem nav itin nekādas pārstāvniecības likumdošanas orgānos!

— Un kā mēs to izdarīsim? — vaicāja Harijs.

— Sāksim ar biedru piesaisti, — priecīgi klāstīja Hermione. — Manuprāt, ņemot divus sirpus kā iestāšanās naudu — par to biedrs saņemtu nozīmīti, mums izdotos sarīkot kampaņu ar skrejlapām. Tu, Ron, būsi kases pārzinis — esmu tev sagādājusi alvas kārbu ziedojumu vākšanai, tā man noglabāta guļamistabā. Bet tu, Harij, būsi rakstvedis, tāpēc vari sākt pierakstīt visu, ko saku, jo tas būs mūsu pirmās sēdes protokols.

Iestājās klusuma brīdis. Hermione starodama skatījās uz abiem draugiem. Harijs mocījās starp izmisumu, ko izraisīja Hermiones iecere, un uzjautrinājumu, ko dvesa Rona sejas izteiksme. Klusumu pārtrauca nevis Rons, kuram Hermiones piedāvājums, šķiet, uz laiku bija atņēmis runas spējas, bet gan tik tikko dzirdami klauvējieni pie loga rūts. Harijs paskatījās pāri koptelpai un uz palodzes aiz stikla ieraudzīja mēnessgaismas apspīdētu polārpūci.

— Hedviga! — viņš iekliedzās un izmetās no krēsla, lai atrautu vaļā logu.

Hedviga ielaidās koptelpā un nosēdās uz galda, tieši virsū Harija pareģojumiem.

— Es jau sāku uztraukties! — steigdamies pie savas pūces, noteica Harijs.

— Viņa ir atnesusi atbildi! — satraukti sauca Rons, norādīdams uz bieza pergamenta loksni, kas bija piesieta pūcei pie kājas.

Harijs steidzīgi atraisīja sūtījumu un apsēdās krēslā, lai to izlasītu, bet Hedviga, klusi ūjinādama, nometās saimniekam uz ceļgala.

— Kas tur rakstīts? — Hermione satraukti vaicāja.

Vēstule izrādījās ļoti īsa un izskatījās rakstīta lielā steigā. Harijs nolasīja to skaļi.

*Sveiks, Harij!*

*Es tūlīt lidoju uz ziemeļiem. Ziņas par tavu smeldzošo rētu ir vēl viens papildinājums dīvainu baumu virknei, kas mani te sasniegušas. Ja rēta iesāpas vēlreiz, dodies uzreiz pie Dumidora — runā, ka viņš esot atsaucis no pensijas Trakaci, un tas nozīmē, ka viņš nojauš draudošās briesmas, pat ja citi tās nemana.*

*Es drīz sazināšos ar tevi. Sveicieni Ronam un Hermionei. Harij, turi acis vaļā!*

*Siriuss*

Harijs palūkojās uz Ronu un Hermioni. Abi draugi skatījās uz viņu.

— Viņš lido uz ziemeļiem? — Hermione čukstus pārvaicāja. — Viņš *atgriežas*?

— Kādas briesmas nojauš Dumidors? — apmulsis jautāja Rons. — Harij, kas īsti notiek?

Jo Harijs bija iebliezis ar dūri sev pa pieri un pielēcis kājās tik strauji, ka Hedvigai nācās pacelties spārnos.

— Man nevajadzēja viņam neko stāstīt! — dusmīgi noteica Harijs.

— Par ko tu runā? — jautāja pārsteigtais Rons.

— Manis dēļ viņš nospriedis, ka viņam jāatgriežas! — Harijs lādējās, tagad dauzīdams ar dūri galdu, tāpēc Hedviga, sašutusi ūjinot, nolaidās uz Rona krēsla atzveltnes. — Viņš atgriežas, jo domā, ka man draud briesmas! Bet man taču itin nekas nekaiš! Un arī priekš tevis man nekā nav, — Harijs gandrīz uzkliedza Hedvigai, kura, gaidot kādu gardumu, klabināja knābi, — ja tu vēlies ko ēdamu, tev nāksies lidot uz pūču māju.

Izskatīdamās līdz nāvei apvainota, Hedviga izlaidās pa atvērto logu, uzšaudama Harijam pa galvu ar paplesto spārnu.

— Harij, — mierinoši ierunājās Hermione.

— Es eju gulēt, — strupi noskaldīja Harijs. — Redzēsimies no rīta.

Uzkāpis pa vītņu kāpnēm guļamistabā, viņš uzrāva pidžamu un palīda zem segas, kaut arī nogurumu nejuta.

Ja Siriuss atgriezīsies un viņu notvers, tā būs viņa, Harija, vaina. Kāpēc gan viņš nevarēja turēt muti? Pāris sekunžu sāpju, un viņam vajadzēja to izkladzināt visai pasaulei... ja vien viņam būtu pieticis prāta paturēt to pie sevis...

Viņš dzirdēja, ka pēc īsa brītiņa guļamistabā ienāk arī Rons, taču neuzrunāja draugu. Ilgu laiku Harijs gulēja, blenzdams savas gultas aizkaros. Guļamistabā valdīja dziļš klusums. Ja Hariju tik ļoti nenodarbinātu viņa paša domas, zēns būtu sapratis, ka telpā nedzird ierasto Nevila krākšanu, un tas savukārt nozīmēja, ka guļamistabā neguļ vēl kāds.

PIECPADSMITĀ NODAĻA

# BOSBATONA UN DURMŠTRANGA

Kad Harijs agri nākamajā rītā pamodās, galvā viņam jau bija nobriedis plāns, itin kā viņš gulēdams to būtu perinājis cauru nakti. Rīta puskrēslā piecēlies un saģērbies, nepamodinājis Ronu, viņš izlavījās ārā no guļamistabas un devās atpakaļ uz tukšo koptelpu. Tur no galda, kur joprojām gulēja pareģošanas mājasdarbs, viņš paņēma gabalu pergamenta un uzrakstīja šādu vēstuli:

*Mīļais Sirius!*

*Manuprāt, par to rētas smelgšanu es tikai iedomājos. Kad pēdējoreiz Tev rakstīju, nebiju īsti pamodies. Nav nekādas vajadzības doties šurp, te viss ir kārtībā. Par mani neraizējies, manai galvai itin nekas nekaiš.*

*Harijs*

Tad, izlīdis laukā pa portretcaurumu, Harijs devās cauri klusumā ieslīgušajām pils istabām (uz īsu brīdi kņadu sacēla tikai Pīvzs, kurš trešā stāva gaitenī mēģināja viņam uzgāzt virsū prāvu vāzi) un visbeidzot nonāca Pūču mājā, kas atradās Rietumtorņa pašā virsotnē.

Pūču māja bija apaļa mūra telpa, kur vēdīja drēgnums un svilpoja caurvējš, jo logi tur bija bez rūtīm. Grīdu klāja salmu, pūču pameslu un atvemtu peļu un cirslīšu ģindeņu kārta. Uz augstākām un zemākām laktām tur tupēja simtiem visdažādāko pasugu ūpji, pūces un apogi, teju visi bija iemiguši, lai gan ik pa brīdim Harijs pamanīja uzmirdzam kādu apaļu, glūnīgu, dzintardzeltenu aci. Saskatījis Hedvigu, kas bija iekārtojusies starp plīvurpūci un parasto apodziņu, viņš steidzās tai klāt, pazolēm slīdot uz piedrazotā klona.

Pagāja krietns brīdis, iekams Harijam izdevās Hedvigu piedabūt pamosties, un tad vēl vajadzēja papūlēties, lai viņa uz saimnieku kaut vai palūkotos — pūce vienā laidā grozījās uz laktas riņķī apkārt, rādīdama asti vien. Bija noprotams, ka Hedviga joprojām skaišas par iepriekšējā vakarā neizteikto pateicību. Galu galā Harijam nācās izgudrēm ierunāties, ka viņa acīmredzot ir pārgurusi un labāk laikam būtu palūgt, lai Rons aizdod Pumperniķeli, — tikai tad pūce pastiepa kāju un ļāva pie tās piesiet vēstuli.

— Galvenais, sameklē viņu, ja? — Harijs sacīja, noglauzdams uz rokas uztupušās Hedvigas muguru un nesdams pūci pie loga. — Pirms viņu atrod atprātotāji.

Hedviga paskrubināja viņa pirkstu — varbūt nesaudzīgāk kā parasti, tomēr ieūjinājās klusi un itin kā mierinoši. Tad viņa izpleta spārnus un aizlidoja pretim rītausmas iekrāsotajām debesīm. Harijs noskatījās, līdz viņa pagaisa no redzes loka, vēderā sajuzdams ierasto salto, nepatīkamo kņudoņu. Viņš bija pārāk paļāvies uz to, ka Siriusa atbilde raizes mazinās, kurpretim īstenībā tās izrādījās tikai augušas augumā.

* * *

— Tu *sameloji*, Harij, — Hermione noskaldīja pie brokastgalda, kad Harijs viņai un Ronam izstāstīja, ko paveicis. — Rēta tev smeldza *pa īstam*, un tu to zini.

— Nu, un? — Harijs atcirta. — Viņš nedrīkst manis dēļ atkal nonākt Azkabanā.

— Liecies mierā, — Rons stingri sacīja Hermionei, kas jau bija pavērusi muti, lai strīdiņu turpinātu, un viņa brīnumainā kārtā paklausīja un apklusa.

Turpmākās pāris nedēļas Harijs visiem spēkiem centās neraizēties par to, kas notiek ar Siriusu. Tiesa, viņš nespēja aizgainīt satraukumu ik rītu, kad ar sūtījumiem salidoja pasta pūces, un bažas uzmācās arī katru vakaru pirms iemigšanas, kad acu priekšā uzbūrās baisi skati — kā Siriusu kādā tumšā Londonas ieliņā no visām pusēm ielenc atprātotāji —, taču pārējā laikā viņš par krusttēvu pūlējās nedomāt. Viņš ilgojās pēc kalambola, kas varētu izkliedēt drūmās domas, — nekas nelīdzētu tik labi kā pamatīga, sviedrējoša izvingrināšanās. No otras puses, mācības kļuva aizvien sarežģītākas un prasīja tik lielu piepūli kā vēl nekad — īpaši grūta bija aizsardzība pret tumšajām zintīm.

Profesors Tramdāns visus pārsteidza ar paziņojumu, ka audzēkņiem pēc kārtas uzlikšot *Pavēlus* lāstu, lai parādītu tā spēku un redzētu, vai nolādētais spēs tam turēties pretim.

— Bet... bet jūs teicāt, ka likums to neatļauj, profesor, — Hermione bikli iečiepstējās, kamēr Tramdāns, vēcinādams zizli, vāca projām no klases vidus solus un atbrīvoja vietu paraugdemonstrējumiem. — Jūs teicāt, ka izmantot to pret cilvēku ir...

— Dumidors grib, lai jūs zināt, kā tas ir, — Tramdāns atteica, sabolīdams burvju aci uz Hermioni un ieurbdams viņā savu baiso, stingo skatienu. — Ja jūs dodat priekšroku grūtākam ceļam, tas ir, gaidīsiet, kamēr kāds jūs nolādēs tādēļ, lai varētu pilnīgi pakļaut savai gribai, man nekas nav iebilstams. Laipni lūdzu. Varat iet.

Viņš ar mezglainu pirkstu norādīja uz durvīm. Hermione tumši pietvīka un nomurmināja, ka projām iet nemaz neesot domājusi un ne jau tāpēc to teikusi. Harijs un Rons sasmaidījās. Viņi labi zināja, ka Hermione drīzāk būtu ar mieru ēst Buboņbumbuļu strutas, nekā palaistu garām tik svarīgu nodarbību.

Tramdāns sāka audzēkņus pa vienam aicināt priekšā un katram uzlika *Pavēlus* lāstu. Harijs noskatījās, kā viņa klasesbiedri lāsta iespaidā ņēmās darīt visdīvainākās lietas. Dīns Tomass trīs reizes aplēca apkārt klasei, dziedādams valsts himnu. Lavendera Brauna uzvedās kā vāvere. Nevils veica virkni visai sarežģītu vingrojumu, ko vienkārši tāpat nemūžam nebūtu spējis. Izskatījās, ka neviens no viņiem nespēj lāstu nokratīt, visi atjēdzās tikai pēc tam, kad Tramdāns to bija noņēmis.

— Poter, — Tramdāns noņurdēja, — tava kārta.

Harijs izgāja klases vidū, kur Tramdāns bija izbrīvējis vietu, aizburdams projām solus. Profesors pacēla zizli, pavērsa to pret Hariju un izteica: — *Pavēlus*!

Sajūta bija vienkārši debešķīga. Harijam ap sirdi kļuva gaiši un labi, it kā visas domas un raizes no prāta būtu aizslaucītas kā ar slotu, atstājot vienīgi pūkainu, nesatricināmu laimes izjūtu. Viņš stāvēja un ļāvās brīnumaini vieglajām šūpām, tikai neskaidri apzinādamies, ka visi viņu vēro.

Un tad Harijs sadzirdēja Trakača Tramdāna balsi, kas dunēja kādā no viņa tukšās galvas attālākajiem nostūriem: *"Lec uz sola... lec uz sola..."*

Harijs paklausīgi ieliecās ceļgalos un sagatavojās lēcienam.

*"Lec uz sola..."*

Bet kāpēc gan?!

Dziļi smadzenēs sarosījās kāda cita balss. Paklau, tas nu tiešām būtu muļķīgs gājiens, otra balss teica.

*"Lec uz sola..."*

Nē, paldies, es laikam nelēkšu vis, iebilda otrā balss, nu jau nedaudz apņēmīgāk... nē, man tik tiešām negribas...

*"Lec! Un labi žigli!"*

Nākamajā acumirklī Harijs sajuta asas sāpes. Viņš bija vienlaikus lēcis un mēģinājis nelēkt, tāpēc triecies pret solu, to apgāzis un, spriežot pēc briesmīgajām sāpēm ceļgalos, gandrīz tos sadragājis smalkās šķēpelēs.

— Nu re, *šitais* jau pēc kaut kā izskatās! — atskanēja Tramdāna ņurdiens, un piepeši Harijs atskārta, ka tukšuma un dunoņas galvā vairs nav. Viņš skaidri saprata, kas īsti notiek, un sāpes, kas caururba ceļgalus, šķita kļūstam divkārt griezīgas.

— Paskatieties uz šito, jūs visi... Poters cīnījās! Viņš cīnījās un gandrīz vai tika galā! Pamēģināsim vēlreiz, Poter, un jūs, pārējie, skatieties un mācieties. Skatieties viņam acīs — tur to var redzēt. Loti labi, Poter, patiešām ļoti labi! Lai pakļautu *tevi*, viņiem vajadzēs krietni papūlēties!

— Viņš runā tā, — Harijs noburkšķēja, pēc aizsardzības stundas klunkurēdams laukā no klases (Tramdāns bija viņu nolādējis četras reizes pēc kārtas, līdz Harijam lāstu izdevās nokratīt pilnībā), — ka varētu domāt — mums visiem draud uzbrukums uz līdzenas vietas.

— Jā, zinu, — Rons atsaucās, ik pēc soļa palēkdamies. Viņam ar lāstu bija gājis daudz grūtāk nekā Harijam, taču Tramdāns apgalvoja, ka līdz pusdienlaikam sekas izzudīšot pašas no sevis. — Kā trako piemin...— Rons nervozi palūrēja apkārt, lai pārliecinātos, ka Tramdāna nav nekur tuvumā, un turpināja: — Nav brīnums, ka ministrijā viņu ne visai ieredz. Vai dzirdēji, ko viņš stāstīja Šīmusam? Par to, ko viņš izdarījis ar raganu, kas pirmajā aprīlī viņam aiz muguras iebrēkusies: "Bēē!"? Un pa kuru laiku lai mēs izlasām, kā turēties pretim *Pavēlus* lāstam, ja jau ar pārējiem darbiem nekādi nepaspējam tikt galā?

Visi ceturtgadnieki bija ievērojuši, ka šajā ceturksnī paveicamo darbu saraksts kļuvis nesamērīgi garš. Kad pēc kārtējā pārvērtību mājasdarba uzdošanas klase izdvesa īpaši smagu nopūtu, profesore Maksūra mēģināja to pamatot.

— Šobrīd jūsu maģiskās izglītības procesā sākas sevišķi svarīgs posms! — viņa paziņoja, acīm aiz stūrainajiem briļļu stikliem draudīgi sprikstījot. — Sākuma līmeņa ieskaites maģijā nāk aizvien tuvāk...

— SLIMi mums būs tikai piektajā gadā, — Dīns Tomass bezrūpīgi izmeta.

— Var jau būt, Tomas, tomēr, ticiet man, jums tiem kārtīgi

jāsagatavojas! Grendžeras jaunkundze joprojām ir vienīgā no jums visiem, kam izdevies ezi pārvērst daudzmaz pieņemamā adatu spilventiņā. Atļaujiet man atgādināt, ka *jūsējais* adatu spilventiņš, Tomas, vēl aizvien bailēs savelkas kamolā, līdzko kāds tam tuvina adatu!

Hermione, atkal visai tumši pietvīkusi, raudzīja savaldīties un neizskatīties pārāk pašapmierināta.

Harijs un Rons no sirds uzjautrinājās, kad nākamajā pareģošanas stundā profesore Trilonija pavēstīja, ka abi par mājasdarbu esot saņēmuši visaugstāko atzīmi. Viņa nolasīja visiem priekšā lielus gabalus no viņu pareģojumiem, uzlielīdama puikas par to, cik vīrišķīgi viņi esot samierinājušies ar gaidāmajām briesmām. Jautrība toties noplaka, kad profesore lika viņiem sastādīt tādu pašu paredzējumu aiznākamajam mēnesim — abiem katastrofu ideju krājums jau bija teju izsīcis.

Tostarp profesors Bijs — spoks, kurš pasniedza maģijas vēsturi, — lika viņiem rakstīt esejas par XVIII gadsimta Goblinu sacelšanos. Profesors Strups viņus piespieda meklēt pretindes. Audzēkņi pret to izturējās visai nopietni, jo Strups izmeta, ka līdz Ziemassvētkiem, iespējams, kādam no viņiem iebarošot indi, lai paskatītos, vai piemeklētā pretinde darbojas. Profesors Zibiņš lūdza viņus papildus izlasīt trīs grāmatas uz nākamo burvestību stundu.

Pat Hagrids viņus krautin apkrāva ar darbiem. Spridzekļmūdži auga galvu reibinošā ātrumā par spīti tam, ka nevienam vēl nebija izdevies atklāt, ko šie īsti ēd. Hagrids priekā tīri vai staroja un ierosināja, ka viņi "projekta" ietvaros varētu ik pārvakarus iet uz būdu, lai novērotu mūdžu neparasto izturēšanos un redzēto iemūžinātu pierakstos.

— Es to nedarīšu, — atteica Drako Malfojs, lai gan Hagrids šo priekšlikumu piedāvāja kā tāds Ziemassvētku vecītis, kas no maisa izvilcis vēl vienu brangu dāvanu. — Man jau pilnīgi pietiek ar šito draņķību stundu laikā, paldies.

Hagrida smaids pagaisa kā nebijis.

— Tu darīs, ko es teiks, — viņš norūca, — jebšu es izplēsīs vien lappus no profesors Tramdāns grāmatas... Dzirdēj, runā, ka tu ir sesks tā nekas, Malfoj, ko?

Grifidori teju aizrijās no smiekliem. Malfojs niknumā piesarka, taču atmiņas par Tramdāna sodu acīmredzot vēl bija pārāk spilgtas, lai viņš uzdrošinātos runāt pretim. Harijs, Rons un Hermione pēc stundas beigām pilī atgriezās visai labā prātā — visiem patika, kā Hagrids nolika Malfoju pie vietas, jo sevišķi tāpēc, ka pērn Malfojs, cik spēdams, bija centies sagādāt Hagridam nepatikšanas.

Taču viņi netika tālāk par Ieejas zāli, jo tur ap paprāvu plakātu, kas bija izlikts marmora kāpņu pakājē, drūzmējās un grūstījās liels bars audzēkņu. Rons, būdams gara auguma, paslējās pirkstgalos, palūrēja pāri skolasbiedru galvām un abiem draugiem skaļi nolasīja priekšā:

— *TREJBURVJU TURNĪRS!*

*Bosbatonas un Durmštrangas delegācijas ieradīsies piektdien, 30. oktobrī, plkst. 18. Nodarbības beigsies pusstundu agrāk...*

— Brīnišķīgi! — Harijs atsaucās. — Piektdien pēdējā stunda ir mikstūras! Strupam nepietiks laika mūs visus noindēt!

— *Audzēkņiem jānovieto somas un grāmatas guļamistabās un jāsapulcējas pilspriekšā, lai sagaidītu viesus pirms Atklāšanas maltītes.*

— Tas jau ir pēc nieka nedēļas! — izsaucās Elšpūša Ernijs Makmilans, mirdzošām acīm iznirdams no pūļa. — Interesanti, vai Sedriks zina? Paklau, es viņam izstāstīšu...

— Sedriks? — Rons truli atkārtoja, noskatīdamies, kā Ernijs aizmetas projām pa galvu, pa kaklu.

— Digorijs, — Harijs atsaucās. — Viņš laikam grasās piedalīties turnīrā.

— Tas stulbenis — Cūkkārpas censonis? — Rons novaikstījās, kad visi lauzās cauri čalojošajai drūzmai, lai tiktu līdz kāpnēm.

— Viņš nav nekāds dumiķis, vienkārši viņš tev nepatīk, tāpēc ka pieveica grifidorus kalambolā, — aizrādīja Hermione. — Runā, ka viņš esot ļoti labs students, turklāt arī prefekts!

Izklausījās, ka, viņasprāt, tas izšķir visu.

— Savukārt tev viņš patīk tikai tāpēc, ka ir *smuks*, — Rons iedzēla.

— Atvaino, bet ja gribi man patikt, ar smukumu vien būs par maz, — Hermione bezrūpīgi atsvieda.

Rons ņēmās ilgi un samāksloti šķaudīt, un viens krekšķis nez kāpēc izklausījās tieši kā "Sirdsāķis".

Paziņojums Ieejas zālē jaušami ietekmēja pils iemītnieku dzīvi. Visu nākamo nedēļu neviens, šķiet, ne par ko citu nemaz nerunāja — ej, kur gribi, visur tikai Trejburvju turnīrs, Trejburvju turnīrs. Kā lipīga sērga izplatījās baumas — par to, kurš kandidēs uz Cūkkārpas censoņa vietu, kas turnīrā būs jādara un kā diez Bosbatonas un Durmštrangas audzēkņi atšķiras no šejieniešiem.

Harijs ievēroja arī to, ka pilī sākusies tāda kā ārpuskārtas ģenerāltīrīšana. Nosūbējušie portreti tika pamatīgi noberzti, lai gan to iemītniekiem tas nebūt nepatika — tagad viņi tupēja ietvaros, sarāvušies čokurā, kurnēja un vaikstījās, nespēdami aprast ar saviem koši sārtajiem ģīmjiem. Bruņutērpi piepeši mirdzēja, laistījās un staigādami nemaz nečīkstēja, un uzraugs Arguss Filčs tik zvērīgi bruka virsū katram audzēknim, kurš piemirsa noslaucīt kājas, ka divām pirmziemniecēm piebaidīja histēriju.

Arī citi skolas darbinieki šķita neparasti satraukti.

— Lēniņ, esiet tik laipns un pieraugiet, lai neviens no Durmštrangas viesiem *neredzētu*, ka jūs nepieprotat pat parastu šurputurpu pārvērtību! — profesore Maksūra nodārdināja pēc kādas sevišķi grūtas nodarbības, kurā Nevils bija nejauši pieaudzējis paša ausis kaktusam.

Kad viņi trīsdesmitā oktobra rītā ieradās brokastīs, atklājās, ka Lielā zāle pa nakti ietērpusies svētku rotā. Pie sienām karājās milzīgi zīda karogi — katram Cūkkārpas tornim pa vienam: sarkans ar zelta lauvu Grifidoram, zils ar bronzas ērgli Kraukļanagam, dzeltens ar melnu āpsi Elšpūtim, un zaļš ar sidrabainu čūsku Slīdenim. Aiz pasniedzēju galda greznojās vislielākais karogs ar Cūkkārpas ģerboni, kur lauvu, ērgli, āpsi un čūsku vienoja iespaidīga izmēra "C".

Harijs, Rons un Hermione ar skatienu uzmeklēja Fredu un Džordžu. Abi sēdēja pie Grifidora galda, un atkal, tici vai netici, labu gabalu nost no pārējiem un klusi apspriedās. Rons devās viņiem klāt.

— Gatavā sodība, — viņš dzirdēja Džordžu sūkstāmies. — Bet ja viņš negribēs runāt ar mums aci pret aci, varam taču galu galā aizsūtīt vēstuli. Vai iegrūdīsim to viņam rokā — mūžīgi taču viņš nevarēs bēguļot!

— Kurš tad no jums bēguļo? — Rons apvaicājās, apsēzdamies abiem līdzās.

— Nebūtu slikti, ja to darītu tu, — Freds noburkšķēja, izskatīdamies pikts par to, ka brālis iejaucies sarunā.

— Kas ir sodība? — Rons noprasīja Džordžam.

— Šitāds brālis, kurš visur bāž savu degunu, — Džordžs atcirta.

— Vai jūs abi esat kaut ko domājuši par Trejburvju turnīru? — Harijs jautāja. — Gribat piedalīties?

— Es prasīju Maksūrai, kā tiek izraudzīti censoņi, bet viņa nesaka, — Džordžs sūrojās. Viņa man tikai lika apklust un pievērsties jenota pārvēršanai.

— Interesanti, kādi būs pārbaudījumi? — Rons apcerīgi teica. — Zini ko, Harij, saderam, ka mēs tiktu galā! Mēs jau esam sastapušies ar visādām briesmām...

— Ne jau žūrijas priekšā, — Freds aizrādīja. — Maksūra teica, ka censoņiem tiks piešķirti punkti atkarībā no tā, cik labi viņi tiks galā ar uzdevumiem.

— Kas tad būs tajā žūrijā? — Harijs vaicāja.

— Nu, parasti tur ir iekļauti dalībskolu direktori, — ieteicās Hermione, un visi viņai pievērsa pārsteiguma pilnus skatienus.

— Jo visas trīs cieta 1792. gada turnīrā, kad sāka plosīties bazilisks, ko censoņiem vajadzēja sagūstīt.

Tad, pamanījusi, ka visi uz viņu skatās, Hermione, kā parasti, mazliet neiecietīgi piebilda, ka neviens cits acīmredzot nav lasījis to, ko viņa: — To jebkurš var izlasīt "Cūkkārpas vēsturē". Lai gan, jāsaka, uz šo grāmatu *pilnīgi droši* paļauties nevar. Pareizāk būtu to dēvēt par "Cūkkārpas *pārlaboto* vēsturi". Vai arī, teiksim, par "Izteikti tendenciozu un selektīvu Cūkkārpas vēsturi, kur visi fakti, kas uz skolu varētu mest ēnu, pieminēti tikai garāmejot".

— Kas tie par mājieniem? — Rons noprasīja. Harijam gan šķita, ka atbilde ir viegli uzminama.

— Es runāju par *mājas elfiem*! — Hermione izsaucās, apstiprinādama Harija aizdomas. — "Cūkkārpas vēsturē" ir vairāk nekā tūkstoš lappušu, un nevienā pašā ne ar pušplēstu vārdiņu nav pieminēts, ka mēs vienprātīgi apspiežam daudzus desmitus vergu!

Harijs nogrozīja galvu un pievērsās olu kultenim. Tas, ka viņi ar Ronu neizrādīja ne mazāko entuziasmu, Hermiones apņemšanos cīnīties par mājas elfu tiesībām nebija mazinājis ne par mata tiesu. Viņi gan abi bija iemaksājuši pa diviem sirpiem apmaiņā pret VEMT nozīmītēm, taču tikai tāpēc, lai viņa stāvētu klusu. Tomēr izrādījās, ka sirpus viņi tikpat labi būtu varējuši kaut vai zemē nosviest, jo Hermione kļuva vēl jo nevaldāmāka un ņēmās Hariju un Ronu bikstīt bez sava gala — vispirms lika spraust pie krūtežas nozīmītes, tad gribēja, lai viņi piedabū citus darīt to pašu, turklāt pasāka ik vakaru aģitēt Grifidora koptelpā, iespiežot biedrus stūrī un grabinot viņiem zem deguna skārda krājkasīti.

— Vai apjēdzat, ka jūsu palagus maina, pavardu kurina, klases uzkopj un ēdienu gatavo bariņš paverdzinātu maģisko būtņu, kam pat algu neviens nemaksā? — viņa atkal un atkal pikti atgādināja.

Viens otrs, piemēram, Nevils, iemaksāja naudu tikai tāpēc, lai Hermione mitētos pārmetoši blenzt. Kādus pāris, šķiet, Hermiones runas viegli ieinteresēja, taču arī viņi atteicās kampaņā iesaistīties aktīvāk. Daudzi viņas izrunāšanos uzskatīja par joku.

Šobrīd Rons rūpīgi pētīja griestus, no kuriem plūda rudenīgas saules gaisma, savukārt Freda nedalītu uzmanību piepeši bija piesaistījusi šķiņķa šķēle (abi dvīņi bija kategoriski atteikušies iegādāties VEMT nozīmīti). Tomēr Džordžs pieliecās Hermionei tuvāk.

— Paklau, Hermione, vai tu esi kaut reizi bijusi lejā, virtuvē?

— Nē, protams, ka neesmu, — Hermione strupi atteica. — Es šaubos, vai audzēkņiem tur...

— Zini, mēs gan esam, — Džordžs viņu pārtrauca, norādīdams uz sevi un Fredu. — Neskaitāmas reizes, lai nočieptu šo to ēdamu. Un mēs viņus esam satikuši, un viņi jūtas *laimīgi*. Viņi uzskata, ka ir dabūjuši labāko darbu visā pasaulē...

— Tāpēc, ka viņiem trūkst izglītības un sastāstītas visādas blēņas! — Hermione iekaisa, bet viņas nākamos vārdus noslāpēja piepeša švīkstoņa kaut kur pie griestiem. Bija ieradušās pasta pūces. Harijs steigšus paskatījās augšup un ieraudzīja tuvojamies Hedvigu. Hermione apklusa uz līdzenas vietas, viņi abi ar Ronu satraukti vēroja Hedvigu, kas nometās uz Harija pleca, sakārtoja spārnus un gurdi pastiepa kāju.

Harijs norāva no tās Siriusa atbildes vēstuli un piedāvāja Hedvigai savas šķiņķādiņas, ko viņa ar pateicību pieņēma. Tad, pārliecinājies, ka Freds un Džordžs no jauna iesliguši diskusijā par Trejburvju turnīru, viņš čukstus nolasīja Siriusa vēstuli Ronam un Hermionei:

*Veltas pūles, Harij!*

*Esmu atgriezies valstī un labi nobēdzinājies. Es gribu, lai Tu man ziņo par visu, kas notiek Cūkkārpā. Hedvigu neizmanto, maini pūces un par mani neraizējies — galvenais, piesargies pats. Neaizmirsti, ko es teicu par Tavu rētu.*

*Siriuss*

— Kāpēc tev jāmaina pūces? — Rons klusi nobrīnījās.

— Hedviga piesaista pārāk lielu uzmanību, — Hermione

acumirklī atbildēja. — Viņa ir viegli pamanāma. Sniegbalta pūce, kas visu laiku lido turp, kur viņš paslēpies... Es gribu teikt, ka polārpūces taču šajos platuma grādos nemaz nedzīvo, vai ne?

Harijs saritināja vēstuli un ieslidināja to mantijas krokās, nespēdams saprast, vai tagad jūtas nomierinājies vai arī raizējas vēl vairāk. Protams, tas, ka Siriusam izdevies atgriezties nenotvertam, bija vienkārši lieliski. Turklāt nebija noliedzams, ka doma par Siriusa atrašanos tepat tuvumā šķita itin patīkama — vismaz nevajadzēs vairs tik ilgi gaidīt atbildes vēstules.

— Paldies, Hedviga, — viņš pabužināja putna pakausi. Pūce miegaini ieūjinājās, pamērcēja knābi viņa biķerī ar apelsīnu sulu un pacēlās spārnos, acīm redzami noilgojusies pēc kārtīga nomiedža Pūču mājā.

Todien pilī vēdīja satraucošas un priekpilnas gaidas. Stundās visi bija izklaidīgāki nekā parasti, jo daudz svarīgāka likās Bosbatonas un Durmštrangas pārstāvju ierašanās. Pat mikstūras šķita ciešamākas nekā parasti — nodarbība bija par pusstundu īsāka. Kad noskanēja zvans, kas vēstīja saīsinātās stundas beigas, Harijs, Rons un Hermione steidzās uz Grifidora torni, atbilstoši norādījumam nolika tur somas un grāmatas, uzvilka apmetņus un metās lejā uz Ieejas zāli.

Torņu priekšnieki kārtoja audzēkņus rindās.

— Vīzlij, sakārtojiet cepuri! — profesore Maksūra uzbrēca Ronam. — Patilas jaunkundz, aizvāciet no matiem to ķēmu!

Parvati sadrūma un noņēma bizes galā piestiprināto dekoratīvo taureni.

— Tagad, lūdzu, nāciet man līdzi, — profesore Maksūra norādīja, — pirmziemnieki pa priekšu... un lai nebūtu nekādas grūstīšanās...

Viņi nosoļoja lejā pa parādes kāpnēm un nostājās pils priekšā. Vakars bija auksts un skaidrs, dienas gaisma pamazām dzisa, un virs Aizliegtā meža jau bija pacēlies bāls, caurspīdīgs mēness. Stāvēdams ceturtajā rindā starp Ronu un Hermioni, Harijs varēja saskatīt Denisu Krīviju, kurš, satraukumā trīsēdams, dīdījās starp citiem pirmziemniekiem.

— Tūliņ būs seši, — noteica Rons, palūkojies savā pulkstenī un nopētīdams ceļu, kas veda uz Cūkkārpas vārtiem. — Diez ar ko viņi brauc? Ar vilcienu?

— Šaubos, — Hermione novilka.

— Kā tad? Uz slotaskātiem? — Harijs minēja, palūkodamies uz zvaigznēm piebārstītajām debesīm.

— Diezin vai... tā kā par tālu...

— Ar ejslēgu? — Rons prātoja. — Vai arī teleportēsies — varbūt pie viņiem to drīkst darīt pirms septiņpadsmit gadu vecuma?

— Cūkkārpas teritorijā ieteleportēties nav iespējams — cik reižu man tev tas jāsaka?! — Hermione zaudēja pacietību.

Viņi satraukti urbās ar skatienu puskrēslā, bet nekur nebija manāma ne mazākā kustība, valdīja parastais miers un klusums. Harijam sāka mesties salti. Viņam gribējās, lai viesi pasteidzas... varbūt svešzemju audzēkņi gatavojās ierasties ar *pompu*... viņam atmiņā uzpeldēja vārdi, ko kempingā pirms kalambola pasaules kausa izcīņas bija teicis Vīzlija kungs: "Vienmēr viens un tas pats — sanākot kopā, kādam allaž vajag padižoties..."

Un tad aiz muguras, kur stāvēja visi pasniedzēji, atskanēja Dumidora balss: — Āreče! Ja vien nekļūdos, Bosbatonas delegācija tuvojas!

— Kur? — skolēni cits caur citu sauca, lūkodamies uz visām pusēm.

— Rau, *tur*! — nokliedzās kāds sestgadnieks, norādīdams debesīs virs meža.

Šķērsām pāri tumšzilajam debesjumam uz pils pusi traucās kaut kas liels, daudz lielāks par slotaskātu — īstenībā daudz lielāks arī par simt slotaskātu pulku —, un, nākdams aizvien tuvāk un tuvāk, ar katru brīdi šķita milstam vēl jo lielāks.

— Pūķis! — pilnīgā apjukumā iespiedzās kāda pirmziemniece.

— Nerunā blēņas. Tā ir lidojoša māja! — norādīja Deniss Krīvijs.

Deniss jau bija tuvāk patiesībai... Kad milzīgais, melnais blāķis, lejup laizdamies, pārslīdēja pāri Aizliegtā meža koku galotnēm un to apspīdēja pils logu gaisma, visi ieraudzīja piezemējamies gigantisku, matēti zilu karieti prāvas mājas lielumā, ko vilka ducis spārnotu, zeltainu zirgu ar gaišām krēpēm, no kuriem katrs augumā itin labi varēja mēroties ar ziloni.

Kariete šāvās lejup milzu ātrumā, un pirmās trīs sagaidītāju rindas neviļus pakāpās atpakaļ. Ar varenu dārdienu, no kura Nevils palēcās stāvus gaisā un, atpakaļ krizdams, nobradāja kājas kādam Slīdeņa piektgadniekam, pret zemi atsitās zirgu pakavi, katrs krietnas paplātes lielumā. Mirkli vēlāk pret zemi triecās arī kariete, vēl vairākas reizes palēcās uz platajiem riteņiem, bet zeltainie zirgi ņēmās purināt milzīgās galvas un bolīt asinīm pieplūdušās acis.

Pirms atvērās karietes durvis, Harijs paspēja saskatīt, ka tās rotā ģerbonis (divi sakrustoti zelta zižļi, no kuriem katrs raidīja trīs zvaigznes).

No karietes izlēca pelēkzilā mantijā ģērbies zēns, noliecās, brīdi ņēmās ap kaut ko, kas bija novietots uz karietes grīdas, atlocīja zelta kāpnītes un bijīgi atkāpās malā. Harijs ieraudzīja durvju ailā parādāmies spožu, melnu augstpapēža kurpi — tik lielu kā bērnu kamaniņas —, un teju nākamajā acumirklī no karietes tumsas iznira sieviete, par kuru lielāku viņš neatminējās redzējis. Tas ļāva noprast, kam vajadzīga tik pārmēru milzīga kariete un zirgi. Viens otrs pūlī noelsās.

Harijs savā mūžā bija redzējis tikai vienu tikpat lielu cilvēku, un tas bija Hagrids; viņš lēsa, ka šie abi varētu būt pilnīgi viena auguma. Un tomēr — varbūt vienkārši tāpēc, ka ar Hagridu viņš bija apradis, — šī sieviete (nu jau viņa bija nokāpusi lejā pa pakāpieniem un nolūkoja pārsteigto sagaidītāju pulku) šķita pārmēru nedabiski liela. Kad viņa paspēra pāris soļu un nostājās no Ieejas zāles plūstošajā gaismas lokā, atklājās, ka viešņai ir pievilcīga, tumsnēja seja, lielas, melnas, valgas acis un palīks deguns. Viņas mati bija uz pakauša saņemti zemā, mirdzošā mezglā. Sievietes stāvs bija viscaur ietērpts melnā atlasā, kaklu un brangos pirkstus rotāja daudzi karaliski, zaigojoši opāli.

Dumidors sāka sist plaukstas, arī audzēkņi ņēmās aplaudēt, liela daļa bija pastiepušies uz pirkstgaliem, lai viešņu varētu labāk saredzēt.

Atplaukusi piemīlīgā smaidā, viņa devās pie Dumidora, pastiepdama uz priekšu mirdzošo roku. Dumidoram, kas pats nebija nekāds sīkaļa, gandrīz vai nevajadzēja pieliekties, lai to noskūpstītu.

— Manu dārgo Maksima madām! — viņš sacīja. — Priecājos jūs sveikt Cūkkārpā.

— Dummi-dorr, — Maksima madāma atņēma sveicienu zemā, dunošā balsī, — es cerru, ka jūtaties labi.

— Pateicos, lieliski, — Dumidors atbildēja.

— Mani audzēkņi, — viešņa pavirši pavēcināja milzīgo roku, norādīdama sev aiz muguras.

Harijs, kura skatiens līdz tam bija kā kaltin piekalts vienīgi Maksima madāmai, piepeši pamanīja, ka no karietes bija izkāpuši un Maksima madāmai aiz muguras sastājušies apmēram ducis zēnu un meiteņu — visi izskatījās gadus septiņpadsmit astoņpadsmit veci. Viesi drebinājās, un tas nebija nekāds brīnums, jo viņu mantijas izskatījās darinātas no smalka zīda un apmetņa nevienam nebija. Dažs labs ap galvu bija apvīstījis šalli vai lakatu. Cik nu Harijs varēja samanīt viņu sejas (pāri tām joprojām plājās Maksima madāmas milzīgā ēna), visi nomērīja Cūkkārpu ar visai kritisku skatienu.

— Karrkarrofa te vēl nav? — Maksima madāma vaicāja.

— Jābūt klāt kuru katru mirkli, — Dumidors atbildēja. — Gribēsiet viņu sagaidīt šepat, vai varbūt jums labpatiks iet iekšā un mazuliet apsildīties?

— Domāju, apsildīties, — viešņa nosprieda. — Bet zirrgi...

— Par tiem labprāt parūpēsies mūsu maģisko būtņu kopšanas skolotājs, — Dumidors sacīja, — kolīdz būs ticis galā ar nelielu problēmu, ko viņam sagādājuši daži citi... mm... aprūpējamie.

— Mūdži, — Rons pasmīnēdams pačukstēja Harijam.

— Man rrumakiem vajag... ēē... stingrra rroka, — Maksima madāma bilda, itin kā šaubīdamās, vai sazin kāds tur Cūkkārpas maģisko būtņu kopšanas skolotājs spēs ar šādu darbu tikt galā. — Viņi dikti stiprri.

— Ticiet man, Hagrids tiks galā, — Dumidors smaidīdams viņu mierināja.

— Dikti labi, — Maksima madāma viegli paklanījās. — Lūdzu inforrmēt to Hagrridu, ka zirrgi dzerr tik tīrru iesala viskiju.

— Es par to parūpēšos, — arī Dumidors palocījās.

— Nākam! — Maksima madāma pavēlnieciski uzsauca saviem audzēkņiem, un Cūkkārpas pulks pašķīrās, lai viesi varētu uzkāpt pa lielajām akmens kāpnēm.

— Kā jūs domājat, cik lieli būs Durmštrangas zirgi? — Ronu un Hariju pieliecies uzrunāja Šīmuss Finigens, kas stāvēja gabaliņu tālāk, aiz Lavenderas un Parvati.

— Nu, ja viņi būs vēl lielāki nekā šitie, pat Hagrids diez vai tādus savaldīs. Protams, ja vien mūdži viņu nav jau nokoduši. Diez, kas tur lēcies?

— Varbūt izmukuši, — Rons cerīgi bilda.

— Beidz šitā runāt, — Hermione nodrebinājās. — Iedomājies, ja nu viņi te sāk lodāt...

Tagad, stāvēdami un gaidīdami ierodamies Durmštrangas delegāciju, drebinājās jau pilnīgi visi. Lielais vairākums gaidpilni raudzījās debesīs. Aizritēja pāris minūšu, viss bija klusu, tikai Maksima madāmas milzu zirgi sprauslāja un dimdināja pakavus pret zemi. Bet tad...

— Vai dzirdat? — Rons piepeši ierunājās.

Harijs ieklausījās. Tumsā bija saklausāms dīvaini baismīgs

troksnis, kas virzījās aizvien tuvāk, — apslāpēta rīboņa un šņākoņa, it kā pa upes dibenu šurp stumtos milzonīgs putekļu sūcējs.

— Ezerā! — iekliedzās Lī Džordans, norādīdams pirkstu. — Paskatieties uz ezeru!

Stāvēdami pakalnā, viņi varēja labi saskatīt ezera melno, rāmo virsmu, tikai pēkšņi tā vairs nebūt nebija rāma. Pašā vidū, dziļi zem ūdens, kaut kas norisinājās; ezers uzburbuļoja, lēzenos krastus applūdināja viļņi, un tad pašā viducī ūdens sagriezās vērpetē, itin kā no ezera dibena kāds būtu izrāvis milzu aizbāzni.

Vērpetes centrā parādījās tāda kā gara, melna kārts, kas lēnām cēlās augšup... un tad Harijs ieraudzīja takelāžu...

— Tas taču ir masts! — viņš uzsauca Ronam un Hermionei.

Lēnām un majestātiski, mēnesnīcā spīguļodams, no ūdens izcēlās kuģis. Tas izskatījās visai dīvains — tāds kā ģindenis, kā jūras dibenā ilgi gulējis vraks, — no iluminatoriem plūda neskaidra, blāva gaisma, kas darīja tos līdzīgus spokainiem redzokļiem. Visbeidzot ezera virsma ar troksni sakļāvās, kuģis bija izcēlies visā pilnībā un, šūpodamies paša saceltajos viļņos, sāka slīdēt uz krasta pusi. Pēc īsa brīža atskanēja plunkšķis — viesi izmeta enkuru, un tad krastā nolaidās trapa dēļa gals.

Kuģinieki kāpa malā, pret gaišajiem iluminatoriem varēja redzēt pavīdam viņu siluetus. Harijam radās iespaids, ka viņi visi miesās ir tikpat brangi kā Krabe un Goils. Bet, pēc tam kad viesi bija pienākuši tuvāk un nonākuši pie Ieejas zāles apgaismotās pils ieejas, atklājās, ka dūšīgi viņi izskatās tikai tāpēc, ka saģērbušies pinkuļainos kažokādas apmetņos. Taču vīrs, kurš gāja visiem pa priekšu, bija ietērpies pavisam citās ādās — smalkās, zīdainās un sudrabainās, taisni tādās kā viņa mati.

— Dumidor! — viņš sirsnīgi uzsauca, kāpdams augšup pa nogāzi. — Kā klājas, dārgais draugs, kā klājas?

— Esmu spirgts kā pumpuriņš! Paldies par apvaicāšanos, profesor Karkarov, — Dumidors atsaucās.

Karkarova balss bija melodiska un glāsmaina. Kad Durmštrangas direktoru apspīdēja gaisma, kas strāvoja no pils atvērtajām parādes durvīm, visi ieraudzīja, ka viņš, tāpat kā Dumidors, ir garš un kalsnējs, tikai sirmie mati bija īsi apcirpti un āžbārdiņa (tā pašā galā savērpās sprodziņā) sedza tikai daļu visai kaulainā zoda. Piegājis klāt Dumidoram, viņš sāka kratīt profesora roku, saņēmis to abās savējās.

— Vecā labā Cūkkārpa, — viņš sacīja, palūkodamies uz pili un pasmaidīdams. Karkarova zobi bija iedzelteni, un Harijs ievēroja, ka smaida tikai viņa lūpas, bet acis — ne; tās bija un palika saltas un caururbjošas. — Cik jauki būt šeit, cik jauki. Viktor, nāc nu šurp, siltumā. Jums taču nebūs nekas pretim, Dumidor? Viktors ir drusku apaukstējies.

Karkarovs pabīdīja uz priekšu vienu no saviem audzēkņiem. Harijs paspēja samanīt zēna palielo, uzkumpušo degunu un biezās, melnās uzacis. Viņš šo profilu būtu pazinis kaut nakts vidū — Rons varēja pilnīgi mierīgi aiztaupīt pūles, negrūst dunku Harijam sānos un nešņākt ausī: — Harij... *tas taču ir Krums*!

## SEŠPADSMITĀ NODAĻA

# UGUNS BIĶERIS

— Neticami! — Rons truli atkārtoja, kad Cūkkārpas audzēkņi, palaiduši garām Durmštrangas delegāciju, kāpa augšup pa kāpnēm. — Krums, Harij! Viktors Krums!

— Debestiņ, Ron, viņš taču ir tikai kalambola spēlētājs, — Hermione aizrādīja.

— *Tikai kalambola spēlētājs*? — Rons uz viņu paskatījās tā, it kā nespētu noticēt pats savām ausīm. — Hermione, viņš ir viens no labākajiem meklētājiem visā pasaulē! Man nebija ne jausmas, ka viņš vēl mācās skolā!

Kamēr viņi kopā ar pārējiem Cūkkārpas audzēkņiem gāja cauri Ieejas zālei uz Lielo zāli, Harijs pamanīja, ka Lī Džordans lēkā kā zaķis, lai pēc iespējas labāk saskatītu Kruma pakausi. Vairākas sestgadnieces izmisīgi rakājās pa kabatām: — Ak, nē, nevar būt, man nav līdzi nevienas rakstāmspalvas. Paklau, kā tev liekas, vai viņš parakstīsies man uz cepures ar lūpkrāsu?

— *Nu jau gan,* — Hermione uzsvērti novilka, kad viņi gāja garām meitenēm, kas tagad ķīvējās ap lūpu zīmuli.

— Es arī gribu viņa autogrāfu, ja vien tas iespējams, — izsaucās Rons. — Tev nav rakstāmspalvas, ko, Harij?

— Nav, visas ir augšā somā, — Harijs atteica.

Viņi aizgāja līdz Grifidora galdam un apsēdās. Rons visādā ziņā gribēja sēdēt ar seju pret durvīm, jo tur joprojām grozījās

Krums ar pārējiem Durmštrangas pārstāvjiem, acīmredzot īsti nezinādami, kur viņiem paredzētas vietas. Bosbatonieši bija izraudzījušies vietas pie Kraukļanaga galda un sēdēja, nomērīdami Lielo zāli ar nīgriem skatieniem. Trim no viņiem ap galvu joprojām bija aptītas šalles un lakati.

— *Tik ļoti* auksti šeit taču nav, — Hermione aizskarta piezīmēja, viņus aplūkojusi. — Vai tad nevarēja paņemt līdzi apmetņus?

— Šurp! Nāciet sēdēt šeit! — Rons iesēcās. — Šurp! Hermione, pabīdies, atbrīvo vietu...

— Ko?

— Par vēlu, — Rons nosūkstījās.

Viktors Krums ar biedriem jau bija iekārtojušies pie Slīdeņa galda. Harijs redzēja, ka Malfojs, Krabe un Goils no pašapmierinātības teju vai staro. Tobrīd Malfojs paliecās tuvāk Krumam, lai viņu uzrunātu.

— Jā, jā, kā tad, pielaizies vien, Malfoj, — Rons indīgi novilka. — Deru, ka Krums viņam redz cauri, lai gan varu derēt, ka visi ap viņu luncinās vienā laidā. Diez, kur viņi gulēs? Mēs varētu Krumam piedāvāt gultu mūsu guļamistabā. Es varētu viņam atdot savējo un pats itin labi nokrākties uz matrača.

Hermione nosprauslājās.

— Viņi izskatās daudz apmierinātāki par bosbatoniešiem, — Harijs piezīmēja.

Durmštrangas audzēkņi tīstījās laukā no smagajām kažokādām un ieinteresēti pētīja zāles melnos, zvaigznēm nobārstītos griestus. Divi trīs pacilāja zelta šķīvjus un biķerus, aplūkoja tos tuvāk, un šķita, ka redzētais ir atstājis uz viņiem iespaidu.

Filčs pie pasniedzēju galda nesa klāt papildu krēslus. Viņš par godu svinībām bija apvilcis savu veco, apsūnojušo fraku. Harijs pārsteigts ievēroja, ka jaunpiegādātie krēsli ir četri — divi Dumidoram pie labās rokas un divi pie kreisās.

— Bet klāt taču nākuši tikai divi cilvēki, — viņš bilda. — Kāpēc Filčs piestūmis četrus krēslus? Kas vēl ieradīsies?

— Ko ta? — Rons izklaidīgi atsaucās. Viņš joprojām alkatīgi blenza uz Krumu.

Kad visi audzēkņi bija sanākuši zālē un sasēdušies pie torņu galdiem, ienāca pasniedzēji un apsēdās pie sava galda. Pēdējie to darīja Dumidors, profesors Karkarovs un Maksima madāma. Kolīdz parādījās Bosbatonas direktrise, bosbatonieši pielēca kājās. Pāris Cūkkārpas audzēkņi iesmējās. Bosbatonieši par to daudz zinis nelikās un apsēdās tikai tad, kad Maksima madāma bija iekārtojusies līdzās Dumidoram, pie viņa kreisās rokas. Taču Dumidors palika stāvam kājās, un Lielajā zālē iestājās klusums.

— Labvakar, dāmas un kungi, spoki un it īpaši — viesi, — Dumidors veltīja starojošu skatienu svešzemju audzēkņiem. — Es ļoti priecājos jūs visus sveikt Cūkkārpā. Es ceru un paļaujos uz to, ka jūs šeit jutīsities gan ērti, gan patīkami.

Viena no Bosbatonas meitenēm, kam galva joprojām bija ievīstīta lakatā, nicīgi noirgojās — pārprast nebija iespējams.

— Neviens tevi te netur! — Hermione sabozusies nočukstēja.

— Turnīrs tiks oficiāli atklāts maltītes noslēgumā, — Dumidors turpināja. — Tagad es jūs visus aicinu mieloties un justies kā mājās!

Viņš apsēdās, un Harijs redzēja Karkarovu tūliņ pieliecamies Dumidoram tuvāk un uzsākam sarunu.

Kā allaž, šķīvji uz galdiem piepildījās ar ēdieniem. Izskatījās, ka mājas elfi cepdami un vārīdami ir pārspējuši paši sevi — tik daudz dažādas ēdmaņas vienuviet Harijs vēl nebija redzējis, turklāt viena daļa ēdienu bija pilnīgi nepazīstami — skaidrs, ka svešzemnieciski.

— Kas *tas* tāds? — Rons ieprasījās, norādīdams uz lielu šķīvi ar tādu kā gliemeņu sautējumu, kas stāvēja blakus apjomīgam steika un nieru pudiņam.

— Bujabese, — Hermione atsaucās.

— Liels paldies, — Rons noteica.

— Tas ir *franču* ēdiens, — Hermione paskaidroja. — Es to ēdu aizpagājušās vasaras brīvdienās. Ļoti garšīgs.

— Ticēšu uz vārda, — Rons nogrozīja galvu, uzlikdams sev uz šķīvja lielu gabalu melnā pudiņa.

Nezin kāpēc šķita, ka Lielajā zālē ir daudz vairāk cilvēku nekā parasti, lai gan klāt bija nākuši tikai labi ja divdesmit. Varbūt tāpēc, ka svešinieku tērpi tik ļoti izcēlās uz Cūkkārpas melno mantiju fona. Atklājās, ka zem kažokādas apmetņiem Durmštrangas audzēkņi valkā tumši asinssarkanas mantijas.

Divdesmit minūtes pēc maltītes sākuma pa durvīm, kas atradās aiz pasniedzēju galda, zālē sāniski ielavījās Hagrids. Nosēdies savā vietā pašā galda maliņā, viņš ar pamatīgi nosaitētu roku pamāja Harijam, Ronam un Hermionei.

— Kā iet mūdžiem, Hagrid? — Harijs viņam uzsauca.

— Aug ta ka sēnes, — Hagrids līksmi atdārdināja.

— Jā, jā, par to es nešaubos, — Rons nomurmināja. — Vai tik pēdīgi nebūs atraduši to, kas šiem garšo, ko? Hagrida pirkstus.

Tieši tobrīd atskanēja kāda balss: — Atvainojos, vai jums grribas bujabesi?

Tā bija bosbatoniešu meitene, kas smējās Dumidora runas laikā. Viņa beidzot bija notinusi no galvas šalli. Garu, sudrabaini baltu matu klājiens slīga viņai teju līdz jostasvietai. Meitenei bija platas, tumšzilas acis un sniegbalti, līdzeni zobi.

Rons pietvīka tumši sarkans. Viņš blenza uz pienācēju kā nolēmēts, atplēta muti, lai kaut ko atbildētu, bet spēja izdvest tikai vāru, gurguļojošu pīkstienu.

— Lūdzu, vari to dabūt, — Harijs pabīdīja šķīvi uz meitenes pusi.

— Esat arr to beiguši?

— Jā, — Rons nosēcās. — Jā, garšoja brīnišķīgi.

Meitene savāca šķīvi un uzmanīgi nesa to projām uz Kraukļanaga galdu. Rons vēl aizvien uz viņu skatījās tā, it kā bosbatoniete būtu pirmā meitene, ko viņš redzējis savā mūžā. Harijs sāka smieties. To sadzirdējis, Rons beidzot atjēdzās.

— Viņa ir *sirella*! — viņš piesmacis pavēstīja.

— Nebūt ne! — Hermione dzēlīgi atcirta. — Neviens cits neblenž uz viņu ar vaļā muti kā tāds muļķis!

Tomēr tā vis gluži nebija. Kad meitene gāja pāri zālei, daudzi zēni pavadīja viņu ar skatienu, un dažs labs pat šķita uz brīdi zaudējis valodu gluži kā Rons.

— Es jums saku, viņa nav parasta meitene! — Rons paliecās sāņus, lai labāk redzētu Kraukļanaga galdu. — Cūkkārpā tādas netaisa!

— Cūkkārpā tādas taisa gan, — Harijs neapdomīgi izgrūda. Čo Čanga sēdēja tikai dažas vietas atstatu no meitenes ar sudrabainajiem matiem.

— Kad jūs abi būsiet acis ieskrūvējuši atpakaļ dobuļos, — Hermione sabozusies izmeta, — varēsiet apskatīties, kas pie mums ieradies.

Viņa pamāja uz pasniedzēju galda pusi. Divi tukšie krēsli jau izrādījās aizņemti. Profesoram Karkarovam pie otriem sāniem tagad sēdēja Ludo Maišelnieks, savukārt līdzās Maksima madāmai bija iekārtojies Persija priekšnieks Zemvalža kungs.

— Ko tie te meklē? — Harijs pārsteigts izsaucās.

— Viņi taču sagatavoja Trejburvju turnīru, vai ne tā? — Hermione teica. — Manuprāt, viņi grib būt klāt, lai paskatītos, kā te viss sāksies.

Arī tad, kad uz galda parādījās otrie ēdieni, starp tiem izrādījās daudz nepazīstamu pudiņu. Rons kārtīgi apskatīja ērmīgu, bālganu želeju, tad uzmanīgi pabīdīja šķīvi nedaudz pa labi, lai tas būtu labi saskatāms no Kraukļanaga galda. Tomēr meitene, kas izskatījās pēc sirellas, laikam bija pieēdusi pilnu vēderu un receklim pakaļ nākt negrasījās.

Kad zelta šķīvji atkal bija tīri un spoži, Dumidors no jauna piecēlās. Šķita, ka Lielo zāli pāršalc patīkama satraukuma vilnis. Harijs juta vieglu saspringdzinājumu, mēģinādams iztēloties, kas notiks. Gabaliņu tālāk ausis spicēja Freds un Džordžs, cieši raudzīdamies Dumidoram acīs.

— Tas brīdis ir klāt, — Dumidors uzsmaidīja skolēnu pūlim. — Trejburvju turnīrs tūliņ sāksies. Es tikai gribētu teikt pāris vārdu, vēl pirms ienesam šķirstu...

— Ko tad? — Harijs nomurmināja.

Rons paraustīja plecus.

— ...lai izskaidrotu kārtību, kādu ievērosim šogad. Bet vispirms ļaujiet man tiem, kas šos cilvēkus vēl nepazīst, stādīt priekšā Starptautiskās magu sadarbības nodaļas direktoru Bērtuli Zemvalža kungu... — Atskanēja pieklājīgi, pašķidri aplausi, —... un Burvju spēļu un sporta nodaļas direktoru Ludo Maišelnieka kungu.

Maišelnieks izpelnījās daudz skaļākus aplausus nekā Zemvaldis, varbūt tāpēc, ka kādreiz bija plaši pazīstams triecējs, bet, visticamāk, vienkārši tāpēc, ka izskatījās nesalīdzināmi simpātiskāks. Maišelnieks uz aplausiem atbildēja, līksmi novēcinādams roku, savukārt Bērtulis Zemvaldis pēc tam, kad tika nosaukts viņa vārds, nedz pasmaidīja, nedz pamāja. Atminēdamies Zemvaldi spodrajā uzvalkā kalambola pasaules kausa izcīņā, Harijs nosprieda, ka burvja drānās viņš izskatās dīvaini. Viņa zobu birstei līdzīgās ūsas un nevainojamā matu šķirtne līdzās Dumidora garajām, sirmajām šķieznām un bārdai šķita pagalam ērmīgas.

— Pēdējos mēnešus Maišelnieka un Zemvalža kungi ir strādājuši bez atelpas, lai sarīkotu Trejburvju turnīru, — Dumidors turpināja, — un viņi līdz ar mani, profesoru Karkarovu un Maksima madāmu strādās žūrijā, kas izvērtēs censoņu veikumu.

Līdzko izskanēja vārds "censoņi", klausītāju interese jaušami pieauga.

Iespējams, Dumidors ievēroja, ka Lielajā zālē piepeši bija iestājies kapa klusums, jo viņš pasmaidīja, pirms izteica vārdus:

— Tad nu esiet tik laipns, Filča kungs. Ienesiet, lūdzu, šķirstu!

Filčs, kurš līdz tam brīdim, neviena neievērots, bija grozījies zāles tālākajā stūrī, devās pie Dumidora, stiepdams prāvu, dārgakmeņiem rotātu koka lādi. Tā izskatījās ārkārtīgi veca. Audzēkņu pulku pārskanēja ziņkāra murdoņa, Deniss Krīvijs, lai redzētu lādi, pat uzkāpa uz krēsla, taču augumā bija tik sīks, ka arī tad tik tikko spēja palūkoties pār citiem.

— Noteikumus, pēc kuriem censoņi uzdevumus veiks šogad, Zemvalža un Maišelnieka kungi jau ir pārskatījuši, — Dumidors pavēstīja, kad Filčs lādi bija uzmanīgi novietojis viņam priekšā uz galda, — un katrs posms ir rūpīgi sagatavots. Uzdevumu pavisam būs trīs, tie tiks veikti šā mācību gada laikā un censoņiem liks parādīt un pierādīt sevi daudz un dažādi... burvju spējas, dūšu, spriestspēju... un, protams, spēju stāties pretim briesmām.

Izskanot pēdējam vārdam, zālē iestājās tāds klusums, ka nebija dzirdams pat neviens elpas vilciens.

— Kā jums zināms, turnīrā spēkiem mērojas trīs censoņi, — Dumidors nesatricināmi turpināja, — pa vienam no katras dalībskolas. Viņi tiks vērtēti atkarībā no tā, cik labi veiks katru no turnīra uzdevumiem. Censonis, kam pēc trešā uzdevuma veikšanas būs vislielākais punktu skaits, būs izcīnījis Trejburvju kausu. Censoņus izraudzīsies neuzpērkams soģis — Uguns biķeris.

Dumidors izvilka zizli un ar to trīs reizes pieklauvēja pie šķirsta vāka. Tas čīkstēdams un skrapstēdams lēni pacēlās. Dumidors pasniedzās un izvilka no lādes lielu, rupji aptēstu koka kausu. Tas būtu šķitis pagalam necils, ja vien līdz pat malām nebūtu piepildīts ar dejojošām, zili baltām liesmām.

Aizvēris šķirstu, Dumidors uzmanīgi nolika Biķeri uz lādes vāka, lai visi klātesošie to labi varētu apskatīt.

— Ikvienam, kurš grib pieteikties par censoni, skaidri un salasāmi jāuzraksta savs un savas skolas vārds uz pergamenta loksnes un pieteikums jāiemet Biķerī, — Dumidors pavēstīja. — Varbūtējie censoņi pieteikumus var iesniegt divdesmit četru stundu laikā. Rītvakar, Visu Svēto vakarā, Biķeris izsniegs to triju kandidātu vārdus, kuri, viņaprāt, ir visvairāk pelnījuši pārstāvēt savu skolu. Šovakar Biķeris tiks novietots Ieejas zālē, kur būs brīvi pieejams visiem, kas vēlas iesaistīties sacensībā. Lai palīdzētu ar šo kārdinājumu tikt galā nepilngadīgajiem audzēkņiem, es tūliņ pēc tam, kad Uguns biķeris tiks novietots Ieejas zālē, ap to apvilkšu Pilngadības robežu. To pārkāpt nespēs neviens, kurš ir jaunāks par septiņpadsmit gadiem. Visbeidzot, visiem, kas vēlas kļūt par šā turnīra dalībniekiem, es gribu likt pie sirds, ka tā nav nekāda joka lieta. Uguns biķera izraudzītajam censonim turnīrā būs jāpiedalās līdz galam. Ieliekot savu vārdu Biķerī, jūs noslēdzat derību — maģisku līgumu. Kolīdz būsiet kļuvuši par censoni, pārdomāt vairs nedrīkstēsiet. Tāpēc esiet tik laipni un, iekams metiet savu vārdu Biķerī, kārtīgi apsveriet, vai patiesi un no sirds vēlaties piedalīties spēlē. Un tagad, manuprāt, laiks doties pie miera. Saldus sapņus visiem.

— Pilngadības robeža! — Freds Vīzlijs iesaucās, acīm mirdzot, kad visi devās uz durvīm, kas veda uz Ieejas zāli. — To taču var apšmaukt ar novecināšanas mikstūru, vai ne tā? Un, galu galā, vajag taču tikai iedabūt vārdu Biķerī — tad var svilpot, jo Biķeris neprot noteikt, vai tev ir septiņpadsmit vai nav!

— Es gan nedomāju, ka ir kaut mazākās izredzes uzvarēt, ja tev ir mazāk par septiņpadsmit, — domīgi teica Hermione. — Mēs vēl tik daudz ko nezinām un neprotam.

— Nevajag vispārināt, — Džordžs viņu pārtrauca. — Tu taču mēģināsi, vai ne, Harij?

Harijs brīdi prātoja par Dumidora piekodinājumu, ka neviens, kurš jaunāks par septiņpadsmit gadiem, nedrīkst pieteikties, taču tad acu priekšā atkal iznira brīnumainas ainas — kā viņš izcīna Trejburvju kausu... diez cik ļoti Dumidors saskaistos, ja kāds no nepilngadīgajiem tomēr pamanītos pārkāpt Pilngadības robežu.

— Kur viņš ir? — ievaicājās Rons, kas no viņu sarunas nenieka nebija dzirdējis, tikai skatījies uz visām pusēm, lai uzzinātu, kur palicis Krums. — Dumidors taču nepateica, kur nakšņo Durmštrangas pulciņš, ko?

Bet atbilde sekoja teju acumirklī — tieši tobrīd viņi bija nonākuši pie Slīdeņa galda, un tur Karkarovs izrīkoja savus audzēkņus.

— Tātad marš atpakaļ uz kuģi, — viņš noteica. — Viktor, kā tu jūties? Paēdi kārtīgi? Varbūt pateikt, lai tev virtuvē sabrūvē karstvīnu?

Harijs redzēja, kā Krums, stīvēdams mugurā kažokādas apmetni, noraidoši papurina galvu.

— Profesor, es gan gribēt malciņu vīna, — cerīgi ieteicās kāds cits Durmštrangas audzēknis.

— *Tev* es neko netiku piedāvājis, Poļakov, — Karkarovs skarbi atcirta, un viņa tēviškā laipnība pagaisa kā nebijusi. — Redzu, ka atkal esi visu mantijas priekšu noķēzījis ar ēdienu, pretīgais puika!

Apcirties uz papēža, Karkarovs veda savu audzēkņu pulku uz durvīm, kur nonāca reizē ar Hariju, Ronu un Hermioni. Harijs apstājās, lai palaistu viesus pa priekšu.

— Pateicos, — Karkarovs pavirši izmeta, viņu tik tikko uzlūkojis.

Un tad Karkarovs sastinga. Viņš pagriezās atpakaļ un ieurbās Harijā ar tādu skatienu, it kā nespētu noticēt pats savām acīm. Durmštrangas audzēkņi, uz priekšu netikdami, bija spiesti apstāties. Karkarova skatiens iezīdās Harija sejā un tad apstājās pie rētas. Arī Durmštrangas jaunieši ņēmās ziņkāri aplūkot Cūkkārpas puiku. Ar acs kaktiņu Harijs pamanīja, ka dažās sejās piepeši atplaiksnī atskārta. Puika ar notraipīto krūtežu iebikstīja sānos blakus stāvošajai meitenei un ar pirkstu norādīja uz Harija pieri.

— Jā gan, tas ir Harijs Poters, — kāds noducināja viņiem aiz muguras.

Profesors Karkarovs apcirtās. Tur stāvēja Trakacis Tramdāns, smagi atspiedies uz spieķa un burvju aci stingi notēmējis uz Durmštrangas direktoru.

Harija acu priekšā Karkarova ģīmis zaudēja krāsu. Viņa vaibstus izķēmoja neprātīgs niknums un bailes.

— Tu! — viņš izdvesa, lūkodamies uz Tramdānu tā, it kā nebūtu drošs, vai nesapņo.

— Es, — Tramdāns noskaldīja. — Un, ja vien tev Poteram nav

kas sakāms, varbūt sāc kustēties, Karkarov. Tu esi nosprostojis durvis.

Tā bija tiesa. Tagad aiz viņiem Lielajā zālē drūzmējās puse audzēkņu, cits citam pār plecu raudzīdami saskatīt, kāpēc neviens netiek tālāk.

Nebildis ne vārda, Karkarovs aizbrāzās, aizvilkdams savus audzēkņus līdzi. Tramdāns viņam noskatījās pakaļ, burvju acs skatienu joprojām urbdams direktoram mugurā, un viņa sakropļotajā sejā bija skaidri lasāms dziļš riebums.

* * *

Nākamā diena bija sestdiena, un lielākā daļa audzēkņu nedēļas nogales rītos mēdza brokastot vēlāk. Tomēr Harijs, Rons un Hermione nebija vienīgie, kas piecēlās agrāk nekā parasti. Kad viņi nokāpa Ieejas zālē, tur jau grozījās aptuveni divdesmit cilvēku, daži mielojās ar grauzdiņiem, bet visi kā viens pētīja Uguns biķeri. Tas stāvēja pašā zāles vidū, nolikts uz ķebļa, uz kura parasti tika novietota Šķirmice. Uz grīdas ap to bija apvilkta šauriņa zeltaina svītra, veidojot apli desmit pēdu platumā.

— Vai kāds jau tur savu vārdu ir ielicis? — Rons dedzīgi uzrunāja meiteni no trešā gada.

— Durmštrangas delegācija visi kā viens, — viņa atbildēja. — Bet nevienu no mūsējiem neesmu vēl redzējusi.

— Varu derēt, ka daži to izdarīja vakarnakt, pēc tam kad mēs aizgājām gulēt, — Harijs bilda. — Es viņu vietā būtu rīkojies tieši tā. Diez kas nav, ja visi skatās. Ja nu Biķeris acumirklī izspļauj tavu vārdu atpakaļ?

Harijam aiz muguras atskanēja smiekli. Paskatījies atpakaļ, viņš ieraudzīja pa kāpnēm lejup brāžamies Fredu, Džordžu un Lī Džordanu, visi trīs izskatījās krietni uztraukušies.

— Kārtībā, — Freds uzvaroši pačukstēja Harijam, Ronam un Hermionei. — Tikko iedzērām.

— Ko tad? — Rons ievaicājās.

— Novecināšanas mikstūru, aunapiere, — Freds paskaidroja.

— Katrs pa pilienam, — Džordžs sajūsmināts berzēja rokas. — Mums vajag tikai pāris mēnešu.

— Ja kāds no mums uzvarēs, mēs tūkstoš galeonus sadalīsim vienlīdzīgās daļās, — Lī piebilda, plati smaidīdams.

— Paklau, diez vai tas nostrādās, — Hermione brīdinoši ieteicās. — Manuprāt, Dumidors to būs ņēmis vērā.

Freds, Džordžs un Lī izlikās viņu nedzirdam.

— Gatavi? — satraukumā trīsēdams, Freds uzsauca abiem pārējiem. — Nu tad laižam! Es pirmais...

Harijs kā apburts noraudzījās, kā Freds no kabatas izvelk pergamenta loksni, uz kuras bija rakstīts: "Freds Vīzlijs, Cūkkārpa". Freds piegāja pie līnijas un tur nostājās, iešūpodamies pirkstgalos kā nirējs pirms lēciena no tramplīna. Tad visa pūļa acu priekšā viņš ievilka elpu krūtīs un spēra soli uz priekšu.

Vienu īsu acumirkli Harijs jau domāja, ka viņam izdosies — tieši tāpat acīmredzot nosprieda arī Džordžs, jo izgrūda uzvarošu kliedzienu un lēca Fredam pakaļ, taču tieši tajā brīdī kaut kas briesmīgi skaļi iečirkstinājās, un abi dvīņi izlidoja no zelta apļa ar tādu joni, it kā no tā viņus būtu izsviedis kāds lodes grūdējs. Nolidojuši savus trīs metrus, viņi piezemējās uz akmens klona, šķiet, pamatīgi sasitās, turklāt pazemojumu vēl vairoja tas, ka nākamajā acumirklī abiem no zoda ar plaukšķi izšāvās pilnīgi vienādas sirmas, kuplas bārdas.

Ieejas zālē nogranda smieklu vētra. Pat Freds un Džordžs, pietrausušies kājās un viens otru kārtīgi apskatījuši, sāka locīdamies smieties.

— Es taču jūs brīdināju, — atskanēja zema, uzjautrināta balss, un atskatījušies visi ieraudzīja no Lielās zāles iznākam profesoru Dumidoru. Viņš zibošām acīm noskatīja Fredu un Džordžu. — Es jums abiem ieteiktu kāpt augšā pie Pomfreja madāmas. Viņa tur jau buras ap Foseta jaunkundzi no Kraukļanaga un Elšpūša Samersa jaunkungu. Tie abi arī bija nospriedusi drusku novecināties.

Lai gan man jāatzīst, ka jūsu bārdas iznākušas nesalīdzināmi krāšņākas.

Freds un Džordžs devās uz dziednīcas spārnu, līdzi viņiem aizgāja arī Lī, joprojām locīdamies no smiekliem, bet Harijs, Rons un Hermione, arīdzan irgodamies, aizbrāzās uz brokastīm.

Lielā zāle kopš iepriekšējā vakara bija mainījusies. Tā kā bija Visu Svēto dienas priekšvakars, zem apburtajiem griestiem lidinājās dzīvu sikspārņu mākonis, un no visiem stūriem pretim glūnēja izdobtu ķirbju viepļi. Harijs devās pie Dīna un Šīmusa — viņi tobrīd apsprieda tos Cūkkārpas audzēkņus, kas varētu būt gana pieauguši, lai pieteiktos turnīrā.

— Runā, ka Voringtons esot piecēlies mazā gaismiņā un ielicis savu vārdu, — Dīns pavēstīja Harijam. — Tas lamzaks no Slīdeņa, kurš izskatās pēc lielā sliņķa.

Harijs, kurš pret Voringtonu bija spēlējis kalambolā, riebumā nopurinājās. — Lai mūsu censonis būtu no Slīdeņa? Briesmas!

— Un visi no Elšpūša to vien dara, kā daudzina Digorija vārdu, — Šīmuss nicīgi piemetināja. — Es gan neparko nebūtu ticējis, ka viņš riskētu sajaukt savu smuko frizūru.

— Dzirdat? — Hermione pēkšņi iesaucās.

No Ieejas zāles atskanēja gaviles. Visi apcirtās un ieraudzīja Lielajā zālē ienākam Endželīnu Džonsoni ar mulsu smaidu sejā. Viņa bija gara auguma melnīgsnēja meitene, kas kā dzinēja piedalījās Grifidora kalambola komandā. Endželīna pienāca viņiem klāt, apsēdās un noteica: — Nu tā, tas nu būtu padarīts! Tikko ieliku savu vārdu!

— Nopietni? — Rons iesaucās, izskatīdamies varen satraukts.

— Tātad tev ir jau septiņpadsmit? — Harijs ieprasījās.

— Skaidrs, ka ir! Vai tad neredzi viņas bārdu? — Rons norādīja.

— Dzimšanas diena man bija pagājušajā nedēļā, — Endželīna paskaidroja.

— Lai nu kā, man prieks, ka pieteicies kāds no Grifidora, —

Hermione atzina. — Es no sirds ceru, ka tu tiksi izraudzīta, Endželīn!

— Paldies, Hermione, — Endželīna viņai uzsmaidīja.

— Jā, labāk, lai tā būtu tu, nevis smukulis Digorijs, — Šīmuss nosaucās, tādējādi izpelnīdamies nosodošus skatienus no dažiem Elšpūša pārstāvjiem, kas tobrīd gāja garām viņu galdam.

— Un ko tad mēs šodien darīsim? — Rons apvaicājās Harijam un Hermionei, kad visi bija pabrokastojuši un devās uz Lielās zāles durvīm.

— Mēs vēl aizvien neesam apciemojuši Hagridu, — ieminējās Harijs.

— Labs ir, — Rons piekrita, — ja vien viņš negrib, lai mēs mūdžiem ziedojam pāris pirkstu.

Hermiones acis piepeši iemirdzējās. — Man tikko ienāca prātā, ka es vēl neesmu Hagridu uzaicinājusi VEMT! — viņa sajūsmināta izsaucās. — Paklau, pagaidiet mani brīsniņu — uzskriešu augšā un paņemšu nozīmītes, labi?

— Nu, kas tas par cilvēku... — Rons izmisis novaidējās, noskatīdamies, kā Hermione līdzīgi raķetei uzbrāžas augšā pa marmora kāpnēm.

— Ron, Ron! — Harijs piepeši uzsauca. — Re, kur tava draudzene...

Tobrīd pa parādes durvīm ienāca Bosbatonas audzēkņi, un starp viņiem bija arī sirellai līdzīgā meitene. Visi, kas drūzmējās ap Uguns biķeri, atkāpās, lai palaistu viesus garām, tomēr nenolaida no viņiem acis.

Viesu delegāciju noslēdza Maksima madāma, kas ņēmās izkārtot audzēkņus rindā. Bosbatonieši pa vienam pārkāpa Pilngadības robežu un iesvieda savus pergamenta gabalus zilbaltajās liesmās. Kolīdz pieteikums iekrita ugunī, liesmas uz īsu brīdi kļuva sarkanas un uzdzirksteļoja.

— Kā tu domā, kas notiks ar tiem, kuri netiks izraudzīti? — Rons pusbalsī vaicāja Harijam, kad savu pieteikumu Biķerī bija iesviedusi meitene sirella. — Diez vai brauks atpakaļ uz savu skolu vai varbūt paliks tepat, lai noskatītos turnīru?

— Nezinu, — Harijs atteica. — Droši vien paliks. Maksima madāmai taču jāpiedalās tiesāšanā, vai ne?

Kad visi bosbatonieši bija iesvieduši savus pieteikumus Biķerī, Maksima madāma viņus atkal izveda no pils.

— Bet kur tad *viņi* guļ pa nakti? — Rons murmināja, virzīdamies uz parādes durvīm un noskatīdamies bosbatoniešiem pakaļ.

Tad turpat aiz muguras atskanēja žvadzoņa, kas liecināja, ka Hermione ir klāt ar VEMT nozīmīšu kasti.

— Ak tā, nu labi, jožam, — Rons metās lejup pa akmens kāpnēm, nenovērsdams acis no meitenes sirellas, kas kopā ar Maksima madāmu jau bija tikusi līdz pagalma vidum.

Kad viņi tuvojās Aizliegtā meža malā čurnošajai Hagrida būdai, bosbatoniešu naktsmītnes noslēpums atrisinājās pats no sevis. Gigantiskā, matēti zilā kariete, ar ko viņi bija atbraukuši, bija novietota pārsimt metru no Hagrida parādes durvīm, un viesi tajā patlaban kāpa iekšā. Turpat līdzās ierīkotā aplokā ganījās milzīgie lidojošie zirgi.

Harijs pieklauvēja pie Hagrida durvīm, un iekšā tūliņ dobji ierējās Ilknis.

— Riktīg laikā! — Hagrids nodārdināja, atvēris durvis un ieraudzījis, kas tie tādi atnākuši. — Man jau rādījs, ka jūs vis esat aizmirsuš, kur es dzīvo!

— Mums bija milzum daudz darīšanu, Hag... — Hermione iesāka, bet tad spēji apmulsa, itin kā aizrijusies.

Hagrids bija apvilcis savu labāko (un patiesi baiga paskata) pinkaino, brūno uzvalku, turklāt ap kaklu apsējis kaklasaiti ar dzeltenām un oranžām rūtīm. Taču tas vēl nebija pats ļaunākais — viņš, jādomā, bija raudzījis savaldīt savu matu kodaļu, izmantodams vai veselu podu ratu smēres. Tagad viņa pieziestās pinkas bija noglaustas lejup divos kušķos — varbūt viņš bija gribējis uzveidot kaut ko līdzīgu Bila zirgastei, taču konstatējis, ka matu ir pārāk daudz. Diez ko skaists viņš neizskatījās. Hermione kādu brīdi blenza uz viņu kā nolēmēta, bet tad, acīmredzot nospriedusi komentārus neizteikt, teica: — Nu, jā... kur tad mūdži?

— Tur laukā, ku ķirbji, — Hagrids līksmi atsvieda. — Malacīgi sabrieduš, nu jau savu metru gari. Tik ķeza, ka cits citu kož nost.

— Šausmas! — Hermione atsaucās, pametusi nosodošu skatu uz Ronu, kas, joprojām nenolaidis acis no Hagrida ērmotās sasukas, jau bija atvēris muti, lai teiktu par to kādus vārdus.

— Kad es jums sak, — Hagrids apbēdināts novilka. — Bet nekas, es šos sabāz katru savā kastē. Vēl kādi divi desmiti palikuš.

— Tā nu gan ir priecīga ziņa, — Rons noteica. Hagrids gan viņa sarkasmu neuztvēra.

Hagrida būdā bija viena vienīga istaba. Vienā stūrī stāvēja milzīga gulta, pārklāta ar biezu, no gabaliem sadiegtu segu. Kamīna priekšā bija vienlīdz milzīgs koka galds un krēsli, pie griestiem karājās vesels lērums kūpinātu šķiņķu un beigtu putnu. Kamēr Hagrids noņēmās ar tējas vārīšanu, visi sasēdās pie galda un pēc brīža jau atkal bija ieslīguši runās par Trejburvju turnīru. Izklausījās, ka Hagrids par to interesējas vienlīdz karsti.

— Pag, pag, — viņš smaidīdams sacīja, — jūs tik pag. Jūs redzēs ko tādu, ko jūs acis nav redzējuš. Pats pirmais uzdevums... ui, es tak nedrīkst teikt.

— Nu, Hagrid! — Harijs, Rons un Hermione nepacietīgi izsaucās, bet Hagrids tikai smīnēdams noraidoši purināja galvu.

— Es negrib jums šito samaitāt, — viņš teica. — Bet tur gan būs ko redzēt, kad es jums sak. Censoņam būs jābūt riktīg gatavam. Nemūžam nebūt domājs, ka manas acis skatīs vēl kādu Trejburvju turnīru!

Galu galā viņi pie Hagrida paēda pusdienas, kaut gan neko daudz vis neēda — Hagrids bija sabrūvējis nez ko, ko pats sauca par vēršgaļas sacepumu, bet pēc tam, kad Hermione no sava šķīvja izķeksēja garu, līku nagu, visiem pazuda ēstgriba. Tad viņi kavēja laiku, raudzīdami izvilināt no Hagrida kādas ziņas par turnīra uzdevumiem, prātodami, kuri no kandidātiem varētu tikt izraudzīti par censoņiem, un mēļodami, vai Freds ar Džordžu jau nav tikuši vaļā no bārdas.

Pēc pusdienlaika bija sācis rasināt smalks lietutiņš, un visi jutās ļoti omulīgi, tā sēdēdami pie iekurtā kamīna, klausīdamies, kā lietus lāses grabinās gar loga rūtīm, noskatīdamies, kā Hagrids lāpa savas zeķes un strīdas ar Hermioni par mājas elfiem — aplūkojis VEMT nozīmītes, viņš bija kategoriski atteicies iestāties viņas organizācijā.

— Šitais būs netaisni, Hermione, — viņš nopietni teica, zeķes caurumam pāri vilkdams resnā kaula adatā ievērtu rupju dzeltenas dzijas pavedienu. — Aprūpēt cilvēkus ir viņu dabā, tas viņiem riktīg i pie sirds, saprot? Ja tu paņemsi šiem nost viņu darbu, tu darīs šos nelaimīgus, un viņi ņems ļaunā, ja tu gribēs šiem par to maksāt.

— Bet Harijs atbrīvoja Dobiju, un viņš no prieka lēca vai gaisā! — Hermione iebilda. — Turklāt mēs dzirdējām, ka tagad viņš grib algu!

— Nu, jā, jā, katrā sugā i pa ērmam. Es jau nesak, ka nav neviena ērmota elfa, kurš negribēs staigāt apkārt brīvs kā putns gaisā, bet lielo vairumu tu uz šito nepiedabūs, ne, ne. Tur tu nekā nepadarīs, Hermione.

Hermione nudien izskatījās noskaitusies un iestūķēja nozīmīšu kasti atpakaļ apmetņa kabatā.

Ap pussešiem sāka krēslot, un Rons ar Hariju un Hermioni nosprieda, ka laiks doties atpakaļ uz pili, uz Visu Svēto vakara svētku maltīti un — kas jo svarīgāk — uz censoņu pasludināšanu.

— Es ies līdzi, — Hagrids paziņoja, nolikdams pie malas rokdarbu. — Tik brīsniņu pagaid.

Viņš piecēlās kājās, aizgāja pie kumodes, kas stāvēja līdzās gultai, un sāka rakņāties pa atvilktnēm. Harijs, Rons un Hermione par to daudz nelikās zinis, bet tad piepeši sajuta šaušalīgu smārdu.

Rons klepodams izsaucās: — Hagrid, kas tas ir?

— Ko ta? — Hagrids atsaucās, pagriezies pret viņiem ar prāvu pudeli rokā. — Nava labs?

— Vai tas ir kāds smaržūdens? — Hermione ieprasījās maķenīt aizžņaugtā balsī.

— Nu... odekolons, — Hagrids piesarkdams nosēcās. — Varbūt drusku par daudz, ko? Es ies to maķenīt noskalot, pag...

Viņš izklumzāja laukā no būdas, un šļakstīdamies ņēmās mazgāties ūdens mucā pie loga.

— Odekolons? — Hermione pārsteigta novilka. — *Hagridam*?

— Un uzvalks? Un mati? — Harijs paklusām piebilda.

— Re! — Rons piepeši rādīja laukā pa logu.

Hagrids tieši tobrīd atlieca muguru un pagriezās. Pirmītējā sarkšana salīdzinājumā ar to, ko viņš darīja patlaban, nebija itin nekas. Uzmanīgi piecēlušies kājās tā, lai Hagrids neko nepamanītu, viņi palūrēja laukā un ieraudzīja no karietes izkāpjam Maksima madāmu ar audzēkņiem — arī viņi acīmredzot patlaban devās uz svētku maltīti. Ko Hagrids teica, viņi nevarēja saklausīt, bet viņš runāja ar Maksima madāmu, un milža skatiens bija vērties aizgrābts un aizmiglots — tādas acis Harijs viņam bija redzējis tikai vienreiz mūžā, kad Hagrids nolūkojās uz pūķa mazuli Norbertu.

— Viņš uz pili ies kopā ar Maksima madāmu! — Hermione sašuta. — Un es domāju, ka viņš gaida mūs!

Uz savu būdu pat nepaskatījies, Hagrids jau devās augšup pa nogāzi kopā ar Maksima madāmu, un viņiem nopakaļ pusskriešus nesās Bosbatonas audzēkņi, kas visiem spēkiem pūlējās neatpalikt no abiem milžiem.

— Hagridam viņa patīk! — Rons neticīgi novilka. — Paklau, ja tas beigsies ar to, ka viņiem sadzims bērni, tiks uzstādīts jauns pasaules rekords — varu derēt, ka šitie mazuļi būs kādu tonnu smagi.

Viņi izgāja no būdas un aizvēra durvis. Ārā bija neparasti tumšs. Kārtīgāk ievīstījušies apmetņos, viņi sāka kāpt kalnā.

— U, re, kur arī viņi! — Hermione iečukstējās.

Uz pili no ezera puses nāca Durmštrangas pulciņš. Viktors Krums soļoja blakus Karkarovam, pārējie vilkās abiem astē. Rons satraukts vēroja Krumu, bet Krums, apkārt neskatīdamies, devās taisnā ceļā uz pils parādes durvīm, kur nonāca mazu brīdi pirms Hermiones, Rona un Harija. Visi iegāja iekšā.

Gaismas pielietā Lielā zāle bija gandrīz pilna. Uguns biķeris tagad stāvēja uz pasniedzēju galda pie Dumidora tukšā krēsla. Freds un Džordžs — nu jau gludiem vaigiem — nemaz neizskatījās briesmīgi satriekti.

— Kaut nu tā būtu Endželīna, — Freds teica, kad Harijs, Rons un Hermione nosēdās savās vietās.

— Es arī ceru! — Hermione nočukstēja. — Lai nu kā, drīz mēs to zināsim!

Visu Svēto vakara maltīte šķita ilgāka nekā parasti. Varbūt tāpēc, ka pēdējo divu dienu laikā tās bija jau otrās dzīres, Harijam neparastie un smalkie ēdieni nesagādāja tik lielu prieku kā citkārt. Tāpat kā visi pārējie, kas nemitīgi grozījās, nepacietīgi staipīja kaklus, dīdījās un vienā laidā cēlās kājās, lai redzētu, vai Dumidors jau nav beidzis mieloties, Harijs vienkārši centās pēc iespējas ātrāk iztukšot šķīvjus, lai beidzot uzzinātu izraudzīto censoņu vārdus.

Galu galā zelta šķīvji no jauna mirdzēja un laistījās, Lielajā zālē sacēlās troksnis, bet, kad Dumidors piecēlās kājās, teju acumirklī iestājās pilnīgs klusums. Profesors Karkarovs un Maksima madāma viņam līdzās izskatījās tikpat satraukti un saspringuši kā visi pārējie. Ludo Maišelnieks staroja un miedza ar aci audzēkņiem, savukārt Zemvalža kungs izturējās visai vienaldzīgi un šķita teju garlaikojamies.

— Tad nu tā, Biķeris ir gandrīz gatavs pasludināt savu spriedumu, — Dumidors ierunājās. — Es lēšu, ka tas notiks apmēram pēc vienas minūtes. Kolīdz tiks nosaukti censoņu vārdi, es palūgšu viņus nākt šurp, gar pasniedzēju galdu, un doties uz blakus kambari, — viņš norādīja uz durvīm aiz pasniedzēju galda. — Tur viņi saņems pirmos norādījumus.

Dumidors izņēma savu zizli un pamatīgi savēzēja. Acumirklī nodzisa visas sveces, izņemot tās, kas bija iedegtas izdobtajos ķirbjos, un zāle ieslīga puskrēslā. Tagad Uguns biķeris bija spožākais gaismas avots visā Lielajā zālē, tā dzirksteļojošās, zilbaltās liesmu mēles žilbināja acis. Visi skatījās un gaidīja. Viens otrs ielūkojās pulkstenī...

— Kuru katru mirkli, — Harijs dzirdēja nočukstam Lī Džordanu, kas sēdēja divus krēslus tālāk.

Liesmas Biķerī piepeši atkal vērtās sarkanas. Uz visām pusēm pašķīda dzirksteles. Nākamajā acumirklī gaisā izšāvās gara liesmu mēle, un no tās izlidoja apdedzis pergamenta gabals — pūlis noelsās.

Dumidors notvēra pergamenta drisku un, lai varētu izlasīt, kas tur rakstīts, pagrieza to pret Biķera gaismu, kas nu jau atkal bija norimusies zili balta.

— Durmštrangas censonis, — viņš skaidri un skaļi nolasīja, — būs Viktors Krums.

— Kā tad citādi! — Rons nokliedzās, kad zāli satricināja aplausu un gaviļu vētra. Harijs redzēja, kā pie Slīdeņa galda sēdošais Viktors Krums pieceļas un slāj pie Dumidora, pagriežas pa labi, noiet garām pasniedzēju galdam un pazūd durvīs, kas veda uz blakus kambari.

— Bravo, Viktor! — nodārdināja Karkarovs — tik skaļi, ka visi viņu sadzirdēja pat par spīti aplausu grandoņai. — Es zināju, ka tev ir iekšā!

Aplausi un čalas norimās. Tagad visi atkal raudzījās uz Biķera uguni, kas pēc pāris sekundēm no jauna sāka sārtoties. Liesmas izspļāva otro pergamenta drisku.

— Bosbatonas censonis, — pavēstīja Dumidors, — ir Flēra Delakūra!

— Tā ir viņa, Ron! — Harijs iesaucās, jo tā bija meitene, kas tik ļoti līdzinājās sirellai, kura graciozi piecēlās kājās, atsvieda atpakaļ sudrabaino matu klājienu un kā lidot aizlidoja garām Kraukļanaga un Elšpūša galdiem.

— Ai, ai, paskat, viņi izskatās vīlušies, — Hermione pārkliedza troksni, pamādama uz pārējo bosbatoniešu pusi. Harijs pie sevis nodomāja, ka "vīlušies" diez vai ir īstais vārds. Divas no neizraudzīto vidū palikušajām meitenēm bija izplūdušas asarās un šņukstēja, aizklājušas seju.

Kad arī Flēra Delakūra bija pazudusi blakus kambara durvīs, no jauna iestājās klusums, bet tagad tik saspringts, ka bija teju sataustāms. Nākamajam vajadzēja būt Cūkkārpas censonim...

Uguns Biķerī atkal sāka krāsoties sarkana, izšāvās dzirksteles, augstu gaisā izlidoja liesmu mēle, un Dumidors no tās izvilka trešo pergamenta gabalu.

— Cūkkārpas censonis, — viņš sauca, — ir Sedriks Digorijs!

— Nē! — Rons skaļi novaidējās, bet neviens, izņemot Hariju, viņu nedzirdēja — pārāk skaļas bija gaviles pie blakus galda. Elšpūši visi kā viens bija pielēkuši stāvus, kliedza un dimdināja kājas, sveikdami Sedriku, kas, plati smaidīdams, devās viņiem garām uz kambari aiz pasniedzēju galda. Aplausi par godu Sedrikam grandēja tik ilgi, ka Dumidoram vajadzēja labu brīdi nogaidīt, līdz viņš varēja ko teikt.

— Lieliski! — viņš līksmi iesaucās, kad gaviles pēdīgi bija rimušās. — Tad nu tagad mums ir visi trīs censoņi. Ceru un droši zinu, ka jūs visi, ieskaitot pārējos Bosbatonas un Durmštrangas audzēkņus, palīdzēsiet saviem censoņiem un atbalstīsiet viņus, kā vien varēsiet. Uzmundrinot savu censoni, jūs viņam sniegsiet vērā ņemamu...

Bet tad Dumidors piepeši apklusa, un visiem bija pilnīgi skaidrs, kāpēc.

Jo uguns Biķerī no jauna sāka sārtoties. Uz visām pusēm pašķīda dzirksteles. Augstu gaisā pēkšņi izšāvās slaika liesmu mēle, un tās galā trīsēja vēl viens pergamenta gabals.

Dumidors stīvi pastiepa savu garo roku, satvēra apdegušo drisku un apskatījās, kas uz tās rakstīts. Iestājās ilgs klusums — Dumidors stingi raudzījās uz pergamentu, savukārt visi pārējie — uz Dumidoru. Pēdīgi Cūkkārpas direktors nokremšķinājās un skaļi nolasīja: — *Harijs Poters.*

## SEPTIŅPADSMITĀ NODAĻA

# ČETRI CENSOŅI

Harijs nojauta, ka visi kā viens Lielajā zālē ir pagriezušies, lai uz viņu paskatītos. Viņš nespēja pakustēt. Viņš neko nesaprata. Viņš bija pārliecināts, ka sapņo. Nu, protams, viņš bija pārklausījies.

Aplausu nebija. Zālē sacēlās troksnis, kas līdzinājās saniknotu bišu spieta zumēšanai; daži audzēkņi piecēlās, lai labāk redzētu Hariju, kas sēdēja savā krēslā gluži kā pārakmeņojies.

Profesore Maksūra pie pasniedzēju galda pielēca kājās, pašāvās garām Ludo Maišelniekam un profesoram Karkarovam, lai kaut ko dedzīgi iečukstētu ausī profesoram Dumidoram, kas klausījās viņā, viegli saraucis uzacis.

Harijs pagriezās pret Ronu un Hermioni un ieraudzīja, ka visi, kas sēdēja pie garā Grifidora galda, skatās uz viņu, muti pavēruši.

— Es neesmu licis savu vārdu Biķerī, — viņš apjucis teica. — Jūs taču zināt, ka es to neesmu darījis.

Rons ar Hermioni tikpat apjukuši blenza pretim.

Profesors Dumidors pie pasniedzēju galda izslējās un pamāja profesorei Maksūrai.

— Harijs Poters! — viņš vēlreiz izsaucās. — Harij! Esiet tik laipns — šurp, lūdzu!

— Ej, — Hermione nočukstēja un viegli iebikstīja viņam sānos.

Harijs piecēlās, uzkāpa uz apmetņa stērbeles un gandrīz paklupa. Ceļš no grifidoru līdz elšpūšu galdam viņam likās bezgala garš, pasniedzēju galds vispār, šķita, nenāca tuvāk ne par sprīdi, un viņš juta simtiem acu urbjamies mugurā kā starmešus. Zumēšana pieņēmās spēkā. Pēc brīža, kas Harijam šķita vai vesela stunda, viņš stāvēja iepretim Dumidoram, juzdams sev pievērstus itin visu pasniedzēju skatienus.

— Pa tām durvīm, Harij, — Dumidors teica. Viņš nesmaidīja.

Harijs devās projām gar pasniedzēju galdu. Pašā galā sēdēja Hagrids. Viņš nedz pamirkšķināja, nedz pamāja, nedz, pretēji ieradumam, kā citādi apsveicinājās. Hagrids izskatījās bezgala pārsteigts un, kad Harijs viņam gāja garām, blenza uz viņu tieši tāpat kā visi pārējie. Izgājis pa durvīm, kas veda laukā no Lielās zāles, Harijs nonāca mazākā telpā, kur pie sienām karājās raganu un burvju ģīmetnes. Iepretim, omulīgi rūkdams, kurējās kamīns.

Harijam ienākot istabā, sejas portretos pagriezās, lai uz viņu palūkotos. Kāda krunkaina ragana izlidoja laukā no savas bildes, iešāvās pie kaimiņa — burvja ar valzirga ūsām —, un ņēmās viņam nez ko čukstēt ausī.

Viktors Krums, Sedriks Digorijs un Flēra Delakūra bariņā stāvēja pie kamīna. Viņu stāvi uz uguns fona vīdēja savādi iespaidīgi. Krums, uzkumpis un domās iegrimis, bija atspiedies pret kamīna dzegu un stāvēja mazliet atstatu no abiem pārējiem. Sedriks, salicis rokas aiz muguras, raudzījās liesmās. Flēra Delakūra, Harijam ienākot, atskatījās un sapurināja garos, sudrabainos matus.

— Kas irr? — viņa noprasīja. — Viņi grrib mūs atpakaļ zālē?

Acīmredzot viņa domāja, ka Harijs atsūtīts kaut ko pateikt. Viņš nezināja, kā lai paskaidro, kas noticis. Viņš tikai stāvēja, skatīdamies uz trim censoņiem. Piepeši viņi visi izskatījās tik ļoti lieli.

Aiz muguras atskanēja soļu švīkstoņa, un ienāca Ludo Maišelnieks. Viņš satvēra Hariju pie rokas un izveda istabas vidū.

— Vienreizēji! — viņš nomurmināja, saspiezdams Harija

plaukstu. — Kaut kas nedzirdēts! Kungi... dāma, — viņš piemetināja, tuvodamies kamīnam un uzrunādams pārējos trīs. — Atļaujiet jums stādīt priekšā — lai cik tas būtu neticami — *ceturto* Trejburvju censoni!

Viktors Krums izslējās, noskatīja Hariju no galvas līdz kājām, un viņa īgnā seja satumsa. Sedriks šķita apjucis. Viņš skatījās uz Maišelnieku, tad uz Hariju, tad atkal uz Maišelnieku, itin kā šaubīdamies, vai sadzirdējis pareizi. Savukārt Flēra Delakūra sapurināja matus, pasmaidīja un ierunājās: — Ai, ai, dikti jocīgs joks, Maišeļkungs.

— Joks? — Maišelnieks apmulsis atkārtoja. — Nē, nē, nē, nepavisam! Harija vārdu tikko izmeta Uguns biķeris!

Kruma biezās uzacis viegli noraustījās. Sedriks joprojām izskatījās pieklājīgi apjucis.

Flēra sarauca pieri. — Bet turr būs kāda neparreizība, — viņa nicīgi norādīja Maišelniekam. — Viņš nevarr sacensties. Viņš irr parr daudz jauns.

— Jā... apbrīnojami, — Maišelnieks paberzēja gludi skūto zodu un uzsmaidīja Harijam. — Tomēr, kā zināms, vecuma ierobežojums tika noteikts tikai šogad — kā papildu drošības pasākums. Un, tā kā viņa vārdu izmeta Biķeris, proti, manuprāt, diez vai te būs iespējams kaut kā izlocīties... tādi ir noteikumi, neko nevar darīt... Harijam vienkārši nāksies censties, cik nu...

Durvis viņiem aiz muguras no jauna atvērās, un ienāca paprāvs pulciņš cilvēku: cieši pa pēdām profesoram Dumidoram sekoja Zemvalža kungs, profesors Karkarovs, Maksima madāma, profesore Maksūra un profesors Strups. Iekams profesore Maksūra aizvēra durvis, Harijs labi dzirdēja, kā otrpus sienai zum simtiem audzēkņu balsu.

— Maksima madām! — Flēra acumirklī izsaucās, mezdamās klāt savai direktrisei. — Viņi teic, ka tas mazais puika arrī sacentīsies!

Dziļi, dziļi zem trulās neticības čaulas Harijs juta uzmutuļojam dusmas. *Mazais puika*?

Maksima madāma izslēja savu iespaidīgo stāvu pilnā augumā, tā ka viņas skaistais pakausis atdūrās pret svecēm pilno lustru. Melnajā atlasā ietērptā biste piepūtās.

— Kā to saprrast, Dummi-dorr? — viņa pavēlnieciski noprasīja.

— Arī es to gribētu zināt, Dumidor, — piebalsoja profesors Karkarovs. Viņa sejā vīdēja tēraudsalts smaids, un zilās acis bija aukstas kā divi ledus gabali. — Cūkkārpai būs *divi* censoņi? Atgādiniet, ja neatceros — vai man kāds būtu teicis, ka rīkotājskola drīkst izvirzīt divus censoņus? Varbūt neesmu pietiekami rūpīgi iepazinies ar noteikumiem? — Karkarovs strupi un indīgi ieirdzās.

— *C'est impossible,* — noskaldīja Maksima madāma, kuras milzu roka ar daudzajiem lieliskajiem opāliem tagad atdusējās uz Flēras pleca. — Cūkkārrpai nevarr būt divi censoņi. Tas irr varrens netaisnīgums.

— Mums bija radies iespaids, ka jūsu Pilngadības robeža jaunākos kandidātus atsijās, Dumidor, — teica Karkarovs, joprojām dzedri vīpsnādams, lai gan viņa skatiens bija ledaināks nekā jebkad. — Pretējā gadījumā mēs, protams, būtu paņēmuši līdz vēl citus kandidātus no mūsu pašu skolām.

— Pie tā ir vainojams tikai un vienīgi pats Poters, Karkarov, — klusi ierunājās Strups. Viņa melnās acis nejauki spīguļoja. — Nevainojiet Dumidoru par to, ka Poters tik ļoti vēlas pārkāpt noteikumus. Ar to viņš nodarbojas, kopš te ieradies...

— Pateicos, Severus, — Dumidors stingri noteica, un Strups apklusa, lai gan viņa acis joprojām ļauni mirguļoja caur melno, taukaino matu klājienu.

Tad profesors Dumidors pievērsās Harijam, kas skatījās viņam pretim, raudzīdams noprast, ko īsti pauž aiz aceņu pusmēness stikliem zibsnījošās acis.

— Vai jūs esat licis savu vārdu Uguns biķerī, Harij? — Dumidors rāmi vaicāja.

— Nē, — Harijs atbildēja, ar katru miesas šūniņu juzdams, ka visi viņu saspringti vēro. Strups sienmalē nepacietīgi un neticīgi nosprauslājās.

— Vai jūs esat lūdzis kādu vecāku audzēkni, lai tas to ieliek Uguns biķerī jūsu vietā? — Dumidors turpināja, nelikdamies par Strupu ne zinis.

— *Nē*, — Harijs dedzīgi atsaucās.

— Ā, bet viņš, prrotams, melo! — izsaucās Maksima madāma. Strups, sakniebis lūpas, grozīja galvu.

— Pilngadības robežai viņš pāri nevarēja tikt, — skarbi ierunājās profesore Maksūra. — Par to taču mēs varam vienoties...

— Drroši vien Dummi-dorrs būs izdarrījis kādu kļūdu arr to strrīpu, — Maksima madāma paraustīja plecus.

— Tas, protams, nav neiespējami, — Dumidors pieklājīgi atsaucās.

— Dumidor, jūs lieliski zināt, ka nekādas kļūdas nebija! — profesore Maksūra pikti iebilda. — Nudien, kādas blēņas! Harijs pats robežu nevarēja pārkāpt, un, ja reiz profesors Dumidors tic, ka Harijs nav lūdzis to izdarīt nevienu vecāku audzēkni, arī pārējiem, manuprāt, ar to vajadzētu samierināties!

Viņa nikni noskatīja profesoru Strupu.

— Zemvalža kungs, Maišelnieka kungs, — Karkarovs ierunājās savā glāsmainajā balsī, — jūs esat mūsu... tā sakot... objektīvie soģi. Jūs taču piekritīsit, ka tas ir kliedzošs noteikumu pārkāpums?

Maišelnieks nosusināja apaļo, zēnišķo seju kabatlakatā un palūkojās uz Zemvalža kungu, kas stāvēja ārpus kamīna uguns apgaismotā pusapļa un pa pusei slēpās ēnā. Zemvaldis izskatījās mazliet dīvains, pustumsa viņu vērta daudz vecāku, izkaltušu, teju ģindenim līdzīgu. Taču ierunājies viņš izteicās tikpat kodolīgi kā parasti. — Mums jāievēro noteikumi, un noteikumos ir skaidri teikts, ka Turnīrā piedalās kandidāti, kuru vārdi tiek izmesti no Uguns biķera.

— Nu re, Bērtulis zina noteikumus kā savus piecus pirkstus, —

Maišelnieks atplauka un pagriezās pret Karkarovu un Maksima madāmu, it kā līdz ar to viss jau būtu nokārtots.

— Es pieprasu, lai Biķerī vēlreiz tiktu ievietoti manu pārējo audzēkņu vārdi, — Karkarovs uzstāja. Glāsmainais tonis un smaids bija pagaisuši bez pēdām. Tagad viņš nudien izskatījās pagalam derdzīgs. — Jūs vēlreiz izliksiet Uguns biķeri, un mēs turpināsim tur likt iekšā vārdus, līdz katrai skolai būs divi censoņi. Tas būs tikai godīgi, Dumidor.

— Bet, Karkarov, tā tas nenotiek, — Maišelnieks iebilda. — Uguns biķeris ir nupat izdzisis. No jauna tas aizdegsies tikai nākamā turnīra sākumā...

— Un tajā, es domāju, Durmštranga nepiedalīsies! — Karkarovs zaudēja pacietību. — Pēc tik daudzām sarunām, sanāksmēm un kompromisiem es, vai zināt, tik tiešām negaidīju, ka notiks kaut kas tāds! Es pat sāku domāt, ka labāk būtu braukt mājās!

— Tukši draudi, Karkarov, — atskanēja ņurdiens no durvju puses. — Tu nedrīksti pamest savu censoni. Viņam jāpiedalās. Viņiem visiem jāpiedalās. Apņemšanās, burvju līgums — Dumidors taču tā teica. Parocīgi, vai ne?

Tramdāns bija tikko ienācis telpā. Viņš piekliboja tuvāk ugunij, un ik otrais solis atbalsojās kā skaļš klaudziens.

— Parocīgi? — Karkarovs pārjautāja. — Es baidos, Tramdān, ka īsti jūs nesaprotu.

Harijs noprata, ka viņš mēģina paust nicinājumu, itin kā Tramdāna vārdi viņam šķistu teju tukša skaņa, taču Karkarovu nodeva paša rokas, kas savilkās dūrēs.

— Ak nesaproti? — Tramdāns klusi atteica. — Viss ir ļoti vienkārši, Karkarov. Kāds ir ielicis Potera vārdu Biķerī, zinādams, ka Poteram vajadzēs cīnīties, ja Biķeris viņa vārdu izspļaus.

— Acīmrredzot, kāds irr tas, kurrš grrib, lai Cūkkārrpa dabū vairrāk parr visiem citiem! — piemetināja Maksima madāma.

— Pilnīgi piekrītu, Maksima madām, — Karkarovs viņas priekšā viegli paklanījās. — Es iesniegšu sūdzību Burvestību ministrijā *un* Starptautiskajā magu konfederācijā...

— Ja kādam te ir iemesls sūdzēties, tas ir pats Poters, — norūca Tramdāns, — lai gan... dīvaini... es nedzirdu, ka viņš pats teiktu kaut vārdu...

— Kas tad tam ko būtu sūdzēt? — Flēra Delakūra piecirta kāju. — Tam irr izdevība cīnīties, vai tad ne? Mēs visi daudzas nedēļas cerrējām, ka tiksim izrraudzīti! Tas irr gods skolai! Tūkstoš galeonu balvā — parr tādu lietu daudzi ietu nāvē!

— Varbūt kāds tieši cer, ka Poters par to būs gatavs mirt, — Tramdāns klusiņām noducināja.

Iestājās saspringts klusums.

Ludo Maišelnieks, kas nudien izskatījās ļoti satraukts, vairākas reizes nervozi palēcās un ierunājās: — Tramdān, veco zēn, kas tad tās par runām!

— Mēs visi zinām, ka profesors Tramdāns uzskata rītu par zemē nosviestu, ja līdz pusdienlaikam nav atklājis sešas sazvērestības pret paša dzīvību, — Karkarovs skaļi teica. — Acīmredzot tagad viņš to, kā baidīties no slepkavībām, māca arī saviem audzēkņiem. Visai īpatnēja rakstura iezīme cilvēkam, kurš pasniedz aizsardzību pret tumšajām zintīm, Dumidor, bet es nešaubos, ka jūsu izvēle ir bijusi pamatota.

— Ak tad es visu izzīžu no pirksta, ko? — Tramdāns ierūcās. — Man rādās? Puikas vārdu Biķerī varēja ielikt tikai pieredzējis burvis vai ragana...

— Ā, un tam irr kādi pierrādījumi? — Maksima madāma pasvieda gaisā milzīgās rokas.

— Te apmānīts ļoti spēcīgs maģisks objekts! — Tramdāns norādīja. — Lai piedabūtu Biķeri aizmirst, ka turnīrā piedalās tikai trīs skolas, būtu vajadzīgi sevišķi stipri *Mulsinātus* vārdi... Iespējams, Poters Biķerim tika iešmugulēts kā vēl ceturtās skolas pārstāvis, jo tādā gadījumā viņš savā kategorijā būtu vienīgais...

— Izklausās, ka jūs par to esat daudz domājis, Tramdān, — Karkarovs dzedri noteica. — Nudien, ļoti spoža teorija, tikai runā, ka nesen jūs esot sadragājis pret sienu dzimšanas dienas dāvanai atsūtītu kabatas pulksteni, jo esot bijis pārliecināts, ka paciņā izgudrēm ieslēpta baziliska ola. Tā ka atvainojiet, ja mēs jūs, tā sakot, gluži par pilnu vis neņemsim.

— Allaž atrodas ļaudis, kas gatavi izmantot katru nevainīgu starpgadījumu! — Tramdāns draudīgi atcirta. — Man ir tāds darbs, Karkarov, — man jādomā tā, kā domā tumšie burvji! Jums to vajadzētu atcerēties.

— Alastor! — Dumidors brīdinoši iesaucās. Vienu brīdi Harijs nevarēja saprast, kam viņš to saka, bet tad atskārta, ka "Trakacis" diezin vai ir Tramdāna īstais vārds. Tramdāns apklusa, taču nenolaida no Karkarova gandarītu skatu — Durmštrangas direktora seja bija nokaitusi gluži sarkana.

— Mēs nezinām, kā radusies šāda situācija, — Dumidors vērsās pie visiem klātesošajiem. — Tomēr man šķiet, ka mums neatliek nekas cits, kā ar to samierināties. Par turnīra dalībniekiem ir izraudzīti abi — Sedriks un Harijs. Tātad viņi abi piedalīsies...

— Ā, bet Dummi-dorr...

— Dārgo Maksima madām, ja varat piedāvāt kādu citu risinājumu, es jūs labprāt uzklausīšu.

Dumidors nogaidīja, bet Maksima madāma neteica ne vārda, tikai raudzījās neganti kā pūķis. Un viņa nebija vienīgā. Strups teju vārījās dusmās, Karkarovs tagad niknumā bija nobālējis zils. Savukārt Maišelnieks šķita iepriecināts.

— Nu, pie tā arī paliksim, ko? — viņš saberzēja rokas un smaidīdams nolūkoja visu pulku. — Tātad vajadzētu censoņiem sniegt norādījumus, vai ne? Bērtul, jums ir tas gods.

Zemvalža kungs itin kā pamodās no dziļa miega.

— Jā, — viņš nomurmināja, — norādījumus. Jā... pirmais uzdevums...

Viņš pakāpās uz priekšu, iznākdams kamīna gaismā. Harijs nosprieda, ka viņš izskatās pavisam citādi nekā kalambola Pasaules kausa izcīņā, tāds kā slims — zem acīm ēnojās tumši loki, un vecišķā āda līdzinājās plānam, saburzītam papīram.

— Pirmais uzdevums jums ļaus pārbaudīt savu dūšu, — Zemvaldis sacīja Harijam, Sedrikam, Flērai un Krumam, — tāpēc mēs jums neteiksim, kāds tas būs. Drosme brīdī, kad sastopaties ar nepazīstamo, ir ļoti nozīmīga īpašība, kas nepieciešama ikvienam burvim... ļoti nozīmīga... Pirmais uzdevums paredzēts divdesmit ceturtajā novembrī, jūs vēros visi pārējie audzēkņi un žūrija. Censoņi nedrīkst vērsties pēc palīdzības pie pasniedzējiem, lai tiktu galā ar turnīra uzdevumiem, nedrīkst arī pieņemt palīdzību, ja tāda tiek piedāvāta. Pirmajā uzdevumā censoņu vienīgais ierocis būs zizlis. Ziņas par otro uzdevumu tiks sniegtas pēc tam, kad būs galā pirmais. Tā kā turnīrs prasīs daudz pūļu un laika, censoņi tiek atbrīvoti no mācību gada gala pārbaudījumiem.

Zemvalža kungs uzlūkoja Dumidoru. — Manuprāt, tas arī viss, vai ne tā, Baltus?

— Laikam gan, — atteica Dumidors, uzmetis Zemvaldim nedaudz raižpilnu skatu. — Varbūt šonakt tomēr paliksiet Cūkkārpā, Bērtuli?

— Nē, Dumidor, man jādodas atpakaļ uz ministriju, — Zemvaldis atbildēja. — Šobrīd ir tik daudz darba, iet tik smagi... Atstāju tur savā vietā jauno Vezerbiju... ļoti centīgs... patiesību sakot, tā kā drusku pārcentīgs...

— Vismaz nāciet iedzert kādu lāsīti, pirms dodaties projām! — Dumidors uzstāja.

— Nu, Bērtul, liecieties mierā! Es gan palieku tepat! — jautri izsaucās Maišelnieks. — Tagad visas labākās lietas notiks Cūkkārpā — te ies nesalīdzināmi interesantāk nekā ministrijā!

— Es tā vis nedomāju, — Zemvalža balsī no jauna ieskanējās pazīstamā neiecietības nots.

— Profesor Karkarov, Maksima madām — vienu glāzīti pirms miega? — Dumidors piedāvāja.

Bet Maksima madāma jau bija aplikusi roku ap Flēras pleciem un aši stūma viņu laukā no kambara. Harijs dzirdēja, kā abas, izgājušas Lielajā zālē, sāk satraukti sarunāties franciski. Karkarovs pamāja Krumam, un arī tie abi izgāja, taču klusuciezdami.

— Harij, Sedrik, es jums ieteiktu doties pie miera, — Dumidors viņiem abiem uzsmaidīja. — Es nešaubos, ka grifidori un elšpūši vēlas jūs apsveikt, un nebūtu labi liegt viņiem tik brīnišķīgu izdevību sarīkot jandāliņu un izālēties, kā nākas.

Harijs pašķielēja uz Sedriku, tas piekrītoši pamāja, un abi devās uz durvīm.

Lielā zāle bija tukša; sveces bija gandrīz izdegušas, un to šaudīgajā gaismā ķirbju zobainās mutes pustumsā šķita baismīgi ņirdzam.

— Padomā tikai, — Sedriks izmocīja smaidu, — mēs atkal būsim pretinieki!

— Laikam gan, — Harijs noteica. Viņš nevarēja iedomāties, ko lai tādu pasaka. Galvā valdīja pilnīgs juceklis, it kā smadzenes kāds būtu savandījis vienā putrā.

— Paklau, izstāsti... — Sedriks ierunājās, kad viņi bija nonākuši Ieejas zālē, ko tagad, kad Uguns biķera tur vairs nebija, apgaismoja vienīgi lāpas. — Kā tu īsti iedabūji savu vārdu Biķerī?

— Es neesmu to darījis, — Harijs atbildēja, skatīdamies viņam tieši acīs. — Es neesmu to tur licis. Es taču teicu.

— Ak tā... nu, labi, — Sedriks novilka. Harijam bija pilnīgi skaidrs, ka Sedriks viņam netic. — Nu... tad paliec sveiks.

Sedriks nekāpa vis augšā pa marmora kāpnēm, bet devās uz durvīm pa labi. Harijs palika uz vietas, klausīdamies, kā Sedrika soļi aizdun pa akmens kāpnēm durvju viņā pusē, un tad sāka lēni kāpt augšup.

Vai kāds, izņemot Ronu un Hermioni, maz ticēs, ka viņš turnīrā nav pieteicies pats? Taču kurš gan spētu iedomāties, ka viņš to darījis no laba prāta, ja visi sāncenši skolā mācījušies trīs gadus ilgāk, ja paredzētie uzdevumi, kā izklausās, būs ne vien ļoti bīstami, bet arī veicami simtiem cilvēku acu priekšā? Nu jā, viņš par to bija domājis... iztēlojies... tomēr tikai pa jokam, nudien, tikai fantazējis. Ne reizi viņam nebija ienācis prātā pieteikties pa īstam, apsvērt tādu domu *nopietni.*

Taču kāds to bija darījis. Kāds cits grib, lai viņš piedalās turnīrā, un ir darījis visu, lai tā notiktu. Kādēļ? Lai viņu pārmācītu? Diez vai...

Lai padarītu viņu par muļķi? Visticamāk, tieši tā arī notiks... Lai *nonāvētu*? Vai vajāšanas mānijas apsēstais Tramdāns tiešām runāja tukšu? Varbūt kāds ielicis Harija vārdu Biķerī vienkārši tādēļ, lai pajokotu? Vai kāds tiešām grib, lai Harijs mirst?

Atbildi nevajadzēja ilgi meklēt. Protams, bija kāds, kurš vēlējās, lai Harijs mirst, kurš to vēlējās jau tad, kad Harijs vēl bija tikai gadu vecs... Lords Voldemorts. Bet kā gan Voldemorts būtu spējis panākt, lai Harija vārds nonāk Uguns biķerī? Viņam jābūt tālu projām, aiz trejdeviņām zemēm. Viņš slēpjas, ir viens, vārgs un bezspēcīgs...

Tomēr sapnī, no kura Harijs uztrūkās ar vienās ugunīs kaistošu rētu, Voldemorts nebija viens... viņš runājās ar Tārpasti... perināja plānu, kā Hariju nogalināt...

Satrūcies Harijs attapās, ka skatās tieši virsū Resnajai kundzei. Viņš neatminējās, kā atnācis līdz portretcaurumam. Neparasti bija arī tas, ka Resnā kundze nebija viena — tagad viņai līdzās pašapmierināti sēdēja krunkainā ragana, kas tika aizlidinājusies uz kaimiņbildi kambarī, kur pulcējās censoņi. Viņa, jādomā, bija apskrējusi visas gleznas, kas karājās gar septiņiem kāpņu laidieniem, lai Hariju apsteigtu. Viņas abas ar Resno kundzi raudzījās lejup, no ziņkāres teju vai pušu plīsdamas.

— Tā, tā, tā, — Resnā kundze ierunājās. — Violeta man nule kā visu izstāstīja. Kurš tad galu galā tika izraudzīts par skolas censoni, ko?

— Pupu mizas! — Harijs stingi nomurmināja.

— Nekā nebija! — bālā ragana sašutusi izsaucās.

— Nē, nē, Vijucīt, tā ir parole, — Resnā kundze mierinoši iedūdojās un iešūpojās virās, lai ielaistu Hariju koptelpā.

Kolīdz portretcaurums pavērās, no tā atskanēja tāds troksnis, ka Harijam gandrīz pārplīsa bungādiņas. Viņš tikai samanīja, kā pārdesmit roku velk viņu iekšā kopistabā, kur sapulcējušies visi grifidori — visi kā viens spiedza, brēca, aplaudēja un svilpa.

— Varēji jau nu izstāstīt, ka esi pieteicies! — kliedza Freds, izskatīdamies pa pusei apvainojies, pa pusei apbrīnas pilns.

— Kā tu šito dabūji gatavu, pat pie bārdas netikdams? Paklau, spoži! — bauroja Džordžs.

— Es to neesmu darījis, — Harijs atkliedza. — Man nav ne jausmas, kā...

Bet tad viņam kā no gaisa virsū uzkrita Endželīna: — Ai, ja ne es, labi vismaz, ka censonis ir grifidors.

— Tagad tu varēsi atmaksāt Digorijam par to pēdējo kalambola maču, Harij! — spiedza Keitija Bella, cita grifidoru dzinēja.

— Mums ir ēdamais, Harij, nāc, iekod kaut ko!

— Es negribu ēst, es maltītē pieēdos līdz kaklam.

Bet neviens negribēja dzirdēt ne to, ka viņš nav izsalcis, ne to, ka nav licis savu vārdu Biķerī; neviens, šķiet, pat nemanīja, ka viņam prāts itin nemaz nenesas uz svinēšanu... Lī Džordans bija nezin no kurienes izracis Grifidora karogu un uzstāja, ka Harijam tas jāapliek ap pleciem. Harijs nekādi netika projām — kolīdz viņš grasījās aizlavīties līdz kāpnēm, kas veda uz guļamistabām, pūlis viņu apsēda kā bišu spiets, lēja mutē vēl vienu porciju sviestalus, bāza rokās čipsus un zemesriekstus. Visi gribēja zināt, kā viņš to paveicis, kā ticis pāri Dumidora Pilngadības robežai un iedabūjis savu vārdu Biķerī.

— Es to neesmu darījis, — Harijs atkārtoja atkal un atkal. — Es nezinu, kā tas tā gadījies.

Tomēr neviens tam nepievērsa uzmanību, un tikpat labi viņš būtu varējis ciest klusu.

— Man vairs nav spēka! — viņš pēdīgi nokliedzās, kad bija aizritējusi gandrīz pusstunda. — Nē, nopietni, Džordž, es iešu gulēt.

Par visu vairāk viņš gribēja uzmeklēt Ronu un Hermioni — tie abi būtu kaut mazliet saprātīgāki —, bet kopistabā viņu nebija. Uzstājīgi atkārtodams, ka grib gulēt, un teju sabradādams mazos brāļus Krīvijus, kas mēģināja viņu pārtvert kāpņu lejasgalā, Harijs pamanījās izrauties no grifidoru skavām un, cik vien ātri spēdams, metās augšā uz guļamistabu.

Ar milzu atvieglojumu viņš ieraudzīja, ka guļamistabā nav neviena, izņemot Ronu, kas gulēja savā gultā, drēbes nenovilcis. Kad Harijs aizcirta durvis, viņš pacēla galvu.

— Kur tu biji pazudis? — Harijs iesaucās.

— Ā, sveiki, — Rons atteica.

Rons smaidīja, bet smaids izskatījās savāds, tāds kā samocīts. Harijs piepeši atskārta, ka joprojām ir ietinies koši sarkanajā Grifidora karogā, ko Lī viņam bija apsējis ap pleciem. Viņš mēģināja to noraut, bet mezgls izrādījās ļoti cieši savilcies. Rons nekustīgi gulēja, noraudzīdamies, kā Harijs pūlas to atsiet.

— Tātad, — viņš teica, kad Harijs pēdīgi bija ticis no karoga vaļā un iesviedis to stūrī, — apsveicu!

— Ko tu ar to gribi teikt? — Harijs viņam uzmeta pārsteigtu skatienu. Rona smaids patiešām bija pagalam dīvains — šķībs un greizs.

— Nu, kā... neviens cits Pilngadības robežai pāri netika, — Rons novilka. — Pat Freds un Džordžs. Ko tad tu izmantoji — Paslēpni?

— Ar Paslēpni es robežai pāri nevarētu tikt, — Harijs lēni teica.

— Ak tā, nu kā tad, — Rons izmeta. — Es iedomājos, ka gadījumā, ja tas būtu bijis Paslēpnis, tu man par to būtu varējis izstāstīt... jo zem tā būtu pieticis vietas mums abiem, vai ne tā? Bet tu atradi kādu citu ceļu, vai ne?

— Paklau, — Harijs teica, — es neesmu licis savu vārdu Biķerī. Acīmredzot to ir izdarījis kāds cits.

Rons izbrīnā sacēla uzacis. — Kāda joda pēc?

— Nezinu, — Harijs atbildēja. Viņam bija sajūta, ka vārdi "lai mani nonāvētu" izklausītos pārāk melodramatiski.

Rona uzacis uzrāvās tik augstu, ka gandrīz pazuda matu kodaļā.

— Zini ko, *man* taču tu vari nemelot, — viņš teica. — Ja negribi, ka pārējie zina, lai notiek, bet es nesaprotu, kāpēc tu sagudro visādus melus — tev taču par to nekas nedraud, vai ne? Tā Resnās kundze draudzene, tā Violeta, viņa jau mums visiem izstāstīja, ka Dumidors tev atļāvis piedalīties. Tūkstoš galeonu balvā, padomā tik! Un gala pārbaudījumi arī tev nebūs jākārto...

— Es neesmu licis savu vārdu Biķerī! — Harijs juta, ka aizsvilstas.

— Jā, jā, labi jau, labi, — Rons novilka tieši tikpat neticīgi kā Sedriks. — Tikai šorīt tu teici, ka vakarnakt būtu to darījis un neviens tevi nebūtu redzējis. Paklau, es neesmu nekāds muļķis.

— Bet pēc tāda sāc izskatīties, — Harijs atcirta.

— Ak tā? — Rons iesaucās, un nekāda smaida, pat samocīta smīniņa, viņa sejā vairs nebija. — Tu laikam gribi doties pie miera, Harij. Droši vien rīt vajadzēs agri celties — fotografēties un tamlīdzīgi.

Viņš aizrāva ciet baldahīna aizkarus, atstādams Hariju stāvam pie durvīm un veramies uz samta tumšsārtajām krokām, aiz kurām tagad slēpās viens no tiem nedaudzajiem cilvēkiem, uz ko viņš bija nešaubīgi paļavies.

## ASTOŅPADSMITĀ NODAĻA

# ZIŽĻU SVĒRŠANA

Kad Harijs svētdienas rītā pamodās, vajadzēja labu brīdi, iekams viņš aptvēra, kāpēc jūtas tik nelaimīgs un noraizējies. Tad atmiņā uzpeldēja viss, kas bija noticis iepriekšējā vakarā. Viņš apsēdās un atrāva vaļā gultas aizkarus, apņēmies izrunāties ar Ronu, panākt, lai viņš saprastu un noticētu, bet ieraudzīja Rona gultu tukšu — acīmredzot viņš jau bija aizgājis brokastīs.

Saģērbies Harijs pa vītņu kāpnēm devās lejā uz kopistabu. Kolīdz viņš tur parādījās, grifidori, kuri brokastot jau bija beiguši, atkal ņēmās aplaudēt. Harijam galīgi negribējās iet uz Lielo zāli, kur priekšā jau sēdēs pārējie grifidori, kas ar viņu apiesies kā ar nezin kādu varoni, tomēr palikt kopistabā nozīmētu krist par upuri brāļiem Krīvijiem, kas jau aicinoši māja ar rokām. Viņš apņēmīgi devās uz portretcauruma pusi, atgrūda gleznu sāņus, izkāpa laukā un nonāca aci pret aci ar Hermioni.

— Sveiks, — viņa teica, pūlēdamās saturēt salvetē ievīstītu sviestmaižu kalnu. — Re, es tev atnesu šito... negribi izmest kādu apli?

— Laba doma. — Harijs nudien jutās pateicīgs.

Abi nokāpa lejā, izšmauca cauri Ieejas zālei, Lielajā zālē pat neielūkojušies, un drīz vien jau devās pāri zālienam uz ezera pusi, kur vīdēja noenkurotais Durmštrangas kuģis, mezdams rāmajā ūdenī melnu atspulgu. Rīts bija auksts, tāpēc viņi nosprieda ēst tāpat staigādami, un Harijs izstāstīja Hermionei, kas iepriekšējā vakarā bija noticis pēc tam, kad viņš pameta grifidoru galdu. Par neizsakāmu atvieglojumu, Hermione viņa stāstam ticēja bez kādām ierunām.

— Nu, jā — es, protams, zināju, ka tu pats neesi pieteicies, — viņa sacīja, kad Harijs bija izstāstījis visu, kas notika Lielās zāles kambarī. — Es taču redzēju, kāds tev bija ģīmis, kad Dumidors nolasīja tavu vārdu! Bet jājautā — *kurš* tad to izdarīja? Jo Tramdānam ir taisnība, Harij... Es neticu, ka to būtu spējis izdarīt kāds audzēknis. Audzēkņi nemūžam nespētu apmānīt nedz Biķeri, nedz tikt pāri Dumidora...

— Vai Ronu esi satikusi? — Harijs viņu pārtrauca.

Hermione vilcinājās. — Mm... jā... pie brokastgalda.

— Vai viņš joprojām domā, kas es esmu pieteicies pats?

— Nu... nē, diezin vai... *ne gluži,* — Hermione sastomījās.

— Tas ir kā — ne *gluži*?

— Nu, Harij, vai tad nav skaidrs? — viņa saņēma dūšu. — Viņš tevi apskauž!

— *Apskauž*? — Harijs neticīgi pārjautāja. — Apskauž par ko? Tātad viņš gribētu manā vietā palikt par nelgu visas skolas acu priekšā?

— Paklau, — Hermione pacietīgi iesāka, — tev visi allaž pievērš uzmanību, tu taču zini, ka tā ir. Jā, jā, tā nav tava vaina, — viņa mudīgi piemetināja, apsteigdama Hariju, kas jau grasījās pikti iebilst, — es zinu, ka tev tas nav vajadzīgs... bet... nu... tu taču zini, ka Ronam jau mājās nemitīgi jāsacenšas ar visiem tiem viņa brāļiem, un tu esi viņa labākais draugs, un tu tik tiešām esi slavens — kad jūs esat cilvēkos, viņš allaž tiek nobīdīts malā, un viņš samierinās un nekad to nav pieminējis, taču šoreiz laikam vadzis ir lūzis...

— Lieliski, — Harijs sarūgtināts noteica. — Tiešām lieliski. Pasaki viņam, ka es kaut tūlīt esmu gatavs ar viņu mainīties vietām. Pasaki, ka viņš varēs kārtīgi izpriecāties. Visi tie cilvēki, kas, ej, kur gribi, blenž uz manu pieri...

— Neko es viņam neteikšu, — Hermione noskaldīja. — Pasaki pats — citādi to nokārtot nevar.

— Es nedomāju skriet viņam pakaļ, pūlēdamies iestāstīt, lai viņš neuzvedas kā mazs bērns! — Harijs iesaucās tik skaļi, ka no tuvējā koka spārnos pacēlās vairākas iztrūcinātas pūces. — Varbūt jāpagaida, līdz es pārlauzīšu sprandu vai vēl nezin ko, lai viņš beidzot noticētu, ka man tas viss nesagādā nekādu prieku?

— Tas nemaz nav smieklīgi, — Hermione klusi atbildēja. — Tur galīgi nav par ko smieties. — Viņa izskatījās neparasti nobažījusies. — Harij, es te tā domāju... tu taču zini, kas mums jādara, vai ne? Uz karstām pēdām, līdzko būsim atpakaļ pilī!

— Jā, pamatīgi jāiesper Ronam pa...

— *Jāaizraksta Siriusam.* Tev viņam jāizstāsta, kas noticis. Viņš lūdza, lai tu ziņo par visu, kas notiek Cūkkārpā. Gandrīz vai jādomā, ka viņš kaut ko tādu jau gaidīja. Es te paķēru līdzi gabalu pergamenta un rakstāmspalvu...

— Liecies nu mierā, — Harijs viņu apsauca, pametis skatu visapkārt, lai redzētu, vai kāds nenoklausās, taču tuvumā nebija nevienas dzīvas dvēseles. — Viņš atgriezās valstī tikai tāpēc, ka man iesāpējās rēta. Ja es tagad pavēstīšu, ka nezin kas mani piespiedis piedalīties Trejburvju turnīrā, viņš varbūt sadomās mesties taisnā ceļā uz Cūkkārpu!

— *Viņš gribētu, lai tu to pastāsti,* — Hermione stingri noteica. — Viņš to šā vai tā uzzinās.

— Kā tad?

— Harij, tas taču tiks izskandināts pa visu pasauli, — Hermione ļoti nopietni aizrādīja. — Šis turnīrs ir slavens, un tu esi slavens. Es no tiesas brīnīšos, ja "Dienas Pareģī" neparādīsies ziņa par to, ka tu tur piedalies. Tavs vārds jau ir iemūžināts katrā otrajā grāmatā par Pats-Zini-Ko. Un Siriuss noteikti to vispirms gribētu uzzināt no tevis — par to es esmu droša.

— Nu, labi, labi, es viņam aizrakstīšu, — Harijs piekāpās, pēdējo sviestmaizes kumosu iesviezdams ezerā. Viņi abi stāvēja krastā un noraudzījās, kā tas īsu brīdi šūpojas vilnīšos, līdz no dzelmes pastiepās resns tausteklis un parāva ēsmu zem ūdens. Tad viņi devās atpakaļ uz pili.

— Un kuru pūci man ņemt? — Harijs ievaicājās, kad viņi kāpa augšup pa kāpnēm. — Viņš teica, lai Hedvigu vairs nesūtu.

— Palūdz, lai Rons aizdod.

— Ronam es neko nelūgšu, — Harijs noskaldīja.

— Nu, labi, tad aizņemies kādu no skolas pūcēm — tās visi drīkst izmantot, — Hermione ieteica.

Viņi devās augšā uz Pūču māju. Hermione pasniedza Harijam pergamenta loksni, spalvu un tintes pudeli un tad ņēmās pastaigāties gar laktām, aplūkodama visvisādās pūces, kamēr Harijs notupās sienmalē un sacerēja vēstuli.

*Mīļais Sirius!*

*Tu teici, lai es Tev ziņoju par visu, kas notiek Cūkkārpā, tad nu tā: nezinu, vai jau esi dzirdējis, bet šogad tiek rīkots Trejburvju turnīrs, un sestdienas vakarā es tiku izraudzīts par ceturto censoni. Nezinu, kurš ielika manu vārdu Uguns biķerī, jo es tas nebiju. Otrs Cūkkārpas censonis ir Sedriks Digorijs no Elšpūša.*

Tad viņš ieslīga pārdomās. Gribējās pastāstīt par smago, neizturamo nemieru, kas šķita iemājojis pakrūtē kopš vakarvakara, bet īsti nevarēja saprast, kā lai to ietērpj vārdos, tāpēc viņš vienkārši iemērca rakstāmspalvu tintes pudelē un uzrakstīja:

*Ceru, ka Tev un Švītknābim klājas labi.*

*Harijs*

— Gatavs, — viņš pavēstīja Hermionei, pietrausies kājās un notraucis salmus no mantijas. Tūliņ viņam uz pleca nolaidās Hedviga un pakalpīgi pastiepa kāju.

— Es nedrīkstu tevi sūtīt, — Harijs viņai teica, ar skatienu meklēdams skolas pūces. — Man jāņem kāda no tām tur...

Hedviga skaļi ieūjinājās un pacēlās spārnos ar tādu joni, ka nagi ieķērās Harija plecā. Viņa sparīgi lidinājās ap Hariju, kamēr viņš nopūlējās, siedams vēstuli pie kājas lielam mājas ūpim. Izvadījis ūpi, viņš pasniedzās, lai Hedvigu noglāstītu, taču viņa nikni klakšķināja knābi un uzlidoja uz vienas no pašām augstākajām laktām.

— Vispirms Rons, tagad arī tu, — Harijs pikti nomurmināja. — *Tā nav mana vaina.*

* * *

Harijs bija iedomājies, ka, līdzko visi pieradīs pie viņa censoņa statusa, dzīve daudzmaz ieies atpakaļ sliedēs, taču nākamā diena pierādīja, ka viņš ir smagi maldījies. No cilvēkiem nebija iespējams izvairīties, jo vajadzēja piedalīties stundās — un bija pilnīgi skaidrs — visi pārējie, tieši tāpat kā grifidori, ne mazākajā mērā nešaubījās, ka Harijs turnīrā ir pieteicies pats. Bet neviens cits, izņemot grifidorus, viņu par to negrasījās apbrīnot.

Elšpūši, kas parasti ar grifidoriem satika vienkārši lieliski, tagad izturējās pagalam ledaini. Ar vienu herboloģijas stundu bija gana, lai tas kļūtu nepārprotami skaidrs. Bija noprotams, ka elšpūšu skatījumā Harijs bija nozadzis viņu censoņa slavas tiesu — rūgtumu, iespējams, vairoja fakts, ka Elšpūša tornis vispār reti kad izpelnījās jebkādu atzinību, turklāt Sedriks bija starp tiem nedaudzajiem, kas šādu atzinību bija sagādājis, jo reiz bija palīdzējis sakaut grifidorus kalambolā. Ernijs Makmilans un Džastins Finčs-Flečlijs, kas Harijam visu laiku bija itin labi draugi, tagad cieta klusu, lūpas sakniebuši, pat tad, kad viņi kopīgi stādīja spriņģojošos sīpolus vienā kastē, taču visai nejauki smējās, kad viens no spriņģojošajiem sīpoliem izrāvās Harijam no rokām un sparīgi ielēca viņam tieši sejā. Arī Rons ar Hariju nesarunājās. Hermione sēdēja abiem pa vidu, ar mokām uzturēdama sarunu, abi viņai atbildēja, kā jau parasti, tomēr viens uz otru vairījās pat paskatīties. Harijam radās iespaids, ka pat profesore Asnīte pret viņu ir atsalusi, lai gan to varēja saprast — viņa, galu galā, bija Elšpūša priekšniece.

Citkārt Harijs būtu ar prieku gaidījis sastapšanos ar Hagridu, bet maģisko būtņu kopšanas nodarbība nozīmēja satikšanos ar slīdeņiem — kopš viņš bija kļuvis par censoni, aci pret aci ar viņiem tikties vēl nebija iznācis.

Nebija grūti paredzēt, ka Malfojs pie Hagrida būdas ieradīsies ar labi pazīstamo smīnu uz lūpām.

— Ahā, čaļi, paskat, kur censonis, — viņš uzsauca Krabem un Goilam, līdzko Harijs bija pienācis gana tuvu, lai varētu viņu sadzirdēt. — Velciet nu laukā autogrāfu blociņus! Lai nu parakstās mudīgi, jo diezin vai vēl ilgi novilks... puse Trejburvju censoņu ir gājuši bojā... Ko, Poter, cik ilgi domā novilkt? Es teiktu, pirmajā uzdevumā minūtes desmit, ko?

Krabe un Goils lišķīgi norēcās, bet Malfojam nācās pieklust, jo ap būdas stūri parādījās Hagrids, stiepdams grīļīgu krātiņu torni — katrā sprostā tupēja paprāvs spridzekļmūdzis. Visiem par šausmām Hagrids ņēmās skaidrot, ka mūdži cits citu esot galējuši nost tāpēc, ka nezinājuši, kur likt aizturēto enerģiju, un nu audzēkņiem vajagot mūdžiem aplikt pavadiņas un viņus kārtīgi izstaidzināt. Vienā ziņā tāds plāns tomēr bija labs — tas pilnībā novērsa Malfoja uzmanību no Harija.

— Šito staidzināt? — viņš pārjautāja, ar riebumu ielūkodamies vienā no krātiņiem. — Un ap kuru vietu lai viņiem liek to kaklasiksnu? Ap dzeloni, spridzekli vai piesūcekni?

— Riktīg ap vidučīt, — Hagrids tūliņ nodemonstrēja. — Hmm... varbūt jūs gribēs apvilkt pretpūķu pirkstaiņus, sak, lielākai drošībai. Harij, nāk nu šurp palīgā pie šitā dūšīgā!

Tomēr izrādījās, ka īstenībā Hagrids tikai gribēja aprunāties ar Hariju tā, lai pārējie nedzird.

Nogaidījis, līdz visi ar saviem mūdžiem aiziet patālāk pļaviņā, viņš pagriezās pret Hariju un nopietni teica: — Ta tā... tu sacentīsies, Harij. Turnīrā. Skolas censons.

— Viens no censoņiem, — Harijs pārlaboja.

Hagrida ogļu melnās acis zem pinkainajām uzacīm raižpilni iegailējās. — Tu nezin, kas tevi tur iegrūd iekšā, Harij?

— Tātad tu tici, kas es pats nepieteicos? — Harijs iesaucās, tik tikko spēdams noslēpt, cik pateicīgs viņam jūtas par šiem vārdiem.

— Protama lieta, es tic, — Hagrids noņurdēja. — Tu tak teic, ka tas nebij tu, un es tev tic — un Dumidors ar tic, un citi ar.

— Kaut es zinātu, *kurš* tas bija, — Harijs bēdīgi novilka.

Abi pameta skatu uz zālienu, audzēkņi bija izklīduši kur nu kurais. Viegli viņiem neklājās. Mūdži bija izauguši jau gandrīz metru gari un varen pieņēmušies spēkā. Tie vairs nebija mīkstmiesīgi un bezkrāsaini — tagad viņiem bija uzaugušas biezas, pelēcīgas, spīdīgas bruņas. Spridzekļmūdži izskatījās pēc gigantisku skorpionu un iegarenu krabju krustojuma, tomēr joprojām nebija saprotams, kur viņiem galva vai acis. Lai nu kā, mūdži bija briesmīgi stipri un grūti valdāmi.

— Re, kā šie lustējas, ko? — Hagrids līksmi ierunājās. Harijs noprata, ka tas acīmredzot zīmējas uz mūdžiem, jo viņa klasesbiedri diez ko priecīgi vis neizskatījās — ik pa brīdim kāds mūdzis ar draudīgu blīkšķi nospridzinājās un aizšāvās vairākus metrus uz priekšu, tā ka pavadonis tika nogāzts garšļaukus un uz vēdera vilkts pa zemi labu gabalu, līdz pamanījās atkal pietrausties kājās.

— Vispābā, es nezin, Harij, — Hagrids piepeši nopūtās, no jauna pievērsis viņam raižpilno seju. — Skolas censons... kas viss a tev nevar lēkties, ko?

Harijs cieta klusu. Jā, ar viņu laikam patiešām varēja lēkties sazin kas... Apmēram to pašu bija teikusi Hermione, kad abi bija staigājuši gar ezeru, un tieši tāpēc, ja viņai varēja ticēt, Rons ar Hariju vairs nesarunājās.

* * *

Turpmākās pāris dienas bija tādas, par kurām ļaunākas Harijs Cūkkārpā neatminējās piedzīvojis. Kaut ko līdzīgu viņam bija nācies pārciest tikai otrajā gadā — tajos mēnešos, kad liela daļa skolasbiedru un pasniedzēju viņu uzskatīja par slepkavu. Toreiz Rons bija un palika Harija pusē. Harijam pat šķita, ka viņš varētu itin labi paciest to, kā izturas visi pārējie, ja vien Rons atkal būtu ar viņu draugos, bet iet un mēģināt Ronu pierunāt izlīgt, ja viņš pats no nemaz nevēlas, Harijs negribēja. Tomēr tagad, kad no visām pusēm nemitīgi pāri šļācās klajas nepatikas straumes, viņš jutās ļoti vientuļš.

Kaut arī elšpūšu attieksme bija nejauka, to vareja saprast — viņiem bija atbalstāms pašiem savs censonis. No slīdeņiem neko citu kā riebīgus apvainojumus diezin vai varēja gaidīt — slīdeņi Poteru neieredzēja un nekad nebija ieredzējuši, jo, pateicoties viņam, grifidori slīdeņus tik bieži bija pievārējuši gan kalambolā, gan torņu sacensībā. Taču Harijs bija cerējis, ka kraukļanagi viņu varētu atbalstīt tikpat labi kā Sedriku, tomēr maldījās. Vairākums kraukļanagu acīmredzot domāja, ka viņš tik ļoti kārojis vairot savu slavu, ka piemānījis Biķeri, iešmugulēdams tur savu vārdu.

Turklāt Sedriks daudz vairāk izskatījās pēc censoņa. Būdams izcili glīts puisis, ar tik skaisti veidotu degunu, tumšiem matiem un pelēkām acīm, viņš tika apbrīnots gandrīz tikpat ļoti kā Viktors Krums. Harijs kādudien pie pusdienu galda savām acīm redzēja, kā tās pašas sestgadnieces, kas plēsās, lai dabūtu Kruma autogrāfu, tagad lūdzās, lai Sedriks ar savu parakstu izgrezno viņu somas.

Arī no Siriusa nebija nekādas vēsts, Hedviga turējās no Harija pa gabalu, profesore Trilonija pareģoja viņa nāvi pārliecinošāk nekā jebkad agrāk, un burvestībās Harijam veicās tik slikti, ka profesors Zibiņš viņam uzkrāva papildu mājasdarbu — vienīgajam, ja neskaita Nevilu.

— Tas tiešām nav nemaz tik grūti, Harij, — Hermione centās viņu uzmundrināt, kad viņi gāja laukā no Zibiņa klases — viņa pati cauru stundu bija lidinājusi visu ko pa klasi ar apskaužamu vieglumu, itin kā būtu kāds ērmots magnēts, kas pievelk tāfeles lupatas, papīrgrozus un lunoskopus. — Tu vienkārši nespēji, kā nākas, koncentrēties...

— Jā, nudien nav saprotams, kāpēc, — Harijs noburkšķēja, noskatīdamies, kā garām aiziet Sedriks Digorijs ar veselu baru muļķīgi smīnošu meiteņu — tās visas uz Hariju nolūrēja tā, it kā viņš būtu kāds īpaši liels spridzekļmūdzis. — Bet nekas, vai ne? Vēl jau šodien priekšā divas mikstūras...

Divas mikstūru nodarbības jau tāpat mēdza sagādāt gana raižu, bet tagad tās draudēja pārvērsties par īstām mocībām. Diezin vai bija iespējams iedomāties ko ļaunāku par pusotru stundu pagrabā kopā ar Strupu un slīdeņiem, kuri visi kā viens šķita apņēmušies sodīt Hariju par to, ka viņš iedrošinājies kļūt par skolas censoni. Vienu tādu piektdienu Harijs jau bija piedzīvojis — Hermione, sēdēdama viņam blakus, nemitīgi bija paklusām skaitījusi: "Neliecies ne zinis, neliecies ne zinis, neliecies ne zinis", un nebija ne mazākā iemesla cerēt, ka šodien sagaidāms kas labāks.

Kad viņi ar Hermioni pēc pusdienām ieradās pie Strupa pagraba durvīm, priekšā jau gaidīja slīdeņi, visi kā viens pie mantijas piesprauduši prāvu nozīmi. Pirmajā mirklī Harijs nezin kāpēc nosprieda, ka tās ir VEMT nozīmītes, bet tad saskatīja, ka uz visām ir spilgti sārts, apakšzemes gaiteņa puskrēslā spoži mirdzošs uzraksts:

*Atbalstiet SEDRIKU DIGORIJU —*
Cūkkārpas ĪSTO Censoni!

— Vai patīk, Poter? — Malfojs skaļi noprasīja, ieraudzījis Hariju tuvojamies. — Un tas vēl nav viss — re!

Viņš piespieda nozīmi ciešāk pie krūtīm, un uzraksts pazuda — tā vietā parādījās jauns, kas mirdzēja zaļš:

*POTERS IR RIEBEKLIS!*

Slīdeņi sāka rēkt. Arī visi pārējie grāba pie nozīmēm, un pēc brīža ziņa, ka Poters ir riebeklis, spoži gaismojās Harijam visriņķī. Viņš juta sejā sakāpjam karstumu.

— Ai, ai, nu *ļoti* smieklīgi, — Hermione sarkastiski teica Pansijai Pārkinsonei un viņas slīdeņu meiteņu baram, kas smējās skaļāk par visiem citiem, — tiešām *asprātīgi*.

Rons kopā ar Dīnu un Šīmusu stāvēja sienmalē. Viņš nesmējās, tomēr arī nemetās Hariju aizstāvēt.

— Gribi vienu, Grendžera? — Malfojs viņai pastiepa vienu nozīmi. — Man tādu ir kaudzēm. Tikai nepieskaries man, jo es tikko kā nomazgāju rokas, saproti? Negribas, lai draņķasine tās noķēpā.

Dusmas, ko Harijs jau dienām ilgi bija manījis milstam dziļi pakrūtē, piepeši it kā pārrāva kādu aizsprostu. Nākamajā acumirklī viņš attapās, ka augstu gaisā pacēlis zizli. Apkārtējie pašķīda uz visām pusēm un atkāpās gaiteņa dziļumā.

— Harij, — Hermione brīdinoši iesaucās.

— Labi, labi, Poter, panāc tik priekšā, — Malfojs klusi teica, izvilkdams pats savu zizli. — Tagad tava Tramdāniņa te nav — paskatīsimies, kādas tev iekšas...

Vienu īsu mirkli viņu skati krustojās, un tūliņ abi reizē izšķīrās.

— *Pumpum*! — Harijs iekliedzās.

— *Zobaugum*! — iebrēcās Malfojs.

No abiem zižļiem izšāvās gaismas šautras, pusceļā abas satriecās un novirzījās sāņus — Harija šautra trāpīja sejā Goilam, Malfoja lāsts izrādījās kritis pār Hermioni. Goils iebaurojās un ņēmās taustīt degunu, kur kā sēnes pēc lietus parādījās lieli, baisi augoņi. Hermione, panikā iešņukstējusies, ķēra pie mutes.

— Hermione! — Rons metās viņai klāt, lai redzētu, kas noticis.

Harijs pagriezies ieraudzīja, kā Rons mēģina atraut viņas roku no sejas. Skats nebija no patīkamajiem. Hermiones priekšzobi, kas jau tāpat bija drusku prāvāki nekā citiem, milzu ātrumā auga aizvien garāki; zobi auga un auga, līdz apakšlūpai, līdz zodam, meitene aizvien vairāk un vairāk līdzinājās bebram un, samanīdama, kas notiek, šausmās iekliedzās.

— Un kāpēc mēs tā trokšņojam? — atskanēja klusa, draudīga balss. Strups bija klāt.

Slīdeņi ņēmās klaigāt, ka paskaidrošot. Strups ar garu, dzeltenu pirkstu norādīja uz Malfoju: — Paskaidrojiet.

— Poters man uzbruka, skolotāja kungs...

— Mēs abi viens otram uzbrukām. Reizē! — Harijs iekliedzās.

— ... un viņš trāpīja Goilam, redziet...

Strups aplūkoja Goilu, kura seja tagad izskatījās tāda, it kā īstā vieta tai būtu grāmatā par indīgām sēnēm.

— Uz slimnīcas spārnu, Goil, — Strups rāmi norīkoja.

— Malfojs trāpīja Hermionei! — Rons iesaucās. — *Skatieties*!

Viņš piespieda Hermioni parādīt Strupam briesmīgos zobus, bet meitene pretojās, mēģinādama tos aizklāt ar rokām, lai gan tas nebija viegli, jo priekšzobi jau sniedzās pāri mantijas apkaklei. Pansija Pārkinsone līdz ar pārējām slīdenēm locījās aizturētos smieklos, Strupam aiz muguras rādīdamas uz Hermioni ar pirkstiem.

Strups uzmeta Hermionei saltu skatienu un tad sacīja: — Neredzu ne mazāko atšķirību.

Hermione iešņukstējās, izplūda asarās, apcirtās uz papēža, aizmetās projām pa gaiteni un pazuda aiz līkuma.

Laime nelaimē — Harijs un Rons uz Strupu sāka kliegt abi reizē, un, gaiteņa mūra sienu atbalsotas, viņu klaigas saplūda neskaidrā jūklī, un Strups nevarēja īsti sadzirdēt, tieši kādos vārdos tika nosaukts. Tomēr lietas būtību viņš noprata.

— Paskatīsimies, — viņš nodūdoja. — Piecdesmit soda punkti Grifidoram un pēcstundu norīkojums Poteram un Vīzlijam. Tagad ejiet klasē, citādi pēcstundās būs jāsēž nedēļām ilgi.

Harijam ausīs zvanīja. Par tādu netaisnību viņš bija gatavs Strupu pārvērst tūkstoš glumos kunkuļos. Pagājis Strupam garām, viņš kopā ar Ronu aizsoļoja līdz pagraba klases pēdējam solam un trieca somu pret galdu. Arī Rons dusmās trīcēja — vienu brīdi likās, ka viss tūliņ būs pa vecam, bet tad Rons pagriezās un nosēdās pie Dīna un Šīmusa, Hariju pamezdams vienu pašu. Pagraba pretējā pusē Malfojs, pagriezies pret Strupu ar muguru, irgodamies piespieda nozīmi. *POTERS IR RIEBEKLIS!* — to ļoti labi varēja saskatīt pāri visai klasei.

Stundai sākoties, Harijs sēdēja, urbdamies Strupā ar skatienu un iztēlodamies, kā šo tipu piemeklē visbriesmīgākās nelaimes... Ja vien būtu zināms, kā uzliekams *Mokum* lāsts... tad Strups gulētu garšļaukus, spirinādamies kā zirneklis, raustīdamies un sāpēs locīdamies...

— Pretindes! — Strups noskatīja audzēkņus, aukstajām, melnajām acīm nejauki spīgojot. — Visiem receptēm jābūt jau gatavām. Tūliņ jūs savas pretindes rūpīgi pagatavosiet, un tad no jūsu vidus izraudzīsimies vienu, kas palīdzēs mums kādu no tām pārbaudīt...

Strupa skatiens pievērsās Harijam, un Harijam bija skaidrs, kas tagad notiks. Strups noindēs *viņu.* Harijs iztēlojās sevi izskrienam klases priekšā un uzmaucam katlu Strupa netīrajā galvā...

Un tajā brīdī viņa domu pavediens pārtrūka, jo pie pagraba durvīm atskanēja klauvējiens.

Klasē ieslīdēja Kolins Krīvijs, starojoši uzsmaidīja Harijam un piegāja pie Strupa galda.

— Jā? — Strups aprauti ievaicājās.

— Lūdzu, skolotāja kungs, man lika uzvest augšā Hariju Poteru.

Strups pagrieza līko degunu pret Kolinu, un nogaidīja, līdz smaids zēna jūsmīgajā sejā izdzisa.

— Poteram ir vēl viena mikstūru stunda, — viņš dzedri teica. — Viņš ies augšā, kad nodarbība būs beigusies.

Kolins pietvīka.

— Skolotāj, viņu gaida Maišelnieka kungs, — viņš uztraukti nobēra. — Visiem censoņiem jāiet, manuprāt, viņiem vajag fotografēties.

Harijs mīļuprāt būtu atdevis visu, kas viņam piederēja, lai tikai Kolins nebūtu izrunājis tos pēdējos vārdus. Viņš paškielēja uz Ronu, bet tas apņēmīgi blenza griestos.

— Ļoti labi, ļoti labi, — Strups noskaldīja. — Poter, atstājiet savas mantas tepat, nonāksiet vēlāk lejā, mēs pārbaudīsim jūsu pretindi.

— Lūdzu, skolotāj, mantas viņam jāņem līdzi, — iepīkstējās Kolins. — Visiem censoņiem...

— Labi jau, *labi*! — Strups piekāpās. — Poter, paņemiet somu un pazūdiet! Lai es jūs neredzētu!

Harijs pārsvieda somu pār plecu, piecēlās un devās uz durvīm. Kad viņš gāja garām slīdeņu soliem, no visām pusēm uzmirgoja vārdi *POTERS IR RIEBEKLIS!*

— Vienreizīgi, ne, Harij? — Kolins ierunājās tūliņ pēc tam, kad Harijs bija aizvēris pagraba durvis. — Ko, ne? Ka tu esi censonis!

— Jā, jā, nudien, vienreizīgi, — Harijs gurdi novilka, kāpjot augšā uz Ieejas zāli. — Kam viņiem vajadzīgas fotogrāfijas, Kolin?

— Manuprāt, "Dienas Pareģim"!

— Brīnišķīgi, — Harijs sadrūma. — Tieši tas, kas man vajadzīgs. Drusku vairāk slavas.

— Nu re! Tev veicas! — Kolins izsaucās, un tad viņi jau bija klāt. Harijs pieklauvēja pie durvīm un iegāja iekšā.

Tā bija visai neliela klases telpa. Gandrīz visi soli bija aizbīdīti istabas viņā galā, tā ka vidus stāvēja tukšs. Tomēr trīs bija nolikti rindā gar tāfeli un pārklāti ar garu samta galdautu. Aiz apklātajiem soliem stāvēja pieci krēsli, un uz viena sēdēja Ludo Maišelnieks, sarunādamies ar karmīnsarkanā mantijā tērptu raganu, ko Harijs redzēja pirmoreiz mūžā.

Stūrī stāvēja Viktors Krums — kā allaž, ieslīdzis pārdomās un ne ar vienu nerunādams. Sedriks pļāpāja ar Flēru. Viņa Harijam šķita daudz priecīgāka nekā jebkad agrāk un ik pa brīdim atmeta galvu atpakaļ, tā ka garie, sudrabainie mati vizuļot vizuļoja. Flēru iesāņus vēroja kāds vīrs ar apaļu vēderu — viņam rokās bija liela, melna kamera, kas maķenīt kūpēja.

Maišelnieks piepeši pamanīja Hariju, pielēca kājās un paliecās uz priekšu. — Ahā, re, kur viņš ir! Censonis numur četri! Nāc iekšā, Harij, nāc vien! Nav par ko uztraukties, pavisam parasta Zižļu svēršanas ceremonija, pārējie tiesneši kuru katru mirkli būs klāt.

— Zižļu svēršana? — Harijs uztraukts pārvaicāja.

— Mums jāpārbauda, vai jūsu zižļi ir pilnā kārtībā, jāpārliecinās, ka tiem nav nekādas vainas, vai zini, tāpēc ka tie taču būs jūsu galvenie ieroči, — Maišelnieks paskaidroja. — Eksperts šobrīd ir augšā pie Dumidora. Un tad būs jāuzņem pāris bilžu. Tā ir Rita Knisle, — viņš piebilda, pamājis uz raganu spilgti sarkanajā mantijā, — viņa "Dienas Pareģim" gatavo nelielu rakstiņu par turnīru...

— Varbūt ne jau *tik ļoti* nelielu, Ludo, — Rita Knisle atsaucās, gluži vai aprīdama Hariju ar acīm.

Viņas mati bija sakārtoti sarežģītās un ērmīgi stingrās cirtās, kas dīvaini kontrastēja ar zirdzisko seju. Acis slēpa ar dārgakmeņiem izrotātas brilles. Tuklajiem pirkstiem, kas žņaudzīja krokodilādas rokassomu, bija ļoti gari, asinssarkani nokrāsoti nagi.

— Paklau, vai es varētu pārmīt ar Hariju kādu vārdu, pirms sākam? — viņa jautāja Maišelniekam, joprojām nenolaizdama acis no Harija. — Jaunākais censonis, ko? Tas piešķirtu drusku kolorīta...

— Noteikti! — Maišelnieks atsaucās. — Tas ir, ja Harijam nav iebildumu!

— Nu... — Harijs iesāka.

— Jauki, — Rita Knisle apņēmīgi noteica, un nākamajā acumirklī sarkanie nagi jau bija neparasti spēcīgi iegrābušies Harija augšdelmā. Izvilkusi Hariju laukā no istabas, viņa atrāva vaļā blakus durvis.

— Mēs taču negribam sēdēt tādā troksnī, — viņa teica. — Paskatīsimies... ahā, jā, te būs labi un omulīgi.

Tas bija slotu skapis. Harijs uzmeta viņai pārsteigtu skatienu.

— Nāc nu, mīļais... nu, re... jauki, — Rita Knisle iedūdojās, pati visai nedroši apsēdās uz apgāzta spaiņa, Hariju nosēdināja uz kartona kastes un aizvēra durvis. Nu abi sēdēja pilnīgā tumsā.

— Nu, tā...

Viņa atrāva vaļā krokodilādas rokassomu un no tās izvilka sauju sveču, ko, pavēcinājusi zizli, aizdedza un uzlidināja gaisā, lai var redzēt, kas skapī notiek.

— Tev nebūs iebildumu, Harij, ja es izmantošu Smukstāstu Spalvu? Tad es varēšu ar tevi normāli aprunāties...

— Ko tad? — Harijs pārjautāja.

Ritas Knisles smaids kļuva platāks. Harijs viņas mutē saskaitīja trīs zelta zobus. Viņa no jauna iegrūda roku krokodilādas somā un no tās izvilka garu, indīgi zaļu rakstāmspalvu un pergamenta rulli, ko izklāja sev priekšā, uz "Skrāpja kundzes visvisādo jūkļu aizbūrēja" kastes. Iebāzusi spalvas galu mutē, Rita Knisle to ar nepārprotamu labpatiku pasūkāja, un tad spalvu nolika stāvus uz pergamenta — tur tā arī palika, vieglītiņām trīsēdama.

— Pārbaude... es esmu Rita Knisle, "Dienas Pareģa" reportiere.

Harijs pameta skatu uz spalvu. Kolīdz Rita Knisle ierunājās, zaļā spalva ņēmās skrapstinādama skribelēt:

*Pievilcīgā gaišmate, četrdesmit trīs gadus vecā Rita Knisle, kuras dzēlīgā rakstāmspalva ne reizi vien likusi pārsprāgt daudzām pārmēru uzpūstām reputācijām...*

— Jauki, — Rita Knisle atkārtoja, noplēsdama aprakstīto pergamenta loksnes strēmeli, saņurcīdama to un iestūķēdama rokassomā. Nu viņa pieliecās Harijam tuvāk un ierunājās: — Tātad, Harij, kādēļ tu izlēmi piedalīties Trejburvju turnīrā?

— Nu... — Harijs iesāka, taču acumirklī sadzirdēja iečirkstināmies spalvu. Lai gan viņš nebija izrunājis nevienu vārdu, spalva šaudījās pār pergamentu kā atspole un jau bija sacakojusi pirmo teikumu:

*Neglīta rēta — suvenīrs no traģiskās pagātnes — izkropļo visumā piemīlīgos Harija Potera vaibstus, kamēr viņa acis...*

— Neskaties uz spalvu, Harij, — Rita Knisle aizrādīja. Harijs negribīgi novērsās, mēģinādams sevi piespiest raudzīties viņai sejā. — Nu, tā... tad kādēļ tu izlēmi piedalīties turnīrā?

— Es neizlēmu, — Harijs teica. — Es nezinu, kā mans vārds nokļuva Uguns biķerī. Es to tur neesmu licis.

Rita Knisle sarāva uz augšu vienu no pamatīgi nokrāsotajām uzacīm. — Paklau, Harij, nekādas nepatikšanas tev nedraud. Mēs visi zinām, ka tevis iekļaušana dalībnieku skaitā nemaz nebija paredzēta. Bet par to tu neuztraucies. Mūsu lasītājam patīk dumpinieki.

— Bet es tiešām nepieteicos, — Harijs atkārtoja. — Man nav ne jausmas, kurš...

— Ko tu jūti, kad iedomājies uzdevumus, kas tev stāv priekšā? — Rita Knisle viņu pārtrauca. — Uzbudinājumu? Uztraukumu?

— Neesmu par to domājis... nu, jā, laikam jau uztraukumu, — Harijs atbildēja. Runādams viņš sajuta vēderā kaut ko nepatīkami savelkamies.

— Daudzi censoņi ir gājuši bojā, vai ne? — Rita Knisle mundri piezīmēja. — Vai tu par to esi domājis?

— Nu... runā, ka šogad būšot daudz drošāk, — Harijs izstomīja.

Spalva šaudījās pa pergamentu kā apsvilusi — šurpu turpu, itin kā slidinādamās.

— Nu, protams, tev taču ir jau nācies lūkoties nāvei tieši acīs, vai ne? — Rita Knisle viņu cieši pētīja. — Kā tev šķiet, vai tas ir uz tevi atstājis kādu iespaidu?

— Nu... — Harijs no jauna sastomījas.

— Kā tu domā — varbūt pagātnē piedzīvotā trauma tev liek tiekties pašam sevi pierādīt? Dzīvot saskaņā ar paša vārdu? Vai tev nešķiet, ka Trejburvju turnīrā tu varbūt alki pieteikties tāpēc, ka...

— *Es nepieteicos,* — Harijs juta, ka iekaist.

— Vai tu vispār atceries savus vecākus? — Rita Knisle noprasīja, viņa atbildi pat nenoklausījusies.

— Nē, — Harijs teica.

— Kā tu domā — kā viņi justos, ja zinātu, ka tu piedalies Trejburvju turnīrā? Lepotos? Raizētos? Dusmotos?

Nupat Harijs jau bija pamatīgi saskaities. Kā viņš, ellē, var zināt, ko justu vecāki, ja būtu dzīvi? Ritas Knisles skatiens viņā teju vai bija izdedzinājis caurumus. Harijs sarauca pieri, novērsās un palūkojās uz to, ko nule bija uzrakstījusi spalva:

*Kad saruna pievēršas vecākiem, ko viņš gandrīz neatminas, starojoši zaļajās acīs sakāpj asaras.*

— Man acīs NAV nekādu asaru! — Harijs sašutis nokliedzās.

Iekams Rita Knisle paguva bilst kaut vārdu, slotu skapja durvis atsprāga vaļā. Harijs spilgtajā gaismā sablisināja acis. Durvīs stāvēja Baltuss Dumidors, nolūkodamies lejup uz abiem skapī sasēdušajiem.

— *Dumidor*! — Rita Knisle iesaucās, it kā būtu priecīgi pārsteigta, taču Harijs pamanīja, ka viņas rakstāmspalvas un pergamenta loksnes uz "Jūkļu aizbūrēja" kastes vairs nav un Ritas nagainie pirksti steigšus aizklikšķina ciet krokodilādas rokassomu. — Kā klājas? — viņa apvaicājās, pielēkdama stāvus un pastiepdama pretim Dumidoram prāvo, vīrišķīgo roku. — Es ceru, jūs šovasar pamanījāt manu rakstu par Starptautiskās magu konfederācijas konferenci?

— Apburoši nešpetns. — Dumidora acis iespīguļojās. — Jo sevišķi man gāja pie sirds tas, ka mani jūs raksturojāt kā sagrabējušu murmuli.

Rita Knisle itin nemaz neizskatījās samulsusi. — Es tikai norādīju, ka dažas jūsu idejas ir nedaudz vecmodīgas, Dumidor, un ka daudzi vidusmēra burvji...

— Es priecātos, ja zinātu, ka aiz klajas rupjības slēpjas kāda argumentācija, Rita. — Dumidors pieklājīgi paklanījās un pasmaidīja. — Bet baidos, ka šī saruna būs jāatliek uz vēlāku laiku. Zižļu svēršana tūliņ sāksies, un ceremonija nevar notikt, ja viens no mūsu censoņiem ir nobāzts slotu skapī.

Laimīgs, ka ticis vaļā no Ritas Knisles, Harijs steidzās atpakaļ uz klasi. Citi censoņi bija sasēdušies krēslos turpat pie durvīm, viņš mudīgi nometās blakus Sedrikam un palūkojās uz samtā ietērpto galdu — tur jau sēdēja četri no pieciem tiesnešiem: profesors Karkarovs, Maksima madāma, Zemvalža kungs un Ludo Maišelnieks. Rita Knisle iekārtojās kaktā. Harijs redzēja, kā viņa no jauna izslidina no somas pergamentu, izklāj to klēpī, un, pasūkājusi Smukstāstu Spalvas galu, nostāda rakstāmo uz loksnes.

— Atļaujiet jums stādīt priekšā Olivanda kungu, — Dumidors vērsās pie censoņiem, nosēzdamies savā vietā aiz galda. — Viņš pārbaudīs jūsu zižļus, lai pārliecinātos, ka tie pirms turnīra ir gana labā stāvoklī.

Harijs pavērās visapkārt un pārsteigts ieraudzīja, ka pie loga klusi stāv burvju večuks ar platām, gaišām acīm. Olivanda kungu viņš pazina — tas bija zižļu meistars, pie kura Harijs pirms trim gadiem Diagonalejā bija iegādājies pats savu zizli.

— Delakūra jaunkundz, nāciet šurp pirmā, lūdzu, — ierunājās Olivanda kungs, iziedams istabas vidū.

Flēra Delakūra pietraucās viņam klāt un pasniedza savu zizli.

— Hmmm... — Olivanda kungs novilka.

Viņš gluži kā diriģents pavirpināja zizli slaikajos pirkstos, un tas izšāva zeltaini sārtu dzirksteļu šalti. Tad viņš pacēla to tuvāk pie acīm un kārtīgi nopētīja.

— Jā, — viņš klusi noteica, — deviņarpus collu, nelokāms, rožkoks, un serdē... vai, dieniņ...

— Mats no sirrellas galvas, — Flēra sacīja. — Viena mana vecmamma.

Tātad Flēras dzīslās *patiešām* ritēja sirellas asinis, Harijs atskārta un iedomājās, ka tas noteikti jāpavēsta Ronam, bet tad atcerējās, ka Rons ar viņu nesarunājas.

— Jā, — Olivanda kungs atsaucās, — jā, lai gan es pats, protams, sirellas matus neizmantoju. Manuprāt, tie zižļus dara visai temperamentīgus... tomēr katram savs, un, ja tas jums labi der...

Olivanda kungs pārslidināja pirkstus zizlim, acīmredzot

pārbaudīdams, vai nav kādu skrambu vai negludumu, tad nomurmināja: — *Orhideus*! — un zižļa galā izauga ziedu pušķis.

— Ļoti labi, ļoti labi, tas ir lieliskā darba kārtībā, — Olivanda kungs atzina, savākdams buķeti un pasniegdams to Flērai kopā ar zizli. — Digorija jaunkungs, jūs nākamais.

Flēra aizslīdēja atpakaļ uz savu vietu un uzsmaidīja Sedrikam, kad tas gāja viņai garām.

— Ahā! Nu re, tas ir viens no manējiem, vai ne? — Olivanda kungs iesaucās ar manāmi lielāku aizrautību, saņēmis Sedrika zizli. — Jā, šo es labi atceros. Serdē sevišķi iznesīga vienradžu tēviņa astes astrs... vajadzēja kādus septiņpadsmit vīrus... teju nobadīja mani, kad raudzīju paplucināt viņam asti. Divpadsmit collu un ceturtdaļa. Vītols, patīkami atsperīgs. Tas ir lieliskā stāvoklī... vai kopjat to regulāri?

— Vakar vakarā spodrināts, — Sedriks nosmaidīja.

Harijs pašķielēja uz savu zizli. Tas no vienas vietas bija klāts ar pirkstu nospiedumiem. Pagrābis mantijas stērbeli, viņš paslepšus mēģināja zizli noberzt tīrāku. Tūliņ no tā izsprikstēja vairākas zelta dzirksteles. Flēra Delakūra pameta šurp izteikti aizbildnieciska skatu, un Harijs padevās.

Olivanda kungs pavēcināja Sedrika zizli, uzbūra sudrabainu dūmu gredzenu virteni, paziņoja, ka ir apmierināts, un tad teica: — Kruma jaunkungs — lūdzu!

Viktors Krums, zems, stūrains un īskājains, pieslējās kājās un pieslāja klāt Olivanda kungam. Atdevis zizli, viņš palika stāvam, drūmi raudzīdamies caur pieri un rokas sabāzis mantijas kabatās.

— Hmm, — Olivanda kungs nodūca, — ja nekļūdos, Gregoroviča darbs? Smalks zižļu meistars, lai gan viņa stils nav gluži tāds kā man... Tomēr...

Pacēlis zizli gaisā, viņš to sīki nopētīja, grozīdams uz visām pusēm.

— Jā... skābardis un pūķa sirds dzīsla? — Viņš pameta skatu uz Krumu, tas apstiprinoši pamāja. — Tik druknus reti gadās redzēt, samērā ciets, desmit collu un ceturtdaļa... *Putneo*!

Skābarža zizlis noblīkšķināja kā pistole, no tā izlidoja sīku, čivinošu putniņu bars un pa vaļā logu izspurdza ņirbošajā saules gaismā.

— Labi, — noteica Olivanda kungs, atdodams zizli tā saimniekam. — Līdz ar to mums atliek... Potera jaunkungs.

Harijs piecēlās, garām Krumam devās pie Olivanda kunga un pasniedza viņam savu zizli.

— Āāāā, jā, — Olivanda kunga gaišās acis piepeši iespulgojās. — Jā, jā, jā, atminos, atminos.

Arī Harijs nebija aizmirsis. Viņam šķita, ka viss noticis tikai vakardien...

Pirms četrām vasarām, savā vienpadsmitajā dzimšanas dienā, viņš kopā ar Hagridu bija iegājis Olivanda kunga veikalā, lai iegādātos zizli. Hariju nomērījis, Olivanda kungs viņam piedāvāja izmēģināšanai dažnedažādus zižļus. Izvēcinājis teju visus zižļus, kas veikalā bija atrodami, Harijs pēdīgi atrada vienu, kas šķita domāts tieši viņam, šo pašu — akmensozols ar fēniksa astes spalvu serdē, vienpadsmit collu garš. Olivanda kungs rādījās ļoti pārsteigts, ka tieši šis zizlis izrādījies īstais. "Dīvaini," viņš toreiz teica, "dīvaini," un tikai pēc tam, kad Harijs bija painteresējies, kas tur tik dīvains, Olivanda kungs paskaidroja, ka spalva Harija zizlī piederot tam pašam fēniksam, kura spalva atrodoties arī lorda Voldemorta zižļa serdē.

Harijs to nevienam nekad nebija stāstījis. Zizlis viņam ļoti patika, un tā radniecība ar Voldemorta zizli, viņaprāt, bija kas tāds, ar ko atlika vienkārši samierināties, piemēram, itin neko Harijs nevarēja līdzēt arī tur, ka bija Petūnijas tantes radinieks. Tomēr viņš no sirds cerēja, ka Olivanda kungs neņemsies to tagad pavēstīt skaļi. Nezin kāpēc šķita, ka Ritas Knisles Smukstāstu Spalva, to padzirdējusi, no priekiem sasprāgtu smalkos gabalos.

Harija zizli Olivanda kungs pētīja daudz ilgāk un pamatīgāk nekā pārējos. Taču beigu beigās, sekmīgi izbūris vīna strūklu, viņš pasniedza to Harijam, pavēstīdams, ka zizlis joprojām esot lieliskā stāvoklī.

— Pateicos jums visiem, — pie žūrijas galda sēdošais Dumidors piecēlās. — Tagad varat doties atpakaļ uz nodarbībām. Vai varbūt būs labāk, ja uzreiz iesiet vakariņās, jo stundas jau tūliņ būs galā.

Harijam beidzot sāka likties, ka vismaz kaut kas šodien notiek, kā nākas, viņš piecēlās, lai steigtos projām, bet tad kājās pielēca vīrs ar melno kameru un zīmīgi nokremšķinājās.

— Bildēšanās, Dumidor, bildēšanās! — satraukti iesaucās Maišelnieks. — Tiesnešus kopā ar censoņiem, vai ne, Rita? Kā jums šķiet?

— Labi... tos vispirms, — Rita Knisle atkal bija piekalusi skatienu Harijam. — Un tad varbūt dažus individuālus uzņēmumus.

Fotografēšanās ieilga. Maksima madāma, lai kur nostājusies, aizēnoja visus pārējos, un fotogrāfs nemitīgi atdūrās pret sienu, kāpdamies atpakaļ, lai mēģinātu ietilpināt viņu objektīvā. Galu galā viņai vajadzēja apsēsties, un visi pārējie sastājās apkārt. Karkarovs vienā laidā tina ap pirkstu āžbārdiņu, lai to glīšāk iesprogotu, savukārt Krums, kam, pēc Harija domām, pie šādām lietām vajadzēja būt pieradušam, centās nobēdzināties visiem aiz muguras. Fotogrāfs visu laiku pūlējās pašā priekšā nostādīt Flēru, bet Rita Knisle nelikās mierā, mēģinādama redzamākā vietā izbīdīt Hariju. Tad viņa uzstāja, ka censoņi jānobildē katrs atsevišķi. Visbeidzot viņi drīkstēja doties projām.

Harijs devās vakariņās. Hermiones pie galda nebija — acīmredzot viņa vēl aizvien bija slimnīcas spārnā, pārciezdama zobu labošanu. Viņš paēda viens pats, pie galda nosēdies pašā maliņā, un tad gāja atpakaļ uz Grifidora torni, nokaudamies ar domām par papildu mājasdarbu pieburšanā. Guļamistabā Harijs uzskrēja virsū Ronam.

— Tev pienākusi pūce, — Rons izgrūda, ieraudzīdams viņu ienākam, un norādīja uz Harija spilvenu. Tur tupēja skolas ūpis.

— Ak tā, labi, — Harijs noteica.

— Un rītvakar mums jāiet atsēdēt pēcstundas Strupa pagrabā, — Rons piebilda.

Tad viņš izsoļoja laukā no istabas, uz Hariju pat nepaskatījies. Vienubrīd Harijam šķita, ka vajadzētu iet Ronam pakaļ, lai gan viņš nevarēja tikt skaidrībā, kādēļ īsti — lai aprunātos vai viņam pamatīgi iebelztu, jo abas iespējas rādījās vienlīdz vilinošas. Tomēr vēl jo lielāks bija kārdinājums dabūt zināt, ko atbildējis Siriuss. Harijs devās pie mājas ūpja, noraisīja tam no kājas vēstuli un atritināja to.

*Harij!*

*Vēstulē es nevaru uzrakstīt visu, kas man būtu Tev sakāms, — tas ir pārāk bīstami, jo sūtījums var nonākt svešās rokās. Mums jāaprunājas aci pret aci. Vai vari izkārtot tā, lai 22. novembrī vienos naktī Tu viens pats būtu pie Grifidora torņa kamīna?*

*To, ka Tu pats par sevi vari parūpēties, es zinu labāk par visiem, un, kamēr vien turpat līdzās ir Dumidors un Tramdāns, diezin vai kāds spēs nodarīt Tev pāri. Tomēr šķiet, ka nezin kas to tomēr mēģina darīt, turklāt ir gatavs pamatīgi riskēt, ja jau iešmugulējis Tevi turnīrā turpat vai Dumidoram zem deguna.*

*Harij, esi piesardzīgs! Es joprojām gribu zināt visu, kas notiek un šķiet neparasts. Dod ziņu par 22. novembri, cik ātri vien vari.*

*Siriuss*

## DEVIŅPADSMITĀ NODAĻA

# UNGĀRIJAS RAGASTIS

Nākamās divas nedēļas Harijs prātoja teju tikai par to, ka beidzot varēs aprunāties ar Siriusu aci pret aci — dzīve bija drūmāka nekā jebkad, un tas pie apvāršņa šķita vienīgais gaismas stariņš. Ar domu, ka tagad viņš ir skolas censonis, Harijs bija mazlietiņ apradis, un tagad aizvien urdošākas kļuva bailes no tā, kas sagaidāms. Pirmais pārbaudījums nāca aizvien tuvāk un tuvāk. Harijam tas atgādināja šausminošu briesmoni, kas rāpās klāt un kam nekādi nebija iespējams tikt garām. Vēl nekad viņam nebija nācies pārdzīvot tādu sasprindzinājumu — uztraukums nebija ne tuvu salīdzināms ar to, kādu Harijs atminējās piedzīvojis pirms kalambola mačiem, pat ne ar to, kāds tas bija pēdējoreiz, pirms spēles pret slīdeņiem, kam vajadzēja izšķirt, kurš tiks pie kalambola kausa. Harijam par nākotni negribējās domāt vispār — viņu māca sajūta, ka nekā cita, izņemot pirmo pārbaudījumu, viņa dzīvē vairs nav un ar to tā arī beigsies...

Jāatzīst, viņam nebija ne jausmas, kā Siriuss varētu darīt vieglāku viņa sirdi, kuru doma par nezin cik grūtu un bīstamu buršanos simtiem skatītāju priekšā nospieda gluži kā smags akmens, tomēr neizsakāmi gribējās redzēt kaut vienu draudzīgu seju. Harijs aizrakstīja Siriusam, pavēstīdams, ka norādītajā laikā būs pie kopistabas kamīna, un kopā ar Hermioni ilgi un pamatīgi izstrādāja visādus plānus, kā rīkoties, ja tobrīd kopistabā uzrastos kādas nevēlamas personas. Ja ne citādi, viņi nosprieda likt lietā mēslu bumbas, taču cerēja, ka tāda nepieciešamība neradīsies — Filčs viņiem par to noplēstu ādu pār acīm.

Tikmēr Harija dzīve pils sienās kļuva vēl neizturamāka — Rita Knisle bija publicējusi savu rakstu par Trejburvju turnīru, un tas izrādījās nevis ziņojums par turnīru, bet drīzāk gan pārmēru izpušķots Harija dzīvesstāsts. Lielu daļu pirmās lappuses aizņēma Harija ģīmetne, un pašā rakstā (tas turpinājās vēl otrajā, sestajā un septītajā lappusē) Harija vārds ņirbēt ņirbēja, kamēr Bosbatonas un Durmštrangas censoņu vārdi (kļūdaini uzrakstīti) bija sagrūsti raksta pēdējā rindiņā, bet Sedriks vispār nebija pieminēts.

Raksts parādījās pirms desmit dienām, taču vēl arvien, kolīdz Harijs par to iedomājās, viņam pakrūtē iesvilās pretīgs, dzelošs kauns. Rita Knisle viņam bija piedēvējusi vārdus, kādus viņš neatminējās izrunājis ne reizi mūžā, kur nu vēl tajā slotu skapī.

*Manuprāt, es smeļos spēku no saviem vecākiem. Es cieši zinu, ka viņi no sirds lepotos, ja varētu mani tagad redzēt. Jā, dažkārt naktīs es joprojām raudu, par viņiem iedomājoties, un nekaunos to atzīt... Es zinu, ka turnīrā ar mani nenotiks nekas ļauns, tāpēc ka viņi mani sargā...*

Taču ar Harija "nu..." pārvēršanu garum garos, derdzīgos teikumos vien Rita Knisle nebija aprobežojusies — viņa vēl bija prasījusi citiem, sak, ko viņi par Hariju domā.

*Cūkkārpā Harijs pēdīgi ir radis mīlestību. Viņa tuvs draugs Kolins Krīvijs apgalvo, ka Harijs gandrīz nemitīgi ir kopā ar kādu Hermioni Grendžeru — apbrīnojami izskatīgu vientiešu meiteni, kas gluži kā Harijs ir Cūkkārpas izcilāko audzēkņu vidū.*

Kopš raksta parādīšanās brīža Harijam nācās noklausīties, kā visi — jo sevišķi slīdeņi — to nemitīgi citē, kolīdz viņš parādījās tuvumā, un bārsta izsmejošas piezīmes.

— Es tev iedošu puņķdrāniņu, Poter, ja nu tev pārvērtībās uznāk raudiens!

— Kopš kura laika tu esi skolas labāko audzēkņu vidū, Poter? Kas tā par skolu, ko? Droši vien kāda, kurp tu esi pārcelts kopā ar Lēniņu?

— Paklau, Harij!

— Jā, jā, kā tad! — Harijs, zaudējis pacietību un gaitenī apcirzdamies uz papēža, ar joni iekliedzās. — Tikko kā kārtīgi apraudāju savu nelaiķa mammu un tūliņ sākšu šņukstēt no jauna...

— Nē... ne jau tas... tev tikko izkrita rakstāmspalva.

Tā bija Čo. Harijs juta vaigos saskrienam asinis.

— Ā... nu ja... piedod, — viņš nomurmināja, paņemdams viņas sniegto spalvu.

— Zini... lai tev otrdien veicas, — viņa noteica. — Es no tiesas ceru, ka tev izdosies.

Un Harijs jutās kā pilnīgs muļķis.

Arī Hermione pašsaprotamā kārtā bija kļuvusi visai nejauka, taču uz nejaušiem garāmgājējiem kliegt vēl nebija pasākusi. Īstenībā Harijs nevarēja vien nobrīnīties, cik labi viņa visu pacieš.

— *Apbrīnojami izskatīga*? *Šitā te*? — Pansija Pārkinsone nekavējās iebrēkties, kolīdz pamanīja Hermioni pēc tam, kad bija iepazinusies ar Ritas rakstu. — Salīdzinājumā ar ko — ar burunduku?

— Neliecies ne zinis, — Hermione, nezaudējot pašcieņu, noskaldīja, augstu paceltu galvu soļodama garām irdzošajām slīdenēm, itin kā neko nebūtu dzirdējusi. — Vienkārši neliecies ne zinis, Harij.

Bet Harijs nespēja nelikties ne zinis. Rons viņam nebija bildis ne vārda, kopš pateica par Strupa pēcstundām. Harijs tā kā cerēja, ka pēc divām Strupa pagrabā pavadītajām stundām, kur abi dabūja skābēt žurku smadzenes, viss varētu vērsties uz labu, taču tajā dienā bija parādījies Ritas raksts, kurš, jādomā, stiprināja Rona pārliecību, ka Harijam patīk atrasties uzmanības centrā.

Hermione viņu abu dēļ vai vārījās dusmās. Viņa staigāja no

viena pie otra, raudzīdama abus piedabūt sarunāties, bet Harijs nebija pielūdzams — viņš ar Ronu piekrita izlīgt tikai pēc tam, kad tas atzītu, ka Harijs nav pats licis savu vārdu Uguns biķerī, un atvainotos par to, ka nosaucis viņu par meli.

— Ne jau es to sāku, — Harijs stūrgalvīgi atkārtoja. — Tā ir viņa problēma.

— Bet tev viņa pietrūkst! — Hermione nepacietīgi iesaucās. — Un es *zinu*, ka viņam pietrūkst tevis...

— *Man viņa pietrukst*? — Harijs pārjautāja. — Itin nemaz...

Taču tie bija nekaunīgi meli. Harijam ļoti patika Hermione, tomēr viņa bija pavisam citāda nekā Rons. Draudzēšanās tikai ar Hermioni vien nozīmēja daudz mazāk smieklu un daudz ilgāku nīkšanu bibliotēkā. Harijs joprojām nebija apguvis pieburšanu — šķita, ka tur viņam kaut kas nekādi nepielec —, un Hermione uzstāja, ka vajag pastudēt teoriju. Līdz ar to abi pusdienas pārtraukumos lielākoties kverneja pie grāmatām.

Arī Viktors Krums bibliotēkā pavadīja milzum daudz laika, un Harijs nevarēja saprast, kas viņam varētu būt padomā. Mācījās? Varbūt meklēja kaut ko, kas varētu noderēt pirmajā pārbaudījumā? Hermione bieži gremzās par to, ka Krums tur tup. Viņš pats jau abiem nekādi netraucēja, toties ik pa brīdim starp grāmatplauktiem sāka slapstīties bariņi ķiķinošu meiteņu, kas Krumu izspiegoja, un Hermione šķendējās, ka viņas saceļ par daudz lielu troksni.

— Viņš pat nav smuks! — meitene nikni nomurmināja, uzmezdama dusmīgu skatu Kruma izteiksmīgajam profilam. — Viņas sajūsminās tikai tāpēc, ka viņš ir slavens! Viņas ij aci nepamirkšķinātu, ja viņš nebūtu nostrādājis to vonka piķi...

— Vronska pikējumu, — Harijs izgrūda caur sakostiem zobiem. Līdztekus tam, ka gribējās, lai vārdi, kas saistīti ar kalambolu, tiktu izrunāti pareizi, Harijam sirdī iedzēla arī doma par izteiksmi, kas būtu iegūlusi Rona sejā, ja vien viņš būtu dzirdējis Hermiones pļāpas par sazin kādiem vonka piķiem.

* * *

Savādi, bet allaž, kad gaidāms kaut kas, no kā bail, un kad esi gatavs atdot visu, lai laika gaitu palēninātu, tas visādā ziņā sāk ritēt aizvien ātrāk un ātrāk. Līdz pirmajam pārbaudījumam atlikušās dienas kusa tik strauji, it kā pulksteņus kāds būtu noregulējis tā, lai tie tikšķētu divreiz ātrāk. Harijs nekādi nespēja tikt vaļā no tik tikko apvaldāmas panikas — šī sajūta viņu pavadīja ik uz soļa gluži tāpat kā indīgās piezīmes par rakstu "Dienas Pareģī".

Sestdienā pirms pirmā pārbaudījuma visiem audzēkņiem, izņemot pirmziemniekus un otrgadniekus, tika dota atļauja apmeklēt Cūkmiestiņa ciematu. Hermione apgalvoja, ka Harijam derētu uz laiciņu tikt projām no pils, un ilgi viņu pierunāt nevajadzēja.

— Un kā tad ar Ronu? — viņš tikai apjautājās. — Varbūt gribi iet kopā ar viņu?

— Jā... redzi... — Hermione tikko manāmi pietvīka. — Es iedomājos, ka mēs varētu ar viņu satikties "Trijos slotaskātos".

— Nē, — Harijs stingri noteica.

— Bet, Harij, tas ir stulbi.

— Es iešu, bet ar Ronu es nesatikšos, un mugurā es vilkšu Paslēpni.

— Ak šitā? — Hermione atcirta. — Nu, labi, tikai zini, ka man ļoti nepatīk ar tevi runāties, kad tev mugurā ir šitais Paslēpnis, tāpēc ka es nezinu, vai skatos uz tevi vai ne.

Tā nu Harijs guļamistabā apvilka Paslēpni, nokāpa atkal lejā un kopā ar Hermioni devās uz Cūkmiestiņu.

Ar Paslēpni mugurā Harijs jutās pasakaini brīvs. Kad viņi bija nonākuši ciematā, garām aizgāja citi audzēkņi, daudzi bija piesprauduši nozīmes ar uzrakstu *Par SEDRIKU DIGORIJU!*, taču uz viņa pusi pārmaiņas pēc netika raidīta neviena aizskaroša piezīme, un neviens necitēja muļķīgo rakstu.

— Toties tagad visi blenž *uz mani,* — Hermione īgņojās, kad abi pēc brīža bija iznākuši no Medusdūru saldumu veikala, tiesādami prāvas šokolādes ar krēma pildījumu. — Izskatās, ka es sarunājos pati ar sevi.

— Tad mēģini mazāk plātīt muti.

— Nu *beidz*, un, lūdzu, novelc drusku to Paslēpni. Neviens tev te neplīsies virsū.

— Ak tā? Paskaties atpakaļ, — Harijs aizrādīja.

No krodziņa "Trīs slotaskāti" sava fotogrāfa pavadībā tikko bija iznākusi Rita Knisle. Paklusām apspriezdamies, abi pagāja Hermionei garām, neuzmezdami viņai pat skatu. Harijs atlēca atpakaļ un piespiedās pie Medusdūru veikala sienas, lai Rita Knisle neieblieztu viņam ar savu krokodilādas rokassomu.

Līdzko viņi bija projām, Harijs ierunājās: — Viņa uzturas ciematā. Deru, ka būs klāt, lai noskatītos pirmo pārbaudījumu.

To izteicis, viņš sajuta spēji uzbangojam svelošu panikas vilni, tomēr nebilda par to ne vārda — viņi ar Hermioni neko daudz nebija runājuši par to, kas sagaidāms pirmajā pārbaudījumā. Harijam šķita, ka viņa diez ko nevēlas šajā jautājumā iedziļināties.

— Projām ir, — Hermione teica, tieši cauri Harijam vērdamās uz Lielās ielas galu. — Paklau, ieiesim "Trijos slotaskātos" iedzert pa kausam sviestalus. Ārā ir drusku pavēsi, vai ne? Ar Ronu tev nav jārunā! — viņa aizkaitināta piemetināja, kad Harijs par atbildi cieta klusu.

"Trijos slotaskātos" tautas bija ka biezs. Vairākums apmeklētāju bija Cūkkārpas audzēkņi, kas patīkami pavadīja brīvo pēcpusdienu, tomēr pie galdiem sēdēja arī visvisādi burvju ļaudis, ko citur sastapt Harijam nemaz tik bieži nebija nācies. Cūkmiestiņš, būdams vienīgais atklātais burvju ciemats visā Britānijā, droši vien bija īsta paradīze tādiem radījumiem kā kikimoras, kas neprata nomaskēties tik labi kā burvji.

Lauzties cauri drūzmai ar Paslēpni mugurā bija ļoti grūti — ik uz soļa draudēja iespēja uzgrūsties kādam, kam līdz ar to varētu rasties nepatīkami jautājumi. Gar pašu istabas maliņu Harijs piesardzīgi virzījās pie brīva galda pašā stūrī, kamēr Hermione devās pie letes pēc dzeramā. Pa ceļam Harijs pamanīja Ronu, kas sēdēja kopā ar Fredu, Džordžu un Lī Džordanu. Apvaldīdams piepešu vēlmi kārtīgi iebelzt Ronam pa pakausi, viņš beidzot aiztika līdz nolūkotajam galdam un apsēdās.

Pēc brīža Hermione bija klāt un paslidināja zem Paslēpņa sviestalus kausiņu.

— Es izskatos pēc pilnīgas muļķes, te viena pati sēdēdama, — viņa nomurmināja. — Labi, ka vismaz paķēru līdzi kaut ko, ar ko nodarboties.

Un viņa izvilka piezīmju burtnīcu, kur bija iemūžinājusi VEMT biedru sarakstu. Tas bija ļoti īsiņš, un pirmie tur greznojās Harija un Rona vārdi. Harijam šķita, ka aizritējis milzum ilgs laiks, kopš Hermione iebrāzās koptelpā, kur viņi ar Ronu sēdēja, cepdami pareģojumus, un viņš tika iecelts par sekretāru, bet Rons — par kases pārzini.

— Zini ko, varbūt man vajadzētu pacensties iesaistīt VEMT kādus ciematniekus? — Hermione domīgi ierunājās, aplaizdama skatu visapkārt.

— Jā, kā tad, — Harijs norūca. Viņš zem Paslēpņa iedzēra malciņu sviestalus. — Hermione, kad tu beidzot liksies mierā ar to VEMT būšanu?

— Kad mājas elfiem būs pienācīgs atalgojums un darba apstākļi! — viņa atšņāca. — Zini ko? Es sāku domāt, ka pienācis laiks rīkoties aktīvāk. Interesanti, kā īsti iespējams iekļūt skolas virtuvē?

— Nav ne jausmas. Pavaicā Fredam ar Džordžu, — Harijs atteica.

Hermione ieslīga domās. Harijs ņēmās sūkt sviestalu, vērodams krodziņa apmeklētājus. Izskatījās, ka visi jūtas labi un priecīgi. Ernijs Makmilans ar Hannu Eboti turpat netālu sita šokolādes varžu kārtis, abiem pie apmetņa vīdēja nozīmītes *Par SEDRIKU DIGORIJU!* Pie durvīm Harijs redzēja sēžam Čo ar lielu baru kraukļanagu. Viņai Sedrika nozīmītes nebija... Tas mazliet uzlaboja Harija omu...

Ko visu viņš būtu ar mieru atdot, lai būtu viens no viņiem, varētu vienkārši sēdēt, smieties, pļāpāt un raizēties tikai par mājasdarbiem! Harijs iztēlojās, kā diez tagad būtu, ja Uguns biķeris viņa vārdu *nebūtu* izspļāvis. Pirmām kārtām viņam šobrīd nevajadzētu te tupēt ar Paslēpni mugurā. Līdzās sēdētu Rons. Viņi visi trīs droši vien cits par citu aizrautīgāk izgudrotu nāvīgi briesmīgus pārbaudījumus, raudzīdami uzminēt, kas censoņus sagaida otrdien. Viņš otrdienu gaidītu ar patiesu prieku, dotos noskatīties sacensību, lai tur vai kas... līdz ar pārējiem uzgavilētu Sedrikam, neviena neapdraudēts, sēdēdams skatītāju rindās...

Interesanti, kā jūtas pārējie censoņi... Pēdējā laikā Harijs Sedriku bija redzējis, tikai pielūdzēju baru ielenktu, nervozu, tomēr patīkami satrauktu. Šad un tad viņš gaiteņos bija manījis Flēru Delakūru — viņa izskatījās tāda pati kā allaž, augstprātīga un nesatraucama. Un Krums tikai kvernēja bibliotēkā, urbdamies grāmatās.

Harijs iedomājās par Siriusu, un ciešais, saltais mezgls krūtīs šķita maķenīt atslābstam. Vēl divpadsmit stundu, un viņi abi varēs aprunāties, jo tā bija nakts, kad viņi satiksies pie kopistabas kamīna — ja vien nekas nenoies greizi, kā pēdējā laikā bija noticis pārāk bieži...

— Re, kur Hagrids! — Hermione iesaucās.

No pūļa iznira Hagrida apjomīgais pinkainais pakausis — no astēm viņš beidzot bija visžēlīgi atteicies. Harijs nesaprata, kāpēc milzi nav pamanījis agrāk, taču, piesardzīgi paslējies, atskārta, ka Hagrids acīmredzot bija zemu pieliecies, runādamies ar profesoru Tramdānu. Hagridam priekšā stāvēja viņa parastais, milzīgais kauss, savukārt Tramdāns iedzēra pa malciņam no savas blašķes. Glītajai krodziniecei Rosmerta kundzei tas laikam diezin ko nepatika, viņa, novākdama glāzes no tuvīnajiem galdiem, uzmeta Tramdānam greizu skatu. Varbūt viņa domāja, ka tādējādi tiek noniecināts viņas karstalus, taču Harijs zināja labāk. Pēdējā nodarbībā, kas bija veltīta aizsardzībai pret tumšajām zintīm,

Tramdāns viņiem pavēstīja, ka ēdamo un dzeramo sev vienmēr gatavo pats, jo tumšie burvji itin viegli var iebērt indi bez uzraudzības atstātā krūzē.

Tostarp Harijs redzēja, ka Hagrids ar Tramdānu pieceļas, lai dotos projām. Viņš pavēcināja roku, bet tad atcerējās, ka ir neredzams. Tomēr Tramdāns apstājās, burvju aci pagriezis pret stūri, kur stāvēja Harijs. Viņš paplikšķināja Hagridam pa krustiem (jo plecu nevarēja aizsniegt), kaut ko pačukstēja, un abi nāca pāri šurp pie Harija un Hermiones galda.

— Sveika, Hermione! — Hagrids skaļi nodārdināja.

— Sveiki, — Hermione pasmaidīja.

Tramdāns apkliboja galdam apkārt un pieliecās. Harijs nosprieda, ka viņš pēta VEMT burtnīcu, bet profesors piepeši iemurminājās: — Skaists apmetnis, Poter.

Harijs apstulba. Tramdāna līkais deguns tagad bija tikai sprīža attālumā, un tajā izrautais lielais robs šķita īpaši pamanāms. Tramdāns pasmīnēja.

— Vai tad jūsu acs... tas ir, vai tad jūs varat...?

— Varu gan. Mana acs redz cauri Paslēpņiem, — Tramdāns klusi paskaidroja. — Un dažkārt tas visai labi noder, es tev teikšu.

Arī Hagrids starodams raudzījās lejup uz Hariju. Skaidrs, ka viņš nevarēja Hariju redzēt, bet Tramdāns acīmredzot viņam bija pateicis, ka Harijs ir šeit.

Arī Hagrids tagad pieliecās, itin kā vēlēdamies palasīties, kas rakstīts VEMT burtnīcā, un iečukstējās tik klusītiņām, ka vienīgi Harijs varēja viņu sadzirdēt: — Harij, pusnaktī atnāc man pie būdas. Apvelc šiteno Paslēpni.

Izslējies Hagrids atkal skaļi teica: — Prieks bij tev redzēt, Hermione, — piemiedza ar aci un devās projām. Tramdāns viņam sekoja.

— Diezin kāpēc viņš grib ar mani pusnaktī satikties? — Harijs pabrīnījās.

— Tiešām? — Hermione likās satraukta. — Kas viņam padomā? Es nezinu, vai tev vajadzētu iet, Harij... — Viņa nervozi paraudzījās visapkārt un iešņācās: — Tu vari nokavēt tikšanos ar Siriusu.

Tiesa — pusnaktī dodoties pie Hagrida, viņš varētu arī nepaspēt atgriezties tornī Siriusa noteiktajā laikā. Hermione viņam ieteica aizsūtīt ar Hedvigu Hagridam ziņu, ka tikšanās nav iespējama — protams, ja vien pūce būs ar mieru rīkojumu pildīt. Harijam tomēr šķita, ka labāk būtu pacensties Hagridu pasteidzināt, — viņš dega ziņkārē uzzināt, ko milzis īsti grib. Hagrids nekad nebija lūdzis Hariju ciemos tik vēlu naktī.

* * *

Pusdivpadsmitos vakarā Harijs, kas bija izlicies agri aizejam pie miera, ietērpās Paslēpnī un nozagās lejā pa kāpnēm kopistabā. Tā vēl nebija gluži tukša. Brāļi Krīviji bija nez kā sadabūjuši veselu lēveni nozīmīšu *Par SEDRIKU DIGORIJU*, un tagad lūkoja uzrakstu pārburt tā, lai tas vēstītu: *Par HARIJU POTERU*. Tomēr tiktāl viņiem bija izdevies panākt tikai to, ka uzraksts spītīgi nevēstīja neko citu kā: *POTERS IR RIEBEKLIS!*. Harijs aizlavījās viņiem garām līdz portretcaurumam un kādu brīdi nogaidīja, ielūkodamies pulkstenī. Tad Hermione, kā norunāts, no ārpuses atvēra Resno kundzi. Paslīdēdams Hermionei garām, viņš nočukstēja: — Paldies, — un devās cauri pilij.

Pagalmā valdīja melna tumsa. Harijs pāri zālienam gāja uz to pusi, kur Hagrida būdas logā spīdēja gaisma. Gaisma dega arī milzīgās Bosbatonas karietes logos. Klaudzinādams pie Hagrida durvīm, Harijs dzirdēja karietē runājam Maksima madāmu.

— Tu ir te, Harij? — Hagrids iečukstējās, atvēris durvis un raudzīdamies visapkārt.

— Jā, — Harijs atsaucās, ielavīdamies būdā un novilkdams Paslēpņa kapuci. — Kas lēcies?

— I šis tas, ko gribēj tev rādīt, — Hagrids pavēstīja.

Hagrids šķita pārmēru satraucies. Pogcaurumā viņš bija iebāzis puķi, kas līdzinājās gigantiskam artišokam. Izskatījās, ka no ratu smēres lietošanas Hagrids ir atteicies, tomēr viņš nepārprotami bija centies matus saglaust ar suku — pinkās vīdēja tur iekērušies sukas zari.

— Ko tu man gribi rādīt? — Harijs piesardzīgi ievaicājās, iedomādamies, ka varbūt spridzekļmūdži izdējuši olas vai Hagrids atkal pamanījies no kāda svešinieka krogā nopirkt milzonīgu trīsgalvainu suni.

— Nāc pakaļ, ciet klus un vislaik turies apakš Paslēpņa, — Hagrids viņam teica. — Ilknis lai paliek mājā, šim tas nemaz netiks...

— Paklau, Hagrid, man nav daudz laika... Vienos man jābūt atpakaļ.

Bet Hagrids neklausījās. Atvēris būdas durvis, viņš devās laukā, tumsā. Harijs steidzās viņam pakaļ un pārsteigts atskārta, ka milzis iet taisnā ceļā uz Bosbatonas karieti.

— Hagrid, ko tu...?

— Kuš! — Un Hagrids trīsreiz pieklauvēja pie durvīm, ko greznoja sakrustotie zelta zižļi.

Tās atvēra Maksima madāma. Ap masīvajiem pleciem viņa bija apņēmusi zīda lakatu. Ieraudzījusi Hagridu, Maksima madāma pasmaidīja. — Ahā, Agrrid, vai irr laiks?

— Bongsvār, — Hagrids viņai starojoši uzsmaidīja un pastiepa roku, lai palīdzētu dāmai nokāpt pa zelta pakāpieniem.

Maksima madāma aizvēra karietes durvis, Hagrids viņai pastiepa savu elkoni, abi sāka soļot projām gar aploku, kur sprauslāja Maksima madāmas gigantiskie spārnotie zirgi, un Harijs metās viņiem nopakaļ — teju pilnos aulekšos un pilnīgi apjucis. Vai Hagrids būtu gribējis viņam parādīt Maksima madāmu? Uz šo dāmu viņš būtu varējis skatīties jebkurā citā laikā. Tādu būtu grūti nepamanīt...

Tomēr tad Harijam sāka likties, ka Maksima madāma laikam

ievilkta tādā pašā spēlē, jo pēc brītiņa viņa rotaļīgi bilda: — Kurr tu man vest, Agrrid?

— Tev tas tiks, — Hagrids piesmacis novilka. — Tur i ko redzēt, tic man. Tik — nesak nevienam, ka es tev to rādīj, jā? Tu nedrīkst zināt.

— Prrotams, ne, — Maksima madāma samirkšķināja garās, melnās skropstas.

Viņi tikai gāja uz priekšu, un Harijs, joņodams pakaļ, juta kaklā kāpjam dusmas. Ik pa brīdim viņš iemeta skatu pulkstenī. Hagrids bija izperinājis kādu aušību, un tās dēļ Harijs varēja nokavēt tikšanos ar Siriusu. Ja šitā jājož vēl ilgi, viņš nosprieda, tūliņ griezīšos apkārt un došos taisnā ceļā uz pili, lai Hagrids ar Maksima madāmu staigā vien tālāk, priecādamies par mēnesnīcu... Bet tad, kad viņi gar mežmalu bija aizgājuši tik lielu gabalu, ka pils ar ezeru vairs nebija saredzami, Harijs sadzirdēja savādu troksni. Kaut kur priekšā atskanēja klaigas... tad piepeši — apdullinoša, neizturami skaļa rēkoņa...

Hagrids Maksima madāmu apveda apkārt koku pudurim un apstājās. Harijs piesteidzās abiem blakus. Vienu īsu acumirkli viņš domāja, ka tur nezin kādi cilvēki rīko uguņošanu..., un tad sastinga ar vaļā muti.

*Pūķi.*

Četri pieauguši, milzonīgi, neganta paskata pūķi, sacēlušies pakaļkājās, dīžājās iekšpus pamatīgu koka dēļu nožogojuma. Tie rēca un sprauslaja, kaklus izstiepuši, — no atņirgtajām, asu zobu pilnajām rīklēm, kas svaidījās piecpadsmit metru augstumā, tumšajās debesīs šāvās uguns straumes. Viens bija sudrabzils ar gariem, asiem ragiem — tas ņirdza zobus, pūlēdamies sakampt pa zemi tekalējošos burvjus; otrs, klāts gludenām, zaļām zvīņām, mētājās un stampāja kājas, cik jaudas; trešais — sarkans ar savādu smalku, zeltainu dzelkšņu rindu ap purnu, vēma uguns mākuļus, bet vistuvākais bija melns — tas bija pats lielākais un vairāk līdzinājās ķirzakai nekā pārējie.

Kādi trīsdesmit burvji, pa septiņi astoņi pie katra pūķa, mēģināja zvērus savaldīt, ap kaklu un kājām tiem raudzīdami apmest važas, kas bija piestiprinātas pie platām ādas siksnām. Harijs apdullis pacēla galvu un augstu debesīs ieraudzīja melnā pūķa acis ar stateniskām zīlītēm kā kaķacīm, izvalbītas bailēs vai niknumā — to viņš nespēja noteikt... Un tad pūķis izgrūda šaušalīgas gaudas, tā ka Harijam asinis sastinga dzīslās...

— Hagrid, nenāc klāt! — turpat pie žoga iekliedzās kāds burvis, no visa spēka mēģinādams noturēt ķēdi. — Viņi var aizspļaut uguni sešus metrus tālu! Un šis te, ragastis, aizspļauj visus divpadsmit — to es esmu pieredzējis!

— Vai nav skaistuls, ko? — Hagrids liegi iedūdojās.

— Nekas nesanāks! — nokliedzās kāds cits burvis. — Apdullināšanas burvestības! Skaitu līdz trīs!

Harijs redzēja, kā visi pūķu savaldītāji izvelk zižļus.

— *Dullum*! — visi reizē nokliedzās, un burvestības aizšāvās tumsā kā ugunīgas raķetes, kā zvaigžņu lietus nobirdamas pār pūķu zvīņotajiem sāniem.

Tuvākais pūķis bīstami sazvārojās, žokļi papletās mēmā kaucienā, nāsis mitējās izvirst uguni, tomēr vēl dūmoja, un tad ļoti lēnām vairākas tonnas smagais melnais, zvīņotais muskuļu kalns saļima un nozvēlās zemē ar tādu spēku, ka Harijs skaidri samanīja notrīsam mežmalas kokus.

Burvji nolaida zižļus un devās pie savaldītajiem nezvēriem, no kuriem katrs bija pamatīga paugura lielumā. Viņi steigšus aplika tiem važas un piestiprināja tās pie dzelzs mietiem, ko ar zižļu palīdzību iedzina dziļi zemē.

— Grib apstīties tuvāk? — Hagrids aizgrābti vaicāja Maksima madāmai. Abi devās pie žoga, un Harijs sekoja. Burvis, kurš bija brīdinājis Hagridu nenākt tuvāk, pagriezās, un Harijs atskārta, ka tas ir Čārlijs Vīzlijs.

— Kā klājas, Hagrid? — viņš elsdams apvaicājās, panākdams tuvāk, lai pārmītu ar viņu kādu vārdu. — Nu jau būs labi — šurpceļā mēs šiem piebūrām miegu, domājām, labāk lai šie pamostas tumsā un klusumā, bet tu jau redzēji — priecīgi jau nu šie nebija, itin nemaz...

— Kas ta te i par šķirnēm, Čārlij? — Hagrids noprasīja, teju bijīgi nopētīdams tuvāko — melno pūķi. Acis tam joprojām bija mazliet pavērtas. Zem krunkainā, melnā plakstiņa vīdēja spoži dzeltena sprauga.

— Šis te ir Ungārijas ragastis, — Čārlijs atbildēja. — Tas tur — parastais Velsas zaļais; vismazākais, zilpelēkais — Zviedrijas strupsnuķis, un Ķīnas ugunslode — re, tas sarkanais.

Čārlijs paraudzījās visapkārt. Maksima madāma soļoja gar nožogojumu, nolūkodamās uz apdullinātajiem pūķiem.

— Nezināju, ka tu vedīsi šurp arī viņu, Hagrid, — Čārlijs sarauca pieri. — Censoņi nedrīkst zināt, kas paredzēts. Paklau, viņa taču visu izstāstīs tai savai meitenei!

— Es tik domāj, ka viņai šie tiks, — Hagrids paraustīja plecus, joprojām aizgrābti vērdamies uz pūķiem.

— Nu ļoti romantiski, Hagrid, — Čārlijs nogrozīja galvu.

— Četr... — Hagrids teica. — Tas i pa vienam katram censoņam, tā? Kas ta šiem būs jādar? Šie jānobeidz?

— Manuprāt, tikai jātiek garām, — Čārlijs atteica. — Ja pūķi kļūs nešpetni, mēs būsim turpat blakus, gatavi uz apdzēšanas burvestībām. Visādā ziņā vajadzēja perētājmātītes — nezinu, kādēļ... bet es tev teikšu vienu — to, kam tiks ragaste, es nudien neapskaužu. Nejauks zvērs. Dibengals šai ir tikpat bīstams kā priekša, paskat!

Čārlijs norādīja uz ragastes asti, un Harijs ieraudzīja, ka to teju no vienas vietas klāj gari, tumšzeltaini dzelkšņi.

Tobrīd pieci no pūķu uzraugiem pieklumburoja ragastei klāt, segā ietītu nesdami milzīgu, granītpelēku olu perējumu, ko viņi uzmanīgi nolika pūķienei līdzās. Hagrids izgrūda ilgpilnu kunkstu.

— Visas ir saskaitītas, Hagrid, — Čārlijs viņam stingri lika pie sirds. Tad viņš ievaicājās: — Ko Harijs?

— Nekāda vaina, — Hagrids atrūca, joprojām blenzdams uz olām.

— Cerēsim, ka nebūs arī pēc tam, kad viņš būs ticis galā ar šito, — Čārlijs nopietni teica, pamādams uz pūķu aploka pusi. — Man nebija dūšas pateikt mammai, kāds būs pirmais pārbaudījums, viņa jau tā par Hariju trīc un dreb... — Čārlijs ierunājās Vīzlija kundzes raižpilnajā balsī: — *Kā viņi varēja pieļaut, ka Harijs piedalās tajā turnīrā? Viņš ir daudz par jaunu! Es domāju, ka viņiem nekas nedraud, es domāju, ka būs vecuma ierobežojums!* Izlasījusi to rakstu "Dienas Pareģī", viņa vai visas acis izraudāja. *Viņš joprojām lej asaras par saviem vecākiem! Ak vai, es tak nezināju!*

Harijam bija gana. Cerēdams, ka Hagrids, būdams nodarbināts ar četriem pūķiem un vēl Maksima madāmu, viņa prombūtni piecietīs, viņš klusām pagriezās un devās atpakaļ uz pili.

Viņš nevarēja īsti saprast, vai priecājas par to, ko uzzinājis, vai nē. Varbūt šādi bija labāk. Pirmais šoks bija pāri. Var būt, ka, ieraudzīdams pūķus tikai otrdien, viņš nogāztos ģībonī visas skolas acu priekšā. Bet varbūt noģībs tik un tā. Būs vienīgi zizlis, kas tagad šķita tikai mazs, parasts koka mietiņš, ar ko jāstājas pretim piecpadsmit metrus augstam, zvīņainam, dzelkšņainam, uguni spļaujošam pūķim. Un tam vajadzēs tikt garām. Visu acu priekšā. *Kā*?

Harijs pielika soli, steigdamies gar Aizliegtā meža malu. Pēc nepilnām piecpadsmit minūtēm viņam vajadzēja būt pie kamīna un runāt ar Siriusu, un viņš ieprātojās, ka vēl nekad nav tik ļoti vēlējies ar kādu aprunāties, bet tad pavisam piepeši saskrējās ar kaut ko cietu.

Viņš nokrita uz muguras ar sašķiebtām brillēm un steigšus sagrāba Paslēpņa stērbeles. Blakus atskanēja balss: — Au! Kas te ir?

Harijs mudīgi pārliecinājās, ka Paslēpnis nav pavēries, un gulēja, cik klusi vien spēdams, vērdamies augšup. Pret tumšajām debesīm vīdēja burvja aprises. Āžbārdiņa... Viņš bija uzskrējis virsū Karkarovam.

— Kas te ir? — Karkarovs aizdomu pilns atkārtoja, raudzīdamies tumsā. Harijs gulēja klusi un mierīgi. Pēc kādas minūtes Karkarovs laikam nosprieda, ka saskrējies ar kādu dzīvnieku, un ņēmās raudzīties apkārt apmēram paša jostasvietas augstumā, it kā cerēdams ieraudzīt suni. Tad profesors aizzagās atpakaļ koku paēnā un gar mežmalu virzījās uz pūķu aploka pusi.

Harijs lēnītiņām un ļoti piesardzīgi piecēlās un, cik ātri vien spēdams, vienlaikus cenšoties nesacelt par daudz skaļu troksni, cauri tumsai drāzās atpakaļ uz Cūkkārpu.

Viņam bija pilnīgi skaidrs, kas Karkarovam prātā. Durmštrangas direktors bija nolavījies no kuģa, lai izokšķerētu, kāds būs pirmais pārbaudījums. Iespējams, ka viņš pat bija pamanījis uz meža pusi ejam Hagridu ar Maksima madāmu — tos abus pat pa gabalu ieraudzīt nebija grūti... Un nu Karkarovam atlika tikai iet uz to pusi, kur skanēja balsis, tad viņš tāpat kā Maksima madāma zinās, kas censoņiem sagatavots. Tā vien izskatījās, ka vienīgais censonis, kam otrdien vajadzēs doties cīņā ar nezināmo, būs Sedriks.

Nonācis pie pils, Harijs iespruka pa parādes durvīm un metās augšup pa marmora kāpnēm. Trūka elpas, bet vajadzēja steigties. Pie kamīna jābūt pēc pāris minūtēm...

— Pupu mizas! — viņš izdvesa pie portretcauruma. Resnā kundze ietvarā snauduļoja.

— Kā teiksi, — viņa miegaini nomurmināja, acis nepavērusi, un glezna pašāvās sāņus, lai viņu ielaistu. Harijs iekāpa iekšā. Kopistaba bija tukša, un nekādas smirdoņas nebija, tāpēc Harijs nosprieda, ka Hermionei nav nācies likt lietā mēslu bumbas, lai viņi ar Siriusu varētu tikties divvientulībā.

Novilcis Paslēpni, Harijs atgāzās pie kamīna piebīdītajā atzveltnes krēslā. Istaba slīga pustumsā, to apgaismoja vienīgi kamīna uguns. Turpat uz galda mirguļoja Sedrika piekritēju nozīmītes, ko Krīviji bija centušies uzlabot. Tagad uzraksts vēstīja: *POTERS IR GATAVAIS RIEBEKLIS!* Harijs no jauna pievērsās liesmām, kas dejoja kamīnā, un salēcās kā dzelts.

Ugunī vīdēja Siriusa galva. Ja Harijs jau reiz nebūtu redzējis Digorija kunga galvu Vīzliju virtuves kamīnā, viņš droši vien būtu pārbijies līdz nāvei. Taču tagad, daudzu dienu laikā pirmoreiz pasmaidījis, viņš iztrausās no krēsla, aptupās pie kamīna mutes un teica: — Sirius, kā klājas?

Siriuss neizskatījās gluži tāds, kādu Harijs viņu atminējās. Kad abi šķīrās, Siriusa seja bija vāja un sakritusies, garie, melnie mati pagalam savēlušies, taču tagad viņa mati bija īsi apcirpti un spoži. Viņš šķita mazliet uzbarojies un jaunāks — daudz līdzīgāks vīram, kas bija redzams Poteru kāzu uzņēmumā, vienīgajā fotogrāfijā, kur Harijs varēja aplūkot savu krusttēvu.

— Par mani nerunāsim. Kā klājas tev? — Siriuss nopietni jautāja.

— Man... — vienu mirkli Harijs mēģināja izdabūt pār lūpām "labi", tomēr velti. Tad, nespēdams savaldīties, viņš ļāva vaļu runas plūdiem, izrunādamies tā, kā sen to nebija spējis, — par to, kā neviens netic, ka viņš nav pieteicies turnīrā no brīvas gribas, kā Rita Knisle sarakstījusi par viņu melus "Dienas Pareģī", kā viņš nevar noiet pa gaiteni, lai kāds neizmestu izsmejošas piezīmes, un par Ronu — ka Rons viņam netic, ka skauž...

— ... un nupat Hagrids man parādīja, kāds būs pirmais pārbaudījums, un tie ir pūķi, Sirius, un ar mani ir cauri. — Harijs izmisis apklusa.

Siriuss uz viņu skatījās, jaušami noraizējies. Viņa acīs vēl nebija pagaisis Azkabanā iemantotais skatiens — mironīgs, baiļpilns. Viņš bija ļāvis Harijam izkratīt sirdi, bet nu ierunājās: — Ar pūķiem mēs tiksim galā, Harij, bet par to parunāsim mazlietiņ vēlāk. Man nav daudz laika. Esmu ielauzies burvja mājā, lai izmantotu kamīnu, bet viņi kuru katru brīdi būs atpakaļ. Man tevi jābrīdina.

— Par ko? — Harijs jautāja, juzdams, kā dūša noslīd vēl tuvāk papēžiem... Vai tad var būt vēl kas ļaunāks par pūķiem?

— Par Karkarovu, — teica Siriuss. — Harij, viņš bija nāvēdis. Tu zini, kas ir nāvēži?

— Jā... viņš... ko?

— Viņš tika notverts un kopā ar mani bija Azkabanā, taču viņu palaida vaļā. Varu derēt, ka tieši tāpēc Dumidors gribēja, lai šogad Cūkkārpā būtu kāds aurors — lai viņu paturētu acīs. Tramdāns bija tas, kurš Karkarovu notvēra. Uz karstām pēdām nogādāja viņu Azkabanā.

— Karkarovu palaida vaļā? — Harijs lēni atkārtoja. Viņa smadzenes pūlējās sagremot kārtējo šokējošu jaunumu devu. — Kāpēc viņu palaida?

— Viņš noslēdza vienošanos ar Burvestību ministriju, — Siriuss skarbi atbildēja. — Pateica, ka kļūdījies un visu saprot, un tad viņš nosauca vārdus... Savā vietā Azkabanā iegrūda veselu lēveni ļaužu. Tur viņu diezin ko nemīl, tici man. Un, kad viņš tika laukā, viņš, cik man zināms, ņēmās mācīt tumšās zintis visiem, kas vien gājuši cauri viņa skolai. Tāpēc piesargies arī no Durmštrangas censoņa.

— Labi, — Harijs gausi noteica. — Bet... tu gribi teikt, ka manu vārdu Biķerī ielika Karkarovs? Jo, ja tā, viņš patiesi ir labs aktieris. Viņš bija vai traks no dusmām. Viņš gribēja panākt, lai es nepiedalos.

— Mēs zinām, ka viņš ir labs aktieris, — Siriuss atsaucās, — ja reiz piedabūja Burvestību ministriju viņu atbrīvot, vai ne? Un tālāk — es neizlaižu no acīm "Dienas Pareģi", Harij...

— Visi pārējie tāpat, — Harijs rūgti piezīmēja.

— Un no tā, ko šitā Knisle rakstīja pagājušajā mēnesī, var secināt, ka vakarā, kad Tramdāns posās ceļā uz Cūkkārpu, viņam kāds uzbruka. Jā, es zinu, ka, viņasprāt, tā bija kārtējā viltus trauksme, — Siriuss steigšus piebilda, redzēdams, ka Harijs grasās ko teikt, — tomēr man tā nezin kāpēc nešķiet. Manuprāt, kāds mēģināja panākt, lai viņš Cūkkārpā nenonāk. Manuprāt, kādam šķita, ka viņš Cūkkārpā būs vērā ņemams traucēklis. Un ka neviens ne ar ausīm neklapēs, tāpēc ka Trakacim ienaidnieki rēgojas uz katra soļa. Bet tas nenozīmē, ka viņš nav spējīgs saost īstas briesmas. Tramdāns ir labākais aurors, kāds ministrijai jebkad bijis.

— Tātad... tu saki... — Harijs novilka, — Karkarovs grib mani nogalināt? Bet kādēļ?

Siriuss brīdi klusēja.

— Esmu dzirdējis šo to ļoti dīvainu, — viņš lēnām noteica. — Pēdējā laikā nāvēži šķiet rosīgāki nekā parasti. Viņi lika par sevi manīt kalambola Pasaules kausa izcīņā, vai ne? Kāds uzbūra Tumšo zīmi. Un tad... Vai esi dzirdējis, ka pazudusi Burvestību ministrijas ragana?

— Berta Džorkinsa?

— Tieši tā. Viņa pazuda Albānijā, un jaunākās baumas liecina, ka tur uzturējies Voldemorts... Un viņai droši vien bija zināms, ka tiek rīkots Trejburvju turnīrs.

— Jā, bet... maz ticams, ka viņa būtu uzskrējusi tieši virsū Voldemortam, ko? — Harijs atsaucās.

— Zini, es pazinu Bertu Džorkinsu, — Siriuss nopietni atteica. — Viņa mācījās Cūkkārpā kopā ar mani — pāris gadu augstāk par mums ar tavu tēti. Un viņa bija muļķe. Ar labu degunu, bet smadzeņu — ne vairāk par tējkaroti. Tā nav laba kombinācija, Harij. Es teiktu, ka viņu ļoti viegli būtu ievilināt slazdā.

— Tātad... tātad iespējams, ka Voldemorts dabūjis zināt par turnīru? To tu gribi teikt? Tavuprāt, Karkarovs šeit varētu būt tāpēc, ka pilda viņa pavēles?

— Nezinu, — Siriuss domīgi novilka. — Tiešām nezinu... Manuprāt, Karkarovs diezin vai atgrieztos pie Voldemorta, ja vien nebūtu pārliecināts, ka tas viņam var nodrošināt gana spēcīgu aizsardzību. Bet tas, kurš ielika tavu vārdu Biķerī, ir darījis to ar nolūku, un mani nomāc doma, ka turnīrs būtu varen laba izdevība sarīkot tev uzbrukumu, kas izskatītos pēc nelaimes gadījuma.

— Manā skatījumā plāns rādās patiešām lielisks, — Harijs drūmi konstatēja. — Viņiem tikai jāpakāpjas malā un jāļauj, lai pūķi visu paveic viņu vietā.

— Jā — pūķi, — Siriuss, teica, piepeši sākdams runāt neparasti steidzīgi. — Nav tik traki, Harij. Nav jēgas izmantot apdullināšanas burvestību — pūķi ir spēcīgi un apveltīti ar pārāk jaudīgu maģiju, lai tos būtu iespējams nogāzt ar vienu pašu dulluma bliezienu. Tur vajag, mazākais, pusduci burvju...

— Jā, zinu, to es nupat redzēju, — Harijs nopūtās.

— Bet tu vari tikt galā viens pats, — Siriuss nobēra. — Un vajadzīga tikai viena pavisam vienkārša burvestība. Redzi...

Bet Harijs pacēla roku, lai viņu apklusinātu, — viņa sirds piepeši salēcās tik strauji, it kā grasītos izlēkt no krūtīm. Kāds kāpa lejup pa vītņu kāpnēm.

— Ej! — viņš pačukstēja Siriusam. — *Pazūdi*! Kāds nāk!

Harijs pietrausās kājās, nostādamies priekšā kamīnam. Ja kāds Cūkkārpas sienās ieraudzīs Siriusa seju, sacelsies milzu ļembasts, tajā tiks iesaistīta ministrija, Harijam visi sāks prašņāt, kur Siriuss...

Aiz muguras noskanēja kluss paukšķis, un Harijs zināja, ka Siriuss ir projām. Viņš vērās uz kāpņu pakāji... Diez kurš izlēmis doties pastaigāties pulksten vienos naktī? Diez kura dēļ viņš tagad neuzzinās, kā tikt garām pūķim?

Tas bija Rons. Tērpies savā kastaņbrūnajā, rakstainajā pidžamā, viņš apstājās kā zemē iemiets, uzlūkoja Hariju un paraudzījās visapkārt.

— Ar ko tu te sarunājies? — viņš ievaicājās.

— Kas tev par daļu? — Harijs atcirta. — Ko tu vazājies apkārt pa naktīm?

— Es tikai domāju, kur tu... — Rons aprāvās un paraustīja plecus. — Neko. Es eju gulēt.

— Tikai iedomājies pastaigāt un paokšķerēt? — Harijs iesaucās. Viņš labi, zināja, ka Rons kāpis lejā vienkārši tāpat, ka nav to darījis tīšuprāt, tomēr viņam bija vienalga — šobrīd viņš ienīda itin visu, kas saistījās ar Ronu, pat viņa plikās potītes, kas rēgojās lejpus pidžamas biksēm.

— Atvaino, — Rons teica, dusmās piesārtis. — Man vajadzēja saprast, ka tu negribi, lai tevi traucē. Gatavojies nākamajai intervijai? Lūdzu, lūdzu.

Harijs no galda pagrāba vienu nozīmīti ar uzrakstu *POTERS IR GATAVAIS RIEBEKLIS* un, cik jaudas, svieda to pāri visai istabai. Dzelzs gabals trāpīja Ronam pa pieri un atlēca sāņus.

— Nu, re, — Harijs iekliedzās. — Še tev, ko izrotāties uz otrdienu! Ja tev paveiksies, dabūsi pat rētu... Tieši to jau tu gribi, vai ne?

Viņš metās uz kāpnēm, iedomādamies, ka Rons varbūt stāsies ceļā, ka varbūt pat ņemsies viņu bukņīt, kas nemaz nebūtu tik slikti, taču Rons tikai nekustīgi stāvēja savā pidžamā, no kuras jau labu laiku bija izaudzis, un Harijs, uzdrāzies augšā, apgūlās savā gultā un labu laiku nogulēja nomodā, dusmās vai kūsādams, un Ronu atgriežamies nedzirdēja.

## DIVDESMITĀ NODAĻA

# PIRMAIS PĀRBAUDĪJUMS

Svētdienas rītā Harijs piecēlās un ņēmās ģērbties, domās kavēdamies nezin kur, tā ka tikai pēc laba brīža atskārta, ka zeķes vietā pūlas kājā uzstīvēt cepuri. Kad visi apģērba gabali pēdīgi bija savietoti ar atbilstošajām ķermeņa daļām, viņš steidzās uzmeklēt Hermioni un atrada viņu Lielajā zālē pie grifidoru galda, kur viņa kopā ar Džinniju ēda brokastis. Harijam bija šķebīga dūša, ēst nemaz negribējās, viņš nogaidīja, līdz Hermione izēd tukšu putras šķīvi, un izvilka viņu laukā pastaigāties. Abi izmeta kārtīgu loku ap ezeru, un viņš izstāstīja visu par pūķiem un par to, ko teicis Siriuss.

Siriusa brīdinājums par Karkarovu Hermioni pamatīgi satrauca, tomēr, viņasprāt, vispirms bija jātiek galā ar pūķiem.

— Galvenais, lai tu otrdienas vakarā vēl būtu pie dzīvības, — viņa izmisusi teica, — par Karkarovu domāsim pēc tam.

Viņi trīs reizes apgāja apkārt ezeram, pūlēdamies izdomāt, kas tā varētu būt par vienkāršu burvestību, kas palīdzētu savaldīt pūķi. Itin nekas nenāca prātā, tāpēc viņi galu galā nosprieda doties uz bibliotēku. Tur Harijs uzmeklēja visas iespējamās grāmatas par pūķiem, sakrāva kaudzē, un abi ņēmās tām rakties cauri.

— *Nagu apgriešana, zvīņu puves dziedināšana...* nē, tas neder, tas domāts tādiem dulliķiem kā Hagrids, kas grib, lai viņi būtu veseli un mundri.

— *Pūķus ir neparasti grūti nogalēt, jo viņu sāni ir piesūcināti ar mūžvecu maģiju tā, ka tiem cauri spēj izlauzties tikai visjaudīgākās burvestības*... bet Siriuss teica, ka pietiek ar pavisam vienkāršu...

— Labāk paskatīsimies vienkāršo burvestību grāmatās, — Harijs nolika malā "Pārmērīgo pūķmīlestību".

Viņš no jauna pievērsās burvestību grāmatu kaudzei un ņēmās tās pa vienai pāršķirstīt. Hermione turpat blakus nerimās murmināt. — Tā, re, kur pārvērtību vārdi. Bet kāda jēga noņemties ar pārvērtībām? Varbūt vienīgi var ilkņus pārvērst par vīnogulāju saknēm vai kaut ko tādu, lai tas nebūtu tik bīstams. Nelaime tāda, ka saskaņā ar rakstiem pūķa bruņām reti kas tiek cauri. Es teiktu, ka vajag to pārvērst par kaut ko citu, bet tik liels... Diez vai... diezin vai pat profesore Maksūra... ja vien tu nepārvērties *pats*! Varbūt var dabūt kādas papildu spējas? Taču tās nav *vienkāršas* burvestības, proti, stundās mums nekā tāda nav bijis, es par tām zinu tikai tāpēc, ka esmu izmēģinājusi SLIMu uzdevumus...

— Hermione, — Harijs izgrūda caur sakostiem zobiem, — vai tu, lūdzama, uz brīdi neaizvērtos? Es mēģinu koncentrēties.

Hermione apklusa, bet tas diez ko nelīdzēja — vienīgais, ko Harijs samanīja savā galvā, bija trula zumēšana, kas koncentrēties neļāva tik un tā. Viņš bezcerīgi blenza uz "Pamatlāstu" satura rādītāju. *Acumirklīga noskalpēšana.* Bet pūķiem nekādu matu nav... *Pipardvaša*... Tā tikai vairos pūķu spēju spļaut uguni... *Ragmēle*... tieši tā vēl trūka — piešķirt pūķim papildu ieroci...

— Ak, nē, *atkal* viņš ir klāt! Kāpēc viņš nevar lasīt savā stulbajā kuģī? — Hermione novaidējās, ieraudzīdama bibliotēkā ieslājam Viktoru Krumu, kas uzmeta viņiem nīgru skatienu un ar grāmatu kaudzi nolīda telpas tālākajā stūrī. — Paklau, Harij, ejam atpakaļ uz kopistabu. Kuru katru mirkli būs klāt viņa tarkšķošais fanklubs.

Un tik tiešām — kad viņi gāja laukā pa durvīm, bibliotēkā uz pirkstgaliem ielavījās vesels bars meiteņu. Vienai ap vidu bija apsieta bulgāru komandas šalle.

* * *

Tonakt Harijs neparko nevarēja aizmigt. Pirmdienas rītā pamodies, viņš pirmoreiz nopietni apsvēra domu, ka no Cūkkārpas vajadzētu bēgt. Bet, Lielajā zālē brokastu laikā aplaidis skatu visapkārt, viņš aptvēra, ko tas nozīmētu, un saprata, ka bēgt nespēj. Tā bija vienīgā vieta, kur viņš jebkad bija juties laimīgs. Jā, nu droši vien viņš bija laimīgs arī tad, kad dzīvoja pie vecākiem, taču to nespēja atminēties.

Nezin kāpēc atskārta, ka labāk būt šeit un stāties pretim pūķim, nekā dzīvot Dzīvžogu ielā kopā ar Dūdiju, nāca par labu. Tā mazliet remdināja satraukumu. Viņš piespieda sevi noēst šķiņķa šķēles pēdējo kumosu (rīkle bija izkaltusi sausa) un tad, kad viņi abi ar Hermioni piecēlās, redzēja, ka pie elšpūšu galda pieceļas arī Sedriks Digorijs.

Sedriks joprojām neko nezināja par pūķiem... Viņš bija vienīgais censonis, kas dzīvoja neziņā, ja vien Harijs sprieda pareizi, ja Karkarovs ar Maksima madāmu Flērai un Krumam to jau bija pavēstījuši...

— Hermione, satiksimies siltumnīcā, — Harijs izšķīrās, noskatīdamies, kā Sedriks iziet laukā pa Lielās zāles durvīm. — Ej, es tevi panākšu.

— Harij, tu nokavēsi, tūliņ būs zvans.

— Ej, es tevi panākšu, labi?

Kad Harijs nonāca marmora kāpņu pakājē, Sedriks jau bija uzkāpis teju pašā augšā. Viņu ielenca bariņš sestgadnieku. Harijs nevēlējās runāt ar Sedriku viņu acu priekšā — tur bija audzēkņi, kas nerimās citēt Ritas Knisles rakstu, kad vien Harijs parādījās tuvumā. Viņš sekoja, turēdamies atstatu, un redzēja, ka Sedriks dodas uz burvestību klasi. Harijam acumirklī radās ideja. Viņš izvilka zizli un rūpīgi nomērķēja.

— *Jukum*!

Sedrika soma pārplīsa. No tās uz grīdas izbira pergamenta loksnes, rakstāmspalvas un grāmatas. Sašķīda vairākas tintes pudeles.

— Nekas, nekas, — Sedriks savaldīgi noteica, kad draugi grasījās viņam nākt talkā. — Pasakiet Zibiņam, ka es tūliņ nākšu, ejiet vien...

Tieši uz to Harijs bija cerējis. Ieslidinājis zizli atpakaļ mantijas kabatā, viņš nogaidīja, līdz pārējie ieiet klasē, un steidzās Sedrikam klāt. Tagad viņi gaitenī bija divi vien.

— Sveiks, — Sedriks noteica, no grīdas paceldams ar tinti notrieptu "Augstāko pārvērtību rokasgrāmatu". — Soma saplīsa... pilnīgi jauna...

— Sedrik, — Harijs sacīja, — pirmais pārbaudījums ir pūķi.

— Ko? — Sedriks viņu uzlūkoja.

— Pūķi, — Harijs nobēra, bīdamies, ka no klases kuru katru brīdi var iznākt profesors Zibiņš, lai paskatītos, kas Sedrikam lēcies. — Pavisam četri, katram viens, un mums vajadzēs tikt viņiem garām.

Sedriks blenza pretim kā sasalis. Harijam šķita, ka viņa pelēkajās acīs pavīd paniskās bailes, ko viņš pats juta milstam pakrūtē kopš sestdienas vakara.

— Tu droši zini? — Sedriks noelsās.

— Kaut es nosprāgtu, — Harijs nozvērējās. — Es viņus redzēju.

— Bet kā tu to dabūji zināt? Mēs taču nedrīkstam zināt...

— Neprasi, — Harijs attrauca. Viņš zināja, ka patiesību teikt nedrīkst, jo tad būs iegāzis Hagridu. — Taču es neesmu vienīgais, kurš zina. Arī Flēra un Krums šobrīd jau droši vien zina — pūķus redzēja arī Maksima un Karkarovs.

Sedriks izslējās, rokās sagrābis savas rakstāmspalvas, ar tinti nošķiestos pergamentus un grāmatas, saplēstā soma šūpojās viņam uz pleca. Viņa vērīgais skatiens bija mīklains, teju aizdomu pilns.

— Kāpēc tu man to saki? — viņš noprasīja.

Harijs nespēja noticēt savām ausīm. Viņaprāt, Sedriks tā nejautātu, ja būtu redzējis pūķus pats savām acīm. Harijs pat ļaunākajam ienaidniekam nenovēlētu šiem briesmoņiem stāties pretim nesagatavotam... Nu, ja nu vienīgi Malfojam vai Strupam...

— Vienkārši... tā būs taisnīgāk, vai ne? — viņš Sedrikam teica. — Tagad mēs visi zinām... Tagad visi būs vienlīdzīgi.

Sedriks joprojām uz viņu lūkojās visai aizdomīgi, un tad Harijs aiz muguras izdzirdēja pazīstamos klaudzienus. Paskatījies atpakaļ, viņš no tuvīnās klases ieraudzīja iznākam Trakaci Tramdānu.

— Nāc man līdzi, Poter, — viņš noņurdēja. — Digorij, pazūdi.

Harijs pameta bažīgu skatu uz Tramdānu. Vai viņš būtu noklausījies? — Mmm... profesor, man jāiet uz herboloģiju...

— Tas nekas, Poter. Lūdzu, uz manu kabinetu!

Harijs soļoja viņam nopakaļ, mulsi prātodams par to, kas tagad notiks. Ja nu Tramdāns gribēs zināt, kā viņš dabūjis zināt par pūķiem? Ko Tramdāns darīs — ies taisnā ceļā pie Dumidora un nosūdzēs Hagridu, vai vienkārši pārvērtīs Hariju par sesku? Nu, seskam tikt garām pūķim droši vien būtu nesalīdzināmi vieglāk, jo viņš ir maziņš, no piecpadsmit metru augstuma daudz grūtāk saskatāms...

Abi iegāja Tramdāna kabinetā. Tramdāns aizvēra durvis un pievērsās Harijam, pagriezis pret viņu abas acis.

— Tu tikko rīkojies kā krietns vīrs, Poter, — Tramdāns klusi teica.

Harijs nezināja, ko atbildēt. Ko tādu viņš nudien nebija gaidījis.

— Apsēdies, — Tramdāns viņu norīkoja, un Harijs nosēdās, aplaizdams skatu visapkārt.

Šajā telpā viņš bija iegriezies divreiz — divu Tramdāna priekšgājēju laikā. Kad te mita profesors Sirdsāķis, sienas klāja viņa paša fotoportreti, kas vienā laidā starojoši smaidīja un visiem miedza ar aci. Kad te uzturējās Vilksons, daudz lielāka bija iespēja uzdurties kādam brīnumainam, nezināmam tumsas radījumam, ko profesors bija sadabūjis, lai audzēkņiem būtu ko papētīt nodarbībās.

Taču tagad kabinets bija stāvgrūdām piebāzts ar īpaši ērmīgiem priekšmetiem, ko, pēc Harija domām, Tramdāns acīmredzot bija lietojis, strādādams par auroru.

Uz viņa galda stāvēja kas līdzīgs lielai, ieplaisājušai stikla vārpstai. Harijs to acumirklī pazina — tas bija sūdzoskops, viņam pašam viens tāds piederēja, lai gan daudz mazāks. Uz cita, zemāka galdiņa pašā stūrī bija nolikts priekšmets, kas izskatījās pēc šķībi greizi izlocītas, zeltainas televīzijas antenas. Tā klusi sanēja. Pie pretējās sienas karājās tāds kā spogulis, taču tajā nekas neatspoguļojās. Ietvarā kustējās pelēki, izplūduši stāvi.

— Patīk mani tumsas detektori, ko? — vaicāja Tramdāns, kurš nebija nolaidis no Harija ne acu.

— Kas tas tāds? — Harijs norādīja uz nošķiebto, zeltaino antenu.

— Slepenjuteklis. Sāk trīsēt, kolīdz samana izvairību un melus... Te, protams, no tā nav nekāda lielā labuma, pārāk daudz traucējumu — audzēkņi to vien dara, kā mānās, klāstīdami, kāpēc nav izpildījuši mājasdarbus. Dūc vienā laidā, kopš es te ierados. Sūdzoskopu nācās atslēgt, jo tas svilpa kā sadedzis. Tas ir ļoti jutīgs, uztver visu divu kilometru rādiusā. Skaidrs, ka tas spēj uztvert ko vairāk par bērnu pļāpām, — viņš norūca.

— Un kam domāts tas spogulis?

— Ak, tas! tas ir mans Naidnieku logs. Re, kā šie tur slapstās? Varu gulēt mierīgi, kamēr logs viņus nerāda skaidri. Tad es veru vaļā savu lādi.

Tramdāns skarbi iesmējās un norādīja uz lielu lādi, kas stāvēja zem loga. Tai bija septiņi atslēgcaurumi, visi vienā rindā. Harijs ieprātojās, kas diez tur iekšā, bet satrūkās, izdzirdis Tramdānu iejautājamies: — Tātad... esi uzzinājis par pūķiem, vai ne?

Harijs klusēja. Tieši no tā viņš bija baidījies, tomēr Sedrikam viņš ne vārda nebija bildis par to, ka Hagrids tika pārkāpis noteikumus, un arī Tramdānam viņš to negrasījās teikt.

— Labi jau, labi, — Tramdāns noteica, apsēdās un novaidēdamies izstiepa koka kāju. — Trejburvju turnīrs bez krāpšanās nav iedomājams. Tā tas allaž ir noticis.

— Es nekrāpos, — Harijs atsvieda. — Es to atklāju... nejauši.

Tramdāns pasmīnēja. — Es tevi, puis, nevainoju. Es Dumidoram jau no sākta gala teicu — viņš var celt degunu gaisā, cik tīk, bet Karkarovs un Maksima madāma jau nu nekautrēsies izmantot visas iespējas. Viņi saviem censoņiem izstāstīs visu, ko vien dabūs zināt. Viņi grib uzvarēt. Viņi grib sakaut Dumidoru. Viņi ar lielāko prieku pierādītu, ka Dumidors ir parasts cilvēks.

Tramdāns ķērkstoši iesmējās, un viņa burvju acs dobulī sāka grozīties tik strauji, ka Harijam, to vērojot, sametās nelabi.

— Tātad... Vai tev jau ir padomā kaut kas, kas palīdzētu tikt pūķim garām? — Tramdāns ieprasījās.

— Nē, — Harijs atbildēja.

— Un arī es tev neko priekšā neteikšu, — Tramdāns norūca. — Man mīluļu būšanas nepatīk. Es tev došu tikai dažus labus, vispārīgus padomus. Un pirmais — *izmanto savas stiprās puses.*

— Man tādu nemaz nav, — Harijs neapdomājies izgrūda.

— Atvaino, — Tramdāns ieņurdējās, — bet, ja es saku, ka tev ir stiprās puses, tev tādas ir. Padomā labi. Kas tev vislabāk padodas?

Harijs pūlējās sakopot domas. Kas tad viņam diez tā *pa īstam* padevās? Jā, tiešām...

— Kalambols, — viņš apjucis teica, — un ko tas līdz?

— Tieši tā, — Tramdāns viņā ieurba skatienu, burvju aci viegli tricinādams. — Esmu dzirdējis, ka tu esot nolāpīti labs lidonis.

— Jā, bet... — Harijs raudzījās viņam pretim, — slotu taču līdzi ņemt nedrīkst! Jāiztiek ar zizli vien!

— Mans otrs vispārīgais padoms ir šāds, — Tramdāns viņu pārtrauca. — Liec lietā jauku, vienkāršu burvestību, kas ļaus tev *tikt pie visa, kas vajadzīgs.*

Harijs vairs itin neko nesaprata. Kas tad bija vajadzīgs?

— Nu, puis... — Tramdāns iečukstējās. — Saliec prātus kopā... Nav nemaz tik sarežģīti...

Un piepeši viņam pielēca. Vislabāk Harijam padevās lidošana. Viņš garām pūķim tiks pa gaisu. Tātad būs vajadzīga ugunsbulta. Un, lai dabūtu ugunsbultu, vajadzēs...

— Hermione, — Harijs iečukstējās, kad pēc desmit minūtēm bija iebrāzies siltumnīcā un, pajozdams garām profesorei Asnītei, izgrūdis steidzīgu atvainošanos. — Hermione, man vajag, lai tu man palīdzi.

— Ko tad es, pēc tavām domām, visu laiku cenšos darīt? — meitene uztraukumā ieplestām acīm atčukstēja pāri apcērpamajam lideklīšu krūmam.

— Hermione, man līdz rītdienas pēcpusdienai kārtīgi jāiemācās viena pieburšana.

* * *

Un tā nu abi vingrinājās. Viņi negāja pusdienās, bet devās uz tukšu klasi, kur Harijs, cik jaudas, pūlējās pielidināt sev klāt visvisādus priekšmetus. Joprojām negāja nemaz tik viegli. Grāmatas un rakstāmspalvas pusceļā piepeši apstājās un krita zemē kā akmeņi.

— Koncentrējies, Harij, *koncentrējies...*

— Ko tad es, tavuprāt, daru? — Harijs sapīka. — Tikai nezin kāpēc man galvā visu laiku lien smirdīgs milzu pūķis... Nu, lai iet, pamēģināsim vēlreiz...

Viņš bija gatavs trenēties arī tajā laikā, kad it kā vajadzēja iet uz pareģošanu, taču Hermione kategoriski atteicās kavēt aritmantiju, un bez viņas burties nebija jēgas. Līdz ar to Harijs bija spiests veselu stundu paciest profesori Triloniju, kas pusi nodarbības klāstīja, ka Marsa pašreizējais stāvoklis attiecībā pret Saturnu nozīmējot piepešas, vardarbīgas nāves briesmas tiem, kas dzimuši jūlijā.

— Tas gan labi, — Harijs skaļi un pacilāti noteica. — Galvenais, lai viss notiek ātri — ilgi ciest man negribētos.

Vienu mirkli Harijam šķita, ka Rons tūliņ pasmaidīs, vismaz pirmo reizi daudzu dienu laikā abu skatieni sastapās, taču Harijs joprojām turēja uz Ronu par daudz ļaunu prātu, lai pirmais spertu soli pretim izlīgumam. Atlikušo nodarbības daļu viņš aizvadīja, pagaldē noņemdamies ar zizli un pūlēdamies pielidināt klāt visādus sīkumus. Viņam izdevās pielidināt klāt mušu — tā iespruka Harijam tieši saujā, tomēr viņš nebija īsti pārliecināts, vai tas liecina par izmaņu pieburšanā... Varbūt vienkārši bija pagadījusies dumja muša.

Pēc pareģošanas viņš devās vakariņās un piespieda sevi kaut ko ieēst, bet tad, apvilcis Paslēpni, lai izvairītos no satikšanās ar pasniedzējiem, kopā ar Hermioni atgriezās tukšajā klasē. Tur viņi trenējās, līdz pulkstenis jau rādīja pāri pusnaktij. Būtu palikuši vēl ilgāk, taču uzradās Pīvzs, kas, uzskatīdams, ka Harijs vēlas, lai viņam mestu ar dažādiem priekšmetiem, sāka sviest pāri istabai krēslus. Bīdamies, ka troksnis atvilinās Filču, Harijs un Hermione steigšus metās projām un devās uz grifidoru kopistabu, kas laimīgā kārtā bija tukša.

Divos naktī Harijs stāvēja pie kamīna, un viņam pie kājām gulēja vesela kaudze dažādu priekšmetu — grāmatas, rakstāmspalvas, vairāki krēsli kājām gaisā, vecs jauklodīšu komplekts un Nevila krupis Trevors. Tikai pēdējā stundā Harijs pielidināšanas burvestību bija apguvis pa īstam.

— Nu re, Harij, tā jau ir labāk, tā jau ir daudz labāk, — Hermione atzina, izskatīdamās pagalam nokausēta, tomēr ļoti iepriecināta.

— Tagad mēs zināsim, ko darīt nākamreiz, kad es atkal nevarēšu iemācīties kādu burvestību, — Harijs aizsvieda rūnu vārdnīcu Hermionei, lai pamēģinātu vēl vienu reizi, — piedraudi man ar pūķi! Tā... — Viņš atkal pacēla zizli. — *Šurpum vārdnīcu*!

Smagā grāmata izrāvās Hermionei no rokām, pārlidoja pāri istabai, un Harijs to notvēra.

— Harij, manuprāt, tagad tev izdodas, kā nākas! — Hermione līksmi iesaucās.

— Galvenais, lai tas nostrādā rīt, — Harijs teica. — Ugunsbulta būs daudz tālāk nekā šitās mantas, tā būs pilī, un es būšu projām laukā...

— Tas nav no svara, — Hermione apgalvoja. — Ja vien tu kārtīgi, kārtīgi koncentrēsies, tā atlidos. Harij, ejam pagulēt! Tev tas ir nepieciešams.

Pielidināšanas burvestības apgūšana tovakar bija prasījusi tik daudz spēka, ka pat aklās bailes šķita maķenīt atkāpušās. Tomēr nākamajā rītā tās atkal bija klāt — tikpat mokošas kā iepriekš. Skolā valdīja milzu satraukums. Stundas notika tikai līdz pusdienlaikam, lai audzēkņi varētu laikus nokļūt līdz pūķu aplokam, taču neviens, protams, vēl aizvien nezināja, ko tur ieraudzīs.

Harijs jutās viens un dīvaini tāls no visa, kas notika apkārt. Viņu neskāra nedz laba vēlējumi, nedz arī daža laba garāmgājēja šņācieni: "*Neaizmirsti paķert līdzi šņupdrāniņas, Poter!*" Uztraukums bija tik liels, ka Harijs itin labi varēja sevi iedomāties zaudējam galvu, kad nāksies iet aplokā pie pūķa, un sākam mest lāstus pa labi, pa kreisi, vienalga — kur.

Laiks uzvedās trakāk nekā jebkad — tas drāzās uz priekšu baisiem lēcieniem, tā ka vienubrīd Harijs it kā sēdēja pirmajā nodarbībā, maģijas vēsturē, bet jau nākamajā attapās, ka dodas pusdienās... un tad (kur diez palika rīts? Kur pagaisa pēdējās trīs bezpūķa stundas?) pāri Lielajai zālei šurp steidzās profesore Maksūra. Liekas, viņu ar skatienu pavadīja ikviens.

— Poter, censoņiem tagad jāiet laukā... Jums jāsagatavojas pirmajam pārbaudījumam.

— Labi. — Harijs piecēlās, viņa dakšiņa šķindēdama nokrita uz šķīvja.

— Lai tev veicas, Harij, — Hermione nočukstēja. — Būs labi!

— Jā, jā, — Harijs atteica, nepazīdams pats savu balsi.

Kopā ar profesori Maksūru viņš izgāja no Lielās zāles. Arī viņa, šķiet, nejutās īsti savā ādā. Patiesību sakot, profesore izskatījās gandrīz tikpat uztraukusies kā Harijs. Kad viņi abi, nokāpuši lejā pa akmens pakāpieniem, izgāja laukā, novembra pēcpusdienas saltajā gaismā, Maksūra uzlika roku Harijam uz pleca.

— Paklau, tikai nekrītiet panikā, — viņa teica. — Vienkārši saglabājiet aukstasinību. Ja situācija kļūs nekontrolējama, tur būs vesels bars burvju — viņi jums ies palīgā. Galvenais, centieties parādīt labāko, uz ko esat spējīgs, un neviens par jums tāpēc nedomās sliktu. Kā jūtaties?

— Labi, — Harijs dzirdēja pats sevi atsaucamies. — Pavisam labi.

Profesore Maksūra veda viņu gar mežmalu uz pūķu aploka pusi, bet tad, kad viņi apgāja apkārt pēdējam koku pudurim, kas aizsedza skatu uz aploku, Harijs ieraudzīja, ka tagad pūķu novietni aizslēpa tās priekšā uzcelta telts. Ieeja vīdēja šaipusē.

— Jums līdz ar pārējiem censoņiem jāiet tur iekšā, — Maksūra norādīja. Viņas balss manāmi trīsēja. — Gaidiet savu kārtu, Poter. Tur ir Maišelnieka kungs. Viņš jums izstāstīs, kāda kārtība paredzēta. Labu veiksmi!

— Paldies, — Harijs neskanīgi teica. Atstājusi viņu pie telts ieejas, profesore aizgāja. Harijs devās iekšā teltī.

Kaktā uz koka ķeblīša sēdēja Flēra Delakūra ar nobālušu un saraudātu seju, viņas parastā pašpārliecība bija nezin kur pagaisusi. Viktors Krums šķita saīdzis vairāk nekā jebkad — Harijs nosprieda, ka tā acīmredzot izpaužas viņa uztraukums. Sedriks soļoja šurpu turpu. Ieraudzījis Hariju, viņš sāji pasmaidīja, un Harijs atsmaidīja pretī, juzdams muskuļus mutes kaktiņos piepūlē saspringstam — itin kā tie būtu aizmirsuši, kas darāms.

— Harij! Nu re, cik jauki! — Maišelnieks līksmi iesaucās, pagriezies uz viņa pusi. — Nāc nu šurp, nāc nu, jūties kā mājās!

Starp bālajiem censoņiem Maišelnieks izskatījās pēc patukla komiksu varoņa. Viņš atkal bija apvilcis savu veco Lapseņu mantiju.

— Tā, tātad visi ir klāt. Nu, tad iebarosim jums informāciju, — Maišelnieks mundri pavēstīja. — Līdzko skatītāji būs sanākuši, es jums iedošu šito somiņu. — Viņš pacēla gaisā mazu purpura zīda maisiņu un to papurināja. — No tā jūs izvilksiet mazu nieciņu, kas izskatīsies tieši tāds, kādam jums vajadzēs stāties pretim! Redziet, tiem ir dažādas...ē... dažādi paveidi. Pag, vēl kaut kas bija jāpasaka... Ā, nu jā... Uzdevums ir tāds, ka jums *jādabū rokā zelta ola*!

Harijs paraudzījās visapkārt. Sedriks pamāja — par zīmi, ka Maišelnieka teikto sapratis — un tad, nu jau ar viegli iezaļganu seju, no jauna sāka staigāt pa telti šurpu turpu. Flēra Delakūra un Viktors Krums pat nepakustējās. Varbūt viņiem šķita, ka nevajag vērt vaļā muti, citādi būs jālaiž pār lūpu, — Harijs pats jutās tieši tā. Taču viņi vismaz bija pieteikušies paši...

Un tūliņ laukā atskanēja simtiem kāju dipoņa, to īpašnieki satraukti pļāpāja, smējās, jokoja. Harijs jutās tik svešs un tāls, it kā piederētu pie pavisam citas sugas. Un tad pēc laiciņa, kas Harijam šķita viens vienīgs acumirklis, Maišelnieks jau raisīja vaļā purpura zīda maisiņu.

— Dāmām priekšroka, — viņš sacīja, pastiepdams to uz Flēras Delakūras pusi.

Flēra iebāza maisiņā trīsošu roku un izvilka mazītiņu, smalki izstrādātu pūķa figūriņu — Velsas zaļo. Pūķītim ap kaklu bija apsiets numurs — divi. Flēras sejā bija lasāms nevis pārsteigums, bet drīzāk tāda kā drūma apņēmība, un tas liecināja, ka Harijam bijusi taisnība — Maksima madāma viņai jau bija izstāstījusi, kas gaidāms.

Tieši tāpat bija ar Krumu. Viņš izvilka koši sārto Ķīnas ugunslodi. Tam kaklā karājās trijnieks. Krums pat aci nepamirkšķināja — tikai blenza grīdā.

Sedriks iegrūda roku maisiņā, un dienas gaismu ieraudzīja zilpelēkais Zviedrijas strupsnuķis — pirmais numurs. Zinādams, kurš viņam atlicis, Harijs iebāza roku zīda maisiņā un izvilka ceturto numuru — Ungārijas ragasti. Kad Harijs figūriņai uzmeta skatu, pūķītis izplēta spārnus un atņirdza sīciņos ilknīšus.

— Nu, re! — Maišelnieks ierunājās. — Tagad jūs esat izlozējuši pūķus, kam stāsieties pretim. Numuri norāda, kādā kārtībā iesiet laukā, skaidrs? Es tagad jūs atstāšu, jo man jāiet komentēt. Digorija jaunkungs, jūs pirmais. Kā izdzirdēsiet svilpi, ejiet laukā aplokā! Tā... Harij... vai varam drusku aprunāties? Laukā?

— Nu... jā, — Harijs truli atsaucās, piecēlās un kopā ar Maišelnieku izgāja ārā. Maišelnieks zēnu aizveda gabaliņu nostāk no telts, pamežā, un apstājies pievērsa viņam tēvišķu skatienu.

— Kā jūties, Harij? Varbūt varu ka palīdzēt?

— Ko tad? — Harijs pārvaicāja. — Man... nē, neko.

— Esi izdomājis, ko darīt? — Maišelnieka balss pārvērtās sazvērnieciskā čukstā. — Jo es labprāt sniegtu kādas norādes, ja vēlies. Tas ir, — Maišelnieks pieklusināja balsi vēl vairāk, — pārējiem tomēr ir zināmas priekšrocības, Harij... ja es kā varu palīdzēt...

— Nē, — Harijs atbildēja tik spēji, ka tas droši vien izklausījās nepieklājīgi. — Nē... es... es jau esmu izlēmis, kā rīkoties, paldies.

— Neviens neko *neuzzinās*, Harij, — Maišelnieks viņam piemiedza ar aci.

— Ne, paldies, nevajag, būs jau labi, — Harijs atkārtoja, brīnīdamies, kāpēc tā visiem vienā laidā saka, kaut arī nekad mūžā nav juties sliktāk. — Esmu jau izstrādājis plānu, es...

Kaut kur atskanēja svilpes pūtiens.

— Žēlīgā debess, man jāskrien! — Maišelnieks satraukti iesaucās un aizmetās projām.

Harijs devās atpakaļ uz telti un redzēja no tās iznākam Sedriku, vaigā galīgi zaļu. Kad Sedriks gāja garām, Harijs mēģināja viņam novēlēt veiksmi, taču no rīkles izlauzās tikai neskanīgs gārdziens.

Viņš iegāja atpakaļ teltī pie Flēras un Kruma. Pēc mirkļa viņi izdzirdēja pūļa rēkoņu, kas liecināja, ka Sedriks ir nokļuvis aplokā un nostājies aci pret aci ar savas figūriņas dzīvo līdzinieku...

Tā sēdēt un klausīties bija vēl daudz briesmīgāk, nekā Harijs bija iedomājies. Pūlis, noskatīdamies, kā Sedriks tur nezin ko dara, lai tiktu garām pūķim, spiedza, kliedza, elsa kā daudzgalvains šausmonis. Krums joprojām raudzījās grīdā. Flēra tagad, gluži tāpat kā iepriekš Sedriks, mēroja soļus šurpu turpu pa telti. Un Maišelnieka komentāri visu padarīja vēl daudz, daudz ļaunāku. Baismīgas ainas uzbūrās Harija acu priekšā, kad viņš dzirdēja: — Ohoho! Par mata tiesu, par mata tiesu. Tas nu ir riskanti, paklau! *Viltīgs* gājiens — nudien žēl, ka neizdevās!

Un tad, pēc minūtēm piecpadsmit, Harijs izdzirdēja apdullinošu aurēšanu, kas varēja nozīmēt tikai vienu — Sedriks savam pūķim bija ticis garām un dabūjis zelta olu.

— Tik tiešām ļoti labi! — nosaucās Maišelnieks. — Un nu — tiesnešu vērtējums!

Bet atzīmes viņš nenosauca — acīmredzot tiesneši pacēla gaisā plakātiņus, ko parādīja skatītājiem.

— Viens garām, trīs vēl priekšā! — Maišelnieks ieaurojās, kad atkal noskanēja svilpe. — Delakūra jaunkundze, lūdzu!

Flēra drebēja no galvas līdz kājām. Noskatīdamies, kā viņa ar augstu paceltu galvu un zizli rokā sažņaugusi, izsoļo ārā no telts, Harijs meitenei juta līdzi vairāk nekā jebkad iepriekš. Tagad viņi ar Krumu bija palikuši divi vien un sēdēja katrs savā telts malā, izvairīdamies viens otru uzlūkot.

Viss sākās no jauna. — Ai, ai, diez vai tas bija prātīgi! — viņi dzirdēja Maišelnieku līksmi aurējam. — Oho! Gandrīz! Tagad uzmanīgi... Debestiņ, man jau likās, ka tūliņ būs rokā!

Pēc minūtēm desmit Harijs dzirdēja no jauna uzviļņojam aplausu vētru. Arī Flēra acīmredzot bija tikusi galā. Tad iestājās pauze, kamēr tiesneši parādīja Flēras vērtējumu. Vēl aplausi... un trešais svilpiens.

— Un tagad — Kruma jaunkungs! — Maišelnieks nokliedzās. Krums izslāja laukā, atstādams Hariju vienu pašu.

Harijs neparasti skaidri juta savu ķermeni — apzinājās, ka sirds dauzās kā traka, ka pirksti bailēs krampjaini sažņaudzas. Tomēr vienlaikus viņš it kā vairs nemaz nebija pats — tas, kurš viņa vietā raudzījās uz telts sienām un ieklausījās pūļa troksnī, bija tālu projām...

— Patiešām drosmīgs gājiens! — Maišelnieks klaigāja, un Harijs dzirdēja Ķīnas ugunslodi izgrūžam šaušalīgu rēcienu, bet skatītājus visus reizē aizturam elpu. — Te redzam īstu dūšu... un... jā, ola viņam ir rokā!

Ziemas gaiss aplausos sašķīda kā plīstošs stikls, Krums bija galā — tūliņ būs Harija kārta.

Viņš piecēlās, neskaidri nomanīdams, ka ceļgali šķiet pārvērtušies želejā. Viņš gaidīja. Un tad atskanēja svilpiens. Baiļu vilnim pakrūtē nevaldāmi ceļoties aizvien augstāk, Harijs izgāja no telts. Nu jau viņš gāja apkārt koku pudurim, iekšā pa aploka vārtiem.

Aina viņa acu priekšā atgādināja tikai neparasti spilgtu sapni. No tribīnēm, kas acīmredzot bija nesen uzburtas, jo pirmīt tādu nebija, uz viņu lejup noraudzījās simtiem seju. Un aploka otrā galā uz olām tupēja ragaste, spārnus pa pusei salocījusi un blenzdama uz viņu ar ļaunu, dzeltenu skatienu, — milzonīga, zvīņota, melna ķirzaka, kas šurpu turpu mētāja dzelkšņaino asti, iesizdama zemē metru garas, dziļas grambas. Pūlis sacēla pamatīgu troksni, tomēr Harijs nevarēja saprast, vai tas ir noskaņots draudzīgi, un to nemaz negribēja zināt. Vajadzēja darīt to, kas darāms... Koncentrēties — cieši un dzelžaini — uz to, kas bija viņa vienīgā iespēja...

Harijs pacēla zizli.

— *Šurpum ugunsbultu*! — viņš iesaucās un gaidīja, juzdams ik sīkāko dzīsliņu lūdzamies, ceram... Un ja nu nenostrādās... un ja nu neatlidos... Acis itin kā aizklāja trīsošs, caurspīdīgs pārklājs, līdzīgs karstuma vilnim, un aiz tā aploks un simtiem seju blāķis šķita dīvaini drebuļojam...

Un tad viņš izdzirdēja, kā ugunsbulta šķeļ gaisu, pagriezās un ieraudzīja to šaujamies šurp pāri mežmalas kokiem, iebrāžamies aplokā un sastingstam turpat līdzās gatavībā pakalpot. Pūlis satrakojās vēl vairāk. Maišelnieks nezin ko kliedza, bet Harija ausis vairs nedarbojās, kā nākas. Tagad nebija jāklausās...

Uzmeties jāšus uz slotaskāta, viņš atgrūdās no zemes. Nākamajā mirklī notika kas neparasts...

Uzšāvies stāvus gaisā, sajutis vēju matos, ieraudzījis skatītāju sejas pārvēršamies niecīgās miesaskrāsas kniepadatu galviņās un ragasti saraujamies suņa lielumā, viņš atskārta, ka tālu lejā ir atstājis ne vien zemi, bet arī bailes... Viņš bija atgriezies savā stihijā...

Šis bija tikai parasts kalambola mačs, nekas vairāk. Tikai kārtējais kalambola mačs, un šitā ragaste bija tikai kārtējā pretinieku komanda...

Paraudzījies uz cementpelēko olu krāvumu, viņš starp tām ieraudzīja spīdam zeltaino, droši novietotu starp pūķa priekšķepām. — Labs ir, — Harijs pats sev teica, — uzmanības novēršanas taktika... Aiziet!

Viņš kā akmens krita lejup. Pūķiene neizlaida viņu no acīm. Paredzējis, ko viņa grasās darīt, Harijs strauji nobremzēja. Tieši laikā — uguns mēle aizšāvās tieši turp, kur viņam vajadzēja būt nākamajā mirklī, bet nekas — tas bija tieši tāpat, kā izvairīties no āmurgalvas.

— Ak tu dieniņ, viņš prot lidot! — ieaurojās Maišelnieks, bet pūlis norēcās un noelsās. — Vai jūs to redzat, Kruma jaunkungs?

Harijs pacēlās augstāk un izmeta apli. Ragastes galva uz garā kakla grozījās viņam līdzi. Tādā garā varēja turpināt, līdz viņai uznāk pamatīgs reibonis, tomēr Harijs nosprieda, ka nebūtu labi vilkt garumā, turklāt pūķiene kuru katru brīdi atkal varēja sākt spļaut uguni.

Harijs pikēja, kolīdz ragaste paplēta rīkli, tomēr šoreiz viņam laimējās mazāk — liesmas gan aizšāvās garām, toties pūķiene blieza ar asti un, kad viņš strauji pagriezās pa kreisi, viens no garajiem dzeloņiem ieurbās plecā, pārplēšot mantiju...

Harijs sajuta dzelošas sāpes, dzirdēja pūli iekliedzamies un novaidamies, taču brūce nelikās diez ko dziļa. Viņš pāršāvās pāri ragastes mugurai, un tad uzplaiksnīja kāda doma...

Pūķiene, šķiet, negrasījās izkustēties no vietas — viņa sargāja savas olas. Tā svaidījās un locījās, izplezdama un atkal sakļaudama spārnus, un bolīdama uz Hariju baisos, dzeltenos redzokļus, tomēr acīm redzami baidījās olas atstāt bez aizsardzības... Taču vajadzēja panākt, lai viņa pakāpjas nostāk, citādi olām nevarēs tikt klāt. Tātad visu vajadzēja darīt prātīgi, pamazītiņām...

Harijs ņēmās lidināties — uz vienu, tad uz otru pusi, gana tālu, lai pūķienei nebūtu jēgas spļaut uguni, taču pietiekami tuvu, lai tā viņu uzskatītu par draudīgu uzbrucēju. Ragastes galva mētājās šurpu turpu, stateniskās zīlītes iepletās, atņirdzās ilkņi...

Viņš pacēlās augstāk. Ragastes galva pacēlās līdzi, kakls izstiepās līdz galējai robežai un locījās kā čūska dīdītāja priekšā...

Harijs uzlaidās vēl gabaliņu augstāk, un pūķiene izgrūda saniknotu rēcienu. Viņai Harijs bija kā uzmācīga muša, kas prasīties prasās nositama. Ragaste trieca pa gaisu asti, taču muša bija pārāk augstu. Viņa izvēma liesmu kūli, bet Harijs izvairījās. Viņas žokļi papletās...

— Nu, nāc taču, — Harijs nočukstēja, virpuļodams viņai virs galvas, — nāc un grāb mani ciet, nāc nu... celies, celies...

Un tad ragaste atkāpās, beidzot izplezdama milzīgos ādainos spārnus, kas būtu lieti noderējuši nelielam planierim, un Harijs pikēja. Pirms pūķis aptvēra, ko uzbrucējs grasās darīt vai kur palicis, viņš brāzās pretim zemei, cik vien ātri spēja, pie olām, ko tagad vairs nesargāja ragastes nagainās priekšķepas. Atlaidis rokas no ugunsbultas, viņš satvēra zelta olu...

Un tūliņ aizdrāzās kā vējš, sastingdams virs tribīnēm ar smago olu veselajā rokā. Acumirklī šķita, ka kāds atkal ieslēdzis skaņu — pirmoreiz Harijs pa īstam sadzirdēja pūli, kas auroja un aplaudēja tikpat skaļi kā īru līdzjutēji pasaules kausa izcīņā.

— Paskat, paskat! — Maišelnieks kliedza. — Vai redzējāt? Mūsu jaunākais censonis olu dabūja rokā visātrāk! Tas vien nozīmē, ka Potera jaunkunga izredzes palielinās!

Pūķu uzraugi metās savaldīt ragasti, un Harijs redzēja, kā uz aploka vārtiem viņam pretim steidzas profesore Maksūra, profesors

Tramdāns un Hagrids — visi priecīgi māja un smaidīja tā, ka tas bija redzams jau pa lielu gabalu. Izmetis vēl vienu loku virs tribīnēm un saceldams tādas gaviles, ka vai ausis plīsa pušu, Harijs līgani piezemējās. Sirds bija tik viegla, kādu viņš neatcerējās jutis nedēļām ilgi. Viņš bija izturējis pirmo pārbaudījumu, viņš bija dzīvs!

— Tas bija lieliski, Poter! — sauca profesore Maksūra, kad Harijs bija nolēcis no ugunsbultas. Viņa ar uzslavām mētāties nemēdza. Harijs pamanīja viņas roku trīsam, kad profesore norādīja uz viņa plecu: — Pirms tiesneši sniedz savu vērtējumu, jums jāparāda plecs Pomfreja madāmai, lūk, tur. Viņai jau nācās pielāpīt Digoriju...

— Tu to paveic, Harij! — Hagrids nosēcās. — Paveic! Un pretim šitai ragastei, ko, tu dzirdēj, Čārlijs teic esam pašu nešpetn...

— Paldies, Hagrid, — Harijs uzsvērti teica, lai neļautu Hagridam izpļāpāties un atklāt, ka pūķus viņam parādījis jau iepriekš.

Arī profesors Tramdāns izskatījās ļoti iepriecināts — viņa burvju acs dobulī dancoja vien.

— Galvenais — skaisti un viegli, Poter, — viņš noņurdēja.

— Poter, tagad, lūdzu, mudīgi uz pirmās palīdzības telti! — iejaucās profesore Maksūra.

Vēl īsti neticis pie elpas, Harijs izgāja no aploka un pie citas telts ieejas ieraudzīja stāvam diezgan noraizējušos Pomfreja madāmu.

— Pūķi, vai zinies! — viņa nošķendējās, ievilkdama Hariju iekšā. Telts ar aizslietņiem bija sadalīta mazos kambarīšos, aiz vienas starpsienas vīdēja Sedrika ēna, tomēr viņš nelikās smagi savainots — vismaz varēja nosēdēt. Pomfreja madāma aplūkoja Harija plecu, vienā laidā pikti murminādama. — Izgājšgad atprātotāji, šogad pūķi, diez ko viņi atvilks uz skolu nākamgad? Tev varen laimējies... Visai sekls... Tomēr vajadzēs iztīrīt, pirms dziedēšu ciet.

Pomfreja madāma izskaloja brūci ar kādu purpurkrāsas šķīdumu, kas kūpēja un koda, tad viņa iebakstīja Harijam plecā ar zizli, un brūce acumirklī aizdzija.

— Tā, tagad vienu brītiņu mierīgi pasēdi — *sēdi*! Un tad varēsi iet klausīties savu rezultātu.

Viņa izbrāzās laukā, un Harijs dzirdēja viņu ieskrienam blakus nodalījumā un ievaicājamies: — Vai tagad ir labāk, Digorij?

Harijs negribēja sēdēt mierīgi — dzīslās joprojām kūsāja adrenalīns. Viņš pielēca kājās, gribēdams paraudzīties, kas notiek laukā, bet, iekams tika līdz durvīm, teltī iesteidzās Hermione, bet viņai uz papēžiem — Rons.

— Harij, tu biji vienreizīgs! — Hermione spiedza. Uz vaigiem viņai vīdēja nagu pēdas — tur viņa acīmredzot bija iegrābusies, tupēdama tribīnēs un baiļodamās. — Tu biji apbrīnojams! Goda vārds!

Bet Harijs skatījās uz Ronu, kurš bija balts kā palags un vērās uz Hariju tā, it kā redzētu spoku.

— Harij, — viņš ļoti nopietni ierunājās, — tas, kurš ielika tavu vārdu Biķerī... es... es domāju, ka viņi grib tevi piebeigt!

Bija tā, it kā pēdējās pāris nedēļas itin nekas nebūtu noticis — it kā Harijs būtu sastapis Ronu pirmo reizi pēc tam, kad bija padarīts par censoni.

— Pielēca, ko? — Harijs dzedri novilka. — Diezgan ilgi gāja.

Hermione uztraukusies stāvēja abiem pa vidu, skatīdamās te uz vienu, te uz otru. Rons neizlēmīgi pavēra muti. Harijs zināja, ka viņš grib atvainoties, un piepeši atskārta, ka nemaz negrib to dzirdēt.

— Ir jau labi, — viņš nobēra, iekams Rons paspēja bilst kaut vārdu. — Nerunāsim vairs par to.

— Nē, — Rons pakratīja galvu, — man nevajadzēja...

— *Liecies mierā*, — Harijs noskaldīja.

Rons nervozi pasmaidīja, un Harijs pasmaidīja viņam pretim.

Hermione iešņukstējās.

— Te tak nav par ko raudāt! — Harijs apjucis norādīja.

— Jūs abi divi esat tādi *stulbeņi*! — Viņa piecirta kāju, asarām šķīstot uz visām pusēm. Tad, pirms viņi ar Ronu attapās, Hermione abiem apķērās ap kaklu un aizdrāzās, nu jau ļaudama asarām pilnu vaļu.

— Satriecoši! — Rons nogrozīja galvu. — Harij, laižam, viņi tūliņ sauks rezultātus...

Paķēris zelta olu un ugunsbultu un juzdamies tik pacilāts, ka vēl pirms stundas to nebūtu varējis ne iedomāties, Harijs izbrāzās no telts līdzās Ronam, kas runāja bez mitas.

— Zini, tu biji vislabākais no visiem. Sedriks izdarījās tā jocīgi — pārvērta vienu akmeni... par suni... Domāja, ka pūķis ies virsū sunim, nevis viņam. Nu jā, pārvēršana jau iznāca visai iespaidīga un arī tā kā nostrādāja, jo olu viņš rokā dabūja, tomēr arī apdega, jo pusceļā pūķis pārdomāja un nosprieda, ka labāk ķersies klāt Sedrikam, nevis labradoram. Viņš tik tikko paglābās. Un tā Flēra mēģināja likt lietā kaut kādu burvestību — manuprāt, viņa gribēja pūķi novest it kā transā. Un arī tas nostrādāja, šis palika tāds miegains, bet tad iekrācās, izšāvās uguns, un viņai aizdegās svārki. Nācās izšļākt ūdeni no zižļa, lai tos apdzēstu. Un Krums — tu neticēsi, bet viņam lidot ij prātā nenāca! Tomēr es teiktu, ka viņš bija labākais tūliņ pēc tevis. Kaut ko iebūra viņam acīs. Tikai pūķis ņēmās sāpēs mētāties un sašķaidīja pusi īsto olu — par to viņam noņēma punktus, jo neko ļaunu pūķiem nodarīt nebija ļauts.

Rons ievilka elpu tikai tad, kad viņi abi bija nonākuši pie aploka žoga. Tagad, kad ragaste no aploka bija aizvākta, Harijs ieraudzīja pretējā pusē novietotu paaugstinājumu, uz kura ar zelta pārklājiem rotātos krēslos sēdēja pieci tiesneši.

— Katrs liek atzīmi, augstākā ir desmit punkti, — Rons paziņoja, un Harijs, skatīdamies pāri laukumam, redzēja, kā zizli paceļ pirmais tiesnesis — Maksima madāma. No tā izšāvās it kā gara, sudrabota lente, kas izlocījās par lielu astoņnieku.

— Nav slikti! — Rons atzina, pūlēdamies pārkliegt aplausus. — Droši vien viņa paņēma nost punktus par plecu.

Nākamais bija Zemvalža kungs. Viņš gaisā izšāva devītnieku.

— Izskatās labi! — Rons nokliedzās, iebukņīdams Harijam mugurā.

Nākamais bija Dumidors. Arī viņš pacēla devītnieku. Pūlis gavilēja aizgūtnēm.

Ludo Maišelnieks — *desmit*.

— Desmit? — Harijs neticīgi nomurmināja. — Bet... es tiku savainots... kādas spēlītes viņš te spēlē?

— Harij, nesūksties! — Rons aizrautīgi iesaucās.

Un nu zizli pacēla Karkarovs. Viņš brīdi vilcinājās, un tad arī izšāva gaisā ciparu — četrinieku.

— *Ko*? — Rons dusmās ieaurojās. — *Četri*? Utainais, netaisnais draņķagabals tāds, Krumam tu ieliki desmit!

Bet Harijs par to neraizējās un nebūtu satraucies, pat ja Karkarovs viņam ieliktu nulli. Viņam likās, ka daudz vairāk — veselu simt punktu vērts ir Rona sašutums. To viņš Ronam, protams, neteica, tomēr tad, kad viņi pagriezās, lai dotos projām no aploka, juta sirdi krūtīs spurdzam viegli kā putnu. Un runa jau nebija par Ronu vien... Pūlī viņam uzgavilēja ne tikai grifidori. Galu galā brīdī, kad noskaidrojās, kas ir tas, kam Harijs ir spiests stāties pretim, lielākā daļa skolasbiedru tomēr bija viņa un Sedrika pusē. Par slīdeņiem viņš nelikās ne zinis, tagad viņi Harija dēļ varēja kaut muti izrunāt sausu.

— Tu esi pirmajā vietā, Harij! Jūs abi ar Krumu! — atpakaļceļā uz skolu viņiem klāt piesteidzās Čārlijs Vīzlijs. — Klau, man jāskrien, jāaizsūta mammai pūce. Es zvērēju, ka pavēstīšu viņai, kas notiek, bet tas bija fantastiski! Ak jā, man tev jāpasaka, lai vēl pāris minūtes uzkavējies. Maišelnieks grib kaut ko teikt. Aizej uz censoņu telti.

Rons solījās pagaidīt, un Harijs devās atpakaļ uz telti, kas tagad nezin kāpēc izskatījās pavisam citāda — draudzīga un aicinoša. Tagad, kad viņš apdomāja, kā bija juties, spēlēdams sunīšus ar ragasti, un kā — sēdēdams un gaidīdams, līdz varēs tai stāties pretim, tur nebija ko salīdzināt, gaidīšana bija nesamērīgi ļaunāka.

Flēra, Sedriks un Krums ienāca visi reizē.

Vienu Sedrika sejas pusi klāja bieza oranža ziede, kas acīmredzot dziedēja apdeguma brūces. Ieraudzījis Hariju, viņš pasmaidīja. — Malacis, Harij.

— Tu jau tāpat, — Harijs pasmaidīja pretim.

— *Visi* malači! Krietni pastrādājuši. — Teltī iespriņģoja Ludo Maišelnieks, izskatīdamies tik apmierināts, it kā pats būtu apspēlējis kādu pūķi. — Tā, un nu pāris vārdu. Tagad jums būs garš, jauks pārtraukums — nākamais pārbaudījums notiks divdesmit ceturtajā februārī pulksten pusdeviņos no rīta. Bet mēs esam parūpējušies, lai jums tostarp nenāktos garlaikoties! Ja aplūkosiet savas zelta olas, redzēsiet, ka tās iespējams atvērt... Redzat eņģītes? Jums jāatrisina uzdevums, kas olā ieslēpts, jo tad jūs zināsiet, kāds būs otrais pārbaudījums, un varēsiet tam sagatavoties! Skaidrs? Tiešām? Labs ir, tad varat skriet!

Izgājis no telts, Harijs pievienojās Ronam, un abi gar mežmalu runādamies devās atpakaļ uz pili. Harijs gribēja sīkāk zināt visu, ko darījuši pārējie censoņi. Tikko abi bija apgājuši apkārt koku pudurim, aiz kura Harijs bija pirmoreiz izdzirdējis pūķu rēcienus, viņiem aiz muguras no krūmiem izlēca kāda ragana.

Tā bija Rita Knisle. Tagad viņai mugurā bija indīgi zaļa mantija, un Smukstāstu Spalva, ko viņa turēja rokā, ar to ļoti labi saderējās.

— Apsveicu, Harij! — viņa starodama iesaucās. — Es te iedomājos, ka tev varētu būt pāris vārdi sakāmi. Ko tu juti, kad nostājies pretim pūķim? Ko tu *tagad* domā — vai tiesāšana bija taisnīga?

— Jā, man ir gan jums pāris vārdi sakāmi, — Harijs skarbi atteica. — *Visu gaišu.*

Un viņš kopā ar Ronu devās atpakaļ uz pili.

DIVDESMIT PIRMĀ NODAĻA

# MĀJAS EĻFU ATBRĪVOŠANAS FRONTE

Vakarā Harijs, Rons un Hermione uzkāpa Pūču mājā, lai atrastu Pumperniķeli, kas Siriusam varētu nogādāt ziņu, ka Harijam izdevies neskartam tikt garām pūķim. Pa ceļam Harijs izstāstīja Ronam visu, ko Siriuss bija teicis par Karkarovu. Padzirdējis, ka Karkarovs bijis nāvēdis, Rons pirmajā mirklī šķita pagalam satriekts, taču, iedams iekšā Pūču mājā, viņš jau apgalvoja, ka kas tāds visu laiku esot bijis gaidāms.

— Bet tad jau viss saskan, vai ne? — viņš teica. — Atceries, ko Malfojs stāstīja vilcienā — ka viņa tēvs ar Karkarovu ir draugos? Tagad mēs zinām, kur viņi tikušies. Droši vien skraidelēja apkārt Pasaules kausa izcīņā, maskas apvilkušies... Bet es tev teikšu vienu, Harij: ja tavu vārdu Biķerī ielika Karkarovs, viņš tagad jūtas galīgi stulbi, vai ne? Nenostrādāja! Tu dabūji tikai vienu skrambiņu! Nāc šurp, ļauj man...

Pumperniķelis bija tik pārņemts ar domu, ka būs vēstnesis, ka virpuļoja ap Harija galvu kā sadedzis, nemitīgi ūjinādams. Rons putnu sagrāba un turēja ciet, kamēr Harijs tam pie kājas piestiprināja vēstuli.

— Pārējie pārbaudījumi taču nebūs tik bīstami? Tas taču nav iespējams? — Rons atsāka, nesdams Pumperniķeli pie loga. — Zini ko? Manuprāt, tu šajā turnīrā uzvarēsi, Harij. Nopietni!

Harijs zināja, ka Rons tikai lūko labot to, kas noticis pēdējās nedēļās, tomēr tik un tā jutās pateicīgs. Bet Hermione atspiedās pret Pūču mājas sienu, sakrustoja rokas uz krūtīm un uzmeta Ronam piktu skatienu.

— Harijam līdz turnīra beigām vēl garš ceļš priekšā, — viņa nopietni aizrādīja. — Ja pirmais uzdevums bija šāds, es negribu pat domāt par to, kādi būs pārējie.

— Tu nu gan esi īsts saulstariņš! — Rons piezīmēja. — Tev vajadzētu vairāk laika pavadīt kopā ar profesori Triloniju.

Viņš izsvieda Pumperniķeli laukā pa logu. Tā vairākus metrus krita lejup kā akmens, iekams plivinādamies pamanījās noturēties gaisā — pie pūces kājas piesietā vēstule bija garāka un smagāka nekā parasti, jo Harijs nebija spējis pretoties kārdinājumam sīki jo sīki izklāstīt, kā līkumojis, riņķojis un šaudījies, lai apvestu ap stūri ragasti.

Kad Pumperniķelis pēdīgi pagaisa tumsā, Rons teica: — Tad jau laikam jāiet lejā uz tavu pārsteiguma balli, Harij. Freds un Džordžs nu jau būs paspējuši sačiept visu ko no virtuves.

Un tā bija tiesa. Kad viņi iegāja grifidoru kopistabā, no jauna sacēlās gaviļu un spiedzienu vētra. Visi iespējamie stūri bija krautin nokrauti ar kūku kalniem, ķirbju sulas karafēm un sviestalus blašķēm. Lī Džordans bija palaidis vairākas "Dr. Filibastera slapjās aizdedzes aukstās raķetes", tā ka gaiss bija zvaigžņu un dzirksteļu pilns, bet Dīns Tomass, kam padevās zīmēšana, bija uzmeistarojis vairākus iespaidīgus karogus — daudzos Harijs bija tēlots uz ugunsbultas šaudāmies ap ragastes galvu, tomēr vienā otrā bija redzams arī Sedriks ar liesmu apņemtu galvu.

Harijs ķērās pie ēšanas. Viņš bija gandrīz aizmirsis, ko nozīmē īsts izsalkums. Rons un Hermione sēdēja līdzās, un Harijs jutās neiedomājami laimīgs — Rons atkal bija viņa pusē, pirmais pārbaudījums aiz muguras, un nākamais būs tikai pēc trim mēnešiem.

— Johaidī, smaga gan, — Lī Džordans pacilāja zelta olu, ko Harijs bija atstājis uz galda. — Taisi vaļā, Harij! Paskatīsimies, kas tur iekšā!

— Viņam tā jāatšifrē vienam pašam, — Hermione žigli iejaucās. — Tā teikts turnīra noteikumos...

— Man jau vienam pašam vajadzēja arī izdomāt, kā tikt garām pūķim, — Harijs nomurmināja tā, ka tikai Hermione varēja sadzirdēt, un viņa visai vainīgi pasmaidīja.

— Jā, Harij, aiziet, taisi vaļā! — arī citi mudināja.

Lī pasniedza Harijam olu. Tai visapkārt stiepās rieviņa, Harijs ieķērās tajā ar nagiem un atlauza čaulu.

Ola bija doba un pilnīgi tukša, taču brīdī, kad Harijs to atvēra, istabu pieskandināja šausminošas, griezīgas gaudas. Vienīgo troksni, kas kaut attāli būtu tām pielīdzināms, Harijs atminējās dzirdējis Gandrīz-Bezgalvas-Nika nāves jubilejas svinībās, kur visi spoku orķestra muzikanti spēlēja tikai vienu instrumentu — zāģi.

— Taisi ciet! — Freds nobrēcās, aizspiedis ausis.

— Kas tas bija? — ieprasījās Šīmuss Finigens, blenzdams uz olu, ko Harijs tikko bija aizcirtis ciet. — Izklausījās pēc spīganas... Varbūt tagad tev vajadzēs tikt garām kādai no tām, Harij?

— Tur kādu spīdzina! — ierunājās Nevils, kurš bija nobālis kā līķis un izkaisījis pa grīdu desmaizes. — Tev būs jāstājas pretim *Mokum* lāstam!

— Neesi nelga, Nevil, tas ir pretlikumīgi, — Džordžs aizrādīja. — Pret censoņiem *Mokum* lāstu neviens neizmantos. Man gan šķita, ka tas izklausījās tā kā pēc Persija dziedāšanas... Varbūt tev, Harij, vajadzēs uzbrukt Persijam, kamēr viņš mazgājas dušā.

— Gribi ievārījuma kūciņu, Hermione? — Freds piedāvāja.

Hermione aizdomīgi pablenza uz pastiepto šķīvi. Freds pasmīnēja.

— Tām nekas nekaiš, — viņš noteica. — Šitām es neko neesmu nodarījis. Bet no krējumkūkām gan piesargies...

Nevils, kas tikko bija iekodies krējumkūciņā, aizrijās un kumosu izspļāva.

Freds iesmējās. — Tikai mazs, nevainīgs jociņš, Nevil...

Hermione paņēma ievārījuma kūku.

Tad viņa ievaicājās: — Vai šito visu jūs dabūjāt virtuvē, Fred?

— Aha, — Freds nosmaidīja un iespiedzās, atdarinādams mājas elfu. — "Visu ko mēs varam jums dabūt, kungs, visu ko!" Viņi ir briesmoti izpalīdzīgi... sagādātu ceptu vērsi, ja es teiktu, ka man vilki gaudo vēderā.

— Kā jūs tur tiekat iekšā? — Hermione it kā starp citu nevainīgi noprasīja.

— Tas ir vieglāk par vieglu, — Freds atteica. — Pa slepenām durvīm, kas atrodas aiz gleznas ar augļu vāzi. Vajag tikai pakutināt bumbieri, tas ieķiķinās, un... — Viņš apmulsa un uzmeta Hermionei aizdomu pilnu skatienu. — Kāpēc tu prasi?

— Tāpat vien, — viņa nobēra.

— Dosies organizēt mājas elfu sacelšanos? — Džordžs jautāja. — Skrejlapas metīsi pie malas un tagad musināsi viņus uz dumpi?

Dažs labs iespurdzās. Hermione cieta klusu.

— Neiedrošinies viņiem jaukt galvu ar stāstiem par to, ka viņiem pienākas drēbes un alga! — Freds brīdinoši noteica. — Tu novērsīsi viņu uzmanību no cepšanas un vārīšanas!

Taču tieši tobrīd visi pievērsās Nevilam, kas pārvērtās par lielu kanārijputniņu.

— Vai, piedod, Nevil! — Freds skaļi iesaucās, lai pārkliegtu smieklu šalti. — Man piemirsās — mēs patiešām nolādējām *krējumkūkas*...

Pēc brīža Nevils tomēr sāka mest spalvu, un, kad tās visas bija izkritušas, viņš atkal izskatījās pavisam normāli. Viņš pat ņēmās smieties kopā ar pārējiem.

— Kanārijkūkas! — Freds uzsauca jautrajam bariņam. — Mēs ar Džordžu tās izgudrojām — septiņi sirpi gabalā, pa lēto!

Pulkstenis rādīja teju viens naktī, kad Harijs kopā ar Ronu, Nevilu, Šīmusu un Dīnu beidzot uzkāpa augšā guļamistabā. Vēl neaizvilcis gultas aizkarus, viņš uz galdiņa turpat līdzās nolika savu sīciņo Ungārijas ragasti — pūķītis nožāvājās, saritinājās kamolā un aizvēra acis. Nudien, Harijs nosprieda, aizkarus aizvilkdams, Hagridam ir sava daļa taisnības... Viņiem tik tiešām nav nekādas vainas, tiem pūķiem...

* * *

Decembris Cūkkārpā ieradās ar vēju un slapjdraņķi. Ziemas laikā pilī allaž no visiem kaktiem vilka caurvējš, tomēr Harijs ar labpatiku iedomājās par kamīniem un biezajiem mūriem ikreiz, kad gāja garām Durmštrangas kuģim, kas stāvēja ezerā, visu vēju varā, melnajām burām plandoties pret tumšajām debesīm. Arī bosbatonieši droši vien sala. Hagrids, cik varēja noprast, Maksima madāmas zirgus kārtīgi apgādāja ar viņu iecienīto iesala viskiju — izgarojumi, kas cēlās no siles aploka stūrī, bija tik spēcīgi, ka, tos saelpojušies, maģisko būtņu kopšanas nodarbībās visi jutās tādā kā vīra dūšā. Tomēr tas neko daudz nelīdzēja, jo vēl aizvien vajadzēja noņemties ar šausmīgajiem mūdžiem, un tur vajadzēja skaidru galvu.

— Es īsti nezin, vai šie liekas ziemas guļā, — Hagrids pavēstīja audzēkņiem nākamajā nodarbībā, kad viņi, drebinādamies aukstajā vējā, bija sastājušies ķirbju lauciņā. — Man domāt, mēs paprovēsim un pastīsim, vai šie negrib nosnausties... Sakrāmēsim šos reku šitenās kastēs...

Dzīvajos bija palikuši vairs tikai desmit mūdži — acīmredzot izstaidzināšana tomēr nebija nomākusi viņu vēlmi citam citu galēt nost. Tagad katrs no viņiem jau bija gandrīz divus metrus garš. Ar pelēkajām bruņām, spēcīgajām, žiglajām kājām, pakaļgala spridzekļiem, kas izvirda liesmas, dzeloņiem un piesūcekņiem mūdži Harijam likās atbaidošākie radījumi, kādus jebkad nācies redzēt. Visi nomākti vērās uz milzu kastēm, ko Hagrids bija izvilcis laukā un izoderējis ar spilveniem un mīkstām segām.

— Mēs tik iedabūs šos te iekšā, — Hagrids sacīja, — uzliks virsū vāku un tad pastīs, kas būs.

Taču tā vien rādījās, ka mūdži laikam ziemas miegu vis neguļ un diez ko negrib tikt iesprostoti aiznaglotās, mīksti izoderētās kastēs. Drīz vien Hagrids jau auroja: — Tik bez panikas! Paklau, tik bez panikas! —, jo mūdži lēkāja šurpu turpu pa ķirbju lauku, tagad jau aplipuši ar kūpošām sprostu paliekām. Liela daļa audzēkņu ar Malfoju, Krabi un Goilu priekšgalā pa sētas pusi bija iemukuši Hagrida būdā un aizbarikādējuši durvis. Harijs, Rons un Hermione bija starp tiem, kas palika laukā un raudzīja palīdzēt Hagridam. Kopīgiem spēkiem viņiem izdevās savaldīt un sasiet deviņus mūdžus, lai gan daudzi tādēļ iedzīvojās skrambās un apdegumos. Visbeidzot uz brīvām kājām bija palicis viens vienīgs mūdzis.

— Tik nesabiedē šo! — Hagrids iebaurojās, kad Rons ar Hariju no saviem zižļiem ņēmās šaut ugunīgas dzirkstis, lai atvairītu mūdzi, kas viņiem draudīgi tuvojās, asti ar trīsošo dzeloni lokā izliecis pār muguru. — Tik pamēģin uzslidināt cilpu pār dzeloni, lai šis nesadzeļ pārējos!

— Jā gan, to mēs nepavisam negribētu! — Rons dusmīgi attrauca, kad viņi abi ar Hariju, joprojām apšaudīdami mūdzi ar dzirkstelēm, sajuta muguras atduramies pret Hagrida būdas sienu.

— Tā, tā, tā... vai nav *jautri*, ko?

Pār Hagrida dārza žogu jandāliņā noraudzījās Rita Knisle. Šodien viņa bija apvilkusi biezu, sarkanu apmetni ar purpura kažokādas apkakli, elkonī šūpojās krokodilādas rokassoma.

Hagrids metās uz priekšu, uzgāzās virsū mūdzim, kas bija iedzinis stūrī Hariju ar Ronu, un piespieda to pie zemes. Mūdža pakaļgals izšāva liesmas, nosvilinādamas tuvīnos ķirbju lakstus.

— Kas tu i? — Hagrids noprasīja Ritai Knislei, ap mūdža dzeloni apmezdams un cieši savilkdams virves cilpu.

— Rita Knisle, "Dienas Pareģa" reportiere, — Rita viņam starojoši uzsmaidīja, nospīdinādama zelta zobus.

— Man domāt, Dumidors tev teic, lai tu skolā acu nerād, — Hagrids ar viegli sarauktu pieri norāpās no nedaudz samīcītā mūdža un sāka to vilkt pie pārējiem.

Rita izlikās, ka Hagrida teikto nav dzirdējusi.

— Kā sauc šos apburošos radījumus? — viņa pajautāja, pasmaidīdama vēl jo sirsnīgāk.

— Spridzekļmūdzīš, — Hagrids atņurdēja.

— Tiešām? — Ritas acīs iegailējās dzīva interese. — Nekad par tādiem neesmu dzirdējusi... No kurienes viņi te gadījušies?

Harijs pamanīja no Hagrida melnās, pinkainās bārdas augšup ceļamies mulsu pietvīkumu un piepeši sabijās. Nudien, *kur*, Hagrids tos mūdžus bija dabūjis?

Hermione, kas acīmredzot iedomājās to pašu, steigšus nobēra:

— Viņi ir ļoti interesanti, vai ne? Vai ne, Harij?

— Ko? Ā, jā... ui... interesanti, — Harijs pievienojās, kad Hermione viņam bija uzkāpusi uz kājas.

— Vai, arī *tu* esi te, Harij! — Rita Knisle iesaucās, paraudzījusies apkart. — Tātad tev patīk burvju dzīvnieki? Viens no taviem mīļākajiem priekšmetiem?

— Jā, — Harijs braši atbildēja. Hagrids viņam uzsmaidīja.

— Jauki, — Rita noteica. — Nudien jauki. Vai sen jau skolotāja darbā? — viņa izmeta uz Hagrida pusi.

Harijs pamanīja, kā viņas skatiens pārslīd pāri Dīnam (viņam vienu vaigu rotāja nejauka skramba), Lavenderai (stipri apsvilušas drānas), Šīmusam (viņš raudzīja appūst vairākus apdegušus pirkstus) un tad pievēršas būdas logiem, aiz kuriem vīdēja pārējie audzēkņi, piespieduši degunus pie rūtīm un gaidīdami, kad briesmas būs garām.

— Šitais man tik otrs gads, — Hagrids atbildēja.

— Jauki... diez vai jūs gribēsiet man sniegt interviju, ko? Padalīties pieredzē? Pastāstīt par burvju dzīvniekiem? "Pareģī" ik trešdienu ir zooloģijas rubrika — es nešaubos, ka šis fakts jums ir zināms. Mēs varētu uzrakstīt par šiem te... nu... midzekļu sprūdžiem.

— Spridzekļmūdžiem, — Hagrids dedzīgi atsaucās. — E... jā, par ko ne?

Harijam uzmācās ļoti nelāga priekšnojauta, tomēr nebija nekādas jēgas iet un par to stāstīt Hagridam Ritas Knisles acu priekšā, tāpēc viņam nācās stāvēt klusu un noskatīties, kā Hagrids ar Ritu Knisli norunā pēc pāris dienām tikties "Trijos slotaskātos", lai uzveidotu labu, garu interviju. Tad pilī noskanēja zvans, kas vēstīja stundas beigas.

— Nu tad, Harij, visu gaišu! — Rita Knisle viņam līksmi uzsauca, kad viņš kopā ar Ronu un Hermioni devās projām. — Tātad līdz piektdienas vakaram, Hagrid!

— Viņa visu, ko Hagrids teiks, sagrozīs līdz nepazīšanai, — Harijs nomurmināja.

— Un ja vēl viņš tos mūdžus ievedis nelegāli vai kaut kā tamlīdzīgi... — Hermione izmisusi teica. Visi trīs saskatījās — tieši uz to Hagrids bija spējīgs.

— Hagridam jau ir bijis kaudzēm nepatikšanu, un Dumidors ne reizi nav viņu padzinis, — Rons viņus mierināja. — Sliktākajā gadījumā Hagridam nāksies atvadīties no mūdžiem. Ui... vai es teicu "sliktākajā"? Es gribēju teikt — "labākajā".

Harijs un Hermione iespurdzās, un, nu jau juzdamies nedaudz labāk, visi devās pusdienās.

Topēcpusdien Harijs no visas sirds izbaudīja divas pareģošanas stundas. Viņi joprojām noņēmās ar zvaigžņu kartēm un prognožu sastādīšanu, taču tagad, kad abi ar Ronu bija izlīguši, viss atkal šķita varen uzjautrinoši. Profesore Trilonija, ko tik ļoti bija iepriecinājuši viņu sadomātie pareģojumi par pašu drīzu un šausmīgu bojāeju, ātri vien aizsvilās, jo Rons ar Hariju ņēmās vīpsnāt par viņas skaidrojumu, kā Plūtons var visvisādi un nelāgi iespaidot ikdienas dzīves norises.

— *Manuprāt*, — viņa norādīja, pēkšņi pieklususi līdz noslēpumainam čukstam, kas tomēr nespēja noslēpt nepārprotamo aizkaitinājumu, — *daži* no mums, — viņa ļoti zīmīgi palūkojās uz Hariju, — kļūtu mazliet *nopietnāki*, ja būtu redzējuši to, ko es vakar vakarā redzēju savā kristāla lodē. Es sēdēju, pievērsusies rokdarbiem, un piepeši mani pārņēma nepārvarama vēlme konsultēties ar lodi. Piecēlos, piegāju tai klāt, ielūkojos lodes kristāliskajās dzīlēs... un uzminiet, kas no tām lūkojās man pretī?

— Atbaidošs, sagrabējis sikspārnis milzu acenēs? — Rons nomurmināja zem deguna.

Harijs, cik spēka, pūlējās savilkt nopietnu ģīmi.

— *Nāve*, mīlīši.

Parvati un Lavendera šausmās ieplestām acīm aizšāva mutei priekšā roku.

— Jā, — profesore Trilonija svinīgi pamāja ar galvu, — tā nāk, tā tuvojas, tā met pār mums lokus kā maitasputns, laižoties aizvien zemāk... Aizvien tuvāk pilij...

Viņa apsūdzoši pavērās uz Hariju, kas plati žāvājās.

— Ja viņa šito nebūtu klāstījusi jau reizes astoņdesmit, tas varbūt izklausītos drusku iespaidīgāk, — Harijs izmeta, kad viņi beidzot bija tikuši svaigākā gaisā — uz kāpnēm, kas veda lejā no profesores Trilonijas klases. — Bet, ja es būtu nolicis karoti ikreiz, kad viņa paziņo, ka tas notiks, es jau būtu medicīnas brīnums.

— Tu būtu tāds kā stiprs spoka koncentrāts, — Rons iespurdzās tieši tobrīd, kad viņiem garām pagāja Asiņainais barons, draudīgi nozibinādams platās acis. — Vismaz labi, ka viņa neuzdeva mājasdarbu. Es ceru, ka profesore Vektora Hermioni būs apkrāvusi, kā nākas, man tā patīk nestrādāt, kad viņai...

Bet Hermione vakariņās neieradās, un viņas nebija arī bibliotēkā, kur draugi ielūkojās pēc tam. Tur sēdēja tikai Viktors Krums. Rons labu laiku lodāja gar grāmatplauktiem, blenzdams uz Krumu un čukstus apspriezdamies ar Hariju, vai nebūtu īstais mirklis palūgt autogrāfu, bet tad atskārta, ka aiz blakus grāmatplaukta knosās sešas septiņas meitenes, kas sačukstas par tieši to pašu, un viņa entuziasms noplaka.

— Diez kur viņa ielīdusi? — Rons brīnījās, kad viņi ar Hariju devās atpakaļ uz Grifidora torni.

— Kas to lai zina... Pupu mizas.

Taču Resnā kundze tik tikko bija paspējusi pasviesties sāņus, kad draugiem aiz muguras atskanēja steidzīgu soļu dipoņa, kas vēstīja Hermiones parādīšanos.

— Harij! — viņa elsa, piejozusi abiem klāt (Resnā kundze viņai uzmeta pārsteigtu skatu). — Harij, tev jānāk... tev *jānāk*, noticis kaut kas vienreizīgs... lūdzu...

Sagrābusi Hariju pie rokas, meitene sāka vilkt viņu projām pa gaiteni.

— Kas par lietu? — Harijs iesaucās.

— Es tev parādīšu... ai, nu nāc taču, mudīgi...

Harijs atskatījās uz Ronu — Rona acis ziņkāri iezibējās.

— Nu labi, — Harijs noteica, dodamies līdzi Hermionei projām pa gaiteni. Rons metās abiem pakaļ.

— Nu protams, par mani neuztraucieties! — Resnā kundze sapīkusi nokliedza viņiem nopakaļ. — Nevajag atvainoties, ka mani iztramdījāt! Tā man te tagad jākarājas plati vaļā, kamēr sadomāsiet nākt atpakaļ, ko?

— Jā, paldies, — Rons nosauca pār plecu.

— Hermione, kurp mēs ejam? — Harijs noprasīja, kad visi bija nokāpuši sešus stāvus zemāk un nonākuši uz marmora kāpnēm, kas veda uz Ieejas zāli.

— Tūliņ redzēsiet, tūliņ! — Hermione attrauca.

Kāpņu lejasgalā viņa nogriezās pa kreisi un steidzās uz durvīm, kurās tovakar, kad Uguns biķeris izspļāva censoņu vārdus, bija pazudis Sedriks Digorijs. Tur Harijs vēl ne reizi nebija iegājis. Abi zēni Hermionei pa pēdām nokāpa lejā pa akmens kāpnēm, taču nonāca nevis drūmā pazemes ejā, kāda veda uz Strupa pagrabu, bet gan plašā, gaišu lāpu izgaismotā mūra gaitenī, ko rotāja košas gleznas — tajās lielākoties bija attēlotas visādas ēdamlietas.

— Ak tā, pag... — Harijs pusceļā ierunājās. — Pagaidi, Hermione...

— Ko? — viņa atskatījās, acīm priekā mirdzot.

— Es zinu, kas tev padomā, — Harijs sacīja.

Piebikstījis Ronam, viņš norādīja uz gleznu Hermionei aiz muguras. Tur greznojās milzīga sudraba augļu vāze.

— Hermione! — Rons piebalsoja. — Tu atkal gribi mūs ievilkt tajā vemšanas padarīšanā!

— Nē, nē, nepavisam! — viņa steigšus atsaucās. — Un tā nav nekāda *vemšana*, Ron...

— Ak tad esi nomainījusi nosaukumu? — Rons saviebās. — Kas tad mēs tagad tādi esam, ko? Mājas elfu atbrīvošanas fronte? Es netaisos lauzties iekšā virtuvē un pierunāt viņus nestrādāt, es to nedarīšu...

— Es to tev nemaz nelūdzu! — Hermione nepacietīgi iesaucās. — Es tikai nonācu ar viņiem visiem aprunāties un atradu... nu, Harij, *nāc*, es tev gribu parādīt!

Viņa no jauna saķēra Hariju pie rokas, aizvilka viņu pie gleznas ar milzīgo augļu vāzi, pastiepa rādītājpirkstu un pakutināja neparasti lielu, zaļu bumbieri. Tas iespurdzās, sāka locīties un piepeši pārvērtās par lielu, zaļu durvju rokturi. Hermione to satvēra, atrāva vaļā durvis un pamatīgi iebukņīja Harijam mugurā, iegrūzdama viņu pa tām iekšā.

Viņš tik tikko paspēja uzmest skatu vietai, kur bija nonācis — telpa bija milzīga, ar augstiem griestiem, ne mazāka par Lielo zāli, kam vajadzēja atrasties tepat virs galvas. Gar mūra sienām karājās spoži misiņa kastroļi un pannas, pāri pretim vīdēja liels, no ķieģeļiem mūrēts pavards. Taču, kolīdz Harijs pārkāpa pāri slieksnim, telpas vidū salēcās kaut kas maziņš un brāzās viņam klāt, spiegdams kā aizkauts: — Harijs Poters, kungs! *Harijs Poters*!

Nākamajā mirklī Harijam aizcirtās elpa, jo viņam pakrūtē no visa spēka ietriecās spiedzošs elfs, kurš tūliņ apķērās viņam apkārt un saspieda tik cieši, ka ribas tīri vai nobrakšķēja.

— D-dobij? — Harijs noelsās.

— Tas ir Dobijs, kungs, tas ir! — Atskanēja spiedziens apmēram Harija nabas augstumā. — Dobijs tā cerēja un cerēja ieraudzīt Hariju Poteru, kungs, un Harijs Poters pie viņa ir atnācis, kungs!

Dobijs atkabinājās un pakāpās pāris soļu atpakaļ, pievērsdams viņam starojošu skatienu. Milzīgajās, zaļajās, tenisbumbiņām līdzīgajās acīs mirdzēja laimes asaras. Elfs izskatījās tieši tāds, kāds viņš Harijam bija iespiedies atmiņā — noasinātam zīmulim līdzīgs degungals, sikspārņa ausis, gari pirksti un lielas pēdas... Vienīgi apģērbs bija pavisam citāds.

Kad Dobijs tika strādājis pie Malfojiem, viņš allaž staigāja apkārt, ieģērbies vienā un tajā pašā vecā, savalkātā spilvendrānā. Tagad viņam mugurā bija neredzēti ērmīgs komplekts — ģērbšanās mākslā elfs šķita vēl lielāks nepraša par burvjiem, kas bija ieradušies uz Pasaules kausa izcīņu. Cepures vietā Dobijs galvā bija uzvilcis tējkannas sildāmo mici, apspraudītu ar košām nozīmītēm. Uz plikās krūtežas greznojās ar pakaviņiem izrakstīta kaklasaite. Kājās elfs bija uzvilcis kaut ko, kas izskatījās pēc bērnu sporta īsbiksēm, un jokainas zeķes. Viena — melnā, ko Harijs bija norāvis sev no kājas, lai piedabūtu Malfoja kungu to iedot Dobijam, tādējādi viņu atsvabinot, bet otra — svītraina, sārti oranža.

— Dobij, ko tu te dari? — Harijs pārsteigts izsaucās.

— Dobijs ir atnācis strādāt Cūkkārpā, kungs! — elfs satraukti iepīkstējās. — Profesors Dumidors iedeva Dobijam un Vinkijai darbu, kungs!

— Vinkijai? Viņa arī ir šeit?

— Jā, kungs, jā! — Dobijs saķēra Hariju pie rokas un aizvilka viņu virtuves vidū starp četriem lieliem koka galdiem. Harijs ievēroja, ka tie izvietoti tieši tāpat kā Lielajā zālē četru torņu galdi. Tobrīd nekādas ēdmaņas uz tiem nebija, jo vakariņas jau bija galā, taču vēl pirms stundas tie droši vien bija kā krautin nokrauti ar gardumiem, kas cauri griestiem ceļoja uz saviem stāvu augstāk noliktajiem līdziniekiem.

Virtuvē stāvēja apmēram simt elfu — kad Dobijs veda Hariju viņiem garām, visi staroja, klanījās un kniksēja. Viņi bija saģērbušies pilnīgi vienādi — ar Cūkkārpas ģerboni apzīmogotā trauku dvielī, tajos elfi — kā izgājušo reizi Vinkija — bija ietinušies kā togā.

Apstājies pie mūra pavarda, Dobijs pastiepa pirkstu: — Vinkija, kungs!

Vinkija tupēja uz ķebļa pavarda priekšā. Pretstatā Dobijam viņa acīmredzot nenodarbojās ar lupatu lasīšanu. Vinkijai mugurā bija parasti bruncīši un blūzīte, galvā — pieskaņota, zila cepure ar caurumiem, pa kuriem laukā līda lielās ausis. Taču Dobija ērmotie apģērba gabali bija spodri un kārtīgi, tā ka izskatījās pilnīgi jauni, kurpretim Vinkija, šķiet, par savām drēbēm itin nemaz nerūpējās. Uz blūzes rēgojās zupas traipi, un svārkos vīdēja izdedzis caurums.

— Sveika, Vinkij, — Harijs viņu sveicināja.

Vinkijai ietrīcējās lūpa. Tad viņa izplūda asarās — tās šļācās no lielajām, brūnajām acīm, noslapinādamas visu krūtežu gluži tāpat kā toreiz, kalambola Pasaules kausa izcīņā.

— Ak vai, — Hermione nopūtās. Viņa un Rons bija nākuši Harijam ar Dobiju līdzi. — Vinkij, neraudi, lūdzu...

Bet Vinkija nu jau brēca kā aizkauta. Savukārt Dobijs palūkojās augšup uz Hariju un no jauna atplauka smaidā.

— Vai Harijs Poters gribētu tasi tējas? — viņš skaļi iespiedzās, lai pārkliegtu Vinkijas elsas.

— Nu... jā, labi, — Harijs teica.

Acumirklī piesteidzās kādi seši mājas elfi, stiepdami lielu sudraba paplāti, uz kuras stāvēja tējkanna, trīs tases — Harijam, Ronam un Hermionei —, piena krūze un prāvs šķīvis ar cepumiem.

— Lieliska apkalpošana! — Rons pārsteigts atzīmēja. Hermione sarauca pieri, taču elfi šķita iepriecināti, ļoti zemu paklanījās un pakāpās maliņā.

— Cik ilgi tu jau te esi, Dobij? — Harijs apvaicājās, kamēr Dobijs visiem lēja tēju.

— Tikai nedēļu, Harij Poter, kungs! — Dobijs priecīgi atsaucās. — Dobijs atnāca satikt profesoru Dumidoru, kungs. Redziet, kungs, atlaistam mājas elfam ir ļoti grūti atrast jaunu vietu, nudien ļoti grūti...

To izdzirdusi, Vinkija iegaudojās vēl žēlāk, saspiestam tomātam līdzīgais deguntelis bija nopilinājis visu klēpi, tomēr asaru plūdus viņa pat nemēģināja apturēt.

— Dobijs divus garus gadus ir ceļojis riņķī apkārt, raudzīdams atrast darbu, kungs! — Dobijs nopīkstēja. — Bet Dobijs nav atradis darbu, kungs, tāpēc ka Dobijs tagad grib, lai viņam maksā!

Virtuves elfi, visu laiku skatījušies un klausījušies ar dzīvu interesi, pēkšņi novērsās, itin kā Dobijs būtu izrunājis kaut ko rupju un nepieklājīgu.

Taču Hermione uzsauca: — Pareizi, Dobij!

— Paldies, jaunkundz, — Dobijs atieza zobus smaidā. — Tikai vairākums burvju negrib mājas elfu, kurš prasa maksu, jaunkundz. "No tāda mājas elfa nav nekādas jēgas," viņi saka un aizcirta durvis Dobijam deguna priekšā! Dobijam patīk strādāt, bet viņš grib drēbes un grib maksu, Harij Poter... Dobijam patīk būt brīvam!

Cūkkārpas mājas elfi ņēmās virzīties no Dobija tā patālāk projām, it kā viņš būtu apkritis ar kādu lipīgu sērgu. Vinkija tomēr palika, kur bijusi, lai gan sāka raudāt ar jaunu sparu.

— Un tad, Harij Poter, Dobijs iet apciemot Vinkiju un redz, ka arī Vinkija ir palaista vaļā, kungs! — Dobijs līksmi paziņoja.

Pēc šiem vārdiem Vinkija nošļuka no ķebļa un sabruka uz klona grīdas, dauzīdama to ar sīkajām dūrītēm un žēli brēkdama. Hermione steigšus nometās viņai līdzās un mēģināja mierināt, tomēr labuma no tā nebija itin nekāda.

Dobijs stāstīja tālāk, raudzīdams spiegt vēl spalgāk, lai pārkliegtu Vinkijas vaimanas: — Un tad Dobijs iedomājās, Harij Poter, kungs! "Kāpēc Dobijs un Vinkija nemeklē darbu kopā?" Dobijs saka. "Kur ir gana darba diviem mājas elfiem?" saka Vinkija. Un Dobijs domā un tad saprot, kungs! *Cūkkārpā*! Tā Dobijs ar Vinkiju nāca satikt profesoru Dumidoru, kungs, un profesors Dumidors mūs nolīga!

Dobijs atplauka laimīgā smaidā, un acīs viņam no jauna sakāpa prieka asaras.

— Un profesors Dumidors saka — viņš maksās Dobijam, kungs, ja Dobijs grib maksu! Un tā Dobijs ir brīvs elfs, kungs, un Dobijs dabū galeonu nedēļā un vienu brīvdienu mēnesī!

— Necik daudz tas nav! — Hermione sašutusi izsaucās, vēl aizvien kluknēdama uz grīdas, kur Vinkija nerimās kaukt un dauzīt dūrītes.

— Profesors Dumidors piedāvāja Dobijam desmit galeonus nedēļā un brīvas nedēļas nogales, — Dobijs piepeši nodrebinājās, it kā doma par tik milzīgu bagātību un laiskošanos viņam uzdzītu šermuļus, — bet Dobijs kaulējās un nokaulēja, jaunkundz... Dobijam patīk brīvība, jaunkundz, bet viņam negribas par daudz, jaunkundz, viņam labāk patīk strādāt.

— Un cik profesors Dumidors maksā tev, Vinkij? — Hermione laipni pavaicāja.

Ja viņa tādējādi bija iedomājusies Vinkiju uzmundrināt, tad rūgti maldījās. Vinkija patiesi rimās šņukstēt, bet tad uzslējās sēdus un ieurbās Hermionē ar milzonīgajām, brūnajām acīm, kas saraudātajā sejā piepeši gailēja nikni un pārmetoši.

— Vinkija ir negodā kritis elfs, bet Vinkijai vēl nemaksā! — viņa iespiedzās. — Vinkija vēl nav kritis tik zemu! Vinkijai ir ļoti kauns, ka viņa palaists vaļā!

— Kauns? — Hermione apjukusi novilka. — Bet... Vinkij, paklausies! Ne jau tev, bet Zemvalža kungam būtu jākaunas! Tu neko sliktu neesi darījusi, viņš pret tevi izturējās šausmīgi...

To dzirdot, Vinkija piešāva rokas pie cepures caurumiem, pieplacinādama ausis pie galvas, lai nedzirdētu vairs ne vārda, un iebrēcās: — Jūs neiesiet apvainot manu saimnieku, jaunkundz! Jūs neiesiet apvainot Zemvalža kungu! Zemvalža kungs ir labs burvis, jaunkundz! Zemvalža kungs darīja pareizi, kad palaida vaļā slikto Vinkiju!

— Vinkijai ir grūti aprast, Harij Poter, — Dobijs viņam paklusām papīkstēja. — Vinkija aizmirst, ka viņa vairs nav sasaistīta ar Zemvalža kungu. Viņa tagad drīkst runāt, ko domā, bet viņa to nedarīs.

— Tātad mājas elfi nevar runāt to, ko domā par saviem saimniekiem? — Harijs apjautājās.

— Ai, nē, kungs, nē, — Dobijs kļuva nopietns. — Tas pieder pie mājas elfu verdzības, kungs. Mēs glabās viņu noslēpumus un cietīs klusu, kungs, mēs rūpēsies par ģimenes godu un nekad nerunās par viņiem sliktu... Lai gan profesors Dumidors teica Dobijam, ka tas nav svarīgi. Profesors Dumidors teica, ka mēs pat varam... varam...

Viņš pēkšņi satraucās un pieliecās Harijam tuvāk. Harijs paliecās viņam pretim.

Dobijs čukstēja: — Viņš teica, ka mēs, ja gribēs, varam saukt viņu par... veco, ķerto ērmu, kungs! — Un pats pārbijies ieķiķinājās.

— Bet Dobijs negribēs, Harij Poter, — Dobijs no jauna ierunājās savā parastajā balsī un nopurināja galvu tā, ka ausis noplīkšķēja. — Dobijam ļoti patīk profesors Dumidors, kungs, un Dobijs ir lepns glabāt viņa noslēpumus.

— Toties par Malfojiem tu tagad gan vari runāt, ko vien gribi? — Harijs pasmīkņāja.

Dobija milzīgajās acīs iezagās baiļu ēna.

— Dobijs... Dobijs varētu, — viņš nedroši piekrita un ierāva galvu sīciņajos plecos. — Dobijs varētu teikt Harijam Poteram, ka vecie saimnieki bija... bija... *sliktie tumšie burvji*!

Elfs brīdi stāvēja, viscaur trīcēdams šausmās un bailēs no paša pārdrošības, bet tad metās pie tuvākā galda un ņēmās no visa spēka pret to sisties ar galvu, spiegdams: — *Dobijs slikts*! *Dobijs slikts*!

Harijs no mugurpuses sagrāba Dobiju aiz kaklasaites un atrāva viņu nostāk no galda.

— Paldies, Harij Poter, paldies, — Dobijs nočukstēja, berzēdams pieri.

— Tev vienkārši jāpatrenējas, — Harijs viņu mierināja.

— Jāpatrenējas! — nikni iespiedzās Vinkija. — Tev nākas kaunēties, Dobij! Šitā runās par saviem saimniekiem!

— Viņi nebūs vairs man saimnieki, Vinkij, — Dobijs izaicinoši atcirta. — Dobijam tagad vienalga, ko viņi domā!

— Ai, ai, tu esi slikts elfs, Dobij! — Vinkija novaidējās, no jauna izplūzdama asarās. — Mans nabaga Zemvalža kungs, ko viņš dara bez Vinkijas? Viņam mani vajag, viņam manu palīdzību vajag! Es rūpējas par Zemvalžiem visu mūžu, un mana māte to dara pirms manis, un mana vecmamma to dara pirms viņas... Ak, ko lai viņas saka, ja zinātu, ka Vinkija palaists vaļā? Ak, kauns, kauns! — Viņa ieslēpa seju brunčos un no jauna ņēmās bļaut.

— Vinkij, — Hermione stingri ierunājās. — Es skaidri zinu, ka Zemvalža kungs bez tevis iztiek gluži labi. Zini, mēs viņu redzējām...

— Jūs redz manu saimnieku? — Vinkijai aizrāvās elpa, viņa pacēla augšup saraudāto seju un ar izvelbtajām acīm uzlūkoja Hermioni. — Jūs redz viņu te, Cūkkārpā?

— Jā, — Hermione apliecināja. — Viņi abi ar Maišelnieka kungu ir tiesneši Trejburvju turnīrā.

— Arī Maišelnieka kungs te nāk? — Vinkija iespiedzās un Harijam par milzu pārsteigumu (arī Rons ar Hermioni izbrīnījās — par to liecināja viņu sejas) atkal saskaitās. — Maišelnieka kungs ir slikts burvis! Ļoti slikts burvis! Manam kungam viņš nepatīk, nē, galīgi nemaz!

— Maišelnieks ir slikts? — Harijs pārvaicāja.

— Ai, jā, — Vinkija dedzīgi pamāja ar galvu. — Mans saimnieks Vinkijai šo to stāsta! Bet Vinkija nesaka... Vinkija... Vinkija glabā saimnieka noslēpumus...

Viņa no jauna apraudājās, un cauri brunčiem bija dzirdamas apslāpētas elsas: — Nabaga saimnieks, nabaga saimnieks, nav Vinkijas, kas viņam palīdzēs!

Neko sakarīgu no viņas izdabūt vairs neizdevās. Atstājuši Vinkiju joprojām lejam gaužas asaras, viņi padzēra tēju, klausīdamies, kā Dobijs priecīgi pļāpā par brīva elfa dzīvi un viņa plāniem, kā notērēt algu.

— Dobijs tagad nopirks džemperi, Harij Poter! — viņš līksmi norādīja uz savu pliko vēderu.

— Zini ko, Dobij? — ierunājās Rons, kam elfs laikam bija itin iepaticies. — Es tev atdošu to, ko man mamma noadīs uz Ziemassvētkiem, — viņa vienmēr man vienu atsūta. Kastaņbrūns derēs?

Dobijs izskatījās iepriecināts.

— Varbūt vajadzēs pataisīt drusku mazāku, lai der tavam augumam, — Rons piebilda, — taču tas labi saderēsies ar tavu tējkannas sildāmo.

Kad viņi sāka posties uz promiešanu, pārējie elfi ņēmās mākties virsū, piedāvādami viesiem našķus, ko paņemt līdzi. Hermione atteicās, apbēdināta noraudzīdamās, kā elfi klanās un kniksē vienā laidā, bet Harijs un Rons gan piebāza kabatas ar krēma kūkām un pīrāgiem.

— Liels paldies, — Harijs uzsauca elfiem, kas vienā barā bija saspiedušies pie durvīm, lai novēlētu ciemiņiem arlabvakaru. — Atā, Dobij!

— Harij Poter... vai Dobijs var nākt un apciemot tevi kādreiz, kungs? — Dobijs piesardzīgi ieprasījās.

— Skaidrs, ka vari, — Harijs atteica, un Dobijs atplauka smaidā.

— Zināt ko? — Rons ieteicās, kad viņi ar Hermioni un Hariju bija tikuši laukā no virtuves un pa akmens kāpnēm kāpa augšup uz Ieejas zāli. — Visus šos gadus es esmu apbrīnojis Fredu un Džordžs par to, ka viņi čiepj ēdamo no virtuves... Nu, tas tak nemaz nav grūti, vai ne? Tur jau tīri vai sviež visu pakaļ!

— Es teiktu, ka ar tiem elfiem viss ir iegrozījies ļoti labi, — Hermione piezīmēja, kad visi jau mēroja ceļu augšup pa marmora kāpnēm. — Es runāju par to, ka Dobijs te tagad strādā. Pārējie elfi redzēs, cik viņš ir laimīgs, būdams brīvs, un pakāpeniski viņi sapratīs, ka arī paši to vēlas!

— Cerēsim, ka viņi pārāk cieši neskatīsies uz Vinkiju, — Harijs aizrādīja.

— Ai, gan jau viņa nomierināsies, — Hermione izmeta, lai

gan pilnīgi pārliecināta vis neizklausījās. — Kolīdz pirmais šoks būs pāri un Vinkija Cūkkārpā iedzīvosies, viņa sapratīs, ka bez tā Zemvalža ir daudz labāk.

— Izskatās, ka viņa to vīru mīl, — Rons ar grūtībām izmocīja (viņš tikko bija piestūķējis muti ar krēma kūku).

— Bet Maišelnieku gan netur necik augstā vērtē, vai ne? — Harijs piebalsoja. — Diez ko Zemvaldis mājās par viņu runā?

— Varbūt to, ka viņš nav labs nodaļas vadītājs, — Hermione minēja, — un skatīsimies patiesībai acīs... ir jau taisnība, vai ne?

— Es tomēr labāk strādātu pie viņa nekā pie vecā Zemvalža, — Rons noteica. Maišelniekam vismaz ir humora izjūta.

— Piesargies, lai tas nenonāk ausīs Persijam, — Hermione pasmīnēja.

— Nu jā, Persijs jau nu gan negribētu priekšnieku ar humora izjūtu, vai ne? — Rons ķērās pie šokolādes eklēra. — Persijam joks nepielēktu, pat ja tas pliks dancotu viņam pa priekšu ar Dobija tējkannas sildāmo galvā.

## DIVDESMIT OTRĀ NODAĻA

# NEGAIDĪTS PĀRBAUDĪJUMS

— Poter! Vīzlij! Vai jūs reiz klausīsieties?

Profesores Maksūras piktais uzsauciens ceturtdienas nodarbībā noplīkšķēja pār klasi kā pātaga, Harijs un Rons salēcās un pacēla galvu.

Stunda tuvojās beigām, darbu viņi bija beiguši — slokas, ko vajadzēja pārvērst par jūrascūciņām, jau bija novietotas lielā sprostā uz profesores Maksūras galda (Nevila jūrascūciņu joprojām klāja putna spalvas), arī mājas uzdevums no tāfeles bija norakstīts ("Minot piemērus, raksturojiet, kā pārvērtību burvestības iespējams pielāgot, lai veiktu starpsugu pārvērtības!"). Kuru katru brīdi vajadzēja atskanēt zvanam, Harijs ar Ronu, sēdēdami pēdējā solā, pagaldē bija sākuši zobenu cīņu ar Freda un Džordža viltus zižļiem, un nu Ronam rokā bija skārda papagailis, bet Harijam — gumijas pīkša.

— Un tagad, kad Poters un Vīzlijs ir mums izrādījuši laipnību un vairs nespēlējas kā mazi bērni, — profesore Maksūra turpināja, nozibinājusi uz viņu pusi dusmīgu skatienu, jo, atdalījusies no rumpja, uz grīdas klusi noplakšķēja Harija pīkšas galva, ko pirms mirkļa bija nocirtis Rona papagaiļa knābis, — man jums visiem ir kas sakāms.

— Tuvojas Ziemassvētku balle, kas allaž ir bijusi Trejburvju turnīra neatņemama daļa un dod mums iespēju tuvāk iepazīties ar svešzemju viesiem. Ballē drīkstēs piedalīties tikai ceturtgadnieki un par tiem vecāki audzēkņi, lai gan, ja vēlaties, varat ielūgt arī kādu jaunāku...

Lavendera Brauna aizgrābti ieķiķinājās. Parvati Patila viņai iegrūda ribās kārtīgu dunku, pati, cik spēka, pūlēdamās neķiķināt. Abas pagriezās, lai uzmestu skatu Harijam. Profesore Maksūra to izlikās neredzam, kas, pēc Harija domām, bija augstākā mērā netaisni, jo nostrostēt viņu un Ronu profesore nebija kavējusies.

— Visiem jātērpjas svētku mantijās, — Maksūra turpināja, — balle sāksies Ziemassvētku dienā pulksten astoņos, beigsies pusnaktī un notiks Lielajā zālē. Tagad tā...

Profesore Maksūra zīmīgi nolūkoja klasi.

— Skaidrs, ka Ziemassvētku balle ir tā reize, kad mēs visi varam, tā sakot, izpurināt matus, — viņa nosodoši piezīmēja.

Lavendera ieķiķinājās pavisam nevaldāmi un aizspieda muti ar roku, lai smieklus apslāpētu. Šoreiz Harijs saprata, par ko viņa varētu uzjautrināties: profesores Maksūras mati bija saņemti ciešā mezglā, un neizskatījās, ka viņa tos jelkad izpurina — vienalga, tiešā vai pārnestā nozīmē.

— Taču tas *nenozīmē,* — Maksūra turpināja, — ka mēs kādā ziņā mīkstināsim prasības, ko izvirzām Cūkkārpas audzēkņiem. Es būšu ļoti neapmierināta, ja kāds grifidors skolu nostādīs neērtā situācijā.

Atskanēja zvans, un sākās parastā kņada — visi vāca kopā mantas un svieda plecos savas somas.

Troksni pārskanēja profesores Maksūras balss: — Poter! Esiet tik laipns, uz vienu brītiņu.

Domādams, ka runa droši vien būs par bezgalvaino gumijas pīkšu, Harijs sadrūmis devās pie pasniedzējas galda.

Profesore Maksūra nogaidīja, līdz visi iziet no klases, un tad sacīja: — Poter, censoņi ar saviem partneriem...

— Kādiem partneriem? — Harijs satrūkās.

Profesore Maksūra uzmeta viņam aizdomu pilnu skatienu, itin kā domātu, ka atkal iet vaļā joku plēšana.

— Ar jūsu partneriem Ziemassvētku ballē, Poter, — viņa dzedri noteica. — Jūsu *deju partneriem.*

Harijs sajuta iekšas savelkamies murskulī un sačokurojamies.

— Deju partneriem?

Viņš manīja vaigos sakāpjam karstumu. — Es nedejoju, — viņš nobēra.

— Nē, jūs dejosit gan, — profesore Maksūra aizsvilās. — Tieši to jau es jums saku. Saskaņā ar tradīciju balli atklāj censoņi ar saviem partneriem.

Piepeši Harijs gara acīm ieraudzīja pats sevi, ietērpušos cilindrā un frakā, līdzās meitenei cakainā kleitā — apmēram tādā, kādu allaž vilka mugurā Petūnijas tante, dodamās uz tēvoča Vernona darba ballēm.

— Es nedejošu, — viņš teica.

— Tāda ir tradīcija, — profesore Maksūra noskaldīja. — Jūs esat Cūkkārpas censonis, un jūs darīsit to, kas jādara šīs skolas pārstāvim. Tā ka gādājiet sev partneri, Poter.

— Bet... es ne...

— Nekādu "bet", Poter, — profesore Maksūra atcirta, likdama manīt, ka saruna beigusies.

* * *

Pirms nedēļas Harijs būtu teicis, ka deju partneres sameklēšana salīdzinājumā ar Ungārijas ragastes pievārēšanu tāds čiks vien ir. Bet tagad, kad ar pūķi viņš bija ticis galā un vajadzēja lūgt uz balli meiteni, viņš sāka domāt, ka tad jau labprātāk laistos vēl vienā riņķa dancī ar pūķi.

Vēl nekad tik daudzi Ziemassvētkos nebija pieteikušies palikt Cūkkārpā. Viņš, protams, to bija darījis vienmēr, jo pretējā gadījumā atlika braukt vienīgi uz Dzīvžogu ielu, taču visos iepriekšējos gados tādu palicēju bija ļoti maz. Šogad izskatījās, ka Cūkkārpā Ziemassvētkus grasījās pavadīt visi ceturtgadnieki un par viņiem vecākie audzēkņi, un visi šķita kā apsēsti ar gaidāmo balli — vismaz meitenes noteikti. Turklāt meiteņu Cūkkārpā piepeši bija milzum daudz — iepriekš Harijs to pat lāgā nebija pamanījis. Meitenes ķiķināja un sačukstējās gaiteņos, aizgūtnēm smējās, kolīdz garām pagāja kāds zēns, aizrautīgi salīdzināja pierakstus par to, ko vilks mugurā Ziemassvētku vakarā...

— Kāpēc viņas pārvietojas baros? — Harijs pajautāja Ronam, kad kārtējo reizi, smīknādamas un blenzdamas uz Hariju, garām pagāja apmēram ducis meiteņu. — Kā lai kādu noķer vienu pašu?

— Ar laso! — Rons ierosināja. — Vai tad tu jau zini, kuru?

Harijs cieta klusu. Viņš lieliski zināja, kuru *gribētu* lūgt, bet tur vajadzēja sadūšoties, un tas bija pavisam kas cits... Čo par viņu bija gadu vecāka un ļoti skaista, un ļoti laba kalamboliste, un visiem patika.

Rons it kā uzminēja, kas norisinās Harija galvā.

— Paklau, tev jau nu gan nevajadzētu satraukties. Tu esi censonis. Tu tikko pievārēji Ungārijas ragasti. Deru, ka viņas sastāsies rindā, lai tiktu tev klāt.

Paturēdams prātā nesen salāpīto draudzību, Rons savaldījās, lai tas neizskanētu pārāk rūgti. Turklāt Harijam par pārsteigumu izrādījās, ka viņam bijusi taisnība.

Jau nākamajā dienā viņam par pārinieci piedāvājās cirtaina Elšpūša trešgadniece, ar ko Harijs nekad mūžā nebija pārmijis ne vārda. Harijs tā apmulsa, ka izgrūda: "Nē", pirms vēl bija, kā nākas, apdomājies. Meitene aizgāja jaušami sāpināta, un Harijam visu cauru maģijas vēstures stundu nācās paciest Dīna, Šīmusa un Rona zobgalības. Nākamajā dienā viņu uzrunāja vēl divas meitenes: viena — otrgadniece un otra (Harijam par svētām šausmām) — piektgadniece, kas izskatījās tā, it kā atteikuma gadījumā būtu gatava viņam gāzt pa galvu.

— Kaut gan diezgan smuka, — Rons atzina, kad viņi bija rimuši smieties.

— Viņa taču ir par galvas tiesu garāka, — Harijs joprojām nebija atguvies. — Iedomājies, kā es ar viņu izskatītos dejojot!

Ausīs viņam vēl aizvien skanēja vārdi, ko Hermione bija teikusi par Krumu. "Viņas sajūsminās tikai tāpēc, ka viņš ir slavens!" Harijs no tiesas šaubījās, vai kāda no meitenēm, kas viņu bija lūgušas uz balli, būtu to darījušas arī tad, ja viņš nebūtu skolas censonis. Visbeidzot viņš ieprātojās, vai par to uztrauktos, ja viņu uzlūgtu Čo.

Kopumā Harijs bija spiests atzīt, ka, pat par spīti mulsinošajai nepieciešamībai atklāt balli, viņa dzīve pēc pirmā pārbaudījuma bija krietni vien gājusi uz augšu. Gaiteņos uzbrukumu bija nesalīdzināmi mazāk, un Harijam bija aizdomas, ka tur pirkstu pielicis Sedriks — viņam šķita, ka Sedriks pateicībā par to, ka Harijs viņam pavēstījis par pūķiem, varbūt elšpūšiem teicis, lai tie liek Poteru mierā. Arī nozīmīšu ar uzrakstu: *Par SEDRIKU DIGORIJU* apkārt vairs nebija tik daudz. Protams, ka Drako Malfojs joprojām izmantoja ikvienu izdevību, lai citētu Ritas Knisles rakstu, taču smējēju palika aizvien mazāk un mazāk, turklāt Harija labsajūtu visādā ziņā vairoja fakts, ka "Dienas Pareģī" nekāds raksts par Hagridu nebija parādījies.

— Taisnīb sakot, man rādījās, ka šī nemaz tik dikti neintresējas par burvju radībām, — Hagrids atteica, kad trimestra pēdējā maģisko būtņu kopšanas nodarbībā Harijs, Rons un Hermione viņam noprasīja, kā veicies intervijā ar Ritu Knisli. Viņiem par milzu atvieglojumu, Hagrids beidzot bija atteicies no tiešas saskarsmes ar mūdžiem, un nu visi mierīgi sēdēja aiz būdas pie galda, kas bija uz steķiem uzlikts dēlis, gatavodami svaigu ēsmu, ar ko mūdžus iekārdināt.

— Šī tik gribēj, lai es runā par tevi, Harij, — Hagrids paklusām pavēstīja. — Nu, ta es izstāstīj, ka mēs i draugi kopš reizes, kad es brauc tevi savākt no Dērslijiem. "Četru gad laikā ne reiz neesat šo norājs?" šī pras. "Šis nekad nav blēņojis jūs stundās?" Es teic, ka nē, un priecīg šī vis nelikās. Varēt domāt, ka šī gribēj, lai es sak, ka tu i briesmons, Harij.

— Skaidrs, ka gribēja, — Harijs izsaucās, iesviezdams pūķa aknu pikučus lielā metāla bļodā un paņemdams nazi, lai sasmalcinātu jaunu gabalu. — Viņa taču nevar visu laiku rakstīt par to, kāds es esmu traģisks, mazs varonis — tas būs apnicīgi.

— Viņa grib svaigu skatījumu, Hagrid, — Rons viedi paziņoja, lobīdams salamandras olas. — Tev vajadzēja teikt, ka Harijs ir jucis noziedznieks!

— Bet viņš tak nav! — Hagrids izskatījās apstulbis.

— Viņai vajadzētu izprašņāt Strupu, — Harijs skarbi piebilda. — Tas viņai sastāstīs visu ko, kaut nakts vidū no miega uzrauts. *Poters pārkāpj noteikumus jau kopš pirmās dienas, kad šeit ieradās...*

— Viņš tā teic, ko? — Hagrids apvaicājās, kamēr Rons un Hermione smējās. — Nu, vienotr likumu tu varbūt i apgājs ar līkumu, Harij, bet tu tak i lāga puika, ne?

— Paldies, ka uzmundrināji, Hagrid, — Harijs pasmaidīja.

— Tu nāksi uz to balles padarīšanu Ziemassvētku dienā, Hagrid? — Rons pajautāja.

— Man domāt, es varēt iemest tur aci, jā, — Hagrids norūca. — Varēt būt smuki, man rādās. Tu dancos visiem pa priekšu, Harij, ko? Ar ko tu ies?

— Vēl nezinu, — Harijs izgrūda, atkal juzdams sejā sakāpjam sārtumu. Hagrids vairs neko neprasīja.

Trimestra pēdējā nedēļa kļuva aizvien trauksmaināka. Visur klīda baumas par Ziemassvētku balli, lai gan puse no tām izklausījās maz ticamas — piemēram, ka Dumidors pie Rosmerta madāmas esot iegādājies astoņsimt mucas medalus. Tomēr pēc taisnības izklausījās tas, ka viņš nolīdzis "Ķēmu māsas". Kas tās tādas, Harijam nebija ne jausmas, jo viņam nebija iznācis klausīties burvju radio, tomēr pēc tā, cik traki sajūsminājās ļaudis, kas bija uzauguši, klausīdamies BBT (Burvju Bezdrāts Tīmekli), varēja noprast, ka "Ķēmu māsas" ir ļoti slavena mūziķu grupa.

Viens otrs pasniedzējs līdzīgi mazajam profesoram Zibiņam mācībām atmeta ar roku, jo par tām neviens tik un tā nedomāja. Trešdienas nodarbībā viņš ļāva visiem spēlēt spēles un gandrīz visu stundu nopļāpāja ar Hariju par lielisko pieburšanu, ko viņš bija nodemonstrējis Trejburvju turnīra pirmajā pārbaudījumā. Citi pasniedzēji tik augstsirdīgi vis nebija. Nekas, piemēram, nevarēja profesoru Biju atraut no goblinu dumpju vēstures pierakstiem — ja reiz no pasniedzēja darba viņš nebija atteicies pat nomirdams, tāds sīkums kā Ziemassvētki vispār nebija ņemams vērā. Taisni brīnums — viņa stāstījumā pat pati asiņainākā un baisākā goblinu sacelšanās izklausījās tikpat garlaicīga kā Persija ziņojums par katlu dibeniem. Arī profesore Maksūra un Tramdāns mācībām paredzēto laiku izmantoja līdz pēdējai minūtei, un Strups, protams, drīzāk adoptētu Hariju, nekā ļautu audzēkņiem klasē spēlēt spēles. Visus nešpetni noskatīdams, viņš paziņoja, ka trimestra pēdējā nodarbībā būšot pārbaude pretindēs.

— Viņš ir ļaunais, — Rons tovakar šķendējās grifidoru kopistabā. — Pēdējā dienā uzgāzt kontroldarbu! Sabojāt trimestra beigas ar rakāšanos pa pierakstiem!

— Hmm... pārpūlēšanās tev gan laikam nedraud, ko? — Hermione paraudzījās uz viņu pāri savu mikstūru pierakstu kaudzei. Rons cītīgi cēla namiņu no sprāgstošajām spēļu kārtīm — tas bija nesalīdzināmi interesantāk nekā tāda pati noņemšanās ar vientiešu kārtīm, jo visa būve kuru katru mirkli varēja uzsprāgt gaisā.

— Ir taču Ziemassvētki, Hermione, — Harijs laiski piezīmēja. Viņš, iekārtojies krēslā pie kamīna, jau desmito reizi pārlasīja "Lidojot ar Lielgabaliem".

Hermione arī viņam veltīja bargu skatienu. — Manuprāt, ja reiz tu, Harij, negribi apgūt zinības par pretindēm, tev vismaz pienāktos nodarboties ar kaut ko lietderīgāku!

— Piemēram? — Harijs apvaicājās, vērodams, kā "Lielgabalu"

Džoijs Dženkinss aizbliež āmurgalvu uz "Vellapils Sikspārņu" dzinēja pusi.

— Ar to olu! — Hermione nošņācās.

— Beidz, Hermione, līdz divdesmit ceturtajam februārim es to vēl paspēšu.

Zelta olu viņš bija nobāzis savā lādē un kopš svinībām pēc pirmā pārbaudījuma to vaļā vairs nebija vēris. Galu galā, līdz brīdim, kad būs jāzina, ko nozīmē griezīgās gaudas, vēl bija veseli divi mēneši.

— Bet ja nu ar to vajadzēs noņemties nedēļām ilgi? — Hermione aizrādīja. — Tu izskatīsies pēc muļķa, ja visi pārējie zinās, kāds būs nākamais pārbaudījums, un tikai tu vienīgais nejēgsi ne rīta, ne vakara.

— Liec viņu mierā, Hermione, viņš ir pelnījis druscin atpūtas, — ieteicās Rons, uzlika namiņam pašā augšā divas pēdējās kārtis, un krāvums uzsprāga, apsvilinādams celtniekam uzacis.

— Labi izskaties, Ron... Tas nudien jauki saderēsies ar tavu mantiju.

Tie bija Freds un Džordžs. Kamēr Rons novērtēja, kādu postu sprādziens nodarījis, abi piesēdās pie galda kopā ar Ronu, Hariju un Hermioni.

— Ron, vai varam aizņemties Pumperniķeli? — Džordžs noprasīja.

— Nē, viņš nes vēstuli, — Rons atteica. — Kas par lietu?

— Džordžs grib viņu uzaicināt uz balli, — Freds ironiski izmeta.

— Mēs gribam nosūtīt vēstuli, tu, nejēga tāds, — Džordžs paskaidroja.

— Ar ko tad jūs abi divi tā sarakstāties, ko? — Rons nelikās mierā.

— Pamēģini tikai tur bāzt degunu, un es tev arī to apsvilināšu, — Freds draudīgi pavicināja savu zizli. — Tātad... randiņus ballei jau esat sarunājuši?

— Ne-e, — Rons novilka.

— Nu, tad labāk pasteidzies, draugs, citādi visas labās jau būs izķertas, — Freds ieteica.

— Un ar ko tad tu iesi? — Rons noprasīja.

— Ar Endželīnu, — Freds acumirklī atbildēja, nemaz nesamulsdams.

— Ko? — Rons apstulba. — Tu viņu jau uzaicināji?

— Vārds vietā, — Freds sacīja, pagrieza galvu un pakliedza pāri istabai: — Eu! Endželīn!

Endželīna, kas pie kamīna pļāpāja ar Alīsiju Spinetu, paskatījās šurp.

— Kas ir? — viņa atsaucās.

— Gribi nākt ar mani uz balli?

Endželīna viņu vērtējoši noskatīja.

— Labs ir, — viņa piekrita un no jauna pievērsās Alīsijai, drusku tā kā pasmaidīdama.

— Nu re, — Freds teica Harijam ar Ronu. — Vieglāk par vieglu.

Viņš žāvādamies piecēlās un sacīja: — Nāc nu, Džordž, paņemsim kādu skolas pūci...

Abi aizgāja. Rons pārstāja čamdīt uzacis un pāri kūpošajām kāršu namiņa drupām paskatījās uz Hariju.

— Paklau, mums kaut kas *jādara*... kāda jāuzaicina. Viņam taisnība. Mēs taču negribam iet uz balli ar pēdīgajām trollienēm.

Hermione sašutusi palēcās. — Atvainojiet... *ar ko*?

Rons paraustīja plecus. — Nu, tu tak zini. Es drīzāk ietu viens pats nekā, teiksim... teiksim, ar Eloīzi Midženu.

— Viņas pinnes pēdējā laikā vairs nemaz nav tik briesmīgas. Un viņa ir tiešām jauka!

— Viņai ir šķībs deguns, — Rons aizrādīja.

— Ak šitā, — Hermione sabozās. — Tātad iznāk, ka jūs, ja izdosies, iesiet uz balli ar pašu smukāko meiteni, pat ja viņa ir īsta riebekle?

— E... jā, tā varētu būt, — Rons atzina.

— Es eju gulēt, — Hermione noskaldīja un, vairs neteikusi ne vārda, aizbrāzās uz meiteņu kāpnēm.

* * *

Cūkkārpas darbinieki, kas jau tā nemitīgi centās atstāt iespaidu uz Bosbatonas un Durmštrangas viesiem, Ziemassvētkos laikam bija apņēmušies celt gaismā itin visus pils labumus. Kad sākās izrotāšanas darbi, Harijam nācās atzīt, ka neko tik krāšņu pils sienās viņš vēl nav redzējis. Pie marmora kāpņu margām bija piekarinātas nekūstošas lāstekas. Divpadsmit Ziemassvētku egles, kas parasti tika novietotas Lielajā zālē, šogad bija izgreznotas īpaši krāšņi, sākot ar spīdošām kadiķogām un beidzot ar īstām, ūjinošām zelta pūcēm. Visi bruņutērpi bija noburti dziedāt Ziemassvētku korāļus, kolīdz kāds gāja tiem garām. Nudien bija neparasti noklausīties, kā tukša ķivere dungo "Jūs, ticīgie, nāciet", vārdus atminēdamās tikai pa pusei. Uzraugam Filčam vairākas reizes nācās no bruņutērpiem dzīt laukā Pīvzu, kur poltergeists slēpās, korāļu pauzes aizpildīdams ar paššacerētām rindām — tās, kā likums, bija ļoti rupjas.

Un joprojām Harijs nebija Čo uzrunājis. Nu jau viņi ar Ronu bija galīgi noraizējušies, lai gan, kā norādīja Harijs, Rons bez pavadones izskatītos nesalīdzināmi jēdzīgāk, jo Harijam, galu galā, kopā ar citiem censoņiem vajadzēja balli atklāt.

— Protams, jebkurā gadījumā vēl atliek Vaidu Vaira, — viņš drūmi piebilda, atminēdamies spoku, kas mitinājās otrā stāva meiteņu tualetē.

— Harij, mums vienkārši jāsakož zobi un tas jāizdara, — Rons piektdienas rītā ierunājās tādā balsī, it kā viņi plānotu uzbrukumu kādam neieņemamam cietoksnim. — Kad šovakar atgriezīsimies kopistabā, mums abiem būs partneres — sarunāts?

— Nu... labs ir, — Harijs noteica.

Bet ikreiz, kad viņš todien pamanīja Čo — starpbrīdī, tad pusdienlaikā un arī pa ceļam uz maģijas vēsturi —, viņai apkārt bija draudzeņu bars. Vai viņa *itin nekur* neiet viena pati? Varbūt derēja ierīkot slēpni pie tualetes? Tomēr nē — izskatījās, ka arī turp viņa mēdz doties četru piecu meiteņu pavadībā. Bet vajadzēja steigties, citādi Čo noteikti jau būs apsolījusies kādam citam.

Strupa pretinžu kontroldarbā Harijam nekādi neizdevās sakopot domas, viņš piemirsa pievienot galveno sastāvdaļu — gremokļa akmeni — un tāpēc saņēma pavisam sliktu atzīmi, tomēr par to nebūt neuztraucās, jo visu laiku centās saņemt dūšu, lai izdarītu to, kas darāms. Atskanot zvanam, viņš paķēra somu un metās uz pagraba durvīm.

— Tiksimies vakariņās, — viņš uzsauca Ronam un Hermionei un drāzās augšā.

Vajadzēja tikai palūgt Čo aprunāties zem četrām acīm, tas arī viss... Vērīgi raudzīdamies apkārt, viņš joza pa audzēkņu pārpilnajiem gaiteņiem un (drīzāk nekā cerējis) ieraudzīja Čo nākam laukā no klases, kur notika aizsardzība pret tumšajām zintīm.

— E... Čo? Vai varam aprunāties?

Ķiķināšanu vajadzētu aizliegt ar likumu, Harijs nikni iedomājās, jo meitenes, kas stāvēja viņai riņķī apkārt, acumirklī sāka nodarboties tieši ar to. Taču Čo gan neķiķināja. Viņa noteica: — Labi, — un panācās viņam līdzi gabaliņu nostāk no klasesbiedriem.

Harijs pagriezās, lai paskatītos viņai acīs, un juta, ka dūša saskrien papēžos — it kā, kāpdams lejup pa kāpnēm, viņš nebūtu trāpījis ar kāju uz pakāpiena.

— Nu... — viņš teica.

Viņš nespēja Čo uzrunāt. Nespēja. Taču tas bija jādara. Čo stāvēja, uz viņu noraudzīdamās un īsti nesaprazdama, kas par lietu.

Vārdi izlauzās, pirms Harijs paspēja tiem līdzi, kā nākas, izlocīt mēli.

— Vagribarmanietuball?

— Kā lūdzu? — Čo jautāja.

— Vai tu... vai tu negribētu ar mani iet uz balli? — Harijs atkārtoja. Nu kāpēc tieši tagad viņam vajadzēja sarkt? *Kāpēc?*

— Āā... — Arī Čo pietvīka. — Vai, Harij, man patiešām ļoti žēl, — viņa teica, un izskatījās, ka tā tik tiešām arī ir. — Es jau esmu apsolījusi iet kopā ar kādu citu.

— Ak tā, — Harijs izmocīja.

Savādi — vēl pirms mirkļa viņa iekšas bija locījušās kā čūskas, bet tagad nezin kāpēc šķita, ka vēderā vispār nekā nav.

— Ak tā, nu labi, — viņš teica. — Nekas.

— Man tiešām ļoti žēl, — Čo atkārtoja.

— Tas nekas, — Harijs atsaucās.

Viņi stāvēja, raudzīdamies viens uz otru, un tad Čo teica: — Nu...

— Jā.

— Nu, tad paliec sveiks. — Čo joprojām bija stipri pietvīkusi. Viņa pagriezās uz promiešanu.

Vārdi izspruka, iekams Harijs bija paspējis apdomāties: — Ar ko tad tu iesi?

— Ai... ar Sedriku, — viņa atbildēja. — Ar Sedriku Digoriju.

— Ak tā, nu jā, — Harijs noteica.

Dūša atkal bija savā vietā. Taču tagad likās, ka kājas pieplūdušas ar svinu.

Pilnīgi aizmirsis vakariņas, viņš lēni vilkās uz Grifidora torni. Ik uz soļa ausīs atbalsojās Čo vārdi: *"Ar Sedriku — ar Sedriku Digoriju."* Pēdējā laikā Sedriks viņam bija tā kā iepaticies — Harijs pat bija gatavs samierināties ar to, ka Sedriks reiz bija viņu pieveicis kalambolā, ir izskatīgs, tik daudzi viņu mīl un uzskata par labāko censoni. Tagad viņš piepeši atskārta, ka Sedriks īstenībā ir nekur nederīgs smukulītis, kam smadzeņu galvā nav vairāk par tējkaroti.

— Brīnumgaismas, — viņš neskanīgi teica Resnajai kundzei — iepriekšējā dienā bija nomainīta parole.

— Jānudien, mīlīt! — Resnā kundze notrallināja un, kārtodama jauno, vizuļoto matu lenti, pagāzās uz priekšu, lai ielaistu viņu iekšā.

Iegājis kopistabā, Harijs paraudzījās visapkārt un pārsteigts ieraudzīja, ka tālākajā kaktā ar pelnu pelēku seju tup Rons. Viņam blakus sēdēja Džinnija, kaut ko klusi un mierinoši stāstīdama.

— Kas lēcies, Ron? — Harijs vaicāja, piegājis abiem klāt.

Rons paraudzījās uz viņu ar tādām kā mēmām šausmām sejā.

— Kāpēc man vajadzēja to darīt? — viņš izmisis iesaucās. — Kas mani dzina?

— Ko tad? — Harijs noprasīja.

— Viņš... ē... tikai uzaicināja uz balli Flēru Delakūru, — ierunājās Džinnija. Izskatījās, ka meitene pūlas novaldīt smaidu, tomēr viņa joprojām līdzjūtīgi glāstīja brāļa roku.

— Tu... *ko*? — Harijs izsaucās.

— Es nezinu, kas mani dzina to darīt! — Rons noelsās. — Ko es iedomājos? Tur bija milzums ļaužu... Visi stāvēja apkārt... Es esmu jucis... Visi skatījās! Es tikai gāju viņai garām Ieejas zālē — viņa tur stāvēja un runājās ar Digoriju — un tad man kaut kas uznāca... un es viņu uzlūdzu!

Smagi novaidējies, Rons paslēpa seju rokās, bet turpināja runāt, lai gan tagad vārdus tik tikko varēja saprast. — Viņa paskatījās uz mani tā, it kā es būtu kaut kāds gliemis. Pat neatbildēja. Un tad... Nezinu... Es it kā nācu pie samaņas un metos projām, ko nagi nes.

— Viņa tomēr ir drusku sirella, — Harijs pavēstīja. — Tev bija taisnība — viena no viņas vecmāmiņām bijusi sirella. Tā nebija tava vaina. Deru, ka tu vienkārši patrāpījies tuvumā, kad viņa raidīja burvestību pret Digoriju, un dabūji vienu tiesu uz savas ādas. Bet viņa velti tērē laiku. Digorijs iet ar Čo.

Rons pacēla galvu.

— Es tikko viņu aicināju, — Harijs truli noteica. — Un viņa man pateica.

Džinnijas sejā smaida piepeši vairs nebija.

— Tas ir kaut kāds ārprāts, — Rons iesaucās. — Mēs esam vienīgie, kas vēl nevienu nav sarunājuši, — nu, vēl Nevils. Eu, uzmini, ko viņš aicināja! *Hermioni*!

— *Ko*? — Harijs jutās tik pārsteigts, ka uz brīdi piemirsa visas bēdas.

— Jā, es zinu! — Rons iesmējās, un viņa vaigos no jauna atgriezās sārtums. — Viņš man pēc mikstūrām pastāstīja! Teica, ka viņa allaž bijusi pret viņu tik jauka un izpalīdzīga, bet atteikusi — it kā tāpēc, ka jau sarunājusi iet kopā ar kādu citu. Hā! Kurš tam ticēs? Viņa vienkārši negribēja iet kopā ar Nevilu... Tas ir, kurš tad to gribētu?

— Beidz! — Džinnija saskaitās. — Tur nav ko smieties...

Tieši tobrīd pa portretcaurumu iekšā ierāpās Hermione.

— Kāpēc negājāt vakariņās? — viņa abiem noprasīja, pienākusi klāt.

— Tāpēc, ka... beidziet reiz smieties, jūs, abi divi! Tāpēc, ka viņi abi tikko dabūja kurvīšus! — Džinnija paskaidroja.

Harijam ar Ronu smieklu lēkme acumirklī pārgāja.

— Lielais paldies, Džinnij, — Rons noīgņojās.

— Ak tad visas smukās jau izķertas, Ron? — Hermione augstprātīgi novilka. — Eloīza Midžena sāk izskatīties aizvien pievilcīgāka, ko? Lai nu kā, ceru, ka gan jau jūs *kaut kur* tomēr atradīsiet kādu, kas jums kurvīti neiedos.

Bet Rons blenza uz Hermioni tā, it kā pēkšņi viņu būtu ieraudzījis pavisam citā gaismā. — Hermione, Nevilam taisnība — tu tak *patiešām* esi meitene...

— Cik tu mums esi vērīgs! — viņa indīgi piezīmēja.

— Nu... tu taču vari nākt kopā ar kādu no mums!

— Nē, nevaru vis, — Hermione atcirta.

— Paklau, izbeidz, — Rons kļuva nepacietīgs. — Mums vajag pāri, mēs izskatīsimies pēc muļķiem, ja nevienu nesarunāsim, visi pārējie jau to ir izdarījuši...

— Es nevaru iet kopā ar jums, — Hermione piepeši pietvīka, — jo esmu jau sarunājusi ar kādu citu.

— Nestāsti pekstiņus! — Rons iesaucās. — Tu to teici tikai tādēļ, lai tiktu vaļā no Nevila!

— Ak šitā gan, ko? — Hermiones acis draudīgi iegailējās. — Tas, ka *tev*, Ron, bija vajadzīgi trīs gadi, lai pamanītu, ka es esmu meitene, nebūt nenozīmē, ka to nav pamanījis *neviens*!

Rons brīdi raudzījās viņā, tad atkal pasmaidīja.

— Nu, labi, labi, mēs zinām, ka tu esi meitene, — viņš samiernieciski teica. — Esi apmierināta? Tagad nāksi?

— Es taču jau teicu, — Hermione pavisam dusmīgi noburkšķēja. — Es jau esmu sarunājusi ar kādu citu!

Un viņa atkal aizdrāzās uz meiteņu guļamistabu.

— Viņa mānās, — Rons rāmi konstatēja, noskatīdamies Hermionei pakaļ.

— Nemānās vis, — Džinnija nomurmināja.

— Tad kurš tas ir? — Rons stingri noprasīja.

— Es tev neteikšu, tā ir viņas darīšana, — Džinnija sacīja.

— Tā, — Rons noteica, izskatīdamies pilnīgi izsists no sliedēm. — Tas jau kļūst muļķīgi. Džinnij, *tu* vari iet līdzi Harijam, un es vienkārši...

— Es nevaru. — Arī Džinnija koši pietvīka. — Es eju kopā ar... ar Nevilu. Viņš mani uzlūdza pēc tam, kad Hermione viņam atteica, un es nospriedu... nu... ka tā man ir vienīgā iespēja tikt uz balli, jo es jau neesmu ceturtgadniece. — Meitene izskatījās pagalam saskumusi. — Es laikam iešu vakariņās, — viņa noteica un, nokārusi galvu, devās uz portretcauruma pusi.

Rons, ieplētis acis, uzlūkoja Hariju.

— Kas viņām lēcies? — viņš nobrīnījās.

Bet Harijs nule kā bija pamanījis kopistabā ienākam Parvati un Lavenderu. Bija pienācis laiks rīkoties apņēmīgi.

— Pagaidi tepat, — viņš teica Ronam, piecēlās, piegāja klāt Parvati un noprasīja: — Parvati, vai nāksi ar mani uz balli?

Parvati uznāca irgošanās lēkme. Harijs nogaidīja, līdz ķiķināšana sāk iet mazumā, mantijas kabatā dūrē iežņaudzis īkšķi.

— Jā, labi, — meitene beidzot atbildēja, briesmīgi nosarkdama.

— Paldies, — Harijs atvieglots noteica. — Lavendera, vai iesi kopā ar Ronu?

— Viņa iet ar Šīmusu, — Parvati pasteidzās paziņot, un abas iekiķinājās skaļāk nekā jebkad.

Harijs nopūtās.

— Vai nezināt kādu, kas varētu iet pārī ar Ronu? — viņš ievaicājās tik klusām, lai Rons nevarētu dzirdēt.

— Un Hermione Grendžera? — Parvati ieminējās.

— Viņa ir sarunājusi ar kādu citu.

Parvati apstulba. — Oho! *Ar ko*? — viņa noprasīja, acīm ziņkārē sprikstījot.

Harijs paraustīja plecus. — Nav ne jausmas, — viņš atteica. — Tad kā paliek ar Ronu?

— Nu... — Parvati gausi novilka, — varbūt mana māsa... Tu taču pazīsti Padmu. Viņa ir Kraukļanagā. Es pavaicāšu, ja gribi.

— Jā, tas būtu lieliski, — Harijs nopriecājās. — Pēc tam pasaki, labi?

Un viņš devās atpakaļ pie Rona, domādams, ka šitā balle rada nesamērīgi daudz problēmu, un no sirds cerēdams, ka Padmai Patilai deguns atrodas precīzi sejas vidū.

## DIVDESMIT TREŠĀ NODAĻA

# ZIEMASSVĒTKU BALLE

Par spīti veselam lēvenim mājasdarbu, ko pasniedzēji ceturtgadniekiem uzdeva izpildīt brīvdienās, Harijam pēc trimestra beigām strādāt negribējās itin nemaz, un viņš kopā ar pārējiem pēdējo nedēļu pirms Ziemassvētkiem pavadīja priecādamies, cik jaudas. Grifidora tornis nebija ne nieka tukšāks kā mācību laikā — tas pat šķita tā kā sarāvies mazāks, jo iemītnieki trokšņoja un plosījās vairāk nekā parasti. Freda un Džordža kanārijkūkas bija sekmīgi iekarojušas popularitāti, un, sākoties brīvdienām, ik pa brīdim kāds bija manāms piepeši apaugam ar spalvām. Tomēr drīz vien visi grifidori iemācījās pret citu piedāvātiem gardumiem izturēties ļoti piesardzīgi, jo kanārijkūku varēja ieslēpt jebkur, un Džordžs paslepšus pavēstīja Harijam, ka viņi ar Fredu jau strādājot pie jaunas ieceres. Harijs pats sev lika pie sirds, ka turpmāk no Freda un Džordža nedrīkst ņemt pat nieka cepumiņu. Viņam svaigā atmiņā vēl aizvien bija Dūdijs un milzmēles marmelāde.

Pili un tās apkaimi tagad klāja bieza sniega sega. Bāli zilā Bosbatonas kariete blakus Hagrida būdas piparkūku namiņam tagad izskatījās pēc liela, nosaluša ķirbja, bet Durmštrangas kuģim ar sarmas klāto takelāžu lūkās spīguļoja ledus. Mājas elfi lejā, virtuvē, pārspēja paši sevi, gatavodami visvisādus sātīgus, karstus sautējumus un smaržīgus pudiņus, un laikam Flēra Delakūra bija vienīgā, kas spētu atrast, par ko žēloties.

— Tā irr parr daudz smaga, visa Cūkkārrpas barrība, — kādu vakaru, Flērai nopakaļ iedami laukā no Lielās zāles, viņi dzirdēja meiteni šķendējamies (Rons slēpās Harijam aiz muguras, lai Flēra viņu nepamanītu). — Es nevarrēšu ielīst iekšā savā balles mantijā!

— Vai, tā jau ir īsta traģēdija, — Hermione pazobojās, kolīdz Flēra bija izgājusi Ieejas zālē. — Viņa gan no sevis nezin ko iedomājas, vai ne?

— Hermione, ar ko kopā tu ej uz balli? — ieprasījās Rons.

Viņš nemitējās Hermioni tincināt, cerēdams izvilināt atbildi mirklī, kad viņa būs pārsteigta nesagatavota. Taču Hermione tikai sarauca pieri un atteica: — Es tev neteikšu, tu par mani smiesies.

— Vai tas būtu kāds joks, Vīzlij? — viņiem aiz muguras ierunājās Malfojs. — Tu taču negribi teikt, ka ir kāds, kurš aicinājis uz balli *šo te*? Šito draņķasini ar milzu priekšzobiem!

Harijs un Rons apsviedās, bet Hermione tikai pavēcināja roku, skatīdamās kaut kur Malfojam aiz muguras: — Sveiki, profesor Tramdān!

Malfojs nobālēja un apcirtās, raudzīdamies pēc Tramdāna, vai visas acis izskatīdams, bet Tramdāns joprojām sēdēja pie pasniedzēju galda, mielodamies ar sautējumu.

— Tu taču esi viens traki apsviedīgs sesks, ko, Malfoj? — Hermione dzēlīgi noteica, un kopā ar Hariju un Ronu, sirsnīgi smiedamies, kāpa augšā pa marmora kāpnēm.

— Hermione, — Rons ierunājās, pašķielēdams uz viņas pusi un pēkšņi saraucis pieri: — Tavi zobi...

— Kas tad tiem kaiš? — viņa atsaucās.

— Nu, tie vairs nav tādi... Es tikai nupat ievēroju...

— Skaidrs, ka nav! Vai tad tu gribēji, lai es joprojām staigāju apkārt ar tiem Malfoja ilkņiem?

— Nē, es gribu teikt, tie vairs nav tādi kā pirms tam, kad Malfojs tevi nolādēja... Tie ir... līdzeni un... normālā lielumā.

Hermione piepeši blēdīgi pasmaidīja, un arī Harijs atskārta, ka viņas smaids vairs nav tāds, kādu viņš to atcerējās.

— Nu... kad es aizgāju pie Pomfreja madāmas tos samazināt, viņa man priekšā nolika spoguli un teica, lai es pasakot, kad tie ir tik lieli, kā bijuši, — viņa ņēmās skaidrot. — Un es... es ļāvu, lai viņa tos sabur drusku mazākus. — Hermiones smaids kļuva vēl jo platāks. — Mammai ar tēti tas diez ko nepatiks. Kur tas laiks, kā esmu mēģinājusi viņus piedabūt, lai ļauj man tos zobus samazināt, bet viņi man tikai lika nēsāt skavas. Abi taču ir zobārsti, un viņiem ne prātā nenāk, ka zobus var ar maģiju... paskat! Pumperniķelis atgriezies!

Kāpņu augšgalā uz lāstekotajām margām, vienā laidā čivinādama, tupēja Rona mazā pūcīte. Viņai pie kājas bija piesiets pergamenta tīstoklis. Visi garāmiedami rādīja uz pūci ar pirkstiem un smējās, bariņš trešgadnieču apstājās un nosaucās: — Vai, re, kur pundurpūcīte! Vai nav *piemīlīga*?

— Stulbais spalvu kušķis! — Rons nošņācās, steigdamies augšā pa kāpnēm un pagrābdams Pumperniķeli. — Tā ka tu piegādātu vēstules tieši adresātam! Tev nav jāvazājas apkārt un jāizrādās!

Pumperniķelis laimīgi ieūjinājās, izbāzis galvu no Rona sažņaugtās dūres. Visas trešgadnieces izskatījās pamatīgi šokētas.

— Tinieties! — Rons viņām uzbrēca, pavicinādams dūri, no kuras rēgojās Pumperniķeļa knābis. Putns ūjināja vēl priecīgāk nekā tad, kad lidinājās savā vaļā. — Še — ņem, Harij, — Rons paklusāk piebilda, kad sašutušās trešgadnieces bija aizspurgušas projām. Viņš noraisīja no Pumperniķeļa kājas Siriusa vēstuli, Harijs sūtījumu iebāza kabatā, un visi steidzās uz Grifidora torni, lai tur to izlasītu.

Kopistabā visi bija pārāk nodarbināti ar brīvdienu enerģijas šķiešanu, lai pievērstu uzmanību tam, ko dara pārējie. Harijs, Rons un Hermione nosēdās malā, pie tumša loga, ko pamazām aizklāja sniega kārta, un Harijs ņēmās lasīt.

*Mīļais Harij!*

*Apsveicu ar sekmēm cīņā pret ragasti! Tas, kurš ielika Tavu vārdu Biķerī, tagad droši vien nejūtas diez ko laimīgs! Es Tev gribēju ieteikt Konjunktivīta lāstu, jo pūķim vārīgākā vieta ir acis...*

— Tas ir tas, ko izdarīja Krums! — iečukstējās Hermione.

*... bet Tavs paņēmiens bija labāks — es nudien jūtos lepns.*

*Tikai neieslīgsti pašapmierinātībā, Harij! Tu esi izturējis tikai vienu pārbaudījumu. Ja tam, kurš Tevi iegrūdis turnīrā, ir ļauni nodomi, izdevību vēl būs, cik uziet. Turi acis vaļā — īpaši, ja tuvumā ir cilvēks, par kuru mēs runājām — un centies turēties tālāk no nepatikšanām.*

*Nepazūdi, es joprojām gaidīšu ziņas par visu, kas notiek un šķiet neparasts.*

*Siriuss*

— Viņš runā tieši kā Tramdāns, — Harijs klusi noteica, iestūķēdams vēstuli atpakaļ mantijas kabatā. — "Nezaudējiet modrību!" It kā es staigātu apkārt, acis aizmiedzis, un nemitīgi sistos pret sienām...

— Bet viņam taisnība, Harij, — Hermione aizrādīja. — Tev *patiešām* priekšā stāv vēl divi pārbaudījumi. Paklau, tev nudien vajadzētu pievērsties tai olai un mēģināt noskaidrot, ko tā īsti nozīmē...

— Hermione, viņam vēl laika, cik uziet! — Rons izsaucās. — Uzspēlēsim šahu, Harij?

— Jā, lai iet, — Harijs piekrita. Tad, pamanījis Hermiones skatienu, viņš piebilda: — Nu, beidz! Kā lai es koncentrējos, kad apkārt šitāds troksnis? Tādā pat olas kaukoņu nevarētu sadzirdēt!

— Nu, labi, laikam jau tā ir. — Viņa nopūtās un nosēdās paskatīties viņu šaha partiju. Tā noslēdzās ar Rona pieteiktu satriecošu šahu un matu, ko īstenoja divi nenogurdināmi, drosmīgi bandinieki un briesmīgi nešpetns laidnis.

* * *

Ziemassvētku rītā Harijs uztrūkās no miega kā dzelts. Prātodams, kāpēc tik pēkšņi nācis pie apziņas, viņš atvēra acis un turpat sev pie degungala tumsā ieraudzīja zalgojam divas milzum lielas, apaļas, zaļas acis.

— *Dobij*! — Harijs iebrēcās, kārpīdamies nostāk no elfa ar tādu joni, ka teju izkrita no gultas. — *Nedari* tā!

— Dobijs atvainojas, kungs! — elfs sabijies iespiedzās, atlēkdams atpakaļ un piespiezdams pie mutes plaukstu ar garajiem pirkstiem. — Dobijs tikai grib novēlēt Harijam Poteram priecīgus Ziemassvētkus un atnest viņam dāvanu, kungs! Harijs Poters nudien teica, ka Dobijs var nākt viņu kādreiz apraudzīt, kungs!

— Ir jau labi, — Harijs sacīja. Sirds nu jau sitās kā parasti, bet elpu pēc nobīļa viņš vēl īsti nebija atguvis. — Tikai... tikai citreiz mani pabiksti vai kā, sarunāts? Neliecies man šitā klāt...

Harijs atvilka baldahīna aizkarus, paņēma no naktsgaldiņa brilles un uzkabināja tās uz deguna. Viņa brēciens bija pamodinājis Ronu, Dīnu, Šīmusu un Nevilu. Visi lūrēja pa aizkaru šķirbām — aizpampušām acīm un izspūrušiem matiem.

— Tev kāds uzbruka, Harij? — Šīmuss samiegojies noprasīja.

— Nē, tas ir tikai Dobijs, — Harijs nomurmināja. — Guliet vien tālāk.

— Nekā nebija... dāvanas! — iesaucās Šīmuss, pamanījis pie savas gultas prāvu kaudzi. Arī Rons, Dīns un Nevils nosprieda, ka, ja jau reiz pamodušies, varētu ķerties pie dāvanu izsaiņošanas. Harijs paskatījās uz Dobiju, kas nu mīņājās pie Harija gultas, joprojām raizēdamies, ka viņu sabiedējis. Viņa tējkannas sildāmajam pašā augšā bija piesiets Ziemassvētku spīguļbumbulis.

— Vai Dobijs var iedot Harijam Poteram dāvanu? — viņš piesardzīgi iepīkstējās.

— Protams, vari, — Harijs atsaucās. — E... man tev arī kaut kas ir.

Viņš meloja. Dobijam viņš neko nebija nopircis, taču mudīgi atvēra savu lādi un no tās izvilka īpaši savēlušos zeķu pāra rituli. Tās viņam bija pašas vecākās un novalkātākās, sinepju dzeltenā krāsā, savulaik piederējušas tēvocim Vernonam. Savēlušās tās bija tāpēc, ka nu jau vairāk nekā gadu Harijs zeķes izmantoja kā paliktni savam sūdzoskopam. Tagad viņš izcēla laukā sūdzoskopu un zeķes pasniedza Dobijam, piebilzdams: — Piedod, aizmirsu iesaiņot...

Bet Dobijs izskatījās bezgala sajūsmināts.

— Zeķes ir Dobija mīļākās, mīļākās drēbes, kungs! — viņš teica, novilkdams savas jocīgās zeķes un to vietā uzaudams jaunās — tēvoča Vernona vecās. — Nu man ir jau septiņas, kungs... bet, kungs... — Viņš ieplēta acis, kad bija uzrāvis zeķes tik augstu, ka tās sniedzās līdz īsbikšu staru apakšmalai. — Viņi veikalā ir kļūdījušies, Harij Poter, viņi dod jums abas vienādas!

— Vaimandieniņ, Harij, kā tu to nepamanīji? — iesmējās Rons, tupēdams savā gultā, kas tagad bija pilna ar dāvanu papīriem. — Paklau, Dobij, še tev vēl divas, tagad tu varēsi tās pareizi sajaukt. Un te būs tavs džemperis.

Viņš pasvieda Dobijam pāri tikko izsaiņotu violetu zeķu un Vīzlija kundzes atsūtītu adītu svīteri.

Dobijs šķita pārmēru aizkustināts. — Kungs ir ļoti laipns! — viņš iespiedzās, un elfa acis atkal iemirdzējās valgas, kad viņš Ronam zemu paklanījās. — Dobijs zināja, ka kungs droši vien ir dižs burvis, jo viņš ir Harija Potera labākais draugs, bet Dobijs nezināja, ka viņš ir arī tikpat augstsirdīgs, tikpat cildens, tikpat nesavtīgs...

— Tās taču ir tikai zeķes, — Rons nomurmināja ar maķenīt piesārtušām ausīm, lai gan izskatījās visai iepriecināts. — Oho, Harij! — viņš tikko kā bija izsaiņojis Harija dāvanu — "Čadlijas Lielgabalu" cepuri. — Super! — Rons uzstūķēja to galvā — krāsa briesmīgi nesaderējās ar viņa matiem.

Nu Dobijs pasniedza Harijam mazu paciņu, kur iekšā, kā atklājās, bija... zeķes.

— Dobijs tās noada pats, kungs! — elfs līksmi paziņoja. — Viņš nopērk vilnu par savu algu, kungs!

Kreisās kājas zeķe bija koši sarkana, slotaskātu rakstā, bet labā — zaļa, izrakstīta ar rokudzelžiem.

— Tās ir... nudien... nu, paldies, Dobij, — Harijs tencināja un uzvilka zeķes kājās, tā likdams Dobija acīs atkal sariesties laimes asarām.

— Tagad Dobijam jāiet, kungs, mēs jau virtuvē taisa Ziemassvētku vakariņas! — Dobijs iesaucās un steidzās laukā pa durvīm, pa ceļam pamādams sveikas Ronam un pārējiem.

Citas dāvanas Harijam šķita daudz jēdzīgākas par Dobija ērmotajām zeķēm, izņemot, protams, to, ko bija atsūtījuši Dērsliji, — vienu vienīgu salvetīti, kas pārsita pušu visus iepriekšējos rekordus. Harijs nosprieda, ka arī viņi droši vien joprojām nav aizmirsuši milzmēles marmelādi. Hermione Harijam bija sagādājusi grāmatu, ko sauca "Britānijas un Īrijas kalambola komandas", Rons — pamatīgu mēslu bumbu paku; Siriuss — saliekamo nazi ar pariktēm, kas ļāva atmūķēt jebkuru slēdzeni un atraisīt jebkuru mezglu, bet Hagrids — prāvu saldumu kasti, kur netrūka nekā no Harija iecienītākajiem gardumiem: Bertija Bota "Visgaršu zirnīši", šokolādes vardes, Drūbla vispūtīgākā gumija un šņācējrūcējbites. Netrūka arī parastā sūtījuma no Vīzlija kundzes, kur Harijs atrada jaunu džemperi (zaļu ar pūķi — acīmredzot Čārlijs viņai bija visu izstāstījis par ragasti) un veselu lēveni pašceptu gaļas pīrāgu.

Ar Hermioni Harijs un Rons satikās kopistabā, un visi devās lejā brokastīs. Lielāko daļu rīta cēliena viņi pavadīja Grifidora tornī, kur noņēmās ap savām dāvanām, un tad atkal atgriezās Lielajā zālē, lai ieturētu karaliskas pusdienas — galdā tika celti savi simt tītari un Ziemassvētku pudiņi, un milzu kaudzes kribidža burvju cepumu.

Pēc pusdienām viņi izgāja laukā. Sniegs gulēja balts un neskarts, ja neskaita dziļās takas, ko uz pili bija iestaigājuši Bosbatonas un Durmštrangas audzēkņi. Hermione izlēma sniega kaujā nepiedalīties — viņa stāvēja maliņā un noraudzījās, kā pikojas Harijs ar Vīzlijiem, un piecos paziņoja, ka iešot augšā saposties uz balli.

— Ko? Tev vajag trīs stundas? — Rons uzmeta viņai neticīgu skatienu un par to, ka pagrieza galvu, tūliņ dabūja samaksāt — liela, Džordža mesta pika trāpīja viņam taisni pa ausi. — Ar ko tu ej? — viņš nokliedza Hermionei pakaļ, bet viņa tikai atvēcinājās un, uzkāpusi pa lieveņa kāpnēm, nozuda pils durvīs.

Ziemassvētku tējas todien nebija, jo mielasts bija paredzēts ballē, tāpēc septiņos, kad kresla jau bija sabiezējusi tik dziļa, ka nevarēja saprast, kur lai tēmē, arī pārējie meta pikošanos pie malas un kātoja atpakaļ uz kopistabu. Resnā kundze ietvarā sēdēja kopā ar savu apakšstāva draudzeni Violetu, abas bija pavisam jautrā prātā — gleznas apakšā mētājās tukšas liķiera konfekšu kastes.

— Grīnumbaismas, jā, jā! — Resnā kundze ieirgojās, kad viņi nosauca paroli, un sagāzās uz priekšu, lai ielaistu visus iekšā.

Guļamistabā Harijs, Rons, Šīmuss un Nevils saģērbās svētku mantijās. Visi izskatījās ļoti pašapzinīgi, izņemot Ronu, kas uz savu atspulgu kaktā noliktajā spogulī vērās galīgi saskābis. Nebija vērts noliegt, ka viņa mantija vairāk gan izskatījās pēc kleitas. Izmisīgi lūkodams piešķirt tai vīrišķīgāku paskatu, Rons apkakli un aproces bija apstrādājis ar apciršanas burvestību. Tā bija diezgan labi iedarbojusies — vismaz mežģīnes bija pazudušas —, taču lietota visai pavirši, un tad, kad visi bija gatavi kāpt lejā, mantijas apmales tomēr izskatījās briesmīgi apspurušas.

— Es nekādi nevaru saprast, kā jums abiem izdevās dabūt pašas smukākās ceturtgadnieces, — nomurmināja Dīns.

— Dzīvnieciskais magnētisms, — Rons drūmi pavēstīja, vilkdams no aprocēm laukā diegu galus.

Kopistaba izskatījās neparasti — parasto melno mantiju vietā tur ņirbēt ņirbēja raibi rakstains bars. Parvati gaidīja Hariju kāpņu lejasgalā. Viņa patiesi izskatījās ļoti labi, ietērpusies kliedzoši sārtā mantijā, melno, garo bizi izrotājusi ar zelta lenti un izgreznojusies ar zelta aprocēm. Harijs atvieglots konstatēja, ka viņa neķiķina.

— Tu... nu... izskaties jauki, — viņš samulsis izstomīja.

— Paldies, — viņa atsaucās. — Padma tevi gaidīs Ieejas zālē, — viņa paziņoja Ronam.

— Skaidrs, — Rons paraudzījās visapkārt. — Kur tad Hermione?

Parvati paraustīja plecus. — Iesim lejā, ko, Harij?

— Labs ir, — Harijs atbildēja, daudz karstāk vēlēdamies palikt turpat, kopistabā. Freds, steigdamies garām uz portretcaurumu, piemiedza Harijam ar aci.

Arī Ieejas zāle bija stāvgrūdām pilna, visi drūzmējās un gaidīja, kad pulkstenis sitīs astoņus un atvērsies Lielās zāles durvis. Cauri drūzmai spraucās tie, kas satikšanos bija norunājuši ar citu torņu audzēkņiem un nu raudzīja cits citu atrast. Parvati uzmeklēja savu māsu Padmu un atveda viņu pie Harija un Rona.

— Sveiki, — sacīja Padma, kas savā spilgti tirkīzzaļajā mantijā izskatījās tikpat piemīlīga kā Parvati. Tomēr viņa nelikās diez ko sajūsmināta, ka sagadījusies pārī ar Ronu, — noskatījusi viņu no galvas līdz kājām, viņa nepārprotami pamanīja gan apspurušo apkakli, gan noplūkātās aproces.

— Sveiki, — Rons atņēma, uz Padmu nemaz īsti nepaskatījies. Viņš pētīja pūli. — Ak, nē...

Ieliecies ceļgalos, Rons noslēpās Harijam aiz muguras, jo Kraukļanaga kalambola komandas kapteiņa Rodžera Deivisa pavadībā garām satriecoši skaista — sudrabpelēka atlasa mantijā — paslīdēja Flēra Delakūra. Kolīdz abi bija pagaisuši no redzesloka, Rons atkal izslējās un ņēmās pārlūkot pūli.

— Kur tā Hermione? — viņš nerimās.

No savas pagraba kopistabas Ieejas zālē uzkāpa bariņš slīdeņu. Visiem pa priekšu soļoja Malfojs melnā samta mantijā ar augstu apkakli, kas, pēc Harija domām, darīja viņu līdzīgu mācītājam. Malfoja elkonī bija ieķērusies Pansija Pārkinsone, ietērpusies kruzuļotā, gaišsārtā mantijā. Krabe un Goils abi bija zaļi, abi izskatījās pēc ķērpjiem apaugušiem laukakmeņiem, un ne viens, ne otrs, Harijam par prieku, nebija varējis atrast sev pāri.

Atvērās ozolkoka parādes durvis, un visi pagriezās, lai noskatītos, kā ienāk Durmštrangas delegācija ar profesoru Karkarovu priekšgalā. Audzēkņiem pa priekšu gāja Krums ar kādu skaistu meiteni zilā mantijā — Harijs viņu nepazina. Pa durvīm varēja redzēt, ka pilspriekša ir pārvērtusies par tādu kā grotu, kur spīguļoja burvju gaismiņas, — tur uzburtajos rožu krūmos sēdēja simtiem laumiņu, un vēl vesels spiets laidelējās pār statujām, kas laikam attēloja Ziemassvētku vecīti un viņa ziemeļbriežus.

Tad atskanēja profesores Maksūras balss: — Censoņi, lūdzu, šurp!

Parvati starodama sakārtoja aproces, abi ar Hariju noteica Ronam ar Padmu: — Pēc brītiņa tiksimies, — un devās uz priekšu. Čalojošais pūlis pašķīrās, lai dotu viņiem ceļu. Profesore Maksūra, kas bija apvilkusi sarkani rūtotu mantiju un cepures apmali izrotājusi ar visai neglītu dadžu vainagu, viņiem lika pagaidīt šaipus durvīm, līdz visi pārējie saies iekšā, viņiem vajadzēja svinīgi ieiet Lielajā zālē, kad visi būs sasēdušies savās vietās. Flēra Delakūra ar Rodžeru Deivisu nostājās pie pašām durvīm — tā vien šķita, ka Deivisu viņa laimīgais liktenis ir tā apstulbinājis, ka viņš nespēja no Flēras novērst ne acu. Turpat blakus bija arī Sedriks ar Čo. Harijs neskatījās viņiem virsū, lai nevajadzētu sarunāties. Līdz ar to viņa skatiens krita uz meiteni līdzās Krumam. Harijs ieplēta acis.

Tā bija Hermione.

Bet nepavisam neizskatījās pēc Hermiones. Viņa kaut ko bija izdarījusi ar saviem matiem — tie tagad nevis spurojās mežonīgā mudžeklī, bet bija taisni un spoži, uz pakauša savīti elegantā mezglā. Viņas mantija bija šūdināta no viegla, vijolīšu zila auduma, un viņa turējās kaut kā pavisam citādi — varbūt tāpēc, ka nestiepa grāmatu grēdu, ko allaž mēdza valkāt līdzi. Un viņa smaidīja — tiesa, mazliet nervozi, taču tas, ka priekšzobi kļuvuši mazāki, tagad šķita acīm redzams. Harijs nespēja saprast, kāpēc to nav pamanījis agrāk.

— Sveiks, Harij! — Hermione uzsauca. — Sveika, Parvati!

Parvati blenza uz Hermioni tā, it kā neticētu savām acīm. Un viņa nebūt nebija vienīgā — kad atvērās Lielās zāles durvis, garām aizsoļoja Kruma bibliotēkas fanklubs, un pielūdzējas visas kā viena veltīja Hermionei dziļa naida pilnus skatienus. Muti pavērusi, uz viņu noraudzījās Pansija Pārkinsone, kopā ar Malfoju iedama garām, un pat Malfojs nespēja attapties, lai sadomātu kādu apvainojumu. Taču Rons aizgāja Hermionei cieši garām, uz viņu pat nepaskatījies.

Kad visi Lielajā zālē bija sasēdušies, profesore Maksūra lika censoņiem un viņu partneriem pa pāriem sastāties rindā un soļot viņai pakaļ. Visi tā arī darīja, un visi aplaudēja, kad viņi iegāja pa durvīm un devās pāri zālei pie liela, apaļa galda, kur sēdēja tiesneši.

Zāles sienas klāja mirdzoša sarma, pāri melnajiem, zvaigžņotajiem griestiem stiepās simtiem āmuļu un efeju stīgu. Torņu galdi bija pagaisuši, to vietā zālē tagad stāvēja apmēram simt mazāku, uz katra spīguļoja lukturīši un ap katru varēja sasēsties kāds ducis cilvēku.

Harijs domāja tikai par to, lai nepakluptu. Parvati izskatījās varen apmierināta, pa labi, pa kreisi raidīja starojošus smaidus un vilka Hariju uz priekšu tik apņēmīgi, ka viņš jutās kā uz izstādi atvests suns un paklausīgi tecēja līdzās. Kad procesija tuvojās tiesnešu galdam, Harijs pamanīja Ronu ar Padmu. Rons piemiegtām acīm urbās Hermionē, Padma izskatījās saīgusi.

Kad censoņi piegāja pie tiesnešu galda, Dumidors atplauka smaidā, bet Karkarovs, noraudzīdamies uz Krumu ar Hermioni, savilka tieši tādu pašu ģīmi kā pirmīt Rons. Ludo Maišelnieks, ieģērbies košā, ar lielām, dzeltenām zvaigznēm izrotātā purpura mantijā, sita plaukstas tikpat aizrautīgi kā audzēkņi. Maksima madāma, kas parasto melnā atlasa uniformu bija nomainījusi pret smaga gaišzila zīda mantiju, aplaudēja visai atturīgi. Bet Zemvalža kunga, Harijs piepeši atskārta, te nemaz nebija. Piektajā krēslā pie galda sēdēja Persijs Vīzlijs.

Kad censoņi ar saviem partneriem bija nonākuši pie galda, Persijs pabīdīja nostāk no galda tukšo blakus krēslu un zīmīgi norādīja uz to Harijam. Mājienu sapratis, Harijs nosēdās līdzās Persijam, kam mugurā bija gluži jauna, tumšzila mantija, bet acīs — pašapmierināts spīdums.

— Esmu paaugstināts, — iekams Harijs vēl bija paguvis ko jautāt, Persijs paziņoja tādā tonī, it kā būtu ievēlēts par Visuma valdnieku. — Tagad es esmu Zemvalža kunga personīgais palīgs un šeit esmu ieradies kā viņa pārstāvis.

— Kāpēc tad viņš pats nav ieradies? — Harijs ievaicājās. Viņu nebūt neiejūsmināja izredzes pie vakariņu galda klausīties nebeidzamu priekšlasījumu par katlu dibeniem.

— Zemvalža kungs diemžēl nejūtas labi, nepavisam nejūtas labi. Savārga tūliņ pēc Pasaules kausa izcīņas. Un kāds tur brīnums — pārpūlējies! Viņš jau vairs nav tik jauns, lai gan joprojām spīdeklis, protams, — prāts viņam darbojas tikpat nevainojami. Bet Pasaules kausa izcīņa bija izgāšanās visai ministrijai, un tad Zemvalža kungs pārcieta milzīgu personiska rakstura triecienu, ko sagādāja tas viņa mājas elfs Blinkija vai kā nu viņu tur sauc. Dabiski, Zemvalža kungs viņu uz vietas atlaida, taču, kā jau teicu, dzīve turpinās, Zemvalža kungam vajag kādu, kas par viņu rūpētos, un, manuprāt, viņa sadzīves ērtības kopš tā laika ir ievērojami mazinājušās. Un tad mums vajadzēja rīkot turnīru un tikt galā ar kausa izcīņas sekām — tā briesmīgā Knisle taču nelikās un nelikās mierā... Nē, lai nu viņš, nabaga cilvēks, bauda sūri grūti pelnītus, klusus Ziemassvētkus. Man tikai prieks, ka viņš zina — ir kāds, uz kura pleciem viņš droši var uzvelt savu pienākumu nastu.

Harijs karsti vēlējās pajautāt, vai Zemvalža kungs ir pārstājis Persiju saukt par Vezerbiju, tomēr savaldījās.

Edienu uz spožajiem zelta šķīvjiem vēl nebija, toties katram priekšā parādījās neliela ēdienkarte. Harijs savējo nedroši pacilāja un paraudzījās visapkārt — nekādu viesmīļu nebija. Tikmēr

Dumidors rūpīgi izpētīja savu lapiņu un ļoti skaidri uzrunāja savu šķīvi: — Cūkgaļas karbonādi!

Nākamajā mirklī uz šķīvja jau gulēja cūkgaļas karbonāde. Aptvēruši, kas darāms, arī pārējie šķīvjiem paziņoja savas vēlmes. Harijs paškielēja uz Hermioni, lai redzētu, ko viņa domā par jauno un sarežģītāko apkalpošanas metodi — tā taču visādā ziņā nozīmēja, ka mājas elfu pienākumu nasta ir kļuvusi vēl jo smagāka! Taču izskatījās, ka Hermione vienreiz ir izmetusi no galvas VEMT. Viņa bija dziļi ieslīgusi sarunā ar Viktoru Krumu un diezin vai maz manīja, ko bāž mutē.

Piepeši Harijs iedomājās, ka laikam nekad nav dzirdējis Krumu tā pa īstam runājam, tomēr tagad Krums to nenoliedzami darīja, turklāt visai dedzīgi.

— Nu jā, mums ir pils arī, ne tik liela un ne tik ērta, man domāt, — viņš klāstīja Hermionei. — Mums ir tikai četri stāvi, un kamīnus kurina tikai maģijas nolūkā. Bet laukā mums ir vēl vairāk vietas, lai gan ziemā mums ir ļoti maz gaismas, tā ka tur gandrīz neko redzēt nevar. Bet vasarā mēs lidojam katru dienu pāri ezeriem un kalniem...

— Pag, pag, Viktor! — Karkarovs viņu apsauca, savilcis smaidā lūpas vien — skatiens palika tikpat salts, kā bijis. — Tā tu izpaudīsi itin visu, un tava apburošā draudzene izdibinās, kur mūs meklēt!

Dumidora acis iedzirkstījās smaidā. — Igor, jūs esat tik noslēpumains... Gandrīz jādomā, ka jums nepatīk ciemiņi.

— Nudien, Dumidor, — Karkarovs atieza iedzelteno zobu rindu, — mēs taču visi sargājam savas mazās valstības. Vai mēs kaismīgi nesargājam mums uzticētās zinību krātuves? Vai mums nav pamata lepoties, ka tikai mēs vienīgie zinām savas skolas noslēpumus, un vai mums nav tiesību tos sargāt?

— Ak, es nemūžam neiedrošinātos domāt, ka zinu visus Cūkkārpas noslēpumus, Igor, — Dumidors draudzīgi atteica. — Piemēram, vēl šorīt es pa ceļam uz kungu istabu nogriezos nepareizā gaitenī un nonācu brīnum skaistā istabā, ko redzēju pirmo reizi mūžā, — tur bija izvietota tiešām visai lieliska naktspodu kolekcija. Kad vēlāk atgriezos, lai aplūkotu to tuvāk, istaba izrādījās izgaisusi. Bet esmu nolēmis to tā neatstāt. Iespējams, tā parādās tikai pussešos no rīta. Vai varbūt jaunā mēnesī. Vai varbūt meklētāja pūslim jābūt īpaši pilnam.

Harijs iespurdzās tieši savā gulaša šķīvī. Persijs sarauca pieri, bet Harijs bija gatavs likt galvu ķīlā, ka Dumidors viņam bija tikko manāmi piemiedzis ar aci.

Tikmēr Flēra Delakūra, runādamās ar Rodžeru Deivisu, nopēla Cūkkārpas svētku dekorācijas.

— Tas irr nekas, — viņa nicīgi teica, ar skatienu norādīdama uz Lielās zāles mirdzošajām sienām. — Bosbatonas pilī mums uz Ziemassvētkiem Vakarriņu kambarrī irr ledus skulptūrras visrriņķī. Tās, prrotams, nekūst... tās irr kā milzīgas dimanta statujas, kas mirrdzinās uz visām pusēm. Un ēdiens irr vienkārrši nepārrspēts. Un mums irr meža nimfu korri, kas dzied serrenādes, kamērr mēs ēdam. Šitādu neglītu brruņu mums nekurr nav, un, ja kāds polterrgeists ielien Bosbatonā, to izmet ārrā, rreku, *šitā.* — Flēra nepacietīgi uzblieza ar plaukstu pa galdu.

Rodžers Deiviss uz viņu vērās gluži kā aizsapņojies un nekādi nevarēja trāpīt mutē uz dakšiņas uzdurto kumosu. Harijam tā vien šķita, ka viņš ir pārāk aizņemts ar skatīšanos uz Flēru, lai ieklausītos kaut vienā viņas vārdā.

— Tieši tā, — Rodžers Deiviss aši ierunājās, uzsizdams uz galda tāpat kā Flēra. — Reku, *šitā.* Jānudien.

Noskatījis Lielo zāli, Harijs ieraudzīja Hagridu, kas sēdēja pie cita pasniedzēju galda, atkal ieģērbies savā briesmīgi spalvainajā, brūnajā kamzolī, un skatījās šurp. Hagrids viegli pamāja, un, paraudzījies apkārt, Harijs pamanīja, kā Maksima madāma pamāj pretim, sveču gaismā nomirdzinādama opālus.

Hermione patlaban mācīja Krumu, kā pareizi izrunājams viņas vārds — Krums visu laiku viņu sauca par Hērmjonu.

— Her-mi-one, — viņa lēni un skaidri novilka.

— Ēr-mjo-nī-ne.

— Apmēram tā, — viņa noteica, pamanīja Harija skatienu un pasmaidīja.

Kad viss bija apēsts, Dumidors piecēlās un lūdza piecelties arī audzēkņus. Tad, klausot viņa zižļa mājienam, galdi aizšļūca atpakaļ pie sienām, atbrīvojot zāles vidu, un Dumidors pie telpas labās sienas uzbūra skatuvi, uz kuras parādījās bungas, dažas ģitāras, lauta, čells un vairākas dūdas.

Atskanot vētrainiem aplausiem, uz skatuves uzkāpa "Ķēmu māsas" — visas briesmīgi noaugušas ar matiem un ietērpušās mākslinieciski noskrandušās un saplēstās mantijās. Māsas paķēra instrumentus, un Harijs, viņas aizrautīgi vērodams, teju bija aizmirsis, kas tūliņ jādara, un piepeši atskārta, ka lukturi uz pārējiem galdiem ir nodzisuši un censoņi ar saviem partneriem ceļas kājās.

— Nāc, — Parvati iešņācās. — Mums jāiet dejot!

Rausdamies kājās, Harijs uzkāpa uz savas mantijas stērbeles un paklupa. Ķēmu māsas uzņēma lēnu, sērīgu meldiju. Harijs izgāja spilgti apgaismotajā zāles vidū, cenzdamies ne uz vienu neskatīties (ar acs kaktiņu viņš pamanīja Šīmusu un Dīnu — tie abi rādīja viņam zīmes un smīkņāja), un tad Parvati paķēra viņa rokas, vienu aplika sev ap vidu un otru sagrāba kā spīlēs.

Varēja būt arī sliktāk, Harijs nosprieda, lēni griezdamies uz riņķi (Parvati vadīja). Viņš joprojām blenza kaut kur pāri skatītāju pūlim, un drīz arī liela daļa pārējo laidās dejā, tā ka censoņi vairs nebija uzmanības centrā. Turpat netālu dejoja Nevils ar Džinniju — viņš redzēja Džinniju ik pa brīdim sakniebjam lūpas, kad Nevils viņai kārtējo reizi uzkāpa uz kājas. Dumidors valsēja ar Maksima madāmu. Viņai līdzās profesors izskatījās kā rūķītis — viņa smailās cepures gals Maksima madāmai sniedzās tik tikko līdz zodam, tomēr par spīti milzīgajam augumam Bosbatonas direktrise kustējās ļoti graciozi. Trakacis Tramdāns briesmīgi lempīgi mīņājās kopā ar profesori Sinistru, kas nervozi raudzīja turēties tālāk no viņa koka kājas.

— Jaukas zeķes, Poter, — Tramdāns noņurdēja, stampādamies garām un ar burvju aci noskatīdams, ko Harijs pavilcis apakš mantijas.

— Ā, jā... Tās man noadīja mājas elfs Dobijs, — Harijs pasmaidīja.

— Viņš ir tik *baigs*! — nočukstēja Parvati, kad Tramdāns bija aizklidzinajis talak. — To viņa aci vajadzētu *aizliegt*!

Harijs atvieglots dzirdēja dūdas pēdējo reizi žēli nopūšamies. "Ķēmu māsas" stājās spēlēt, zāli no jauna pieskandināja aplausi, un Harijs acumirklī atbrīvojās no Parvati tvēriena. — Iesim apsēsties, labi?

— Ai... bet... šis te ir labais! — Parvati nogaudās, kad "Ķēmu māsas" uzsāka jaunu gabalu — daudz ātrāku.

— Nē, man nepatīk, — Harijs mānījās un vedināja viņu iet malā garām Fredam ar Endželīnu, kuri lēkāja tik dedzīgi, ka pārējie visriņķī turējās pa gabalu, lai nedabūtu kādu spērienu. Viņi devās pie galda, kur sēdēja Rons ar Padmu.

— Kā iet? — apsēzdamies un atvērdams sviestalus pudeli, Harijs uzjautāja Ronam.

Rons cieta klusu. Viņš glūnēja uz Hermioni un Krumu, kas dejoja turpat netālu. Padma sēdēja, rokas un kājas sakrustojusi, kurpi šūpinādama mūzikas ritmā. Ik pa brīdim viņa uzmeta nīgru skatienu Ronam, kas nelikās ne zinis. Parvati nometās Harijam līdzās, arī sakrustojusi rokas un kājas, un pēc īsa brīža kāds Bosbatonas zēns uzlūdza viņu dejot.

— Tev taču nebūs iebildumu, Harij? — Parvati apjautājās.

— Ko? — satrūkās Harijs, kas cieši vēroja Čo un Sedriku.

— Ai, neko, — Parvati atcirta, piecēlās, aizgāja līdzi bosbatonietim un, kad deja beidzās, neatgriezās.

Pienāca Hermione un apsēdās Parvati krēslā. Viņa dejodama bija mazliet piesārtusi.

— Sveika, — Harijs teica. Rons klusēja.

— Karsti, vai ne? — Hermione ar plaukstu apvēdināja seju. — Viktors aizgāja sadabūt kaut ko dzeramu.

Rons viņai uzmeta iznīcinošu skatienu.

— *Viktors*? — viņš pārvaicāja. — Vai tad viņš vēl nav lūdzis, lai tu viņu sauc par *Vikuci*?

Hermione šķita pārsteigta. — Kas tev lēcies? — viņa noprasīja.

— Ja tu pati nezini, — Rons dzēlīgi norādīja, — es jau nu tev neteikšu.

Hermione skatījās uz viņu, tad paraudzījās uz Hariju, bet tas paraustīja plecus. — Ron, ko...?

— Viņš ir no Durmštrangas! — Rons izsaucās. — Viņš cīnās pret Hariju! Pret Cūkkārpu! Tu... tu... — Rons acīmredzot nevarēja vien atrast gana spēcīgus vārdus, lai aprakstītu Hermiones noziegumu, — *brāļojies ar ienaidnieku*, lūk, ko tu dari!

Hermione palika ar vaļā muti.

— Ko tu muļķojies? — viņa pēc brīža ierunājās. — *Ienaidnieks*? Nē, goda vārds, kurš tad bija tas, kurš vai gaisā lēca, ieraudzījis viņu ierodamies? Kurš bija tas, kurš gribēja viņa autogrāfu? Kurš savā guļamistabā glabā viņa figūriņu?

Rons izlēma par to nelikties ne zinis. — Jādomā, viņš tevi uzaicināja, kamēr jūs abi dzīvojāties pa bibliotēku?

— Jā gan, — sārtajiem plankumiem uz vaigiem iekvēlojoties košāk, atteica Hermione. — Un kas tad ir?

— Kas tad notika? Tu mēģināji viņu pierunāt pievienoties tai vemšanas būšanai, ja?

— Nē! Ja tu *tiešām* vēlies zināt, viņš... viņš teica, ka ik dienu nācis uz bibliotēku tādēļ, lai mani uzrunātu, tikai nav varējis sadūšoties!

Hermione to nobēra kā pupas un pietvīka tik sārta kā Parvati mantija.

— Jā, jā, tā jau viņš droši vien stāsta, — Rons nešpetni piezīmēja.

— Un ko tu ar to gribi teikt?

— Vai tad nav skaidrs? Viņš taču ir Karkarova audzēknis! Viņš taču zina, ar ko tu pinies... Viņš tikai mēģina tikt tuvāk klāt Harijam — dabūt ziņas vai tikt pietiekami tuvu, lai viņu noburtu...

Hermione salēcās, it kā Rons viņai būtu iecirtis pliķi. Tad viņa ierunājās trīcošā balsī. — Tavai zināšanai — viņš man par Hariju nav vaicājis *pilnīgi neko*...

Rons acumirklī mainīja taktiku. — Tātad viņš cer, ka tu palīdzēsi noskaidrot, ko nozīmē tā ola! Es nešaubos, ka jūs abi omulīgajā bibliotēkā esat likuši galvas kopā...

— Par olu nav bijis *ne runas*! — Hermione saniknojās. — *Nemaz*! Kā tu vari kaut ko tādu teikt! Es gribu, lai turnīrā uzvar Harijs, un Harijs to zina, vai ne, Harij?

— Tu gan to izrādi visai īpatnēji, — Rons novīpsnāja.

— Turnīrs taču ir domāts tam, lai mēs iepazītu svešzemju burvjus un ar viņiem iedraudzētos! — Hermione spalgi izsaucās.

— Nekā nebija! — Rons iebrēcās. — Runa ir par to, kurš uzvarēs!

Apkārtējie jau sāka viņiem pievērst uzmanību.

— Ron, — Harijs klusi ieteicās, — es nesaprotu, kāpēc Hermione nevarētu saieties ar Krumu...

Bet Rons arī to izlikās nedzirdam.

— Tev vajadzētu iet un pameklēt Vikuci, citādi viņš tevi nevarēs atrast, — Rons norādīja Hermionei.

— *Nesauc viņu par Vikuci*! — Hermione pielēca kājās un aizbrāzās pāri deju grīdai, iejukdama pūlī.

Rons noskatījās viņai pakaļ, itin kā dusmīgs, tomēr apmierināts.

— Vai tu vispār mani lūgsi uz kādu deju? — Padma viņam noprasīja.

— Nē, — Rons atcirta, joprojām blenzdams pakaļ Hermionei.

— Lieliski, — Padma nošņāca, uzlēca kājās un devās pie Parvati un viņas bosbatonieša, kuram blakus piepeši parādījās draugs — vienā acumirklī, tā ka Harijs būtu gatavs zvērēt, ka viņš tur pieburts.

— Kur Ēr-mjo-nī-ne? — Atskanēja kāda balss.

Ar divām sviestalus pudelēm rokā pie galdiņa bija uzradies Krums.

— Nav ne jausmas, — Rons viņu spītīgi uzlūkoja. — Pazaudēji, ko?

Krums atkal izskatījās saīdzis.

— Ja jūs viņu redzat, sakiet, ka man ir padzerties, — viņš noņurdēja un aizslāja projām.

— Ak tad draudzējies ar Krumu, Ron?

Rokas berzēdams un varen piepūties, klāt bija piesteidzies Persijs. — Burvīgi! Tam jau tas viss ir domāts — lai veicinātu burvju starptautisko sadarbību!

Harijs sapīcis noskatījās, kā Persijs iesēžas Padmas vietā. Pasniedzēju galds tagad stāvēja tukšs un pamests — profesors Dumidors dejoja ar profesori Asnīti, Ludo Maišelnieks — ar profesori Maksūru, Maksima madāma ar Hagridu valsēdami audzēkņu pūlī šķūrēja platas takas, un Karkarovs bija nez kur pazudis. Kad beidzās nākamā dziesma, visi no jauna ņēmās aplaudēt, un Harijs redzēja, kā Ludo Maišelnieks noskūpsta profesorei Maksūrai roku un vada viņu uz vietu cauri drūzmai, un tūliņ Maišelniekam klāt piestājās Freds ar Džordžu.

— Ko viņi iedomājas, tā uzbāzdamies ministrijas ierēdņiem? — Persijs nošņācās, aizdomu pilns vērodams savus brāļus. — Ne mazākās cieņas...

Taču Ludo Maišelnieks no Freda un Džordža ātri vien tika vaļā, tad pamanīja Hariju, pamāja un piesteidzās klāt.

— Ceru, Maišelnieka kungs, ka mani brāļi jūs neapgrūtina? — Persijs tūliņ ierunājās.

— Ko? Ak nē, nepavisam! — Maišelnieks atsaucās. — Nē, viņi tikai man drusku sīkāk pastāstīja par saviem viltotajiem ziž-ļiem. Gribēja apvaicāties, vai es nevaru dot kādu padomu, kā tos labāk ieviest tirgū. Apsolīju viņus savest kopā ar dažiem saviem draugiem no Zonko Joku bodes...

Persijs, to dzirdot, neškita diez ko iepriecināts, un Harijs bija gatavs derēt, ka viņš metīsies visu izpļāpāt Vīzlija kundzei, kolīdz spers kāju pār mājas slieksni. Freda un Džordža plāni pēdējā laikā acīmredzot bija kļuvuši vēl jo vērienīgāki, ja reiz abi jau domāja par tirgus iekarošanu.

Maišelnieks pavēra muti, lai Harijam kaut ko vaicātu, taču Persijs viņu apsteidza. — Kā, jūsuprāt, norit turnīrs, Maišelnieka kungs? *Mūsu* nodaļa ir visai apmierināta. Protams, aizķeršanās ar Uguns biķeri, — viņš paškielēja uz Hariju, — bija visai nepatīkama, bet citādi viss, šķiet, iet ļoti gludi, vai ne?

— Jā, jā, kā tad! — Maišelnieks līksmi attrauca. — Pasākums ir vienkārši lielisks. Kā klājas vecajam labajam Bērtulim? No tiesas žēl, ka viņš nevarēja ierasties.

— Ak, es teiktu, ka nepaies necik ilgs laiks, kad Zemvalža kungs atkal būs uz kājām, — Persijs svarīgi bilda. — Bet tikmēr es viņa rūpju nastu labprāt uzvelšu uz saviem pleciem. Skaidrs, ka nav jau tikai jāapmeklē balles vien, — viņš bezrūpīgi iesmējās, — nē, nē, man jātiek galā ar visu, kas sakrājies viņa prombūtnes laikā. Vai esat dzirdējis, ka noķerts Ali Baširs, kas valstī kontrabandas ceļā mēģinājis ievest lidojošo paklāju partiju? Un vēl mēs mēģinām panākt, lai transilvānieši paraksta Starptautisko duelēšanās aizliegumu. Tūliņ jaunā gada sākumā man paredzēta tikšanās ar viņu Maģiskās sadarbības nodaļas priekšnieku...

— Iesim pastaigāt, — Rons nobubināja Harijam pie auss, — patālāk projām no Persija...

Izlikdamies, ka dodas meklēt vēl kaut ko dzeramu, Harijs un Rons piecēlās un, apmetuši līkumu ap deju zāli, pa durvīm izmuka Ieejas zālē. Parādes durvis bija līdz kājai vaļā, un laumiņu lukturīši rožu dārzā spīguļoja un mirguļoja, kad viņi kāpa lejā pa lieveņa kāpnēm, līdz nonāca pilspriekšā, kur visapkārt slējās rožu krūmi, vijās rūpīgi veidotas taciņas un vīdēja akmens tēli. Harijs dzirdēja ūdens čalu — izklausījās pēc strūklakas. Šur un tur uz akmens soliem sēdēja cilvēki. Zēni pa vienu no rožu krūmu ieskautajiem, līkumotajiem celiņiem devās dziļāk parkā, taču, neaizgājuši necik tālu, izdzirdēja kādu dīvaini pazīstamu, nepatīkamu balsi: — ...nesaprotu, par ko te vajadzētu satraukties, Igor.

— Severus, tu nevari izlikties, ka nekas nenotiek! — atsaucās Karkarovs — noraizējies, tomēr balsi pieklusinājis, it kā sargādamies, lai viņa vārdi nenonāk nevēlamās ausīs. — Ar katru mēnesi tā kļūst aizvien skaidrāka un skaidrāka, un es nudien esmu nobažījies, nevaru noliegt...

— Tad bēdz, — Strups noskaldīja. — Bēdz, es tavā vietā aizbildināšos. Taču es palikšu Cūkkārpā.

Strups ar Karkarovu parādījās taciņas līkumā. Strupam rokā bija zizlis, un viņš ar to raidīja zibšņus rožu krūmos, būdams acīm redzami nelāgā omā. No krūmiem daudzviet atskanēja brēcieni un izšāvās melnas ēnas.

— Desmit soda punkti Elšpūtim, Foseta! — Strups nikni paziņoja, kad viņam garām aizmuka kāda meitene. — Un desmit punkti arī Kraukļanagam, Stebins! — viņš uzbrēca zēnam, kas aizjoza meitenei nopakaļ. — Un ko jūs abi divi te darāt? — Strups uzsauca, pamanījis priekšā Hariju un Ronu. Harijs ievēroja, ka Karkarovs, viņus ieraudzījis, mazliet tā kā apjuka — saķēra savu āžbārdiņu un atkal ņēmās to nervozi tīt ap pirkstu.

— Pastaigājamies, — Rons Strupam īsi paskaidroja. — Tas taču nav pretlikumīgi, ko?

— Tad staigājiet! — Strups norādīja un paspraucās abiem garām, platā, melnā apmetņa stērbelēm vēdījot. Karkarovs metās Strupam nopakaļ. Harijs un Rons turpināja ceļu.

— Par ko diez Karkarovs tā iztrūcies? — Rons nomurmināja.

— Un kopš kura laika viņi ar Strupu sākuši viens otru uzrunāt vārdā? — Harijs gausi piebilda.

Viņi bija nonākuši pie liela akmens ziemeļbrieža. Aiz tā mirdzošas šļakatas gaisā svieda augsta strūklaka. Uz akmens sola, vērdamies mēnesnīcas izgaismotajā ūdens dejā, pustumsā sēdēja divi milzīgi stāvi. Un tad Harijs izdzirdēja ierunājamies Hagridu.

— Kolīdz manas acs tevi skatīj, es zināj, — viņš teica savādi apslāpētā balsī.

Harijs un Rons sastinga. Nepavisam neizklausījās, ka būtu labi iet viņiem klāt... Harijs paskatījās visapkārt un taciņas otrā galā, pa pusei ieslēpušos rožu krūmā, ieraudzīja stāvam Flēru Delakūru un Rodžeru Deivisu. Viņš piebikstīja Ronam un pamāja uz viņu pusi, likdams manīt, ka iespējams paklusām pašmaukt viņiem garām (Flēra ar Deivisu šķita visai aizņemti paši ar sevi), taču Rons, ieraudzījis Flēru, šausmās ieplēta acis, izlēmīgi pakratīja galvu un ievilka Hariju dziļāk ziemeļbrieža ēnā.

— Ko tu zināji, Agrrid? — Maksima madāma dobji iemurrājās.

Harijs to pavisam noteikti nevēlējās dzirdēt. Viņš zināja, ka Hagrids neparko negribētu, lai kāds kaut ko tādu noklausās (Harijs viņa vietā to arī pavisam noteikti negribētu). Ja būtu iespējams, Harijs aizbāztu ausis un ņemtos skaļi dungot, taču tas diezin vai ietu cauri. Tāpēc viņš lūkoja novērst uzmanību, vērodams vaboli, kas rāpoja pa akmens ziemeļbrieža muguru, tomēr vabole nebija gana interesanta, lai Harijs spētu palaist gar ausīm Hagrida nākamos vārdus.

— Es tik zināj... zināj, ka tu i tāda kā es... tā bij tava māte vai tēvs?

— Es... es nezinu, ko tu grribi teikt, Agrrid...

— Man tā bij māmuļa, — Hagrids klusu noteica. — Šī bij viena no pēdīgiem pie mums. Protama lieta, es neatminu viņu necik labi... Redz, viņa aizgāj. Kad es bij tāds trīsgadu puiškans. Nekāda labā māte šī nebij. Nu ja... tas jau nav šiem dabā, vai ne? Nezin, kas ar viņu notik pēcāk... Man domāt, laikam jau pagalam...

Maksima madāma cieta klusu. Un Harijs, lai arī, cik spēdams, pūlējās neatraut skatienu no vaboles, tomēr pašķielēja pāri ziemeļbrieža ragiem un ieklausījās... Hagrids nekad ne ar pušplēstu vārdiņu nebija pieminējis savu bērnību.

— Tētukam sirds vai pušu pārplīs, kad šī aizgāj. Tāds sīkaliņš vīrels bij mans tētuks. Kad man apritēj seši gadi, es šo varēj uzlikt uz skapjaugšas, ja šis man nelik mieru. Smēja, ka vai traks... — Hagrida zemā balss aizlūza. Maksima madāma stingi sēdēja un klausījās, itin kā vērodama sudrabaino strūklaku. — Tētuks mani uzaudzināj... bet aizgāj kapā, skaidra lieta, kad es nule bij sācis iet skolā. Tad man vaidzēj tikt galā pašam. Dumidors gan bij krietns atspaids. Šis bij dikti laipns pret manim...

Izvilcis prāvu, punktotu zīda kabatlakatu, Hagrids tajā skaļi izšņauca degunu. — Tā, redz... lai nu kā būdams... ko nu tik par mani. Kā tev? No kurējs puses tev tas iekrīt?

Bet Maksima madāma piepeši piecēlās kājās.

— Irrauksti, — viņa sacīja, taču, lai nu kādi bija laika apstākļi, tie nebija ne salīdzināmi ar saltumu, kas dvesa no viņas balss. — Es domāju — iešu tagad iekšā.

— Ko ta? — Hagrids apmulsa. — Nē, neej gan! Man... man nekad nav iznācs sastapt vēl vien tādu!

— Vēl vien tādu? *Kādu* — tādu, lūdzu? — Maksima madāma dzedri atvaicāja.

Harijs būtu varējis Hagridam pateikt, ka labāk būtu neatbildēt. Viņš stāvēja tur, ēnā, zobus sakodis, no visas sirds cerēdams, ka Hagrids cietīs klusu, tomēr tas neko nelīdzēja.

— Vēl vien pusmilzi, protama lieta! — Hagrids izsaucās.

— Kā tu iedrrošinās! — iekliedzās Maksima madāma. Viņas brēciens mierpilno nakti pāršķēla kā miglas taure. Harijs dzirdēja, kā aizmugurē no rožu krūma tramīgi izlec Flēra ar Rodžeru. — Neviens man nav tā apvainojis visā mūžā! Pusmilzis? *Moi*? Man tik irr... man irr lieli kauli!

Viņa aizbrāzās kā vējš, pašķirdama rožu krūmus un iztramdīdama daudzkrāsainus laumiņu spietus. Hagrids palika sēžam uz sola un noraudzījās viņai pakaļ. Bija pārāk tumšs, lai varētu redzēt viņa sejas izteiksmi. Tad, pēc neilga brīža, viņš piecēlās un lamzāja projām — nevis atpakaļ uz pili, bet turp, kur tumsā slēpās paša būda.

— Nu, — Harijs ļoti klusiņām uzrunāja Ronu, — ejam...

Bet Rons nekustējās ne no vietas.

— Kas ir? — Harijs uzmeta viņam skatienu.

Rons paraudzījās viņam acīs, izskatīdamies neparasti nopietns.

— Tu zināji? — viņš nočukstēja. — Ka Hagrids ir pusmilzis?

— Nē, — Harijs paraustīja plecus. — Un kas tad ir?

Rona skatiens nepārprotami pauda, ka Harijs atkal ir apliecinājis to, cik maz pazīst burvju pasauli. Viņš bija uzaudzis pie Dērslijiem, tāpēc daudz kas no tā, kas burvjiem bija pats par sevi saprotams, Harijam nebija zināms, lai gan, gadiem ritot, pārsteigumu skaits gāja mazumā. Toties tagad bija pilnīgi skaidrs, ka lielākā daļa burvju nekādā ziņā nebūtu teikuši: "Un kas tad ir?", izdzirduši, ka drauga māte bijusi milzene.

— Izstāstīšu vēlāk, — Rons nomurmināja. — Ejam...

No Flēras un Rodžera Deivisa vairs nebija ne miņas — jādomā, viņi bija ielīduši kādā nomaļākā rožu pudurī. Harijs ar Ronu atgriezās Lielajā zālē. Parvati un Padma nu jau sēdēja pie patālāka galdiņa kopā ar veselu baru Bosbatonas zēnu, un Hermione atkal dejoja ar Krumu. Harijs un Rons apsēdās pie kāda galda pašā sienmalē.

— Nu? — Harijs ņēmās Ronu tincināt. — Kāda vaina milžiem?

— Redzi, viņi... viņi... — Rons meklēja vārdus, — nav diez ko jauki, — viņš izmocīja.

— Un tad? Hagridam taču nekas nekaiš!

— Es zinu, zinu, bet... johaidī, nav brīnums, ka viņš par to nevienam nestāsta, — Rons nogrozīja galvu. — Es biju iedomājies, ka viņu bērnu dienās kāds nobūris uzblīdinādams vai kaut kā tamlīdzīgi. Negribēju prasīt...

— Bet kas no tā, ka viņa māte bijusi milzene? — Harijs nesaprata.

— Nu... neviens, kurš viņu pazīst, par to, protams, neliksies ne zinis, jo zina, ka viņš nav bīstams, — Rons novilka. — Bet... Harij, tie milži ir ļauni. Ir tā, kā Hagrids teica — ļaunums ir viņu dabā, viņi ir tādi paši kā troļļi... Viņiem patīk nogalināt, un visi to zina. Pie mums gan milžu vairs nav.

— Kas ar viņiem notika?

— Nu viņi izmira tāpat vien, un arī aurori viņus nogalēja bariem. Citās valstīs gan it kā vēl esot saglabājušies... Lielākoties slēpjoties kalnos...

— Es nezinu, kam Maksima cer aizmālēt acis, — Harijs vēroja Maksima madāmu drūmā vientulībā sēžam pie tiesnešu galda. — Ja reiz Hagrids ir pusmilzis, par viņu šajā ziņā nevar būt ne mazāko šaubu. Lieli kauli... vēl lielāki kauli ir tikai dinozauram.

Atlikušo vakara daļu Harijs ar Ronu aizvadīja, tupēdami turpat stūrī un spriezdami par milžiem. Ne vienam, ne otram prāts uz dejošanu galīgi nenesās. Harijs centās neskatīties uz Čo un Sedriku, jo, kolīdz abus pamanīja, tūliņ nevaldāmi sagribējās kaut ko saspert gabalos.

Kad pusnaktī "Ķēmu māsas" rimās spēlēt, visi viņām vēl pēdējo reizi kārtīgi aplaudēja un pamazām sāka virzīties uz Ieejas zāli.

Daudzi sūkstījās, ka balle beigusies tik drīz, bet Harijs bija tīri priecīgs, ka var doties gulēt, jo viņam pašam šķita, ka vakars nebija diez ko izdevies.

Izgājuši Ieejas zālē, Harijs un Rons tur ieraudzīja Hermioni — viņa atvadījās no Kruma, kam bija jādodas atpakaļ uz Durmštrangas kuģi. Hermione uzmeta Ronam ledusaukstu skatienu un, neteikusi ne vārda, aizbrāzās viņam garām uz marmora kāpnēm. Harijs un Rons viņai sekoja, bet pusceļā kaut kur aiz muguras izdzirdēja saucienu: — Ei, Harij!

Tas bija Sedriks Digorijs. Ieejas zālē, kāpņu pakājē, Sedriku gaidīja Čo.

— Jā? — Harijs dzedri atsaucās, kamēr Sedriks joza augšup pa kāpnēm.

Tā vien šķita, ka Sedriks nevēlas savu sakāmo teikt tā, lai dzirdētu Rons, un Rons paraustīja plecus un saīdzis kāpa vien tālāk augšup.

— Paklau, — Sedriks klusiņām ierunājās, kad Rons bija aizgājis gana tālu. — Es esmu tev pateicību parādā par to, ka pateici man par pūķiem. Es par to zelta olu. Vai tavējā gaudo, attaisīta vaļā?

— Jā, — Harijs atbildēja.

— Nu tad... ieej vannā, labi?

— Ko?

— Ej novannojies un... ē... paņem olu līdzi, un... ē... apsmadzeņo visu karstā ūdenī. Tas visādā ziņā rosinās tevi uz domām... Tici man.

Harijs skatījās uz viņu, neko nesaprazdams.

— Zini, ko es tev teikšu? — Sedriks turpināja. — Izmanto prefektu vannas istabu. Ceturtās durvis pa kreisi no Apjukušā Borisa statujas — ceturtajā stāvā. Parole ir "skuju šampūns". Man jāiet... jāatvadās...

Viņš Harijam uzsmaidīja un steidzās lejup pa kāpnēm pie Čo.

Ceļu uz Grifidora torni Harijs mēroja viens. Sedrika padoms izklausījās neparasti ērmots. Kā tad vanna var līdzēt noskaidrot, ko nozīmē kaucošā ola? Vai Sedriks pūlas viņu izjokot? Vai viņš mēģina pataisīt Hariju par muļķi, lai panāktu, ka pats Čo iepatīkas vēl vairāk?

Resnā kundze ar savu draudzeni Vijucīti portretcauruma bildē saldi snauda. Harijam nācās paroli nobļaut pilnā kaklā, lai abas pamodinātu, un, uzrautas no miega, viņas briesmīgi saskaitās. Ierāpies kopistabā, Harijs konstatēja, ka Rons ar Hermioni tur ķildojas tā, ka vai spalvas putēja pa gaisu. Nostājušies labu gabalu viens no otra, viņi tumši piesārtušiem ģīmjiem brēca visā galvā.

— Ja tev tas nepatīk, tagad tu labi zini, kas darāms! — Hermione kliedza. Elegantais matu mezgls bija atrisis vaļā, un viņas seju izķēmoja dusmas.

— Ak šitā? — Rons atbrēca. — Kas tad?

— Uz nākamo balli uzlūdz mani, pirms to paspēj kāds cits, un neatstāj mani kā pēdējo salmiņu!

Rons ņēmās plātīt muti kā no ūdens izvilkta zelta zivtiņa, bet Hermione apcirtās uz papēža un metās augšā pa meiteņu kāpnēm uz guļamistabu. Rons pagriezās pret Hariju.

— Nu vai zini, — viņš izšļupstēja, izskatīdamies kā zibens ķerts. — Nu vai zini... Tas tikai pierāda... Domā galīgi šķērsām...

Harijs cieta klusu. Viņš vēl pārāk labi atcerējās, kā bija, kad Rons ar viņu nesarunājās, tāpēc nolēma savas domas paturēt pie sevis. Tomēr viņam nezin kāpēc šķita, ka Rons spriež daudz šķērsāk nekā Hermione.

## DIVDESMIT CETURTĀ NODAĻA

# RITAS KNISLES ĶĒRIENS

Otrajos Ziemassvētkos visi piecēlās vēlu. Grifidoru kopistabā valdīja pēdējā laikā nepieredzēts klusums, tur sanēja tikai laiskas sarunas, ko ik pa brīdim pārtrauca žāvas. Hermiones mati no jauna bija pārvērtušies pazīstamajā sprogu kodaļā — viņa Harijam atzinās, ka pirms balles tos esot visai dāsni pieziedusi ar Gludeņa matu zālēm, "bet katru dienu ar to būtu par daudz liela noņemšanās," viņa lietišķi piebilda, bužinādama murrājošā Blēžkāja aizausi.

Rons ar Hermioni laikam bez vārdiem bija vienojušies strīda tematu tālāk neiztirzāt. Viņi viens pret otru izturējās visai draudzīgi, lai gan ērmoti oficiāli. Rons ar Hariju nekavējās izstāstīt Hermionei par noklausīto Hagrida un Maksima madāmas sarunu, tomēr Hermione jauno ziņu, ka Hagrids ir pusmilzis, uztvēra daudz mierīgāk nekā pirmīt Rons.

— Vispār man jau tā likās. — Viņa paraustīja plecus. — Es zināju, ka tīrasiņu milzis viņš nevar būt, jo tie ir aptuveni sešus metrus lieli. Bet goda vārds — kas tur ko trakot? Nevar būt, ka viņi *visi* ir briesmoņi... tie ir tikai aizspriedumi, tāpat kā par vilkačiem... Akls fanātisms, ne vairāk, vai ne?

Tā vien šķita, ka Rons grasās atspert pretim kaut ko dzēlīgu, taču laikam negribēja atkal sākt skandalēties, jo tikai neticīgi nopurināja galvu, kamēr Hermione skatījās uz citu pusi.

Tagad bija īstais laiks padomāt par mājasdarbiem, ko brīvlaika pirmajā nedēļā visi bija pilnīgi izmetuši no galvas. Ziemassvētki bija aiz muguras, un visi likās diezgan sašļukuši — visi, izņemot Hariju, kas nu (jau atkal) sāka mazliet uztraukties.

Nelaime bija tāda, ka divdesmit ceturtais februāris šaipus Ziemassvētkiem šķita rēgojamies daudz tuvāk, un Harijs joprojām nebija darījis neko, lai noskaidrotu, kādu ziņu slēpj zelta ola. Tādēļ viņš pasāka ikreiz, uziedams guļamistabā, vērt olu vaļā un ieklausīties, cerēdams, ka varbūt šoreiz nez ko sapratīs. Viņš centās domāt par to, ko vēl bez mūzikas zāģiem kaucieni atgādina, tomēr neko tamlīdzīgu nekad nebija dzirdējis. Viņš olu aizcirta, pamatīgi to sakratīja un atkal vēra vaļā, lai palūkotos, vai skaņa nav mainījusies, bet nekā. Viņš lūkoja uzdot olai jautājumus, pārkliedzot gaudas, taču nekas nenotika. Viņš pat aizlidināja olu pāri visai istabai, lai gan nudien necerēja, ka tas kaut kā varētu līdzēt.

Sedrika mājienu Harijs nebija aizmirsis, tomēr tagad, kad pret Sedriku bija atsalis, negribēja pieņemt viņa palīdzību, ja vien no tā nepavisam nebija iespējams izvairīties. Lai nu kā, šķita, ka gadījumā, ja Sedriks tiešām būtu vēlējies sniegt palīdzīgu roku, viņš nebūtu bijis vārdos tik skops. Harijs pats bija Sedrikam skaidri un gaiši izstāstījis, kas gaidāms pirmajā pārbaudījumā, — un Sedriks par atlīdzību bija Harijam ieteicis novannoties. Nu, tik nejēdzīga palīdzība viņam nebija vajadzīga — jo vairāk tāda, ko sniedza kāds, kurš pa gaiteņiem staigāja roku rokā ar Čo. Un tā pienāca nākamā trimestra pirmā diena, Harijs, apkrāvies ar grāmatām, devās uz nodarbībām, taču vienlaikus pakrūtē juta smagi gulstamies raizes par olu, itin kā staipītu līdzi arī to.

Pili un tās apkaimi tagad sedza bieza sniega sega, un siltumnīcas logus klāja tik blīva leduspuķu kārta, ka herboloģijā pa tiem laukā nevarēja redzēt itin neko. Šādā laikā nevienam galīgi negribējās doties uz maģisko būtņu kopšanas stundu, lai gan, kā Rons saprātīgi piezīmēja, mūdži viņiem droši vien ļautu kārtīgi sasildīties — vai nu tāpēc, ka vajadzēs jozt viņiem pakaļ, vai arī spridzinot tik brangi, ka aizdegtos Hagrida būda.

Tomēr, kad viņi ieradās pie Hagrida būdas, tur priekšā uz sliekšņa gaidīja paveca ragana ar īsi apcirptiem sirmiem matiem un izteiksmīgu zodu.

— Pasteidzieties, zvans noskanēja jau pirms piecām minūtēm, — viņa skarbi uzsauca, kad ieraudzīja audzēkņus brienam šurp pa dziļo sniegu.

— Kas jūs esat? — Rons ieplēta acis. — Kur Hagrids?

— Es esmu profesore Ķersija, — viņa lakoniski atteica. — Pagaidām mācīšu jums maģisko būtņu kopšanu.

— Kur Hagrids? — Harijs skaļi pārjautāja.

— Viņš ir savārdzis, — profesore Ķersija strupi paskaidroja.

Harijs sadzirdēja klusus un nepatīkamus smieklus. Pagriezies viņš ieraudzīja, ka klāt pienācis Drako Malfojs ar pārējiem slīdeņiem. Visi izskatījās varen līksmi, un neviens nešķita pārsteigts, ieraugot profesori Ķersiju.

— Šurp, lūdzu, — profesore Ķersija norādīja un devās projām gar aploku, kur drebinājās milzīgie Bosbatonas zirgi. Rons, Harijs un Hermione viņai sekoja, atskatīdamies uz Hagrida namiņu. Aizkari bija ciet. Vai Hagrids bija tur iekšā — viens un slims?

— Kas Hagridam lēcies? — Harijs vaicāja, piesteidzies blakus profesorei Ķersijai.

— Tas jums nav jāzina, — viņa atteica tā, it kā Harijs būtu nezin kāds okšķeris.

— Man ir gan jāzina, — Harijs dedzīgi atsaucās. — Kas ar viņu noticis?

Profesore Ķersija izlikās, ka neko nav dzirdējusi. Aizvedusi audzēkņus garām aplokam, kur, saspiedušies cieši kopā, lai sasildītos, stāvēja Bosbatonas zirgi, viņa devās pie kāda koka Aizliegtā meža malā, kur piesiets mīņājās skaists vienradzis.

Daudzas meitenes, ieraudzījušas dzīvnieku, jūsmīgi nodvesās.

— Vai dieniņ, viņš ir tik smuks! — noelsās Lavendera Brauna. — Kur viņa to dabūjusi? Vienradžus taču ir tik grūti sagūstīt!

Vienradzis bija tik mirdzoši balts, ka sniegs visapkārt šķita netīri pelēks. Tas ar zelta pakaviem satraukti kārpīja zemi un vienā laidā meta atpakaļ ragaino galvu.

— Puikas, turieties pa gabalu! — profesore Ķersija norīkoja, pastiepa roku un stingri saķēra Hariju pie krūtežas. — Vienradži labāk ļaujas sievietēm. Meitenes lai iet pa priekšu, un tuvojieties viņam uzmanīgi. Aiziet, pamazām un vieglītiņām...

Viņa kopā ar meitenēm lēnām soļoja klāt vienradzim, zēni palika pie aploka žoga un noskatījās.

Kolīdz profesore Ķersija bija aizgājusi gana tālu, Harijs ieteicās: — Ron, kā tu domā, kas ar viņu noticis? Vai patiesi kāds mūdzis...?

— Nē, Poter, neviens viņam nav uzbrucis, ja to tu gribi teikt, — mīlīgi ierunājās Malfojs. — Nē, nē, viņam vienkārši kauns rādīt cilvēkos savu lielo, nesmuko ģīmi.

— Kā tu to domā? — Harijs skarbi apvaicājās.

Malfojs iebāza roku mantijas kabatā un izvilka salocītu, apdrukātu lapu.

— Šekur, — viņš pavēstīja. — Man žēl, ka nākas tev to paziņot, Poter...

Viņš noņirdzās, kad Harijs paķēra lapu, atlocīja un ņēmās lasīt. Rons, Šīmuss, Dīns un Nevils viņam šķielēja pār plecu. Tas bija avīžraksts, lappuses augšā bija redzama Hagrida fotogrāfija, kurā viņš izskatījās pēc ļoti šaubīga tipa.

*DUMIDORA MILZĪGĀ KĻŪDA*

*Cūkkārpas Raganības un burvestību arodskolas ekscentriskais direktors Baltuss Dumidors nekad nav baidījies pieņemt darbā visai apšaubāmus tipus,* mums raksta speciālā korespondente Rita Knisle. *Šāgada septembrī viņš nolīga bēdīgi slaveno, ar vajāšanas māniju apsēsto izbijušo auroru Alastoru "Trakaci" Tramdānu, lai tas skolā pasniedz aizsardzību pret tumšajām zintīm. Šāds lēmums daudziem Burvestību ministrijas darbiniekiem lika pārsteigumā ieplest acis, jo visiem zināms, ka Tramdāns brūk virsū ikvienam, kurš viņa klātbūtnē piepeši sakustas. Tomēr Trakacis Tramdāns šķiet itin godprātīgs un laipns līdzās puscilvēkam, ko Dumidors iecēlis par maģisko būtņu kopšanas pasniedzēju.*

*Rubeuss Hagrids, kas atzīst, ka trešajā klasē padzīts no Cūkkārpas, kopš tā laika skolā pildījis mežsarga pienākumus, ko viņam uzticējis Dumidors. Taču pērn Hagridam nezin kā izdevās iespaidot direktoru, un tas viņu papildus iecēla arī par maģisko būtņu kopšanas skolotāju, lai gan uz šo posteni bija pieteikušies arī daudzi augstāk kvalificēti kandidāti.*

*Hagrids ir neparasti liela auguma, ļaunīga paskata vīrs, un piešķirto varu nekavējās izmantot, lai iebiedētu audzēkņus, piespiezdams viņus kopt šausminošus radījumus. Kamēr Dumidors izliekas neko neredzam, Hagrids virknei audzēkņu ir sagādājis miesas bojājumus nodarbībās, ko daudzi no viņiem dēvē par "īpaši baigām".*

*"Man uzbruka zirgērglis, un manu draugu Vinsentu Krabi pamatīgi sakoda trīctārps," atzīst ceturtā kursa audzēknis Drako Malfojs. "Mēs visi ienīstam Hagridu, taču mums bail kaut ko iebilst."*

*Tomēr Hagrids nekādā ziņā nedomā pārtraukt aizsākto iebiedēšanas kampaņu. Pagājušajā mēnesī sarunā ar "Dienas Pareģa" reportieri viņš atzinās, ka audzē dzīvniekus, ko pats dēvē par "spridzekļmūdžiem", — ārkārtīgi bīstamus mantikoras un ugunskrabja krustojumus. Protams, jaunu burvju dzīvnieku šķirņu radīšanu parasti stingri uzrauga Maģisko būtņu kontroles nodaļa, taču Hagrids acīmredzot uzskata, ka stāv pāri tik sīkumainiem ierobežojumiem.*

*"Man tas vienkārši patīk," viņš saka, pirms steigšus maina sarunas tēmu.*

*It kā ar to vien jau nebūtu gana, "Dienas Pareģis" nupat ir atklājis pierādījumus, ka Hagrids — pretēji tam, par ko allaž ir izlicies, — nav tīrasiņu burvis. Istenībā viņš nav pat tīrasiņu cilvēks. Saskaņā ar mūsu ekskluzīvu liecību viņa māte ir milzene Frīdvulfa, kuras atrašanās vieta patlaban nav zināma.*

*Būdami asinskāri un nežēlīgi, milži šobrīd ir tuvu izmiršanai, jo pēdējo simt gadu laikā nemitīgi cits citu iznīcinājuši. Atlikusī saujiņa nostājās Vārdā Neminamā pusē un ir atbildīgi par briesmīgākajām vientiešu masveida slepkavībām Viņa terora laikā.*

*Daudzus milžus, kas kalpoja Vārdā Neminamajam, nogalēja aurori, kas karoja pret Tumsu, taču Frīdvulfas viņu vidū nebija. Iespējams, viņa pievienojusies kādai no milžu kopienām, kas joprojām mīt kalnos ārpus valsts robežām. Lai nu kā, Hagrida izrīcības maģisko būtņu kopšanas stundās, šķiet, nepārprotami liecina, ka Frīdvulfas dēls ir mantojis mātes nežēlīgo iedabu.*

*Likteņa ironija — runā, ka Hagrids esot cieši iedraudzējies ar zēnu, kurš izraisīja Paši-Zināt-Kā krišanu, tādējādi nodzenot pagrīdē Hagrida māti un pārējos Paši-Zināt-Kā atbalstītājus. Iespējams, Harijs Poters nemaz nezina nejauko patiesību par savu lielo draugu, taču Baltusam Dumidoram visādā ziņā vajadzētu rūpēties, lai Harijs Poters un viņa skolasbiedri tiek brīdināti par to, ar ko var draudēt biedrošanās ar pusmilžiem.*

Harijs izlasīja rakstu līdz galam un pavērās uz Ronu, kurš klausījās, muti atplētis.

— Kā viņa to ir dabūjusi zināt? — viņš nočukstēja.

Bet Harijs raizējās pavisam par ko citu.

— Kā tu to domā — "mēs visi ienīstam Hagridu"? — viņš bruka virsū Malfojam. — Kas tās par stulbībām? — viņš pavēcināja uz Krabes pusi. — Nelāgi sakodis trīctārps? Viņiem nemaz nav zobu!

Krabe smīkņāja, nenoliedzami būdams pats ar sevi ļoti apmierināts.

— Manuprāt, tam vajadzētu pielikt punktu tā stulbā lamzaka pasniedzēja karjerai, — Malfoja acis nešpetni iespīdējās. — Pusmilzis... Un es tak domāju, ka viņš bērnu dienās iztempis kaulaudža pudeli... Mammām un tētukiem tas nepavisam ņepatiks... Šitāds tak var aprīt viņu bērneļus, hā, hā!

— Ak, tu tāds...

— Vai jūs tur maz klausāties?

Piepeši atskanēja profesores Ķersijas balss. Meitenes bija saspiedušās ciešā barā ap vienradzi un to vienā laidā paijāja. Harijs dusmās vai sprāga pušu, "Dienas Pareģa" raksta dēļ rokas manāmi trīcēja, kad viņš ar neko neredzošu skatienu pievērsās vienradzim, par kura neskaitāmajām maģiskajām īpašībām profesore Ķersija ņēmās klāstīt tik skaļi, lai arī zēni visu dzirdētu.

— Kaut nu viņa pie mums paliktu, — nopūtās Parvati Patila, kad viņi visi pēc stundas beigām kātoja atpakaļ uz pili pusdienās. — Tas, es teiktu, daudz vairāk izskatās pēc maģisko būtņu kopšanas... Kārtīgi dzīvnieki — tādi kā vienradži, nevis briesmoņi...

— Un Hagrids? — Harijs nikni noprasīja, kad viņi kāpa augšup pa lieveņa pakāpieniem.

— Un kas tad viņam var kaitēt? — Parvati atcirta. — Viņš taču joprojām var būt mežsargs?

Kopš balles Parvati pret Hariju bija itin atsalusi. Laikam vajadzēja viņai veltīt drusku vairāk uzmanības, bet Parvati taču tik un tā bija labi izpriecājusies. Vismaz ikvienam, kurš bija gatavs klausīties, viņa bija izstāstījusi, ka nākamajā brīvajā nedēļas nogalē esot Cūkmiestiņā sarunājusi tikšanos ar to bosbatonieti.

— Tā nu no tiesas bija laba nodarbība, — Hermione noteica, kad viņi iegāja Lielajā zālē. — Es nezināju i ne pusi no tā, ko profesore Ķersija mums pavēstīja par vienr...

— Paskaties uz šito! — Harijs viņu pārtrauca un pabāza Hermionei zem deguna "Dienas Pareģa" rakstu.

Kolīdz Hermione sāka lasīt, viņa palika ar vaļā muti. Viņa reaģēja tieši tāpat kā Rons. — Kā tā šausmīgā Knisle to ir uzodusi? Hagrids taču viņai to nevarēja pastāstīt!

— Nē, — Harijs atteica, dodamies pie grifidoru galda un ar joni iezveldamies krēslā. — Viņš taču pat mums to nav stāstījis, vai ne? Man tā vien šķiet, ka viņa satrakojās tāpēc, ka Hagrids neko briesmīgu nepastāstīja par mani, un metās meklēt kaut ko sliktu, ko uzgāzt virsū viņam.

— Varbūt viņa dzirdēja, kā Hagrids to teica Maksima madāmai toreiz, ballē? — Hermione klusi ieminējās.

— Parkā mēs viņu neredzējām! — Rons aizrādīja. — Un viņa nemaz nedrīkst skolā rādīties — Hagrids teica, ka Dumidors viņai aizliedzis...

— Varbūt viņai ir Paslēpnis, — Harijs iedomājās, krāmēdams šķīvī vistas gaļas sacepumu un dusmās to noplekādams visriņķī uz galda. — Uz šito viņa būtu spējīga, vai ne? Tupēt krūmos un noklausīties...

— Tu gribi teikt — tieši kā jūs ar Ronu, — Hermione piezīmēja.

— Mēs nemaz nedomājām noklausīties! — Rons sašuta. — Mums nebija izvēles! Un vai nav viens nejēga — tarkšķ par savu milzeni māti pa labi, pa kreisi, tā ka visi var dzirdēt!

— Mums jāiet viņu apraudzīt, — Harijs ieteicās. — Šovakar, pēc pareģošanas. Pateiksim, ka gribam, lai viņš atgriežas... *Tu taču gribi*, lai viņš atgriežas, ko? — viņš vērsās pie Hermiones.

— Es... nu, labi, es neizlikšos, mani iepriecināja, ka vienreiz, pārmaiņas pēc, mums bijusi kārtīga maģisko būtņu kopšanas stunda, bet skaidrs, ka es gribu, lai Hagrids atgriežas — par to nav ko runāt! — Hermione steigšus piemetināja, neizturējusi Harija zvērīgo skatienu.

Tā nu tovakar, pēc vakariņām, visi trīs atkal devās laukā un pāri sniegotajam laukam aizbrida uz Hagrida būdu. Pieklauvējuši viņi izdzirda iekšā dobji ierejamies Ilkni.

— Hagrid, tie esam mēs! — Harijs sauca, dauzīdams pa durvīm. — Ver vaļā!

Hagrids neatbildēja. Viņi dzirdēja pie durvīm smilkstam un skrāpējamies Ilkni, taču vaļā neviens nevēra. Vēl minūtes desmit viņi klauvējās, Rons pat aizgāja piedauzīt pie loga, tomēr atbildes nebija.

— Kāpēc viņš negrib ar mums runāt? — Hermione neizpratnē novilka, kad viņi pēdīgi likās mierā un devās atpakaļ uz skolu. — Vai tad viņš patiesi domā, ka mums rūp viņa izcelšanās?

Tomēr šķita, ka Hagrids tā tiešām domā. Cauru nedēļu no

viņa nebija ne miņas. Ēdienreizēs pie pasniedzēju galda viņš nerādījās, nebija manāms arī ejam medību apgaitās, un maģisko būtņu kopšanas nodarbības joprojām vadīja profesore Ķersija. Malfojs starot staroja.

— Ilgojies pēc sava izdzimteņa? — viņš nemitējās čukstēt Harijam, kad vien kāds skolotājs bija gana tuvu, lai Harijs nevarētu pienācīgi atbildēt. — Ilgojies pēc ziloņcilvēka?

Janvāra vidū tika izsludināts Cūkmiestiņa apmeklējums. Hermione brīnījās, ka arī Harijs grasās turp doties.

— Es domāju, ka tu izmantosi izdevību, kad kopistabā neviena nav, — viņa sacīja. — Tev nopietni jāķeras klāt olai.

— Ai... manuprāt, es jau esmu sapratis, kas tur par lietu, — Harijs mānījās.

— Tiešām? — Hermione šķita patīkami pārsteigta. — Malacis!

Harijs juta pakrūtē nelāgi ieknudamies, tomēr viņš nelikās ne zinis. Galu galā, līdz pārbaudījumam bija vēl piecas nedēļas, un tas bija ļoti ilgs laiks... Un ja viņš dosies uz Cūkmiestiņu, tur varētu iznākt sastapt Hagridu, proti, tā būtu izdevība pierunāt viņu atgriezties.

Sestdien viņš kopā ar Ronu un Hermioni izgāja no pils un pa pussasalušo, dubļaino ceļu devās uz vārtiem. Kad viņi gāja garām ezeram, kur šūpojās Durmštrangas kuģis, uz klāja iznāca Viktors Krums, ģērbies tikai peldbiksēs. Viņš bija visai kalsns, tomēr acīmredzot izturīgāks, nekā izskatījās, jo, uzkāpis uz kuģa reliņiem, izstiepa rokas un ielēca ezerā.

— Trakais! — Harijs izsaucās, noraudzīdamies uz Kruma tumšo pakausi, kas pēc brīža iznira ezera vidū. — Ūdens ir ledusauksts — taču janvāris!

— Viņa dzimtenē ir vēl daudz aukstāks, — Hermione pavēstīja. — Es domāju, viņam ūdens šķiet itin silts.

— Jā, bet tur ir vēl arī milzu kalmārs, — Rons piezīmēja. Uztraukums viņa balsī nebija manāms — drīzāk cerība. Hermione to samanīja un sarauca pieri.

— Ja kas, viņš ir tiešām jauks, — viņa aizrādīja. — Tas, ka viņš nāk no Durmštrangas, neko nenozīmē. Viņš teica, ka šeit esot daudz labāk.

Rons saknieba lūpas. Kopš balles viņš Viktoru Krumu nebija pieminējis ne ar pušplēstu vārdu, taču otrajos Ziemassvētkos Harijs zem savas gultas bija atradis mazu rociņu — tā ļoti izskatījās pēc tādas, kas varētu būt norauta no sīkas figūriņas Bulgārijas kalambola komandas formas tērpā.

Kamēr viņi gāja pa žļurgaino Lielo ielu, Harijs to vien darīja, kā raudzījās pēc Hagrida. Kad tapa skaidrs, ka nevienā veikalā Hagrida nav, viņš galu galā ierosināja, ka visi varētu iegriezties "Trijos slotaskātos".

Krodziņā bija tikpat daudz apmeklētāju kā parasti, taču Harijam pietika ar vienu skatienu, lai viņš saprastu, ka ne pie viena no galdiņiem Hagrida nav. Vīlies viņš ar Ronu un Hermioni piegāja pie bāra letes, Rosmerta kundzei palūdza trīs sviestalus un drūmi ieprātojās, ka tikpat labi būtu varējis palikt mājās un klausīties olas gaudās.

— Vai viņš uz darbu *nemaz* neiet? — Hermione pēkšņi iečukstējās. — Paskat!

Viņa norādīja uz spoguli, kas bija piekārts pie bāra dibensienas, un Harijs tur ieraudzīja Ludo Maišelnieka atspulgu. Viņš kvernēja krodziņa tumšākajā kaktā kopā ar bariņu goblinu. Maišelnieks klusām un steidzīgi gobliniem nez ko klāstīja, bet tie sēdēja, rokas uz krūtīm sakrustojuši, un izskatījās visai draudīgi.

Nudien savādi, Harijs nosprieda, ka Maišelnieks sēž te, "Trijos slotaskātos", nedēļas nogalē, kad Trejburvju turnīrā nekas nenotiek, tātad nav arī nekādu tiesāšanas darbu. Viņš vēroja Maišelnieku spogulī. Maišelnieks atkal izskatījās satraukts — tikpat satraukts kā tovakar mežā, pirms parādījās Tumšā zīme. Bet tieši tobrīd Maišelnieks pameta skatu uz bāru, ieraudzīja Hariju un pielēca kājās.

— Tūliņ, vienu acumirkli! — Harijs dzirdēja viņu aprauti

uzsaucam gobliniem, un Maišelnieks, atkal bērnišķi smaidīdams, brāzās pāri kroga telpai pie Harija.

— Harij! — viņš sauca. — Kā kājas? Es cerēju tevi satikt! Kā sviežas?

— Paldies, labi, — Harijs atbildēja.

— Varbūt varam drusku aprunāties aci pret aci, Harij? — Maišelnieks kaismīgi ieteicās. — Jūs abi taču mūs uz mirkli atvainosit?

— E... labs ir, — Rons novilka, un viņi abi ar Hermioni devās sameklēt brīvu galdiņu.

Maišelnieks aizveda Hariju tālāk gar bāra leti, nostāk no Rosmerta kundzes.

— Es jau tikai gribēju tevi apsveikt ar to lielisko uzstāšanos pret ragasti, Harij, — Maišelnieks ierunājās. — Nudien nepārspējami.

— Paldies, — Harijs atteica, skaidri apjauzdams, ka tas nav gluži tas, ko Maišelnieks viņam gribējis teikt, jo tikpat labi viņš ar apsveikumu būtu varējis nākt klajā, arī Ronam un Hermionei dzirdot. Tomēr nešķita, ka Maišelnieks steidzas izlikt visas kārtis. Harijs pamanīja, ka viņš bāra spogulī pašķielē uz gobliniem, kas cieši vēroja viņus abus ar tumšajām, ieslīpajām acīm.

— Pilnīgs murgs, — Maišelnieks paklusām pavēstīja Harijam, ievērojis, ka arī tas ir pamanījis goblinus. — Mūsu valodā viņi diez ko labi nerunā... Sajūta tieši tāda kā kalambola Pasaules kausa izcīņā ar visiem tiem bulgāriem... Bet *viņi* vismaz prata zīmju valodu, ko cilvēks var daudzmaz saprast. Šitie buldurē goblinu valodā... Un tajā es zinu tikai vienu vārdu — *bladvak.* Tas nozīmē — "cērte". Un to man negribas teikt, jo viņi var nospriest, ka es ņemos draudēt. — Maišelnieks dārdoši iesmējās.

— Ko viņi grib? — Harijs ievaicājās, redzēdams, ka goblini nemitējas cieši blenzt uz Maišelnieku.

— E... redz... — Maišelnieks piepeši izskatījās neparasti satraukts. — Viņi... ē... viņi meklē Bērtuli Zemvaldi.

— Kāpēc viņi meklē šeit? — Harijs nesaprata. — Viņš taču ir Londonā, ministrijā, vai ne?

— Nu... īstenībā man nav ne jausmas, kur viņš ir, — Maišelnieks atzinās. — Viņš ir tā kā... pārstājis nākt uz darbu. Nu jau pāris nedēļu nav redzēts. Jaunais Persijs, viņa palīgs, to skaidro tā, ka Zemvaldis esot slims. Sūtot norādījumus ar pūci. Bet vai tu būtu tik laipns un nestāstītu to nevienam, Harij? Jo Rita Knisle joprojām ložņā visur, kur vien var tikt klāt, un esmu gatavs derēt, ka viņa Bērtuļa sasirgšanu izpūtīs sazin par kādu katastrofu. Iespējams, pavēstīs, ka viņš ir pazudis tāpat kā Berta Džorkinsa.

— Vai par Bertu Džorkinsu ir kas dzirdēts? — Harijs iejautājās.

— Nē, — Maišelnieks atteica, no jauna mezdamies vaigā gluži pelēks. — Protams, mani cilvēki meklē... — (Būtu jau tā kā laiks, Harijs nodomāja.) — Un tas viss šķiet ļoti savādi. Ir skaidri zināms, ka viņa *ieradusies* Albānijā, jo tur viņa satikās ar savu otrās pakāpes māsīcu. Un tad, aizbraukusi no māsīcas mājas, viņa devās uz dienvidiem apraudzīt krustmāti... Un pa ceļam pazuda bez vēsts. Lai mani zibens sasper — es nevaru iedomāties, kurp viņa aizdevusies... Bēgt, piemēram, viņai nebija ne mazākā iemesla. Tomēr... Bet ko mēs te runājam par gobliniem un Bertu Džorkinsu? Īstenībā es gribēju pavaicāt, — viņš pieklusināja balsi, — kā tev veicas ar zelta olu?

— Nu... tīri labi, — Harijs nedroši atteica.

Maišelnieks laikam noprata, ka viņš nerunā taisnību.

— Paklau, Harij, — viņš ierunājās (joprojām ļoti klusi), — man tas neliek mieru... Tu esi iegrūsts turnīrā, pats to nemaz negribēdams... un ja, — (viņa balss noslāpa tiktāl, ka Harijam vajadzēja pieliekties tuvāk, lai sadzirdētu, kas tiek teikts) — ja es varu kā palīdzēt... Norādīt pareizo virzienu... Tu man esi visnotaļ iepaticies... Padomā, kā tu tiki garām pūķim!... Vārdu sakot, viss atkarīgs no tevis.

Harijs paraudzījās uz Maišelnieka apaļo, sārto seju un ieskatījās viņa platajās, bērnišķi zilajās acīs.

— Noslēpums mums jāatrisina pašiem, vai ne? — viņš sacīja iespējami bezrūpīgi — tā, lai neizklausītos, ka viņš Burvju spēļu un sporta departamenta priekšnieku apsūdz noteikumu pārkāpšanā.

— Nu... nu jā... — Maišelnieks nepacietīgi attrauca, — bet... Paklau, Harij, mēs taču visi gribam, lai uzvar Cūkkārpa?

— Vai jūs esat piedāvājis palīdzību Sedrikam? — Harijs apjautājās.

Maišelnieka gludais vaigs mazliet apmācās.

— Neesmu gan, — viņš atzinās. — Tu... nu, kā jau es teicu, tu man esi visnotaļ iepaticies. Es tikai iedomājos, ka piedāvāšos...

— Jā, pateicos, — Harijs viņu pārtrauca, — bet man šķiet, ka par olu man viss jau ir gandrīz skaidrs... Vēl pāris dienu, un viss būs kārtībā.

Viņš pats īsti nesaprata, kāpēc noraida Maišelnieka piedāvājumu palīdzēt — varbūt tāpēc, ka Maišelnieku necik labi nepazina un pieņemt viņa palīdzību nozīmētu krāpties vairāk, nekā lūgt padomu Ronam, Hermionei vai Siriusam.

Maišelnieks šķita teju aizvainots, tomēr bija spiests ciest klusu, jo abiem klāt tobrīd piestājās Freds ar Džordžu.

— Sveiki, Maišelnieka kungs, — Freds līksmi uzsauca. — Vai varam jums izmaksāt kādu kausu?

— E... nē, — Maišelnieks atbildēja, vīlies noskatīdams Hariju, — nē, zēni, paldies...

Freds un Džordžs izskatījās ne mazāk vīlušies par Maišelnieku, kurš uz Hariju noraudzījās tā, it kā tas viņu būtu smagi iegāzis.

— Labi, man jājož, — viņš pavēstīja. — Priecājos jūs visus redzēt. Lai tev veicas, Harij.

Viņš metās laukā no krodziņa. Goblini pietrausās kājās un aizklamzāja viņam pakaļ. Harijs devās pie Rona un Hermiones.

— Viņš piedāvājās palīdzēt ar to zelta olu, — Harijs viņiem paziņoja.

— Viņš to nedrīkst darīt! — Hermione pārsteigta iesaucās. — Viņš ir tiesnesis! Un tu jau tik un tā esi ticis ar to galā, vai ne?

— E... gandrīz, — Harijs nomurmināja.

— Nu vai zini, diez vai Dumidors priecātos, ja zinātu, ka Maišelnieks mēģina tevi piedabūt uz krāpšanos! — Hermione turpināja, joprojām rādīdama nosodošu ģīmi. — Jācer, ka viņš tāpat mēģina palīdzēt arī Sedrikam!

— Nemēģina vis, es prasīju, — Harijs piezīmēja.

— Kuram tad rūp tas, vai Digorijs dabū palīdzību? — Rons izsaucās. Harijs klusībā bija ar viņu vienisprātis.

— Tie goblini gan neizskatījās diez ko draudzīgi, — Hermione ieteicās, iestrēbdama malciņu sviestalus. — Kas viņiem te darāms?

— Ja ticam Maišelniekam, viņi meklē Zemvaldi, — Harijs paskaidroja. — Šis vēl aizvien esot slims. Darbā nav rādījies.

— Varbūt Persijs viņam iebarojis indi, — Rons ieminējās. — Droši vien iedomājies, ka viņš varētu kļūt par Starptautiskās burvju sadarbības departamenta priekšnieku, ja Zemvaldis atstieps kājas.

Hermione uzmeta Ronam skatienu, kas skaidri pauda, ka par tādām lietām nevajadzētu plēst jokus, un teica: — Dīvaini... Goblini meklē rokā Zemvalža kungu? Parasti viņiem ir darīšana tikai ar Maģisko būtņu uzraudzības un kontroles nodaļu.

— Bet Zemvaldis prot visvisādas valodas, — Harijs iedomājās. — Varbūt viņiem vajadzīgs tulks.

— Tagad tev sirds sāp par nabaga mazajiem goblinīšiem? — Rons noprasīja Hermionei. — Gribi uzveidot kaut ko, kas sauktos, piemēram, NAGS — Neaizsargāto atbaidošo goblinu savienība?

— Ha, ha, ha, — Hermione ironiski noteica. — Gobliniem nekāda aizsardzība nav nepieciešama. Vai tad neesat dzirdējuši, ko profesors Bijs stāstīja par goblinu dumpjiem?

— Nē, — Harijs un Rons atsaucās vienā balsī.

— Lūk, viņi ar burvjiem spēj tikt galā pavisam viegli, — Hermione iedzēra vēl malciņu sviestalus. — Viņi ir ļoti gudri. Viņi nemaz nelīdzinās mājas elfiem, kas nekad nesaceļas, lai aizstāvētu savas tiesības.

— Vai, vai, — Rons nokunkstēja, raudzīdamies uz durvīm. Pa tām tikko bija ienākusi Rita Knisle. Šoreiz viņai mugurā bija banāndzeltena mantija, garie nagi bija nokrāsoti spilgti rozā, un blakus atkal mīņājās patuklais fotografs. Rita Knisle pasūtīja dzeramo, abi ar fotogrāfu cauri drūzmai devās pie tuvīna galdiņa, un Harijs līdz ar Ronu un Hermioni no abiem nenolaida ne acu. "Dienas Pareģa" korespondente vienā laidā tarkšķēja un izskatījās varen apmierināta.

— ...diez ko negribēja ar mums runāties, vai ne, Bozo? Nu, un kā tu domā, kāpēc? Un ko viņš te dara ar veselu baru goblinu astē? Izrāda apkaimes skaistākās vietas... Kādas muļķības... Viņš nekad nav pratis melot. Domā, viņam kaut kas padomā? Domā, mums derētu drusku paraknāties? "Negodā kritušais kādreizējais Burvju sporta nodaļas priekšnieks Ludo Maišelnieks..." — smalks sākums teikumiņam, Bozo, tikai vajag sameklēt sensāciju, ko pabāzt tam apakšā...

— Plānojat izpostīt dzīvi vēl kādam? — Harijs skaļi apvaicājās.

Daži cilvēki pie tuvīnajiem galdiņiem pacēla galvu. Kad Rita Knisle ieraudzīja, kurš to teicis, viņas acis aiz dārgakmeņiem izrotātajām brillēm ieplētās platākas.

— Harij! — viņa atplauka starojošā smaidā. — Cik jauki! Kālab gan tev nenākt šurp un nepievienoties...

— Es jums neietu klāt pat ar trīs metrus garu slotaskātu, — Harijs aizsvilās. — Kāpēc jūs to nodarījāt Hagridam, ko?

Rita Knisle sarāva uz augšu pamatīgi sakrāsotās uzacis.

— Mūsu lasītājiem ir tiesības zināt patiesību, Harij. Es tikai veicu savu...

— Un kas tad ir, ka viņš ir pusmilzis? — Harijs iesaucās. — Tāpēc jau viņš nav sliktāks!

Krodziņā iestājās neparasts klusums. Aiz bāra letes, uz viņiem skatīdamās, stāvēja Rosmerta madāma, ij nemanīdama, ka krūka, kurā viņa lēja medalu, jau sen pilna.

Ritas Knisles smaids uz brīdi apdzisa, bet jau nākamajā acumirklī viņa to uzbūra no jauna, atrāva vaļā krokodilādas somu, izvilka savu Smukstāstu Spalvu un ieteicās: — Varbūt pastāstīsi man par to Hagridu, kādu pazīsti *tu*, Harij? Kāda ir dvēsele, ko slēpj muskuļi? Par jūsu neticamo draudzību un tās iemesliem? Vai viņš tev ir tikpat kā tēva vietā?

Hermione piepeši pielēca kājās, sviestalus krūzi sagrābusi rokā kā granātu.

— Jūs, briesmone tāda, — viņa izspieda caur sakostiem zobiem. — Jums par visu nospļauties, vai ne? Lai tikai iznāk kāds rakstiņš, vienalga, par ko! Kaut vai par Ludo Maišelnieku...

— Sēdi nost, tu, sīkā muļķa skuķe, un nerunā par to, par ko tev nav ne mazākās sajēgas, — Rita Knisle noskaldīja, aukstām acīm noskatīdama Hermioni. — Man par Ludo Maišelnieku ir zināmas tādas lietas, no kurām tev mati saceltos stāvos... Lai gan diez vai tas ir iespējams, — viņa piemetināja, pablenzdama uz Hermiones izspūrušo ērkuli.

— Ejam, — Hermione noteica. — Ejam, Harij... Ron...

Viņi devās laukā, daudzu skatienu pavadīti. Pie durvīm Harijs pašķielēja atpakaļ — Ritas Knisles Smukstāstu Spalva jau strādāja pilnā sparā, šurpu turpu šaudīdamās pa pergamenta loksni, kas bija izplāta uz galda.

— Tagad viņa ķersies klāt tev, Hermione, — Rons noraizējies bilda, kad viņi naski devās projām pa ielu.

— Lai tik pamēģina! — dusmās trīcēdama, Hermione spalgi iekliedzās. — Es viņai gan rādīšu! Ak tad sīkā muļķa skuķe, ko? Nē, par šito es viņai atmaksāšu — vispirms par Hariju, tad par Hagridu...

— Tu taču negribēsi saiet naidā ar Ritu Knisli, — Rons bažīgi norādīja. — Nopietni, Hermione, viņa par tevi kaut ko uzraks...

— Mani vecāki nelasa "Dienas Pareģi", ar šito viņa mani neiebiedēs! — Hermione atcirta, drāzdamās uz priekšu ar tādu joni, ka Harijs un Rons viņai tik tikko spēja tikt līdzi. Pēdējoreiz Harijs bija redzējis Hermioni tik ļoti noskaitušos tad, kad viņa iekrāmēja pa ģīmi Drako Malfojam. — Un Hagrids arī vairs neslēpsies! Viņš *nedrīkst* pieļaut, ka viņu apvaino šāda iemesla dēļ! *Ejam taču*!

Mezdamās skriešus, viņa brāzās prom pa ceļu, iejoza pa vārtiem, kam abās pusēs slējās spārnoti mežakuiļi, un joza taisnā ceļā uz Hagrida namiņu.

Aizkari joprojām bija cieši aizvilkti, un, viņiem tuvojoties, būdā sāka riet Ilknis.

— Hagrid! — Hermione iesaucās, bungodama pa durvīm. — Pietiek, Hagrid! Mēs zinām, ka tu esi mājās! Visiem nospļauties par to, ka tava māte bijusi milzene, Hagrid! Tu nedrīksti pieļaut, ka tā neģēlīgā Knisle tev šito nodara! Hagrid, nāc laukā, tu taču esi...

Durvis atsprāga vaļā. Hermione iesāka: — Nu, redz... — un acumirklī apklusa, jo attapās, ka stāv aci pret aci nevis ar Hagridu, bet ar Baltusu Dumidoru.

— Labdien, — viņš sacīja, laipni smaidīdams.

— Mēs... nu... mēs gribējām sastapt Hagridu, — Hermione nopīkstēja.

— Jā, man jau radās tādas aizdomas. — Dumidora acīs iesprikstējās uguntiņas. — Varbūt nāksiet iekšā?

— Vai...hmm... nu, labi, — Hermione nomurmināja.

Viņi visi trīs iegāja būdā. Līdzko Harijs pārkāpa pār slieksni, Ilknis metās viņam klāt, riedams kā traks un raudzīdams ielaist mēli viņam ausīs. Atsvabinājies no Ilkņa apkampieniem, Harijs paraudzījās visapkārt.

Hagrids sēdēja pie galda, uz kura stāvēja divas lielas tējas krūzes, un izskatījās vienkārši briesmīgi. Viņam bija notraipīts ģīmis, pietūkušas acis, un, ja runājam par matiem, viņš šķita kritis otrā galējībā, tos atstādams pavisam novārtā, tā ka uz galvas viņam tagad spurojās kaut kas līdzīgs dzeloņdrāšu mudžeklim.

— Sveiks, Hagrid, — Harijs teica.

Hagrids pacēla galvu.

— ...bdien, — viņš atbildēja aiztrūkušā balsī.

— Laikam vajadzēs vēl drusku tējas, — sacīja Dumidors un, aiz ienācējiem aizvēris durvis, izvilka un novēzēja zizli. Istabas vidū parādījās lidojoša paplāte ar tēju un kūku šķīvi. Paklausīdama zizlim, paplāte nolaidās uz galda, un visi apsēdās. Iestājās klusums, un tad Dumidors ierunājās: — Vai tev izdevās saklausīt, ko Grendžeras jaunkundze sauca, Hagrid?

Hermione piesārta, bet Dumidors viņai uzsmaidīja un turpināja: — Šķiet, ka Hermione, Harijs un Rons tomēr vēlas ar tevi pazīties, spriežot pēc tā, kā viņi pūlējās izgāzt durvis.

— Skaidrs, ka mēs joprojām vēlamies ar tevi pazīties! — Harijs uzmeta Hagridam pārsteigtu skatienu. — Tu taču nedomāsi, ka tā dēļ, ko šitā govs Knisle... atvainojiet, profesor, — viņš attapās, pašķielēdams uz Dumidoru.

— Man uz brīdi galīgi aizkrita ausis, neko nevarēju saklausīt, Harij, — Dumidors savirpināja īkšķus un paraudzījās griestos.

— E... labi, — Harijs nobubināja. — Es tikai gribēju teikt... Hagrid, kā tu varēji iedomāties, ka mēs ņemsim galvā to, ko šitā... sieviete... ir par tevi sarakstījusi?

No Hagrida ogļu melnajām acīm izspiedās divas prāvas asaras un lēni noritēja lejup, pazuzdamas sapinkātajā bārdas čumurā.

— Lūk, Hagrid, dzīvs pierādījums tam, ko es tev teicu, — ierunājās Dumidors, joprojām rūpīgi pētīdams griestus. — Esmu tev cēlis priekšā neskaitāmas vēstules no vecākiem, kas atminas tevi paši no saviem skolas gadiem un man visai kategoriski norāda, ka gadījumā, ja es tevi atlaidīšot, viņiem tur būšot savs vārds sakāms...

— Visi tak ne, — Hagrids nogaudās. — Ne visi grib, lai es paliek.

— Nudien, Hagrid, ja tu alksti pēc vispārējas popularitātes, es baidos, ka tev šajā būdā būs jātup vēl ļoti ilgi, — Dumidors stingri paraudzījās uz viņu pāri aceņu pusmēnešiem. — Kopš esmu šīs skolas direktors, nav bijis nedēļas, kad man nebūtu pienākusi vismaz viena pūce ar sūdzību par manu vadības stilu. Un ko tad lai es daru? Varbūt man derētu iebarikādēties kabinetā un ne ar vienu nesarunāties?

— Jūs... jūs nav pusmilzens! — Hagrids nogārdza.

— Hagrid, paskaties, kas *man* rados! — Harijs saskaitās. — Paskaties uz Dērslijiem!

— Vārds vietā, — profesors Dumidors viņu uzlielīja. — Man pašam ir brālis Aberforts, kurš tika tiesāts par neatļautu kazas apburšanu. Par to rakstīja visi laikraksti, bet vai Aberforts ņēmās slēpties? Nekā nebija! Viņš ar augstu paceltu galvu turpināja dzīvot vien uz priekšu, kā radis! Protams, es neesmu īsti drošs, vai viņš prot lasīt, tā ka, iespējams, gluži par drosmi to nevar saukt...

— Nāc atpakaļ un turpini mācīt, Hagrid, — Hermione klusiņām ierunājās. — Lūdzu, atgriezies, mēs pēc tevis ilgojamies.

Hagrids nošņaukājās. Pāri vaigiem viņam atkal noritēja asaras un iekrita bārdas pinkās. Dumidors piecēlās.

— Es atsakos pieņemt tavu atlūgumu, Hagrid, un ceru, ka pirmdien atkal būsi darbā, — viņš pavēstīja. — Gaidīšu tevi brokastīs Lielajā zālē pusdeviņos no rīta. Ierašanās obligāta. Uz redzēšanos visiem.

Dumidors devās projām, uz brītiņu apstādamies, lai pakasītu Ilknim aizausi. Kolīdz durvis aizvērās, Hagrids ņēmās šņukstēt, seju ieslēpis plaukstās, kas nebija mazākas par atkritumu tvertnes vākiem. Hermione glāstīja viņa roku, un pēdīgi Hagrids tomēr pacēla galvu — viņa acis patiesi bija pavisam sarkanas — un teica:

— Dižvīrs i tas Dumidors... dižvīrs...

— Jā, ir gan, — Rons piebalsoja. — Vai drīkstu paņemt kūciņu, Hagrid?

— Cienājas, — Hagrids atvēlēja, notrausdams asaras piedurknē. — Ek, viņš sak pareizi, protama lieta... Jūs vis sak pareizi... Es bij dumš... Man vecais tētuks būt kaunējs par to, kā es te izdaros... — Hagridam no acīm atkal izsprāga asaras, bet viņš tās apņēmīgi noslaucīja un sacīja: — Es tak neesu jums rādījs sava vecā tētuka bildi, ko? Pag...

Hagrids piecēlās, aizkātoja pie kumodes, izvilka atvilktni un izcēla no tās bildi, kur bija redzams pats Hagrids, kam uz pleca smaidīdams sēdēja maziņš burvītis ar tādām pašām piemiegtām melnām acīm. Spriežot pēc ābeles turpat līdzās, Hagrids varēja būt vairāk nekā divus metrus garš, taču viņa seja bija jauneklīga, bez bārdas, apaļa un gluda — izskatījās, ka viņam nav vairāk par gadiem vienpadsmit.

— Šitenais i uzbildēts akurāt pēc tam, kad es aizgāj mācībā uz Cūkkārpu, — Hagrids paskaidroja aiztrūkušā balsī. — Tētuks no priekiem nezināj, ku likties... Šis, redz, domāj, ka nekāds burvis, kazi, no manis nebūs, tapēc ka māmuļa... Ek, lai nu būt kā būdams. Tā jau ar bij — uz buršanu man nebij nekāds nags... Bet šis vismaz nepieredzēj, kā mani izmet laukā. Kad es bij otrā gadā, tētuks aizgāj kapā... Dumidors mani pēc tam pieskatīj. Pajēm par mežsargu... Šis cilvēkam tic. Do vēl vienu iespēju... Citi direktori tā, redz, nedar. Šis Cūkkārpā pajems katru, kas ir apdāvināts. Šis zin, ka no cilvēks var sanākt lietaskoks, pat ja šim ģimene nav... nu... tik dikti smalka. Bet viens otrs šito nesaprot. I tādi, kas šito tev gatavi bāzt degunā... I tādi, kas jems un izliksies par lielkaulainu, lai tik nevaidzētu piecelties un pasacīt — es esu, kas esu, un man par to nav kauns. "Nekaunas ne par ko," mans vecais tētuks šitā sacīj, "būs tādi, kas bāzīs tev šito degunā, bet ar tiem nav ko krāmēties." Un viņš teic pareiz. Es bij dumš. Ar *šiteno* es vairs neies krāmēties, to es jums var nosolīties. Lieli kauli... Es šai parādīs "lieli kauli"...

Harijs, Rons un Hermione uztraukti saskatījās. Harijs bija drīzāk gatavs vest pastaigā piecdesmit spridzekļmūdžus, nekā atzīties Hagridam, ka dzirdējis, kā viņš sarunājies ar Maksima madāmu, taču Hagrids runāja vien tālāk, nemaz nepamanīdams, ka pateicis kaut ko dīvainu.

— Tu zin ko, Harij? — viņš teica, joprojām turēdams rokā tētuka bildi un mirdzošām acīm uzlūkodams Hariju. — Kad es tev pirmoreiz satiku, tu man rādījs drusku tāds kā es. Ne māmuļas, ne tētuka, un tu tāpatās domāj, ka Cūkkārpā tev īsti nav vieta, atmini? Nemaz nezināj, vai maz šiteno gribi... Un nu — paskat tik, Harij! Skolas censons!

Viņš īsu brīdi noraudzījās uz Hariju un tad dziļi nopietni teica: — Tu zin, ko man dikti gribas, Harij? Man dikti gribas, lai tu būt uzvarētājs. Dikti. Ta šie redzētu... Tur nevaig nekādus tīrasiņus. Tev nevaig kaunēties par to, kas esi. Ta šie redzētu, ka Dumidors darās pareiz, jemdams te visus, kas var burties. Kā i ar to olu, Harij?

— Lieliski, — Harijs atsaucās. — Vienkārši lieliski.

Hagrida sabēdājies vaigs atplauka platā, miklā smaidā. — Eku, mans puika... Tu šiem parādīs, Harij, tu parādīs. Pajems virsroku.

Melot Hagridam bija grūtāk, nekā melot jebkuram citam. Kad vēlāk pēcpusdienā Harijs kopā ar Ronu un Hermioni gāja atpakaļ uz pili, viņš nekādi nespēja aizgaiņāt domu par laimīgo smaidu, kas atmirdzēja Hagrida bārdainajā sejā, kolīdz viņš iztēlojās Hariju uzvaram turnīrā. Tovakar mīklainā ola Harija sirdsapziņu kremta sāpīgāk nekā jebkad, un gulētiedams viņš izlēma, ka lepnībai laiks aplauzt ragus — jāpaskatās, vai Sedrika mājiens maz ir liekams lietā.

## DIVDESMIT PIEKTĀ NODAĻA

# OLA UN ACS

Harijam nebija ne jausmas, cik ilgi jātup vannā, lai atklātu zelta olas noslēpumu, tāpēc viņš nosprieda ar to nodarboties naktī, kad laika būtu gana daudz. Sedrika laipnību lieki izmantot nepavisam negribējās, tomēr Harijs izlēma paklausīt arī viņa ieteikumam doties uz prefektu vannas istabu, jo tur apgrozījās krietni mazāk cilvēku, tātad daudz lielāka bija iespēja, ka neviens tur neuzradīsies un pasākumu neiztraucēs.

Pārgājienu Harijs izplānoja ļoti rūpīgi, jo reiz jau bija piedzīvojis, ka uzraugs Filčs viņu nakts vidū pieķēra blandāmies ārpus Grifidora torņa robežām, un otrreiz to pieredzēt nevēlējās. Protams, vajadzēja izmantot Paslēpni, un papildu drošībai Harijs nosprieda paķert līdzi Laupītāja karti, kas līdz ar Paslēpni bija noderīgākais noteikumu pārkāpšanas palīglīdzeklis, kāds vien bija viņa rīcībā. Kartē bija redzama visa Cūkkārpa, arī daudzie slepenie savienotājgaiteņi un, kas vēl jo svarīgāk, cilvēki, kas pārvietojās pa pils gaiteņiem, kartē parādījās kā sīki, pēc vārda atpazīstami punktiņi, tā ka Harijs jau laikus zinātu, ja kāds tuvotos vannas istabai.

Otrdienas vakarā Harijs izzagās no gultas, uzvilka Paslēpni, nolavījās lejā un tāpat kā tonakt, kad Hagrids viņam tika parādījis pūķus, nostājās pie portretcauruma gaidīdams, kad tas atvērsies. Šoreiz laukā gaidīja Rons, lai pateiktu Resnajai kundzei paroli ("banānu bliņas"). — Labu veiksmi, — Rons nomurmināja, kāpdams iekšā kopistabā, kad Harijs aizspraucās viņam garām.

Tonakt staigāt apkārt ar Paslēpni mugurā bija visai neērti, jo vienā azotē Harijam bija smagā ola, bet ar otru roku viņš zem deguna turēja karti. Tomēr mēness gaismas pielietie gaiteņi bija tukši un klusi, un Harijs, ik pa brīdim drošības dēļ ielūkodamies kartē, varēja laikus izvairīties no satikšanās ar nevēlamiem pretimnācējiem. Nonācis pie Apjukušā Borisa statujas, kas atveidoja pagalam apmulsušu burvi ar kreisās rokas cimdu labajā rokā un otrādi, viņš atrada pareizās durvis, pieliecās tām tuvu klāt un nomurmināja Sedrika teikto paroli: — Skuju šampūns.

Durvis čīkstēdamas pavērās. Harijs ieslīdēja iekšā, aizbultēja aizbīdni, novilka Paslēpni un aplaida skatienu visapkārt.

Pirmā viņam iešāvās prātā doma, ka nav nemaz slikti būt par prefektu, ja reiz tas dod iespēju mazgāties šādā vannas istabā. Telpā maigu gaismu lēja brīnišķīgs, liels svečturis, un itin viss te bija darināts no balta marmora — arī istabas vidū grīdā ierīkotais padziļinājums, kas izskatījās pēc tukša, taisnstūraina peldbaseina. Baseina malās rēgojās kādi simt zelta krāni, katram rokturī spīguļoja citas krāsas dārgakmens. Netrūka arī tramplīna. Logus klāja gari, balti linu aizkari, stūrī stāvēja baltu, pūkainu dvieļu grēda, un pie sienas karājās viena vienīga glezna zelta ietvarā. Tur bija attēlota gaišmataina nāra, kas, zvilnēdama uz klints, šķita iesnaudusies — ikreiz, kad viņa iekrācās, nocilājās pāri sejai pārkritušās garo matu šķieznas.

Harijs nolika vienuviet Paslēpni, olu un karti un, apkārt raudzīdamies, devās tālāk uz priekšu. Sienas atbalsoja viņa soļu troksni. Vannas istaba nudien bija lieliska, un viņam patiesi kārojās izmēģināt pāris zelta krānus, tomēr tagad, te stāvēdams, Harijs nespēja atvairīt domu, ka Sedriks viņu gribējis izjokot. Kā, pie joda, tas viss var palīdzēt atrisināt olas noslēpumu? Lai nu kā, viņš paņēma vienu pūkaino dvieli, nolika to uz peldbaseinveida vannas malas kopā ar Paslēpni, karti un olu, nometās ceļos un atgrieza pāris krānu.

Acumirklī kļuva skaidrs, ka pa tiem tek ar vannas putām papildināts ūdens, lai gan tādu putu vannu Harijam vēl nebija nācies redzēt. Viens krāns izpūta sārtus un zilus burbuļus futbolbumbas lielumā, no otra izplūda tik stingras sniegbaltas putas, ka tās, šķita, bija spējīgas noturēt cilvēka svaru, trešais izvirda smaržīgus purpura mākoņus, kas palika klājamies pāri ūdens virsmai. Kādu brīdi Harijs izklaidējās, griezdams krānus ciet un vaļā — sevišķi viņam gāja pie sirds tāds, kura strūkla atlēca no ūdens virsmas, veidojot lielas arkas. Beidzot, kad dziļais baseins piepildījās ar karstu ūdeni, putām un burbuļiem (ņemot vērā baseina izmērus, tas notika ļoti ātri), Harijs aizgrieza ciet visus krānus, novilka pidžamu, čības un rītasvārkus un ieslīdēja ūdenī.

Baseins bija tik dziļš, ka Harijs tik tikko varēja ar kājām aizsniegt tā dibenu, un viņš drusku papeldēja, iekams brida atpakaļ līdz malai pie olas. Peldēties karstajā, putainajā ūdenī, kad gar ausīm virmoja daudzkrāsaini garaiņi, bija ļoti patīkami, tomēr nekāda piepeša atskārsme viņu nepiemeklēja, neviena spoža ideja prātā neiešāvās.

Harijs pastiepa rokas, paņēma olu slapjajās saujās un atvēra to. Vannas istabu piepildīja griezīgā kaukoņa, daudzkārt atbalsodamās pret marmora sienām, taču tā bija tikpat neizprotama kā iepriekš — atbalsu dēļ varbūt vēl jo bezjēdzīgāka. Bīdamies, ka troksnis var atvilināt šurp Filču, un ieprātodamies, ka varbūt tieši tāds arī bijis Sedrika plāns, Harijs olu aizcirta un tūliņ palēcās vai stāvus gaisā, izmezdams olu no rokām ar tādu joni, ka tā aizripoja labu gabalu projām. Jo kāds ierunājās.

— Tavā vietā es mēģinātu ielikt to *ūdenī.*

No pārbīļa Harijs bija sarijies krietnu tiesu burbuļu. Atguvis līdzsvaru un kārtīgi izspļaudījies, viņš uz kāda krāna ieraudzīja ar sakrustotām kājām tupam ļoti drūmu meitenes spoku. Tā bija Vaidu Vaira, kas parasti šņukstēja tualetes poda caurules izliekumā trīs stāvus zemāk.

— Vaira! — Harijs sašutis iekliedzās. — Man... man nekā nav mugurā!

Putas bija tik biezas, ka tas diezin vai bija no svara, taču Harijam bija nelabas aizdomas, ka Vaira lūrējusi pa krānu jau labu laiku.

— Kad tu kāpi vannā, es neskatījos, — Vaira aizrādīja, mirkšķinādama acis aiz biezajiem briļļu stikliem. — Tu neesi mani apraudzījis jau *nezin cik* ilgi.

— Nu... jā... — Harijs viegli ieliecās ceļos, lai būtu drošs, ka Vairai redzama tikai viņa galva. — Es taču nedrīkstu iet tavā tualetē, vai ne? Tur iet meitenes.

— Reiz tev tas bija vienalga, — Vaira žēli novilka. — Reiz tu tur vien tupēji.

Viņai bija taisnība, lai gan toreiz tas bija izskaidrojams ar faktu, ka Harijs, Rons un Hermione Vairas sabojāto tualeti bija izraudzījušies par piemērotāko vietu, kur slepenībā sabrūvēt daudzsulu mikstūru — aizliegtas zāles, kam Hariju un Ronu uz stundu vajadzēja pārvērst par Krabes un Goila dzīviem līdziniekiem, lai viņi varētu iešmaukt slīdeņu kopistabā.

— Es dabūju sukas par to, ka gāju tur iekšā, — Harijs taisnojās, un daļēji tā arī bija — reiz Persijs bija viņu pieķēris nākam laukā no Vairas tualetes. — Pēc tam nospriedu labāk tur nerādīties.

— Ak tā... skaidrs... — Vaira ņēmās nīgri knibināt pūtīti uz zoda. — Nu... lai nu kā... Es pamēģinātu olu iebāzt ūdenī. Sedriks Digorijs tā darīja.

— Arī viņu tu izspiego? — Harijs satriekts iesaucās. — Tu ko — vakaros te okšķerē un noskaties, kā prefekti mazgājas?

— Dažreiz, — Vaira visai šķelmīgi novilka, — bet es vēl ne reizi neesmu līdusi laukā, lai aprunātos.

— Jūtos pagodināts, — Harijs noskaldīja. — Aizmiedz acis!

Pārliecinājies, ka Vaira kārtīgi aizklājusi brilles ar plaukstām, viņš izrāpās no ūdens, stingri aptinās ar dvieli un devās pakaļ olai.

Kolīdz viņš atkal bija ielēcis vannā, Vaida palūrēja caur pirkststarpu un ierunājās: — Nu, taisi vaļā... zem ūdens!

Harijs iegremdēja olu putainajā ūdenī un atvēra čaulu... Šoreiz tā negaudoja. Zem ūdens atskanēja burzguļojoša dziedāšana — vārdus nevarēja īsti saklausīt.

— Pabāz zem ūdens arī galvu, — Vaira ieteica, itin labprāt juzdamās kā izrīkotāja.

Ievilcis elpu krūtīs, Harijs ienira un nu, nosēdies uz marmora burbuļvannas grīdas un turēdams rokās atvērto olu, viņš dzirdēja, kā no tās atskan svešādu balsu koris:

*Nāc meklēt mūs, kur balsis skan, —*
*Uz zemes dziesma aizlūst man;*
*Un, kamēr meklē, vaicā sev:*
*Kas dārgākais, kā pietrūks tev?*
*Jums vienu stundu atvēlam*
*Nākt atdabūt, ko paņēmām.*
*Ja uzdevums tad nebūs veikts,*
*Viss zaudēts, nokavēts un beigts.*

Harijs atspērās pret vannas dibenu un iznira virs burbuļiem klātā ūdens, atglauzdams matus no sejas.

— Sadzirdēji? — Vaira apjautājās.

— Jā... "Nāc meklēt mūs, kur balsis skan...", un ja man jābūt drošam... pag, jānoklausās vēlreiz... — Viņš no jauna ienira.

Olas zemūdens dziesmu Harijs, kā nākas, iemācījās tikai pēc tam, kad bija noklausījies to vēl trīs reizes. Tad viņš labu brīdi plunčājās, iegrimis dziļās pārdomās, bet Vaira sēdēja, uz viņu noskatīdamās.

— Man jāiet meklēt cilvēkus, kas nevar runāt virszemē... — Harijs gausi novilka. — Hmm... kas tie tādi varētu būt?

— Diez ko apķērīgs tu vis neesi!

Harijs nekad nebija Vaidu Vairu redzējis tik ielīksmotu — varbūt vienīgi toreiz, kad Hermione, iedzērusi daudzsulu mikstūru, dabūja kaķa asti un spalvainu ģīmi.

Harijs raudzījās visapkārt, meklēdams kādu padomu... Ja reiz balsis bija dzirdamas tikai zem ūdens, tās, iespējams, pieder kādiem zemūdens radījumiem. Viņš atklāja savu teoriju Vairai, un tā pasmīnēja.

— Nu ja, tā nosprieda arī Digorijs, — viņa sacīja. — Tā nu viņš te briesmīgi ilgi gulēja un runājās pats ar sevi. Gulēja un gulēja... Gandrīz neviena burbuļa vairs nebija palicis...

— Zemūdens... — Harijs novilka. — Vaira, kas vēl bez milzu kalmāriem dzīvo ezerā?

— Ai, kas tik ne! — Vaira attrauca. — Dažreiz es tur nolaižos... Dažreiz man vienkārši nav citas izvēles — kad kāds pēkšņi applūdina manu tualeti...

Pūlēdamies nedomāt par to, kā Vaidu Vaira pa mēslu cauruli traucas uz ezeru, Harijs ieteicās: — Nu, un vai tur ir kāds, kurš runā cilvēka balsī? Pag...

Harijs piepeši gleznā pie sienas pamanīja snaudošo nāru. — Vaira, tur taču nedzīvo *ūdensļaudis*, ko?

— Uhū, vareni! — Vaidu Vaira nospīdināja aceņu biezos stiklus. — Digorijam vajadzēja daudz ilgāku laiku, lai līdz tam aizdomātos! Turklāt tad *viņa* bija nomodā, — Vaira pameta drūmu, dziļas nepatikas pilnu skatu uz nāras pusi, — ķiķināja, izrādījās un vicināja spuras...

— Tiešām ir, ko? — Harijs satraukti iesaucās. — Otrajā pārbaudījumā mums jādodas ezerā, jāatrod tur ūdensļaudis un... un...

Taču tad viņš piepeši atskārta, ko saka, un viss priecīgā satraukuma vilnis acumirklī noplaka, itin kā vēderā kāds būtu izrāvis tādu kā vannas aizbāzni. Harijs ne sevišķi labi prata peldēt un necik bieži ar to nebija nodarbojies. Senāk Dūdijs bija gājis uz peldēšanas nodarbībām, bet Petūnijas tante ar tēvoci Vernonu laikam loloja cerību, ka Harijs kādudien noslīks, jo viņu uz nodarbībām nesūtīja. Vannā viņš kādu gabaliņu vēl varēja nopeldēt, taču ezers bija ļoti liels un ļoti dziļš... Un ūdensļaudis noteikti dzīvoja pašā dzelmē...

— Vaira? — Harijs lēni ievaicājās. — Kā lai es tur *elpoju*?

To izdzirdusi, Vaira atkal izplūda asarās.

— Rupeklis! — viņa nogaudās, meklēdama rokā kabatlakatu.

— Kāpēc rupeklis? — Harijs apjuka.

— Ar mani runāt par *elpošanu*! — viņa iespiedzās, kliedzienam atbalsojoties no vannas istabas sienām. — Kad es nevaru... kad man nav... jau nezin cik sen... — Viņa ieslēpa seju kabatlakatā un skaļi šņukstēja.

Harijs nebija aizmirsis, cik jūtīgi Vaira mēdza izturēties pret faktu, ka bija mirusi, tomēr neviens no citiem pazīstamajiem spokiem neuztvēra to nopietni. — Atvaino, — viņš nepacietīgi nobēra. — Es negribēju... Man vienkārši piemirsās...

— Jā, protams, cik tad tur tā darba — piemirst, ka Vaira ir pagalam, — Vaira norīstījās, uzlūkodama viņu ar pietūkušām acīm. — Neviens mani ij nemanīja pat tad, kad biju dzīva. Nezin cik stundu pagāja, iekams viņi uzgāja manu līķi, — to es labi zinu, jo sēdēju tur un viņus gaidīju. Olaiva Hornbija ienāca tualetē. "Vai tu atkal tur tupi un gražojies, Vaira?" viņa noprasīja. "Jo profesore Dzīle man lika iet tevi sameklēt..." Un tad viņa ieraudzīja manu līķi... Uūū, šito viņa neaizmirsa līdz savai pēdējai stundiņai, par to es parūpējos... Vienā laidā staigāju viņai pakaļ un par to atgādināju, jānudien! Atceros, kā viņas brāļa kāzās...

Bet Harijs neklausījās. Viņš atkal prātoja par ūdensļaužu dziesmu. *"Kas dārgākais, kā pietrūks tev?"* Tā vien izklausījās, ka viņi grasās Harijam kaut ko nozagt — kaut ko, ko vajadzēs atgūt. Diez kas tas varētu būt?

— ...un tad, protams, viņa devās uz Burvestību ministriju, lai tiktu no manis vaļā, un tā man nācās atgriezties te un mitināties savā tualetē.

— Labi, — Harijs izklaidīgi atsaucās. — Tad jau esmu pavirzījies krietni vien uz priekšu... Esi tik laba un atkal kādu brīdi neskaties, es kāpšu laukā.

Sadabūjis rokā olu, kas gulēja vannas dibenā, viņš izrāpās no ūdens, noslaucījās un uzvilka mugurā pidžamu un rītasvārkus.

— Vai vēl kādreiz atnāksi ciemos pie manis uz tualeti? — Vaidu Vaira sērīgi ieprasījās, kad Harijs paķēra Paslēpni.

— Nu... mēģināšu, — Harijs nosolījās, pie sevis gan nodomādams, ka Vairas tualetē vēl kādreiz kāju spertu laikam vienīgi tad, kad visas citas pils tualetes būtu neglābjami aizsprostojušās. — Uz redzi, Vaira... Paldies, ka palīdzēji.

— Atā, atā, — Vaira drūmi noteica, un Harijs, apvilkdams Paslēpni, redzēja viņu ielienam atpakaļ krānā.

Izgājis tumšajā gaitenī, Harijs ielūkojās Laupītāja kartē, lai pārliecinātos, ka gaiss joprojām ir tīrs. Jā, Filča un Norisa kundzes punktiņi vēl aizvien droši kluknēja kabinetā... Vairāk nekas nekur it kā nekustējās, izņemot Pīvzu, kas stāvu augstāk lēkāja pa trofeju istabu... Harijs uzlika kāju uz Grifidora torņa kāpņu pirmā pakāpiena, bet tad kartē kaut ko pamanīja... Kaut ko patiešām dīvainu.

Pīvzs *nebija* vienīgais, kas tur kustējās. Kāds punktiņš šaudījās pa istabu kartes kreisajā apakšējā stūrī — pa Strupa kabinetu. Bet tas nebūt nebija apzīmēts kā "Severuss Strups"... tas bija Bērtulis Zemvaldis.

Harijs neticīgi blenza uz punktiņu. Zemvalža kungs taču bija slims — uz darbu viņš negāja, arī uz Ziemassvētku balli nebija varējis ierasties. Tad kāpēc viņš slapstījās pa Cūkkārpu pulksten vienos naktī? Harijs noraudzījās, kā punktiņš riņķo pa kabinetu, ik pa brīdim apstādamies...

Viņš nogaidīja un apdomājās... Un tad ziņkāre ņēma virsroku. Apcirties viņš devās uz otru pusi, uz blakus kāpnēm, apņēmies noskaidrot, kas Zemvaldim padomā.

Cik klusi vien spēdams, Harijs lavījās lejup pa kāpnēm, lai gan viena otra galva portretos ieinteresēta pagriezās, kad iečīkstējās kāds grīdas dēlis zem viņa kājām vai nošvīkstēja pidžama. Iezadzies lejasstāva gaitenī, viņš tur pavilka sāņus kādu gobelēnu un nonāca uz šaurākām, slepenām kāpnēm, kas taisni veda divus stāvus zemāk. Ik pa brīdim Harijs ieskatījās kartē, nokaudamies ar domām... Tāda okšķerēšanās pa svešu kabinetu nakts laikā itin nemaz nepiedienēja tik pareizam, likumam paklausīgam vīram kā Zemvalža kungs...

Un tad pusceļā, pilnībā iegrimis domās par Zemvalža kunga ērmoto uzvedību un galīgi aizmirsis, kur atrodas, Harijs iekrita lamatās — viņa kāja iestiga joku pakāpienā, kuram Nevils mūžam piemirsa pārlēkt pāri. Viņš lūkoja izrauties, un no azotes izslīdēja vēl slapjā un glumā zelta ola. Harijs metās uz priekšu, lai to saķertu, tomēr nepaguva — ola novēlās pa kāpnēm, atsizdamās pret katru pakāpienu un saceldama bungu dārdoņai līdzīgu troksni. Paslēpnis noslīdēja Harijam no pleciem, viņš to sagrāba, toties izmeta no rokām Laupītāja karti, kas aizplivinājās sešus pakāpienus lejāk, kur viņš, iestidzis pakāpienā līdz ceļgalam, nekādi nevarēja to aizsniegt.

Zelta ola aizripoja aiz gobelēna kāpņu pakājē, atsprāga vaļā, un lejas gaiteni piepildīja baismīgās gaudas. Harijs izrāva zizli un mēģināja ar to aizsniegt Laupītāja karti, lai nodzēstu to tukšu, tomēr nevarēja aizstiepties gana tālu.

Kārtīgi ietinies Paslēpnī, Harijs izslējās un ieklausījās, acis šausmās ieplētis... Un gandrīz acumirklī...

— PĪVZ!

Kļūdīties nebija iespējams — tas bija uzrauga Finča medību sauciens. Viņa šļūcošie soļi steidzīgi švīkstēja aizvien tuvāk un tuvāk, Finčs bija aizelsies un nikns.

— Ko tu te ālējies? Visu pili gribi uzraut kājās? Gan es tevi dabūšu rokā, Pīvz, gan es tikšu tev klāt, tu man... Kas tad tas?

Soļi apstājās. Noklikšķēja metāls, un kaukoņa mitējās — Filčs bija pacēlis olu un aiztaisījis to ciet. Harijs stāvēja klusu un mierīgi un klausījās, ar kāju joprojām dziļi iestidzis burvju pakāpienā. Kuru katru mirkli Filčs varēja paraut vaļā gobelēnu, aiz tā cerēdams pieķert Pīvzu... Un nekāda Pīvza tur nebūs... Bet, pakāpies augstāk pa kāpnēm, Filčs ieraudzīs Laupītāja karti... Un Paslēpnis neko nelīdzēs — kartē tieši tajā vietā, kur Harijs stāv, būs skaidri redzams punktiņš ar uzrakstu "Harijs Poters".

— Ola? — kāpņu pakājē nomurmināja Filčs. — Dārgumiņ! — Turpat blakus acīmredzot bija arī Norisa kundze. — Tā ir Trejburvju zīme! Tā pieder skolas censonim!

Harijs sajuta kaklā sakāpjam nelabumu, turpat briesmīgā ātrumā dauzījās arī sirds...

— PĪVZ! — Filčs priekā ieaurojās. — Tu zodz!

Viņš ar joni atrāva vaļā gobelēnu, un Harijs ieraudzīja uzrauga briesmīgo, tuklo ģīmi ar izvalbītajām, bālganajām acīm, kas vērās uz (Filčaprāt) tukšajām kāpnēm.

— Slēpies, ko? — viņš klusām nodūdoja. — Gan es tikšu tev klāt, Pīvz... Tu esi nozadzis Trejburvju zīmi, Pīvz... Dumidors tevi par šito izmetīs ārā viens un divi — nu, vai nav viens smirdīgs, zaglīgs poltergeists!

Filčs sāka kāpt augšā pa kāpnēm, viņam uz papēžiem mina izkāmējusī, pelnu pelēkā kaķene. Norisa kundzes starmešiem līdzīgās acis, kas izskatījās tieši tādas kā viņas saimniekam, blenza tieši virsū Harijam. Viņam jau bija iznācis pārbaudīt, vai Paslēpnis iedarbojas uz kaķiem, tāpēc tagad, trīsēdams nelāgās priekšnojautās, viņš skatījās, kā Filčs vecajos flaneļa rītasvārkos nāk aizvien tuvāk un tuvāk. Harijs izmisīgi noraustījās, raudzīdams atbrīvot lamatās iekritušo kāju, taču iestiga vēl jo dziļāk... Tagad kuru katru mirkli Filčs varēja pamanīt karti vai uzskriet Harijam tieši virsū...

— Filč? Kas te notiek?

Filčs apstājās, kad līdz Harijam vēl bija atlikuši tikai daži pakāpieni, un atskatījās. Kāpņu lejasgalā stāvēja vienīgais cilvēks, kurš Harija stāvokli varēja padarīt vēl ļaunāku, — Strups. Viņam mugurā bija garš, pelēks naktskrekls, un seju izķēmoja dusmas.

— Pīvzs ālējas, profesor, — Filčs ļaunīgi iečukstējās. — Nolidināja olu lejā pa trepēm.

Strups veicīgi pakāpās augšup un apstājās blakus Filčam. Harijs sakoda zobus, ne mirkli nešaubīdamies, ka tie abi tūliņ sadzirdēs, cik skaļi dauzās viņa sirds...

— Pīvzs? — Strups klusi noteica, vērdamies uz olu, kas Filčam bija rokās. — Bet Pīvzs diez vai varēja iekļūt manā kabinetā...

— Vai tad šitā ola bija jūsu kabinetā, profesor?

— Protams, nē, — Strups nošņāca. — Es izdzirdēju dārdoņu un kaukoņu...

— Jā, profesor, tā bija ola...

— ...nācu skatīties...

— ...Pīvzs to nosvieda, profesor...

— ...un, kad gāju garām savam kabinetam, ieraudzīju tur degam lāpas un skapi vaļā līdz kājai! Kāds tur okšķerējies!

— Bet Pīvzs taču nevarētu...

— Es zinu, ka viņš nevarētu, Filč! — Strups atcirta. — Es savu kabinetu mēdzu aizzīmogot ar burvju vārdiem, ko atlauzt spēj tikai burvis! — Strups pacēla galvu un paskatījās tieši cauri Harijam, tad atkal lejā, uz gaiteni. — Es gribu, lai jūs nākat un palīdzat man atrast kramplauzi, Filč.

— Es... jā, profesor, bet...

Filčs pameta ilgpilnu skatienu augšup, vērdamies cauri Harijam, kas labi saprata, cik ļoti uzraugam negribas atteikties no izdevības iedzīt Pīvzu stūrī. *Ej taču*, Harijs klusībā lūdzās, *ej Strupam līdzi... ej...* Gar Filča kāju lūrēja Norisa kundze... Harijs skaidri juta, ka kaķene viņu saož... Kādēļ vajadzēja vannā laist tās smaržīgās putas?

— Lieta tāda, profesor, — Filčs lūdzoši ierunājās, — ka šoreiz direktoram nāksies mani uzklausīt. Pīvzs nozadzis olu audzēknim, un tā varētu būt izdevība vienreiz par visām reizēm izsviest viņu laukā no pils...

— Filč, par to pretīgo poltergeistu es nedodu ne plika graša, runa ir par manu kabinetu, kas...

*Klakts. Klakts. Klakts.*

Strups acumirklī aprāvās. Viņi ar Filču vērās lejup uz kāpņu pakāji. Pa spraugu starp abu galvām Harijs ieraudzīja parādāmies Trakaci Tramdānu. Pāri naktskreklam viņš bija apvilcis veco ceļojumu apmetni un, kā allaž, balstījās uz spieķa.

— Pidžamu ballīte, ko? — viņš norūca.

— Mēs ar profesoru Strupu sadzirdējām troksni, profesor, — Filčs pasteidzās atbildēt. — Poltergeists Pīvzs te svaidās kā parasti... Un tad profesors Strups atklāja, ka nezin kas ir ielauzies viņa kab...

— Muti ciet! — Strups uzšņāca Filčam.

Tramdāns piekliboja tuvāk kāpnēm. Harijs redzēja viņa burvju aci pārslīdam pāri Filčam un tad nekļūdīgi apstājamies pie viņa paša.

Harijs juta sirdi krūtīs salecamies kā trusi. *Tramdāns redz cauri Paslēpņiem...* Viņš vienīgais spēja novērtēt to, cik ērmīgi viss izskatījās no malas... Strups naktskreklā, Filčs ar olu rokās, un viņš, Harijs, iestidzis pakāpienā pāris soļu no tiem abiem. Tramdāna savītusī mutes sprauga pārsteigumā pavērās. Vienu brīdi viņi ar Hariju skatījās viens otram acīs. Tad Tramdāns aizvēra muti un zilo aci atkal pagrieza pret Strupu.

— Vai es sadzirdēju pareizi, Strup? — viņš lēni ierunājās. — Kāds ielauzies tavā kabinetā?

— Nav svarīgi, — Strups salti atcirta.

— Gluži otrādi, — Tramdāns ieņurdējās. — Tas ir ļoti svarīgi. Kam gan būtu kāda vajadzība ielauzties tavā kabinetā?

— Es teiktu — kādam audzēknim, — Strups atteica. Harijs skaidri redzēja, kā viņa taukaini spīdošajos deniņos nevaldāmi pulsē dzīsla. — Nav pirmā reize. No mana personiskā skapja ir pazudušas mikstūru sastāvdaļas... Nav šaubu, ka audzēkņi mēģina brūvēt aizliegtas mikstūras...

— Domā, kāds gribējis sadabūt mikstūru sastāvdaļas, ko? — Tramdāns bilda. — Tu tak neslēp savā kabinetā ko citu, vai ne?

Harijs, Strupu redzēdams tikai iesāņus, pamanīja, ka viņa seja tumši piesarkst un dzīsla deniņos sāk pukstēt vēl jo straujāk.

— Jūs labi zināt, ka es tur neko neslēpju, Tramdān, — viņš klusi un draudīgi sacīja. — Jo jūs pats manu kabinetu esat visai pamatīgi pārmeklējis.

Tramdāna seja izšķobījās smaidā. — Tādas nu reiz ir aurora priekšrocības, Strup. Dumidors man lika pieskatīt...

— Tā nu ir sagadījies, ka Dumidors man uzticas, — Strups izspieda caur zobiem. — Es neparko neticēšu, ka viņš jums devis rīkojumu pārmeklēt manu kabinetu!

— Skaidrs, ka Dumidors tev tic, — Tramdāns noķērca. — Viņam tāda daba, vai ne? Viņš domā, ka cilvēkiem vajag dot vēl vienu iespēju. Taču es... Es domāju, ka mēdz būt arī nenomazgājami traipi, Strup. Traipi, ko nemūžam nav iespējams noberzt, ja tu saproti, ko es ar to gribu teikt.

Strups piepeši izdarīja kaut ko ļoti savādu. Viņš ar labo roku krampjaini saķēra kreiso delmu, it kā tas viņam būtu iesāpējies.

Tramdāns iesmējās. — Ej vien gulēt, Strup.

— Jums nav tiesību mani izrīkot! — Strups iešņācās, spēji atlaizdams roku, itin kā saniknojies pats uz sevi. — Man ir tieši tādas pašas tiesības naktī slapstīties pa skolu kā jums!

— Slapsties nu prom, — Tramdāns izmeta, taču viņa balsī bija jaušami draudi. — Nevaru vien sagaidīt, kad sastapšos ar tevi kādā tumšā gaitenī... Starp citu, tev tur kaut kas izkritis...

Šausmās sastindzis, Harijs redzēja viņu norādām uz Laupītāja karti, kas joprojām gulēja sešus pakāpienus lejāk. Kolīdz Filčs un Strups pagriezās, lai paskatītos, kas tur ir, Harijs raudzīja vēl glābt kas glābjams, zem Paslēpņa savicināja rokas, lai piesaistītu Tramdāna uzmanību, un ņēmās mēmi plātīt muti: "Tā ir manējā! *Manējā*!"

Strups pastiepa roku, un viņa sejā piepeši atspoguļojās šausminoša atskārta...

— *Šurpum pergamentu*!

Karte uzlidoja gaisā, izslīdēja cauri Strupa pastieptajiem pirkstiem un noplivinājās lejā pa kāpnēm taisni Tramdāna rokās.

— Maza kļūmīte, — Tramdāns rāmi noteica. — Tā taču manējā... Laikam būšu kaut kad pirmīt pazaudējis...

Bet Strupa melnās acis jau šaudījās no olas Filča rokā pie kartes, ko turēja Tramdāns, un Harijam bija skaidrs, ka viņš liek prātus kopā tik aši, kā to spēja vienīgi Strups...

— Poters, — Strups klusām novilka.

— Ko tad? — Tramdāns mierīgi atsaucās, salocīdams karti un iebāzdams to kabatā.

— Poters! — Strups iebrēcās, pagrieza galvu un ņēmās raudzīties tieši turp, kur stāvēja Harijs, it kā piepeši viņu spēdams saskatīt. — Tā ola pieder Poteram. Tas pergaments arī. Esmu to redzējis, es to pazīstu. Poters ir šeit! Poters ar Paslēpni mugurā!

Pastiepis uz priekšu rokas gluži kā aklais, Strups sāka virzīties augšup pa kāpnēm. Harijs bija gatavs zvērēt, ka viņa pārmēru lielās nāsis izpletās vēl platākas, it kā mēģinādamas saost Harija smaku. Nespēdams spert ne soli, Harijs atliecās atpakaļ, lai izvairītos no Strupa tvēriena, taču kuru katru mirkli...

— Tur nekā nav, Strup! — Tramdāns aprauti iekērcās. — Bet es labprāt pavēstīšu direktoram, cik zibenīgi tev iešāvās prātā Harijs Poters!

— Ko jūs gribat teikt? — Strups iebrēcās, apstājies un pagriezies pret Tramdānu. Viņa izstiepto roku pirksti gandrīz jau pieskārās Harijam.

— Es gribu teikt, ka Dumidoram ļoti gribas zināt, kurš tam puikam neliek mieru! — Tramdāns piekliboja vēl tuvāk kāpnēm. — Un man tāpat, Strup... Dikti gribas... — Lāpas šaudīgā gaismā krita uz viņa sakropļotās sejas, tā ka rētas un robs degunā šķita melnojamies dziļāk nekā jebkad.

Strups raudzījās lejup uz Tramdānu, un Harijs nevarēja redzēt viņa sejas izteiksmi. Labu brīdi visi stāvēja kā sastinguši un nebilda ne vārda. Tad Strups lēnām nolaida rokas.

— Es tikai domāju, — viņš teica, pūlēdamies savaldīties, — ka gadījumā, ja Poters atkal vazājas apkārt nakts laikā... Viņam ir tāda nelāga indeve... Viņš jāaptur. Viņa... viņa paša drošības labā.

— Ak tā? Skaidrs, — Tramdāns klusiņām norūca. — Aizstāvat Potera intereses, ko?

Iestājās klusums. Strups ar Tramdānu joprojām caururba viens otru ar skatieniem. Norisa kundze skaļi ieņaudējās, vēl aizvien snaikstīdamās gar Filča stilbiem, lai dabūtu zināt, no kurienes plūst Harija vannas burbuļsmaka.

— Manuprāt, es došos pie miera, — Strups noskaldīja.

— Šovakar tā tev ir pirmā jēdzīgā doma, — Tramdāns atteica. — Tā, Filč, ja tu man iedotu to olu...

— Nē! — Filčs olu sagrāba tik cieši, it kā tā būtu viņa pirmdzimtais dēls. — Profesor Tramdān, tas ir Pīvza nodevīgās rīcības pierādījums!

— Ola pieder censonim, kam viņš to nozadzis, — Tramdāns aizrādīja. — Tūliņ dod to šurp.

Strups metās lejā pa kāpnēm un aizbrāzās garām Tramdānam, ne vārda nebildis. Filčs nošmaukstinājās, paaicinādams Norisa kundzi, kas vēl kādu brīdi stāvēja un stingi blenza uz Hariju, iekams pagriezās un devās pakaļ saimniekam. Vēl aizvien neatguvis elpu, Harijs dzirdēja Strupu soļojam projām pa gaiteni. Filčs atdeva Tramdānam olu un arī devās projām, paklusām mierinādams Norisa kundzi: — Nekas, dārgumiņ... No rīta iesim pie Dumidora. Izstāstīsim, ko Pīvzs pastrādājis...

Aizcirtās kādas durvis. Harijs raudzījās lejup uz Tramdānu, kas uzstutēja savu stumbeni uz apakšējā pakāpiena un ar grūtībām sāka kāpt augšup, ik pēc soļa dobji noklaudzinādams koka kāju.

— Par mata tiesu, Poter, — viņš nomurmināja.

— Jā... es... ē... paldies, — Harijs vārgi nokunkstēja.

— Kas tas tāds ir? — izvilcis no kabatas Laupītāja karti un atlocījis to, Tramdāns ieprasījās.

— Cūkkārpas karte, — Harijs atbildēja, no sirds cerēdams, kaut Tramdāns viņu pēc iespējas drīzāk izvilktu no pakāpiena — kāja patiesi bija sažņaugta kā spīlēs.

— Pie Merlina bārdas! — Tramdāns nočukstēja, blenzdams uz karti un mežonīgi bolīdams burvju aci. — Tā... tā tik ir karte, Poter!

— Jā, tā ir... visai noderīga, — Harijs noteica, juzdams, ka acīs saskrien sāpju asaras. — E... profesor Tramdān, vai jūs man nevarētu palīdzēt...?

— Ko? Ak tā. Jā... jā, kā tad...

Tramdāns saķēra Hariju aiz rokām un parāva. Harija kāja izspruka no joku pakāpiena, un viņš pakāpās mazliet augstāk.

Tramdāns joprojām pētīja karti. — Poter, — viņš gausi ierunājās, — varbūt tu manīji, kurš bija tas, kas ielauzās Strupa kabinetā, ko? Es domāju — karte.

— Nu... jā, manīju, — Harijs atzinās. — Tas bija Zemvalža kungs.

Tramdāna burvju acs šaudījās kā negudra, noskatīdama visu karti krustu šķērsu. Piepeši viņš šķita satraukts.

— Zemvaldis? — viņš pārvaicāja. — Tu... Poter, tu skaidri zini?

— Pilnīgi, — Harijs apgalvoja.

— Nu ko, vairāk viņa šeit nav, — Tramdāns novilka, aci joprojām neganti bolīdams. — Zemvaldis... Tas ir ļoti, ļoti interesanti...

Kādu minūti ilga pilnīgs klusums. Tramdāns vēl aizvien pētīja karti. Harijs nojauta, ka šī ziņa Tramdānam šķiet ļoti svarīga, un viņš vai dega nepacietībā uzzināt — kāpēc. Viņš pat ieprātojās, vai nevajadzētu sadūšoties un pavaicāt. Tramdāns viņu mazliet biedēja... Tomēr tikko bija palīdzējis viņam izkulties no pamatīgām nepatikšanām...

— E... profesor Tramdān... kādēļ, jūsuprāt, Zemvalža kungs gribēja ielūkoties Strupa kabinetā?

Tramdāna burvju acs aizbolījās projām no kartes un tricinādamās pievērsās Harijam. Tās skatiens bija caururbjošs, un Hariju pārņēma sajūta, ka Tramdāns izvērtē, vai maz atbildēt un cik daudz teikt.

— Teiksim tā, Poter, — Tramdāns pēdīgi nomurmināja, — klīst runas, ka vecais Trakacis ir apsēsts ar tumšo burvju tvarstīšanu... Bet Trakacis nav nekas — *itin nekas* — salīdzinājumā ar Bērtuli Zemvaldi.

Tramdāns no jauna pievērsās kartei. Harijs dīdījās, kārodams dzirdēt ko vairāk.

— Profesor Tramdān? — viņš nelikās mierā. — Vai jūs domājat... vai tam varētu būt kāds sakars ar... varbūt Zemvalža kungs domā, ka šeit kaut kas notiek...

— Piemēram, kas? — Tramdāns asi noprasīja.

Harijs nezināja, cik daudz drīkst teikt. Diez vai bija prātīgi likt Tramdānam nojaust, ka viņam ir kāds ziņu avots ārpus Cūkkārpas, — tas varētu novest pie neērtiem jautājumiem par Siriusu.

— Nezinu, — Harijs nomurmināja. — Pēdējā laikā te notiek savādas lietas, vai ne? Es lasīju "Dienas Pareģī" par Tumšo zīmi Pasaules kausa izcīņā un nāvēžiem, un tamlīdzīgi...

Tramdāna nevienādās acis iepletās.

— Tu esi ziķeris, Poter, — viņš sacīja. Burvju acs aizbolījās atpakaļ pie kartes. — Iespējams, ka arī Zemvaldis domā šajā virzienā, — viņš gausi novilka. — Ļoti iespējams... Pēdējā laikā klīst dīvainas baumas — protams, ar Ritas Knisles gādīgu roku. Daudzi tālab jūtas visai uztraukušies. — Savītusī mute savilkās greizā smaidā. — Ir tikai viena lieta, ko es nevaru ciest, — viņš nomurmināja drīzāk pats sev nekā Harijam un burvju acs skatienu ieurbis kartes kreisajā apakšējā stūrī, — un tas ir nāvēdis, kurš staigā apkārt uz brīvām kājām...

Harijs ieplēta acis. Vai Tramdāns patiesi domāja to, pēc kā tas izklausījās?

— Un tagad es vienu jautājumu uzdošu *tev*, Poter, — Tramdāns ierunājās jau lietišķāk.

Harijs sašļuka — viņš jau zināja, kas sekos. Tramdāns prasīs, kur viņš dabūjis karti, kas bija ļoti šaubīgs burvju priekšmets, un stāsts par to, kā tā nonākusi pie Harija, varēja mest ēnu ne vien uz Hariju pašu, bet arī uz viņa tēvu, Fredu un Džordžu Vīzlijiem un profesoru Vilksonu, kas viņiem pērn bija mācījis aizsardzību pret tumšajām zintīm. Tramdāns pavēcināja karti Harijam pie deguna. Harijs saņēma dūšu...

— Vai varu to aizņemties?

— Ak tā... — Harijs noteica. Karte viņam ļoti patika, taču, no otras puses, viņš jutās varen atvieglots, ka Tramdāns neprašņā, kur viņš to ņēmis, turklāt nebija noliedzams, ka viņš bija Tramdānam pateicību parādā. — Jā, labi.

— Labs puika, — Tramdāns norūca. — Es to varēšu likt īsti lietā... Iespējams, tā ir *tieši tas*, kas man bija vajadzīgs... Tā, tagad marš taisnā ceļā uz gultu, Poter, laidies nu!

Viņi abi kopā uzkāpa pa kapnem. Tramdāns vēl aizvien pētīja karti, it kā tā viņam būtu nezin kāds neredzēts dārgums. Abi klusēdami aizgāja līdz Tramdāna kabineta durvīm. Tur profesors apstājās un uzmeta Harijam skatienu. — Vai esi domājis par aurora karjeru, Poter?

— Nē, — Harijs apmulsa.

— Varbūt der to apdomāt, — Tramdāns pamāja ar galvu, Hariju domīgi noskatīdams. — Jā, nudien... un, starp citu... diez vai tu šonakt to olu biji vienkārši tāpat izvedis pastaigāties, ko?

— Nu... nē, — Harijs pasmaidīja. — Es strādāju pie noslēpuma atšifrēšanas.

Tramdāns piemiedza parasto aci, atkal neganti sabolīdams to otro. — Nakts pastaigas lieliski rosina uz domām, Poter... Līdz rītam... — Viņš iegāja savā kabinetā, ar skatienu atkal ieurbies Laupītāja kartē, un aizvēra durvis.

Harijs lēnām devās atpakaļ uz Grifidora torni, nokaudamies ar domām par Strupu un Zemvaldi, par to, ko tas viss nozīmēja... Kādēļ Zemvaldis izliekas par slimu, ja Cūkkārpā var jebkurā laikā ierasties tāpat? Ko viņš cerēja atrast Strupa kabinetā?

Un Tramdāns domāja, ka viņam, Harijam, vajadzētu kļūt par auroru! Interesanta doma... Bet desmit minūtes vēlāk, kad Harijs jau bija klusiņām ierāpies savā gultā un olu ar Paslēpni droši noglabājis lādē, viņš ieprātojās, ka vispirms derētu apskatīties, cik daudz rētu ir pārējiem auroriem, un tikai pēc tam izlemt, vai ir vērts kļūt par vienu no viņiem.

## DIVDESMIT SESTĀ NODAĻA

# OTRAIS PĀRBAUDĪJUMS

— Tu taču teici, ka par olu jau esot ticis skaidrībā! — Hermione sašutusi iebrēcās.

— Klusāk! — Harijs viņu pikti apsauca. — Man tikai vajag... nu, teiksim, tur šo to vēl pieslīpēt, skaidrs?

Viņi ar Ronu un Hermioni sēdēja burvestību klases aizmugurē paši pie sava galda. Šodien vajadzēja vingrināties aizburšanā — tā bija itin kā otrādi apgriezta pieburšana. Nodrošinādamies pret iespējamiem nelaimes gadījumiem, ko varēja izraisīt priekšmetu šaudīšanās pa klasi, profesors Zibiņš katram audzēknim bija izsniedzis spilvenu kaudzi, lēsdams, ka kļūmīgi aizlidināts spilvens nevienam nekādu lielo postu nenodarīs. Teorijai nebija nekādas vainas, taču tā diez ko labi nedarbojās. Nevilam ar tēmēšanu veicās tik vāji, ka viņš vienā laidā kļūdījās un pāri visai klasei netīšām aizlidināja daudz smagākus priekšmetus, piemēram, profesoru Zibiņu.

— Izmet to olu no galvas kaut uz vienu minūtīti, esi nu tik laba, — Harijs pačukstēja Hermionei, kad profesors Zibiņš švīkstēdams paklausīgi aizšāvās viņiem garām, piezemēdamies uz skapjaugšas. — Es tev mēģinu stāstīt par Strupu un Tramdānu...

Šī nodarbība bija īpaši labi piemērota slepenām sarunām, jo visi bija pārāk aizrāvušies, lai pievērstu viņiem uzmanību. Jau pusstundu Harijs pa daļām vien bija čukstus klāstījis savus iepriekšējās nakts piedzīvojumus.

— Strups teica, ka arī Tramdāns ir vandījies pa viņa kabinetu? — Rons iečukstējās, acīm aizrautīgi iezibotiesies, kad pēc viņa zižļa mājiena spilvens ar joni uzšāvās gaisā un nosita Parvati no galvas cepuri. — Tu ko... domā, ka Tramdāns ir te, lai pieskatītu ne vien Karkarovu, bet arī Strupu?

— Nezinu, vai Dumidors viņam to ir lūdzis, bet tā nu tas ir, — Harijs pavirši novicināja zizli, tā ka viņa spilvens ērmoti nošļūca no galda un plakaniski nozvēlās uz grīdas. — Tramdāns saka — Dumidors Strupu te turot tikai tāpēc, ka gribot dot šim tādu kā vēl vienu iespēju...

— Ko? — Rons ieplēta acis. Viņa nākamais spilvens griezdamies uzšāvās augstu gaisā, atsitās pret svečturi un smagi nokrita uz Zibiņa galda. — Harij... varbūt Tramdāns domā, ka *Strups* ielicis tavu vārdu Uguns biķerī?

— Bet, Ron, — Hermione neticīgi nogrozīja galvu. — Mēs jau vienreiz domājām, ka Strups grib Hariju nogalēt, un izrādījās, ka viņš glāba Harija dzīvību, atceries?

Viņa aizbūra spilvenu, tas pārlidoja pāri istabai un piezemējās kastē, kur tam arī vajadzēja nonākt. Harijs domīgi vērās uz Hermioni... Tiesa, Strups viņam reiz bija izglābis dzīvību, tomēr savādi — Strups viņu nepārprotami nīda ar visu sirdi un dvēseli, tāpat kā bija nīdis Harija tēvu, kad viņi abi mācījās skolā. Strupam ļoti patika piespriest Harijam soda punktus, un viņš ne reizi nebija laidis garām izdevību Hariju pārmācīt vai ierosināt, ka viņu pat derētu izslēgt no skolas.

— Man vienalga, ko saka Tramdāns, — Hermione turpināja. — Dumidors nav nekāds muļķis. Viņš nezaudēja ticību Hagridam un profesoram Vilksonam par spīti tam, ka milzum daudz cilvēku neparko nebūtu viņiem devuši darbu — kāpēc lai viņš kļūdītos, uzticēdamies Strupam, pat ja Strups ir drusku...

— ...ļauns, — Rons izgrūda. — Liecies nu mierā, Hermione, — kāpēc gan visi tie tumšo burvju tvarstītāji rakņājas pa viņa kabinetu?

— Kāpēc Zemvalža kungs tēlo slimu? — Hermione ievaicājās, izlikdamies Ronu nedzirdam. — Vai nav jocīgi, ka uz Ziemassvētku balli viņš ierasties nevar, toties itin labi spēj te ielavīties nakts vidū, kad vien ienāk prātā?

— Tev Zemvaldis vienkārši nepatīk — tā mājas elfa Vinkijas dēļ, — Rons noburkšķēja, ielidinādams spilvenu logā.

— Un *tev* vienkārši gribas iedomāties, ka Strupam padomā kas nelāgs, — Hermione atcirta, savu spilvenu kārtīgi ieburdama tieši kastē.

— Es tikai gribētu zināt, ko Strups pastrādājis, izmantodams pirmo iespēju, ja reiz šī viņam ir jau otra, — Harijs drūmi novilka, un viņa spilvens, kā par brīnumu, aizbūrās taisni pāri istabai un rātni piezemējās tieši virsū tam, ko tikko bija raidījusi Hermione.

* * *

Paklausīdams Siriusa lūgumam ziņot visu, kas vien Cūkkārpā notiek un šķiet neparasts, Harijs tovakar aizsūtīja viņam purva pūci, uzrakstīdams par Zemvalža kunga ielaušanos Strupa kabinetā un Tramdāna vārdu apmaiņu ar Strupu. Tad viņš nopietni pievērsās problēmai, kas šobrīd bija pati neatliekamākā, proti, kā divdesmit ceturtajā februārī pavadīt stundu zem ūdens un nenoslīkt.

Ronam itin labi patika doma, ka atkal varētu izmantot pieburšanu, — Harijs viņam bija izstāstījis par akvalangiem, un Rons neredzēja nekādu iemeslu, kālab vienu tādu nevarētu atburt no tuvākās vientiešu pilsētas. Hermione šo plānu vienā mirklī iznīcināja — viņa norādīja, ka pat maz ticamajā gadījumā, ja Harijam izdotos stundas laikā iemācīties akvalangu izmantot, viņš tik un tā tiktu diskvalificēts, jo tādējādi būtu pārkāpis Starptautisko burvestības noslēpumu kodeksu — diez vai bija vērts cerēt, ka neviens vientiesis neievēros, kā akvalangs pāri laukiem šaujas pa gaisu uz Cūkkārpu.

— Protams, ideāls risinājums būtu tāds, ka tu pārvērstos par zemūdeni vai ko tamlīdzīgu, — viņa piebilda. — Tikai cilvēku pārvēršanos mēs vēl neesam mācījušies! Un to, manuprāt, māca tikai sestajā gadā, turklāt, ja īsti nezini, kā to dara, var noiet galīgi greizi...

— Jā, diez ko negribas staigāt apkārt ar periskopu, kas rēgojas laukā no galvas. — Harijs nopūtās. — Laikam vajadzēs Tramdāna acu priekšā brukt virsū visiem pēc kārtas — varbūt viņš mani varētu par kaut ko tādu pārvērst...

— Taču es šaubos, vai viņš tev pirms tam apvaicāsies, tieši par ko vēlies kļūt, — Hermione nopietni aizrādīja. — Nē, manuprāt, jēdzīgākais būtu meklēt kādu burvestību.

Tā nu Harijs, nospriedis, ka vēl mazdrusciņ un bibliotēkā viņš vairs kāju nespers līdz mūža galam, no jauna ierakās putekļainajos sējumos, meklēdams kādus buramvārdus, kas cilvēkam ļautu izdzīvot bez skābekļa. Tomēr par spīti tam, ka viņi ar Ronu un Hermioni veltīja meklējumiem visus pusdienas pārtraukumus, vakarus un nedēļas nogales, par spīti tam, ka Harijs izlūdzās no profesores Maksūras rakstisku atļauju izmantot Slēgto nodaļu, par spīti tam, ka viņš pat vērsās pēc palīdzības pie piktas, maitasputnam līdzīgās bibliotekāres Pinsa madāmas, viņi neuzgāja itin neko, kas varētu Harijam ļaut stundu pavadīt zem ūdens un neizlaist garu.

Pakrūtē no jauna sāka snaikstīties saltie baiļu taustekļi, un Harijs vairs īsti nespēja koncentrēties mācībām. Kolīdz gadījās nosēsties tuvāk klases logam, viņa skatienu neatvairāmi pievilka ezers, ko viņš allaž bija uzskatījis par pašsaprotamu pils teritorijas daļu, bet tagad tas rēgojās kā milzīgs dzelzspelēks ledusauksta ūdens blāķis, kura tumšās un stindzinošās dzīles nupat sāka likties tikpat tālas un nesasniedzamas kā mēness.

Laiks — tieši tāpat kā pirms satikšanās ar ragasti — uz priekšu drāzās ar tādu joni, itin kā kāds būtu apbūris pulksteņus, lai tie tikšķētu trīsreiz ātrāk. Līdz divdesmit ceturtajam februārim bija atlikusi nedēļa (vēl ir laiks)... Piecas dienas (kaut ko taču noteikti atradīšu)... Trīs dienas (lūdzu, *lūdzu*, kaut es kaut ko atrastu...).

Kad bija atlikušas divas dienas, Harijs atkal vairs nespēja neko ieēst. Pirmdienas brokastīs vienīgais labums bija tas, ka atgriezās pie Siriusa sūtītā purva pūce. Harijs norāva pergamentu, atritināja to un ieraudzīja īsāko vēstulīti, kādu Siriuss jebkad bija rakstījis.

*Ar atbildes pūci atsūti nākamā Cūkmiestiņa apmeklējuma datumu.*

Cerīgi apgriezis pergamentu uz otru pusi, Harijs apskatījās, vai tur nav rakstīts kaut kas vēl, taču nekā.

— Aiznākamo sestdien, — iečukstējās Hermione, kas bija izlasījusi vēsti, skatīdamās Harijam pār plecu. — Še, paņem manu spalvu un tūliņ sūti pūci atpakaļ.

Harijs uzskribelēja datumu Siriusa vēstules otrā pusē, apsēja to purva pūcei ap kāju un noraudzījās, kā vēstnese no jauna paceļas spārnos. Ko viņš bija cerējis sagaidīt? Padomu, kā izdzīvot zem ūdens? Rakstīdams Siriusam, viņš tik ļoti bija aizrāvies ar stāstu par Strupu un Tramdānu, ka olas noslēpumu neiedomājās pat pieminēt.

— Kāpēc diez viņš prasa par Cūkmiestiņu? — Rons nobrīnījās.

— Nezinu, — Harijs truli novilka. No acumirklīgā atvieglojuma, ko bija sagādājusi pūces parādīšanās, vairs nebija ne miņas. — Ejam... maģisko būtņu kopšana.

Iespējams, ka Hagrids mēģināja izpirkt savu spridzekļmūdžu grēku, bet varbūt tāpēc, ka dzīvajos bija palikuši tikai divi mūdži, lai gan varbūt Hagrids raudzīja pierādīt, ka ne ar ko nepaliek iepakaļ profesorei Ķersijai, — to nu Harijs tiešām nespēja pateikt, taču Hagrids, atgriezies darbā, turpināja profesores iesāktās vienradžu nodarbības. Atklājās, ka par vienradžiem Hagrids zina ne mazāk kā par briesmoņiem, lai gan bija pilnīgi skaidrs, ka vienradži viņam patiktu daudz labāk, ja būtu apgādāti ar indīgiem ilkņiem.

Šodien viņam bija izdevies sagūstīt divus vienradžu jaunuļus.

Pretstatā pieaugušajiem eksemplāriem kumeliņi bija tīra zelta krāsā. Parvati un Lavendera, tos ieraudzījušas, ņēmās jūsmot bez mitas, un pat Pansijai Pārkinsonei nācās krietni papūlēties, lai noslēptu savas nepārvaramās simpātijas.

— Šos i vieglāk saķert nekā lielos, — Hagrids stāstīja klasei. — Ap divi gadi vec šie metas sudrabaini, ap četri atlaiž ragus. Sniegbalti šie paliek, tik kad i riktīg lieli — ap septiņ gadi vec. Mazuļi i drusku mīlīgāk... Nav tā, ka puikas galīg nelaiž klāt... Nu, kust nu, papaijā šos, ja grib... Iedo kādu cukurgabaliņ, reku še...

— Kā sviežs, Harij? — Hagrids paklusām noprasīja, pakāpdamies maliņā, kamēr teju visi pārējie liptin salipa ap vienradzīšiem.

— Nekas, — Harijs nopūtās.

— Kreņķi, ko? — Hagrids norūca.

— Drusku.

— Harij, — Hagrids ierunājās, uzkraudams smago roku viņam uz pleca, tā ka Harijs ieliecās ceļgalos, — man bij raizes, iekams es redzēj, kā tu tik galā ar to ragasti, bet nu es cieši zin, ka tu var visu, ko vien iedomā. Man nav raizīgs prāts galīg nemaz. Būs labi. Pa to olu tev i skaidrs, ko?

Harijs pamāja, bet tūliņ sajuta neprātīgu vēlmi atzīties, ka nekādi nesaprot, kā lai stundu izdzīvo ezera dibenā. Viņš paskatījās augšup uz Hagridu — varbūt viņam kādreiz jānirst ezerā, lai aprūpētu tā iemītniekus? Galu galā, viņš taču aprūpēja visus dzīvniekus, kas mita pils apkaimē...

— Tu uzvarēs, — Hagrids noņurdēja, paplikšķinādams Harijam pa plecu, un Harijs juta, ka kājas iegrimst zemē. — Es šito zin. Es šito jūt. *Tu uzvarēs, Harij.*

Harijs vienkārši nespēja saņemties, lai izdzēstu laimīgo, pašpārliecināto smaidu, kas apstaroja milža seju. Izlikdamies, ka interesējas par vienradžu jaunuļiem, viņš piespieda sevi pasmaidīt un devās pie klasesbiedriem, lai kopā ar viņiem pabužinātu kumeliņus.

* * *

Bet otrā pārbaudījuma priekšvakarā Harijs jutās itin kā iesprostots ļaunā murgā. Bija nepārprotami skaidrs, ka pat gadījumā, ja viņam brīnumainā kārtā izdotos atrast kādu noderīgu burvestību, būs krietni jāpasvīst, lai to līdz rītam apgūtu, kā nākas. Kāpēc viņš to bija pieļāvis? Kāpēc nebija pie olas ķēries ātrāk? Kāpēc nebija stundās klausījies uzmanīgāk, — varbūt kāds skolotājs kādreiz bija ieminējies, kā iespējams elpot zem ūdens?

Aiz logiem rietēja saule, kad viņš kopā ar Ronu un Hermioni kluknēja bibliotēkā, drudžaini šķirstīdams buramgrāmatu lapas. Aiz milzīgajām grāmatu grēdām, ar ko bija nokrauts galds, viņi cits citu nemaz nevarēja saskatīt. Harijam ikreiz ar joni salēcās sirds, kad acu priekšā paņirbēja vārds "ūdens", taču visbiežāk tie bija teikumi, kas vēstīja: "Ņem divas pintes ūdens, puspinti saberztu mandrāgu lapu un vienu tritonu..."

— Manuprāt, nekas nesanāks. — No galda otras puses atskanēja Rona gurdā balss. — Te nekā nav. *Galīgi nekā*. Tuvākā padarīšana bija tā peļķu un dīķu izsusināšana, tā sausuma burvestība, bet, lai izsusinātu veselu ezeru, ar to ne tuvu nepietiek.

— Kaut kam taču jābūt, — Hermione nomurmināja, piebīdīdama tuvāk sveci. Acis viņai bija tik pārpūlētas, ka "Sensenīgo un no prāta izgājušo apvārdojumu un burvību" sīki apdrukātās lappuses viņa teju bakstīja ar degunu. — Nepaveicamu uzdevumu viņi nebūtu devuši.

— Bet ir! — Rons noteica. — Paklau, Harij, vienkārši ej rīt uz ezeru, iemērc galvu ūdenī, uzbļauj, lai tie ūdensļaudis mudīgi dod atpakaļ, ko pievākuši, un tad jau redzēs, kas būs. Neko prātīgāku, vecīt, tu neizdomāsi.

— Izejai jābūt! — Hermione tiepās. — Jābūt!

To, ka bibliotēkā trūka vajadzīgo ziņu, Hermione laikam uztvēra kā personisku apvainojumu — grāmatu krātuve vēl ne reizi nebija viņu pievīlusi.

— Es zinu, ko vajadzēja darīt, — Harijs teica, ar seju saļimis uz "Ašajiem trikiem brašuļiem". — Vajadzēja iemācīties kļūt par zvēromagu — tādu kā Siriuss.

— Jā, tad tu jebkurā mirklī varētu pārvērsties par zelta zivtiņu, — Rons nopūtās.

— Vai par vardi. — Harijs nožāvājās. Viņš jutās pārguris.

— Lai kļūtu par zvēromagu, jāmācās gadiem ilgi, tad jāreģistrējas un ko visu vēl ne. — Hermione izklaidīgi piezīmēja, piemiegtām acīm skatīdamas cauri "Ermīgo burvju dilemmu un to risinājumu" indeksu. — Profesore Maksūra mums stāstīja, atceraties? Jāreģistrējas Maģijas nestandarta lietošanas resorā... Par kādu dzīvnieku pārvērties, kāds ir tavs marķējums, lai nevari to ļaunprātīgi izmantot...

— Hermione, tas taču bija joks, — Harijs gurdi atsaucās. — Es zinu, ka man nav ne mazākās iespējas pārvērsties par vardi līdz rītrītam...

— Ek, šitais nekur neder, — Hermione aizcirta "Ermīgās burvju dilemmas". — Kurš, pie joda, varētu gribēt sasprogot deguna spalvas?

— Man nebūtu nekādu iebildumu. — Atskanēja Freda Vīzlija balss. — Par to varētu parunāt, vai ne?

Harijs, Rons un Hermione pacēla galvu. No grāmatplauktu ēnas nule bija izniruši Freds ar Džordžu.

— Ko jūs te abi darāt? — Rons noprasīja.

— Meklējam jūs, — Džordžs atteica. — Maksūra tevi sauc, Ron. Un Hermioni arī.

— Kāpēc? — Hermione šķita pārsteigta.

— Nezinu... Bet izskatījās bišķi sapīkusi, — Freds paziņoja.

— Mums jūs jāaizved uz viņas kabinetu, — piebilda Džordžs.

Rons un Hermione uzmeta skatu Harijam, kas bailēs sarāvās. Varbūt profesore Maksūra grasās Ronu un Hermioni norāt? Varbūt ir ievērojusi, cik daudz viņi Harijam palīdz, kaut gan ar pārbaudījumu viņam jātiek galā vienam?

— Satiksimies kopistabā, — Hermione sacīja Harijam un piecēlās, lai kopā ar Ronu dotos projām. Viņi abi izskatījās uztraukušies. — Paķer līdzi šīs te grāmatas, cik vien vari panest!

— Labs ir, — Rons izstomīja.

Astoņos Pinsa madāma nodzēsa visus gaismekļus un nāca trenkt Hariju laukā no bibliotēkas. Zem pārmēru smagās grāmatu nastas vai ļimdams, viņš aizmeimuroja atpakaļ uz grifidoru kopistabu, iestūma kaktā galdu un turpināja meklēšanu. "Trakmices burvestībās pārdrošiem reģiem" nekā nebija. "Viduslaiku burvju rokasgrāmatā" arī nekā. Ne vārda par zemūdens varoņdarbiem ne "XVIII gadsimta buramvārdu antoloģijā", ne "Baisajos dzīļu iemītniekos", ne "Spējās, par ko jums nav ne jausmas, un ko iesākt, kad esat tās atklājis".

Blēžkājis ierāpās Harijam klēpī un, rešņi murrādams, saritinājās kamolā. Kopistaba pamazām kļuva aizvien tukšāka un klusāka. Visi gulētiedami vēlēja viņam veiksmi — līksmi un ar pārliecību tāpat kā Hagrids. Visi nepārprotami domāja, ka Harijs no rīta nāks klajā ar vēl kādu neiedomājamu priekšnesumu — tāpat kā pirmajā pārbaudījumā. Harijs nespēja izdabūt pār lūpām atbildi, tikai māja ar galvu, juzdams, ka rīklē iespriedies tāds kā kamols golfa bumbiņas lielumā. Kad līdz pusnaktij bija atlikušas desmit minūtes, viņi ar Blēžkāji kopistabā tupēja divi vien. Visas grāmatas bija izskatītas, un Rons ar Hermioni vēl nebija atgriezušies.

Viss, viņš pats sev teica. Tu to nevari. Vienkārši rīt no rīta jāiet uz ezera krastu un jāpasaka tiesnešiem...

Harijs iztēlojās, kā skaidro tiesnešiem, ka nespēj uzdevumu veikt. Viņš iedomājās Maišelnieka apaļās acis ieplešamies pārsteigumā, Karkarova apmierināto, dzeltenzobaino smaidu. Viņš teju dzirdēja Flēru Delakūru sakām: "*Es jau zināju... Viņš ir parr jaunu, viņš irr tikai maziņš puika.*" Viņš redzēja, kā Malfojs, stāvēdams pašā pūļa priekšā, nospīdina nozīmi *POTERS IR RIEBEKLIS*, redzēja Hagrida pelēko, neticīgo seju...

Piemirsis, ka klēpī guļ Blēžkājis, Harijs pielēca kājās. Atsizdamies pret grīdu, Blēžkājis aizkaitināts iešņācās, uzmeta Harijam riebuma pilnu skatienu un devās projām, saslējis pudeļbirstei līdzīgo asti, bet Harijs jau steidzās augšup pa vītņu kāpnēm uz guļamistabu... Viņš iedomājās paķert Paslēpni un doties atpakaļ uz bibliotēku. Ja vajadzēs, viņš sēdēs tur kaut vai līdz rītam...

— *Spīžo*! — pēc piecpadsmit minūtēm Harijs nočukstēja, pavēris bibliotēkas durvis.

Ar spīdošo zizli rokās viņš ņēmās ložņāt gar plauktiem, vilkdams no tiem laukā grāmatas — par lāstiem un burvestībām, par ūdensļaudīm un zemūdens briesmoņiem, par slavenām raganām un burvjiem, par burvju izgudrojumiem, par visu, kur varētu atrast kaut sīkāko norādi uz iespēju dzīvot zem ūdens. Visas grāmatas viņš nokrāva uz galda un ķērās pie darba, laizdams lappusēm pāri zižļa šauriņo gaismas staru un ik pa laiciņam ielūkodamies pulkstenī...

Viens naktī... divi... Vienīgais, kā viņš pats sevi varēja piespiest nemest plinti krūmos, bija nemitīgi atkārtot — *nākamajā grāmatā... nākamajā... nākamajā...*

* * *

Nāra no prefektu vannas istabas gleznas smējās. Harijs kā korķis šūpojās putās sakultajā ūdenī viņas klints pakājē, bet nāra augstu virs galvas paceltu turēja viņa ugunsbultu.

— Nāc un dabū! — viņa ļaunīgi irgojās. — Nu, lec!

— Nevaru, — Harijs šļupstēja, snaikstīdamies pēc ugunsbultas un kulstīdamies, lai nenoslīktu. — Dod šurp!

Bet viņa tikai sāpīgi bikstīja Harijam sānos ar slotaskātu un smējās.

— Sāp... ej nost... au!

— Harijam Poteram jāceļas, kungs!

— Beidz bukņīties...

— Dobijam jābukņī Harijs Poters, kungs, viņam jāmostas!

Harijs pavēra acis. Viņš joprojām bija bibliotēkā. Miegā Paslēpnis bija noslīdējis viņam no galvas, un viens vaigs izrādījās cieši pielipis pie atvērtās grāmatas "Kur zizlis, tur izeja" lapām. Harijs apsēdās un sakārtoja brilles, blisinādamies spilgtajā dienas gaismā.

— Harijam Poteram vajadzīgs steigties! — Dobijs spiedza. — Otrs pārbaudījums sākas pēc desmit minūtēm, un Harijs Poters...

— Pēc desmit minūtēm? — Harijs nočērkstēja. — Pēc desmit... *desmit minūtēm*?

Viņš iemeta skatu pulkstenī. Dobijam bija taisnība. Bija divdesmit pāri deviņiem. Cauri Harija krūškurvim vēderā itin kā iezvēlās liels, mironīgi salts akmens.

— Steigšus, Harij Poter! — Dobijs ieķērās Harija piedurknē. — Jums vajag būt pie ezera kopā ar citiem censoņiem, kungs!

— Par vēlu, Dobij, — Harijs bezcerīgi nopūtās. — Es neizturēšu pārbaudījumu, es nezinu — kā...

— Harijs Poters to *izturēs*! — elfs iespiedzās. — Dobijs zināja, ka Harijs neatrada pareizo grāmatu, tāpēc Dobijs to izdarīja viņa vietā!

— Ko? — Harijs iesaucās. — Bet *tu* taču nezini, kāds ir otrais pārbaudījums...

— Dobijs zina, kungs! Harijam Poteram jāiet iekšā ezerā un jāatrod viņa Fīzijs...

— Mans *kas*?

— ...un jādabū viņa Fīzijs atpakaļ no ūdensļaudīm!

— Kas tas par Fīziju?

— Jūsējais Fīzijs, kungs, jūsējais Fīzijs... Fīzijs, kas dod Dobijam džemperi!

Dobijs paplūkāja sarāvušos kastaņbrūno svīteri, ko viņš tagad bija uzvilcis pāri īsbiksēm.

— *Ko*? — Harijs noelsās. — Viņi... viņi paņēmuši *Ronu*?

— To, kā Harijam Poteram pietrūks visvairāk, kungs! — satraukti pīkstēja Dobijs. — Un pēc stundas...

— "*Ja uzdevums tad nebūs veikts,*" Harijs skaitīja, raudzīdamies uz elfu ar šausmās ieplestām acīm, — "*viss zaudēts, nokavēts un beigts...*" Dobij, ko lai es daru?

— Jums vajadzīgs apēst šitais, kungs! — elfs spiedza, iebāza roku īsbikšu kabatā un no tās izvilka tādu kā glumu, zaļpelēku žurkastu kamolu. — Tieši pirms ejat ezerā, kungs, — žaunaļģes!

— Ko tās dara? — Harijs izstomīja, blenzdams uz žaunaļģēm.

— Tās dara to, ka Harijs Poters varēs elpot zem ūdens, kungs!

— Dobij! — Harijs iekliedzās. — Paklau, vai tu to droši zini?

Viņš vēl nebija īsti aizmirsis pēdējo reizi, kad Dobijs bija raudzījis viņam "palīdzēt" — viss beidzās ar to, ka Harijs pazaudēja visus labās rokas kaulus.

— Dobijs labi zina gan, kungs! — elfs nopietni atbildēja. — Dobijs visu ko dzird, kungs, viņš ir mājas elfs, viņš iet apkārt pa pili, kad aizdedz lāpas un slauka grīdu, Dobijs dzirdēja, kā profesore Maksūra ar profesoru Tramdānu runā pasniedzēju istabā par otro pārbaudījumu... Dobijs nevar pieļaut, ka Harijs Poters pazaudē savu Fīziju!

Harija šaubas pagaisa kā nebijušas. Pielēcis kājās, viņš norāva Paslēpni, iestūķēja to somā, pagrāba žaunaļģu kamolu, iebāza to kabatā un metās laukā no bibliotēkas. Dobijs mina viņam uz papēžiem.

— Dobijam jābūt virtuvē, kungs! — elfs nospiedzās, kad abi bija izskrējuši gaitenī. — Dobiju tur vajag... Labu veiksmi, Harij Poter, kungs, labu veiksmi!

— Tiksimies vēlāk, Dobij! — Harijs atsaucās un drāzās projām pa gaiteni un lejā pa kāpnēm, lēkdams pāri trim pakāpieniem uzreiz.

Ieejas zālē vēl bija manāmi pāris aizkavējušies audzēkņi, kas, nule kā paēduši brokastis, pa divviru ozolkoka durvīm devās laukā noskatīties otro pārbaudījumu. Viņi noraudzījās, kā Harijs pajož garām, aizlidinādams sāņus Kolinu un Denisu Krīvijus, un nobrāžas lejā pa lieveņa akmens kāpnēm saules pielietajā, dzeldīgi aukstajā āra gaisā.

Aizelsies klumzādams uz ezera pusi, viņš ieraudzīja, ka tribīnes, kas novembrī slējās ap pūķu aploku, tagad bija novietotas pretējā krastā — ar skatītājiem kā bāztin piebāztas, tās atspoguļojās ezerā. Kamēr Harijs nokausēts steidzās pie tiesnešu galda, kas, apklāts ar zelta galdautu, stāvēja pašā ūdens malā, viņš dzirdēja pūļa troksni, kas vēlās pāri ūdenim, dīvaini apslāpēts. Pie tiesnešu galda, noraudzīdamies, kā Harijs klunkurē aizvien tuvāk un tuvāk, stāvēja Sedriks, Flēra un Krums.

— Es... esmu klāt, — Harijs noelsās, pa pievilgušo zemi pieslidinādamies viņiem klāt un netīšām noškiezdams ar dubļiem Flēras mantiju.

— Kur tu biji? — Atskanēja kāda priekšnieciska, nosodoša balss. — Pārbaudījums tūliņ sāksies!

Harijs paraudzījās apkārt. Pie tiesnešu galda sēdēja Persijs Vīzlijs — Zemvalža kungam atkal nebija labpaticis ierasties.

— Nu, nu, Persij! — viņu apsauca Ludo Maišelnieks, kas, Hariju ieraudzījis, šķita jaušami atvieglots. — Lai tak atdabū elpu!

Dumidors Harijam uzsmaidīja, bet Karkarovs ar Maksima madāmu vis neizskatījās sevišķi priecīgi... Viņu sejas liecināja, ka abi bija lolojuši cerības Hariju nemaz neieraudzīt.

Harijs pieliecās un, atspiedies pret ceļgaliem, lūkoja atelsties. Sānos bija iemeties dūrējs — tik sāpīgs kā nazis ribās, bet atpūsties nebija laika. Ludo Maišelnieks pienāca censoņiem klāt un izkārtoja viņus rindā gar ezera krastu — katru ik pa trim metriem. Harijs stāvēja pašā rindas galā, līdzās Krumam, kuram mugurā bija peldbikses un rokā sažņaugts zizlis.

— Gatavs, Harij? — Maišelnieks iečukstējās, pabīdīdams viņu vēl gabaliņu tālāk no Kruma. — Zini, kas darāms?

— Jā, — Harijs nošļupstēja, masēdams ribu starpu.

Maišelnieks uzmundrinoši saspieda viņa plecu un devās

atpakaļ pie tiesnešu galda. Norādījis ar zizli pats uz savu rīkli, kā bija darījis Pasaules kausa izcīņā, viņš noteica: — *Skaļo*! —, un viņa balss aizgrandēja pāri melnajiem ūdeņiem līdz pašām tribīnēm.

— Tātad visi mūsu censoņi ir gatavi otrajam pārbaudījumam, kas sāksies, kad iepūtīšu svilpē. Visiem ir tieši viena stunda, lai atgūtu to, kas viņiem atņemts. Sāksim ar trīs — viens... divi... *trīs*!

Spalgais svilpiens satricināja salto, rāmo gaisu, tribīnēs sacēlās gaviļu un aplausu vētra. Uz pārējiem censoņiem ne acu nepametis, Harijs norāva kurpes un zeķes, izgrāba no kabatas riekšu žaunaļģu, iestūķēja tās mutē un iebrida ezerā.

Ezers bija tik salts, ka apsvilināja kājas, itin kā būtu piepildīts nevis ar ledusaukstu ūdeni, bet ar uguni. Jo dziļāk viņš brida, jo smagāk uz leju vilka piemirkusī mantija. Nu jau ūdens sniedzās pāri ceļgaliem, stingstošās kājas slīdēja uz dūņu klātiem, straumes nogludinātiem, glumiem akmeņiem. Cik kārtīgi un ātri vien spēdams, Harijs košļāja žaunaļģes — tās bija nejauki gļotainas un gumijotas kā astoņkāja taustekļi. Iebridis saltajā ūdenī līdz jostasvietai, viņš apstājās, norīstījās un gaidīja, kas būs.

Tribīnēs bija dzirdami smiekli, un Harijs apzinājās, ka izskatās pagalam muļķīgi, tā brizdams taisni iekšā ezerā bez jebkādām burvestībām. Tur, kur miesa vēl nebija samirkusi, tā pārklājās ar zosādu. Stāvēdams ledainajā ūdenī un saltajā vējā, kas purināja matus, Harijs sāka trīcēt. Uz tribīnēm viņš mēģināja neskatīties — smiekli kļuva skaļāki, un slīdeņi izsmējīgi svilpa un izkliedza ņirdzīgas piezīmes...

Tad piepeši Harijs sajuta, ka mutei un degunam kāds it kā aizgrūž priekšā neredzamu spilvenu. Viņš mēģināja ievilkt elpu, bet galva acumirklī sareiba, plaušas šķita galīgi tukšas, un kaklam abās pusēs iedūra caururbjoša sāpe...

Harijs ķēra pie rīkles un zem ausīm sataustīja divas lielas spraugas, kas vārstījās aukstajā gaisā... *Viņam bija žaunas.* Nedomādams ne mirkli, viņš spēra vienīgo saprātīgo soli — uz galvas metās ūdenī.

Pirmais ledusaukstais ezera ūdens malks atdeva viņam dzīvību. Galva pārstāja griezties. Harijs norija otru malku, un tas izplūda laukā caur žaunām, piegādādams smadzenēm skābekli. Viņš izstiepa rokas un tās aplūkoja. Plaukstas zem ūdens šķita zaļas un rēgainas, starp pirkstiem vīdēja peldplēve. Pagriezis galvu atpakaļ, viņš uzmeta skatienu savām kailajām pēdām — tās bija izstiepušās garākas, un arī starp kāju pirkstiem pletās peldplēve, tā vien šķita — kāju vietā izaugušas pleznas.

Arī ūdens vairs nelikās auksts... gluži otrādi — zem ūdens bija patīkami vēsi un ķermenis kļuvis brīnum viegls... Harijs rāvās uz priekšu, brīnīdamies, cik tālu un ar kādu joni viņu aiznes uz priekšu viens pats pleznu vēziens, vienlaikus ievērodams, ka viss redzams neparasti skaidri un vairs nav nekādas vajadzības mirkšķināt acis. Drīz vien viņš bija ezerā iepeldējis tik tālu, ka vairs nevarēja saskatīt gultni. Pametis pleznas uz augšu, viņš ienira dzelmē.

Viņš slīdēja pāri savādai, tumšai, miglainai ainavai, un ausīs spiedās stings klusums. Kaut ko saredzēt varēja tikai pāris metru attālumā, tā ka ainas šķita piepeši iznirstam no tumsas: viegli viļņījošu, sapinkātu ūdenszāļu meži, plaši dūņu klajumi, kur izkaisīti pelēki, blāvi akmeņi. Viņš nolaidās aizvien dziļāk, peldēdams uz pašu ezera vidu, acis plati iepletis un blenzdams baisi zaļganajā ūdenī uz to pusi, kur, ūdenim satumstot necaurredzamā blāķī, kustējās neskaidras ēnas.

Kā sudrabainas šautriņas garām aizšāvās sīkas zivteles. Pāris reižu Harijam šķita, ka priekšā pazib kaut kas lielāks, bet, piepeldējis tuvāk, viņš atklāja, ka ēna bijusi tikai prāvs, nomelnējis baļķis vai savēlies ūdenszāļu kumšķis. Nekur nebija manāmi ne pārējie censoņi, ne ūdensļaudis, ne Rons, ne — laimīgā kārtā — milzu kalmārs.

Cik vien tālu sniedzās skats, priekšā gluži kā pāraugušas zāles pļava plājās vairāk nekā pusmetru garas gaišzaļas ūdenszāles. Harijs nemirkšķinādams vērās taisni uz priekšu, cauri pustumsai lūkodams noprast, ko vēsta ēnas... Un tad kāds pēkšņi sagrāba viņa potīti.

Harijs izlocījās turpu šurpu un ieraudzīja no ūdenszālēm laukā lūram dūņpirksti — sīku, ragainu ūdens dēmonu. Dūņpirkstes garie pirksti bija cieši saķēruši Harija kāju, mutē zibēja atņirgtie ilkņi... Harijs ar pleznoto roku grāba mantijas kabatā pēc zižļa. Kolīdz viņš to sataustīja, no ūdenszālēm izcēlās vēl divas dūņpirkstes, sagrāba Hariju pie stērbelēm un ņēmās vilkt lejup.

— *Atlaidies*! — Harijs izkliedza, tikai no rīkles laukā nenāca ne skaņa... No mutes izspiedās liels burbulis, un zizlis uz dūņpirkstēm izšāva nevis dzirksteles, bet acīmredzot tādu kā verdoša ūdens strūklu, jo, kur tā trāpīja, uz viņu zaļās ādas parādījās sarkani, jēli plankumi. Izrāvis kāju no dūņpirkstes nagiem, viņš metās peldēt projām, cik ātri vien jaudāja, ik pa brīdim uz labu laimi izšaudams pāri plecam karstā ūdens šaltis. Vēl pāris reižu kāda dūņpirkste saķēra viņa kāju, Harijs spēra pretim un pēdīgi juta, ka pēda atsitas pret ragainu pakausi, pavērās atpakaļ un ieraudzīja ūdenī nekustīgi karājamies pagalam apdullušu dūņpirksti, kuras sugasbrāļi labu brīdi kratīja dūres Harijam nopakaļ, bet tad iemuka ūdenszālēs.

Harijs peldēja tālāk, ieslidināja zizli atpakaļ mantijas kabatā un no jauna ņēmās lūkoties apkārt un ieklausīties. Viņš izmeta kārtīgu apli, bet klusums spiedās ausīs gluži vai sataustāms. Viņš zināja, ka ir nonācis pašā ezera dzelmē, bet tuvumā viss bija mierīgs un nekustīgs, izņemot vilnījošās ūdenszāles.

— Kā sokas?

Harijam prātā pazibēja doma, ka viņu tūliņ ķers sirdstrieka. Apsviedies viņš ieraudzīja turpat priekšā slinki peldam Vaidu Vairu, kas cieši vērās uz viņu caur biezajiem, pērļainajiem aceņu stikliem.

— Vaira! — viņš pūlējās iekliegties, bet no mutes atkal izsprāga tikai liels burbulis. Vaidu Vaira pat ieķiķinājās.

— Tev jātiek rau, tur! — viņa pastiepa pirkstu. — Es tev līdzi neiešu. Man viņi diez ko nepatīk. Viņi mūžam mani ņemas trenkāt, kad piepeldu par tuvu.

Harijs pacēla uz augšu īkšķi, rādīdams, ka jūtas pateicīgs, un savicināja pleznas, tagad izgudrēm turēdamies drošā attālumā no ūdenszālēm, lai izvairītos no dūņpirkstēm, kas ložņāja pa biezokni.

Viņš peldēja un peldēja krietnu brīdi — vismaz minūtes divdesmit. Tagad lejā vīdēja plašs dūņu klajums — dūņas viņa saceltajos viļņos vietumis sagriezās melnos virpuļos. Visbeidzot viņa ausis sasniedza rēgainās ūdensļaužu dziesmas vārdi.

*Tev vienu stundu atvēlam*
*Nākt atdabūt, ko paņēmām...*

Harijs sāka peldēt ašāk un pēc neilga laika priekšā saskatīja no dūņainā ūdens slejamies laukā palielu klinti. To rotāja gleznojumi, kuros bija redzami ar šķēpiem bruņojušies ūdensļaudis, kas dzinās pakaļ kādam radījumam — tas izskatījās pēc milzu kalmāra. Aizpeldējis klintij garām, Harijs devās uz to pusi, no kuras skanēja dziesma.

*...tavs laiks jau pusē, pasteidzies,*
*drīz tas, ko ņēmām, nāvē ies...*

Piepeši no tumsas iznira rupji tēstu, ar aļģēm noaugušu akmens mitekļu puduris. Tumšajos logos Harijs manīja pavīdam sejas... Tās bija pavisam citādas nekā būtnei, kas bija iemūžināta prefektu vannas istabas gleznā...

Udensļaudīm bija pelēcīga āda un gari, sapinkāti, tumšzaļi mati. Acis viņiem bija dzeltenas, apdrupušie zobi tāpat, un ap kaklu visiem greznojās resnas oļu virtenes. Viņi bolījās uz Hariju, kad viņš peldēja garām, vairāki izlīda no savām alām, lai viņu labāk apskatītu, ar spēcīgajām, sudrabainajām zivs astēm kuldami ūdeni un rokās sagrābuši šķēpus.

Harijs steidzās uz priekšu, vērīgi raudzīdamies visapkārt. Apbūve kļuva aizvien blīvāka. Dažus mitekļus ieskāva ūdenszāļu dārzi, un viņš pat manīja pie kādām durvīm piesietu piejaucētu dūņpirksti. Visapkārt sāka pulcēties ūdensļaudis, kas Hariju cieši noskatīja, norādīdami uz viņa pleznām un žaunām, un paslepšus sarunājās. Harijs appeldēja ap kādu ielas stūri un ieraudzīja kaut ko pagalam dīvainu.

Tur bija tāds kā ēku ieskauts zemūdens ciemata laukums, kur pulcējās liels ūdensļaužu pūlis. Pašā vidū dziedāja koris, aicinādams censoņus. Aiz viņiem slējās kāda rupji tēsta statuja — klintī izcirsts ūdensvīrs. Pie tā akmens astes bija cieši piesieti četri cilvēki.

Rons bija piesiets vidū starp Hermioni un Čo Čangu. Ceturtā bija meitene, kas neizskatījās vecāka par astoņiem gadiem — kuplais sudrabaino matu mākonis ļāva noprast, ka viņa varētu būt Flēras Delakūras māsa. Visi četri šķita iesliguši ļoti dziļā miegā. Galvas viņiem bija nokārtas, un no mutes visiem augšup stīdzēja smalku burbulīšu virtene.

Harijs piepeldēja gūstekņiem klāt, iedomādamies, ka ūdensļaudis varbūt saslies šķēpus un bruks viņam virsū, taču viņi neko tādu nedarīja. Udenszāļu tauvas, kas gūstekņus saistīja pie statujas, bija resnas, glumas un ļoti stipras. Harijam prātā iešāvās nazis, ko Siriuss viņam bija uzdāvājis Ziemassvētkos, — tas tagad gulēja, ieslēgts lādē, pilī, tālu projām, tā ka nebija lielas jēgas par to prātot.

Viņš paraudzījās visapkārt. Daudziem ūdensļaudīm bija šķēpi. Aši piepeldējis klāt kādam vairāk nekā divus metrus garam ūdensvīram ar garu, zaļu bārdu un haizivs zobu virteni ap kaklu, viņš ņēmās žestikulēt, lūgdams, lai tas aizdod šķēpu. Udensvīrs iesmējās un noraidoši papurināja galvu.

— Mēs nepalīdzam, — viņš skarbi nočērkstēja.

— Nu, *lūdzu*! — Harijs dedzīgi iesaucās (bet no mutes izšāvās tikai burbuļi), raudzīja izraut šķēpu ūdensvīram no rokām, taču tas parāva to atpakaļ, joprojām purinādams galvu un smiedamies.

Harijs sagriezās kā vilciņš un drudžaini apskatījās visapkārt. Kaut ko asu... vienalga, ko...

Ezera dibenā šur tur vīdēja klintis. Viņš ienira, paķēra kādu īpaši zobainu atlūzu un šāvās atpakaļ pie statujas. Pēc vairāku minūšu zāģēšanas resnās tauvas, kas turēja ciet Ronu, pēdīgi padevās. Nesamaņā guļošais Rons pacēlās kādu gabaliņu augšup un palika tur karājamies, straumē vieglītiņām šūpodamies.

Harijs paraudzījās visriņķī. No pārējiem censoņiem nebija ne miņas. Ar ko gan viņi nodarbojas? Kur viņi kavējas? Viņš metās atpakaļ pie Hermiones, paķēra zobaino atlūzu un ņēmās zāģēt pušu arī viņas tauvas...

Tūliņ Hariju sagrāba vairāki spēcīgu, pelēku roku pāri. Savs pusducis ūdensvīru, kratīdami zaļmatainās galvas un smiedamies, vilka viņu projām no Hermiones.

— Nem savējo gūstekni, — viens no viņiem norādīja. — Pārējos neaiztiec...

— Kas vēl nebūs! — Harijs nikni izsaucās, bet no mutes izsprāga tikai trīs lieli burbuļi..

— Tev jāatdabū tikai savs gūsteknis... Pārējos liec mierā...

— Viņa arī ir mana draudzene! — Harijs iebrēcās, norādīdams uz Hermioni. Mēmais kliedziens pārvērtās par sevišķi lielu sudrabainu burbuli. — Un es arī negribu, lai *tie abi pārējie* mirst!

Čo galva atdusējās uz Hermiones pleca, mazā sudrabmatainā meitenīte bija vaigā spokaini zaļganbāla. Harijs pūlējās izrauties no ūdensvīru tvēriena, bet tie tikai smējās kā kutināti un vaļā nelaidās. Harijs mežonīgi grozīja galvu uz visām pusēm. Kur ir pārējie censoņi? Diez vai pietiktu laika izvilkt krastā Ronu un tad atgriezties pēc Hermiones un pārējiem? Vai viņš maz spēs viņus atrast? Iemetis skatu pulkstenī, lai redzētu, cik laika atlicis, Harijs konstatēja, ka laikrādis apstājies.

Bet tad ūdensļaudis ņēmās uztraukti rādīt augšup. Pacēlis galvu, Harijs ieraudzīja tuvojamies Sedriku, kam galvu ieskāva milzīgs burbulis, kas dīvaini izkropļoja viņa vaibstus.

— Apmaldījos! — viņš plātīja muti, izskatīdamies pagalam pārbijies. — Flēra ar Krumu tūliņ būs klāt!

Juzdamies bezgala atvieglots, Harijs noskatījās, kā Sedriks no kabatas izvelk nazi un atbrīvo Čo. Saķēris meiteni, viņš aizvilka to augšup un pagaisa no skata.

Harijs nepacietīgi raudzījās visapkārt. Kur Flēra ar Krumu? Laiks gāja uz beigām, jo dziesma bija vēstījusi, ka gūstekņiem būs gals klāt pēc stundas...

Udensļaudis ņēmās satraukti klaigāt. Harija sargu tvēriens atslāba — visi blenza kaut kur viņam aiz muguras. Pagriezies Harijs ieraudzīja, ka šurp šaujas kaut kas briesmīgs — peldbiksēs ietērpies cilvēka rumpis ar haizivs galvu... Krums. Viņš laikam bija mēģinājis pārvērsties, bet visai nesekmīgi.

Haizivjcilvēks taisnā ceļā piepeldēja klāt Hermionei un sāka ar zobiem plosīt viņas virves, diemžēl Kruma jaunie zobi bija izvietoti visai neparocīgi — ar tiem bija ērtāk kampt palielākus priekšmetus, kas nav mazāki par delfīna jaunuli, un Harijs pamatoti raizējās, ka, būdams nepietiekami uzmanīgs, Krums pārkodīs Hermioni uz pusēm. Izrāvies no ūdensvīru tvēriena, Harijs šāvās uz priekšu, iebelza Krumam pa plecu un pacēla uz augšu zobaino akmens atlūzu. Krums to paķēra un ņēmās atbrīvot Hermioni. Pēc mirkļa darbs bija galā, Krums sagrāba Hermioni ap vidu un, atpakaļ ij nepaskatījies, steigšus sāka celties augšup.

Un ko nu? Harijs izmisīgi lika kopā visus prātus. Ja vien Flēra patiesi ierastos... Taču no viņas nebija ne miņas. Itin nekas neliecināja, ka...

Viņš sagrāba Kruma nosviesto šķembu, bet ūdensļaudis, galvas grozīdami, jau bija sastājušies ciešā lokā ap Ronu un mazo meitenīti.

Harijs izvilka zizli. — Ejiet nost!

Tie bija tikai pāris burbuļi, bet šķita, ka ūdensļaudis viņu ir lieliski sapratuši, jo piepeši pārstāja smieties. Viņu dzeltenīgās acis blenza uz Harija zizli, un visi izskatījās nobijušies. Viņu pārspēks bija nenoliedzams, taču ūdensļaužu sejas liecināja, ka par maģiju viņi jēdz ne vairāk kā milzu kalmārs.

— Skaitu līdz trīs! — Harijs raidīja burbuļu virteni un drošības dēļ pacēla trīs pirkstus, lai nebūtu nekādu pārpratumu. — Viens... — Viņš nolieca vienu pirkstu. — Divi... — Viņš nolieca otru...

Udensļaudis paspruka kur nu kurais. Harijs šāvās uz priekšu un ņēmās zāģēt pušu tauvas, kas pie statujas saistīja mazo meitenīti. Beidzot viņa bija brīva. Apķēris meitenīti ap vidu un sagrābis Ronu aiz mantijas apkakles, viņš atspērās pret ezera dibenu.

Gāja lēnām un grūti. Roku pleznas tagad bija aizņemtas, viņš, cik spēdams, spirinājās ar kājām, bet Rons ar Flēras māsu šķita pārvērtušies kartupeļu maisos un vilktin vilka viņu lejup... Viņš pacēla galvu augšup, noprazdams, ka priekšā vēl tāls ceļš, jo ūdens virs galvas tumsa gluži melns...

Udensļaudis peldēja viņam līdzi. Harijs redzēja, cik veikli viņi met lokus, noraudzīdamies, ar kādām pūlēm viņš ceļas augšup... Vai brīdī, kad stunda būs garām, ūdensļaudis novilks viņu atpakaļ dzelmē? Varbūt viņi ir cilvēkēdāji? Kājās no piepūles teju iemetās krampji, iesāpējās pleci — Rons un meitenīte bija tik smagi...

Viņš tik tikko vilka elpu. Abpus kaklam atkal iedūra sāpe. Udens mutē bija kļuvis neparasti slapjš. Tomēr arī tumsa sāka izklīst. Virs galvas jau bija jaušama dienas gaisma...

No visa spēka savicinājis pleznas, viņš atskārta, ka tās no jauna pārvērtušās pavisam parastās pēdās... Udens ieplūda plaušās... Galva sareiba, bet līdz gaismai un gaisam vēl bija tikai pāris metru... Jātiek... Jātiek...

Harijs sakulstīja kājas ar tādu joni, ka muskuļi protestēdami teju iesmilkstējās, galva šķita pieplūdusi pilna ar ūdeni, elpas nebija, bija nepieciešams skābeklis, bet vajadzēja turpināt peldēt, nedrīkstēja apstāties...

Un tad viņš sajuta, ka galva pāršķeļ ezera virsmu — seju apsvilināja brīnišķīgs, auksts, dzidrs gaiss, viņš to ierija, it kā nekad iepriekš nebūtu pa īstam zinājis, ko nozīmē elpot, un elsdams izrāva virspusē Ronu un mazo meiteni. Visapkārt no ūdens kā korķi izsprāga mežonīgi sapinkātas zaļmatainas galvas, bet ūdensļaužu sejās staroja smaids.

Pūlis tribīnēs pamatīgi trokšņoja — kliedza, spiedza, teju visi bija pielēkuši kājās. Harijam šķita — skatītāji laikam bija domājuši, ka Rons ar mazo meitenīti ir pagalam, tomēr kļūdījušies... Tie abi atvēra acis, meitenīte šķita nobijusies un apjukusi, bet Rons tikai izspļāva ūdens šalti, spilgtajā dienas gaismā sablisināja acis, pagriezās pret Hariju un ieteicās: — Slapjš, vai ne? — Tad viņš pamanīja Flēras māsu. — Kālab tu vilki līdzi viņu?

— Flēra tā arī neuzradās. Es nevarēju viņu tur atstāt, — Harijs izmocīja.

— Harij, tu, dulburi tāds, — Rons novaidējās. — Vai tu tiešām ņēmi to dziesmu nopietni? Dumidors taču nebūtu pieļāvis, lai kāds no mums noslīkst!

— Bet dziesmā bija teikts...

— Tikai tāpēc, lai tu pacenstos iekļauties noteiktajā laikā! — Rons izsaucās. — Es ceru, ka tu nešķiedi laiku, tēlodams varoni!

Harijs jutās kā muļķis, taču vienlaikus dusmojās. Ronam jau viegli runāt — *viņš* gulēja saldā miegā un nezināja, cik baisi ir tur, lejā, ezera dzelmē, kad visriņķī drūzmējas ūdensļaudis, kas izskatās pēc īstiem slepkavniekiem.

— Labs ir, — Harijs īsi noteica. — Palīdzi izdabūt viņu krastā, diez ko laba peldētāja viņa laikam nav.

Viņi aizvilka Flēras māsu līdz krastam, kur gaidīja tiesneši. Nopakaļ gluži kā goda sardze peldēja kādi divdesmit ūdensļaudis, baismi kaukdami un gaudodami.

Harijs redzēja Pomfreja madāmu līkņājam ap Hermioni, Krumu, Sedriku un Čo — viņi visi bija ievīstīti biezās segās. Dumidors un Ludo Maišelnieks smaidīdami stāvēja ezera malā, nolūkodamies, kā viņi peld aizvien tuvāk, bet Persijs, kas piepeši izskatījās neparasti bāls un nezin kāpēc arī daudz jaunāks nekā citkārt, ielēca ūdenī, lai paietos viņiem pretim. Tostarp Maksima madāma pūlējās novaldīt Flēru Delakūru, kas histēriski plosījās, lai ielēktu atpakaļ ezerā.

— Gabrriela! *Gabrriela*! *Vai viņa irr dzīva*? *Vesela*?

— Viņai nekas nekaiš! — Harijs centās iesaukties, bet spēku izsīkuma dēļ teju nespēja pat vārdu dabūt pār lūpām, kur nu vēl gana skaļi nokliegties.

Persijs satvēra Ronu un ņēmās vilkt viņu uz krastu ("Atšujies, Persij, es pats!"), Dumidors ar Maišelnieku palīdzēja pietraustiies kājās Harijam, Flēra izrāvās no Maksima madāmas skavām un metās apskaut māsu.

— Tās dūņpirrkstes... Viņas man uzbrruka... Ak, Gabrriela, es domāju... domāju...

— Nāc nu šurp, — atskanēja Pomfreja madāmas balss. Viņa sagrāba Hariju un aizvilka pie Hermiones un pārējiem, ievīstīja segā tik cieši kā trako kreklā, un ar varu ielēja viņam rīklē kaut kādas briesmīgi karstas zāles, tā ka viņam pa ausīm izšāvās garaiņu mākulis.

— Forši, Harij! — Hermione nosaucās. — Tu tomēr tiki galā! Tu izdomāji! Pats!

— Nu... — Harijs saminstinājās. Varēja jau izstāstīt par Dobiju, bet Karkarovs bija turpat netālu un nenolaida no viņa ne acu. Viņš vienīgais joprojām sēdēja pie žūrijas galda; vienīgais tiesnesis, kurš nebūt nelikās priecīgs, ka Harijs, Rons un Flēras māsa ir atgriezušies sveiki un veseli. — Jā, tā nu ir, — Harijs atteica — tīšuprāt tā paskaļāk, lai Karkarovs dzird.

— Tev matos ir ūdeņu vabule, Ēr-mjo-nī-ne, — ierunājās Krums.

Harijam radās iespaids, ka Krums mēģina pievērst sev Hermiones uzmanību — varbūt tādēļ, lai atgādinātu, ka nule kā izvilcis viņu no ezera, bet Hermione nepacietīgi aiztrauca vaboli projām un turpināja: — Bet tu krietni vien pārtērēji laiku, Harij... Vai tad tik ilgi vajadzēja mūs meklēt?

— Nē... atradu viens un divi...

Harijs aizvien vairāk jutās kā pēdējais muļķis. Tagad, kad viņš bija atpakaļ uz sauszemes, šķita pilnīgi skaidrs, ka Dumidors nebūtu pieļāvis gūstekņu bojāeju tikai tāpēc, ka censonis nav uzradies. Kālab viņš nepaķēra Ronu un nelaidās atpakaļ, ko nagi nes? Viņš būtu atgriezies pats pirmais... Sedriks ar Krumu lieki nekavējās, ķēpādamies ar pārējiem, viņi ūdensļaužu dziesmu nebija uztvēruši nopietni...

Dumidors līkņāja ūdens malā, runādamies ar ūdensļaužu priekšstāvi — sevišķi mežonīga un ļaunīga paskata ūdenssievu. Dumidors izdvesa tādas pašas gaudas un kaucienus, ar kādiem ūdensļaudis sazinājās virs ūdens — viņš acīmredzot prata runāt nārmēlē. Pēdīgi viņš izslējās, pagriezās pret pārējiem tiesnešiem un paziņoja: — Manuprāt, pirms atzīmju pasludināšanas mums derētu apspriesties.

Tiesneši saspiedās pulciņā. Pomfreja madāma devās atbrīvot Ronu no Persija apkampieniem, atveda zēnu pie pārējiem, iedeva viņam segu un malciņu mundrumzāļu, tad aizšāvās pakaļ Flērai un viņas māsai. Flērai bija pamatīgi saskrambāta seja un rokas, mantija bija vienās driskās, taču par to meitene nemaz neraizejās un pat neļāva Pomfreja madāmai apkopt brūces.

— Parrūpējieties par Gabrrielu, — viņa palūdza un pievērsās Harijam. — Tu viņu izglābi, — Flēra klusām teica. — Kaut arr viņa nebija tavs gūsteknis.

— Jā, — Harijs izstomīja, karsti vēlēdamies, kaut visas trīs meitenes būtu atstājis tur, lejā, piesietas pie statujas.

Flēra noliecās, uzspieda viņam divus skūpstus uz katra vaiga (Harijs juta, ka sejā iesitas karstums, un nobijās, ka no ausīm tūliņ atkal izšausies tvaika mutuļi) un tad paskatījās uz Ronu. — Un tu, tu arr palīdzēji...

— Jā, — Rons cerīgi atsaucās. — Jā, drusku...

Flēra pieliecās un noskūpstīja arī viņu. Hermione izskatījās pagalam sašutusi, bet tieši tobrīd nograndēja Ludo Maišelnieka maģiski pastiprinātā balss. Visi salēcās, un pūlis tribīnēs apklusa.

— Dāmas un kungi, esam izlēmuši. Udensļaužu virsaite Nārme mums pavēstīja, kas tieši notika ezera dzelmē, tāpēc esam nolēmuši piecdesmit ballu sistēmā katram censonim piešķirt šādu punktu skaitu... Flēra Delakūra jaunkundze parādīja lielisku burbuļgalvas burvestības prasmi, tomēr ceļā uz mērķi viņai uzbruka dūņpirkstes, un gūstekni atbrīvot neizdevās. Mēs viņai piešķiram divdesmit piecus punktus.

Tribīnēs atskanēja aplausi.

— Esmu pelnījusi nulli, — Flēra neskanīgi noteica, purinādama brīnumskaisto galvu.

— Sedriks Digorija jaunkungs arī izmantoja burbuļgalvas burvestību un kopā ar gūstekni atgriezās pirmais, lai gan vienu minūti pēc noliktā laika beigām. — Elšpūši sacēla veselu gaviļu vētru, Harijs redzēja, kā Čo uzmet Sedrikam priekpilnu skatienu. — Tāpēc piešķiram viņam četrdesmit septiņus punktus.

Harijs sašļuka. Ja reiz pat Sedriks nebija iekļāvies laikā, viņam pašam uz to pavisam noteikti nebija ko cerēt.

— Viktors Kruma jaunkungs nepilnīgi izmantoja pārvēršanos, kas tomēr izrādījās pietiekami, un ar gūstekni atgriezās otrais. Viņam mēs piešķiram četrdesmit punktu.

Karkarovs sita plaukstas kā negudrs, izskatīdamies ļoti augstprātīgs.

— Harijs Potera jaunkungs ar ļoti labām sekmēm izmantoja žaunaļģes, — Maišelnieks turpināja. — Viņš atgriezās pēdējais, krietni pēc noliktā laika beigām. Tomēr ezera virsaite liecina, ka Potera jaunkungs pie gūstekņiem ieradies pats pirmais un aizkavējies tālab, ka vēlējies drošībā nogādāt visus gūstekņus, nevis savējo vien.

Rons ar Hermioni uzmeta Harijam pa pusei niknu, pa pusei līdzjūtīgu skatienu.

— Vairākums tiesnešu, — Maišelnieks nešpetni palūrēja uz Karkarova pusi, — uzskata, ka tas liecina par stingru morāli un pelna augstāko novērtējumu. Tomēr... Potera jaunkungam piešķirti četrdesmit pieci punkti.

Harijam salēcās sirds — viņš kopā ar Sedriku bija pirmajā vietā. Rons ar Hermioni pārsteigumā sastinga, tad iesmējās un līdz ar pārējiem ņēmās aplaudēt, cik spēka.

— Nu re, Harij! — Rons pūlējās pārkliegt troksni. — Izrādās, ka nu nemaz neesi kokpauris — to vienkārši sauc par stingru morāli!

Arī Flēra dedzīgi aplaudēja, toties Krums necik priecīgs neizskatījās. Viņš vēlreiz pūlējās uzsākt sarunu ar Hermioni, bet viņa bija pārāk aizņemta ar Harija sumināšanu.

— Trešais un pēdējais pārbaudījums notiks divdesmit ceturtā jūnija novakarē, — Maišelnieks turpināja. — Censoņi par to, kas tur sagaidāms, tiks informēti tieši mēnesi iepriekš. Paldies visiem, kas šodien juta censoņiem līdzi.

Viss galā, Harijs apdullis iedomājās, kad Pomfreja madāma ņēmās censoņus un gūstekņus bikstīt, lai visi dodas atpakaļ uz pili pārģērbties sausās drānās. Viss... Viņš bija izturējis... tagad varēs dzīvot vienā mierā līdz pat divdesmit ceturtajam jūnijam...

Nākamreiz, kad tikšu līdz Cūkmiestiņam, Harijs pie sevis nosolījās, pa lieveņa akmens pakāpieniem kātodams atpakaļ uz pili, nopirkšu Dobijam veselu lēveni zeķu — pa vienam pārim katrai gada dienai.

## DIVDESMIT SEPTĪTĀ NODAĻA

# ĶEPAIŅA ATGRIEŠANĀS

Teju pats labākais pēc otrā pārbaudījuma bija tas, ka visi briesmīgi gribēja sīki un smalki uzzināt, kas īsti bija noticis ezerā, un tas nozīmēja, ka arī Rons beidzot dabūja pasildīties slavas saulītē. Harijs ievēroja, ka Rona atmiņu stāsts katru nākamo reizi izklausās drusku citāds. Iesākumā viņa versija šķita visai tuva patiesībai, vismaz tā daudzmaz saskanēja ar to, ko stāstīja Hermione. Dumidors Maksūras kabinetā visus gūstekņus bija iemidzinājis burvju miegā, pirms tam paskaidrodams, ka nekādas briesmas viņiem nedraud un, izkļuvuši virs ūdens, viņi atmodīsies. Taču pēc nedēļas Rons jau klāstīja kaut ko baismīgu par nolaupīšanu, kad viņš kailām rokām esot cīnījies pret piecdesmit līdz zobiem bruņotiem ūdensvīriem, kam nācies viņu piekaut līdz bezsamaņai, lai sasietu un aizvestu sev līdzi.

— Bet man piedurknē bija noslēpts zizlis, — viņš stāstīja Padmai Patilai, kam Rons tagad, kad visi viņam pievērsa tik daudz uzmanības, laikam bija iepaticies — vismaz viņa nelaida garām izdevību papļāpāt ar viņu ikreiz, kad abi sastapās gaitenī. — Es tos ūdensdulburus būtu varējis pieveikt viens un divi.

— Ko tad tu būtu darījis — uzkrācis viņiem taisni virsū? — dzēlīgi apvaicājās Hermione, kam visi nemitīgi uzplijās, saukādami par Viktora Kruma "vislielāko dārgumu", tāpēc nebija brīnums, ka viņa bija diezgan nelāgā omā.

Rona ausis koši piesārta, un nākamreiz viņš jau atkal klāstīja veco versiju par burvju miegu.

Martā laukā kļuva drusku sausāks, toties ikreiz, kad viņi izgāja ārā no pils, rokas un seju svilināja negantas vēja brāzmas. Pasta piegāde aizkavējās, jo pūces tika nemitīgi aizpūstas sāņus no vēlamā virziena. Purva pūce, ar ko Harijs bija aizsūtījis Siriusam ziņu par Cūkmiestiņa sestdienu, piektdienas brokastīs ieradās galīgi izspūrusi — puse spalvu bija saslējušās stāvus gaisā. Tikko Harijs noraisīja putnam Siriusa atbildi, putns aizlaidās kā divi deviņi, nepārprotami bīdamies, ka tūliņ atkal tiks sūtīts laukā.

Siriusa vēstule bija teju tikpat lakoniska kā iepriekšējā.

*Sestdien divos pēcpusdienā esi pie žoga Cūkmiestiņa ceļa galā (aiz "Derviša un Bengza"). Paķer līdzi ēdamo — jo vairāk, jo labāk.*

— Viņš taču nebūs atgriezies Cūkmiestiņā! — Rons neticīgi iesaucās.

— Tā izskatās, vai tad ne? — Hermione konstatēja.

— Neiedomājami, — Harijs satraucās. — Ja viņu noķers...

— Tiktāl viņš ir izsprucis cauri sveikā, — Rons piebilda. — Un nav vairs tā, ka tur atprātotāji čumētu un mudžētu.

Harijs domīgi salocīja vēstuli. Viņš no tiesas gribēja Siriusu satikt. Tāpēc uz pēcpusdienas pēdējo nodarbību — divām mikstūrām — viņš devās daudz priecīgākā prātā nekā parasti, velkoties lejā uz pagrabu.

Saspiedušies pulciņā, pie klases durvīm gaitenī stāvēja Malfojs, Krabe, Goils un Pansijas Pārkinsones slīdenes. Visi blenza uz kaut ko, ko Harijs nevarēja saskatīt, un no sirds uzjautrinājās. Harijam, Ronam un Hermionei tuvojoties, Pansija pabāza savu mopša degunteli gar Goila plato muguru un ieķiķinājās: — Re, kur šie nāk! Re, kur šie nāk! — Slīdeņu pulks pašķīrās. Pansijai rokā bija žurnāls — "Raganu Nedēļa". Kustīgajā bildē uz tā vāka plati smaidīja sprogaina ragana, ar zizli norādīdama uz lielu kēksu.

— Grendžera, šeit tu varētu atrast kaut ko aizraujošu, ko

palasīties! — Pansija skaļi paziņoja un pameta žurnālu Hermionei, kas to iztrūkusies saķēra. Tobrīd atvērās pagraba durvis, un Strups lika visiem iet iekšā.

Hermione, Rons un Harijs, kā parasti, devās uz pašu pēdējo solu. Tikko Strups pagrieza klasei muguru, lai uzrakstītu uz tāfeles kārtējās mikstūras sastāvdaļas, Hermione steigšus ņēmās zem galda šķirstīt žurnālu. Pēdīgi pašā vidū viņa uzgāja meklēto. Harijs ar Ronu piegrūda galvas tuvāk. Nelielam rakstiņam pašā augšā greznojās krāsains Harija portrets. Virsraksts vēstīja: *HARIJA POTERA SLEPENĀS SIRDSLIETAS.*

*Var jau būt, ka viņš ir neparasts zēns, tomēr arī tādiem neiet secen zaļās jaunības sirdssāpes,* raksta Rita Knisle. *Četrpadsmit gadus vecais Harijs Poters, kam mīlestība liegta kopš viņa vecāku traģiskās bojāejas, bija cerējis rast mierinājumu pie savas senās Cūkkārpas skolasbiedrenes, vientiešu izcelsmes meitenes Hermiones Grendžeras. Zēns nevarēja ne iedomāties, ka dzīve, kas viņu jau tā nav taupījusi, sagatavojusi vēl vienu pamatīgu un sāpīgu triecienu.*

*Šķiet, ka Grendžeras jaunkundze — gluži parasta, tomēr godkārīga būtne — iecienījusi slavenus burvjus, un šīs slāpes Harijs Poters acīmredzot vienpersoniski remdēt nespēj. Kopš Cūkkārpā ieradies Bulgārijas komandas meklētājs un pēdējā kalambola Pasaules kausa izcīņas varonis Viktors Krums, Grendžeras jaunkundze sākusi spēlēties ar abu jaunekļu jūtām. Krums, kas ar izmanīgo Grendžeras jaunkundzi ir neslēpti aizrāvies, jau uzaicinājis viņu vasaras brīvdienās apmeklēt Bulgāriju un apgalvo, ka "nekad ne pret vienu meiteni neko tādu nav jutis".*

*Tomēr iespējams, ka nelaimīgo zēnu interesi nemaz nav saistījuši Grendžeras jaunkundzes apšaubāmie dabiskie dotumi.*

*"Viņa ir pagalam neglīta," saka pievilcīgā un dzīvespriecīgā ceturtgadniece Pansija Pārkinsone, "taču varētu aizdomāties līdz tam, lai sabrūvētu mīlas mikstūru, jo galva viņai strādā tīri labi. Manuprāt, tieši tā viņa to dabū gatavu."*

*Protams, ka mīlas mikstūras Cūkkārpā ir aizliegtas, un nav šaubu, ka Baltuss Dumidors vēlēsies noskaidrot, vai šīs ziņas ir patiesas. Tostarp*

*Harija Potera labvēļi pauž neviltotu cerību, ka nākamreiz viņš dāvās savu sirdi meitenei, kas to pelna vairāk.*

— Es taču tev teicu! — Rons pačukstēja Hermionei, kas nevarēja no raksta ne acu atraut. — Es tev *teicu*, lai tu nekaitini Ritu Knisli! Viņa tevi pataisījusi par vieglas uzvedības sievieti!

Pārsteigums Hermiones sejā nez kur pagaisa, un viņa iespurdzās.

— *Par vieglas uzvedības sievieti?* — viņa atkārtoja, pagriezusies pret Ronu un tik tikko valdīdama smieklus.

— Tā mana mamma viņas sauc, — Rons nomurmināja. Viņa ausis no jauna pietvīka gluži sarkanas.

— Ja tas ir tas labākais, uz ko Rita ir spējīga, viņa zaudē sakodienu, — Hermione norādīja, joprojām ķiķinādama, un nosvieda "Raganu Nedēļu" uz tukšā blakus krēsla. — Kas par sasmakušu blēņu blāķi!

Viņa pameta skatu uz slīdeņiem otrpus klasei, kas viņus cieši vēroja, lai redzētu, vai raksts atstājis vēlamo iespaidu. Hermione viņiem sarkastiski uzsmaidīja un pamāja, un tad visi trīs sāka izsaiņot prāta asināšanas mikstūrai nepieciešamās sastāvdaļas.

— Tomēr vispār dīvaini, — Hermione ieminējās pēc desmit minūtēm, turēdama rokā piestiņu, ar ko vajadzēja saberzt pulverī skarabejus. — Kā gan Rita Knisle varēja zināt...?

— Ko tad? — Rons mudīgi ievaicājās. — Paklau, tu taču *nebūsi* brūvējusi mīlas mikstūru, ko?

— Muļķis tāds, — Hermione atcirta, ietriekdama piestiņu miezerī. — Nē taču... Tikai kā viņa dabūja zināt, ka Viktors mani aicināja vasarā braukt ciemos?

To teikdama, viņa koši piesarka un centās izvairīties no Rona skatiena.

— Ko? — Rons ar blīkšķi nosvieda savu piestiņu.

— Viņš to teica tūliņ pēc tam, kad izvilka mani no ezera, — Hermione nobubināja. — Kolīdz bija ticis vaļā no haizivs galvas. Pomfreja madāma mums abiem iedeva segas, un tad viņš tā kā aizvilka mani nostāk no tiesnešiem, lai šie nedzird, un teica — ja man nākamvasar nekas īpašs neesot padomā, vai es negribētu...

— Un ko tu atbildēji? — noprasīja Rons, kas ar piestiņu berza solu krietnu sprīdi no vietas, kur stāvēja viņa miezeris, jo viņš ne acu nenolaida no Hermiones.

— Un viņš *tiešām* teica, ka nekad ne pret vienu neko tādu neesot jutis, — Hermione turpināja, nu jau pietvīkusi tik koši, ka Harijs teju juta no viņas plūstam karstumu, — bet kā Rita Knisle to būtu varējusi dzirdēt? Viņas tur nebija... Vai varbūt tomēr? Varbūt viņai ir Paslēpnis, varbūt viņa iezagās pils teritorijā, lai paskatītos otro pārbaudījumu...

— Un ko tad tu *atbildēji*? — Rons neatlaidās, stampādams solu tik nikni, ka izdauzīja tur bedres.

— Nu, es biju pārāk aizņemta, man bija jāredz, vai jums ar Hariju nekas...

— Es nudien nešaubos, ka jūsu saviesīgā dzīve ir ļoti aizraujoša, Grendžeras jaunkundz, — viņiem tieši aiz muguras atskanēja ledaina balss, — tomēr es palūgšu jūs to neiztirzāt manas stundas laikā. Grifidoram desmit soda punkti.

Kamēr viņi pļāpāja, bija pielavījies Strups. Tagad uz viņiem skatījās visa klase, Malfojs izmantoja izdevību un uz Harija pusi pāri pagrabtelpai nospīdināja savu *POTERS IR RIEBEKLIS.*

— Ahā... un zem galda lasām žurnālus? — Strups piebilda, paķerdams "Raganu Nedēļas" numuru. — No Grifidora vēl desmit punktu... jā, bet protams... — Strups pamanīja Ritas Knisles rakstu, un viņa melnās acis iespīdējās. — Poters nevar palaist garām nevienu sev veltītu rindiņu...

Pagrabā nodārdēja slīdeņu smiekli, un Strupa plānās lūpas izķēmoja nepatīkams smīns. Harijam par dusmām, viņš sāka rakstu lasīt skaļi.

— *Harija Potera slepenās sirdslietas...* Žēlīgā debess, Poter, kas tad jūs tagad kremt? *Var jau būt, ka viņš ir neparasts zēns...*

Tagad Harijs juta, ka arī viņam seja kaist vienās ugunīs. Ik teikuma beigās Strups ieturēja pauzi, lai ļautu slīdeņiem no sirds izzvaigāties. Strupa izpildījumā raksts šķita desmitreiz pretīgāks.

— ...*Harija Potera labvēļi pauž neviltotu cerību, ka nākamreiz viņš dāvās savu sirdi meitenei, kas to pelna vairāk.* Cik briesmīgi aizkustinoši, — Strups novīpsnāja, saritinādams nedēļrakstu, slīdeņiem joprojām rēcot pilnā kaklā. — Labs ir, manuprāt, jūsu trijotni der izsēdināt, lai jūs vairāk domātu par mikstūrām un mazāk — par savām sirdslietām. Vīzlij, jūs palieciet tepat. Grendžeras jaunkundz, lūk, tur, blakus Pārkinsones jaunkundzei. Poter, uz to solu pie mana galda. Kustieties! Uz karstām pēdām.

Dusmās vārīdamies, Harijs savējās mikstūras sastāvdaļas un somu sasvieda katlā un visu aizvilka uz tukšu solu, kas stāvēja pašā pagrabklases priekšā. Strups sekoja, nosēdās pie sava galda un noskatījās, kā Harijs izkrauj mantas no katla. Apņēmies uz Strupu vispār neskatīties, Harijs no jauna ķērās pie skarabeju beršanas, iztēlodamies, ka vabolēm ir Strupa ģīmis.

— Izskatās, ka preses uzmanība ir sakāpusi jums galvā, kas jau tā ir pārmēru liela, Poter, — Strups pusbalsī noteica, līdzko kņada klasē bija norimusi.

Harijs cieta klusu, zinādams, ka Strups cenšas viņu provocēt — nebija jau pirmā reize. Skaidrs, ka Strups loloja cerību līdz stundas beigām atrast ieganstu, lai Grifidoram varētu piespriest vismaz apaļus piecdesmit soda punktus.

— Iespējams, jūs dzīvojat maldos, ka visa burvju pasaule ir par jums stāvā sajūsmā, — Strups turpināja tik klusām, ka neviens cits viņu nevarēja sadzirdēt (Harijs tikai berza un berza savus skarabejus, kaut arī tie jau bija pārvērtušies smalkum smalkā pūderī), — bet man vienalga, cik reižu jūsu bilde parādās avīzēs. Man, Poter, jūs neesat nekas cits kā nešpetns zeņķis, kurš iedomājies, ka viņam nekādi noteikumi nav rakstīti.

Izbēris vaboļu pulveri katlā, Harijs ņēmās smalcināt ingversaknes. Pirksti niknumā viegli trīcēja, taču viņš pat galvu nepacēla, it kā nemaz nedzirdētu, ko Strups tur runā.

— Tāpēc es jūs godīgi brīdinu, Poter, — Strups runāja vien tālāk vēl klusāk un draudīgāk, — lai cik arī skaļa būtu jūsu maigā slava: ja vēlreiz pieķeršu jūs blandāmies pa manu kabinetu...

— Es jūsu kabinetam pat tuvumā neesmu bijis! — Harijs dusmīgi atcirta, piemirsis, ka izliekas kurls.

— Nemelojiet man, Poter, — Strups nošņāca, urbdamies Harijā ar bezdibenīgajām, melnajām acīm. — Dobrēča āda. Žaunaļģes. Kā viens, tā otrs nāk no maniem privātajiem krājumiem, un es zinu, kurš tos nozadzis.

Harijs skatījās Strupam acīs, apņēmies nemirkšķināties un neizskatīties vainīgs. Istenībā viņš tik tiešām nebija Strupam zadzis ne vienu, ne otru. Otrajā gadā dobrēča ādu bija paņēmusi Hermone — viņiem to vajadzēja, lai varētu pagatavot daudzsulu mikstūru, — un Strups toreiz gan tika Hariju turējis aizdomās, taču neko tā arī nevarēja pierādīt. Žaunaļģes, bez šaubām, bija nočiepis Dobijs.

— Es nesaprotu, par ko jūs runājat, — Harijs aukstasinīgi meloja.

— Tonakt, kad kāds ielauzās manā kabinetā, jūs staigājāt apkārt! — Strups iešņācās. — Es to zinu, Poter! Un var jau būt, ka Trakacis Tramdāns ir pievienojies jūsu pielūdzējiem, bet es jūsu uzvedību necietīšu! Vēl viena nakts pastaiga uz manu kabinetu, Poter, un jūs samaksāsiet!

— Labs ir, — Harijs mierīgi atteica, no jauna pievērsdamies ingversaknēm. — Paturēšu to prātā, ja nu man kādreiz patiesi uzmācas vēlme turp doties.

Strupa acīs ieplaiksnījās uguns. Viņš iegrūda roku savas melnās mantijas krokās. Vienu neprātīgu mirkli Harijam šķita, ka Strups tūliņ izraus zizli un viņu nolādēs, bet tad viņš ieraudzīja, ka Strups no kabatas izvilcis mazu kristāla pudelīti, kur iekšā skalojās pilnīgi bezkrāsaina mikstūra. Harijs uz to pablenza.

— Vai jūs, Poter, zināt, kas tas ir? — Strups noprasīja. Viņa acis atkal bīstami iegailējās.

— Nē, — Harijs atteica — šoreiz runādams baltu patiesību.

— Tas ir veritaserums — patiesības mikstūra, turklāt tik spēcīga, ka trīs pilieni jums varētu likt visas klases priekšā izklāstīt pašus lielākos noslēpumus, — Strups ar ļaunu prieku norādīja. — Mikstūras lietošanu, protams, strikti ierobežo ministrijas instrukcija. Bet pieraugiet, kur sperat soli, citādi var gadīties, ka man roka *paslīd,* — Strups vieglītiņām pašūpoja kristāla pudelīti, — tieši virs jūsu ikvakara ķirbju suliņas. Un tad, Poter... Tad mēs noskaidrosim, vai esat bijis manā kabinetā vai ne.

Harijs neatbildēja. Viņš atkal pievērsās savām ingversaknēm, paņēma nazi un turpināja tās šķīt plānās šķēlītēs. Ziņa par patiesības mikstūru viņam itin nemaz nepatika, un Strups bija spējīgs savus draudus īstenot. Harijs apvaldīja šermuļus, iedomādamies, ko varētu izpļāpāt, ja Strups patiesi... Nerunājot par visiem tiem, ko viņš varētu iegrūst ķezā — kaut vai Hermioni un Dobiju... Slēpjamas bija vēl citas lietas... Piemēram, tas, ka viņš uztur sakarus ar Siriusu... un — pār muguru pārskrēja šermuļi — ko viņš jūt pret Čo... Harijs izgāza katlā arī ingversaknes, iepratodamies, ka varbūt der sekot Tramdāna paraugam un dzert tikai no personiskas blašķītes.

Pie pagraba durvīm kāds pieklauvēja.

— Iekšā, — Strups atsaucās savā parastajā balsī.

Visi pacēla galvu. Durvis atvērās . Ienāca profesors Karkarovs. Skolēni noskatījās, kā viņš dodas pie Strupa galda. Karkarovs atkal virpināja ap pirkstu āžbārdiņu un izskatījās satraukts.

— Mums jāaprunājas, — Karkarovs aprauti noteica, piegājis Strupam klāt. Viņš šķita stingri apņēmies runāt tā, lai neviens cits nedzird, tāpēc tik tikko kustināja lūpas, līdzinādamies visai neprasmīgam vēderrunātājam. Neatraudams skatienu no ingversaknēm, Harijs ausījās, cik spēka.

— Es ar tevi aprunāšos, kad beigsies stunda, Karkarov, — Strups nomurmināja, bet Karkarovs viņu pārtrauca.

— Es gribu runāt tagad, lai tu neaizšmauc, Severus. Tu no manis izvairies.

— Pēc stundas, — Strups noskaldīja.

Pacēlis pret gaismu mērglāzi, itin kā lai pārbaudītu, vai tur ieliets gana daudz bruņneša žults, Harijs izmantoja izdevību un uz abiem neuzkrītoši pašķielēja. Karkarovs šķita briesmīgi noraizējies, savukārt Strups — saniknots.

Karkarovs tā arī nodirnēja pie Strupa galda līdz pat dubultstundas beigām. Viņš laikam gribēja būt drošs, ka Strups pēc nodarbības nekur neaizmuks. Kārodams dzirdēt, kas Karkarovam īsti sakāms, Harijs divas minūtes pirms zvana tīšuprāt apgāza bruņneša žults pudeli, lai būtu iemesls kādu brīdi uzkavēties. Kamēr pārējie trokšņodami virzījās laukā no klases, viņš nolīda aiz katla, uzslaucīdams ķēpu.

— Kas tev deg? — viņš dzirdēja Strupu uzšņācam Karkarovam.

— *Šitais,* — Karkarovs teica, un Harijs, pašķielējis pār katla malu, ieraudzīja, ka Karkarovs uzloka mantijas kreiso piedurkni un norāda Strupam uz kaut ko apakšdelma iekšpusē.

— Nu? — Karkarovs noprasīja, joprojām cenzdamies nekustināt lūpas. — Redzi? Tā vēl nekad nav bijusi tik skaidra, ne reizi, kopš...

— Vāc to projām! — Strups noķērca. Viņa melnās acis šaudījās pa klasi.

— Bet tu taču arī noteikti esi pamanījis... — Karkarova balss uztraukumā ietrīsējās.

— Aprunāsimies vēlāk, Karkarov! — Strups izgrūda. — Poter! Ko jūs tur darāt?

— Uzslauku bruņneša žulti, profesor, — Harijs nevainīgi atsaucās, izsliedamies un paceldams gaisā piemirkušo lupatu.

Karkarovs apcirtās un devās uz pagraba durvīm. Viņš izskatījās noraizējies un dusmīgs. Itin nemaz nealkdams palikt divatā ar sevišķi saniknotu Strupu, Harijs sasvieda mikstūru sastāvdaļas un grāmatas somā un milzu ātrumā brāzās stāstīt Ronam un Hermionei, ko tikko redzējis.

* * *

Nākamajā dienā ap pusdienlaiku viņi izgāja laukā, kur spīdēja blāvi sudrabaina saule. Šogad tā bija pirmā daudzmaz mīlīgā diena, un, nonākuši līdz Cūkmiestiņam, visi trīs jau bija novilkuši apmetņus un pārsvieduši tos pār plecu. Ēdamais, ko Siriuss bija lūdzis paķert līdzi, glabājās Harija somā — no pusdiengalda nočiepts ducis cāļa stilbiņu, maizes klaips un blašķe ķirbju sulas.

Viņi iegriezās "Labākajos burvju ģērbos", lai iegādātos dāvanu Dobijam, un no sirds uzjautrinājās, izmeklēdami pašas bezgaumīgākās zeķes, starp kurām bija viens pāris ar zelta un sudraba zvaigznēm, kas ik pa brīdim iedegās un nodzisa, un vēl viens, kam vajadzēja spiegt, kolīdz zeķes jutīsies par daudz piesmirdušas. Pusdivos viņi izgāja uz Lielās ielas un gar "Dervišu un Bengzu" devās laukā no ciemata.

Uz šo pusi Harijs vēl nekad nebija gājis. Līkumota taciņa viņus izveda neskartā klajumā, kas pletās visapkārt Cūkmiestiņam. Māju šeit bija daudz mazāk, un dārzi pie tām bija iekopti lielāki. Priekšā pacēlās kalni, kuru pakājē dusēja Cūkmiestiņš. Tad, pēc kārtējā līkuma, viņi ieraudzīja taciņas galā žogu. Tur, uzlicis priekšķepas uz paša augšējā spraišļa, gaidīja neparasti liels, pinkains melns suns, zobos turēdams pāris laikrakstu. Tas izskatījās ļoti pazīstams...

— Sveiks, Sirius, — Harijs teica, kad viņi bija piegājuši sunim klāt.

Melnais suns kāri apošņāja Harija somu, novēdīja ar asti, tad pagriezās un ļepatoja projām pāri krūmiem apaugušam lēzenam laukumiņam, kas nedaudz tālāk saauga ar kalna klints sienu. Harijs, Rons un Hermione pārrāpās pāri žogam un kātoja viņam pakaļ.

Siriuss viņus aizveda pie pašas klints pakājes, kur zemi klāja laukakmeņi un klints atlūzas. Viņam, četrkājainim, jau nekas, bet Harijs, Rons un Hermione drīz vien bija gluži aizelsušies. Viņi rāpās pakaļ Siriusam nu jau augšā, kalnā. Gandrīz pusstundu viņi kāpa augšup pa stāvu, līkumotu klints taciņu, neizlaizdami no acīm Siriusa kustīgo asti, saule sviedrēja, un Harijam plecos sāpīgi griezās somas siksnas.

Visbeidzot Siriuss nez kur pagaisa, un, nonākuši vietā, kur suns bija pazudis, viņi klints sienā ieraudzīja šauru spraugu. Iespraukušies tur iekšā, viņi nonāca vēsā, krēslainā alā. Tās dibenā, piesiets pie liela akmeņa, dīžājās zirgērglis Švītknābis — pa pusei pelēks zirgs, pa pusei milzu ērglis. Pamanījis ienācējus, viņš nozibināja niknās, oranžās acis. Visi trīs viņam zemu paklanījās, un, kādu brīdi viņus valdonīgi nopētījis, Švītknābis noslīga uz zvīņotajiem ceļgaliem, ļaudams Hermionei pienākt klāt un noglāstīt viņa spalvoto kaklu. Taču Harijs skatījās uz melno suni, kas tikko bija pārvērties par viņa krusttēvu.

Siriusam mugurā bija noskrandusi pelēka mantija — tā pati, kurā viņš bija devies projām no Azkabanas. Melnie mati bija garāki nekā toreiz, kad viņš bija parādījies kamīnā, un tie atkal bija netīri un savēlušies. Siriuss izskatījās ļoti noliesējis.

— Cālīšus! — viņš izgrūda, izņēmis no mutes ne tos pašus svaigākos "Dienas Pareģa" numurus un nosviedis avīzes uz alas grīdas.

Harijs atrāva vaļā somu un pasniedza viņam saini ar cāļa stilbiņiem un maizi.

— Tencinu, — Siriuss noteica, attīdams salveti, pagrāba stilbiņu, nosēdās uz klona un ar zobiem kāri noplēsa pamatīgu gaļas kumosu. — Lielākoties pārtieku no žurkām. Cūkmiestiņā ēdamo necik daudz čiept nevar — nedrīkstu pievērst uzmanību.

Viņš uzsmaidīja Harijam, bet tas pretim atsmaidīja visai negribīgi.

— Ko tu te dari, Sirius? — viņš noprasīja.

— Pildu savu krusttēva pienākumu, — Siriuss atņurdēja, gluži kā suns apgrauzdams stilbiņa kaulu. — Par mani neraizējies, es izliekos par mīlīgu noklīdeni.

Viņš vēl aizvien smaidīja, bet, pamanījis Harija acīs bažas, ierunājās nopietnāk: — Es gribu būt tepat tuvumā. Tava pēdējā vēstule... Nu, teiksim, viss izskatās aizvien šaubīgāk. Es te allaž savācu izmestos laikrakstus, un tā vien šķiet, ka ne jau man vien sāk uzmākties nelabas aizdomas.

Viņš pamāja uz padzeltējušajiem "Dienas Pareģiem", kas gulēja uz alas grīdas. Rons laikrakstus pacēla un atlocīja.

Tomēr Harijs joprojām nenolaida ne acu no Siriusa. — Un ja viņi tevi notver? Ja tevi kāds pamana?

— Neviens cits bez jums trim un Dumidora te nezina, ka esmu zvēromags, — Siriuss paraustīja plecus un turpināja plosīt cāļa stilbiņu.

Rons piebikstīja Harijam un pasniedza viņam laikrakstus. Tur bija divi numuri. Pirmajā vīdēja virsraksts "Bērtuļa Zemvalža noslēpumainā slimība", otrajā — "Ministrijas ragana joprojām nav atrasta — Burvestību ministrija nopietni ķeras pie darba".

Harijs apskatījās rakstu par Zemvaldi. Tur ņirbēja frāzes: "*Sabiedrībā nav rādījies kopš novembra... Māja izskatās tukša un pamesta... Svētā Mango Maģisko sērgu dziednīca atsakās sniegt komentārus... Ministrija liedzas apstiprināt baumas par kritisku saslimšanu...*"

— Te viss pasniegts tā, it kā viņš gulētu uz nāves gultas, — Harijs novilka. — Bet viņš nevar būt tik ļoti slims, ja reiz pamanījās atkulties līdz šejienei...

— Mans brālis ir Zemvalža personīgais palīgs, — Rons pavēstīja Siriusam. — Viņš stāsta, ka Zemvaldis esot pārstrādājies.

— Paklau, pēdējoreiz, kad redzēju viņu gana tuvu, viņš *nudien* izskatījās slims, — Harijs nomurmināja, joprojām pētīdams rakstu. — Tovakar, kad Uguns biķeris izmeta manu...

— Tā viņam vajag — par to, ka padzina Vinkiju, vai ne? — dzedri piezīmēja Hermione, kas vēl aizvien bužināja Švītknābi. Zirgērglis kraukšķināja Siriusa pasviestos kauliņus. — Varu likt galvu ķīlā, ka viņš tagad nožēlo. Deru, ka viņš tagad saprot, kā ir, kad viņa par šo vairs nerūpējas.

— Viņa ir aptrakusi ar mājas elfiem, — Rons pačukstēja Siriusam, drūmi pašķielēdams uz Hermioni.

Taču Siriuss šķita ieinteresēts. — Zemvaldis padzinis savu mājas elfu?

— Jā, kalambola Pasaules kausa izcīņā, — Harijs apstiprināja un ņēmās stāstīt par Tumšās zīmes parādīšanos, par Vinkiju, kas tika atrasta ar Harija zizli rokā, un par Zemvalža kunga dusmu lēkmi.

Kad stāsts bija galā, Siriuss pielēca kājās un sāka staigāt šurpu turpu pa alu. — Ja es pareizi sapratu... — viņš pēc brīža noteica, pavicinādams kārtējo cāļa stilbiņu. — Vispirms jūs ieraudzījāt elfu augšā, ložā. Viņa bija aizņēmusi Zemvaldim vietu?

— Jā, — Harijs, Rons un Hermione atsaucās vienā balsī.

— Bet Zemvaldis uz spēli nemaz neieradās?

— Jā, — Harijs atbildēja. — Manuprāt, viņš teica, ka esot bijis pārāk aizņemts.

Siriuss klusēdams soļoja šurpu turpu. Tad viņš ierunājās: — Harij, vai tu pēc tam, kad aizgāji no ložas, pārbaudīji, vai zizlis vēl ir kabatā?

— Hmm... — Harijs pūlējās sakopot domas. — Nē, — viņš pēdīgi atzinās. — Pirms nokļuvām mežā, man to nemaz nevajadzēja. Un tad es iebāzu roku kabatā, un tur bija tikai visredzis. — Viņš paskatījās uz Siriusu. — Tu gribi teikt, ka tas, kurš uzbūra Zīmi, nozaga man zizli jau ložā?

— Iespējams, — Siriuss noteica.

— Vinkija to zizli nav zagusi! — Hermione sirdīgi iebrēcās.

— Viņa jau tur nesēdēja viena pati, — Siriuss turpināja soļot šurpu turpu, saraucis pieri. — Kas vēl sēdēja jums aiz muguras?

— Milzum daudz ļaužu, — Harijs sacīja. — Kaut kādi bulgāru ministri... Kornēlijs Fadžs... Malfoji...

— Malfoji! — Rons piepeši iebļāvās tik skaļi, ka alu pieskandināja atbalss un Švītknābis iztrūcinājies noskurināja galvu. — Deru, ka tas bija Lūcijs Malfojs!

— Kas vēl? — Siriuss turpināja tincināt.

— Neviens, — Harijs atteica.

— Nē, bija gan, tur bija Ludo Maišelnieks, — Hermione atgādināja.

— Ā, jā...

— Par Maišelnieku es neko nezinu, vienīgi to, ka viņš savulaik bija "Vimburnas Lapseņu" triecējs, — Siriuss neapstādamies nomurmināja. — Kāds viņš ir?

— Nekadas vainas, — Harijs atzina. — Viņš visu laiku piedāvājas man palīdzēt Trejburvju turnīrā.

— Ak tā? — Siriusa pierē ievilkās vēl dziļāka rieva. — Jājautā, kāpēc gan?

— Apgalvo, ka es esot viņam iepaticies, — Harijs paskaidroja.

— Hmm... — Siriuss domīgi novilka.

— Mēs viņu redzējām mežā tieši pirms tam, kad parādījās Tumšā zīme, — Hermione pavēstīja Siriusam. — Atceraties? — viņa noprasīja Harijam ar Ronu.

— Jā, bet mežā viņš nepalika, vai ne? — Rons aizrādīja. — Kolīdz mēs pastāstījām par nekārtībām, viņš tūliņ devās uz kempingu.

— Kā tu zini? — Hermione nerimās. — Kā tu zini, uz kurieni viņš aizteleportējās?

— Liecies nu mierā, — Rons neticīgi nomurmināja. — Tu taču negribi teikt, ka Tumšo zīmi uzbūra Ludo Maišelnieks?

— Drīzāk jau nu viņš nekā Vinkija, — Hermione spītīgi atcirta.

— Es tak teicu, — Rons zīmīgi uzlūkoja Siriusu, — teicu tak, ka viņa ir aptrakusi ar tiem mājas...

Bet Siriuss pacēla roku, lai Ronu apklusinātu. — Kad bija uzburta Tumšā zīme un atrasts elfs ar Harija zizli rokā, ko Zemvaldis darīja?

— Metās pārmeklēt krūmus, — Harijs atbildēja, — bet tur neviena cita nebija.

— Protams, — Siriuss nobubināja, soļodams šurpu turpu.

— Protams, viņš labprāt būtu visu uzvēlis kādam citam, nevis savam mājas elfam... Un tad viņš šo padzina?

— Jā, — Hermione iekaisusi apstiprināja. — Ņēma un padzina tikai tāpēc, ka viņa nebija palikusi savā teltī, kur tiktu sabradāta...

— Hermione, vai tu reiz *liksies mierā* ar to elfu! — Rons vairs nevarēja izturēt.

Bet Siriuss nogrozīja galvu un teica: — Viņa Zemvaldi ir novērtējusi pareizāk nekā tu, Ron. Ja gribi zināt, kas cilvēkam aiz ādas, paskaties, kā viņš izturas pret saviem padotajiem, nevis pret līdziniekiem.

Pārlaidis plaukstu neskūtajiem vaigiem, viņš no jauna ieslīga dziļās pārdomās. — Tas, ka Bērtulis Zemvaldis visu laiku nez kur izčib... Parūpējas, lai mājas elfs aizņem viņam vietu kalambola Pasaules kausa izcīņā, bet pats nemaz neierodas, lai spēli noskatītos. Strādā kā sadedzis, lai sarīkotu Trejburvju turnīru, un arī tur vairs nerādās... Galīgi neizskatās pēc Zemvalža. Ja viņš līdz šim kaut vienu darba dienu ir kavējis slimības dēļ, esmu gatavs apēst Švītknābi.

— Tātad tu Zemvaldi pazīsti? — Harijs ievaicājās.

Siriusa seja apmācās. Viņš pēkšņi izskatījās tikpat biedējošs kā tonakt, kad Harijs viņu satika pirmoreiz, — tonakt, kad viņš vēl domāja, ka Siriuss ir slepkava.

— Jā gan, es Zemvaldi labi pazīstu, — Siriuss klusi noteica. — Viņš deva rīkojumu nosūtīt mani uz Azkabanu — bez tiesas sprieduma.

— *Ko*? — Rons un Hermione reizē izsaucās.

— Nopietni? — Harijs jautāja.

— Pavisam nopietni, — Siriuss atteica, pamatīgi iekozdamies cāļa stilbiņā. — Zemvaldis taču bija Burvju likumu piemērošanas nodaļas priekšnieks, vai tad jūs to nezinājāt?

Harijs, Rons un Hermione noliedzoši pakratīja galvu.

— Viņš pat kandidēja uz burvestību ministra krēslu, — Siriuss stāstīja. — Bērtulis Zemvaldis ir dižs burvis, neparasti spēcīgs... un varaskārs. Nē, Voldemorta piekritējs viņš nekad nav bijis, — viņš piebilda, pareizi sapratis Harija skatienu. — Nē, Bērtulis Zemvaldis allaž ir nepiekāpīgi cīnījies pret tumšajiem. Bet ļoti daudzi no tumšās puses pretiniekiem... Nē, jūs nesapratīsit. Jūs esat par jaunu...

— Tieši tā arī mans tētis teica Pasaules kausa izcīņā, — Rons aizskarts iesaucās. — Kāpēc tad tu nepamēģini? Paskatīsimies!

Siriusa kalsnā seja atplauka smaidā. — Nu, labi, pamēģināšu...

Viņš atkal aizsoļoja līdz alas viņam galam un atpakaļ un tad iesāka: — Iedomājieties, ka Voldemorts ir spēcīgs. Nav zināms, kas ir viņa atbalstītāji, jūs nezināt, kurš darbojas viņa labā un kurš — ne. Jūs zināt, ka viņš spēj cilvēkus pakļaut savai gribai, tā ka viņi dara šausmu lietas, nespēdami turēties pretim. Jūs baidāties paši par sevi, par savu ģimeni un draugiem. Ik nedēļu pienāk aizvien jaunas ziņas par to, ka atkal kāds ir gājis bojā, pazudis bez vēsts vai ticis spīdzināts... Burvestību ministrijā valda juceklis, viņi nezina, ko iesākt, mēģina visu noslēpt no vientiešiem, bet bojā iet arī vientieši. Visur terors... panika... apjukums... Tā tas bija. Lūk, šādos laikos vieni cilvēki piepeši sevi parāda no vislabākās puses, savukārt citi pārvēršas par neliešiem. Sākumā Zemvalža principi varbūt bija īsti vietā — es nezinu. Viņa karjera ministrijā bija neparasti strauja, un pret Voldemorta atbalstītājiem viņš izturējās bargi. Auroriem tika piešķirtas papildu pilnvaras — piemēram, ka labāk vainīgo nogalināt, nekā sagūstīt. Un es nebiju vienīgais, kurš pie atprātotājiem tika nogādāts taisnā ceļā, bez lietas izmeklēšanas. Zemvaldis varmācību apkaroja ar varmācību un atļāva aizdomās turētos pakļaut Nepiedodamajiem lāstiem. Es teiktu, ka viņš kļuva tikpat nežēlīgs un cietsirdīgs kā daudzi tumšās puses aizstāvji. Nemiet vērā, ka viņam bija piekritēji — vesels lērums ļaužu uzskatīja, ka viņš rīkojas pareizi, un daudzi burvji un raganas gribēja, lai viņš pārņem Burvestību ministrijas vadību. Kad Voldemorts pazuda, izskatījās, ka Zemvalža iecelšana ministra amatā ir tikai laika jautājums. Bet tad notika kas visai nepatīkams, — Siriuss drūmi pasmīnēja. — Kopā ar grupu nāvēžu, kam bija izdevies ar ziņām atpirkties no Azkabanas, tika sagūstīts arī paša Zemvalža dēls. Manuprāt, viņi bija mēģinājuši uzmeklēt Voldemortu un palīdzēt viņam atdabūt varu.

— Tika sagūstīts Zemvalža *dēls*? — Hermione noelsās.

— Jā gan, — Siriuss pamāja, pasvieda stilba kauliņu Švītknābim, nometās uz grīdas līdzās maizes klaipam un pārlauza to uz pusēm. — Varu iedomāties, ka nabaga vecajam Bērtulim tas bija pagalam nejauks pārsteigums. Būtu varējis drusku vairāk laika pavadīt kopā ar ģimeni, vai ne? Reizumis būtu varējis no darba mājās pārnākt tā paagrāk... Lai iepazītu dēliņu.

Viņš sāka rīt maizi — milzu kumosiem.

— Viņa dēls *tiešām* bija nāvēdis? — Harijs jautāja.

— Nav ne jausmas, — Siriuss atteica, piestūķējis muti līdz pēdējai iespējai. — Es biju Azkabanā, kad viņu atveda. To, ko es te stāstu, es lielākoties dabūju zināt, kad tiku laukā. Viens ir skaidrs: puika patiešām tika noķerts kopā ar cilvēkiem, kas bija nāvēži — par to es varu likt galvu ķīlā. Bet var jau būt, ka viņš vienkārši pagadījās neīstā vietā neīstā laikā — kā tas mājas elfs.

— Vai Zemvaldis mēģināja savu dēlu izpestīt? — Hermione iečukstējās.

Siriuss izgrūda smieklu, kas vairāk gan izklausījās pēc rējiena.
— Lai Zemvaldis izpestītu savu dēlu? Hermione, un man šķita, ka tu esi viņu atšifrējusi! Visam, kas draudēja aptraipīt viņa reputāciju, vajadzēja pazust no zemes virsas — viņš taču visu mūžu bija veltījis tam, lai kļūtu par burvestību ministru. Jūs redzējāt, kā viņš uz līdzenas vietas atlaida uzticamu mājas elfu, kas atsauca atmiņā Tumšo zīmi, — vai tad vēl nav noprotams, kas viņš ir par cilvēku? Zemvalža tēvišķā mīlestība sniedzās tikai tiktāl, lai dēla lieta tiktu izmeklēta, un arī tiesa, patiesību sakot, nebija nekas vairāk kā laba izdevība izrādīt, cik ļoti viņš puiku ienīst... Tad viņš dēlu aizsūtīja taisnā ceļā uz Azkabanu.

— Viņš atdeva atprātotājiem pats savu dēlu? — Harijs nomurmināja.

— Tieši tā, — Siriuss apstiprināja, un vairs itin nemaz neizskatījās uzjautrināts. — Es redzēju, kā atprātotāji viņu ieveda. Redzēju caur savas kameras durvju restēm. Viņam diezin vai bija vairāk par deviņpadsmit gadiem. Viņa kamera bija turpat netālu. Līdz pat tumsai viņš kliedza pēc mātes. Tomēr pēc pāris dienām apklusa... Visi jau tur galu galā apklusa... Vienīgi miegā reizumis kliedza...

Mironīgais skatiens Siriusa acīs bija jaušams vairāk nekā jebkad — it kā tur kāds būtu aizcirtis aizvirtņus.

— Tad viņš joprojām ir Azkabanā? — Harijs iejautājās.

— Nē, — Siriuss monotoni atbildēja. — Nē, tur viņa vairs nav. Viņš nomira — apmēram pēc gada.

— *Nomira*?

— Viņš nebija vienīgais, — Siriuss skarbi noteica. — Vairākums sajūk prātā, liela daļa beigu beigās vairs neko neēd. Viņi vairs negrib dzīvot. Allaž bija nojaušams, kad kāds bija tuvu nāvei, jo atprātotāji to samanīja un kļuva varen rosīgi. Tas puika jau pašā sākumā izskatījās visai vārgs. Zemvaldim, kā jau ietekmīgam ministrijas darbiniekam, tika atļauts viņu pirms nāves apmeklēt — abiem ar sievu. Tā bija pēdējā reize, kad redzēju Bērtuli Zemvaldi — viņš tā kā stiepa, tā kā nesa sievu garām manai kamerai. Arī viņa nomira. Drīz pēc tam. Bēdu jūra. Aizgāja zudībā tāpat kā zēns. Zemvaldis tā arī neieradās pēc dēla līķa. Atprātotāji apraka viņu aiz cietokšņa mūra — es redzēju, kā viņi to dara.

Siriuss pasvieda malā maizes kumosu, ko tikko bija cēlis pie lūpām, paķēra ķirbju sulas blašķi un iztempa to sausu.

— Un tā vecais Zemvaldis visu zaudēja tieši tad, kad kārotais it kā jau bija rokā, — viņš turpināja, noslaucījis lūpas ar delnas virspusi. — Vienubrīd viņš bija varonis, kurš kandidē uz burvestību ministra vietu, bet jau nākamajā — dēls pagalam, sieva pagalam, ģimenes vārds apkaunots un, kā dzirdēju, kad tiku laukā, popularitāte pamatīgi kritusies. Kad puika nomira, ļaudīs tā kā pamodās līdzjūtība, un visi sāka prašņāt, sak, kā tik jauks zēns no tik labas ģimenes varējis tik briesmīgi noiet no ceļa? Un secinājums bija tāds, ka tēvs par dēlu nebija licies ne zinis. Tā nu labo amatu dabūja Kornēlijs Fadžs, un Zemvaldis tika nobīdīts malā, uz Starptautiskās burvju sadarbības nodaļu.

Iestājās ilgs klusums. Harijs atminējās Zemvalža izbolītās acis, ar kādām tas toreiz mežā, kalambola Pasaules kausa izcīņā, blenza uz savu nepaklausīgo mājas elfu. Acīmredzot tāpēc Zemvaldis tik sāpīgi reaģēja uz to, ka Vinkija tika atrasta zem Tumšās zīmes. Tas atsauca viņam atmiņā dēlu, bijušo skandālu un arī to, kā viņš ministrijā krita nežēlastībā.

— Tramdāns stāsta, ka Zemvaldis esot apsēsts ar tumšo burvju tvarstīšanu, — Harijs sacīja Siriusam.

— Jā, esmu dzirdējis, ka tas viņam kļuvis par tādu kā māniju, — Siriuss pamāja. — Es teiktu, viņš vēl aizvien domā, ka atgūs bijušo popularitāti, ja noķers vēl kādu nāvēdi.

— Un viņš atlavījās šurp, lai pārmeklētu Strupa kabinetu! — Rons uzmeta uzvarošu skatienu Hermionei.

— Jā, un tas šķiet pilnīgi bezjēdzīgi, — Siriuss noteica.

— Kā? Tieši otrādi! — Rons satraukts izsaucās.

Bet Siriuss nogrozīja galvu. — Paklau, ja reiz Zemvaldis grib izmeklēt Strupa lietu, kāpēc viņš nenāk tiesāt turnīru? Tas būtu ideāls iegansts regulāri ierasties Cūkkārpā un paturēt viņu acīs.

— Tad tu domā, ka Strups kaut ko perina? — Harijs ievaicājās, bet tad iejaucās Hermione.

— Zināt ko? Man vienalga, ko jūs te runājat, Dumidors Strupam uzticas...

— Ai, nu beidz, Hermione, — Rons nepacietīgi nobēra. — Es zinu, ka Dumidors ir spīdeklis un tā tālāk, bet tas nenozīmē, ka īsti izmanīgs tumšais burvis nevarētu viņu aptīt ap pirkstu...

— Tad kāpēc Strups izglāba Harija dzīvību toreiz, kad mēs bijām pirmajā klasē? Kāpēc vienkārši neļāva viņam aiziet bojā?

— Nezinu... Varbūt baidījās, ka Dumidors viņu izsviedīs.

— Kā tev šķiet, Sirius? — Harijs skaļi vaicāja. Rons un Hermione pārstāja ķīvēties un ieklausījās.

— Manuprāt, viņiem abiem ir sava daļa taisnības, — Siriuss noteica, domīgi noskatīdamies uz Ronu un Hermioni. — Kopš es uzzināju, ka Strups šeit strādā, es prātoju un prātoju, diez kāpēc Dumidors viņu nolīdzis. Strupu allaž valdzinājušas tumšās zintis, jau skolas laikā viņš ar to bija slavens. Viņš bija glums, lišķīgs zeņķis ar taukainiem matiem, — Siriuss piebilda, un Rons ar Hariju smīnēdami saskatījās. — Jau tad, kad Strups ieradās skolā, viņš zināja vairāk lāstu nekā puse septītgadnieku, un viņš bija tajā slīdeņu bandā, kas teju visi kļuva par nāvēžiem.

Siriuss pacēla roku un sāka skaitīt uz pirkstiem. — Rožē un Vilkss — tos abus aurori nogalināja gadu pirms Voldemorta krišanas. Svešovski — viņi ir vīrs un sieva un abi sēž Azkabanā. Klepers — cik man nācis ausīs, viņš izkūlās no nepatikšanām, apgalvodams, ka esot rīkojies *Pavēlus* lāsta iespaidā, un joprojām ir uz brīvām kājām. Bet, cik zinu, Strups ne reizi pat netika apsūdzēts par to, ka būtu nāvēdis, lai gan tas neko nenozīmē. Daudzi no viņiem tā arī netika notverti. Un Strups noteikti ir gana gudrs un viltīgs, lai neiekultos ķezā.

— Strups labi pazīst Karkarovu, bet negrib, lai kāds to zina, — Rons ieminējās.

— Jā, tev vajadzēja redzēt Strupa ģīmi, kad Karkarovs vakar iespruka mikstūru stundā! — Harijs nobēra. — Karkarovs gribēja Strupu noķert, lai aprunātos, jo Strups no viņa mūkot. Un Karkarovs izskatījās briesmīgi uztraucies. Viņš Strupam rādīja kaut ko sev uz rokas, bet es nevarēju saskatīt, kas tur bija.

— Viņš Strupam rādīja roku? — Siriuss šķita galīgi apjucis. Izklaidīgi izlaidis pirkstus cauri netīrajiem matiem, viņš paraustīja plecus. — Nu, es nezinu, kas tur par lietu... Bet, ja Karkarovs patiešām ir uztraucies un iet pie Strupa meklēt atbildes...

Siriuss ar skatienu ieurbās alas sienā, tad bezcerīgi noplātīja rokas. — Mums tomēr jāņem vērā, ka Dumidors Strupam uzticas. Es, protams, zinu, ka Dumidors mēdz uzticēties tiem, kam vairākums ļaužu neuzticētos, tomēr es nevaru iedomāties, ka viņš ļautu strādāt par pasniedzēju Cūkkārpā kādam, kurš savulaik darbojies Voldemorta labā...

— Tad kāpēc Tramdāns un Zemvaldis tā pūlas iekļūt Strupa kabinetā? — Rons neatlaidās.

— Hmm... — Siriuss novilka. — Es teiktu, ka Trakacis jau Cūkkārpā droši vien ir paguvis pārmeklēt itin visu pasniedzēju kabinetus. Tramdāns aizsardzību pret tumšajām zintīm uztver ļoti nopietni. Es nezinu, vai viņš vispār kādam uzticas, un, ņemot vērā visu, ko viņš redzējis, par to droši vien nebūtu ko brīnīties. Par Tramdānu gan es teikšu vienu — viņš nekad nav nogalinājis, ja spējis no tā izvairīties. Kad vien bija iespējams, viņš ienaidnieku tikai sagūstīja. Skarbs vīrs, tomēr nekad nenolaidās līdz nāvēžu līmenim, turpretim Zemvaldis... Viņš ir citāds... Vai viņš tiešām varētu būt slims? Ja tā, kāpēc viņš tomēr velkas šurp uz Strupa kabinetu? Un ja vesels... Kas viņam padomā? Kas viņam tik svarīgs bija darāms Pasaules kausa izcīņā — tik ļoti svarīgs, ka pat nebija vaļas aiziet līdz ložai? Ar ko viņš nodarbojas, kamēr nepilda tiesneša pienākumus turnīrā?

Siriuss apklusa, joprojām vērdamies alas sienā. Švītknābis ošņājās pa akmens grīdu, cerēdams uziet vēl kādu noklīdušu kauliņu.

Visbeidzot Siriuss palūkojās uz Ronu. — Tu saki, ka tavs brālis ir Zemvalža personīgais palīgs? Varbūt vari viņam apvaicāties, vai Zemvaldis pēdējā laikā ir manīts?

— Varu mēģināt, — Rons nedroši atsaucās. — Tomēr jācenšas neradīt aizdomas, manuprāt, Zemvaldim ir padomā kas nelāgs. Persijs Zemvaldi mīl.

— Un pie reizes tu varētu pacensties arī noskaidrot, vai viņiem ir kādi pavedieni par Bertu Džorkinsu, — Siriuss pamāja uz otro "Dienas Pareģa" numuru.

— Maišelnieks teica, ka nekā neesot, — Harijs ieminējās.

— Jā, šajā rakstā viņš citēts, — Siriuss noteica, ar galvu pamezdams uz laikraksta pusi. — Vāvuļo par to, cik Bertai slikta atmiņa. Nu, var jau būt, ka viņa ir mainījusies, kopš savulaik pazināmies, bet tā Berta, ko es atminos, nebūt nebija aizmārša. Gluži otrādi. Viņa bija drusku juceklīga, taču tenkas iegaumēja vienkārši lieliski. Tieši tāpēc viņa mēdza iekulties nepatikšanās, jo nekad nejēdza pievaldīt mēli. Varu iedomāties, ka Burvestību ministrijā viņa daudziem bija par traucēkli... Varbūt tālab Maišelnieks nemaz tik ļoti nesteidzās viņu meklēt...

Siriuss smagi nopūtās un paberzēja satumsušās acis. — Cik pulkstenis?

Harijs ieskatījās savā rokas pulkstenī un tūliņ atcerējās, ka kopš ezerā pavadītās stundas tas vairs nedarbojas.

— Pusčetri, — Hermione paziņoja.

— Jums laiks doties atpakaļ uz skolu, — Siriuss norādīja un piecēlās. — Tagad tā... — Viņš sevišķi stingri uzlūkoja Hariju. — Es negribu, ka jūs lavāties projām no skolas, lai mani satiktu, skaidrs? Vienkārši sūtiet šurp zīmītes. Es joprojām vēlos zināt, ja notiek kas savāds. Bet neejiet projām no Cūkkārpas bez atļaujas — tā būtu ideāla izdevība sarīkot jums uzbrukumu.

— Pagaidām man ir mēģinājis uzbrukt vienīgi pūķis un pāris dūņpirkstu, — Harijs teica.

Bet Siriuss sarauca pieri. — Vienalga... Es uzelpošu tikai tad, kad turnīrs būs galā, tātad ne agrāk kā jūnijā. Un neaizmirstiet — kad runājaties savā starpā, sauciet mani par Šņuku, norunāts?

Viņš pasniedza Harijam tukšo salveti un blašķi un devās uz atvadām paplikšķināt Švītknābi. — Aiziešu jums līdzi līdz ciematam, — Siriuss pavēstīja. — Varbūt izdosies nočiept vēl kādu avīzi.

Pirms visi izgāja laukā, Siriuss pārvērtās par lielo, melno suni, un visi devās lejā pa kalna nogāzi, pāri akmeņu laukam un atpakaļ pie žoga. Tur Siriuss atļāva, lai Harijs, Rons un Hermione paglauda viņam galvu, tad apcirtās un metās skriešus gar ciemata nomaļākajām mājām.

Harijs, Rons un Hermione devās atpakaļ uz Cūkmiestiņu un tad projām uz Cūkkārpu.

— Diez vai Persijs to visu par Zemvaldi zina? — Rons ieteicās, kad viņi jau tuvojās pils durvīm. — Bet varbūt viņam vienalga... Viņš par to droši vien Zemvaldi apbrīnotu vēl jo vairāk. Jā, Persijam patīk noteikumi. Viņš tikai teiktu, ka Zemvaldis nav gribējis tos pārkāpt dēla dēļ.

— Persijs nemūžam nevienu no saviem ģimenes locekļiem nenosūtītu pie atprātotājiem, — Hermione noskaldīja.

— Nezinu gan, — Rons novilka. — Ja viņš domātu, ka mēs apdraudam viņa karjeru... Zini, Persijs patiešām ir varen godkārīgs.

Viņi pa lieveņa akmens kāpnēm iegāja Ieejas zālē. No Lielās zāles plūda gardas vakariņu smaržas.

— Nabaga vecais Šņuks, — ievilcis gaisu nāsīs, nopūtās Rons. — Tu viņam laikam briesmīgi patīc, Harij... iedomājies tik — pārtikt no žurkām.

## DIVDESMIT ASTOTĀ NODAĻA

# ZEMVALŽA KUNGA NEPRĀTS

Svētdien pēc brokastīm Harijs, Rons un Hermione devās augšā uz Pūču māju, lai nosūtītu Persijam vēstuli, kurā pēc Siriusa ierosinājuma apvaicājās, vai viņš pēdējā laikā ir redzējis Zemvalža kungu. Viņi izmantoja Hedvigu, kas jau sen vaļojās bez darba. Pa Pūču mājas logu noskatījušies, kā putns pazūd tālē, viņi kāpa lejā uz virtuvi, lai iedāvinātu Dobijam nopirktās zeķes.

Mājas elfi viņus sagaidīja ļoti sirsnīgi — klanījās un kniksēja, un atkal metās vārīt tēju. Dobijs no priekiem par dāvanu nezināja, kur likties.

— Harijs Poters ir par daudz labs pret Dobiju! — viņš spiedza, slaucīdams asaras, kas ritēja no viņa milzīgajām acīm.

— Tu man ar tām žaunaļģēm izglābi dzīvību, Dobij, goda vārds, — Harijs sacīja.

— Varbūt var atkal cerēt uz kādu eklēru, ko? — Rons noskatīja starojošos mājas elfus, kas klanījās vienā laidā.

— Tu taču tikko paēdi brokastis! — Hermione pukojās, bet šurp jau šāvās četri elfi ar lielu sudraba šķīvi, pilnu ar eklēriem.

— Mums jādabū kaut kas, ko aizsūtīt Šņukam, — Harijs nomurmināja.

— Laba doma, — Rons viņu atbalstīja. — Pumperniķelim būs darbiņš. Vai jūs mums nevarētu sadabūt vēl drusku ēdamā? —

viņš uzrunāja apkārt sastājušos elfus, kas iepriecināti paklanījās un steidzās sameklēt vēl kaut ko.

— Dobij, kur Vinkija? — iejautājās Hermione, skatīdamās visapkārt.

— Vinkija ir tur, pie pavarda, jaunkundz, — klusi nopīkstēja Dobijs. Viņa ausu galiņi noļuka uz leju.

— Ak vai, — Hermione nopūtās, ieraudzījusi Vinkiju.

Arī Harijs paskatījās uz pavarda pusi. Vinkija atkal tupēja uz tā paša ķebļa, kur pagājušoreiz, tikai tagad bija tā nolaidusies, ka pirmajā brīdī nebija atšķirama no pavarda nokvēpušajiem ķieģeļiem. Drānas viņai bija noskrandušas un nemazgātas. Vikijai rokā bija sviestalus pudele, viņa blenza liesmās un vieglītiņām zvārojās šurpu turpu, tad pamatīgi nožagojās.

— Tagad Vinkija rauj cauri sešas pudeles dienā, — Dobijs pačukstēja Harijam.

— Bet šitais jau nav stiprs, — Harijs ieteicās.

Bet Dobijs purināja galvu. — Mājas elfam tas ir gan stiprs, kungs, — viņš sacīja.

Vinkija atkal nožagojās. Elfi, kas nule bija atstiepuši eklērus un tagad atkal ķērās pie parastajiem darbiem, uzmeta viņai nosodošu skatienu.

— Vinkija nīkst laukā, Harij Poter, — Dobijs skumji nočukstēja. — Vinkija grib mājās. Vinkija aizvien vēl domā, ka Zemvalža kungs ir viņas saimnieks, kungs, un Dobijs nekādi nevar viņai iestāstīt, ka tagad viņai saimnieks ir profesors Dumidors.

— Ei, Vinkij, — Harijs iesaucās, piepeši kaut ko iedomājies. Viņš aizgāja pie pavarda un pieliecās, lai ar Vinkiju aprunātos. — Vai tu gadījumā nezini, kas Zemvalža kungam padomā, ko? Jo viņš vairs nenāk tiesāt Trejburvju turnīru.

Vinkija atdzīvojās. Viņas milzīgo acu zīlītes pagriezās pret Hariju. Drusku salīgojusies, viņa ierunājās: — S-saimnieks nenāk... *ikk*... vairs?

— Nu jā, — Harijs teica. — Nav redzēts kopš pirmā pārbaudījuma. "Dienas Pareģī" rakstīts, ka viņš esot slims.

Vinkija no jauna sagrīļojās, un viņas acis aizmiglojās. — Saimnieks... *ikk*... slims?

Viņai ietrīcējās apakšlūpa.

— Bet mēs nezinām, vai tā ir taisnība, — Hermione žigli piebilda.

— Saimniekam vajag viņa... *ikk*... Vinkiju! — elfiene iečinkstējās. — Saimnieks nevar... *ikk*... visu...*ikk*... viens pats...

— Zini, Vinkij, citi cilvēki ar mājas darbiem tiek galā paši, — Hermione skarbi aizrādīja.

— Vinkija... *ikk*... ne tik vien... *ikk*... dara mājas darbus Zemvalža kungam! — Vinkija sašutusi iespiedzās, bīstami nozvārojusies un ar sviestalu nolaistīdama jau tā pamatīgi notraipīto blūzes priekšu. — Saimnieks... *ikk*... uztic Vinkijai... *ikk*... pašu svarīgāko... *ikk*... lielāko noslēpumu...

— Ko tad? — Harijs ievaicājās.

Bet Vinkija apņēmīgi nopurināja galvu, atkal izlaistīdama krietnu šļuku sviestalus.

— Vinkija cieši glabā... *ikk*... sava saimnieka noslēpumus, — viņa dumpinieciski paziņoja, nu jau līgodamās kā priede vējā, saraukusi pieri un acis sagrozījusi pavisam greizi. — Tu... *ikk*... okšķerē — šitā gan.

— Vinkija nedrīkst tā runāt ar Hariju Poteru, — Dobijs ņēmās rāties. — Harijs Poters ir dūšīgs un cēls, un Harijs Poters nav okšķeris!

— Viņš okšķerē...*ikk*... mana saimnieka... *ikk*... privātus un slepenus... *ikk*... Vinkija ir labs mājas elfs... *ikk*... Vinkija cieš klusu... *ikk*... Visi cenšas... *ikk*... izokšķerēt un izošņāt... *ikk*... — Viņas acis aizdarījās, un piepeši viņa noslīga no ķebļa, atgāzās pret pavardu un skaļi iekrācās. Tukšā sviestalus pudele aizripoja pa akmens flīžu grīdu labu gabalu tālāk.

Piesteidzās kāds pusducis mājas elfu ar riebuma izteiksmi sejiņās. Viens pacēla pudeli, pārējie apklāja Vinkiju ar lielu, rūtainu galdautu un kārtīgi apspraudīja to viņai apkārt, lai nesmukums nebūtu redzams.

— Mums piedodiet, ka jums tas jāredz, kungi un jaunkundz! — viens no elfiem iespiedzās, grozīdams galvu un izskatīdamies ļoti nokaunējies. — Mums ir cerība, ka jūs nedomāsiet — mēs visi tādi kā Vinkija, kungi un jaunkundz!

— Viņa ir nelaimīga! — Hermione izmisusi iesaucās. — Kāpēc jūs nemēģināt viņu uzmundrināt? Tas būtu labāk nekā klāt viņai virsū galdautus!

— Lūdzu atvainošanu, jaunkundz, — mājas elfs atkal zemu paklanījās, — bet mājas elfiem nav tiesību būt nelaimīgiem, kad darbs darāms un saimnieki apkalpojami.

— Žēlīgā debess! — Hermione noskaitās. — Paklausieties jūs, visi! Jums arī ir tiesības būt nelaimīgiem — tāpat kā burvjiem! Jums ir tiesības saņemt algu un brīvdienas, un pienācīgu apģērbu, jums nav jādara pilnīgi viss, ko jums liek, — paskatieties uz Dobiju!

— Jaunkundze lūdzama nejauks Dobiju iekšā, — nomurmināja Dobijs, izskatīdamies sabijies. Virtuves elfu sejiņās priecīgie smaidi bija nez kur pagaisuši. Visi piepeši uz Hermioni vērās tā, it kā viņa būtu traka un bīstama.

— Šeit būs jūsu ēdamais! — kāds elfs iespiedzās turpat Harijam pie elkoņa un iegrūda viņam rokās lielu šķiņķi, duci kūku un augļus. — Laimīgu ceļu!

Mājas elfi sadrūzmējās ap Hariju, Ronu un Hermioni un ņēmās viņus stumt laukā no virtuves, ar sīkajām rociņām bakstīdami viņiem krustos.

— Paldies par zeķēm, Harij Poter! — no pavarda puses žēli sauca Dobijs — viņš stāvēja blakus Vinkijai, kas tagad bija tikai galdautā ievīstīts kunkulis.

— Hermione, kāpēc tu nevarēji pievaldīt mēli? — Rons bārās, kad viņiem aiz muguras aizcirtās virtuves durvis. — Tagad viņi vairs neļaus mums iet ciemos! Mēs būtu varējuši no Vinkijas par Zemvaldi izdabūt vēl kaut ko!

— Jā, jā, it kā tu uztrauktos tieši par to! — Hermione nievīgi atcirta. — Tu jau te nāc tikai pēc ēdamā!

Diena izvērtās visai nepatīkama. Hariju tā nogurdināja Rona un Hermiones nemitīgā ķīvēšanās kopistabā, kur viņi pildīja mājasdarbus, ka tovakar viņš Siriusam domāto ēdienu uz Pūču māju izlēma nest viens pats.

Pumperniķelis bija pārāk maziņš, lai uznestu kalnā veselu šķiņķi, tāpēc Harijs savervēja palīgā vēl divas skolas plīvurpūces. Kad putni, kopīgiem spēkiem nesdami lielo saini un izskatīdamies varen dīvaini, nozuda mijkrēslī, Harijs atbalstījās pret palodzi un vērās laukā, kur vējā locījās Aizliegtā meža koku melnās galotnes un plandījās Durmštrangas kuģa buras. No dūmu vērpetes, kas stīdzēja pa Hagrida namiņa skursteni, iznira ūpis. Tas laidās uz pils pusi, apmeta loku ap Pūču māju un pagaisa tumsā. Pavēries lejup, Harijs ieraudzīja Hagridu, kas cītīgi rakņājās blakus būdai. Nevarēja saprast, ko viņš tur dara — varbūt ierīkoja vēl kādu sakņu lauciņu. Tikmēr no Bosbatonas karietes izkāpa Maksima madāma un devās Hagridam klāt. Izskatījās, ka viņa cenšas sākt sarunu. Hagrids izslējās un atbalstījās uz lāpstas, tomēr garās runās laikam nebija ar mieru ielaisties, jo Maksima madāma pēc īsa brīža devās atpakaļ uz karieti.

It nemaz nevēlēdamies iet atpakaļ uz Grifidora torni un klausīties Rona un Hermiones kašķī, Harijs vēroja Hagridu, kamēr tumsa sabiezēja tik dziļa, ka neko vairs nevarēja saskatīt, pūces visapkārt sāka mosties un švīkstēdamas laidās laukā savās nakts gaitās.

* * *

Nākamajā dienā ap brokastlaiku Rona un Hermiones nelāgā oma bija izplēnējusi, un Harijs atvieglots konstatēja, ka Rona drūmie paregojumi izrādījušies maldīgi — viņš tika apgalvojis, ka Hermiones apvainojumu dēļ mājas elfi tagad grifidoru galdam piegādāšot sliktāku ēdienu, taču šķiņķis, olas un žāvētās siļķes bija tikpat gardas kā vienmēr.

Kad pienāca pasta pūces, Hermione sarosījās, it kā gaidītu kādu sūtījumu.

— Persija atbildi vēl nav ko gaidīt, — Rons aizrādīja. — Hedvigu mēs aizsūtījām tikai vakar.

— Nē, ne jau tas, — Hermione atteica. — Es pasūtīju "Dienas Pareģi". Cik var ciest, ka viss mūžam jāuzzina no slīdeņiem.

— Laba doma! — Harijs viņu uzlielīja, arī pētīdams pūces. — Ei, Hermione, tev laikam tiešām laimēsies...

Kāda purva pūce laidās tieši lejup pie Hermiones.

— Bet avīzes viņai nav, — Hermione vīlusies noteica. — Tas ir...

Bet tad viņa pagalam apjuka, jo purva pūcei, kas nolaidās uz šķīvja, uz pēdām sekoja vēl četri mājas ūpji, viena parastā pūce un vēl apodziņš.

— Cik abonementu tad tu iegādājies? — Harijs nobrīnījās, paķerdams Hermiones kausu, iekams ņudzošais pūču bars to paguva apgāzt — putni plivinājās un grūstījās, katrs savu vēstuli centās adresātei atdot pirmais.

— Kas, pie joda...? — Hermione paņēma purva pūces atnesto vēstuli, atritināja to un sāka lasīt. — Nu gan! — viņa nomurmināja, jaušami pietvīkdama.

— Kas ir? — Rons apvaicājās.

— Tas... nē, nudien jāsmejas... — Viņa pasvieda vēstuli Harijam. Tā nebija rakstīta ar roku. Teksts bija salipināts no drukātiem burtiem un zilbēm, kas izskatījās izgrieztas no "Dienas Pareģa".

*Tu esi ĻauNa meiTeNE. HaRijs PotErs peLna LabāKu. vĀCies atpaKaĻ pie sAViem vIentiešiem.*

— Tās visas ir tādas! — Hermione izsamisa, vērdama vaļā vēstules citu pēc citas. —"Harijs Poters var dabūt daudz labāku par tādu kā tu..." "Tevi vajadzētu izvārīt varžu ikros..." *Au*!

Viņa bija atvērusi pēdējo vēstuli — no aploksnes izšļācās dzeltenzaļš šķidrums ar spēcīgu benzīna smaku, uzlija Hermionei uz rokām, un tās acumirklī pārklājās ar lielām, dzeltenām tulznām.

— Neatšķaidītas buboņbumbuļu strutas! — Rons iesaucās, mudīgi paķēris aploksni un paostījis to.

— Ai! — Hermionei acīs sakāpa asaras. Viņa mēģināja noslaucīt rokas ar salveti, bet pirkstus jau no vienas vietas klāja sāpīgi pūšļi, tā ka šķita — viņa apvilkusi biezu, kunkuļainu cimdu pāri.

— Labāk drāzies uz slimnīcu, — Harijs ieteica. Pasta pūces jau cēlās spārnos. — Mēs pateiksim profesorei Asnītei, kur tu esi...

— Es viņu brīdināju! — Rons noteica, kad Hermione, rokas auklēdama, šāvās laukā no Lielās zāles. — Es teicu, lai viņa nekaitina Ritu Knisli! Paskaties uz šito te... — Viņš paņēma vienu no vēstulēm, ko Hermione bija atstājusi uz galda. — *"Es izlasīju "Raganu Nedēļā", kā tu muļķo Hariju Poteru un kā tam puikam jau tā ir gājis gana grūti, un es tev aizsūtīšu lāstu, līdzko atradīšu pietiekami lielu aploksni."* Johaidī, viņai derētu piesargāties.

Uz herboloģiju Hermione tā arī neatnāca. Kad Harijs ar Ronu iznāca no siltumnīcas, lai dotos uz maģisko būtņu kopšanas stundu, viņi redzēja, kā pa pils lieveņa kāpnēm lejā kāpj Malfojs, Krabe un Goils. Viņiem aiz muguras čukstējās un ķiķināja Pansija Pārkinsone ar savu bandu. Pamanījusi Hariju, Pansija iesaucās:

— Poter, vai esi sastrīdējies ar savu mīļoto meiteni? Kāpēc viņa pie brokastgalda bija tik dikti satriekta?

Harijs nelikās ne zinis, negribēdams viņai darīt to prieku, paveštīdams, ka "Raganu Nedēļas" raksts sagādājis tik lielas nepatikšanas.

Hagrids, kas iepriekšējā nodarbībā bija paziņojis, ka vienradži skaitās apgūti, stāvēja pie savas būdas ar veselu grēdu jaunu, režģotu krātiņu līdzās. Ieraudzījis krātiņus, Harijs sašļuka — vai tiešām vēl kāds mūdžu perējums? Taču, piegājis gana tuvu, lai saskatītu, kas būrīšos iekšā, viņš tur ieraudzīja pūkainus, melnus radījumus ar gariem snuķīšiem. Zvēriņu priekškājas bija ērmīgi plakanas — kā lāpstas —, un tie visi apjukuši blisināja actēles, visai atturīgi reaģēdami uz to, ka nonākuši uzmanības centrā.

— Šitenie saucas urkšķi, — Hagrids pasludināja, kad skolēni

bija sapulcējušies. — Lielais lērums dzīvo pa raktuvēm. Šiem dikti patīk visād spīguļi... Āreče, paskat.

Viens urkšķis piepeši palēcās un raudzīja Pansijai Pārkinsonei nokampt no rokas pulksteni. Viņa iebrēcās un atsprāga atpakaļ.

— Labi noderīg, kad jāmeklē dārgum, — Hagrids līksmi pavēstīja. — Man rādījs, mēs šodien varētum ar šitenajiem labi noņemties. Paskat, rau, tur! — Viņš norādīja uz lielu, svaigi uzraktu lauciņu, kur bija kašājies, kad Harijs viņu vēroja pa Pūču mājas logu. — Es tur sarak zelta naudiņas. Kuram urkšķis atradīs visdaudzāk, dabūs no manim balvu. Tik novelk visus spīguļs, izraugās urkšķi un sagatavojas laist šos vaļām.

Harijs noņēma no rokas pulksteni, ko valkāja tikai tāpēc, ka tā bija ieradis — pulkstenis nemaz nedarbojās —, un iebāza to kabatā. Tad viņš izraudzījās urkšķi. Zvēriņš iegrūda garo snuķi Harijam ausī un to braši izošņāja. Viņš nudien bija visai mīlīgs.

— Pagaid, — Hagrids ieskatījās krātiņā. — Viens urkšķis paliek pār... Kurš ta trūkst? Kur ta Hermione?

— Viņai bija jāiet uz slimnīcas spārnu, — Rons paskaidroja.

— Izstāstīsim vēlāk, — Harijs nomurmināja. Pansija Pārkinsone spicēja ausis.

Tā bija viena no jaukākajām maģisko būtņu kopšanas nodarbībām. Urkšķi pa uzirdināto zemes pleķīti ņēmās tā, it kā tas būtu kāds ezeriņš — nira iekšā, tad ārā un steidzās pie sava saimnieka, lai izspļautu tam saujā kārtējo zelta gabalu. Ronam veicās sevišķi labi — drīz viņam monētu bija jau pilns klēpis.

— Vai šitos var nopirkt, lai turētu mājās, Hagrid? — viņš satraukts ievaicājās, kad viņa urkšķis atkal ar joni ienira zemē, notašķīdams saimniekam mantiju.

— Tavēj mamma nebūs necik laimīg, Ron. — Hagrids pasmīnēja. — Šitenie urkšķi saposta māju. Rādās, nu jau lielums būs rokā, — viņš piebilda, soļodams ap lauciņu, kur joprojām lodāja urkšķi. — Es tur sarak tik simt gabalu. Ahā, te ar Hermione!

Pāri zālienam šurp nāca Hermione. Viņas rokas klāja pamatīgi apsēji, un meitene izskatījās pavisam saskumusi. Pansijai Pārkinsonei iezibējās acis.

— Nu ta pastīsimies, kā jumsim gājis! — Hagrids iesaucās. — Saskait nu savas naudiņas! Un nemaz netaisās kaut ko pievākt, Goil, — viņš piemiedza ogļu melnās acis. — Tas i rūķīš zelts. Pēc vien div stundām vairs nebūs.

Goils, galīgi saīdzis, iztukšoja kabatas. Izrādījās, ka Rona urkšķis bija saracis visvairāk, un Hagrids viņam izsniedza balvu — milzumlielu Medusdūru šokolādes tāfeli. Noskanēja zvans, kas vēstīja pusdienas. Pārējie devās uz pili, bet Harijs, Rons un Hermione vēl uzkavējās, lai palīdzētu Hagridam salikt urkšķus atpakaļ krātiņos. Harijs pamanīja, ka pa karietes logu uz viņiem nolūkojas Maksima madāma.

— Ko ta tu esi nodarījuse rokām, Hermione? — Hagrids noraizējies ieprasījās.

Hermione viņam izstāstīja par šārīta draudu vēstulēm un par aploksni ar buboņbumbuļu strutām.

— Ek, nekreņķējies nu, — Hagrids viņu maigi mierināja. — Es ar dabūj viskautko tādu pēc tam, kad Rita Knisle sarakstīj par man māmuļu. "Tu i briesmons, un tev vajag atlaist." "Tav māte nogalēj nevainīg cilvēkus, un, ja tev i kaut cik godaprāta, lec iekšā ezerā."

— Nevar būt! — Hermione šausmās iesaucās.

— Jā gan, — Hagrids atteica, kraudams urkšķu būrus gar būdas sienu. — Šitentiem tak prātiņš nav mājā, Hermione. Netais nemaz šitādas vaļā, kad atkal atnāks. Met tik ugunī, un beigta balle.

— Tu palaidi garām īsti labu stundu, — Harijs teica Hermionei, kad viņi devās atpakaļ uz pili. — Tie urkšķi ir varen labi, vai ne, Ron?

Taču Rons, saraucis pieri, blenza uz Hagrida piešķirto šokolādi. Izskatījās, ka viņu kaut kas pilnīgi izsitis no sliedēm.

— Kas noticis? — Harijs apjautājās. — Nav īstā garša?

— Nē, — Rons atcirta. — Kāpēc tu man nepateici par to zeltu?

— Par kādu zeltu? — Harijs apjuka.

— Par to, ko es tev iedevu kalambola Pasaules kausa izcīņā. Par rūķīšu zeltu, ko es tev samaksāju par visrādi. Ložā. Kāpēc tu man nepateici, ka tas pazuda?

Harijam vajadzēja labu brīdi apdomāties, iekams viņš aptvēra, kas par lietu.

— Ā... — viņš novilka, pēdīgi atminējies, par ko ir runa. — Nezinu... Es nemaz nepamanīju, ka tas būtu pazudis. Es toreiz vairāk uztraucos par zizli.

Viņi pa kāpnēm uzkāpa līdz Ieejas zālei un devās uz Lielo zāli pusdienās.

— Tas gan laikam ir jauki, — Rons izgrūda, kad viņi bija apsēdušies pie galda un krāva uz šķīvjiem ceptu vēršgaļu un Jorkšīras pudiņus. — Kad tev ir tik daudz naudas, ka tu pat nepamani, ja izčib vesela riekša galeonu.

— Paklau, man tovakar prātā bija pavisam kas cits! — Harijs iekaisa. — Mums visiem! Neatceries?

— Es nezināju, ka rūķīšu zelts pazūd, — Rons nopurpināja. — Es domāju, ka esmu norēķinājies. Tev nevajadzēja man Ziemassvētkos dāvināt to "Čadlijas Lielgabalu" cepuri.

— Nerunāsim vairs par to, labi? — Harijs noteica.

Caururbis ar dakšiņu ceptu kartupeli, Rons to naidīgi nopētīja un tad ierunājās: — Man riebjas būt nabadzīgam.

Harijs ar Hermioni saskatījās. Ne viens, ne otrs īsti nezināja, ko lai saka.

— Tas ir stulbi, — Rons turpināja, joprojām glūnēdams uz kartupeli. — Es nebūt nevainoju Fredu un Džordžu, ka viņi cenšas kaut kā piepelnīties. Kaut es arī tā varētu. Kaut man būtu urkšķis.

— Tad jau mēs zinām, ko tev dāvināt nākamajos Ziemassvētkos, — Hermione līksmi atsaucās. Redzēdama, ka Rons turpina īgņoties, viņa piebilda: — Nu, beidz, Ron, galu galā, varēja būt arī sliktāk. Vismaz tev pirksti nav pilni ar strutām. — Hermione bija pagalam nomocījusies, raudzīdama tikt galā ar nazi un dakšiņu, — pirksti bija tik stīvi un piepampuši. — Kā es *ienīstu* to Knisli! — viņa beidzot ļāva vaļu niknumam. — Par šito viņa man samaksās, kaut es zemē iegrimtu!

* * *

Draudu vēstules Hermionei turpināja pienākt visu nākamo nedēļu. Viņa gan klausīja Hagrida padomam un tās nemaz nevēra vaļā, taču vairāki ļaunvēļi piesūtīja kaucekļus, kas virs grifidoru galda ar troksni pārsprāga un izkliedza apvainojumus, visiem dzirdot. Tagad pat tie, kas "Raganu Nedēļu" nemaz nelasīja, visu smalki zināja par iztēloto Harija, Kruma un Hermiones mīlas trijstūri. Harijam jau bija galīgi noriebies skaidrot, ka Hermione nemaz nav viņa mīļotā meitene.

— Gan jau norimsies, — viņš mierināja Hermioni, — ja mēs neliksimies ne zinis... Tas, ko viņa par mani sarakstīja iepriekšējā reizē, arī visiem pēc laika apnika.

— Es tikai gribētu zināt, kā viņa noklausās privātas sarunas, ja pils teritorijā nemaz nedrīkst rādīties! — Hermione šķendējās.

Nākamreiz pēc aizsardzības pret tumšajām zintīm Hermione palika klasē, lai nez ko pavaicātu profesoram Tramdānam. Pārējie negribēja kavēties — Tramdāns bija uzkrāvis tik grūtu kontroldarbu lāstu atvairīšanā, ka daudzi bija dabūjuši sīkus miesas bojājumus. Harijam bija trāpījies tik nejauks ausu drebelēšanās gadījums, ka, iedams laukā no klases, viņš bija spiests tās pieturēt ar rokām.

— Tas nu ir skaidrs, Paslēpni Rita noteikti neizmanto! — Hermione izdvesa pēc piecām minūtēm, panākusi Hariju un Ronu Ieejas zālē un atrāvusi Harija roku no viņa trīcošās auss, lai tas varētu kaut ko sadzirdēt. — Tramdāns stāsta, ka otrajā pārbaudījumā viņš neesot šo redzējis ne pie tiesnešu galda, ne vispār kaut kur pie ezera!

— Hermione, vai tu klausīsi, ja es tev ieteikšu likties mierā? — Rons novaidējās.

— Nē! — viņa stūrgalvīgi izmeta. — Es gribu zināt, kā viņa dzirdēja, ko mēs ar Viktoru runājām! *Un* kā viņa uzzināja par Hagrida mammu?

— Varbūt viņa visur salikusi mušiņas? — Harijs ieminējās.

— Mušiņas? — Rons neizpratnē atkārtoja. — Tas ir — kā? Pielaidusi Hermionei blusas, vai?

Harijs ņēmās skaidrot par slepenajiem mikrofoniem un sarunu ierakstīšanas ierīcēm.

Rons klausījās kā apburts, bet Hermione iejaucās pa vidu: — Vai jūs abi *kādreiz mūžā* izlasīsiet "Cūkkārpas vēsturi" vai ne?

— Kam tas vajadzīgs? — Rons izmeta. — Tu tak to visu zini no galvas — mēs vienmēr varam paprasīt tev.

— Visi maģijas aizvietotāji, ko izmanto vientieši, — elektrība, datori un radari, un tamlīdzīgi — Cūkkārpā galīgi nedarbojas, jo te gaisā ir pārāk daudz maģijas. Nē, Rita noklausās, izmantojot maģiju, tā ka viņa droši vien... Ja es tikai varētu atklāt, kas tas ir... Uhh, ja tas ir kas aizliegts, viņa man būs rokā...

— Vai mums vēl raižu par maz? — Rons apvaicājās. — Vai tagad mums vēl jāsāk asinskarš pret Ritu Knisli?

— Es nelūdzu nekādu palīdzību! — Hermione atcirta. — Es pati ar to tikšu galā!

Atpakaļ nepaskatījusies, viņa cēli uzkāpa augšā pa marmora kāpnēm. Harijs nosprieda, ka viņa droši vien dodas uz bibliotēku.

— Varbūt saderam, ka viņa atgriezīsies ar veselu kasti nozīmīšu, kur rakstīts *MAN RIEBJAS RITA KNISLE*? — Rons noteica.

Tomēr Hermione patiesi nelūdza, lai Rons ar Hariju viņai palīdz atriebties Ritai Knislei, un par to abi jutās viņai no sirds pateicīgi, jo līdz pat Lieldienu brīvdienām darbu nasta kļuva aizvien smagāka un smagāka. Harijs nudien apbrīnoja Hermioni par to, ka viņa līdztekus obligātajiem darbiem vēl pamanījās noņemties ar maģisko noklausīšanās metožu studijām. Viņam pašam tik tikko pietika spēka tikt galā ar parastajiem mājasdarbiem, lai gan viņš nepiemirsa regulāri nosūtīt uz kalna alu pārtikas paciņas Siriusam — kopš pērnās vasaras Harijs labi zināja, ko nozīmē ciest badu. Sūtījumiem viņš klāt pielika zīmītes, pavēstīdams Siriusam, ka nekas neparasts nav noticis un ka atbildes no Persija joprojām nav.

Hedviga atgriezās tikai Lieldienu brīvdienu beigās. Persija vēstule bija ielikta Vīzlija kundzes atsūtītā Lieldienu olu pakā. Harijam un Ronam domātās bija pūķa olas lielumā, pilnas ar Vīzlija kundzes vārītām krējuma konfektēm. Savukārt Hermiones ola bija vēl mazāka nekā vistas dēta. To ieraudzījusi, Hermione saskuma.

— Ron, tava mamma laikam lasa "Raganu Nedēļu"? — viņa klusi ievaicājās.

— Aha, — Rons piekrītoši pamāja ar galvu, piestūķējis pilnu muti ar konfektēm. — Tur ir visādas receptes.

Hermione bēdīgi nolūkojās uz savu nieka oliņu.

— Negribi apskatīties, ko Persijs atrakstījis? — Harijs viņai steidzīgi ieteicās.

Persija vēstule bija īsa un neiecietīga.

*Kā jau nemitīgi atbildu "Dienas Pareģim", Zemvalža kungs devies sen pelnītā atvaļinājumā. Viņš man regulāri sūta pūces ar rīkojumiem un norādījumiem. Nē, redzējis es viņu neesmu, bet domāju, ka sava priekšnieka rokrakstu es pazīstu gana labi, lai uz mani šajā ziņā varētu paļauties. Man šobrīd ir pārāk daudz darba, lai es vēl mēģinātu atspēkot šīs smieklīgās baumas. Lūdzu jūs vairs mani netraucēt bez svarīga iemesla. Priecīgas Lieldienas.*

* * *

Parasti, sākoties vasaras trimestrim, Harijs cītīgi gatavojās sezonas noslēguma kalambola spēlei. Šogad it kā vajadzēja gatavoties

Trejburvju turnīra trešajam un pēdējam pārbaudījumam, taču joprojām nebija zināms, ko tajā vajadzēs darīt. Beidzot, maija pēdējā nedēļā, pēc pārvērtību stundas profesore Maksūra palūdza viņu uzkavēties klasē.

— Poter, šovakar deviņos jums jābūt pie kalambola laukuma, — viņa paziņoja. — Tur Maišelnieka kungs izstāstīs censoņiem par trešo pārbaudījumu.

Tā nu tovakar pusdeviņos, Ronu un Hermioni atstājis Grifidora tornī, Harijs devās lejā. Kad viņš gāja cauri Ieejas zālei, no elšpūšu kopistabas iznāca Sedriks.

— Kā tu domā — kas būs? — viņš apvaicājās Harijam, kad abi kopā kāpa lejā pa lieveņa kāpnēm. Vakars bija apmācies. — Flēra visu laiku pļāpā par pazemes ejām, viņa domā, ka mums būs jāmeklē dārgumi.

— Nebūtu nemaz slikti, — Harijs atteica, iedomādamies, ka tad tikai vajadzētu Hagridam palūgt kādu urkšķi, kas visu izdarītu viņa vietā.

Abi pa krēslaino zālienu aizkātoja līdz kalambola stadionam, iegriezās ejā starp tribīnēm un izgāja laukumā.

— Ko viņi te sadarījuši? — Sedriks sašutis izsaucās un apstājās, kā zemē iemiets.

Kalambola laukums vairs nebija gluds un līdzens. Izskatījās, ka tur krustām šķērsām sabūvēti gari, zemi, līkumoti vaļņi, kas stiepās visos virzienos.

— Tie ir dzīvžogi! — Harijs noteica, pieliecies un vienu no vaļņiem papētījis tuvāk.

— Sveikiņi! — Atskanēja līksma balss.

Laukuma vidū stāvēja Ludo Maišelnieks ar Krumu un Flēru. Kāpaļādami pāri dzīvžogiem, Harijs un Sedriks devās turp. Kad Harijs piegāja tuvāk, Flēra viņam starojoši uzsmaidīja. Kopš viņš bija izvilcis Flēras māsu no ezera, meitenes attieksme bija pilnīgi mainījusies.

— Nu, kā? — Maišelnieks priecīgi ierunājās, kad Harijs ar

Sedriku bija pārkāpuši pāri pēdējam žogam. — Aug griezdamies, ko? Vēl mēnesis, un Hagrids to būs saaudzējis sešu metru augstumā. Neuztraucieties, — viņš smīnēdams piebilda, redzēdams, ka Harijs ar Sedriku diez ko laimīgi vis nejūtas. — Kad pārbaudījums būs galā, jūsu kalambola laukums atkal būs, kāds bijis! Tā, jādomā, skaidrs, ko mēs te esam iecerējuši?

Labu brīdi visi cieta klusu. Tad...

— Labirints, — noņurdēja Krums.

— Tieši tā! — Maišelnieks atsaucās. — Te būs labirints. Trešais pārbaudījums nebūs sarežģīts. Trejburvju kauss tiks novietots labirinta centrā. Lielāko punktu skaitu saņems censonis, kurš tam pieskarsies pirmais.

— Mums vienkārrši jāiet cauri labirrintam? — Flēra noprasīja.

— Būs visādi šķēršļi, — Maišelnieks līksmi paveštīja, teju palēkdamies. — Hagrids parūpēsies par visādiem radījumiem... Tad būs burvestības, kas jāsalauž... Šis un tas. Tādā garā. Pirmie labirintā ies iekšā tie, kam vairāk punktu. — Maišelnieks uzsmaidīja Harijam un Sedrikam. — Pēc tam Kruma jaunkungs, tad Delakūra jaunkundze... Bet visiem būs vienādas iespējas cīnīties — atkarībā no tā, cik labi spēsiet tikt garām šķēršļiem. Būs jautri, ko?

Harijs gluži labi zināja, kādus radījumus Hagrids varētu pagādāt šādai reizei, un iedomājās, ka nekādas jautrības laikam nebūs. Tomēr viņš pieklājīgi pamāja tāpat kā pārējie censoņi.

— Ļoti labi. Ja reiz jautājumu nav, iesim atpakaļ uz pili, labi? Metas salti.

Kad visi sāka kāpt pāri dzīvžogiem, lai izkļūtu no topošā labirinta, Maišelnieks panāca Hariju. Tā vien šķita, ka viņš atkal grasās piedāvāt palīdzību, bet tieši tad Harijam pie pleca piesita Krums.

— Varam parunāt?

— Jā, labi, — Harijs, drusku pārsteigts, atteica.

— Panāksi līdzi?

— Labs ir, — Harijs ieinteresēts atsaucās.

Maišelnieks šķita mazliet vīlies. — Es tevi pagaidīšu, Harij, labi?

— Nē, nevajag, Maišelnieka kungs, — Harijs atbildēja, apvaldīdams smaidu. — Es domāju, ka pili varēšu atrast pats.

Harijs un Krums no stadiona izgāja kopā, taču Krums nevis devās turp, kur stāvēja Durmštrangas kuģis, bet sāka iet uz meža pusi.

— Kāpēc mēs ejam te? — Harijs ievaicājās, kad viņi pagāja garām Hagrida namiņam un apgaismotajai Bosbatonas karietei.

— Negribu, ka noklausās, — Krums īsi atbildēja.

Kad viņi beidzot bija nonākuši nomaļā noriņā netālu no Bosbatonas zirgu aploka, Krums nostājās koku paēnā un pagriezās pret Hariju.

— Man vajag zināt, — viņš sirdīgi ierunājās, — kas tev ir ar Ēr-mjo-nīni.

Spriežot pēc Kruma noslēpumainajām izdarībām, Harijs bija gaidījis kaut ko daudz nopietnāku un patiešām izbrīnījās.

— Nekas, — viņš atteica. Bet Krums nenolaida no viņa caururbjošo skatienu, tā ka Harijs piepeši it kā pirmoreiz ieraudzīja, cik viņš augumā liels, tāpēc ņēmās skaidrot sīkāk. — Mēs esam draugi. Nekāda mīļotā meitene viņa man nav un nekad nav bijusi. To tikai izpūtusi tā Knisle.

— Ēr-mjo-nīne par tevi ļoti daudz runā, — Krums piezīmēja aizdomu pilnā balsī.

— Jā, — Harijs piekrita. — Tāpēc, ka mēs esam *draugi.*

Viņš nespēja īsti noticēt, ka sarunājas ar Viktoru Krumu, pasaulslaveno kalambolistu. Gandrīz vai šķita, ka astoņpadsmitgadīgais Krums viņu, Hariju, uztver kā līdzvērtīgu — kā līdzvērtīgu sāncensi...

— Jūs nekad... ne reizi...

— Nekad, — Harijs noskaldīja.

Krums šķita kādu drusciņu laimīgāks. Kādu brīdi viņš vērās

Harijā, tad teica: — Tu lido ļoti labi. Es skatījos pirmajā pārbaudē.

— Paldies, — Harijs plati pasmaidīja un piepeši sajutās augumā daudz lielāks. — Es tevi redzēju kalambola Pasaules kausa izcīņā. Tas Vronska pikējums, nudien...

Bet krūmos Krumam aiz muguras kaut kas sakustējās, un Harijs, kam bija nācies sastapties ar šo to no tā, kas klīda pa Aizliegto mežu, instinktīvi sagrāba Krumu pie rokas un parāva nostāk.

— Kas tur ir?

Harijs papurināja galvu, cieši raudzīdamies turp, kur bija manījis kustību. Ieslidinājis roku mantijas kabatā, viņš taustījās pēc zižļa.

Nākamajā brīdī aiz liela ozola stumbra parādījās grīļīgs stāvs. Pirmajā acumirklī Harijs viņu nepazina... Tad viņš atskārta, ka tas ir Zemvalža kungs.

Zemvaldis izskatījās tā, it kā būtu klīdis apkārt dienām ilgi. Mantijas stērbeles bija noskrandušas un asiņainas, seja saskrambāta, neskūta un galīgi pelēka. Senāk tik rūpīgi koptā matu sasuka un ūsas tagad kliegtin kliedza pēc ziepēm un friziera. Tomēr savādais izskats nebija nekas salīdzinājumā ar to, kā viņš izturējās. Zemvalža kungs murmināja un žestikulēja, it kā sarunādamies ar kādu, ko neviens cits nevarēja saskatīt. Harijs acumirklī atcerējās kādu vecu klaidoni, ko reiz bija redzējis, kad kopā ar Dērslijiem bija devies iepirkties. Arī tas vīrs dedzīgi sarunājās ar tukšu gaisu. Petūnijas tante toreiz sagrāba Dūdiju pie rokas un pārvilka viņu ielas otrā pusē, lai nevajadzētu iet večukam garām. Pēcāk tēvocis Vernons visai ģimenei gari un plaši klāstīja, ko, viņaprāt, vajadzētu iesākt ar ubagiem un dīkdieņiem.

— Vai viņš nebija tiesnesis? — noprasīja Krums, nopētīdams Zemvalža kungu. — Vai viņš nav jūsu ministrijā?

Harijs pamāja, brīdi vilcinājās, tad lēnām sāka tuvoties Zemvalža kungam. Tas uz viņu pat nepaskatījās un turpināja runāties ar tuvīnu koku: — ...Un, kad ar to būsit ticis galā, Vezerbij, nosūtiet pūci Dumidoram, lai viņš zina, cik Durmštrangas audzēkņu ieradīsies turnīrā. Karkarovs tikko atsūtīja ziņu, ka divpadsmit...

— Zemvalža kungs? — Harijs piesardzīgi ierunājās.

—... un tad aizsūtiet pūci Maksima madāmai, jo viņa, iespējams, gribēs pārskatīt savu audzēkņu skaitu, ja reiz Karkarovs savējos ņems līdzi veselu duci... Izdariet to, Vezerbij, jā? Jā? Jā? — Zemvaldis izvalbīja acis. Viņš stāvēja, blenzdams uz koku un bez skaņas kustinādams lūpas. Tad viņš pastreipuļoja sāņus un nokrita ceļos.

— Zemvalža kungs? — Harijs viņu skaļi pasauca. — Vai jums kas kaiš?

Zemvalža acis aizvien vēl valbījās. Harijs atskatījās uz Krumu, kas bija panācies viņam līdzi un satraukts vērās lejup uz Zemvaldi.

— Kas viņam kaiš?

— Nav ne jausmas, — Harijs nomurmināja. — Paklau, varbūt ej un sadabū kādu...

— Dumidor! — Zemvalža kungs izdvesa. Viņš pasniedzās un saķēra Harija stērbeli, vilkdams viņu klāt, lai gan raudzījās kaut kur gaisā, pāri Harija galvai. — Man... jāredz... Dumidors...

— Labi, — Harijs sacīja. — Ja jūs pieceltos, Zemvalža kungs, mēs varētu aiziet pie...

— Esmu... sastrādājis... muļķības... — Zemvalža kungs sēca. Viņš izskatījās pilnīgi jucis. Acis viņam valbījās un bolījās, un pār zodu stīdza siekalu tērcīte. Katrs vārds prasīja neiedomājamu piepūli. — Jāpasaka... Dumidoram...

— Celieties augšā, Zemvalža kungs, — Harijs skaļi un skaidri teica. — Celieties augšā, es aizvedīšu jūs pie Dumidora!

Zemvalža kunga acis sagriezās pret Hariju.

— Kas... tu...? — viņš nočukstēja.

— Es mācos šajā skolā, — Harijs atbildēja. Viņš atskatījās uz Krumu, domādams, ka tas kaut kā varētu palīdzēt, bet Krums tikai pakāpās atpakaļ, izskatīdamies briesmīgi uztraucies.

— Tu esi no... *viņa*? — Zemvaldis nočukstēja. Viņa mutes kaktiņi noslīga uz leju.

— Nē, — Harijs atteica, nenieka nesaprazdams.

— No Dumidora?

— Tieši tā.

Zemvaldis pievilka viņu tuvāk. Harijs mēģināja izraut stērbeli no viņa ciešā tvēriena, bet Zemvaldis bija pārāk stiprs.

— Brīdini... Dumidoru...

— Es sadabūšu Dumidoru, ja jūs palaidīsiet mani vaļā, — Harijs aizrādīja. — Laidiet mani vaļā, Zemvalža kungs, un es viņu sadabūšu...

— Pateicos, Vezerbij, un, kad to būsit izdarījis, es vēlētos tasi tējas. Tūliņ ieradīsies mana sieva un dēls, mēs šovakar ejam uz koncertu ar Fadža kungu un kundzi. — Zemvaldis atkal pavisam raiti sarunājās ar koku, par Hariju nelikdamies ne zinis, un Hariju tas tik ļoti pārsteidza, ka viņš pat nepamanīja, kurā brīdī Zemvaldis viņu bija palaidis vaļā. — Jā, mans dēls nesen saņēma divpadsmit SLIMu, jā, ļoti patīkami, paldies, jā, patiesi ļoti lepojos. Tā, ja jūs man tagad atnestu to Andoras Burvestību ministrijas memorandu, man pietiktu laika sacerēt atbildes uzmetumu...

— Paliec tepat pie viņa! — Harijs teica Krumam. — Es sadabūšu rokā Dumidoru. Man tas ies ātrāk, es zinu, kur ir viņa kabinets...

— Viņš ir traks, — Krums nedroši ieminējās, vērdamies lejup uz Zemvaldi, kas joprojām vervelēja, uzrunādams koku, ko acīmredzot bija iedomājies esam Persiju.

— Vienkārši paliec tepat, — Harijs atkārtoja, jau sperdams soli uz pils pusi, bet piepešā kustība laikam atkal krasi mainīja Zemvalža kunga domu gaitu — viņš cieši aptvēra Hariju ap ceļgaliem un norāva viņu atpakaļ zemē.

— Neatstāj... mani! — viņš nočukstēja, atkal izvalbīdams acis. — Es... aizbēgu... jābrīdina... jāpasaka... jāsatiek Dumidors... mana vaina... es vainīgs... Berta... mirusi... es vainīgs... mans dēls...

mana vaina... pasaki Dumidoram... Harijs Poters... Tumsas pavēlnieks... stiprāks... Harijs Poters...

— Es atvedīšu Dumidoru, ja palaidīsiet mani vaļā, Zemvalža kungs! — Harijs atkārtoja. Viņš izmisis paskatījās uz Krumu. — Palīdzi, lūdzu!

Krums ļoti tramīgi panācās uz priekšu un notupās līdzās Zemvalža kungam.

— Vienkārši pieraugi, lai viņš nekur neaizklīst, — Harijs norādīja, atbrīvodamies no Zemvalža kunga skavām. — Es sadabūšu Dumidoru un atgriezīšos.

— Pasteidzies! — Krums nosauca viņam pakaļ, kad Harijs drāzās projām no mežmalas augšā pa nogāzi uz pili. Laukā neviena nebija — Maišelnieks, Sedriks un Flēra bija pazuduši. Uzskrējis pa akmens lieveņa pakāpieniem, Harijs iebrāzās pa ozolkoka parādes durvīm, tad augšā pa marmora kāpnēm uz otro stāvu.

Pēc piecām minūtēm viņš jau brāzās klāt akmens nezvēram, kas stāvēja gaiteņa sienas vidū.

— Cit-citronu ledene! — viņš tai nošļupstēja.

Šī parole ļāva iekļūt slepenajās kāpnēs, kas veda uz Dumidora kabinetu, — vismaz tāda tā bija pirms diviem gadiem. Tomēr parole acīmredzot bija mainīta, jo akmens nezvērs neatdzīvojās un nepalēca sāņus, bet stāvēja kā sasalis, ļaunīgi blenzdams Harijam tieši virsū.

— Kusties! — Harijs viņai uzbrēca. — Nu taču!

Bet Cūkkārpā nekas nekustējās tikai tāpēc, ka kāds sadomāja iebrēkties. Harijs zināja, ka no tā nav nekādas jēgas. Viņš noskatīja tumšo gaiteni. Varbūt Dumidors vēl sēž pasniedzēju istabā? Cik jaudas, viņš metās skriet uz kāpnēm...

— POTER!

Harijs nobremzēja un atskatījās.

No kāpnēm, ko slēpa akmens nezvērs, tikko bija iznācis Strups. Kamēr viņš māja, aicinādams Hariju pienākt tuvāk, akmens siena viņam aiz muguras lēni vērās ciet. — Ko jūs šeit darāt, Poter?

— Man jātiek pie profesora Dumidora! — Harijs sauca, skriedams Strupam klāt un slidinādamies nobremzēdams tieši viņam priekšā. — Zemvalža kungs... Viņš tikko uzradās... mežā... Viņš lūdz...

— Kas tās par muļķībām? — Strupa melnās acis iespīdējās. — Par ko jūs runājat?

— Zemvalža kungs! — Harijs iekliedzās. — No ministrijas! Viņš ir slims vai kaut kā tā... Viņš ir mežā un grib redzēt Dumidoru! Pasakiet man paroli, lai es varu...

— Direktors ir aizņemts, Poter. — Strupa plānās lūpas sašķobījās nejaukā smīnā.

— Man jāpasaka Dumidoram! — Harijs iebļāvās.

— Poter, vai jūs labi nedzirdat?

Bija pilnīgi skaidrs, ka Strups izbauda situāciju, liegdamies Harijam palīdzēt, kad tas bija pavisam zaudējis pacietību.

— Klausieties, — Harijs nikni nobēra. — Ar Zemvaldi nav labi... Viņš... viņš ir sajucis... viņš stāsta, ka grib brīdināt...

Akmens siena Strupam aiz muguras pavērās. Tur stāvēja Dumidors garā, zaļā mantijā. Viņa sejā bija lasāma viegla ziņkāre.

— Vai kas lēcies? — Viņš noskatīja Strupu un Hariju.

— Profesor! — Harijs aizspraucās Strupam garām, iekams tas paguva bilst kaut vārdu. — Zemvalža kungs ir te... mežā... Viņš grib ar jums runāt!

Harijs domāja, ka Dumidors sāks visu ko prašņāt, bet, viņam par milzu atvieglojumu, Dumidors neko tādu nedarīja. — Rādiet ceļu! — viņš īsi norīkoja un metās pa gaiteni pakaļ Harijam. Strups palika stāvam blakus akmens nezvēram, izskatīdamies vēl divkārt atbaidošāks nekā tas.

— Ko Zemvalža kungs teica, Harij? — Dumidors ievaicājās, kad viņi steidzās lejup pa marmora kāpnēm.

— Teica, ka gribot jūs brīdināt... Ka esot pastrādājis kaut ko šausmīgu... Viņš pieminēja savu dēlu... un Bertu Džorkinsu... un... un Voldemortu... kaut ko par to, ka Voldemorts kļūstot stiprāks...

— Nudien, — Dumidors noteica, un pielika soli, kad abi izbrāzās laukā, piķa melnajā nakts tumsā.

— Viņš neizturas normāli, — Harijs turpināja, mēģinādams no Dumidora neatpalikt. — Izskatās, ka viņš nesaprot, kur atrodas. Viņš runā un runā, itin kā ar Persiju Vīzliju, un tad pēkšņi stāsta, ka vajagot satikt jūs... Es pie viņa atstāju Viktoru Krumu.

— Ak tā? — Dumidors skarbi atsaucās un sāka spert vēl garākus soļus, tā ka Harijam vajadzēja mesties skriešus, lai neatpaliktu. — Vai nezināt, kas vēl redzēja Zemvalža kungu?

— Nē, — Harijs atbildēja. — Es runājos ar Krumu, kad Maišelnieka kungs mums bija izstāstījis par trešo pārbaudījumu, mēs pagājām nostāk un tad ieraudzījām, ka no meža iznāk Zemvalža kungs...

— Kur viņi ir? — Dumidors noprasīja, kad no tumsas iznira Bosbatonas kariete.

— Tur, — Harijs paskrēja Dumidoram priekšā, rādīdams ceļu starp koku stumbriem. Zemvalža balss vairs nebija dzirdama, bet Harijs ceļu zināja — tas bija netālu no Bosbatonas karietes... Kaut kur šeit...

— Viktor? — Harijs iesaucās.

Neviens neatbildēja.

— Viņi bija šeit, — Harijs teica Dumidoram. — Viņi noteikti bija kaut kur tepat...

— *Spīžo*! — Dumidors nosaucās, iegaismoja zizli un pacēla to virs galvas.

Šaurais gaismas stars citu pēc cita no tumsas izrāva koku stumbrus, zemes pleķīšus. Un tad — kāju pāri.

Harijs un Dumidors metās uz priekšu. Zemē visā garumā gulēja Viktors Krums. Šķita, ka viņš ir bezsamaņā. No Zemvalža kunga nebija ne miņas. Dumidors pieliecās pie Kruma un pacēla viņa plakstiņu.

— Apdullināts, — viņš klusi noteica un nopētīja tuvīnos kokus, zižļa gaismā nozibēja viņa aceņu pusmēness stikli.

— Varbūt aizskriešu kādam pakaļ? — Harijs ierosināja. — Sadabūšu Pomfreja madāmu...

— Nē, — Dumidors viņu pārtrauca. — Palieciet tepat.

Viņš pacēla zizli un pavērsa to Hagrida būdas virzienā. No zižļa izšāvās kaut kas līdzīgs sudrabainai šautrai, kas aizzibēja pāri koku galotnēm kā spokains putns. Tad Dumidors noliecās pie Kruma, notēmēja uz viņu ar zizli un nomurmināja: — *Modinātum*!

Krums atvēra acis. Viņš izskatījās apjucis. Ieraudzījis Dumidoru, viņš mēģināja piecelties sēdus, bet Dumidors uzlika viņam roku uz pleca un neļāva celties.

— Viņš man uzbruka! — Krums nomurmināja, ķerdamies pie galvas. — Tas jukušais vecis man uzbruka! Es skatījos apkārt, kur Poters palika, un viņš man uzbruka no aizmugurpuses!

— Kādu brīdi paguliet mierīgi, — Dumidors sacīja.

Atskanēja smagu soļu dipoņa, un tūliņ parādījās Hagrids, kam pakaļ ļepatoja Ilknis. Hagridam rokā bija arbalets.

— Profesor Dumidor! — viņš iepleta acis. — Harij... kas...?

— Hagrid, esi tik labs un sadabū profesoru Karkarovu, — Dumidors palūdza. — Viens no viņa audzēkņiem nupat pārcietis uzbrukumu. Kad būsi to nokārtojis, lūdzu pamodini profesoru Tramdānu...

— Tas būs lieki, Dumidor, — atskanēja sēcošs ņurdiens. — Esmu jau klāt. — Ar aizdegtu zizli rokā, smagi balstīdamies uz spieķa, viņiem klāt klunkurēja Tramdāns.

— Nolāpītā kāja, — viņš sodījās. — Būtu atsteberējis ātrāk... Kas lēcies? Strups kaut ko teica par Zemvaldi...

— Zemvaldi? — Hagrids apmulsis atkārtoja.

— Hagrid, lūdzu, Karkarovu! — Dumidors aprauti noteica.

— Ā, nu jā... tieš tā, profesor... — Hagrids atsaucās, pagriezās un pazuda starp tumšajiem koku stumbriem. Ilknis aizrikšoja viņam līdzi.

— Es nezinu, kur ir Bērtulis Zemvaldis, — Dumidors pavēstīja Tramdānam, — bet mums viņš noteikti jāatrod.

— Pilnīgi piekrītu, — Tramdāns norūca, pastiepa uz priekšu zizli un iekliboja mežā.

Ne Dumidors, ne Harijs neizrunāja ne vārda, līdz sadzirdēja atgriežamies Hagridu ar Ilkni. Viņiem nopakaļ steidzās Karkarovs, ietērpies mirdzoši sudrabainajā zvērādu apmetnī, nobālis un uzbudināts.

— Ko tas nozīmē? — viņš iekliedzās, ieraudzījis Krumu, kas gulēja zemē, un Dumidoru ar Hariju, kas līkņāja turpat blakus. — Kas te notiek?

— Man uzbruka! — atsaucās Krums, nu jau pieceldamies sēdus un berzēdams galvu. — Zemvalža kungs vai kā nu viņu sauc...

— Tev uzbruka Zemvaldis? Tev uzbruka *Zemvaldis*? Trejburvju tiesnesis?

— Igor, — Dumidors ierunājās, bet Karkarovs izslējās, ciešāk ietinās savās zvērādās un nobālēja gluži zils.

— Nodevība! — viņš nodārdināja, norādīdams uz Dumidoru. — Tā ir sazvērestība! Tu un tava Burvestību ministrija mani te ievilinājāt, izmantojot safabricētus iegansts, Dumidor! Tā nav godīga sacensība! Vispirms tu iešmuguļēji turnīrā Poteru, lai gan viņš neatbilst vecuma cenzam! Un nu viens no taviem ministrijas draugiem mēģina izsist no ierindas *manu* censoni! Es te saožu dubulto grāmatvedību un korupciju, un tu, Dumidor, tu ar visām savām runām par starpnacionālo burvestības saišu stiprināšanu, par bijušo sakaru atjaunošanu, par bijušo domstarpību nolīdzināšanu... Āreče, ko es domāju par *tevi*!

Karkarovs nikni nospļāvās taisni pie Dumidora kājām. Vienā acumirklī Hagrids sagrāba Karkarovu pie kažokādas apkakles, pacēla viņu gaisā un trieca pret tuvīno koku.

— Sak atvainošanos! — Hagrids iegārdzās. Karkarovs cīnījās pēc elpas. Rīkli viņam aizžņaudza Hagrida masīvā dūre, un kājas bezpalīdzīgi kūļājās gaisā.

— Hagrid, *nē!* — Dumidors iesaucās degošām acīm.

Hagrids atlaida roku, kas turēja Karkarovu pienaglotu pie stumbra. Karkarovs noslīdēja lejā gar koku un saļima uz tā saknēm. Pār viņa galvu nobira žagari un sauja lapu.

— Hagrid, esi tik laipns un pavadi Hariju atpakaļ uz pili, — Dumidors strupi noteica.

Smagi vilkdams elpu, Hagrids uzmeta Karkarovam iznīcinošu skatienu. — Varbūt man labāk palikt šiten, direktor...

— Tu aizvedīsi Hariju atpakaļ uz skolu, Hagrid, — Dumidors stingri atkārtoja. — Uzved viņu augšā uz Grifidora torni. Un, Harij, es gribu, lai tur jūs arī paliekat. Lai ko jūs sadomātu darīt, lai kādas pūces sūtīt, viss var pagaidīt līdz rītam. Jūs mani sapratāt?

— E... jā, — Harijs apjuka. Kā gan Dumidors varēja zināt, ka tieši tobrīd viņš apsvēra iespēju aizsūtīt Pumperniķeli taisnā ceļā pie Siriusa, lai pastāstītu, kas noticis?

— Ilkni gan es atstāš šepatās, direktor, — Hagrids paziņoja, vēl aizvien glūnēdams uz Karkarovu, kas čurnēja pie koka, sapinies zvērādās un koka saknēs. — Paliec šiten, Ilkni. Iet nu, Harij.

Viņi gar Bosbatonas karieti klusēdami devās projām uz pili.

— Kā šis iedrošinās, — Hagrids ieburkšķējās, kad viņi gāja gar ezera krastu. — Kā šis iedrošinās apsūdzēt Dumidoru! Itin kā Dumidors būtu kaut ko no šitenā darījs! Itin kā Dumidors būtu pats pirmais gribējs, lai tu esi tai turnīrā! Raizīgs! Es nezin, kad Dumidors ir bijs tik raizīgs kā pēdēj laikā. Un tu! — Hagrids pēkšņi dusmīgi uzbrēca Harijam, kas pavisam apjuka. — Ko tu iedomā, šitā blandīdamies ar to nolāpīto Krumu? Šis tak ir no Durmštrangas, Harij! Būt varējs tevi noburt uz līdzenas vietas, va ta ne? Vai Tramdāns tev nekā nav iemācījs? Padomā tik — ļauj, lai šis aizviļ tevi prom no pārējiem...

— Krumu liec mierā! — Harijs iesaucās, kad abi jau kāpa augšā pa pils lieveņa kāpnēm. — Viņš nemaz nemēģināja mani noburt, viņš tikai gribēja aprunāties par Hermioni...

— Man ar šai ir pāris biezi vārdi, ko teikt, — Hagrids nīgri noņurdēja, dimdinādamies pa kāpnēm. — Jo mazāk jūs ielaidīsies darīšanās ar šitenajiem svešzemjiem, jo laimīgāki būsat. Itin nevienam no šiem nevar ticēt.

— Ar Maksima madāmu tu gan saproties visai labi, — Harijs aizskarts aizrādīja.

— Tu par šo ar mani nerunā! — Hagrids nodārdināja un tobrīd izskatījās pavisam draudīgs. — Es šo tagad esu atkodis! Šitā provēt man piesmērēties, šitā provēt mani piedabūt, lai es pasak, kas nāks tai trešā pārbaudījumā. Hā! Itin nevienam no šiem nevar ticēt!

Hagrids bija tik nelāgā omā, ka Harijs bija tīri priecīgs, kad pie Resnās kundzes pēdīgi varēja viņam novēlēt labu nakti. Viņš pa portretcaurumu ierāpās kopistabā un steidzās tieši uz to stūri, kur sēdēja Rons ar Hermioni, lai abiem tūliņ izstāstītu, kas noticis.

## DIVDESMIT DEVĪTĀ NODAĻA

# SAPNIS

— Iznāk tā, — paberzēdama pieri, teica Hermione. — Vai nu Krumam uzbruka Zemvalža kungs, vai arī kāds uzbruka viņiem abiem, kamēr Krums skatījās uz otru pusi.

— Es domāju, tas bija Zemvaldis, — Rons nekavējoties paziņoja. — Tāpēc jau viņa tur nebija, kad Harijs ar Dumidoru ieradās. Šis aizlaidās lapās.

— Diezin vai, — Harijs nogrozīja galvu. — Viņš likās pagalam vārgs. Galīgi neizskatījās, ka viņš grasītos aizteleportēties vai vēl nez ko.

— Cūkkārpas teritorijā *nevar* aizteleportēties, cik reižu jums var teikt?! — Hermione aizsvilās.

— Nu, labi... tad paklausieties šito, — Rons dedzīgi ierosināja. — Krums uzbruka Zemvaldim — nē, pagaidi mirklīti — un tad pats apdullinājās!

— Un Zemvalža kungs izkūpēja gaisā? — Hermione dzedri piezīmēja.

— Ā, jā...

Bija agrs rīts. Harijs, Rons un Hermione izzagās no savām guļamistabām un steidzās uz Pūču māju aizsūtīt ziņu Siriusam. Tagad viņi tur stāvēja, nolūkodamies laukā, kur plājās migla. Visiem trim bija aiztūkušas acis un bāli vaigi, jo viņi līdz vēlai naktij bija apsprieduši notikumu ar Zemvalža kungu.

— Pamēģināsim vēlreiz, Harij, — Hermione lika priekšā. — Ko tieši Zemvalža kungs teica?

— Es taču jau stāstīju — gandrīz neko sakarīgu, — Harijs nopūtās. — Ka gribot par kaut ko brīdināt Dumidoru. Viņš pieminēja Bertu Džorkinsu, turklāt tā, it kā zinātu, ka viņa ir mirusi. Visu laiku daudzināja, ka esot vainīgs... Pieminēja savu dēlu.

— Nu, tur viņš tik tiešām bija vainīgs, — Hermione nopurpināja.

— Viņš nebija pie pilna prāta, — Harijs turpināja. — Ik pa brīdim runāja tā, it kā viņa sieva un dēls vēl būtu dzīvi, tad klāstīja Persijam darba lietas un deva viņam visādus rīkojumus.

— Un... atgādini, ko viņš teica par Paši-Zināt-Ko? — Rons ieprasījās.

— Es taču jau teicu, — Harijs vienaldzīgi atkārtoja. — Apgalvoja, ka šis kļūstot stiprāks.

Iestājās klusums.

Tad Rons ar mākslotu pārliecību ierunājās: — Bet viņš nebija pie pilna prāta, kā tu teici, tātad pusi no visa varbūt vienkārši samurgoja...

— Runādams par Voldemortu, viņš bija vissakarīgākais, — Harijs aizrādīja, nelikdamies redzam, ka Rons bailēs saraujas. — Viņš tik tikko spēja salikt divus vārdus kopā, toties vismaz sajēdza, kur atrodas un ko grib. Viņš visu laiku atkārtoja, ka grib satikt Dumidoru.

Pagriezis logam muguru, Harijs palūkojās augšup uz pūču laktām. Puse no tām bija tukšas. Ik pa laiciņam pa logu iešāvās kāda pūce, ar peli knābī atgriezdamās no nakts medībām.

— Ja Strups nebūtu mani aizkavējis, — Harijs nopukojās, — mēs varbūt būtu atgriezušies laikā. "Direktors ir aizņemts, Poter... Kas par muļķībām, Poter?" Kāpēc viņš nevarēja vienkārši pavākties malā?

— Varbūt viņš negribēja, lai tu tur tiec iekšā! — Rons nobēra. — Varbūt... pag... Kā tu domā, cik daudz laika viņam būtu vajadzējis, lai tiktu līdz mežam? Viņš būtu varējis tur tikt pirms tevis un Dumidora?

— Tikai tad, ja būtu pārvērties par sikspārni vai ko tamlīdzīgu, — Harijs atteica.

— Uz to viņš būtu spējīgs, — Rons nomurmināja.

— Mums vajadzētu aprunāties ar profesoru Tramdānu, — Hermione ierosināja. — Varbūt viņš tomēr atradis Zemvalža kungu.

— Ar Laupītāja karti viņš būtu varējis to izdarīt viens un divi, — Harijs iedomājās.

— Ja vien Zemvaldis vēl bija pils teritorijā, — Rons aizrādīja, — jo ārpus tās robežām karte neko nerāda, vai...?

— Kuš! — Hermione pēkšņi iešņācās.

Kāds kāpa augšup pa Pūču mājas kāpnēm. Tur divi ķildojās — balsis tuvojās.

— Tā ir šantāža, tas ir, šitā mēs iekulsimies vēl lielākā ķezā...

— Pieklājīgi mēs jau pamēģinājām, tagad pienācis laiks paspēlēt negodīgi — viņš, galu galā, dara tāpat. Diezin vai viņš gribēs, lai Burvestību ministrijā nonāk ziņas, ka viņš...

— Kad es tev saku — ja tu to uzrakstīsi, tā būs šantāža!

— Jā, bet vai tad tu sūkstīsies, kad viņš atpirksies ar krietnu žūksni, ko?

Pūču mājas durvis atsprāga vaļā. Pār slieksni pārkāpa Freds un Džordžs un sastinga kā nolēmēti, priekšā ieraudzījuši Hariju, Ronu un Hermioni.

— Ko jūs te darāt? — Rons un Freds iesaucās vienā balsī.

— Vēstuli sūtām, — unisonā atsaucās Harijs un Džordžs.

— Tādā agrumā? — reizē noprasīja Hermione ar Fredu.

Freds pasmīnēja. — Nu, jauki. Mēs neprasīsim, ko jūs te darāt, ja jūs to pašu neprasīsiet mums, — viņš pavēstīja.

Viņam rokā bija aizzīmogota aploksne. Harijs uz to pašķielēja, bet Freds tīšām vai netīšām paslidināja pirkstus priekšā adresāta vārdam.

— Labs ir, mēs jūs neaizkavēsim, — viņš izsmejoši paklanījās un norādīja uz durvīm.

Rons pat nepakustējās. — Ko jūs šantažējat? — viņš ievaicājās.

Smīns Freda sejā izdzisa. Harijs pamanīja, ka Džordžs, iekams pasmaidīja, uzmeta Fredam greizu skatienu.

— Neaušojies nu, es taču tikai jokoju, — viņš bezrūpīgi izmeta.

— Neizklausījās vis, — Rons novilka.

Freds ar Džordžu saskatījās.

Tad Freds strupi noteica: — Ron, cik reižu var teikt, lai tu nebāz degunu svešās darīšanās, ja tev tavs snurķis patīk tāds, kāds tas ir? Es gan nezinu, kam tāds var patikt, taču...

— Ja jūs kādu šantažējat, tā ir gan mana darīšana, — Rons atcirta. — Džordžam taisnība — jūs šitā varat iekulties nopietnā ķezā.

— Kad es tev saku — tas bija tikai joks, — Džordžs noteica. Piegājis pie Freda, viņš izrāva no brāļa rokas vēstuli un ņēmās to siet pie kājas tuvāk sēdošajai plīvurpūcei. — Zini ko, tu sāc izklausīties pēc mūsu vecā, labā brāļa, Ron. Turpini vien tādā pašā garā un drīz būsi uzkalpojies par prefektu.

— Nebūšu vis! — Rons dedzīgi iebilda.

Džordžs aizstiepa plīvurpūci pie loga, un putns aizlaidās.

Viņš apgriezās un uzsmaidīja Ronam. — Nu, tad pārstāj citus izrīkot. Tiksimies vēlāk.

Viņi abi izgāja pa durvīm. Harijs, Rons un Hermione saskatījās.

— Jūs domājat, viņiem kaut kas ir zināms par visu šito? — Hermione čukstēja. — Par Zemvaldi un tā tālāk?

— Nē, — Harijs noteica. — Ja tas būtu kaut kas tik nopietns, viņi kādam pateiktu. Viņi pateiktu Dumidoram.

Taču Rons neizskatījās īsti pārliecināts.

— Kas par lietu? — Hermione viņam noprasīja.

— Nu... — Rons novilka, — es nezinu, vai viņi teiktu. Viņi...

viņi pēdējā laikā ir kā apsēsti ar naudas pelnīšanu. Es to ievēroju, kad dzīvojos kopā ar viņiem, kad... kad mēs... nu...

— Kad mēs nesarunājāmies, — Harijs pabeidza teikumu drauga vietā. — Jā, bet šantāža...

— Viņi ieņēmuši galvā to ideju par joku bodi, — Rons turpināja. — Vispirms man likās, ka viņi tā runā tikai tādēļ, lai kaitinātu mammu, bet nē — viņi to tiešām domā nopietni. Viņi grib tādu veikalu nodibināt. Cūkkārpā šiem atlicis tikai viens gads, un viņi visu laiku gvelž, ka pienācis laiks padomāt par nākotni, un tētis tur nevar palīdzēt, un viņiem vajag zeltu, lai visu iesāktu.

Tagad noraizējusies izskatījās Hermione. — Jā, bet... viņi taču nebūtu gatavi pārkāpt likumu, lai to zeltu sadabūtu. Vai būtu?

— Vai būtu... — Rons tā kā šaubījās. — Nezinu... Noteikumus viņi necik augstā vērtē netur, vai ne?

— Jā, bet te ir runa par *likumu*. — Hermione šķita sabijusies. — Tie vairs nav kaut kādi muļķīgi skolas noteikumi. Par šantāžu draud kas daudz smagāks par pēcstundām! Ron, varbūt der pastāstīt Persijam...

— Vai tu esi traka? — Rons sašuta. — Pastāstīt Persijam? Un ja nu viņš iedomājas rīkoties tāpat kā Zemvaldis un šos abus iegāž? — Palūkojies uz logu, pa kuru projām bija aizlaidusies Freda un Džordža plīvurpūce, viņš noteica: — Ejam kaut ko ieēst.

— Kā jums šķiet — vai vēl par agru iet pie profesora Tramdāna? — Hermione ieprasījās, kad viņi kāpa lejā pa vītņu kāpnēm.

— Jā, — Harijs atteica. — Uzrauts augšā šitādā nelaikā, viņš mūs droši vien izspers cauri durvīm, jo nospriedīs, ka gribam viņu aizmigušu nomušīt. Pagaidīsim līdz starpbrīdim.

Maģijas vēsture vilkās tik gausi kā reti kad. Harijs vienā laidā skatījās Rona pulkstenī — no savējā viņš pēdīgi bija atteicies —, bet Rona pulkstenis gāja drausmīgi lēnām, tā ka Harijs teju bija gatavs zvērēt, ka arī tas ir sabojājies. Visi trīs draugi bija tā saguruši, ka labprāt būtu saļimuši uz sola un aizmiguši — pat Hermione bija metusi mieru mūžīgajai skribelēšanai un, atbalstījusi galvu plaukstā, blenza uz profesoru Biju ar neko neredzošām acīm.

Kad beidzot noskanēja zvans, visi trīs steidzās laukā un pa gaiteni brāzās uz klasi, kur parasti notika aizsardzība pret tumšajām zintīm. Tramdāns tieši nāca laukā pa durvīm. Profesors izskatījās tikpat noguris kā viņi. Parastās acs plakstiņš bija pusvirus, un tas profesora seju vērta vēl sakritušāku.

— Profesor Tramdān! — Harijs iesaucās, kad visi trīs spiedās cauri drūzmai uz viņa pusi.

— Sveiks, Poter, — Tramdāns atņurdēja. Viņa burvju acs sekoja pāris garām ejošām pirmziemniecēm, kas iztrūkušās pielika soli, tad redzoklis aizgrozījās pilnīgi otrādi un skatījās viņām pakaļ ap stūri. Tad Tramdāns ierunājās: — Nāciet iekšā.

Pakāpies sāņus, lai ielaistu viņus tukšajā klasē, viņš pārkliboja pār slieksni un aizvēra durvis.

— Vai jūs viņu atradāt? — Harijs noprasīja, lieki netērēdams vārdus. — Zemvalža kungu.

— Nē, — Tramdāns atbildēja. Aizsteberējis pie sava galda, viņš iekunkstēdamies izstiepa koka kāju un izvilka no kabatas blašķi.

— Vai karti izmantojāt? — Harijs jautāja.

— Protams, — Tramdāns atteica un iedzēra malku no blašķes. — Sekoju tavam paraugam, Poter. Aizbūru to uz mežu no sava kabineta. Viņš nekur nebija redzams.

— Tātad viņš *tomēr* aizteleportējās? — Rons novilka.

— *No skolas teritorijas nevar aizteleportēties, Ron*! — Hermione aizrādīja. — Viņš taču varēja pazust arī kā citādi, vai ne, profesor?

Pievērsusies Hermionei, Tramdāna burvju acs ietrīcelējās.

— Lūk, vēl viens, kam derētu padomāt par aurora karjeru, — viņš Hermionei teica. — Tev, Grendžera, prātiņš strādā pareizā virzienā.

Hermione iepriecināta pietvīka.

— Neredzams viņš nevarēja būt, — Harijs turpināja, — jo uz

kartes neredzamos var redzēt. Tātad, jādomā, viņš atradās ārpus teritorijas robežām.

— Bet kā viņš tur tika? — Hermione dedzīgi iesaucās. — Pats? Vai arī kāds viņu aizvāca?

— Jā, kāds varēja... varēja uzkraut viņu uz slotaskāta un aizvest projām, vai ne? — Rons žigli ieminējās, cerīgi uzlūkodams Tramdānu, it kā sagaidīdams, lai profesors arī viņā saskata aurora dotības.

— Nolaupīšanu ir iespējama, — Tramdāns norūca.

— Tātad, — Rons teica, — jūs domājat, ka viņš ir kaut kur Cūkmiestiņā?

— Viņš var būt jebkur, — Tramdāns nogrozīja galvu. — Droši mēs zinām tikai to, ka šeit viņa nav.

Viņš plati nožāvājās, tā ka rētas nostirkšķēja vien un atklājās, ka ļenganajā mutes caurumā trūkst vesela virkne zobu.

Tad viņš sacīja: — Tā. Dumidors man teica, ka jums trim patīk sevi iedomāties par izmeklētājiem, bet Zemvalža labā jūs neko darīt nevarat. Tagad viņu meklēs ministrija — Dumidors viņus ir informejis. Poter, tu tagad, kā nākas, padomā par trešo pārbaudījumu.

— Ko? — Harijs iztrūkās. — Ā, jā...

Par labirintu viņš kopš vakarvakara sarunas stadionā nebija pat iedomājies.

— Šitam vajadzētu būt tieši tavā garā. — Tramdāns paskatījās Harijam tieši acīs un pakasīja rētaino, rugājiem noaugušo zodu. — Spriežot pēc tā, ko man stāstījis Dumidors, tu tādām lietām esi gājis cauri jau nez cik reižu. Tu taču pirmajā gadā tiki galā ar šķēršļiem, lai tiktu pie Filozofu akmens, vai ne?

— Mēs palīdzējām, — Rons mudīgi atsaucās. — Mēs ar Hermioni palīdzējām.

Tramdāns pasmīnēja. — Nu, tad palīdziet viņam sagatavoties arī šai reizei, un es nudien brīnīšos, ja viņš neuzvarēs. Tikmēr... nezaudē modrību, Poter. Nezaudē modrību! — Viņš iedzēra vēl vienu pamatīgu malku no savas blašķes, burvju aci aizgrozījis projām uz loga pusi. Tur vīdēja Durmštrangas kuģa masta bura.

— Jūs abi, — Tramdāns pagrieza parasto aci pret Ronu un Hermioni, — neatkāpieties no Potera ne soli, skaidrs? Es visu paturēšu acīs, bet tik un tā... Acu nekad nevar būt par daudz.

* * *

Pie Siriusa aizsūtītā pūce atgriezās jau nākamajā rītā. Tā noplivinājās lejā pie Harija tieši tad, kad pie Hermiones ar "Dienas Pareģi" knābī nolaidās kāda dzeltenbrūna pūcīte. Paņēmusi avīzi, Hermione pārlaida acis pirmajām lappusēm, izgrūda: — Hā! Par Zemvaldi viņa nav uzodusi! — un tad pievienojās Ronam un Harijam, kas lasīja par to, ko Siriuss domā par aizvakardienas noslēpumainajiem notikumiem.

*Harij, ko Tu iedomājies? Vazāties pa mežu ar Viktoru Krumu! Tā ka Tu man tūliņ sūtītu pūci atpakaļ ar zvērestu, ka vairs neiesi ne ar vienu staigāt nakts tumsā. Cūkkārpā ir kāds, kurš ir ļoti bīstams. Šis kāds noteikti nevēlējās, lai Zemvaldis satiek Dumidoru, un Tu no viņa, iespējams, biji tikai pāris soļu attālumā. Tevi taču varēja nogalināt.*

*Tavs vārds Uguns biķerī nenokļuva nejauši. Ja kāds mēģina Tev uzbrukt, tuvojas pēdējā izdevība. Turies kopā ar Ronu un Hermioni, vakaros sēdi Grifidora tornī un bruņojies trešajam pārbaudījumam! Satrenējies apdullināt un atbruņot. Arī pāris lāstu nenāks par skādi. Zemvaldim Tu vairs neko nevari līdzēt. Nelec uz ecēšām un sargi sevi. Gaidu vēstuli ar Tavu solījumu vairs neālēties.*

*Siriuss*

— Kas viņš tāds ir, lai skaitītu man pātarus? — Harijs maķenīt sašutis noškendējās, salocīdams Siriusa vēstuli un iebāzdams to mantijas kabatā. — Un ko viņš pats darīja skolas laikos?

— Viņš raizējas par tevi, — Hermione strupi norādīja. — Tāpat kā Tramdāns un Hagrids! Tāpēc klausi, ko viņi saka!

— Šogad vēl neviens nav mēģinājis man uzbrukt, — Harijs taisnojās. — Neviens man neko nav nodarījis...

— Izņemot to, ka tavs vārds tika ielikts Uguns biķerī, — Hermione viņam atgādināja. — Un tam droši vien bija kāds iemesls, Harij. Šņukam taisnība. Varbūt īstais laiks tikai tuvojas. Varbūt viņi iecerējuši visu nostrādāt tieši šajā pārbaudījumā.

— Paklau, — Harijs nepacietīgi iesaucās, — labi, pieņemsim, ka Šņukam taisnība un kāds apdullināja Krumu, lai nolaupītu Zemvaldi. Tad jau šis kāds patiešām varēja būt kaut kur turpat netālu, vai ne? Bet pie darba viņš ķērās tikai tad, kad es biju aiztinies, pareizi? Tātad neizskatās, ka mērķis būtu bijis novākt *mani*?

— Ja tu būtu novākts mežā, būtu grūti to iztēlot par nelaimes gadījumu! — Hermione ieteicās. — Kamēr pārbaudījumā...

— Krumam uzbrukt viņš nevilcinājās! — Harijs viņu pārtrauca. — Kāpēc pie viena nenovāca arī mani? Varēja taču sarīkot tā, lai izskatītos, ka mēs ar Krumu esam cīnījušies vai vēl nezin ko.

— Harij, es arī neko nesaprotu, — Hermione izsamisa. — Zinu tikai to, ka notiek milzum daudz dīvainību, un man tas nepatīk... Tramdānam taisnība... Šņukam taisnība — tev jāsāk trenēties trešajam pārbaudījumam. Tūliņ pat. Un aizraksti Šņukam — apsolies, ka neklīdīsi apkārt viens pats.

* * *

Cūkkārpas lauki un pļavas nekad nebija izskatījušies tik aicinoši un vilinoši kā tagad, kad Harijam bija jāpaliek telpās. Turpmākās pāris dienas viņš katru brīvu brīdi pavadīja vai nu bibliotēkā, kur kopā ar Hermioni un Ronu meklēja lāstus, vai arī tukšās klasēs, kur viņi iešmauca, lai patrenētos. Visvairāk vērības Harijs veltīja apdullināšanas burvestībai, ko iepriekš nekad nebija lietojis. Nelaime tikai tā, ka šī praktizēšanās prasīja zināmu pašuzupurēšanos no Rona un Hermiones.

— Vai mēs nevarētu nolaupīt Norisa kundzi? — Rons ierosināja pirmdienas pusdienu starpbrīdī, kad, galīgi nokausēts, visā garumā gulēja burvestību klasē uz grīdas — Harijs viņu tikko bija apdullinājis un atdzīvinājis piekto reizi pēc kārtas. — Mēs varētu drusku padullināt *viņu*. Vai izmanto Dobiju, Harij. Deru, ka viņš darīs visu, lai tev palīdzētu. Nē, es jau nesūdzos... — Viņš grīļīgi pieslējās kājās, berzēdams muguru, — bet man sāp visas maliņas...

— Ko tad tu visu laiku krīti garām spilveniem? — Hermione nepacietīgi aizrādīja, pārkārtodama spilvenu kaudzi, ko pēc aizburšanas burvestības apguves kabinetā bija atstājis Zibiņš. — Vienkārši papūlies krist tieši atmuguriski!

— Hermione, kad esi apdullināts, ar tēmēšanu neiet diez ko viegli! — Rons atcirta. — Varbūt nāc un pamēģini pati!

— Nu, man šķiet, Harijam jau tagad veicas pavisam labi, — Hermione steigšus nobēra. — Un par atbruņošanu nav ko uztraukties, jo Harijs to pieprot jau sen... Manuprāt, šovakar vajadzētu ķerties klāt lāstiem.

Viņa ieskatījās sarakstā, ko kopīgi bija sastādījuši, tupēdami bibliotēkā.

— Man patīk šitais, — viņa iebakstīja sarakstā. — Aiztures burvestība. Tai vajadzētu palēnināt uzbrucēja kustības, Harij. Sāksim ar to.

Atskanēja zvans. Steidzīgi sagrūduši spilvenus Zibiņa skapī, viņi izmetās laukā no klases.

— Tiksimies pusdienās! — Hermione nosauca, dodamās uz aritmantiku, bet Harijs ar Ronu kātoja uz Ziemeļtorni — uz pareģošanu. No augstajiem logiem uz grīdas krita platas un žilbinoši spožas saules gaismas strēles. Debesis laukā bija tik spodri zilas, ka šķita svaigi nolakotas.

— Trilonijas istabā mēs izcepsimies. Viņa mūžam kurina to kamīnu, — Rons nopūtās, kad viņi sāka kāpt pa kāpnēm, kas veda uz sudraba trepītēm un lūku.

Ronam bija taisnība. Vāji apgaismotajā telpā bija karsts kā krāsns speltē. Vīraka dūmi tur klājās biezāki nekā jebkad. Harijam sagriezās galva, kamēr viņš aizspraucās līdz vienam no aizklātajiem logiem. Kamēr profesore Trilonija skatījās uz otru pusi, tīstīdama no kāda luktura nost savu lakatu, viņš pavēra vaļā šauru spraudziņu un ar katūnu apvilktajā atzveltnes krēslā iekārtojās tā, lai sejā pūstu viegls vējiņš. Tas bija ļoti patīkami.

— Mīļie, — profesore Trilonija ierunājās, nosēzdamās klases priekšā novietotajā spārnotajā atputas krēslā un visu noskatīdama ar spokaini palielinātajām acīm, — mēs esam gandrīz beiguši darbu pie planetārās pareģošanas. Tomēr šodien mums būs vienreizēja iespēja izpētīt Marsa ietekmi, jo pašlaik tā novietojums ir ārkārtīgi interesants. Ja jūs visi palūkotos šurp, es nodzēstu gaismu...

Viņa pavēcināja zizli, un lukturi izdzisa. Tagad istabu apgaismoja vienīgi kamīna liesmas. Profesore Trilonija pieliecās un no krēsla apakšas izvilka miniatūru Saules sistēmas modeli, ko sedza stikla kupols. Tā bija skaista mantiņa — ap ugunīgo Sauli un deviņām planētām spīdēja visi pavadoņi, un visi zem stikla karājās tukšā gaisā. Harijs laiski noraudzījās, kā profesore Trilonija ņēmās norādīt uz aizraujošo leņķi, kāds bija vērojams starp Marsu un Neptūnu. Viņam pāri mutuļoja smagie vīraka tvaiki, un seju apdvesa svaiga gaisa strāva, kas plūda no pavērtā loga. Kaut kur aiz loga aizkara klusi dūca kāds kukainis. Uzmācās snaudiens...

Viņš sēdēja mugurā ūpim, kas pāri dzidri zilajam debesjumam laidās lejup pie vecas, efejām noaugušas mājas augstu kalna nogāzē. Viņi laidās zemāk un zemāk, Harijam sejā pūta patīkams vējiņš. Beidzot viņi sasniedza tumšu, izsistu logu mājas augšstāvā, ielaidās pa to iekšā un tad tālāk pa drūmu gaiteni līdz istabai viņā galā... iekšā pa durvīm — tumšā telpā ar dēļiem aizsistiem logiem...

Harijs nokāpa no ūpja... Viņš redzēja, kā putns pārspurdz pāri istabai un pazūd krēslā, kas stāvēja, pagriezts pret viņu ar muguru... Uz grīdas līdzās krēslam jautās divi melni apveidi... Abi kustējās...

Pirmais bija milzīga čūska. Otrs — cilvēks... maza auguma vīrelis ar puspliku galvu, asarojošām acīm un smailu degunu. Viņš činkstēdams un šņukstēdams čurnēja uz kamīna paklājiņa...

— Tev veicas, Tārpasti, — no krēsla, kur bija ielaidusies pūce, atskanēja ledaina, spiedzīga balss. — Tu nudien esi dzimis laimes krekliņā. Tava neizdarība tomēr nav neko sabojājusi. Viņš ir pagalam.

— Mans kungs! — vīrs uz grīdas noelsās. — Mans kungs, es esmu... esmu tik priecīgs... un man tik ļoti žēl...

— Nagīni, — teica saltā balss, — tev neveicas. Galu galā es Tārpasti tev neizbarošu... Bet nekas, nekas... Ir jau vēl Harijs Poters...

Čūska iešņācās. Harijs redzēja, kā nošaudās viņas mēle.

— Tā, Tārpasti, — ledusaukstā balss sacīja, — paturi prātā, ka es vairs necietīšu itin nevienu misēkli no tavas puses!

— Mans kungs... nē... lūdzu jūs...

No krēsla dzīlēm iznira zižļa gals. Tas bija notēmēts uz Tārpasti. — *Mokum!* — izrunāja saltā balss.

Tārpastis iebrēcās. Viņš iebrēcās tā, it kā sīkākais nervs viņa miesās degtu zilās ugunīs. Brēciens iespiedās Harija galvā, briesmīgi iesāpējās rēta viņam uz pieres, arī viņš sāka kliegt... Voldemorts izdzirdēs... Voldemorts zinās, ka viņš ir šeit...

— Harij! *Harij!*

Harijs atvēra acis. Aizklājis ar rokām seju, viņš gulēja uz profesores Trilonijas klases grīdas. Rēta viņam joprojām kaisa tik stipri, ka asaras izsprāga no acīm. Sāpes bija īstas. Visa klase bija sastājusies apkārt, un Rons bija nometies viņam blakus, izskatīdamies galīgi pārbijies.

— Kā ir? — viņš ieprasījās.

— Kā tad var būt! — satraukta iesaucās profesore Trilonija.

Viņas milzīgās acis saspringti pievērsās Harijam. — Kas tas bija, Poter? Priekšnojauta? Parādība? Ko jūs redzējāt?

— Neko, — Harijs mānījās. Viņš apsēdās un atskārta, ka dreb pie visām miesām. Viņš nevarēja novaldīties, neparaudzījies visapkārt, uz ēnām, kas vīdēja visriņķī. Voldemorta balss bija skanējusi tepat blakus...

— Jūs ķērāties pie rētas! — profesore Trilonija pavēstīja. — Jūs locījāties uz grīdas, rokas spiezdams pie rētas! Beidziet, Poter, man taču ir pieredze šādās lietās!

Harijs pacēla galvu.

— Manuprāt, man vajadzētu aiziet uz slimnīcas spārnu, — viņš nomurmināja. — Ļoti sāp galva.

— Mīļais, jūs noteikti stimulēja ārkārtējās gaišredzības vibrācijas manā kabinetā! — profesore Trilonija iesaucās. — Ja tagad iesit projām, jūs varat palaist garām izdevību ielūkoties dziļāk un tālāk nekā jebkad...

— Es gribu redzēt tikai galvassāpju pretlīdzekļus, — Harijs atteica.

Viņš piecēlās kājās. Pārējie atkāpās. Visi izskatījās satraukti.

— Tiksimies vēlāk, — Harijs nomurmināja uz Rona pusi, paņēma somu un devās uz lūku, nelikdamies ne zinis par profesori Triloniju, kas izskatījās pagalam sapīkusi, it kā tikko būtu zaudējusi īsti brīnišķu izdevību.

Nokāpis pa virvju kāpnēm, Harijs uz slimnīcas spārnu tomēr nedevās. Turp viņš nemaz nebija domājis iet. Siriuss tika teicis, kas darāms, ja rēta atkal sāk sāpēt, un Harijs grasījās ievērot viņa padomu, proti, iet taisnā ceļā pie Dumidora. Viņš soļoja pa gaiteņiem, domādams par to, ko bija redzējis sapnī... Šis bija tikpat spilgts kā tas, kurš toreiz bija parādījies Dzīvžogu alejā. Viņš prātā pārcilāja visas detaļas, lai būtu drošs, ka atcerēsies. Voldemorts apsūdzēja Tārpasti par to, ka tas pieļāvis kādu rupju kļūdu. Bet ūpis bija atnesis labas ziņas — kļūda bija labota, kāds bija miris... Tāpēc Voldemorts Tārpasti neizbaros čūskai. Viņai tiks izbarots Harijs...

Viņš attapās, ka pagājis garām akmens nezvēram, kas sargāja Dumidora kabinetu. Sablisinājis acis, viņš palūkojās visapkārt, pagāja atpakaļ un nostājās nezvēram iepretim. Tad atskārta, ka nezina paroli.

— Citronu ledene? — viņš pamēģināja.

Nezvērs nepakustējās.

— Labs ir, — Harijs skatījās viņai tieši virsū. — Bumbierlāse. E... Lakricas zizlis. Šņācējrūcējbites. Drūbla vispūtīgākā gumija. Bertija Bota Visgaršu zirnīši... Ai, nē, tie taču viņam negaršo. Nu, vienkārši veries vaļā, dzirdi? — viņš nikni uzbrēca. — Man tiešām vajag viņu satikt — uz karstām pēdām!

Nezvērs stāvēja kā sasalis.

Harijs viņai iespēra, panākdams tikai to, ka briesmīgi sasita lielo kājas pirkstu.

— Šokolādes varde! — viņš dusmīgi brēca, stāvēdams uz vienas kājas. — Cukurspalva! Prusaku pūznis!

Nezvērs atdzīvojās un palēca sāņus. Harijs noblisināja acis.

— Prusaku pūznis? — viņš pārsteigts noelsās. — Es taču tikai pajokoju...

Ielīdis sienas spraugā, viņš uzkāpa uz vītņu kāpņu apakšējā pakāpiena. Kolīdz nezvēra durvis aizvērās, tās lēni sāka braukt augšā, apstādamies pie pulētām ozolkoka durvīm ar misiņa rokturi.

Iekšā kāds sarunājās. Harijs nokāpa no kustīgajām kāpnēm, neizlēmīgi apstājās un ieklausījās.

— Dumidor, es baidos, ka nesaprotu, kāda tur sakarība! Nepavisam nesaprotu! — Tā bija burvestību ministra Kornēlija Fadža balss. — Ludo stāsta, ka Berta ir pilnīgi spējīga apmaldīties. Piekrītu, ka nu jau viņai būtu tā kā vajadzējis atrasties, bet mums tik un tā nav nekādu pierādījumu, ka būtu noticis kaut kas nelāgs, Dumidor, pilnīgi nekādu! Kur nu vēl saistīt viņas pazušanu ar Bērtuli Zemvaldi!

— Un kas, jūsuprāt, noticis ar Bērtuli Zemvaldi, ministr? — Atskanēja Tramdāna ņurdiens.

— Es lēšu, ka iespējas ir divas, Alastor, — Fadžs sacīja. — Vai nu Zemvaldis ir pēdīgi sabrucis — kas, es domāju, jūs piekritīsit, ir tas ticamākais, ņemot vērā viņa biogrāfiju, — sajucis prātā un kaut kur aizklīdis...

— Ja tā, Kornēlij, viņš klīst milzu ātrumā, — Dumidors rāmi iestarpināja.

— Vai arī... nu... — Fadžs tā kā saminstinājās. — Nu, es atlikšu galīgo spriedumu līdz brīdim, kad būšu apskatījis vietu, kur viņš tika atrasts, bet, jūs sakāt, tas bija aiz Bosbatonas karietes? Dumidor, vai jūs zināt, kas ir tā sieviete?

— Es viņu uzskatu par ļoti spējīgu direktrisi — un lielisku dejotāju, — Dumidors klusi atteica.

— Nū, Dumidor! — Fadžs aizsvilās. — Varbūt jums pret viņu ir īpaša attieksme, ko? Hagrida dēļ? Visi viņi nemaz nav tik nekaitīgi — protams, ja vien Hagridu var saukt par nekaitīgu, ņemot vērā viņa apsēstību ar briesmoņiem...

— Es Maksima madāmu turu aizdomās ne vairāk kā Hagridu, — Dumidors atbildēja, vēl aizvien tikpat savaldīgi. — Manuprāt, iespējams, ka zināmu aizspriedumu varā esat jūs, Kornēlij.

— Vai mēs nevarētu beigt šo diskusiju? — ieburkšķējās Tramdāns.

— Jā, jā, iesim laukā, — nepacietīgi iesaucās Kornēlijs.

— Nē, ne jau tas, — sacīja Tramdāns. — Vienkārši Poters grib ar tevi, Dumidor, drusku aprunāties. Viņš stāv tepat aiz durvīm.

## TRĪSDESMITĀ NODAĻA

# DOMNĪCA

Kabineta durvis atvērās.

— Sveiks, Poter, — Tramdāns norūca. — Nu, nāc vien iekšā.

Harijs pārkāpa pāri slieksnim. Vienreiz viņš Dumidora kabinetu jau bija redzējis — tā bija ļoti skaista, apaļa istaba. Pie sienām rindojās gleznas, kur bija aplūkojami Cūkkārpas iepriekšējie direktori un direktrises, visi tagad snauda, un viņu krūtis miegā viegli cilājās.

Pie Dumidora galda stāvēja Kornēlijs Fadžs — viņam mugurā bija parastais smalki svītrotais apmetnis, bet rokās — koši zaļā katliņcepure.

— Harij! — sperdams soli viņam pretim, ministrs dzīvespriecīgi iesaucās. — Kā klājas?

— Labi, — Harijs sameloja.

— Mēs tieši runājām par to vakaru, kad skolas teritorijā uzradās Zemvalža kungs, — Fadžs paziņoja. — Tas biji tu, kas viņu atrada, vai ne?

— Jā, — Harijs pamāja. Tad piebilda, manīdams, ka nav vērts izlikties, it kā viņš nebūtu dzirdējis iepriekšējo sarunu: — Taču Maksima madāmu es nekur tuvumā nemanīju, un viņai nu gan būtu bijis visai grūti noslēpties, vai ne?

Stāvēdams Fadžam aiz muguras, Dumidors Harijam uzsmaidīja, un viņa acīs iedzirkstījās uguntiņas.

— Jā, labi, — Fadžs apmulsa. — Mēs te gribam drusku iziet laukā, Harij. Ja tu mūs atvainotu. Varbūt dodies atpakaļ uz klasi.

— Es vēlējos aprunāties ar jums, profesor, — Harijs žigli ierunājās, uzlūkodams Dumidoru, kas viņam pievērsa pētīgu skatienu.

— Pagaidiet mani tepat, Harij, — viņš sacīja. — Tur, laukā, mēs ātri tiksim galā.

Viņi klusēdami izsoļoja ārā un aizvēra durvis. Pēc brīža Tramdāna koka kājas klaudzieni lejas gaitenī pagaisa tālumā. Harijs apskatījās visapkārt.

— Sveiks, Foks, — viņš teica.

Fokss — profesora Dumidora fēnikss — sēdēja uz savas zelta laktas līdzās durvīm. Gulbja lieluma krāšņais sarkanzeltainais putns novēcināja garo asti un Hariju vēlīgi uzlūkoja.

Harijs nosēdās krēslā pie Dumidora galda. Tur viņš palika labu brīdi, vērodams, kā savos ietvaros snauž izbijušie direktori un direktrises, pārdomādams, ko tikko bija dzirdējis. Tad viņš pārlaida pirkstus pār rētu. Tā vairs nesāpēja.

Nezin kāpēc tagad, Dumidora kabinetā, viņš jutās daudz mierīgāks, jo zināja, ka pēc neilga brīža varēs izstāstīt direktoram par sapni. Viņš paraudzījās uz kabineta sienām. Uz plaukta stāvēja nospeķotā un apskrandusī Šķirmice. Turpat blakus bija futrālis ar karalisku sudraba zobenu, kura rokturi rotāja lieli rubīni. Tas bija tas pats zobens, ko viņš bija izvilcis no Šķirmices otrajā klasē. Zobens reiz bija piederējis Harija nama dibinātājam — Godrikam Grifidoram. Tagad viņš uz to nolūkojās, atminēdamies, kā zobens bija nācis palīgā, kad jau šķita, ka visas cerības pagaisušas, bet tad ievēroja, ka uz stikla futrāļa rotājas kāds sudrabains atspīdums. Grozīdams galvu, lai ieraudzītu, no kurienes gaisma nākusi, viņš pamanīja spožu sudrabbaltu staru, kas pazibēja pievērtu skapja durvju spraugā turpat aiz muguras. Harijs saminstinājās, pašķielēja uz Foksu, tad piecēlās un atgrūda durvis.

Aiz tām atradās sekla akmens bļoda, kuras apmali greznoja iegrebti raksti — rūnas un nepazīstami simboli. Sudrabaino gaismu izstaroja bļodas saturs — neko tamlīdzīgu Harijs vēl nekad nebija redzējis. Bļodā bija ne īsti šķidrums, ne gāze. Saturs laistījās spoži sudrabbalts un nemitīgi virmoja — virsma viļņojās kā vēja vandīts ūdens, bet tad uzbūrās tādi kā mākoņi, kas rimti vērpās un pārplūda cits citā. Izskatījās vai nu pēc sašķidrinātas gaismas, vai arī pēc sablīvēta vēja — Harijs nespēja izšķirties.

Viņš gribēja tam pieskarties, pataustīt, bet teju četrus gadus ilgā pieredze burvju pasaulē šķita sakām, ka bāzt roku bļodā ar nezināmu vielu būtu ļoti muļķīgi. Tāpēc viņš izvilka no mantijas kabatas zizli, bažīgi paraudzījās visapkārt, tad atkal uz bļodu, un ar zizli pamaisīja to, kas traukā virmoja. Sudrabainā viela bļodā sāka virpuļot vēl jo ātrāk.

Harijs pieliecās tuvāk, iebāzis galvu skapī. Sudrabainā viela vērtās caurspīdīga kā stikls. Viņš ieskatījās bļodā, domādams tur saskatīt akmens pamatu, taču zem noslēpumainās vielas virsmas ieraudzīja vīdam milzīgu istabu, uz ko viņš itin kā noraudzījās pa griestos izcirstu apaļu logu.

Istaba bija vāji apgaismota. Rādījās, ka tā atrodas zem zemes, jo logu tur nebija — tikai turekļos ievietotas lāpas, tādas pašas kā tās, kas apgaismoja Cūkkārpas mūrus. Piegrūdis galvu tik tuvu, ka deguns gandrīz skāra stiklainās vielas virsmu, Harijs ieraudzīja, ka gar zāles sienām novietotās tribīnes ir kā bāztin piebāztas ar raganām un burvjiem. Pašā telpas vidū stāvēja tukšs krēsls. Tas nezin kāpēc izskatījās šerminošs. Ap paroceņiem tinās važas, it kā tie, kas krēslā sēdēja, parasti pie tā tiktu pieķēdēti.

Kur tas vispār bija? Cūkkārpā noteikti ne — pilī tādas telpas nemaz nebija. Turklāt pūlī, kas bija sanācis noslēpumainajā zālē, bija tikai pieaugušie, un tik daudz pasniedzēju skolā nevarēja būt. Viņš nosprieda, ka sanākušie kaut ko gaida. No augšas varēja redzēt tikai skatītāju smailās cepures, taču tās visas bija pavērstas uz vienu un to pašu pusi, un visi sēdēja klusēdami.

Bļoda bija apaļa, savukārt zāle — kvadrātveida, tāpēc Harijs nevarēja redzēt, kas notiek tās kaktos. Viņš piebīdījās vēl tuvāk, pieliecās, raudzīdams saredzēt...

Harija degungals pieskārās savādajai vielai, kurā viņš pūlējās ko saskatīt.

Dumidora kabinets ar joni sagrīļojās — nezin kas Hariju pagrūda, un viņš ar galvu pa priekšu iegāzās bļodā...

Taču galva neatsitās pret bļodas akmens dibenu. Harijs krita cauri kaut kam ledusaukstam un melnam, it kā ierauts tumšā virpulī...

Un piepeši viņš atskārta, ka sēž bļodā redzētās istabas sienmalē uz sola — pašā tribīņu virsotnē. Viņš paraudzījās uz augstajiem mūra griestiem, domādams tur ieraudzīt apaļo logu, pa kuru pirms mirkļa skatījās lejā, bet tur nekā tāda nebija — tikai nosūbējis mūris.

Strauji vilkdams elpu, Harijs pārlaida skatu visapkārt. Zālē sēdēja vismaz divsimt raganu un burvju, taču neviens uz viņu neskatījās. Neviens it kā nemaz nebija manījis, ka no griestiem nokrīt četrpadsmitgadīgs puišelis. Pagriezies pret burvi, kas sēdēja blakus, viņš pārsteigumā tā iebrēcās, ka kliedziens atbalsojās visā telpā.

Viņš sēdēja tieši blakus Baltusam Dumidoram.

— Profesor! — Harijs aizžņaugti iečukstējās. — Piedodiet... Es negribēju... es tikai ieskatījos tai bļodā, kas stāvēja jūsu skapī... es... Kur mēs atrodamies?

Bet Dumidors pat nepakustējās un neatbildēja pilnīgi neko. Viņš par Hariju itin nemaz nelikās zinis. Tāpat kā visi pārējie klātesošie burvji, viņš saspringti raudzījās uz zāles kaktu, kur vīdēja durvis.

Harijs apmulsis pablenza uz Dumidoru, tad uz pieklusušo, gaidošo pūli, tad atkal uz Dumidoru. Un tad viņš aptvēra...

Reiz jau viņam bija nācies nokļūt tur, kur neviens viņu nevarēja nedz redzēt, nedz sadzirdēt. Toreiz viņš bija izkritis cauri apburtas dienasgrāmatas lappusei, iekļūdams svešās atmiņās... Un viss liecināja, ka tagad atkal noticis kaut kas līdzīgs...

Harijs pacēla labo roku un, mirkli vilcinājies, to sparīgi

novēcināja Dumidoram pie paša deguna. Dumidors nepamirkšķināja ne aci, uz Hariju nepaskatījās un pat nepakustējās. Un, pēc Harija domām, līdz ar to viss bija skaidrs. Jo īstais Dumidors šādi nebūtu reaģējis. Harijs bija iekļuvis Dumidora atmiņās, un šis te nebija tagadējais Dumidors. Tomēr necik sen tas nevarēja būt... Blakus sēdošais Dumidors bija gluži sirms — tāpat kā tagadējais. Bet kas šī bija par vietu? Ko visi šie burvji gaidīja?

Harijs vērīgāk paraudzījās visapkārt. Kā jau viņš bija nospriedis, vērdamies no augšas, telpa gandrīz noteikti atradās pazemē — tā vairāk līdzinājās pagrabam. Te vēdīja nospiedoša, baiļpilna gaisotne. Pie sienām nebija gleznu, telpā vispār nebija nekādu rotājumu — tikai līmeņos izkārtotas solu rindas, lai ikviens sēdošais varētu labi saskatīt krēslu ar važām nokārtajiem paroceņiem.

Iekams Harijs bija nonācis pie jelkādiem secinājumiem par to, kur bija nokļuvis, atskanēja soļi. Durvis pagraba kaktā atvērās, un ienāca trīs cilvēki — vai, pareizāk sakot, vīrs, ko veda divi atprātotāji.

Harija sirdi sagrāba salta roka. Atprātotāji — gari, zem kapucēm noslēpušies radījumi, lēni slīdēja pie telpas vidū novietotā krēsla, ar mironīgajām trūdu rokām cieši sagrābuši savu gūstekni. Tas izskatījās tuvu ģībonim, un Harijs viņu labi saprata... Viņš zināja, ka šeit atprātotājiem nav sasniedzams, taču šo radījumu vara viņam vēl bija pārlieku spilgtā atmiņā. Gaidošais pūlis šausmās novērsās, kamēr atprātotāji ietupināja gūstekni krēslā un izslīdēja laukā no pagraba. Durvis aizcirtās.

Harijs paskatījās uz vīru, kas tagad sēdēja krēslā, un ieraudzīja, ka tas ir Karkarovs.

Pretstatā Dumidoram Karkarovs izskatījās krietni jaunāks — mati un āžbārdiņa bija melni. Viņš bija tērpies nevis spožās zvērādās, bet plānā un noskrandušā mantijā. Karkarovs trīcēja pie visām miesām. Harijs redzēja, kā paroceņu ķēdes iemirdzas tīrā zeltā un aptinas ap Karkarova rokām, viņu cieši savažodamas.

— Igor Karkarov, — kāds aprauti ierunājās Harijam pa kreisi.

Pagriezis galvu, viņš ieraudzīja Zemvalža kungu, kas bija piecēlies kājās blakus solu rindas pašā vidū. Zemvalža mati bija tumši, sejā daudz mazāk rievu, viņš šķita spirgts un mundrs. — Jūs esat atvests šurp no Azkabanas, lai sniegtu liecību Burvestību ministrijai, jo esat darījis zināmu, ka jūsu rīcībā ir svarīgas ziņas.

Karkarovs izslējās — cik nu to spēja pie krēsla cieši pieķēdēts cilvēks.

— Tik tiešām tā, kungs, — viņš atsaucās, un par spīti tam, ka viņa balsī jautās bailes, Harijs acumirklī pazina pazīstamo glaimīgo pieskaņu. — Es vēlos būt noderīgs Burvestību ministrijai. Es vēlos palīdzēt. Es... es zinu, ka ministrija cenšas... cenšas apzināt pēdējos Tumsas pavēlnieka atbalstītājus. Es karsti vēlos palīdzēt, cik nu ir manos spēkos...

Solu rindas pāršalca murdoņa. Daļa burvju un raganu vēroja Karkarovu ar interesi, citi — ar klaju neuzticību. Tad Harijs izdzirdēja, kā otrpus Dumidoram atskan pazīstams, piesmacis ņurdiens: — Mēsls.

Viņš paliecās uz priekšu, lai palūkotos garām Dumidoram. Tur sēdēja Trakacis Tramdāns, lai gan izskatījās pavisam citādi. Burvju acs viņam nebija, toties bija divas pavisam parastas. Abas bija pievērstas Karkarovam, un abas bija piemiegtas nepārvaramā riebumā.

— Zemvaldis viņu laidīs vaļā, — Tramdāns nosēcās Dumidoram pie auss. — Viņš ar šo noslēdzis vienošanos. Pusgadu es viņu dzenāju rokā, un nu, ja Zemvaldis viņu piedabūs nosaukt gana daudz nedzirdētu vārdu, šis atkal būs uz brīvām kājām. Es teiktu, ka vajag paklausīties, kādas tad ir tās ziņas, un taisnā ceļā vest viņu atpakaļ pie atprātotājiem.

Dumidors caur garo, līko degunu izgrūda neapmierinātu šņācienu.

— Ak tā, man piemirsās... Tev atprātotāji nepatīk, Baltus, vai ne? — Tramdāns velnišķi nosmīnēja.

— Nepatīk gan, — Dumidors rimti atteica. — Baidos, ka

nepatīk. Mani jau sen māc nelāgas aizdomas, ka ministrijai nevajadzēja sapīties ar šādiem radījumiem.

— Bet kad darīšana ar šitādiem mēsliem... — Tramdāns noburkšķēja.

— Jūs sakāt, ka varat nosaukt mums vārdus, Karkarov? — Zemvalža kungs ierunājās. — Tad uzklausīsim, kas jums sakāms.

— Jums jāsaprot, — Karkarovs steidzīgi nobubināja, — ka Vārdā Neminamais vienmēr darbojās dziļā slepenībā... viņam labpatika, ka mēs... tas ir, viņa piekritēji... Un es nudien dziļi nožēloju, ka biju viņu vidū...

— Runā vienreiz laukā, — Tramdāns novīpsnāja.

— ...neviens no mums nezināja pilnīgi visus vārdus. Tikai viņš pats zināja, kas mēs visi esam...

— Un tas bija visnotaļ prātīgi, vai ne? Jo tad tādi kā tu, Karkarov, nevarētu iegāzt pilnīgi visus, — Tramdāns noburkšķēja.

— Tomēr jūs apgalvojat, ka *dažus* vārdus zināt, — Zemvalža kungs sacīja.

— Es... jā... — Karkarovs aizžņaugti izgrūda. — Un ņemiet vērā, ka tie bija ietekmīgi atbalstītāji. Cilvēki, ko es pats savām acīm redzēju viņam solāmies. Šīs ziņas es jums sniedzu par zīmi, ka viņu pilnīgi un galīgi noliedzu un manu sirdi plosa tik dziļa nožēla, ka es tik tikko...

— Un šie vārdi ir...? — Zemvalža kungs viņu skarbi pārtrauca.

Karkarovs dziļi ievilka elpu.

— Tur bija Antons Dolohovs, — viņš izdvesa. — Es... es redzēju, kā viņš spīdzināja neskaitāmus vientiešus un... un tos, kas nebija nostājušies Tumsas pavēlnieka pusē.

— Un pats sniedzu viņam palīdzīgu roku, — Tramdāns nomurmināja.

— Dolohovu mēs jau esam izskaitļojuši, — Zemvaldis pavēstīja. — Viņš tika notverts neilgi pēc jums.

— Ak tā? — Karkarovs ieplēta acis. — Man... es priecājos to dzirdēt!

Tomēr viņa seja liecināja par pavisam ko citu. Harijs saprata, ka šī ziņa viņu no tiesas satriekusi. Viens no pietaupītajiem vārdiem bija izrādījies nevērtīgs.

— Vēl kāds? — Zemvaldis bargi vaicāja.

— Nu, jā... Rožē, — Karkarovs steigšus izgrūda. — Ivans Rožē.

— Rožē ir miris, — Zemvaldis atteica. — Arī viņš tika notverts drīz pēc jums. Viņš nevēlējās nākt līdzi labprātīgi, sāka cīņu un gāja bojā.

— Paķerdams līdzi vienu gabalu no manis, — Tramdāns nočukstēja. Harijs uzmeta viņam skatienu un pamanīja, kā Tramdāns Dumidoram norāda uz savu degunu, kur bija izrauts pamatīgais robs.

— Nē... neko vairāk Rožē arī nebija pelnījis! — Karkarovs iesaucās, nu jau manāmi sabijies. Karkarovs acīmredzot sāka no tiesas bažīties, ka viņa sniegtās ziņas ministrijai nekādi nenoderēs. Viņa šaudīgais skatiens bailīgi pievērsās durvīm, aiz kurām atprātotāji droši vien nekustīgi stāvēja un gaidīja.

— Vēl? — Zemvaldis turpināja.

— Jā! — Karkarovs iekliedzās. — Treverss — viņš palīdzēja noslepkavot Makinonus! Mulcibers — viņa specialitāte bija *Pavēlus* lāsts, kas piespieda neskaitāmus cilvēkus pastrādāt šausmu lietas! Rokvuds — viņš bija spiegs un piegādāja Vārdā Neminamajam ziņas no pašas ministrijas!

Šoreiz bija skaidrs, ka Karkarovs trāpījis mērķī. Publikā sacēlās troksnis.

— Rokvuds? — Zemvaldis pārjautāja, pamādams turpat priekšā sēdošajai raganai, kas ņēmās sparīgi čirkstināt spalvu uz pergamenta. — Augusts Rokvuds no Mistēriju nodaļas?

— Tas pats, — Karkarovs dedzīgi apstiprināja. — Manuprāt, viņš ziņu ievākšanai izmantoja savus ielikteņus ministrijā un ārpus tās...

— Bet Treverss un Mulcibers mums jau ir, — Zemvalža kungs

noteica. — Loti labi, Karkarov, ja tas ir viss, jūs tiksiet nogādāts atpakaļ Azkabanā, kamēr mēs izlemsim...

— Vēl ne! — Karkarovs iebrēcās — nu jau manāmi izmisis. — Pagaidiet, tas vēl nav viss!

Lāpu gaismā varēja redzēt, kā viņa seju pārklāj sviedru lāsītes. Bālie vaigi izteikti kontrastēja ar melnajiem matiem un bārdeli.

— Strups! — viņš iesaucās. — Severuss Strups!

— Strupu padome ir attaisnojusi, — Zemvaldis dzedri paziņoja. — Par viņu iestājās Baltuss Dumidors.

— Nē! — Karkarovs iebrēcās, raustīdams ķēdes, kas viņu saistīja pie krēsla. — Ticiet man! Severuss Strups ir nāvēdis!

Dumidors piecēlās kājās. — Šajā lietā es liecību jau esmu sniedzis, — viņš mierīgi pavēstīja. — Severuss Strups patiesi bija nāvēdis. Tomēr viņš pārgāja mūsu pusē, iekams lords Voldemorts bija kritis, un kļuva par mūsu izlūku, nopietni riskēdams ar savu dzīvību. Tagad viņš ir tāds pats nāvēdis kā es.

Harijs paraudzījās uz Trakaci Tramdānu. Tas Dumidoram aiz muguras neticīgi novaikstījās.

— Loti labi, Karkarov, — Zemvaldis noskaldīja. — Paldies par sadarbību. Es pārskatīšu jūsu lietu. Tikmēr jums jāatgriežas Azkabanā...

Zemvalža kunga balss noslāpa. Harijs paskatījās visapkārt — pagrabs gaisa kā dūmu mākonis. Viss palēnām dzisa un zuda, saredzams bija tikai viņš pats, pārējais tinās tumsas virpulī...

Un tad pagrabs uzradās no jauna. Harijs sēdēja kur citur — joprojām pašā augstākajā solu rindā, bet šoreiz Zemvalža kungam pa kreisi. Gaisotne šķita pavisam citāda — brīvāka, pat priekpilna. Solos sasēdušie burvji un raganas dzīvi sarunājās, it kā būtu sanākuši noskatīties kādu sporta spēli. Tribīņu vidū sēdēja kāda ragana, kas Harijam šķita pazīstama. Viņai bija gari, gaiši mati, asinssarkana mantija un mutē — indīgi zaļa rakstāmspalva. Nebija ne mazāko šaubu, ka tā bija Rita Knisle, tikai gados jaunāka. Harijs paraudzījās apkārt. Līdzās atkal sēdēja Dumidors —

tagad citā mantijā. Zemvalža kungs izskatījās sagurušāks un tāds kā niknāks, izkāmējušāks... Harijs atskārta, ka tās ir citas atmiņas, cita diena... cits tiesas process.

Durvis pagraba kaktā atvērās, un zālē ienāca Ludo Maišelnieks.

Taču tas bija nevis Ludo Maišelnieks brieduma gados, bet gan Ludo Maišelnieks, kurš nepārprotami atradās savas kalambolista karjeras virsotnē. Deguns viņam vēl nebija salauzts, stāvs bija stalts un muskuļots. Nosēdies važu krēslā, viņš šķita uztraucies, tomēr ķēdes viņam neaptinās apkārt kā pirmīt Karkarovam, un Maišelnieks — varbūt pat ar atvieglojuma sajūtu — nomērīja ar skatienu publiku, kādiem pāris cilvēkiem pamāja un izmocīja vāru smaidu.

— Ludo Maišelniek, jūs esat nogādāts Burvju likumu padomes priekšā, lai atbildētu par apsūdzību saistībā ar nāvēžu darbību, — Zemvalža kungs pavēstīja. — Mēs esam uzklausījuši pret jums vērstās liecības un esam gatavi pasludināt spriedumu. Vai jums ir kas piebilstams, pirms to pasludinām?

Harijs neticēja savām ausīm. *Ludo Maišelnieks — nāvēdis?*

— Vienīgi, — Maišelnieks par varītēm pasmaidīja, — nu... es zinu, ka rīkojos druscin kā tāds muļķis...

Pāris burvju un raganu iecietīgi nosmaidīja. Zemvalža kungs gan laikam bija noskaņots pavisam citādi. Viņš uz Ludo Maišelnieku vērās ļoti bargi un ar izteiktu riebumu.

— Kā naglai uz galvas, puis, — kāds nīgri nomurmināja Dumidoram otrā pusē. Paraudzījies Harijs konstatēja, ka tur atkal sēž Tramdāns. — Ja es nezinātu, ka viņš allaž bijis apdauzīts, es domātu, ka viņa prātiņu neatgriezeniski samaitājusi kāda no tām āmurgalvām...

— Ludviķi Maišelniek, jūs tikāt pieķerts piegādājam ziņas lorda Voldemorta piekritējiem, — Zemvalža kungs paziņoja. — Tālab es ieteiktu apcietinājumu Azkabanā — ne īsāku par...

Taču publikā atskanēja sašutuma pilni izsaucieni. Šur un tur burvji un raganas pielēca kājās, grozīja galvas un pat kratīja dūres pret Zemvalža kungu.

— Bet es taču teicu — man nebija ne jausmas! — Maišelnieks vientiesīgi izsaucās, pārkliegdams pūļa murdoņu un ieplētis zilās acis. — Es itin neko nezināju! Vecais Rokvuds bija mana tēta draugs... Man pat prātā nenāca, ka viņš biedrojas ar Paši-Zināt-Ko! Es domāju, ka vācu ziņas mūsējiem! Un Rokvuds melsa, ka vēlāk man sagādāšot vietu ministrijā... Nu, kad es vairs nespēlēšu kalambolu... Tas ir, es taču nevarēšu līdz sirmam vecumam dauzīties pret āmurgalvām, vai ne?

Publikā atskanēja ķiķināšana.

— Mēs balsosim, — Zemvalža kungs dzedri noteica. Viņš pagriezās pret pagraba labējo sienu. — Zvērinātie, lūdzu paceliet roku — tie, kas balso par apcietināšanu...

Harijs palūkojās pa labi. Roku neviens nepacēla. Liela daļa raganu un burvju ņēmās aplaudēt. Viena no zvērinātajām piecēlās.

— Jā? — Zemvaldis izgrūda.

— Mēs tikai gribējām apsveikt Maišelnieka kungu ar viņa lielisko spēli pret Turciju pagājušajā sestdienā, — ragana izdvesa.

Zemvalža kungs dusmās vai vārījās. Tagad pagrabā sacēlās vesela aplausu vētra. Maišelnieks piecēlās un starodams paklanījās.

— Kauna lieta, — Zemvalža kungs nošņāca uz Dumidora pusi. Viņš apsēdās, bet Maišelnieks devās projām. — Rokvuds viņam esot solījis vietu... To dienu, kad mums pievienosies Ludo Maišelnieks, visa ministrija vēl ilgi gauži pieminēs...

Un pagrabs no jauna pagaisa. Kad tas atgriezās, Harijs pavērās visapkārt. Viņš un Dumidors joprojām sēdēja blakus Zemvalža kungam, bet gaisotne atkal bija krasi mainījusies. Valdīja pilnīgs klusums, ko pārtrauca vienīgi trauslas, tādas kā nonīkušas raganas šņuksti — viņa bija saknupusi līdzās Zemvalža kungam un ar trīcošām rokām spieda pie mutes kabatlakatiņu. Harijs paskatījās uz Zemvalža kungu — tas izskatījās vēl vājāks un pelēkāks. Viņa deniņos pulsēja kāda dzīsliņa.

— Vediet viņus iekšā, — Zemvaldis teica, un viņa vārdi atbalsojās pagraba klusumā.

Durvis kaktā no jauna atvērās. Šoreiz ienāca seši atprātotāji, vezdami četrus cilvēkus. Harijs redzēja, ka teju visas galvas pūlī pagriezās, lai palūkotos uz Zemvalža kungu. Daži ņēmās sačukstēties.

Atprātotāji atvestos nosēdināja četros važotos krēslos, kas tagad bija novietoti pagraba vidū. Viens no gūstekņiem bija drukns vīrs, kas ieurbās Zemvaldī ar stingu skatienu, otrs — kalsnāks un nervozāks, šaudīgām acīm, tad — sieviete ar kupliem, mirdzošiem matiem un smagiem plakstiem, kura ķēžu krēslā sēdēja kā karaliene tronī, un astoņpadsmit deviņpadsmit gadus vecs jauneklis, šausmās teju pārakmeņojies. Viņš drebēja pie visām miesām, iedzeltenie mati bija pārkrituši pār seju, un viņa vasarraibumainā seja bija gluži pienbalta. Trauslā, sīkā raganiņa līdzās Zemvaldim sāka šūpoties sēdeklī šurpu turpu un skaļi ieraudājās.

Zemvaldis piecēlās. Viņš visus četrus noskatīja ar neslēptu naidu.

— Jūs esat atvesti uz Burvju likumu padomi, — viņš skaļi un skaidri teica, — lai mēs varētu pasludināt spriedumu lietā, par kuru šaušalīgāku...

— Tēvs, — ierunājās zēns ar salmu dzeltenajiem matiem. — Tēvs... lūdzu...

— ...mums šajā tiesā reti nācies izskatīt, — Zemvaldis pacēla balsi, pārkliegdams dēla vārdus. — Mēs esam uzklausījuši pret jums sniegtās liecības. Jūs četri tiekat apsūdzēti par aurora Frenka Lēniņa sagūstīšanu un viņa pakļaušanu *Mokum* lāstam, lai atklātu, kas viņam zināms par jūsu trimdā esošā, Vārdā Neminamā kunga atrašanās vietu.

— Tēvs, es to nedarīju! — atskanēja važās saslēgtā jaunekļa kliedziens. — Es nē, zvēru... Tēvs, nesūti mani atpakaļ pie atprātotājiem!

— Jūs vēl tiekat apsūdzēti, — Zemvalža kungs nodārdināja,

— par *Mokum* lāsta uzlikšanu Frenka Lēniņa sievai, kad viņš jums cerētās ziņas neizpauda. Jūs bijāt iecerējuši atjaunot Vārdā Nemināmā varenību un no jauna kļūt par varmākām, kādi, jādomā, bijāt, kad viņš vēl nebija zaudējis spēku. Tagad es lūdzu zvērinātos...

— Māt! — iekliedzās jauneklis, un sīciņā raganiņa līdzās Zemvaldim ieelsojās, šūpodamās uz priekšu un atpakaļ. — Māt, apturi viņu, māt, es to nedarīju, tas nebiju es!

— Tagad es lūdzu zvērinātos, — Zemvalža kungs nokliedzās, — lai paceļ roku tie, kuri, tāpat kā es, uzskata, ka šie noziedznieki pelnījuši mūža ieslodzījumu Azkabanā.

Visas raganas un burvji, kas sēdēja gar pagraba labējo sienu, vienprātīgi pacēla roku. Pūlis ņēmās aplaudēt tāpat kā pirmīt Maišelniekam, sanākušo sejās jautās mežonīgs triumfs. Jauneklis iegaudojās.

— Nē! Māt, nē! Es to nedarīju, es to nedarīju, es nezināju! Nesūti mani uz turieni, neļauj viņam!

Zālē ieslīdēja atprātotāji. Trīs jaunekļa biedri klusēdami piecēlās, sieviete ar smagajiem plakstiem uzlūkoja Zemvaldi un iesaucās: — Tumsas pavēlnieks atkal celsies, Zemvaldi! Iegrūd vien mūs Azkabanā, mēs pagaidīsim! Viņš celsies un atnāks mums pakaļ, viņš mūs atalgos labāk nekā visus līdzskrējējus! Mēs vienīgie saglabājām uzticību! Mēs vienīgie centāmies viņu uzmeklēt!

Bet jauneklis pūlējās atkauties no atprātotājiem, lai gan pat Harijs manīja viņu saltās, iznīcinošās varas iedarbību. Pūlis zākājās, dažs labs pielēca kājās. Sieviete pazuda durvīs, bet jauneklis turpināja stīvēties.

— Es esmu tavs dēls! — viņš kliedza Zemvaldim sejā. — Es taču esmu tavs dēls!

— Tu man neesi nekāds dēls! — Zemvalža kungs nodārdināja, piepeši izvalbīdams acis. — Man nav dēla!

Trauslā ragana viņam līdzās izmisīgi ieelsojās un saļima uz sola. Viņa bija paģībusi. Zemvaldis to laikam nemaz nepamanīja.

— Aizvediet viņus! — Zemvaldis uzbrēca atprātotājiem tā,

ka viņam no mutes izsprāga slienas. — Vediet viņus prom, un lai viņi tur sapūst!

— Tēvs! Tēvs, man ar to nav nekāda sakara! Nē! Nē! Tēvs, lūdzu!

— Manuprāt, Harij, laiks atgriezties manā kabinetā, — kāds klusi ierunājās Harijam pie auss.

Harijs salēcās. Viņš paraudzījās visapkārt. Tad pa labi.

Tur sēdēja Baltuss Dumidors, noraudzīdamies, kā atprātotāji par varītēm velk projām Zemvalža dēlu. Un otrs Baltuss Dumidors sēdēja kreisajā pusē, skatīdamies viņam tieši virsū.

— Nāciet nu, — teica kreisajā pusē sēdošais Dumidors un paņēma viņu pie rokas. Harijs manīja, ka paceļas gaisā, pagrabs pagaisa, vienu brīdi valdīja piķa melna tumsa, viņš apmeta gaisā tādu kā lēnu kūleni un nostājās uz kājām piepeši žilbinošajā saules gaismā, kas piestrāvoja Dumidora kabinetu. Turpat priekšā, skapī, vizuļoja akmens bļoda, un līdzās stāvēja Baltuss Dumidors.

— Profesor, — Harijs noelsās, — es zinu, ka nevajadzēja... Es negribēju... Skapja durvis bija vaļā, un es...

— Es saprotu, — Dumidors atsaucās. Pacēlis bļodu, viņš nolika to uz sava galda, uz pulēta paliktņa, tad pats nosēdās krēslā un paaicināja Hariju nosēsties iepretim.

Harijs paklausīja, joprojām nenovērsdams skatienu no bļodas. Tās saturs atkal bija kļuvis sudrabbalts un vērpās, un viļņojās tāpat kā iepriekš.

— Kas tas ir? — Harijs nedroši ievaicājās.

— Šis te? To sauc par Domnīcu, — Dumidors atbildēja. — Dažkārt man šķiet — un jūs šo sajūtu noteikti pazīstat —, ka galvā sablīvējies pārāk daudz domu un atmiņu.

— E... — Harijs ieīdējās, apjēgdams, ka, godīgi sakot, neko tādu nav piedzīvojis.

— Tādās reizēs, — Dumidors turpināja, norādīdams uz akmens bļodu, — es izmantoju Domnīcu. Atliek notecināt liekās domas, ieliet tās bļodā un pārskatīt kādā brīvākā brīdī. Kad tām piešķirts šāds veidols, ir vieglāk pamanīt likumsakarības, saprotat?

— Jūs gribat teikt... ka tās tur, bļodā, ir jūsu *domas*? — Harijs izbrīnījās, vērdamies bļodas satura baltajos virpuļos.

— Jā gan, — Dumidors apstiprināja. — Es jums parādīšu.

Dumidors no mantijas krokām izvilka zizli un pielika tā galu pie saviem sirmajiem deniņiem. Tad viņš pabīdīja zizli nostāk, bet sirmie mati tam it kā vilkās līdzi, taču tad Harijs saprata, ka tie nav vis mati, bet tā pati dīvainā, sudrabbaltā viela, kas kūsāja Domnīcā. Jauno domu Dumidors ievietoja bļodā, un Harijs pārsteigts ieraudzīja, ka trauka virspusē peld viņa paša seja.

Ar garajiem pirkstiem satvēris Domnīcu, Dumidors to sašūpoja, itin kā skalodams zeltu... un Harijs redzēja paša seju pārvēršamies Strupa vaibstos — Strups pavēra muti un maķenīt apslāpētā, dunošā balsī uzrunāja griestus: — Tā atgriežas... arī Karkarovs... spēcīgāka un skaidrāka nekā jebkad...

— Šeit es sakarību būtu spējis uztaustīt arī tāpat, — Dumidors nopūtās, — bet nekas. — Pāri aceņu pusmēnešiem viņš pašķielēja uz Hariju, kas blenza uz Strupa ģīmi — tas joprojām griezās pa bļodu. — Es darbojos ar Domnīcu, kad ieradās Fadža kungs, un tad visai steigšus to nogrūdu skapī. Jādomā, neaizvēru durtiņas, kā nākas. Dabiski, ka tā piesaistīja jūsu uzmanību.

— Piedodiet, — Harijs nobubināja.

Dumidors pakratīja galvu.

— Zinātkāre nav nekāds grēks, — viņš noteica. — Bet tā jāliek lietā piesardzīgi... Jā, nudien...

Viegli saraucis pieri, viņš bļodā ielietās domas pabakstīja ar zižļa galu. Acumirklī no tām izslējās stāvs — tukla, nīgra, aptuveni sešpadsmit gadus veca meitene, kas, no bļodas neizkāpusi, sāka lēni griezties riņķī apkārt. Ne Hariju, ne profesoru Dumidoru viņa it kā nemaz nemanīja. Kad meitene ierunājās, viņas balss dunēja tāpat kā pirmiņ Strupam, it kā runātāja atrastos pašā akmens bļodas dibenā: — Viņš mani nolādēja, profesor Dumidor, bet es tikai ķircinājos, kungs, es tikai teicu, ka redzēju, kā viņš pagājušo ceturtdien aiz siltumnīcas bučoja Florensu...

— Bet kāpēc, Berta, — Dumidors skumji noteica, raudzīdamies uz meiteni, kas tagad griezās klusēdama, — kāpēc tev vajadzēja iet viņam līdzi?

— Berta? — Harijs nočukstēja, skatīdamies uz meiteni. — Vai tā... vai tā ir Berta Džorkinsa?

— Jā, — Dumidors atbildēja, atkal pabikstīdams pats savas domas. Berta no jauna iegrima bļodā, un tās saturs atkal kļuva sudrabains un miglains. — Tā bija Berta, kādu es viņu atminos no skolas laikiem.

Domnīcas sudrabainais spīdums apgaismoja Dumidora seju, un Harijs piepeši pamanīja, cik viņš vecs. Protams, viņš zināja, ka profesors nav nekāds jauneklis, tomēr viņam nezin kāpēc nekad nebija ienācis prātā par Dumidoru domāt kā par večuku.

— Nu tā, Harij, — Dumidors klusi ierunājās. — Pirms jūs aizklīdāt manās domās, laikam gribējāt man kaut ko teikt...

— Jā, — Harijs atsaucās. — Profesor, es tikko biju pareģošanā un... ē... iemigu.

Tad viņš saminstinājās, iedomādamies, ka varbūt sekos bāriens, bet Dumidors tikai atteica: — To es varu saprast. Turpiniet.

— Nu, es redzēju sapni, — Harijs ņēmās stāstīt. — Par lordu Voldemortu. Viņš mocīja Tārpasti... Jūs taču zināt, kas ir Tārpastis...?

— Zinu gan, — Dumidors nekavējoties atbildēja. — Lūdzu turpiniet.

— Voldemortam ūpis bija atnesis vēstuli. Viņš teica kaut ko par to, ka Tārpasta rupjā kļūda esot labota. Viņš teica, ka kāds esot miris. Tad viņš teica, ka Tārpasti neizbarošot čūskai — viņa krēslam turpat blakus bija čūska. Viņš teica... viņš teica, ka čūskai izbarošot mani. Tad viņš uzlika Tārpastim *Mokum* lāstu... un man iesāpējās rēta. Un tāpēc es pamodos — tā sāpēja ļoti stipri.

Dumidors klausīdamies raudzījās uz viņu.

— Nu... tas arī viss, — Harijs sacīja.

— Skaidrs, — Dumidors klusi novilka. — Skaidrs. Tā. Vai šogad jums rēta vēl kādreiz ir sāpējusi, ja neskaita to reizi vasarā, kad jūs no sāpēm pamodāties?

— Nē, es... kā jūs zināt, ka es vasarā no sāpēm pamodos? — Harijs izbrīnījās.

— Jūs neesat vienīgais, ar ko Siriuss sarakstās, — Dumidors atteica. — Arī es ar viņu sazinos kopš pērnā gada, kad viņš pameta Cūkkārpu. Es biju tas, kurš viņam ieteica to alu kalnos kā drošāko patvērumu.

Dumidors piecēlās un ņēmās staigāt šurpu turpu gar galdu. Ik pa laiciņam viņš pielika zižļa galu pie deniņiem, izvilka no galvas vēl kādu sudrabainu domas pavedienu un ielaida to Domnīcā. Domas bļodā sāka virpuļot tik strauji, ka Harijs tur vairs neko skaidri nespēja saskatīt — tur vīdēja tikai krāsains jūklis.

— Profesor! — viņš pēc pāris minūtēm piesardzīgi ierunājās.

Dumidors apstājās un pievērsa viņam skatienu.

— Es ļoti atvainojos, — Harijs klusi noteica un apsēdās pie galda. — Vai jūs... vai jūs zināt, kāpēc tā rēta sāp?

Dumidors labu brīdi viņu cieši pētīja un tad sacīja: — Man ir tikai tāda teorija, ne vairāk... Manuprāt, rēta jums sāp gan tad, kad lords Voldemorts ir kaut kur tuvumā, gan tad, kad viņu pārņem sevišķi spēcīga naida lēkme.

— Bet... kāpēc?

— Tāpēc, ka jūs vieno neizdevies lāsts, — Dumidors paskaidroja. — Tā nav parasta rēta.

— Tātad jūs domājat... tas sapnis... tā bija īstenība?

— Iespējams, — Dumidors nomurmināja. — Es teiktu — tas šķiet visai ticami. Harij... vai jūs Voldemortu redzējāt?

— Nē, — Harijs atbildēja. — Tikai viņa krēslu no mugurpuses. Bet... tur taču nemaz nebūtu ko redzēt, vai ne? Tas ir, viņam taču nemaz nav miesas, pareizi? Lai gan... kā tad viņš būtu varējis turēt zizli? — Harijs gausi novilka.

— Tik tiešām — kā? — Dumidors nomurmināja. — Tik tiešām — kā...

Gan Dumidors, gan Harijs labu brīdi cieta klusu. Dumidors vērās tukšumā, ik pa laikam pielikdams zižļa galu pie deniņiem un ievietodams mutuļojošajā Domnīcā vēl kādu mirdzošu, sudrabainu domu.

— Profesor, — Harijs pēdīgi ierunājās, — vai jūs domājat, ka viņš atgūst spēkus?

— Voldemorts? — Dumidors pavērās uz Hariju pāri Domnīcai. Tas bija tas pats pazīstamais, caururbjošais Dumidora skatiens, ko viņš bija redzējis citkārt un kas Harijam vienmēr lika sajusties tā, it kā Dumidors viņam redzētu cauri pavisam citādi, nekā to spēja pat Tramdāns ar savu burvju aci. — Arī tās, Harij, ir tikai un vienīgi aizdomas.

Dumidors atkal nopūtās, izskatīdamies pagalam vecs un saguris.

— Kad Voldemorts pieņēmās spēkā, — viņš sacīja, — daudzi cilvēki pazuda bez vēsts. Berta Džorkinsa ir pazudusi tur, kur saskaņā ar drošām ziņām Voldemorts ir manīts pēdējoreiz. Arī Zemvalža kungs ir pazudis... tepat, pils teritorijā... Un pazudis ir vēl kāds, ko ministrija, man par nožēlu, neuzskata par diez ko svarīgu faktu, jo pazudušais ir vientiesis. Viņa vārds bija Frenks Braiss. Viņš dzīvoja ciematā, kur uzauga Voldemorta tēvs, un nav redzēts kopš pērnā gada augusta. Redziet, es lasu vientiešu laikrakstus, par ko vairākums manu ministrijas draugu neliekas ne zinis.

Dumidors pievērsa Harijam dziļi nopietnu skatienu. — Man šķiet, ka šie gadījumi ir saistīti. Ministrija tā neuzskata — to jūs varbūt dzirdējāt, kamēr stāvējāt aiz kabineta durvīm.

Harijs pamāja. Atkal iestājās klusums, Dumidors turpināja vilkt no galvas laukā domas. Harijam ienāca prātā, ka laiks atvadīties, bet ziņkāre ņēma virsroku, un viņš palika sēžam.

— Profesor? — viņš no jauna ierunājās.

— Jā, Harij? — Dumidors atsaucās.

— E... vai es drīkstu pajautāt par... par to tiesu, ko es redzēju... Domnīcā?

— Jautājiet, — Dumidors smagi nopūtās. — Esmu tur bijis daudz reižu, bet daži procesi ataust atmiņā skaidrāk nekā citi... sevišķi tagad...

— Jūs zināt... nu, to sēdi, kurā jūs mani atradāt? To, ar Zemvalža dēlu? Nu... vai viņi runāja par Nevila vecākiem?

Dumidors viņu aši uzlūkoja.

— Vai tad Nevils jums nekad nav stāstījis, kāpēc viņu audzina vecmāmiņa? — viņš noprasīja.

Harijs papurināja galvu, piepeši pats nesaprazdams, kāpēc teju četru gadu laikā, kopš Nevilu pazina, nekad nav iedomājies to viņam pavaicāt.

— Jā, viņi runāja par Nevila vecākiem, — Dumidors apstiprināja. — Viņa tēvs Frenks bija aurors — tāpat kā profesors Tramdāns. Abi ar sievu pēc Voldemorta krišanas tika spīdzināti, lai viņi izpaustu, kur Tumsas pavēlnieks atrodams.

— Tātad viņi ir miruši? — Harijs klusi iejautājās.

— Nē. — Dumidora balsī ieskanējās tik dziļš rūgtums, kādu Harijs vēl nekad nebija dzirdējis. — Viņi ir sajukuši prātā. Abi atrodas Svētā Mango Maģisko slimību un ievainojumu dziednīcā. Manuprāt, Nevils kopā ar vecmāmiņu viņus brīvdienās apciemo. Vecāki viņu nepazīst.

Harijs sēdēja, no šausmām gluži stīvs. Viņš nezināja... Četru gadu laikā viņš nebija papūlējies noskaidrot...

— Lēniņus visi mīlēja un cienīja, — Dumidors turpināja. — Uzbrukums viņiem tika sarīkots pēc tam, kad Voldemorts bija gāzts — tieši tad, kad visi domāja, ka vairs nekas ļauns nevar notikt. Uzbrukumi izraisīja tādu niknuma vilni, kādu es neatceros pieredzējis. Visi pieprasīja, lai ministrija notver vainīgos. Diemžēl Lēniņu liecība, ņemot vērā viņu stāvokli, nebija izmantojama.

— Tātad iespējams, ka Zemvalža kunga dēlam ar to nebija nekāda sakara? — Harijs lēni ievaicājās.

Dumidors nogrozīja galvu. — Par to man nav ne jausmas.

Harijs atkal apklusa, vērdamies Domnīcas vērpetēs. Viņam uz mēles degtin dega vēl divi jautājumi. Bet tie bija saistīti ar dzīvu cilvēku vainu...

— E... — viņš ieīdējās. — Maišelnieka kungs...

— ...kopš tā laika ne reizi nav apsūdzēts tumšos darbos, — Dumidors rimti noteica.

— Nu jā, — Harijs steigšus pamāja, atkal pievērsdamies Domnīcai, kuras saturs tagad, kad Dumidors vairs nelika klāt domas, vērpās un mutuļoja daudz lēnāk. — Un... ē...

Taču Domnīca it kā uzdeva jautājumu viņa vietā. Bļodas virspusē atkal uzpeldēja Strupa seja. Dumidors paskatījās uz to... tad uz Hariju...

— Arī profesors Strups ne, — viņš sacīja.

Harijs ielūkojās Dumidora gaišzilajās acīs un, iekams paspēja iekost mēlē, izgrūda jautājumu, uz ko no tiesas vēlējās zināt atbildi. — Kā jūs domājat, profesor, kāpēc viņš pārstāja atbalstīt Voldemortu?

Kādu brīdi viņu abu skatieni krustojās, tad Dumidors ierunājās: — To, Harij, zinām tikai mēs ar profesoru Strupu.

Harijs manīja, ka saruna ir galā. Dumidors nebūt neškita dusmīgs, tomēr viņa balss liecināja, ka Harijam laiks iet. Zēns piecēlās, un to pašu darīja arī Dumidors.

— Harij, — viņš ieteicās, kad Harijs bija nonācis pie durvīm. — Esiet tik labs un nestāstiet nevienam par Nevila vecākiem. Nevilam ir tiesības pašam to izstāstīt, kad viņš jutīs, ka pienācis laiks.

— Jā, profesor. — Harijs pagriezās uz promiešanu.

— Un...

Harijs atskatījās.

Dumidors stāvēja pie Domnīcas. Uz viņa sejas krita domu sudrabainās gaismas atspīdumi, vēršot to vecāku nekā jebkad. Viņš labu brīdi vērās uz Hariju un beidzot sacīja: — Lai jums veicas trešajā pārbaudījumā!

## TRĪSDESMIT PIRMĀ NODAĻA

# TREŠAIS PĀRBAUDĪJUMS

— Un arī Dumidors domā, ka Paši-Zināt-Kas atkal pieņemas spēkā? — Rons nočukstēja.

Visu, ko Harijs bija redzējis Domnīcā, un gandrīz visu, ko Dumidors viņam bija pastāstījis un parādījis pēc tam, viņš tagad izklāstīja Ronam un Hermionei un, protams, arī Siriusam, kam zēns aizsūtīja pūci tūliņ pēc tam, kad bija izgājis no Dumidora kabineta. Tovakar Harijs, Rons un Hermione atkal līdz vēlai naktij sēdēja koptelpā un apspriedās, līdz Harijam jau sāka šķist, ka galva tūliņ sprāgs pušu, un viņš beidzot saprata, ko Dumidors bija gribējis teikt, sacīdams, ka domu var būt par daudz un kļūst vieglāk, ja daļu no tām nolej nost.

Rons nenovērsdamies blenza kamīna liesmās. Harijam rādījās, ka draugs tā kā drebinās, kaut gan vakars bija silts.

— Un viņš uzticas Strupam? — Rons ierunājās. — Viņš no tiesas Strupam uzticas, labi zinādams, ka šis bijis nāvēdis?

— Jā, — Harijs atbildēja.

Hermione jau minūtes desmit nebija bildusi ne vārda. Viņa sēdēja, piespiedusi pie pieres plaukstas, un stingi vērās uz saviem ceļgaliem. Harijs nosprieda, ka arī viņai derētu kāda Domnīca.

— Rita Knisle, — meitene pēdīgi nomurmināja.

— Tu tagad spēj uztraukties par *viņu*? — Rons neticīgi iesaucās.

— Es par viņu neuztraucos, — Hermione paskaidroja saviem ceļgaliem. — Es tikai domāju... atceries, ko viņa man teica "Trijos slotaskātos"? "Man par Ludo Maišelnieku ir zināmas tādas lietas, no kurām tev mati saceltos stāvos." Tad re, ko viņa ar to domāja! Viņa bija klāt, kad Maišelnieku tiesāja. Viņa zināja, ka Maišelnieks piegādājis ziņas nāvēžiem. Un arī Vinkija, atceraties...? "Maišelnieka kungs ir slikts burvis." Zemvalža kungs laikam dusmās vai pušu plīsa, kad šis tika cauri sveikā, un acīmredzot, mājās pārnācis, atviegloja sirdi.

— Jā, bet Maišelnieks taču ziņas nepiegādāja tīšuprāt, vai ne? Hermione paraustīja plecus.

— Un Fadžs uzskata, ka Zemvaldim uzbruka *Maksima madāma*? — Rons no jauna pievērsās Harijam.

— Nu jā, — Harijs atteica, — bet viņš tā saka tikai tāpēc, ka Zemvaldis pazuda netālu no Bosbatonas karietes.

— Viņa mums vēl nebija ienākusi prātā, vai ne? — Rons novilka. — Neaizmirstiet, ka viņas dzīslās pavisam noteikti rit milžu asinis un viņa negrib to atzīt...

— Protams, ka negrib, — Hermione pikti ierunājās, paceļusi galvu. — Paskatieties, kas notika ar Hagridu, kad Rita uzošņāja par viņa māti. Paskatieties uz Fadžu, kam viss ir acumirklī skaidrs tikai tāpēc, ka Maksima madāma ir pusmilzene. Kam vajadzīgi šitādi aizspriedumi? Arī es varbūt ņemtos stāstīt, ka man ir lieli kauli, ja zinātu, kas būs, ja teikšu patiesību.

Hermione ieskatījās savā rokaspulkstenī.

— Mēs nemaz neesam vingrinājušies! — viņa izbiedēta iesaucās. — Mēs taču gribējām izmēģināt aiztures burvestību! Rīt visādā ziņā ķersimies tai klāt! Nāc, Harij, tev jāpaguļ!

Abi zēni vilkās augšā uz guļamistabu. Ģērbdams mugurā pidžamu, Harijs pašķielēja uz Nevila gultu. Turēdams Dumidoram doto solījumu, viņš Ronam un Hermionei par Nevila vecākiem nebija bildis ne pušplēstu vārdu. Harijs noņēma brilles, ierāpās savā gultā un mēģināja iedomāties, kā ir, kad vecāki ir dzīvi, bet tevi nepazīst. Viņu pašu sveši cilvēki itin bieži bija žēlojuši kā bāreni, bet tagad, ieklausīdamies Nevila krācienos, Harijs nosprieda, ka Nevilam līdzjūtība vajadzīga daudz vairāk. Gulēdams tumsā, viņš sajuta krūtīs uzvilnījam dusmas un naidu pret tiem, kas bija mocījuši Lēniņa kungu un kundzi... Viņš atminējās pūļa ņirgas, kad atprātotāji no tiesas zāles vilka laukā Zemvalža dēlu un viņa biedrus. Viņš saprata, kā sanākušie jutās... Tad viņš atcerējās kliedzošā jaunekļa pienbalto seju un satrūcies aptvēra, ka pēc gada zēns jau bija miris...

Voldemorts, Harijs domāja, tumsā vērdamies uz gultas baldahīna pārklāju, atkal Voldemorts... Viņš bija tas, kurš saplosījis šīs ģimenes, kurš izpostījis visas šīs dzīves...

* * *

Ronam un Hermionei it kā bija jāgatavojas eksāmeniem, kam vajadzēja noslēgties trešā pārbaudījuma dienā, taču viņi lielākoties nodarbojās ar to, lai Harijam palīdzētu sagatavoties.

— Neraizējies, — Hermione strupi noteica, kad Harijs abiem to aizrādīja, piebilzdams, ka varot kādu brīdi pavingrināties arī pats savā nodabā. — Lai nu kur, bet aizsardzībā pret tumšajām zintīm mums augstākās atzīmes ir nodrošinātas — nodarbībās mēs nemūžam nebūtu dabūjuši zināt tik daudz par visiem tiem lāstiem.

— Laba skola topošajiem auroriem, — Rons aizrautīgi izsaucās, tikko kā uzlicis aiztures burvestību kādai lapsenei, kas vēl pirms brītiņa bija džinkstējusi pa istabu, bet nu sastingusi karājās gaisā.

Jūnijam sākoties, pilī no jauna iestājās satraukuma un spriedzes pilna gaisotne. Visi gaidīt gaidīja trešo pārbaudījumu, kam vajadzēja notikt nedēļu pirms trimestra beigām. Harijs katrā izdevīgā gadījumā izmēģināja roku buršanā un nolādēšanā. Šoreiz viņš jutās drošāks nekā pirms iepriekšējiem pārbaudījumiem. Viņš zināja, ka uzdevums būs grūts un bīstams, taču Tramdānam bija taisnība — Harijam jau bija nācies sastapties ar briesmoņiem un apburtiem šķēršļiem, turklāt šoreiz viņš apmēram nojauta, kas sagaidāms, un bija šādas tādas izredzes visam pienācīgi sagatavoties.

Profesore Maksūra, kam bija apnicis, ka viņi nemitīgi klimst pa skolu, atļāva Harijam pusdienlaikos izmantot tukšo pārvērtību klasi. Viņš ātri vien apguva aiztures burvestību, kas ļāva palēnināt un aizturēt uzbrucēju, dragājamo lāstu, kas noderētu, ja vajadzētu no ceļa aizvākt cietus priekšmetus, un "četru pušu" vārdus — noderīgu Hermiones atradumu, kas zizlim lika pavērsties tieši pret ziemeļiem, lai Harijs varētu pārliecināties, vai viņš labirintā dodas pareizajā virzienā. Tomēr zināmas grūtības joprojām sagādāja vairogburvestība. Tai vajadzēja ap viņu uz laiku uzburt neredzamu sienu, kas atvairītu vājākus lāstus. Hermionei izdevās to pārsist pušu ar labi notēmētu recekļkāju burvestību, un Harijs vēl desmit minūtes pēc tam drebelīgi klunkurēja pa klasi, iekams viņa sameklēja kādu pretlāstu.

— Tomēr tev veicas patiešām labi, — Hermione viņu uzmundrināja, pētīdama savu sarakstu un izsvītrodama no tā jau apgūtās burvestības. — Dažas no tām vienkārši nevar nenoderēt.

— Panāciet šurp un paskatieties, — stāvēdams pie loga, ierunājās Rons. Viņš raudzījās lejā uz pils pagalmu. — Ko tas Malfojs tur dara?

Harijs un Hermione piegāja pie loga paskatīties. Lejā, koka paēnā, stāvēja Malfojs, Krabe un Goils. Krabe ar Goilu tā kā stāvēja uz vakts — abi smīkņāja. Malfojs turēja roku pie mutes un nezin ko runāja plaukstā.

— Izskatās, it kā viņš runā pa rāciju, — Harijs ieinteresēts piezīmēja.

— Nevar būt, — Hermione atsaucās. — Es taču tev teicu — tādas lietas Cūkkārpas apkaimē nedarbojas. Ejam nu, Harij, — viņa mudīgi piebilda, uzgriezdama logam muguru un brāzdamās atpakaļ uz istabas vidu. — Pamēģināsim vēlreiz vairogburvestību.

* * *

Tagad pūces no Siriusa pienāca katru dienu. Viņš, tāpat kā Hermione, laikam bija nopietni pievērsies tam, lai Harijs godam tiktu galā ar pēdējo pārbaudījumu, un visas pārējās raizes atlicis uz vēlāku laiku. Ik vēstulē Siriuss nepiemirsa atgādināt, ka viss, kas notiek ārpus Cūkkārpas sienām, nav Harija darīšana un zēns vienalga to nespēj nekādi ietekmēt.

*Ja Voldemorts patiesi atkal pieņemas spēkā,* Siriuss rakstīja, *mans pirmais pienākums ir rūpēties par Tavu drošību. Kamēr Tu atrodies Dumidora aizsardzībā, viņš nekādi nevar tikt Tev klāt, tomēr neriskē — domā tikai par to, kā droši tikt cauri labirintam, un par visu citu uztrauksimies pēc tam.*

Divdesmit ceturtais jūnijs nāca aizvien tuvāk, un Harija uztraukums pieauga, taču tagad nebija ne tuvu tik ļauni kā pirms abiem iepriekšējiem pārbaudījumiem. Pirmām kārtām, viņš jutās pārliecināts, ka šoreiz ir darījis visu iespējamo, lai pārbaudījumam sagatavotos. Otrām kārtām, šis pārbaudījums bija pats pēdējais, un neatkarīgi no tā, cik labi vai slikti viņš ar to tiks galā, turnīrs beidzot būs noslēdzies, un tas būs milzu atvieglojums.

* * *

Trešā pārbaudījuma rītā brokastis pie grifidoru galda izvērtās ļoti trokšņainas. Ieradās pasta pūces, un Harijs saņēma laba vēlējumu kartīti no Siriusa. Tas bija tikai salocīts pergamenta gabaliņš, apzīmogots ar dubļainas ķepas nospiedumu, tomēr Harijs tik un tā jutās iepriecināts. Pie Hermiones nolaidās purva pūce, kā parasti atnesdama svaigāko "Dienas Pareģa" numuru. Meitene atlocīja avīzi, uzmeta skatienu pirmajai lappusei un aizrijusies nospurkšķināja to ar ķirbju sulu.

— Kas ir? — Harijs un Rons vienā balsī iesaucās, pagriezdami galvu uz viņas pusi.

— Nekas, — Hermione žigli atsaucās, raudzīdama nogrūst laikrakstu projām no acīm, bet Rons to sagrāba.

Apskatījies virsrakstu, viņš noteica: — Nekādā gadījumā. Tikai ne šodien. Tā vecā *govs*.

— Ko? — Harijs ievaicājās. — Atkal Rita Knisle?

— Nē, — Rons izgrūda un, tāpat kā Hermione, mēģināja nogrūst avīzi pie malas.

— Par mani? — Harijs noprasīja.

— Nē, — Rons ļoti nepārliecinoši atbildēja.

Bet, iekams Harijs paguva pieprasīt, lai viņš iedod apskatīties, pāri visai Lielajai zālei nobļāvās pie slīdeņu galda sēdošais Drako Malfojs: — Eu, Poter! *Poter*! Kā ar galviņu? Jūties labi? Nebruksi mums virsū?

Arī Malfojam rokā bija "Dienas Pareģa" numurs. Visi slīdeņi irgojās un smīkņāja, pagriezušies uz Harija pusi, lai redzētu, kādu ģīmi viņš rādīs.

— Parādi, — Harijs teica Ronam. — Dod šurp.

Rons ļoti negribīgi pasniedza viņam laikrakstu. Harijs sameklēja pirmo lapu un ieraudzīja tur savu ģīmetni, kas greznojās zem milzīga virsraksta:

*HARIJS POTERS "TRAUMĒTS UN BĪSTAMS"*

*Zēns, kurš sakāvis Vārdā Neminamo, ir psihiski nenosvērts un varbūt pat bīstams*, raksta speciālkorespondente Rita Knisle. *Nesen gaismā nākušas satraucošas liecības par Harija Potera dīvaino uzvedību, un tas liek šaubīties ne vien par viņa spēju piedalīties tik spraigā sacensībā kā Trejburvju turnīrs, bet pat par to, vai viņš maz var mācīties Cūkkārpas skolā.*

*"Dienas Pareģa" rīcībā nonākušas ekskluzīvas ziņas, ka Poters skolā regulāri zaudē samaņu un bieži sūdzas par sāpēm pieres apvidū, kur atrodas rēta (to atstājis lāsts, ar ko Paši-Zināt-Kas mēģināja zēnu nogalināt). Pagājušajā pirmdienā, pareģošanas nodarbības vidū, jūsu "Dienas Pareģa" reportiere redzēja, kā Poters izbrāzās no klases, aiz-*

*bildinoties, ka neciešami sāpot rēta un tāpēc viņš nespējot mācības turpināt.*

*Svētā Mango Maģisko slimību un ievainojumu dziednīcas eksperti pauž viedokli, ka Paši-Zināt-Kā uzbrukums, iespējams, traumējis Potera smadzenes un zēna apgalvojumos, ka rēta joprojām sāp, izpaužas dziļi slēpti psihiski traucējumi.*

*"Tā varētu būt pat izlikšanās," atzīst kāds speciālists. "Iespējams, viņš šādi pūlas pievērst sev uzmanību."*

*Tomēr "Dienas Pareģim" izdevies par Hariju Poteru atklāt satraucošus faktus, ko Cūkkārpas direktors Baltuss Dumidors no burvju sabiedrības rūpīgi slēpj.*

*"Poters ir šņācmutis," mums pauž Cūkkārpas ceturtgadnieks Drako Malfojs. "Pirms pāris gadiem skolā notika daudzi uzbrukumi audzēkņiem, un vairākums cilvēku domāja, ka tur varētu būt iejaukts Poters, jo redzēja viņu zaudējam savaldīšanos Divkauju klubā un uzsūtām pretiniekam čūsku. Tomēr viss tika noklusēts. Bet viņš arī draudzējas ar vilkačiem un milžiem. Mūsuprāt, viņš slavas dēļ ir gatavs uz visu."*

*Šņācmēle — spēja sarunāties ar čūskām — kopš senseniem laikiem tiek pieskaitīta pie tumšajām zintīm. Tik tiešām — mūslaiku slavenākais šņācmutis nav neviens cits kā Paši-Zināt-Kas. Kāds Tumšo Spēku Pretaizsardzības līgas biedrs, kurš savu vārdu vēlējās saglabāt slepenībā, mums pavēstīja, ka, viņaprāt, ikvienu burvi, kurš runā šņācmēlē, derētu "pakļaut izmeklēšanai. Personiski es ar ļoti lielām aizdomām raudzītos uz ikvienu, kurš prot sarunāties ar čūskām, jo čūskas bieži vien tiek izmantotas pašās tumšākajās zintīs un vēsturiski saistītas ar ļaundarībām". Līdzīgi "ikviens, kurš tiecas biedroties ar tik nelāgiem radījumiem kā vilkači un milži, varētu arī pats sliekties uz vardarbību".*

*Baltusam Dumidoram no tiesas vajadzētu apsvērt, vai šādam zēnam būtu dodama atļauja piedalīties Trejburvju turnīrā. Tiek paustas bažas, ka Poters varētu ķerties pie tumšajām zintīm, izmisīgi vēlēdamies uzvarēt turnīrā, kura pēdējais pārbaudījums notiks šovakar.*

— Galīgi šķērsām, vai ne? — Harijs bezrūpīgi noteica, salocīdams laikrakstu.

Malfojs, Krabe un Goils pie slīdeņu galda zvaigāja, grozīja pirkstus pie deniņiem, vaikstījās kā ārprātīgi un šaudīja mēles kā čūskas.

— Kā viņa zināja, ka tev pareģošanā iesāpējās rēta? — Rons ierunājās. — Viņas tur nevarēja būt, viņa neko nevarēja noklausīties...

— Logs bija vaļā, — Harijs atcerējās. — Es to pavēru, jo tur trūka gaisa.

— Jūs bijāt pašā Ziemeļtorņa galā! — Hermione aizrādīja. — No lejas tur noteikti neko nevarēja sadzirdēt!

— Nu, tu taču mums esi burvju noklausīšanās speciāliste! — Harijs noteica. — Tad pasaki, kā viņa to izdarīja!

— Es jau mēģinu noskaidrot! — Hermione taisnojās. — Bet es... bet...

Piepeši viņas sejā iegūla savāda, sapņaina izteiksme. Meitene lēni pacēla roku un izlaida pirkstus caur matiem.

— Tev kaut kas kaiš? — Rons sarauca pieri.

— Nē, — Hermione nočukstēja. Viņa vēlreiz izlaida pirkstus caur matiem un tad pielika roku pie mutes, it kā runātu pa neredzamu rāciju. Harijs un Rons saskatījās.

— Man kaut kas iešāvās prātā, — Hermione novilka, vērdamās tukšumā. — Man šķiet, es zinu... jo tad neviens nevarētu redzēt... pat Tramdāns... un viņai būtu vajadzējis tikt uz karnīzes... bet nedrīkst... Viņai *noteikti* nav tādas atļaujas... Manuprāt, viņa ir mums rokā! Dodiet man tikai divas sekundes — aizskriešu līdz bibliotēkai. Tikai pārliecināšos!

To teikdama, Hermione paķēra savu skolas somu un metās laukā no Lielās zāles.

— Eu! — Rons nokliedza viņai pakaļ. — Maģijas vēstures eksāmens ir pēc desmit minūtēm! Johaidī, — viņš teica, pagriezies pret Hariju, — viņa nu gan laikam pamatīgi nīst to Knisli, ja reiz riskē nokavēt eksāmena sākumu. Un ko tad tu darīsi Bija klasē — atkal lasīsi?

Kā Trejburvju censonis būdams atbrīvots no trimestra pārbaudījumiem, Harijs līdz tam bija visos eksāmenos sēdējis klases aizmugurē, meklēdams vēl kādas burvestības turnīra trešajam pārbaudījumam.

— Laikam jau, — Harijs atbildēja Ronam, bet tieši tad ieraudzīja gar grifidoru galdu šurp nākam profesori Maksūru.

— Poter, pēc brokastīm visiem censoņiem jāsapulcējas zāles dibenkambarī, — viņa pavēstīja.

— Bet pārbaudījums taču sāksies tikai vakarā! — Harijs sabijās, ka varbūt kaut ko pārpratis, un tā iztrūkās, ka izgāza klēpī olu kulteni.

— Es zinu, Poter, — Maksūra atteica. — Redzat, censoņu ģimenes ir ielūgtas noskatīties trešo pārbaudījumu. Tagad jums vienkārši būs iespēja apsveicināties.

Viņa devās projām. Harijs palika ar vaļā muti.

— Vai tad viņa domā, ka ieradīsies Dērsliji? — viņš apmulsis vaicāja Ronam.

— Kas to lai zina, — Rons izmeta. — Paklau, Harij, man jāpasteidzas, citādi nokavēšu Biju. Tiksimies vēlāk.

Harijs pabeidza ēst. Lielā zāle kļuva aizvien tukšāka. Viņš redzēja, kā no Kraukļanaga galda pieceļas Flēra Delakūra, piebiedrojas Sedrikam un abi dodas uz dibenkambara durvīm. Pēc īsa mirkļa turp aizslāja arī Krums. Harijs palika kur bijis. Viņam nudien negribējās doties uz to kambari. Viņam nebija ģimenes — vismaz ne tādas, kas ierastos, lai noskatītos, kā viņš riskē ar dzīvību. Bet, kolīdz Harijs grasījās celties kājās un doties uz bibliotēku, lai pameklētu vēl kādus lāstus, dibenkambara durvis atvērās, un laukā pabāzās Sedrika galva.

— Harij, nāc šurp, tevi jau gaida!

Galīgi neko nesaprazdams, Harijs piecēlās. Dērsliju taču tur nevarēja būt. Šķērsojis Lielo zāli, viņš atvēra kambara durvis.

Turpat pie sliekšņa stāvēja Sedriks ar vecākiem. Viktors Krums tālākajā kaktā bulgāriski tarkšķēja ar savējiem — tie abi bija tumšmataini. Kumpo degunu Krums bija mantojis no tēva. Otrpus istabai Flēra nez ko franciski vāvuļoja savai mātei pie auss. Mātei pie rokas turējās Flēras mazā māšele Gabriela, kas Harijam pamāja. Viņš pamāja pretim. Tad Harijs ieraudzīja pie kamīna stāvam Vīzlija kundzi un Bilu — tie abi starojoši smaidīja.

— Negaidīji, ko? — Vīzlija kundze aizrautīgi iesaucās, kad Harijs atplauka smaidā un devās viņiem klāt. — Iedomājāmies, ka atbrauksim un paskatīsimies, kā tev sokas, Harij! — Pieliekusies viņa uzspieda Harijam uz vaiga skūpstu.

— Kā iet? — Bils noprasīja, sapurinādams Harija roku. — Čārlijs arī gribēja atbraukt, bet nevarēja dabūt brīvdienu. Viņš teica, ka pret ragasti tu esot bijis nepārspējams.

Harijs pamanīja, ka Flēra Delakūra mātei pār plecu ar dedzīgu interesi nopēta Bilu. Acumirklī bija skaidrs, ka viņai nav nekādu iebildumu ne pret gariem matiem, ne pret auskaru riņķīšiem, kuros ievērti ilkņi.

— Tas nu gan ir jauki, — Harijs pīdamies uzrunāja Vīzlija kundzi. — Es vienu mirkli iedomājos... Dērsliji...

— Hmm, — Vīzlija kundze uzmeta lūpu. Viņa allaž centās nekritizēt Dērslijus Harija klātbūtnē, tomēr ikreiz nozibināja acis, kad izdzirdēja šo vārdu.

— Ir tik labi atkal būt šeit, — Bils sacīja, pavērdamies visapkārt (Resnās kundzes draudzene Violeta viņam piemiedza ar aci, tupēdama savā ietvarā). — Neesmu te bijis piecus gadus. Vai tā jukušā bruņinieka bilde vēl te ir? Tas sers Kedogens?

— Jā, jā, — atteica Harijs, kas ar seru Kedogenu bija iepazinies pērn.

— Un Resnā kundze? — Bils nerimās.

— Viņa te bija jau manos laikos, — Vīzlija kundze iejaucās. — Kā viņa mani reiz nosunīja, kad pārrados guļamistabā četros no rīta...!

— Kas tad tev bija darāms laukā četros no rīta? — Bils pārsteigts noprasīja.

Vīzlija kundze pasmīnēja, viņas acīs iemirdzējās uguntiņas.

— Mēs ar tavu tēvu gājām drusku pastaigāties, — viņa atteica. — Tēti noķēra Apolions Pringls — tolaik viņš bija pils uzraugs. Tētim vēl tagad ir rētas.

— Vai negribi izrādīt mums apkārtni, Harij? — Bils ievaicājās.

— Jā, labi, — Harijs piekrita, un viņi devās atpakaļ uz durvīm.

Kad Harijs ar Vīzlijiem gāja garām Amosam Digorijam, tas atskatījās. — Ahā, re, kur tu esi! — viņš sacīja, noskatīdams Hariju no galvas līdz kājām. — Bet tagad, kad Sedriks tevi punktos panācis, nav jau vairs tik daudz ko pūsties, vai ne?

— Ko? — Harijs nesaprata.

— Neliecies ne zinis, — Sedriks viņam klusu nomurmināja, saraucis pieri tāpat kā tēvs. — Viņš dusmojas kopš tā Ritas Knisles raksta par Trejburvju turnīru, nu, kur viņa visu iztēloja tā, it kā tu būtu vienīgais Cūkkārpas censonis.

— Un šis viņai nemaz nepapūlējās iegrozīt smadzenes vietā, vai ne? — Amoss Digorijs nosaucās gana skaļi, lai Harijs, kopā ar Vīzlija kundzi un Bilu iedams uz durvīm, visu labi sadzirdētu. — Nu, nekas... Tu viņam vēl parādīsi, Sedrik. Vienreiz jau tu viņu pieveici, vai ne?

— Rita Knisle vienā laidā jauc gaisu, Amos! — Vīzlija kundze pikti norādīja. — Tu taču strādā ministrijā — vai tad nezini?

Izskatījās, ka Digorija kungs grasās kaut ko atcirst, bet viņa sieva uzlika roku vīram uz piedurknes, tā ka Sedrika tēvs tikai paraustīja plecus un aizgriezās.

Harijs aizvadīja lielisku rītu, kopā ar Bilu un Vīzlija kundzi apstaigādams saules pielieto pils pagalmu, parādīdams viņiem Bosbatonas karieti un Durmštrangas kuģi. Vīzlija kundzi ieintriģēja Vālējošais vītols, kas bija iedēstīts pēc tam, kad viņa skolu jau bija beigusi, un tad viņa ņēmās stāstīt garus atmiņu stāstus par kādu Uogu, kas esot bijis Cūkkārpas mežsargs pirms Hagrida.

— Kā klājas Persijam? — Harijs apvaicājās, kad viņi meta loku ap siltumnīcām.

— Ne sevišķi labi, — Bils atteica.

— Viņš ir pamatīgi satriekts, — Vīzlija kundze pieklusināja balsi un piesardzīgi pašķielēja visapkārt. — Ministrijā Zemvalža kunga pazušanu grib noklusēt, bet Persijam visu laiku nākas atbildēt uz jautājumiem par to, kādus rīkojumus Zemvalža kungs viņam sūta. Viņi laikam domā, ka Zemvaldis tos rīkojumus pats nemaz nav rakstījis. Persijs ir galīgi nomocījies. Viņam neļauj šovakar pildīt piektā tiesneša pienākumus Zemvalža kunga vietā. To darīšot Kornēlijs Fadžs.

Pilī viņi atgriezās tikai pusdienlaikā.

— Mammu... Bil! — Rons ieplēta acis, ieradies pie grifidoru galda. — Ko jūs te darāt?

— Ieradāmies paskatīties, kā Harijam veiksies pēdējā pārbaudījumā! — Vīzlija kundze līksmi paziņoja. — Vispār jāsaka — patīkama pārmaiņa, kad pašai nav jāgatavo pusdienas. Kā gāja eksāmenā?

— Ai... labi, — Rons atteica. — Nevarēju atcerēties visus tos goblinu dumpinieku vārdus, nu un tāpēc dažus izdomāju. Viss kārtībā, — viņš mierinoši piebilda, uzkraudams sev uz šķīvja Kornvolas pīrāga gabalu un pa starpām pašķielēdams uz Vīzlija kundzes bargo seju. — Viņi visi taču ir kaut kādi Bordrodi Bārdaiņi vai Urgi Netīreļi, tas nemaz nebija grūti.

Arī Freds, Džordžs un Džinnija piesēdās viņiem blakus, un Harijs jutās tik labi, it kā atkal būtu "Midzeņos". Raizes par šāvakara pārbaudījumu pavisam izkrita no prāta, un tikai tad, kad pusdienu vidū uzradās Hermione, Harijs atcerējās, ka viņai taču bija kāda atklāsme par Ritu Knisli.

— Vai pastāstīsi...?

Hermione brīdinoši pagrozīja galvu un palūrēja uz Vīzlija kundzi.

— Sveika, Hermione, — Vīzlija kundze ierunājās atturīgāk nekā jebkad.

— Sveiki, — Hermione nopīkstēja. Smaids viņas sejā izdzisa, jo Vīzlija kundzes acis raudzījās salti kā lāstekas.

Harijs iespraucās abām pa vidu un ierunājās: — Vīzlija kundze, jūs taču nebūsit noticējusi tām blēņām, ko Rita Knisle sarakstīja "Raganu Nedēļā", ko? Jo Hermione nav man nekāda iecerētā.

— Ak tā! — Vīzlija kundze izsaucās. — Nē... es — noticējusi? Kur nu!

Bet pēc tam pret Hermioni jaušami atsila.

Pēc pusdienām Harijs, Bils un Vīzlija kundze devās vēl vienā garā pastaigā ap pili un Lielajā zālē atgriezās uz vakara maltīti. Tagad pie pasniedzēju galda sēdēja arī Ludo Maišelnieks un Kornēlijs Fadžs. Maišelnieks šķita visai priecīgs, bet Kornēlijs Fadžs, nosēdināts līdzās Maksima madāmai, izskatījās bargs un nerunīgs. Maksima madāma vērās savā šķīvī, un Harijam likās, ka viņai ir apsarkušas acis. Hagrids, sēdēdams galda galā, ik pa laiciņam pašķielēja uz viņas pusi.

Edienu bija vairāk nekā parasti, bet Harijs, kas nu jau pamazām sāka uztraukties pa īstam, neko daudz vis neēda. Kad noburtajos griestos virs galvas gaišais zilums vērtās pelēki violets, Dumidors pie pasniedzēju galda piecēlās kājās, un zālē iestājās klusums.

— Dāmas un kungi, pēc minūtēm piecām es lūgšu jūs posties uz kalambola laukumu, kur notiks trešais un pēdējais Trejburvju turnīra pārbaudījums. Censoņi, lūdzu, sekojiet Maišelnieka kungam un ejiet turp tūliņ.

Harijs piecēlās. Visi grifidori viņu pavadīja ar aplausiem, Vīzliji un Hermione novēlēja labu veiksmi, un viņš līdz ar Sedriku, Flēru un Krumu devās laukā no Lielās zāles.

— Kā jūties, Harij? — Maišelnieks viņu uzrunāja, kad visi kāpa lejā pa pils akmens lieveņa pakāpieniem. — Dūšas netrūkst?

— Itin nemaz, — Harijs atteica. Un tā bija balta patiesība — uztraucies viņš, protams, bija, taču pa ceļam nemitīgi pārcilāja prātā visus apgūtos lāstus un burvestības, un apziņa, ka nekas nav aizmirsies, viņam lika justies labāk.

Visi aizgāja līdz kalambola laukumam, kas nu bija pilnīgi pārvērties. Visapkārt laukumam auga sešus metrus augsts dzīvžogs.

Tieši iepretim tajā vīdēja sprauga — ieeja apjomīgajā labirintā. Dziļāk viss izskatījās tumšs un baismīgs.

Pēc piecām minūtēm tribīnēs sāka pulcēties skatītāji. Simtiem audzēkņu meklēja, kur apsēsties, gaisu piepildīja satrauktas balsis un soļu švīkstoņa. Debesis nu jau bija satumsušas, iedegās pirmās zvaigznes. Stadionā ieradās Hagrids, profesors Tramdāns, profesore Maksūra un profesors Zibiņš — viņi pienāca pie Maišelnieka un censoņiem. Visiem uz cepurēm bija lielas, sarkanas, spīdošas zvaigznes — vienīgi Hagridam tā bija uz kurmjādas vestes muguras.

— Mēs patrulēsim labirinta ārpusē, — profesore Maksūra pavēstīja censoņiem. — Ja gadās kāda nelaime un gribat tikt projām, izšaujiet gaisā dzirksteles, un kāds no mums tūliņ būs klāt. Skaidrs?

Censoņi pamāja.

— Nu tad visi pie darba! — Maišelnieks līksmi uzsauca patruļai.

— Lai nu sokas, Harij, — Hagrids nočukstēja, un viņu četrotne izklīda, lai ieņemtu vietas ap labirintu. Maišelnieks pielika zižļa galu sev pie rīkles, nobubināja: — *Skaļo!* —, un maģiski pastiprinātā balss aizdārdēja līdz tribīnēm.

— Dāmas un kungi, tūliņ sāksies trešais un pēdējais Trejburvju turnīra pārbaudījums! Atgādināšu, kāds ir šābrīža rezultāts. Pirmo vietu ar astoņdesmit pieciem punktiem dala Sedriks Digorija jaunkungs un Harijs Potera jaunkungs — abi no Cūkkārpas skolas! — Gaviles un aplausu vētra iztrūcināja putnus, kas no Aizliegtā meža kokiem ar joni uzspurdza tumstošajās debesīs. — Otrajā vietā ar astoņdesmit punktiem ir Viktors Kruma jaunkungs no Durmštrangas institūta. — Atkal atskanēja aplausi. — Un trešajā vietā — Flēra Delakūras jaunkundze no Bosbatonas akadēmijas

Harijs redzēja, kā tribīņu vidū Flērai pieklājīgi paplaukšķina Vīzlija kundze, Bils, Rons un Hermione. Viņš draugiem pamāja, un tie smaidīdami pamāja pretim.

— Tā... Harij un Sedrik, tad nu pēc svilpiena jūs abi! — Maišelnieks nosaucās. — Trīs... divi... viens...

Viņš iepūta svilpē, un Harijs ar Sedriku steidzās iekšā labirintā.

Augstās dzīvžoga sienas pār eju meta melnas ēnas, un — vai nu tāpēc, ka dzīvžogs bija tik kupls un augsts, vai arī tāpēc, ka tas bija apburts, — kolīdz viņi spēra soli labirintā, pūļa troksnis noslāpa. Sajūta bija gandrīz tāda pati kā toreiz zem ūdens. Viņš izrāva zizli, nomurmināja: — *Spīžo*! — un dzirdēja, ka Sedriks turpat aiz muguras dara to pašu.

Pēc kādiem piecdesmit metriem eja sazarojās. Abi saskatījās.

— Tiksimies vēlāk, — Harijs atvadījās un nogriezās pa kreisi, Sedriks — pa labi.

Harijs dzirdēja, kā Maišelnieks iepūš svilpē otrreiz. Labirintā bija devies Krums. Harijs pielika soli. Viņa izvēlētā eja šķita pavisam tukša un pamesta. Nogriezies pa labi, viņš steidzās uz priekšu, pacēlis zizli augstu virs galvas, raudzīdams apgaismot ceļu iespējami tālāk. Tomēr tur nebija nekā ko redzēt.

Kaut kur tālumā atskanēja Maišelnieka trešais svilpiens. Tagad visi censoņi bija tikuši labirintā.

Ik pa brīdim Harijs atskatījās. No jauna uzmācās pazīstamā sajūta, ka viņš tiek novērots. Tumsa labirintā ar katru mirkli sabiezēja — debesis virs galvas nu jau vīdēja melni zilas. Eja priekšā atkal sazarojās.

— *Rādi*! — Harijs pačukstēja zizlim, nolicis to līmeniski uz delnas.

Zizlis apsviedās un norādīja pa labi, tieši uz blīvo dzīvžoga sienu. Tur bija ziemeļi, un Harijs zināja, ka jāvirzās uz ziemeļrietumiem, lai tiktu labirinta centrā. Prātīgākais, ko viņš šobrīd varēja darīt, bija iet pa kreisi un pirmajā izdevīgajā gadījumā atkal nogriezties pa labi.

Eja priekšā atkal bija pavisam tukša, un, kad Harijs atrada pagriezienu pa labi un devās iekšā nākamajā ejā, arī tur nekādu šķēršļu nebija. Tas viņu nezin kāpēc darīja nervozu. Kaut kam taču jau vajadzēja gadīties ceļā! Šķita, ka labirints viņu maldina, iemidzinot modrību. Tad aiz muguras pa labi kaut kas sakustējās. Harijs pacēla zizli, gatavs uzbrukumam, bet tā stars krita uz Sedriku, kas izmeimuroja no ejas pa labi. Sedriks izskatījās krietni vien papluinīts. No viņa mantijas piedurknes gaisā cēlās dūmu grīste.

— Hagrida spridzekļmūdži! — viņš noelsās. — Milzonīgi — tik tikko izspruku!

Noskurinājies viņš ienira kādā citā ejā. No sirds vēlēdamies attālināties no mūdžiem, Harijs metās uz priekšu. Tad, pagriezies ap stūri, viņš ieraudzīja...

Pretim slīdēja atprātotājs. Divarpus metrus garš, ar pāri sejai pārvilktu kapuci, pustrūdējušās, kraupainās rokas izstiepis, tas, akli taustīdamies, nemaldīgi virzījās arvien tuvāk. Harijs dzirdēja pretekli saraustīti sēcam, sajuta no viņa plūstam stindzinošo saltumu, taču zināja, kas darāms...

Viņš no visa spēka ņēmās domāt par kaut ko priecīgu — par to, kā izkļūs no labirinta un kopā ar Ronu un Hermioni svinēs turnīra beigas... Pacēlis zizli, viņš nokliedzās: — *Sauces aizstāvum*!

No Harija zižļa iznira sudrabains briedis un lēkšoja uz atprātotāja pusi. Nejaucenis atsprāga atpakaļ un paklupa, sapinies pats savas mantijas stērbelēs... Harijs nekad nebija redzējis, ka atprātotājs pakluptu...

— Pag! — viņš iesaucās, pasperdams soli uz priekšu pakaļ savam sudrabainajam aizstāvim, — tu taču esi bubulis! *Kiķikulus*!

Atskanēja plaukšķis, un maiņveidis pārvērtās dūmu mākulī. Sudraba briedis izgaisa. Harijs būtu vēlējies, lai viņš paliek — tomēr kāds sabiedrotais... Bet nu viņš steidzās uz priekšu, cik ātri un klusi vien spēdams, ausīdamies un augstu pacēlis zizli.

Pa kreisi... pa labi... atkal pa kreisi... Divreiz priekšā izrādījās strupceļš. Viņš atkal izmantoja četru pušu vārdus un konstatēja, ka par daudz novirzījies uz austrumiem. Pagājis kādu gabalu atpakaļ, viņš nogriezās pa labi un priekšā ieraudzīja karājamies dīvainu zeltainas miglas mākoni.

Piesardzīgi tam pietuvojies, Harijs pret mākoni pavērsa zižļa gaismas staru. Izskatījās pēc kādas burvestības. Viņš iedomājās, ka varbūt to iespējams aizburt nost no ceļa.

— *Dragājies!* — viņš nosaucās.

Burvestība izšāvās miglai cauri, un nekas nemainījās. Harijs atjēdzās, ka tā tam arī vajadzēja būt — dragājamais lāsts bija izmantojams tikai pret cietiem priekšmetiem. Diez kas būtu, ja viņš miglai vienkārši ietu cauri? Pamēģināt? Varbūt tomēr labāk kāpties atpakaļ?

Kamēr viņš vilcinājās, klusumu pāršķēla kliedziens.

— Flēra? — Harijs iebļāvās.

Klusums. Viņš pavērās visapkārt. Kas Flērai lēcies? Izklausījās, ka kliedziens atskanēja kaut kur priekšā. Harijs dziļi ievilka elpu un metās tieši apburtās miglas mākulī.

Pasaule apvērsās ar kājām gaisā. Harijs karājās pie zemes, mati noslīdēja no ausīm, acenes nošļuka no degungala, draudēdamas iekrist bezdibenīgajās debesīs. Viņš pārbijies saķēra brilles, uzbīdīja atpakaļ uz deguna un turēja, cik spēka. Likās, ka pēdas ir pielīmētas pie zāliena, kas nu bija pārvērties par griestiem. Kaut kur dziļi lejā pletās tumšais, zvaigznēm piebārstītais debess jums. Harijs baidījās atraut no zemes kājas, jo tā vien šķita, ka tad viņš nokritīs no zemes pavisam.

*Domā,* viņš pats sev teica, juzdams, ka asinis saskrien galvā. *Domā...*

Taču neviena no apgūtajām burvestībām nederēja gadījumam, kad zeme un debesis piepeši apmainās vietām. Vai kāju no zemes atraut drīkstēja? Galvā smagi pukstēja asinis. Viņam bija divas iespējas — vai nu iedrošināties un pakustēties, vai arī izšaut sarkanās dzirksteles, sagaidīt palīgus un izstāties no sacensības.

Harijs aizmiedza acis, lai neredzētu bezgalīgās debesis, kas pletās zem kājām, un no visa spēka atrāva labo pēdu no mīkstajiem, ar zāli apaugušajiem griestiem.

Tūliņ viss nostājās savā vietā. Harijs uz ceļgaliem nokrita uz brīnišķīgi cietās zemes. No pārciestajām izbailēm viņš jutās tīri ļengans. Dziļi un apņēmīgi ievilcis elpu, Harijs piecēlās un metās uz priekšu, atskatīdamies uz zeltaino miglu, kas nevainīgi mirguļoja mēnesnīcā.

Divu eju krustojumā viņš apstājās un paraudzījās visapkārt, lūkodamies pēc Flēras. Harijs nešaubījās, ka pirmīt dzirdējis viņas balsi. Ar ko viņa bija sastapusies? Vai meitene bija dzīva un vesela? Sarkanās dzirksteles nebija manāmas — vai tas nozīmēja, ka viņa pati izkūlusies no nepatikšanām, vai varbūt ķeza bija tik liela, ka viņa nemaz nespēj pasniegties pēc zižļa? Harijs nogriezās pa labi, juzdams krūtīs briestam nelāgu priekšnojautu... Tomēr vienlaikus ausīs uzstājīgi dunēja doma, ka *tagad varbūt ir par vienu censoni mazāk*...

Kausam vajadzēja būt pavisam tuvu, un tā vien šķita, ka Flēra vairs sacensībā nepiedalās. Tik tālu viņš taču bija ticis, vai ne? Un ja nu patiesi izdodas uzvarēt? Pirmo reizi, kopš Harijs bija kļuvis par censoni, viņam acu priekšā pazibēja aina, kā Harijs Poters stāv skolas biedru acu priekšā, augstu gaisā pacēlis Trejburvju kausu...

Minūtes desmit priekšā negadījās nekas, izņemot strupceļus. Divreiz viņš kļūmīgi nogriezās vienā un tajā pašā nepareizajā ejā. Visbeidzot viņš atrada jaunu eju un metās skriešus, vēcinādams aizdegto zizli un mezdams šaudīgu, greizu ēnu uz dzīvžoga vaļņiem. Apsviedies ap nākamo stūri, viņš teju uzskrēja virsū spridzekļmūdzim.

Sedrikam bija taisnība — tas patiešām bija milzonīgs. Trīs metrus garais mūdzis izskatījās pēc gigantiska skorpiona. Asti ar dzeloni tas bija lokā izliecis pār muguru. Biezās bruņas spīguļoja Harija zižļa stara gaismā.

— *Dullum*!

Burvestība triecās pret mūdža bruņām un atlēca atpakaļ. Harijs pēdējā brīdī pieliecās, bet nāsīs viņam iesitās sviluma smaka —

atsitienā burvestība bija nodedzinājusi viņam matu galus. Mūdža pakaļgals izvirda liesmas, un riebīgais radījums sāka virzīties uz priekšu.

— *Aizturies*! — Harijs nobļāvās. Burvestība atkal atlēca no mūdža bruņām. Harijs pāris soļus pastreipuļoja atpakaļ un pakrita. — AIZTURIES!

Kad mūdzis bija vairs tikai sprīža attālumā, tas beidzot sastinga — Harijam bija izdevies trāpīt tā mīkstajā pavēderē, ko nesedza bruņas. Harijs pūzdams elsdams pagrūda kustoni nostāk un metās uz otru pusi, ko nagi nesa, — aiztures burvestība nedarbojās neko ilgi, un mūdzis kuru katru brīdi varēja atgūt kāju veiklību.

Viņš nogriezās pa kreisi un ieskrēja strupceļā. Pa labi — tur tas pats. Piespiedis sevi apstāties, viņš, sirdij nevaldāmi sitoties, noskaitīja četru pušu vārdus, pagājās atpakaļ un izraudzījās eju, kas veda uz ziemeļrietumiem.

Pāris minūšu pa to jozis, viņš turpat blakus ejā sadzirdēja kaut ko tādu, ka sastinga uz vietas kā nolēmēts.

— Ko tu dari?! — iekliedzās Sedriks. — Ko tu, ellē ratā, dari!

Un tad atskanēja Kruma balss.

— *Mokum!*

Gaisu piepeši pāršķēla Sedrika kaucieni. Harijs šausmās ņēmās meklēt ceļu, kā nokļūt pie Sedrika. Tāda nebija, un viņš no jauna mēģināja izmantot dragājamo lāstu. Diezcik iedarbīgs tas nebija, tomēr dzīvžogā izdedzināja nelielu caurumu, kur Harijs iebāza kāju un sāka spārdīties un lauzties, līdz zari un pazares padevās, un sienā pavērās sprauga. Viņš izkārpījās tai cauri, saplēsdams mantiju, un, pavēries pa labi, ieraudzīja, kā zemē guļ, lokās un svaidās Sedriks, bet turpat blakus stāv Krums.

Harijs saņēmās un, kolīdz Krums pagrieza galvu uz viņa pusi, notēmēja ar zizli. Krums apcirtās un metās skriešus.

— *Dullum!* — Harijs iebrēcās.

Burvestība trāpīja Krumam mugurā — viņš sastinga un nokrita ar seju zālē. Harijs metās klāt Sedrikam, kas bija rimies svaidīties un gulēja, smagi vilkdams elpu un rokas piespiedis pie sejas.

— Kā ir? — Harijs nopenterēja, sagrābdams Sedriku pie rokas.

— Nekas, — Sedriks nošļupstēja. — Nekas... nudien, nevar būt... Viņš man piezagās no mugurpuses... Es sadzirdēju, pagriezos un skatos — šis notēmējis uz mani ar zizli...

Sedriks piecēlās, joprojām trīcēdams pie visām miesām. Viņi abi uzmeta skatienu Krumam.

— Nevar būt... Es domāju, ka viņš ir lāga puisis, — Harijs novilka.

— Es arī, — Sedriks atsaucās.

— Vai pirmīt dzirdēji Flēru kliedzam? — Harijs ievaicājās.

— Jā, — Sedriks pamāja. — Domā, ka Krums arī viņai ticis klāt?

— Nezinu, — Harijs gausi noteica.

— Atstāsim viņu tepat? — Sedriks nomurmināja.

— Nē, — Harijs sacīja. — Manuprāt, vajadzētu izšaut sarkanās dzirksteles. Lai kāds nāk un viņu savāc... Citādi atlīdīs kāds spridzekļmūdzis.

— To viņš būtu pelnījis, — Sedriks noburkšķēja, tomēr pacēla zizli un izšāva augšup sarkanu dzirksteļu šalti — tā apstājās augstu gaisā, iezīmēdama vietu, kur Krums bija atrodams.

Harijs ar Sedriku kādu brīdi stāvēja tumsā, raudzīdamies visapkārt. Tad Sedriks ierunājās: — Nu... laikam jāiet tālāk...

— Ko? — Harijs atsaucās. — Ā... jā... pareizi...

Tas bija savāds brīdis. Viņi ar Sedriku uz mirkli bija apvienojušies pret Krumu — tagad abi atskārta, ka ir pretinieki. Viņi klusēdami devās projām pa tumšo eju, un Harijs pagriezās pa labi, Sedriks — pa kreisi. Sedrika soļu troksnis drīz vien pagaisa tālumā.

Harijs soļoja uz priekšu, ik pa laiciņam izmantodams četru pušu burvestību, lai pārliecinātos, ka dodas pareizajā virzienā.

Tagad tā bija sacensība starp viņu un Sedriku. Vēlme tikt pie kausa pirmajam Hariju svilināja karstāk nekā jebkad, taču viņš nespēja noticēt, ka Krums patiesi pastrādājis to, kam viņš bija liecinieks. Nepiedodamā lāsta uzlikšana cilvēkam bija sodāma ar mūža ieslodzījumu Azkabanā — tā bija teicis Tramdāns. Nevarēja būt, ka Krums Trejburvju kausa dēļ bija gatavs pat... Harijs pielika soli.

Ik pa brīdim viņš atdūrās strupceļā, taču pamatīgi sabiezējusī tumsa liecināja, ka tuvojas labirinta centrs. Tad, jozdams pa garu, taisnu eju, viņš priekšā atkal samanīja kustību, un zižļa gaismas stars no tumsas izrāva neparastu radījumu, kādu viņam bija gadījies redzēt tikai bildītē — "Briesmonīgajā briesmoņu grāmatā".

Tā bija sfinksa — milzonīgs lauvas rumpis ar varenām, nagainām ķetnām un garu dzeltenīgu asti, kuras galā greznojās brūns pušķis. Rumpim tomēr bija sievietes galva. Harijam tuvojoties, sfinksa pagrieza pret viņu iegarenās mandeļveida acis. Viņš neizlēmīgi pacēla zizli. Sfinksa it kā nemaz negatavojās lēcienam, tikai mīņājās uz vienu un uz otru pusi, aizšķērsodama ceļu.

Tad viņa ierunājās zemā, piesmakušā balsī: — Tu mērķim jau esi pavisam tuvu. Isākais ceļš pie tā ved man garām.

— Tad... tad vai tu, lūdzu, nepavirzītos nostāk? — Harijs iejautājās, labi zinādams, kāda būs atbilde.

— Nē, — viņa atteica, nemitēdamās mīņāties. — Ja vien neatminēsi manu mīklu. Atminēsi uzreiz — es palaidīšu tevi garām. Neatminēsi — es uzbrukšu. Klusēsi — ļaušu tev aiziet ar veselu ādu.

Harija dūša mazliet sašļuka. Tādas lietas daudz labāk padevās Hermionei. Viņš apsvēra izredzes. Ja mīkla izrādīsies pārāk grūta, viņš cietīs klusu, sveikā tiks projām un mēģinās atrast kādu citu ceļu uz centru.

— Labs ir, — viņš teica. — Vai varu noklausīties mīklu?

Sfinksa atsēdās uz pakaļkājām pašā ejas vidū un nodeklamēja:

*Pirmie četri sēž rindā kā zobi*
*Zem vienvienīgas ādiņas.*
*Beigas dos kāds, kurš trīc, kad to šķobi, —*
*Kaut pavisam bez samaņas.*
*Un pēcāk — liec vidū ko tādu,*
*Ko ņem talkā, kad piemirsti vārdu,*
*Tad sajūdz tos kopā un nosauksi*
*To, ko, varmākas piespiests, tik bučosi."*

Harijs blenza uz viņu, muti atplētis.

— Vai nevarētu vēlreiz... lēnāk? — viņš piesardzīgi ievaicājās.

Sfinksa samirkšķināja acis, pasmaidīja un noskaitīja dzejoli vēlreiz.

— Beigās jāsanāk kaut kādam radījumam, ko es negribētu bučot? — Harijs noprasīja.

Sfinksa tikai smaidīja savu noslēpumaino smaidu. Harijs pieņēma, ka tas nozīmē "jā". Viņš ņēmās drudžaini prātot. Tādu kustoņu, ko nepavisam negribētos bučot, bija vesels lērums — pirmais prātā iešāvās spridzekļmūdzis, taču nojauta teica priekšā, ka tā diez vai būs pareizā atbilde. Vajadzēja padomāt par to, kas teikts dzejolī...

— Sēž rindā kā zobi, — Harijs nomurmināja, skatīdamies sfinksai acīs, — zem vienvienīgas... ē... tās būs... krelles. Nē, tā vēl nav galīgā atbilde! Varbūt... pupas pākstī? Zirņi? Pie tā es vēl atgriezīšos... Vai tu, lūdzu, nevarētu vēlreiz atkārtot par to otro?

Sfinksa vēlreiz noskaitīja dzejoļa nākamās rindas.

— Trīc, — Harijs atkārtoja. — E... nav ne jausmas... bez samaņas... vai varu vēlreiz palūgt tās beigas?

Viņa noskaitīja četras pēdējās rindas.

— Ko ņem talkā, kad piemirsti vārdu, — Harijs novilka. — E... tas būs... ē... pag — "ē"! Tur pa vidu jāliek tā kā "ē"?

Sfinksa viņam uzsmaidīja.

— Zirnis... ē... zirn... ē..., — Harijs bubināja, soļodams šurpu turpu. — Radījums, ko es negribētu bučot... *zirneklis*!

Sfinksas smaids kļuva vēl platāks. Viņa piecēlās, izstaipīja priekšķepas un pagāja malā.

— Paldies! — Harijs iesaucās, pats brīnīdamies par savu atjautību, un drāzās uz priekšu.

Nupat jau vajadzēja būt galā, tūliņ... Zizlis vēstīja, ka virziens ir pareizais. Ja vien ceļā negadīsies nekas pārāk šausmīgs, bija visas izredzes...

Priekšā eja atkal sazarojās. — *Rādi*! — Harijs no jauna pačukstēja zizlim, un tas pagrozījies norādīja pa labi. Iesteidzies norādītajā ejā, viņš pamanīja priekšā kaut ko uzmirdzam.

Kādus simt metrus tālāk uz postamenta spīdēja Trejburvju kauss. Harijs metās skriešus, bet tad kādu gabaliņu priekšā no sānejas iznira tumšs stāvs. Sedriks kausam bija tuvāk. Viņš skrēja tam klāt, cik ātri vien spēdams, un Harijs zināja, ka viņu nepanāks — Sedriks bija augumā daudz lielāks, ar daudz garākām kājām...

Un tad, samanījis kustību virs dzīvžoga kreisajā pusē, Harijs atskārta, ka pa eju, kas krustojās ar viņējo, zibenīgi šaujas kaut kas ļoti liels — tik ātri, ka Sedrikam ar to vajadzēja saskrieties, bet Sedriks redzēja tikai kausu, viņš neredzēja...

— Sedrik! — Harijs pilnā kaklā iekliedzās. — No kreisās!

Sedriks pagrieza galvu tieši laikā, lai paspruktu blāķim garām un ar to nesaskrietos, bet steigā paklupa. Harijs redzēja, kā Sedrikam no rokas izkrīt zizlis, ejā izšaujas milzīgs zirneklis un metas Sedrikam virsū.

— *Dullum*! — Harijs iebļāvās. Burvestība triecās pret zirnekļa gigantisko, spalvaino rumpi, taču nenodarīja lielāku postu kā akmens olis. Zirneklis salēcās, apsviedās apkārt un bruka virsū Harijam.

— *Dullum*! *Aizturies*! *Dullum*!

Bet ar to nekas nebija līdzams — zirneklis bija vai nu pārāk liels, vai apveltīts ar pārāk spēcīgu maģiju, un burvestības to tikai sakaitināja. Harijs vēl paguva samanīt astoņu melni spīguļojošo acu šausminošo skatienu un zirnekļa spīles, kas šķita noasinātas gluži kā bārdas naži, un tad kustonis jau bija klāt.

Zirneklis pacēla viņu gaisā ar priekškājām — Harijs spārdījās kā traks, ar kāju trāpīja pa spīlēm un tūliņ sajuta briesmīgas sāpes. Viņš dzirdēja, kā arī Sedriks nokliedzas: — *Dullum*! — taču viņam nesekmējās labāk kā Harijam. Kolīdz zirneklis no jauna pavēra spīles, Harijs pacēla zizli un nobļāvās: — *Tukšrokdžimpiņ*!

Tas iedarbojās — atbruņošanas burvestības iespaidā zirneklis palaida viņu vaļā, tomēr līdz ar to Harijs nokrita no trīsarpus metru augstuma tieši uz savas savainotās kājas, kas bīstami nokrakšķēja. Nedomādams ne mirkli, viņš notēmēja ar zizli uz zirnekļa pavēderi, kas pirmīt tik neaizsargāta bija izrādījusies mūdzim, un nosaucās: — *Dullum*! — atskārzdams, ka Sedriks kliedz tieši to pašu.

Divkāršota burvestība paveica to, ko abi nebija spējuši pa vienam — zirneklis nozvēlās uz sāniem, saplacinādams dzīvžoga sienu un aizbarikadēdams eju ar spalvainu kāju mudžekli.

— Harij! — Sedriks iesaucās. — Dzīvs? Viņš uzkrita tev virsū?

— Nē! — Harijs aizelsies atsaucās. Viņš apskatīja savu kāju. Tā pamatīgi asiņoja. Saplēstā mantija bija notraipīta ar kaut kādu biezu, ķēpīgu vielu, kas sūcās no zirnekļa spīlēm. Viņš mēģināja piecelties, taču kāja šķita ļengana, nepaklausīga un ļima kopā. Atgāzies pret dzīvžogu un cīnīdamies pēc elpas, viņš palūkojās visapkārt.

Sedriks stāvēja dažus metrus no Trejburvju kausa — tas spīdēja viņam turpat aiz muguras.

— Nem taču, — Harijs nošļupstēja. — Nu, ņem ciet. Tu esi klāt.

Bet Sedriks nekustējās ne no vietas. Viņš tikai stāvēja, noraudzīdamies uz Hariju. Tad viņš pagriezās un palūkojās uz kausu. Tā zeltainā gaisma apspīdēja viņa seju, un Harijs redzēja tajā iegulstam ilgpilnu izteiksmi. Sedriks no jauna atskatījās uz Hariju, kas tagad turējās pie dzīvžoga, lai nezaudētu līdzsvaru.

Sedriks dziļi ievilka elpu. — Ņem tu. Uzvara pienākas tev. Tu jau divreiz izglābi manu ādu.

— Tā nav paredzēts, — Harijs teica. Viņam uzmācās dusmas — kāja sāpēja kā traka, visas maliņas smeldza no piepūles, ko bija prasījusi atkaušanās no zirnekļa, un nu, pēc visām mokām, Sedriks bija viņam aizsteidzies priekšā tāpat kā toreiz, kad pamanījās pirmais uzaicināt Čo uz balli. — Punktus dabū tas, kurš pirmais pieskaras kausam. Tātad tu. Tici man, es ar šitādu kāju neiešu skrieties.

Sedriks paspēra pāris soļu tuvāk apdullinātajam zirneklim, projām no kausa, un nogrozīja galvu.

— Nē, — viņš sacīja.

— Beidz tēlot cildeno, — Harijs pikti izgrūda. — Nem ciet, lai varam tikt no šejienes laukā.

Sedriks noraudzījās, kā Harijs grīļojas, tverdamies pie dzīvžoga zariem.

— Tu man izstāstīji par pūķiem, — Sedriks teica. — Es ar pirmo pārbaudījumu nebūtu ticis galā, ja tu man nebūtu pateicis, kas tur gaidāms.

— Man jau arī pateica, — Harijs atcirta, ar mantijas stērbeli mēģinādams apslaucīt asiņojošo kāju. — Un tu man palīdzēji ar olu, tā ka dots pret dotu.

— Arī es par olu pats neuzzināju, — Sedriks noteica.

— Tik un tā tu man neko neesi parādā! — Harijs piesardzīgi raudzīja nostāties uz savainotās kājas. Tā trīcēja un ļodzījās — acīmredzot viņš bija kritienā samežģījis potīti.

— Otrajā pārbaudījumā tu biji pelnījis vairāk punktu, — Sedriks stūrgalvīgi turpināja. — Tu paliki, lai atbrīvotu visus gūstekņus. Arī man tā vajadzēja darīt.

— Es biju vienīgais kokpauris, kurš to dziesmu ņēma par pilnu! — Harijs nošķendējās. — Nem taču beidzot to kausu!

— Nē, — Sedriks atteica.

Pārrāpies pāri zirnekļa kāju pinekļiem, viņš pienāca pie Harija. Tas tikai skatījās nenovērsdamies. Sedriks to tiešām domāja nopietni. Viņš bija gatavs atteikties no slavas, kādu Elšpūša nams nebija pieredzējis gadsimtiem ilgi.

— Ej nu, — Sedriks skubināja. Izskatījās, ka tas viņam prasījis pēdējo gribasspēka kripatu, tomēr sejā atspoguļojās apņēmība, rokas viņš bija sakrustojis uz krūtīm — Sedriks acīmredzot bija izlēmis.

Harijs palūkojās uz kausu. Prātā nozibsnīja doma par to, kā viņš izies no labirinta ar kausu rokās. Gara acīm viņš redzēja sevi paceļam kausu augstu gaisā, dzirdēja pūļa gaviles, samanīja apbrīnu Čo mirdzošajās acīs... Skaidrāk nekā jebkad agrāk... Bet tad aina pagaisa, un viņš atjēdzās, ka blenž Sedrika izvārgušajā, spītīgajā sejā.

— Mēs abi, — viņš sacīja.

— Ko tad?

— Paņemsim to abi reizē. Jebkurā gadījumā uzvara pienāksies Cūkkārpai. Lai ir neizšķirts.

Sedriks ieplēta acis. Viņš nolaida rokas. — Tu... tu nopietni?

— Nu jā, — Harijs atteica. — Jā... mēs taču viens otru visādi izpestījām, vai ne? Mēs abi tik tālu tikām. Abi kopā arī to paņemsim.

Vienubrīd šķita, ka Sedriks negrib ticēt savām ausīm, bet tad viņa sejā atplauka smaids.

— Labs ir, — viņš iesaucās. — Nāc nu!

Paķēris Hariju aiz rokas, viņš palīdzēja viņam aizklibot līdz postamentam, uz kura stāvēja kauss. Tikuši tam klāt, abi pastiepa rokas — katrs pie viena no kausa mirdzošajiem rokturiem.

— Skaitām līdz trīs, labi? — Harijs teica. — Viens... divi... trīs...

Viņi reizē sagrāba kausu.

Tūliņ Harijs pavēderē sajuta savādu triecienu. Kājas atrāvās no zemes. Viņš mēģināja atlaist vaļā Trejburvju kausa rokturi, taču nespēja — kauss rāva viņu uz priekšu, ausīs gaudoja vējš, gar acīm sagriezās krāsains virpulis, un turpat līdzās kūļājās Sedriks.

## TRĪSDESMIT OTRĀ NODAĻA

# MIESA, ASINIS UN KAULI

Harijs sajuta pēdas ietriecamies zemē — savainotā kāja saļima, un viņš nokrita uz priekšu. Roka pēdīgi atlaida Trejburvju kausu. Viņš pacēla galvu. — Kur mēs esam?

Sedriks sapurināja galvu. Viņš piecēlās, uzrāva Hariju kājās, un abi paverās visapkārt.

Cūkkārpas teritorija tā vairs nebija. Šķita, ka viņi aizceļojuši daudzus kilometrus, varbūt pat simtiem kilometru projām, jo pat kalni, kas ieskāva pili, vairs nekur nebija saskatāmi. Viņi stāvēja tumšā un aizaugušā kapsētā — pa labi aiz lielas īves tumsā bija samanāms nelielas baznīciņas apveids. Pa kreisi slējās pakalns. Nogāzē vīdēja krāšņa, veca nama siluets.

Sedriks palūkojās uz Trejburvju kausu, kas gulēja viņiem pie kājām, tad uz Hariju.

— Vai *tev* kāds teica, ka kauss ir ejslēga? — viņš ievaicājās.

— Nē, — Harijs atbildēja. Viņš paverās uz kapsētu. Tur valdīja pilnīgs klusums, kas šķita mazliet baismīgs. — Tas bija paredzēts pārbaudījumā?

— Nezinu, — Sedriks atsaucās. Viņa balsī jautās neliels uztraukums. — Domā, turēsim zižļus gatavībā?

— Jā, — Harijs piekrita, nopriecājies, ka to ierosinājis Sedriks, nevis viņš pats.

Abi izvilka zižļus. Harijs joprojām raudzījās visapkārt. Atkal uzmācās savādā sajūta, ka viņus kāds vēro.

— Kāds nāk, — viņš piepeši ieteicās.

Ar piepūli blenzdami tumsā, viņi samanīja, kā, līkumodams starp kapu kopiņām, tuvojas kāds stāvs. Seja nebija saskatāma, bet gaita un apveids lika secināt, ka nācējam ir kāda nešļava. Lai kas tas bija, viņš bija augumā mazs un ietinies apmetnī, kura kapuce slēpa seju. Un, kad nācējs bija pievirzījies vēl pāris soļu tuvāk, Harijs nosprieda, ka viņa nešļava izskatās pēc zīdaiņa... vai lupatu vīkšķa?

Harijs nolaida zizli mazliet zemāk un pašķielēja uz Sedriku, kurš apjucis paskatījās pretim. Abi atkal pagriezās, lai neizlaistu no acīm nācēju.

Tas apstājās pie liela marmora kapakmens tikai pāris metru attālumā. Vienu īsu acumirkli Harijs, Sedriks un sīkais svešinieks tikai blenza cits uz citu.

Un tad Harija rēta sāpēs teju uzsprāga. Tādas sāpes viņš juta pirmoreiz mūžā — zizlis zēnam izšļuka no rokām, viņš piespieda plaukstas pie galvas, ceļgali saļodzījās, viņš saļima zemē un neko vairs neredzēja, jo galva teju plīsa pušu.

Kaut kur augstu virs galvas viņš izdzirdēja atskanam spalgu, stindzinošu balsi: — *Piebeidz lieko*!

Kaut kas nošvīkstēja, un nakts tumsā nočērkstēja otra balss: — *Avada kedavra*!

Cauri aizmiegtajiem plakstiņiem Harijs samanīja nozibsnījam zaļu gaismu un sadzirdēja, kā turpat blakus nogāžas kaut kas smags. Sāpes rētā kļuva tik skaudras, ka uznāca vēmiens, tad mazliet atslāba. Bīdamies ieraudzīt to, kas noticis, viņš pavēra smeldzošās acis.

Sedriks garšļaukus gulēja zemē. Viņš bija miris.

Vienu mirkli, kas likās garš kā mūžība, Harijs raudzījās Sedrika sejā, viņa plati atvērtajās, pelēkajās acīs, aklās un tukšās kā pamestas mājas logi, uz viņa it kā pārsteigumā pavērto muti. Un tad, iekams Harijs ar prātu aptvēra, kas īsti notiek, iekams sajuta ko citu, izņemot trulu neticību, viņu kāds uzrāva kājās.

Apmetnī ievīstījies vīrelis bija nolicis savu nešļavu, aizdedzis zizli un vilka Hariju pie marmora kapakmens. Zižļa gaismas stars pārslīdēja pār kapakmenī iekalto uzrakstu — Harijs paguva to salasīt, pirms tika apgriezts otrādi un triekts pret pieminekli.

TOMS MELSUDORS

Vīrelis kapucē tagad uzbūra pinekļus, kas cieši — no rīkles līdz pat potītēm — piesaistīja Hariju pie kapakmens. No kapuces dzīlēm atskanēja sekla, ātra sēkoņa. Viņš mēģināja spirināties pretim, un vīrelis viņam iesita — rokai trūka viena pirksta. Un Harijs atskārta, kas slēpjas zem kapuces. Tārpastis.

— Tu! — viņš noelsās.

Bet Tārpastis, beidzis burt mezglus, neatbildēja. Viņš pārbaudīja, vai auklas ir gana stingras, un nevaldāmi trīcošiem pirkstiem ņēmās raustīt mezglus. Pārliecinājies, ka Harijs pie kapakmeņa ir piesiets tik cieši, ka nespēj ne pakustēties, Tārpastis no azotes izvilka melnas drānas vīkšķi, iesprūdīja to zēnam mutē, nebildis ne vārda, novērsās un steidzās projām. Harijs nespēja izdvest ne skaņas un neredzēja, kur Tārpastis palicis, — viņš nespēja pakustināt galvu un varēja saskatīt tikai to, kas atradās tieši priekšā.

Sedrika līķis gulēja labu gabalu tālāk. Turpat netālu zvaigžņu gaismā mirgoja Trejburvju kauss. Harija zizlis mētājās pie Sedrika kājām. Tepat līdzās, pie kapa, vīdēja pauna, ko Harijs bija noturējis par zīdaini. Tā nemierīgi kustējās. Harijs uz to kārtīgi paskatījās, un rēta atkal briesmīgi iesmeldzās... Un piepeši viņš aptvēra, ka itin nemaz negrib redzēt, kas lupatās ievīstīts... Viņš negribēja, lai pauna tiek attuntuļota...

Harijam pie kājām atskanēja kāds troksnis. Viņš paškielēja lejup un ap marmora kapakmeni, pie kura bija piesiets, ieraudzīja pa zāli slīdam milzīgu čūsku. Tārpasta ātrā, sēcošā elpa atkal it kā tuvojās. Izklausījās, ka viņš pa zemi velk kaut ko smagu. Kad vīrelis nonāca Harija redzeslaukā, zēns ieraudzīja, ka viņš pie kapakmens stīvē akmens katlu. Tas bija pilns itin kā ar ūdeni — varēja dzirdēt šļakstus —, turklāt lielāks par visiem, ko Harijam bija nācies lietot — īsts akmens toveris, kur varētu iesēsties pieaudzis cilvēks.

Tas, kas bija ievīstīts lupatās, sāka spirināties rosīgāk, it kā censtos tikt laukā. Tagad Tārpastis ar zizli bakstījās gar katla dibenu. Zem tā piepeši iedegās sprakšķoša uguns. Lielā čūska aizlocījās tumsā.

Šķidrums katlā uzkarsa neparasti ātri. Tas ne vien uzmutuļoja, bet sāka mest ugunīgas dzirksteles, it kā pats būtu aizdedzies. Sabiezēja tvaiki, un Tārpastis, kas uzraudzīja uguni, ietinās garaiņu mutuļos. Pauna sāka mētāties vēl nemierīgāk. Un tad atkal atskanēja griezīgā, stindzinošā balss:

— *Kusties ātrāk*!

Nu jau visa ūdens virsma bija kā sētin nosēta ar dzirkstelēm. Tā izskatījās kā piebārstīta ar dimantiem.

— Gatavs, pavēlniek.

— Nu, tad... — iepīkstējās stindzinošā balss.

Tārpastis ņēmās tīt vaļā paunu, izvīstīdams to, kas tajā slēpās, un Harijs cauri mutē iebāztajam vīkšķim izgrūda apslāpētu kliedzienu.

Likās, ka Tārpastis būtu apvērsis otrādi akmeni un dienas gaismā izcēlis kaut ko pretīgu, glumu un aklu, tikai briesmīgāku — simtkārt briesmīgāku. Tārpasta nešļava izskatījās pēc čokurā sarauta cilvēkbērna, tikai Harijs vēl nebija redzējis neko, kas bērnam līdzinātos tik maz. Tas bija plikpaurains, tāds kā zvīņām pārklāts un asinssarkani melns. Rokas un kājas tam bija tievas un slābanas, un seja — tādas nebija nevienam bērnam visā pasaulē — plakana kā čūskai, ar sarkani gailošām actelēm.

Kustonis šķita teju bezpalīdzīgs — tas pacēla drebelīgās roķeles, apķērās Tārpastim ap kaklu, un Tārpastis to pacēla. To darīdams, viņš nevilšus ļāva nokrist kapucei, un, kad Tārpastis nesa radījumu uz katlu, Harijs ugunskura gaismā vīreļa izdēdējušajā, bālajā sejā pamanīja riebumu. Uz brīdi dzirksteles, kas dejoja katlā, apgaismoja kustoņa ļauno, plakano seju. Un tad Tārpastis iegremdēja viņu katlā — radījums ar šņākoņu nogrima, un Harijs dzirdēja, kā vārgais kunkulis klusu nobūkšķ pret katla dibenu.

Kaut viņš noslīktu, Harijs domāja, juzdams, ka sāpes rētā tūliņ vairs nebūs izturamas. Lūdzu... kaut viņš noslīktu...

Tārpastis ierunājās. Balss viņam trīcēja, vīrelis šķita pārbiedēts līdz nāvei. Pacēlis zizli, viņš aizmiedza acis un izkliedza naktī vārdus: — *Kauls no tēva, netīši dots, tu atdzemdināsi savu dēlu*!

Kapa kopiņa pie Harija kājām nobrakšķēja. Šausmās sastindzis, zēns ieraudzīja, ka pēc Tārpasta pavēles no tās gaisā paceļas smalka pīšļu vērpete un klusu iebirst katlā. Dimantiem piebārstītais virums pašķīrās un iešņācās, uz visām pusēm pašķīda dzirksteles, un šķidrums katlā kļuva indīgi zils.

Un tad Tārpastis iesmilkstējās. No mantijas krokām viņš izvilka garu, tievu, spožu sudraba dunci. Viņa balss aiztrūka elsās.

— *Miesa no kalpa... tīši dota... tu... atdzīvināsi... savu kungu.*

Tārpastis izstiepa uz priekšu labo roku — to, kam trūka pirksta. Cieši sagrābis dunci kreisajā, viņš ar joni atvēzējās.

To, ko Tārpastis grasās darīt, Harijs aptvēra vienu īsu acumirkli, pirms tas notika. Zēns aizmiedza acis, cik cieši vien spēdams, taču nespēja nedzirdēt kliedzienu, kas pāršķēla nakti un kā dunča cirtiens caururba arī Hariju. Viņš dzirdēja kaut ko nokrītam zemē, dzirdēja Tārpasta paniskos šļupstus, tad pretīgu šļakstu, kad sazin kas iekrita katlā. Harijs nespēja sadūšoties, lai paskatītos... Bet virums bija vērties ugunīgi sarkans, un tā izstarotā gaisma izspiedās cauri Harija plakstiem...

Tārpastis sāpēs kunkstēja un vaidēja, un, tikai sajutis sejā svešu, bailēs saraustītu elpu, Harijs aptvēra, ka vīrelis pienācis viņam cieši klāt.

— *As-sinis no pretinieka... ar varu ņemtas... jūs... augšāmcelsit savu naidnieku.*

Harijs nekādi nespēja pretoties, viņš bija pārāk cieši sasiets. Pašķielējis lejup, bezcerīgi raustīdams pinekļus, viņš Tārpasta atlikušajā rokā ieraudzīja nospīdam dunci. Tad viņš sajuta tā galu ieurbjamies augšdelma iekšpusē — tūliņ lejup pa saplēsto piedurkni notecēja karstu asiņu straumīte. Tārpastis, joprojām sāpēs činkstēdams, uzmeklēja kabatā stikla pudelīti un pielika to pie Harija brūces, pietecinādams pilnu ar asinīm.

Tad viņš ar Harija asinīm aizklunkurēja atpakaļ pie katla un ielēja tās virumā. Šķidrums acumirklī kļuva žilbinoši balts. Tārpastis, savu darbu paveicis, noslīga uz ceļiem līdzās katlam, tad nozvēlās uz sāniem un sāka vārtīties pa zemi, auklēdams asiņaino rokas stumbeni, ņerkstēdams un raustīdamies elsās.

Virums kūsāja, šķaidīdams dzirksteles uz visām pusēm, un laistījās tik žilbinoši spožs, ka viss pārējais šķita slīgstam necaurredzamā, samtainā tumsā. Nekas nenotika...

Kaut viņš būtu noslīcis, Harijs domāja no visa spēka, kaut, lūdzu, nebūtu izdevies...

Un tad dzirksteles, kas šķīda no katla, piepeši nodzisa. No viruma pacēlās balts tvaika stabs, ietīdams miglā itin visu, tā ka Harijs vairs nespēja saskatīt ne Tārpasti, ne Sedriku, ne ko citu, bet tikai garaiņu mutuļus, kas vērpās visapkārt. Kaut kas nogājis greizi, viņš domāja... Viņš ir noslīcis... lūdzu... lūdzu, kaut viņš būtu pagalam...

Bet nākamajā acumirklī viņš ar piepešām šausmām cauri garaiņiem ieraudzīja, ka no katla lēnām augšup ceļas tumšs gara un mironīgi izkāmējuša cilvēka stāvs.

— Saģērb mani, — no tvaika mutuļa atskanēja griezīgā, saltā balss, un Tārpastis, joprojām šņukstēdams, vaidēdams un auklēdams sakropļoto roku, pagrābstījās pa zemi, paķēra melno drānu vīstokli, pietrausās kājās, pasniedzās un ar veselo roku pārvilka savam pavēlniekam pār galvu mantiju.

Ģindenim līdzīgais vīrs izkāpa no katla un pagriezās pret Hariju... Un Harijs vērās sejā, kas trīs gadus bija viņu vajājusi pašos ļaunākajos murgos. Bālāka nekā līķim, ar platām, neganti niknām, koši sarkanām acīm, ar degunu, kas bija plakans kā čūskai un šaurām spraugām nāsu vietā...

Lords Voldemorts bija augšāmcēlies.

## TRĪSDESMIT TREŠĀ NODAĻA

# NĀVĒŽI

Voldemorts novērsās un ņēmās aplūkot savu ķermeni. Viņa rokas līdzinājās lieliem, bāliem zirnekļiem. Garie, baltie pirksti apglāstīja krūtis, rokas un seju. Viņa sarkanās acis, kam zīlītes bija stateniskas kā kaķim, tumsā iegailējās vēl jo spožāk. Viņš pacēla rokas un aizgrābti izlocīja pirkstus. Ne par Tārpasti, kas raustīdamies un noasiņodams vārtījās pa zemi, ne par lielo čūsku, kas no jauna bija pieslīdējusi tuvāk un šņākdama meta lokus ap Hariju, viņš nelikās ne zinis. Iebāzis nedabiski garpirkstaino roku kabatā, Voldemorts izvilka zizli. Arī to viņš maigi apglaudīja, tad pacēla un notēmēja uz Tārpasti, kas tūliņ pacēlās gaisā un triecās pret kapakmeni, pie kura bija piesiets Harijs. Sīkais vīrelis sakņupa akmens pakājē un palika tur guļam, sarāvies čokurā un smilkstēdams. Voldemorts pagrieza ugunīgi sarkanās acis pret Hariju un izgrūda spalgus, stindzinoši nedzīvus smieklus.

Tārpasta drānas bija piesūkušās ar asinīm — viņš mantijā bija ievīstījis rokas stumbeni. — Kungs... — viņš norīstījās, — mans kungs... jūs solījāt... jūs taču solījāt...

— Izstiep roku, — Voldemorts laiski pavēlēja.

— Vai, pavēlniek... pateicos, pavēlniek...

Viņš pastiepa uz priekšu asiņaino stumbeni, bet Voldemorts no jauna iesmējās. — Otru roku, Tārpasti.

— Pavēlniek, lūdzu... *lūdzu*...

Voldemorts pieliecās un parāva Tārpasti aiz kreisās rokas, uzbīdīja uz augšu piedurkni, un Harijs uz vīreļa delma ieraudzīja kaut ko līdzīgu koši sarkanam tetovējumam — galvaskausu, kam no mutes laukā rēgojās čūskas mēle, to pašu zīmi, kas bija parādījusies kalambola Pasaules kausa izcīņā, Tumšo zīmi. Voldemorts to rūpīgi nopētīja, nelikdamies dzirdam Tārpasta nevaldāmos šņukstus.

— Tā ir atgriezusies, — viņš klusu noteica. — Viņi visi to ir pamanījuši... Un tagad redzēsim... tagad redzēsim...

Viņš izstiepa garo, balto rādītājpirkstu un piespieda to pie zīmes, kas rēgojās uz Tārpasta rokas.

Rētu Harijam pierē atkal caururba svelоša sāpe, un Tārpastis skaļi iegaudojās. Voldemorts noņēma pirkstu no Tārpasta zīmes, un Harijs ieraudzīja, ka tā ir kļuvusi melna kā piķis.

Voldemorts izslējās. Viņa sejā bija iegūlis cietsirdīgs gandarījums. Augstu pacēlis galvu, viņš noskatīja tumsā slīgstošo kapsētu.

— Cik daudziem pietiks dūšas, lai atgrieztos, kad būs to samanījuši? — viņš iečukstējās, sarkani spīdošās acis ieurbdams zvaigznēs. — Un cik daudzi būs gana lieli nelgas, lai nenāktu?

Viņš ņēmās staigāt šurpu turpu gar Hariju un Tārpasti, nemitīgi vērodams kapsētu. Pēc brīža viņš atkal palūkojās uz Hariju, un čūskas seju izķēmoja cietsirdīgs smīns.

— Tu, Harij Poter, stāvi uz mana tēva pīšļiem, — viņš iesēcās. — Vientiesis un dumiķis... Gandrīz tāds pats kā tava dārgā māte. Bet izrādījās, ka abiem galu galā atradās kāds izmantojums, vai ne? Tava māte nomira, lai aizsargātu tevi, kad biji vēl bērns... Un es nobeidzu savu tēvu. Un re, cik noderīgs viņš izrādījās — kā mironis...

Voldemorts atkal izgrūda smieklus. Viņš staigāja šurpu turpu, skatīdamies apkārt, un arī čūska turpināja mest lokus, slīdēdama caur zāli.

— Vai redzi to māju nogāzē, Poter? Tur dzīvoja mans tēvs. Mana māte — ragana, kas dzīvoja, rau, šajā ciematā, — viņā iemīlējās. Bet viņš pameta manu māti, kad viņa pateica, ka ir... Manam tēvam maģija nepatika. Viņš aizgāja un atgriezās pie saviem vientiešu vecākiem, iekams es vēl biju nācis pasaulē, Poter, un viņa nomira dzemdībās, tā ka es uzaugu vientiešu bāreņu namā... Bet es nozvērējos, ka tēvu atradīšu... Es atriebos viņam, tam muļķim, kurš deva man savu vārdu... *Tomam Melsudoram*...

Viņš nerimās soļot un ar sarkanajām acīm noskatīja kapu kopiņas.

— Padomā tik, ieslīgu stāstos par ģimenes vēsturi... — viņš novilka. — Paklau, būšu kļuvis visai sentimentāls... Bet skaties, Harij! Re, kur atgriežas mana *īstā* ģimene...

Gaisā nošvīkstēja apmetņi. Starp kapu kopiņām, aiz īves, it visur kapsētas tumsā ieteleportējās burvji. Visiem galvā bija kapuces un sejas slēpa maskas. Un cits pēc cita viņi nāca aizvien tuvāk... Lēnām, piesardzīgi, it kā tik tikko ticētu paši savām acīm. Voldemorts stāvēja, nebilzdams ne vārda, un gaidīja. Tad viens no nāvēžiem nokrita uz ceļiem, pierāpoja Voldemortam klāt un noskūpstīja viņa melnās mantijas stērbeli.

— Pavēlniek... pavēlniek... — viņš nomurmināja.

Pārējie nāvēži darīja to pašu — katrs no viņiem uz ceļgaliem pielīda Voldemortam klāt, noskūpstīja viņa stērbeli, tad atkāpās un pietrausās kājās. Drīz viņi bija sastājušies lokā ap Toma Melsudora kapu, Hariju, Voldemortu un Tārpasti, kas vairāk gan līdzinājās raustīgai, ņerkstošai čupiņai. Tomēr aplī melnēja robi, it kā visi gaidītie vēl nebūtu ieradušies. Bet Voldemorts laikam vairāk nevienu necerēja sagaidīt. Viņš noskatīja kapucēs tērptos stāvus, un, lai gan nekāda vēja nebija, apli pāršalca čaboņa, it kā sanākušie būtu nodrebinājušies saltā brāzmā.

— Esiet sveicināti, nāvēži! — Voldemorts klusi ierunājās. — Trīspadsmit gadu... trīspadsmit gadu pagājuši, kopš pēdējoreiz tikāmies. Tomēr jūs atsaucaties manam aicinājumam, it kā tas būtu bijis tikai vakar... Tātad mūs joprojām vieno Tumšā zīme! *Vai tomēr ne*?

Pavērsis uz augšu šausminošo seju, viņš ievilka gaisu šaurajās nāsu spraugās.

— Es saožu vainu, — viņš pavēstīja. — Gaisā vēdī vainas smaka.

Apli atkal pāršalca šermuļi, it kā katrs no stāvētājiem karsti ilgotos, tomēr neuzdrīkstētos pakāpties patālāk projām.

— Es skatos uz jums — visi sveiki un veseli, joprojām spēka pilni, visi ieradušies uz karstām pēdām! Un es sev vaicāju... Kāpēc šis burvju bars nenāca palīgā savam pavēlniekam, kam viņi zvērējuši mūžīgu uzticību?

Visi cieta klusu, neviens pat nepakustējās, izņemot Tārpasti, kurš kluknēja zemē, vēl aizvien aijādams asiņojošo roku.

— Un es atbildu, — Voldemorts nočukstēja. — Viņi acīmredzot domāja, ka esmu satriekts pīšļos, ka esmu pagalam. Viņi ielavījās atpakaļ manu ienaidnieku vidū un stāstīja, ka esot nevainīgi, ka neko nav zinājuši, ka bijuši apburti... Un tad es sev vaicāju — kā gan viņi varēja noticēt, ka es vairs necelšos? Viņi, kas labi zināja, ka es jau sensenis esmu nodrošinājies pret nāvi, kas gaida visus mirstīgos! Viņi, kas jau tad, kad biju varenāks par visiem burvjiem zemes virsū, bija savām acīm redzējuši, cik milzīgs ir mans spēks! Un es atbildu — varbūt viņi iedomājās, ka pastāv vēl lielāks spēks, kurš var satriekt pat lordu Voldemortu... Varbūt tagad viņi kalpo kādam citam... Varbūt tam prasto ļaužu — draņķasiņu un vientiešu — aizstāvim Baltusam Dumidoram?

Kolīdz izskanēja Dumidora vārds, sanākušie sakustējās, dažs labs kaut ko nomurmināja un noliedzoši papurināja galvu.

Voldemorts nelikās ne zinis. — Esmu vīlies... atzīstos, ka esmu vīlies...

Viens no cilvēkiem piepeši metās uz priekšu, pārraudams apli. Trīcēdams no galvas līdz kājām, viņš sabruka pie Voldemorta kājām.

— Pavēlniek! — viņš iekliedzās. — Pavēlniek, piedod man! Piedod mums visiem!

Voldemorts iesmējās. Viņš pacēla zizli. — *Mokum!*

Nāvēdis krampjaini izlocījās un iebrēcās. Harijs bija pārliecināts, ka troksni noteikti sadzirdēs apkārtējo māju iedzīvotāji... Kaut ierastos policija, viņš izmisīgi domāja... vienalga kurš... vienalga kas...

Voldemorts pacēla zizli. Izmocītais nāvēdis aizelsies gulēja, izplājies kā lupata.

— Celies, Kleper! — Voldemorts klusi teica. — Celies. Tu lūdz piedošanu? Es nemēdzu piedot. Es nemēdzu aizmirst. Trīspadsmit gari gadi... Man vajag trīspadsmit gadus ilgu atmaksu, iekams es jums piedošu. Tārpastis vienu daļu sava parāda jau ir nomaksājis, vai ne, Tārpasti?

Viņš noraudzījās uz Tārpasti, kas turpināja šņukstēt.

— Tu pie manis atgriezies nevis tāpēc, ka būtu uzticams kalps, bet gan bīdamies no saviem vecajiem draugiem. Tu esi pelnījis sāpes, Tārpasti. To taču tu sajēdz, ko?

— Jā, pavēlniek, — Tārpastis novaidējās. — Lūdzu, pavēlniek... lūdzu...

— Tomēr tu man palīdzēji atgriezties pašam savā miesā, — Voldemorts dzedri piebilda, vērodams kunkstošo Tārpasti. — Būdams sīks, zemisks un nodevīgs, tu man palīdzēji... Un lords Voldemorts atalgo tos, kas viņam palīdzējuši.

Viņš no jauna pacēla zizli un savirpināja to gaisā. No zižļa izvērpās kaut kas līdzīgs izkusuša sudraba pavedienam. Iesākumā bezveidīgs, tas satinās un izlocījās, līdz pārtapa par tādu kā spožu cilvēka roku, kas, mēness gaismā zaigodama, nolaidās lejup un liptin pielipa pie Tārpasta asiņojošā stumbeņa.

Tārpasta šņuksti acumirklī apklusa. Skaļi un saraustīti vilkdams elpu, viņš pacēla galvu un neticīgi palūkojās uz sudraba roku, kas bija lieliski piestiprinājusies pie viņa apakšdelma, itin kā vīrelis būtu uzvilcis spožu cimdu. Viņš palocīja mirdzošos pirkstus, tad trīsēdams pacēla no zemes žagariņu un saberza to putekļos.

— Mans kungs, — viņš nočukstēja. — Pavēlniek... Tā ir skaista... Pateicos! *Paldies jums...*

Pierāpojis tuvāk, viņš noskūpstīja Voldemorta mantijas apmali.

— Lai tava uzticība nekad vairs nezūd, Tārpasti, — Voldemorts noteica.

— Nē, mans kungs... nemūžam, mans kungs...

Tārpastis piecēlās un ieņēma savu vietu aplī, nespēdams novērst skatienu no savas jaunās, stiprās rokas. Viņa saraudātā seja joprojām mikli spīdēja. Tad Voldemorts piegāja pie vīra, kurš stāvēja Tārpastim pa labi.

— Lūcij, mans glumais draugs, — viņš nočukstēja, apstādamies kā zemē iemiets. — Man ir zināms, ka tu neesi noliedzis savu pagātni, kaut arī pasaulei rādies kā cienījams cilvēks. Tu droši vien joprojām esi gatavs uzņemties vadību vientiešu spīdzināšanā, vai tā? Tomēr mani tu uzmeklēt nemēģināji, Lūcij... Tavas izdarības kalambola Pasaules kausa izcīņā, es teiktu, bija visai uzjautrinošas... Bet vai tavi spēki nebūtu tērēti lietderīgāk, ja tu būtu centies uzmeklēt savu pavēlnieku un nākt viņam talkā?

— Mans kungs, es ne mirkli nezaudēju modrību. — No kapuces nekavējoties atskanēja Lūcija Malfoja balss. — Ja būtu bijusi kaut zīme, kaut viens vārds par to, kur esat meklējams, es acumirklī būtu klāt, nekas mani nespētu aizkavēt...

— Un tomēr tu aizbēgi no manas zīmes, kad uzticams nāvēdis to uzsūtīja debesīs pērnvasar, — Voldemorts laiski piezīmēja, un Malfoja kungs aizrijās. — Jā, man viss par to ir zināms, Lūcij... Tu mani esi sarūgtinājis... Ceru, ka turpmāk man kalposi uzticīgāk.

— Protams, mans kungs, protams... Jūs esat tik žēlīgs, paldies...

Voldemorts pagājās tālāk un apstājās, vērdamies uz tukšumu, kur aplī trūka vismaz divu cilvēku — starp Malfoju un to, kas stāvēja nākamais.

— Šeit vajadzētu būt Svešovskiem, — viņš klusi noteica. — Bet viņi ir aprakti Azkabanā. Viņi saglabāja man uzticību. Viņi labprātāk devās uz Azkabanu, nekā mani noliedza... Kad Azkabana tiks sagrauta, Svešovski tiks godināti tā, kā viņiem ne sapņos nav rādījies. Atprātotāji mums pievienosies. Viņi ir mūsu dabiskie sabiedrotie. Mēs ataicināsim izraidītos milžus. Visi mani uzticamie kalpi pie manis atgriezīsies, un man būs karaspēks, no kura visi bīsies...

Viņš devās tālāk. Dažiem nāvēžiem Voldemorts pagāja garām klusēdams, bet pie citiem apstājās un tos uzrunāja.

— Maknērs... Tārpastis stāsta, ka tagad tu Burvestību ministrijas paspārnē iznīcinot bīstamus zvērus? Drīz tu tiksi pie labākiem upuriem, Maknēr. Lords Voldemorts par to parūpēsies...

— Pateicos, pavēlniek... pateicos, — nomurmināja Maknērs.

— Un te, — Voldemorts piegāja pie diviem lieliem lamzakiem, — mums ir Krabe... Šoreiz tu pacentīsies vairāk, vai ne, Krabe? Un tu, Goil?

Tie abi lempīgi paklanījās, neveikli nomurminādami:

— Jā, pavēlniek...

— Mēs centīsimies, pavēlniek...

— Tas pats attiecas uz tevi, Not, — Voldemorts klusi novilka, iedams garām sakumpušam stāvam, kas slēpās Goila kunga ēnā.

— Mans kungs, es krītu jūsu priekšā ceļos, esmu jūsu uzticamākais...

— Pietiks, — Voldemorts izgrūda.

Viņš bija nonācis pie paša lielākā roba, apstājās un ieurbās tajā ar stingo, sarkano acu skatienu, it kā redzētu tos, kam tur jāstāv.

— Un te mums trūkst sešu nāvēžu... Trīs manā labā zaudējuši dzīvību. Viens ir pārāk gļēvulīgs, lai atgrieztos... Viņš samaksās. Viens, kurš, manuprāt, mani pametis uz visiem laikiem. Viņš, protams, tiks nogalināts... Un viens, kurš ir un paliek mans uzticamākais kalps un jau atgriezies manā dienestā.

Nāvēži sakustējās. Harijs redzēja, kā viņi cits uz citu pašķielē caur masku acu caurumiem.

— Viņš ir Cūkkārpā, šis uzticamais kalps, un, pateicoties viņa pūlēm, pie mums šonakt ieradās mūsu jaunais draugs... Jā gan, — Voldemorta plānās mutes sprauga sašķobījās smīnā, kad nāvēžu galvas pacirtās uz Harija pusi. — Harijs Poters ir mūs laipni pagodinājis ar savu klātbūtni manas atdzimšanas dienas ballītē. Varētu pat sacīt, ka viņš ir mans godaviesis.

Iestājās klusums. Tad nāvēdis, kurš stāvēja Tārpastim pie labās rokas, panācās uz priekšu, un no viņa kapuces atskanēja Lūcija Malfoja balss.

— Pavēlniek, mēs alkstam uzzināt... lūgšus lūdzam — izstāstiet... kā jums tas izdevās... šis brīnums... Kā jums izdevās pie mums atgriezties...?

— Ak, kas tas ir par stāstu, Lūcij, — Voldemorts atbildēja. — Un tas sākas... un beidzas... ar manu jauno draugu, lūk, še.

Viņš paspēra pāris laisku soļu un nostājās līdzās Harijam, tā ka visi aplī stāvošie tagad raudzījās uz viņiem abiem. Čūska turpināja mest lokus.

— Jūs, protams, zināt, ka šis puišelis tiek dēvēts par manas sagrāves cēloni? — Voldemorts nodūdoja, piekalis sarkano acu skatienu Harijam, kam rēta iesmeldzās tik stipri, ka viņš teju sāka kliegt neciešamās sāpēs. — Jūs visi zināt, ka tonakt, kad zaudēju savu spēku un miesu, es mēģināju viņu nogalināt. Viņa māte gāja bojā, raudzīdama savu bērnu glābt, un, pati to neapjauzdama, pagādāja viņam tādu aizsardzību, ar kādu es, atzīstos, nebiju rēķinājies... Puikam es nespēju piedurt ne pirkstu.

Voldemorts pacēla balto, garo pirkstu un pietuvināja to Harija vaigam. — Māte viņā atstāja daļu savas uzupurēšanās... Tā ir sena maģija, man vajadzēja to atminēties, muļķīgā kārtā es to palaidu garām... Bet tas nav svarīgi. Tagad es varu viņam pieskarties.

Harijs sajuta garā, baltā pirksta ledaino pieskārienu un nodomāja, ka galva no sāpēm tūliņ pārsprāgs pušu.

Voldemorts viņam pie auss klusu iesmējās, tad pavilka pirkstu nostāk un atkal uzrunāja nāvēžus: — Es pieļāvu kļūdu, mani draugi, un to atzīstu. Mans lāsts atsitās pret tās sievas stulbo pašuzupurēšanos un trāpīja man pašam. Āāā... neprātīgas sāpes, mani draugi — ar to es nebiju rēķinājies. Es tiku izplēsts no paša miesas, nebiju vairs pat gars, nebiju pat tik daudz kā sīks spociņš... Tomēr biju dzīvs. Kas es biju, pat man nav zināms... Es, kas pa ceļu, kurš ved uz nemirstību, biju aizgājis tālāk nekā jebkurš cits. Jūs zināt manu mērķi — pārvarēt nāvi. Un tagad, kad tiku pakļauts pārbaudei, izrādījās, ka vairāki mani eksperimenti bija vainagojušies ar sekmēm... Jo es netiku nonāvēts, lai gan lāstam to vajadzēja izdarīt. Taču es biju nespēcīgāks par pašu vārgāko kustoni, un man nebija nekādu iespēju pašam sev palīdzēt, jo man nebija miesas, un nevienu burvestību, kas man varētu palīdzēt, nebija iespējams īstenot bez zižļa... Atminos tikai to, kā pats sevi — bez mitas, bez miega, ikkatru mirkli — piespiedu pastāvēt... Apmetos nomaļā vietā, mežā, un gaidīju... nešaubījos, ka vismaz kāds no maniem uzticamajiem nāvēžiem mēģinās mani uzmeklēt... Kāds no viņiem ieradīsies un manā vietā īstenos burvestību, lai atdotu man miesu... Bet es gaidīju velti...

Nāvēžu apli no jauna pāršalca trīsas. Voldemorts ļāva, lai iestājas šausminošs klusums, un tikai tad turpināja: — Biju saglabājis tikai vienu spēju. Varēju iemiesoties svešos ķermeņos. Taču es neiedrošinājos doties turp, kur bija daudz cilvēku, jo zināju, ka aurori joprojām siro pa svešām zemēm un mani meklē. Reizumis iemiesojos kustoņos — protams, priekšroku es devu čūskām, tomēr tas neko daudz nelīdzēja, jo viņu miesas ir slikti piemērotas tam, lai nodarbotos ar maģiju... Un čūskas, kurās es iemiesojos, dzīvoja daudz īsāku mūžu, neviena necik ilgi nenovilka... Tad... pirms četriem gadiem... šķita, ka spēšu atgriezties. Mežā, kur biju apmeties, ieklīda burvis — jauns, dumjš un lētticīgs. Ak mūžs, tieši par tādu izdevību es biju sapņojis — viņš strādāja par pasniedzēju Dumidora skolā! Es viņu pavisam viegli pakļāvu savai gribai... Viņš atveda mani šurp, un pēc laiciņa es iemiesojos viņa ķermenī, lai cieši pieraudzītu, kā viņš pilda manus rīkojumus. Taču plāns izgāzās. Man neizdevās nozagt filozofu akmeni. Man neizdevās iemantot nemirstību. Manus nodomus izjauca... vēlreiz izjauca Harijs Poters...

Atkal iestājās klusums. Viss bija sastindzis, pat lapas īves zaros. Nāvēži stāvēja kā sasaluši, masku spraugās zibsnījošos skatienus piekaluši Voldemortam un Harijam.

— Kad atstāju kalpa miesas, viņš nomira, un es atkal biju tikpat vājš, kā bijis, — Voldemorts stāstīja tālāk. — Atgriezos savā nomaļajā slēptuvē un, neliegšos, patiesi baidījos, ka spēku varbūt nekad vairs neatgūšu... jā, tie, iespējams, bija drūmākie mēneši manā mūžā... Diezin vai bija prātīgi cerēt, ka ceļā pagadīsies vēl kāds burvis, kurā iemiesoties. Un es vairs necerēju, ka starp maniem nāvēžiem atradīsies kāds, kuram rūpētu, kas ar mani noticis...

Viens otrs no maskotajiem burvjiem aplī neomulīgi sakustējās, taču Voldemorts par viņiem nelikās ne zinis.

— Un tad, pirms nepilna gada, kad visas cerības bija teju pagaisušas, tas pēdīgi notika... Viens kalps pie manis atgriezās — rau, Tārpastis, kas bija notēlojis paša bojāeju, lai aizbēgtu no tiesas darbiem. Kādreizējie draugi viņu uzgāja, un viņš nosprieda atgriezties pie sava pavēlnieka. Viņš mani uzmeklēja zemē, kur jau sen klīda baumas, ka tur slēpjos... Protams, viņam palīdzēja ceļā sastaptās žurkas. Tārpastis dīvainā kārtā jūtas žurkām tāds kā asinsradinieks, vai ne, Tārpasti? Viņa smirdīgie draugeļi pastāstīja, ka dziļi Albānijas mežos, kam šie met līkumu, sīki kustoņi mēdz iet bojā, kad sastop kādu melnu ēnu, kas viņos iemiesojas... Bet atgriešanās pie manis neritēja vis tik gludi, ko, Tārpasti? Jo kādu vakaru, jau turpat pie meža, kur es varēju būt atrodams, viņš muļķīgā kārtā ieklīda kādā krodziņā, lai remdētu izsalkumu... Un tur viņš uzskrēja virsū nevienam citam kā Bertai Džorkinsai — Burvestību ministrijas raganai! Un nu pievērsiet uzmanību tam, cik labvēlīgs bija lorda Voldemorta liktenis. Varēja gadīties, ka līdz ar to Tārpastim būtu pienācis gals un līdz ar to būtu pagaisusi arī mana pēdējā cerība uz atdzimšanu. Bet Tārpastis, likdams lietā apķērību, kādu es no viņa nemūžam nebūtu gaidījis, pierunāja Bertu Džorkinsu, lai šī iet ar viņu pa tumsu drusku pastaigāties. Tārpastis viņu pievārēja... atveda pie manis. Un Berta Džorkinsa, kas būtu varējusi visu izpostīt, izrādījās izdevība, kas man nebija ne sapņos rādījusies... jo — ar nelielu piepalīdzēšanu — pārvērtās par vērtīgu ziņu avotu. Viņa man izstāstīja, ka Cūkkārpā notiks Trejburvju turnīrs. Viņa man izstāstīja, ka ir kāds uzticams nāvēdis, kurš būtu vairāk nekā laimīgs man palīdzēt, ja vien es ar viņu sazināšos. Viņa man izstāstīja daudz ko... Bet līdzekļi, ko es liku lietā, lai uzlauztu viņas apburto atmiņu, izrādījās par daudz spēcīgi, un, kad biju izvilcis visas noderīgās ziņas, viņas prāts un miesa bija neatgriezeniski sapostīti. Viņa bija noderējusi visam, kam varēja noderēt. Es viņā nevarēju iemiesoties. Tiku no viņas vaļā.

Voldemorts nosmīnēja savu baismīgo smīnu. Sarkanās acis bezjūtīgi un nežēlīgi iegailējās.

— Skaidrs, ka Tārpasta miesas diez ko nederēja tam, lai es viņā varētu iemiesoties, jo viņš tika uzskatīts par mirušu un, parādīdamies ļaudīs, piesaistītu pārāk daudz uzmanības. Tomēr viņš bija pilnvērtīgs kalps, kāds man bija vajadzīgs, un, lai arī kā burvis visai neprasmīgs, Tārpastis bija spējīgs pildīt manus norādījumus, lai es varētu atgriezties paša nevarīgajās dīgļveida miesās, kur nogaidītu, līdz tiks pagādātas īstenajai atdzimšanai nepieciešamās sastāvdaļas... pāris pašizgudrotu burvestību... drusku palīdzības no manas dārgās Nagīni, — Voldemorta sarkanās acis pievērsās ložņājošajai čūskai, — mikstūra, kas sabrūvēta no vienradža asinīm un Nagīni pagādātas čūskas indes... Drīz vien es jau biju gandrīz cilvēks un gana spēcīgs, lai dotos ceļā. Cerības nozagt filozofu akmeni vairs nebija, jo es zināju, ka Dumidors parūpēsies, lai tas tiktu iznīcināts. Taču, iekams dzīties pēc nemirstības, es labprāt vēlējos atgriezties mirstīgās miesās. Es kļuvu mazliet pieticīgāks... Es nospriedu atgūt savu veco ķermeni un bijušo varenību. Es zināju, kā to panākt — mikstūra, kas mani šonakt atdzīvināja, ir sena tumšā burvestība. Vajadzēja trīs spēcīgas sastāvdaļas. Viena no tām jau bija tepat pie rokas, vai ne, Tārpasti? Kalpa dota miesa... Tēva kauli, dabiski, nozīmēja, ka mums jānokļūst šeit, kur viņš apraktis. Bet naidnieka asinis... Tārpastis būtu varējis man piemeklēt jebkuru burvi, vai ne, ko, Tārpasti? Jebkuru burvi, kas mani ienīst... Jo tādu joprojām ir daudz. Taču es zināju, kurš man vajadzīgs, ja gribu atdzimt varenāks, nekā biju pirms savas krišanas. Man vajadzēja Harija Potera asinis. Man vajadzēja asinis, kas rit tā cilvēka dzīslās, kurš mani gāza no troņa pirms trīspadsmit gadiem, jo tad viņa mātes dotā aizsardzība ieplūstu arī manās dzīslās... Bet kā dabūt rokā Hariju Poteru? Jo viņš ir aizsargāts labāk, nekā pats maz var iedomāties, — Dumidors to izkārtoja jau sen, kad kļuva skaidrs, ka viņam jāparūpējas par puikas nākotni. Dumidors izmantoja sensenu maģiju, lai knēvelis būtu neaizskarams, kamēr atrodas radinieku aizbildniecībā. Pat es viņam tur nevarēju tikt klāt... Protams, bija vēl kalambola Pasaules kausa izcīņa... Es iedomājos, ka tur — projām no radiniekiem un Dumidora — aizsardzība varētu būt vājāka, bet vēl nebiju gana spēcīgs, lai mēģinātu viņu nolaupīt, kad apkārt čum un mudž ministrijas burvji. Un pēc tam puikam vajadzēja atgriezties Cūkkārpā, kur tas vientiešmīlis ar savu kumpo degunu līkņās šim riņķī apkārt no rīta līdz vakaram. Tad kā lai es viņu dabūju? Nu — kā... protams, liekot lietā no Bertas Džorkinsas ievāktās ziņas. Izmantojot manu brīnum uzticamo nāvēdi, kurš iefiltrējās Cūkkārpā un parūpējās, lai knauķa vārds nonāk Uguns biķerī. Izmantojot manu nāvēdi, kurš pieraudzīja, lai puika uzvar turnīrā — lai viņš pirmais pieskaras Trejburvju kausam, ko mans nāvēdis bija pārvērtis par ejslēgu, kas nogādāja Poteru šeit, kur palīdzīgais aizgādnis Dumidors netiek klāt, kur ar atplestām rokām gaidu es. Un te nu viņš ir... knauķis, ko jūs visi uzskatījāt par manas sagrāves iemeslu...

Voldemorts lēni panācās uz priekšu un pagriezās pret Hariju. Viņš pacēla zizli: — *Mokum!*

Tādas sāpes Harijam vēl nebija nācies pārdzīvot. Katra sīkākā dzīsliņa dega kā uguns, rētas vietā galvā šķita paveramies plaisa, acis valbījās, viņš no sirds vēlējās, kaut tas reiz beigtos... kaut viņš zaudētu samaņu... kaut nomirtu...

Un tad sāpes rimās. Harijs ļengani karājās pinekļos, kas viņu saistīja pie Voldemorta tēva kapakmens, pacēla galvu un it kā caur miglu ieraudzīja iepretim spoži degam sarkanās acis. Nakti piedārdināja nāvēžu smiekli.

— Redzat nu, cik muļķīga, manuprāt, bija iedoma, ka šis knauķis varētu būt spēcīgāks par mani, — Voldemorts teica. — Bet es gribu, lai jums zūd kaut mazākās šaubas. Harijs Poters no manis izglābās, pateicoties laimīgai nejaušībai. Un nu es pierādīšu savu spēku, viņu nogalinādams. Jūsu acu priekšā. Šeit un tagad, kur nav ne Dumidora, kas varētu viņam nākt talkā, ne mātes, kas viņa dēļ ietu nāvē. Es viņam došu iespēju. Viņam tiks dota atļauja cīnīties, un jūs pilnīgi pārliecināsities, kurš no mums abiem ir spēcīgāks. Vēl mazu brītiņu, Nagīni, — viņš nočukstēja, un čūska aizlocījās zālē turp, kur gaidīdami stāvēja nāvēži.

— Tagad sien viņu vaļā, Tārpasti, un atdod viņam zizli.

## TRĪSDESMIT CETURTĀ NODAĻA

# IZBURVESTĪBA

Tārpastis tuvojās, un Harijs drudžaini mēģināja atrast pamatu zem kājām, iekams auklas tiek atraisītas. Tārpastis pastiepa savu jauno sudraba roku, izvilka Harijam no mutes sprūdu un ar vienu rokas vēzienu pārcirta pušu pinekļus, kas Hariju saistīja pie kapakmens.

Isu mirkli Harijam iešāvās prātā doma, ka vajag bēgt, ko kājas nes, taču savainotā potīte draudīgi saļodzījās, un viņš palika stāvam uz nezālēm noaugušā kapa, bet nāvēži paspēra soli uz priekšu, tā ka aplī melnējošie robi, kur vajadzēja stāvēt trūkstošajiem kalpiem, aizdarījās un loks ap Voldemortu un viņu saslēdzās ciešāks. Tārpastis izgāja ārpus apļa, aizsoļoja turp, kur gulēja mirušais Sedriks, un atgriezās, nesdams Harija zizli, ko viņš, acis nepacēlis, pavirši iegrūda zēnam rokā. Tad vīrelis nostājās savā vietā nāvēžu aplī.

— Harij Poter, vai kāds tev ir mācījis, kā jācīnās divkaujā? — noprasīja Voldemorts, tumsā nospīdinādams sarkanās acis.

To izdzirdējis, Harijs atminējās, ka pirms diviem gadiem, kas tagad šķita itin kā iepriekšējā dzīvē, viņš Cūkkārpā vienubrīd bija apmeklējis Divkauju klubu... Toreiz viņš iemācījās tikai vienu gudrību — atbruņošanas burvestību *Tukšrokdžimpiņ*!... bet, pat ja izdotos izraut Voldemortam no rokām zizli, no tā taču nebūtu nekādas jēgas — riņķī apkārt stāvēja nāvēži, tā ka spēku samērs bija, mazākais, trīsdesmit pret vienu! Viņš nemūžam nebija mācījies ko tādu, kas varētu noderēt šādā reizē. Viņš zināja, ka sagaidāms tas, par ko Tramdāns allaž tika brīdinājis... nesalaužamais *Avada kedavra* lāsts. Un Voldemortam bija taisnība — šoreiz nebija mātes, kas viņa labā atdotu dzīvību... Viņš bija pavisam neaizsargāts...

— Mēs viens otram paklanāmies, Harij, — Voldemorts viņu pamācīja, viegli pieliekdamies, tomēr nenolaizdams no Harija čūskas acis. — Nu, nu, ceremonijas vajag ievērot... Dumidors priecātos redzēt, ka tu uzvedies kā labi audzināts cilvēks... Paklanies savai nāvei, Harij...

Nāvēži atkal noņirdzās. Voldemorta plānās lūpas saviebās smīnā. Harijs nepalocījās. Viņš negrasījās pieļaut, lai Voldemorts dabū paspēlēties, iekams ķeras pie slepkavības.. Tādu prieku viņš Voldemortam nesagādās...

— Es teicu — *paklanies*! — Voldemorts pacēla zizli, un Harijs sajuta skaustam uzgulstamies it kā smagu, neredzamu roku, kas nepielūdzami spieda viņu pie zemes. Viņš padevās, pieliecās, un nāvēži ierēcās skaļāk nekā jebkad.

— Ļoti labi, — Voldemorts nodūdoja, pacēla zizli augstāk, un spēks, kas spieda Hariju pieliekties, tūliņ atslāba. — Un tagad stājies man pretī kā vīrs... ar taisnu muguru un lepnu garu — kā nomira tavs tēvs... Un nu mēs cīnīsimies.

Voldemorts pacēla zizli un, iekams Harijs paguva jelkādi aizsargāties, iekams vispār paguva kaut pirkstu pakustināt, pār viņu vēlreiz krita *Mokum* lāsts. Sāpes bija tik griezīgas, tik visaptverošas, ka viņš vairs nesaprata, kur atrodas. Līdz baltkvēlei nokaitēti naži graizīja miesu, galva plīsa vai pušu, viņš kliedza tā, kā nebija kliedzis nekad mūžā...

Un tad sāpes atslāba. Harijs apvēlās uz vēdera un pietrausās kājās. Viņš kratījās nevaldāmos drebuļos gluži kā pirmīt Tārpastis, kad bija nocirtis sev roku. Paspēris pāris grīļīgu soļu, viņš atdūrās pret nāvēžu rindu, tie pagrūda zēnu projām, atpakaļ pie Voldemorta.

— Maza atelpa, — Voldemorts ierunājās. Viņa nāsu spraugas satraukumā papletās. — Neliela pauzīte... Sāpēja, ko, Harij? Vai gribi, lai izdaru tā vēlreiz?

Harijs neatbildēja. Viņš mirs tāpat kā Sedriks — tas bija skaidri lasāms nepielūdzamajās, sarkanajās acīs... Viņš mirs, un tur nekas nav līdzams... Taču pēc Voldemorta stabules viņš nedancos. Voldemortam viņš nepakļausies... nelūgsies...

— Es tev uzdevu jautājumu. Vai gribi, lai izdaru tā vēlreiz? — Voldemorts klusi noprasīja. — Atbildi! *Pavēlus*!

Un Harijs trešoreiz mūžā sajuta, ka no prāta pagaisušas pilnīgi visas domas... Ak, kāda svētlaime... Bija tik jauki nedomāt, viņš it kā lidinājās, sapņoja... *Vienkārši atbildi "nē"... saki "nē"... vienkārši atbildi "nē"...*

To es nedarīšu, kaut kur pakausī ierunājās kāda spēcīgāka balss, es neatbildēšu...

*Vienkārši saki "nē"...*

To es nedarīšu, es neteikšu...

*Vienkārši saki "nē"...*

— ES NEATBILDĒŠU!

Šie vārdi izlauzās no Harija rīkles, atbalsodamies pret kapakmeņiem. Sapņainā migla pagaisa tik piepeši, it kā viņam uz galvas būtu uzgāzts spainis auksta ūdens — un tūliņ atgriezās gan sāpes, ko visās maliņās bija atstājis *Mokum* lāsts, gan atskārta, kur viņš atrodas un kas tagad būs...

— Ak neatbildēsi? — Voldemorts mīlīgi pārvaicāja. Nāvēži bija pieklusuši. — Ak tad tu neteiksi "nē"? Harij, iekams tu mirsti, man vajadzēs tev iemācīt paklausību... Varbūt derētu vēl kāda druska sāpju zāļu?

Voldemorts pacēla zizli, bet šoreiz Harijs bija sagatavojies — likdams lietā kalambolā ietrenēto reakciju, viņš nokrita gar zemi, aizvēlās aiz Voldemorta tēva marmora kapakmens un izdzirdēja pieminekli nokrakšķam, kad pret to triecās Voldemorta kļūmīgi raidītais lāsts.

— Mēs te nespēlējam paslēpes, Harij! — Nāvēžu irdzienus pārskanēja Voldemorta klusā, stindzinošā balss, pamazām tuvodamās. — Tev neizdosies no manis noslēpties. Vai tas jāsaprot tā, ka no divkaujas esi jau noguris? Vai tas nozīmē, ka tev labpatiktu, lai es to izbeidzu tūliņ, Harij? Nāc laukā, Harij... Nāc laukā paspēlēties! Tas notiks ātri... Varbūt pat nemaz nesāpēs... Es jau nezinu... Man nekad nav gadījies mirt...

Harijs aiz kapakmens sarāvās čokurā un saprata, ka gals ir klāt. Nebija nekādu cerību... Neviens nenāks palīgā. Un, klausīdamies, kā Voldemorts virzās aizvien tuvāk, viņš atskārta tikai vienu, kam nebija nekāda sakara ne ar bailēm, ne ar veselo saprātu. Viņš nemirs, kluknēdams te kā bērns, kurš spēlē paslēpes, viņš nemirs, nokritis ceļos pie Voldemorta kājām... Viņš mirs ar taisnu muguru tāpat kā savulaik tēvs, un viņš mirs, mēģinādams aizstāvēties, pat ja tādas iespējas nemaz nav...

Iekams Voldemorts paguva pabāzt savu čūskas seju aiz kapakmens, Harijs izslējās... Viņš cieši saķēra zizli, pastiepa to uz priekšu un apmetās apkārt piemineklim, nostādamies tieši pretī Voldemortam.

Voldemorts bija kaujas gatavībā. Abi iesaucās reizē. Harijs nokliedzās: — *Tukšrokdžimpiņ*! —, Voldemorts iešņācās: — *Avada kedavra*!

No Voldemorta zižļa izvijās zaļa liesma, no Harija zižļa izšāvās sarkana. Abas pusceļā sastapās, un piepeši Harija zizlis sāka raustīties, it kā caur to plūstu elektriskā strāva, zēna roka krampjaini sažņaudzās, tā ka viņš nespētu atliekt pirkstus pat gribēdams... Starp abiem zižļiem nostiepās šaurs gaismas stars — ne sarkans, ne zaļš, bet tāds kā no spoža, tīra zelta, un Harijs, ar skatienu gluži apstulbis sekodams staram, ieraudzīja, ka arī Voldemorta garie, baltie pirksti ir sažņaugušies ap zizli, kas tāpat raustās un trīc.

Un tad — neko tādu Harijs nemūžam nebūtu varējis iedomāties — viņš sajuta kājas atraujamies no zemes. Viņi ar Voldemortu pacēlās gaisā — abu zižļus joprojām vienoja vizuļojošās zelta gaismas pavediens. Viņi slīdēja projām no Voldemorta tēva kapa, līdz nolaidās tukšā klajumiņā... Nāvēži ņēmās klaigāt, prasīja Voldemortam, ko iesākt, viņi no jauna sastājās aplī ap Hariju un Voldemortu, čūska ložņāja viņiem starp kājām, daži izrāva zižļus...

Zelta pavediens, kas saistīja Hariju un Voldemortu, piepeši sašķēlās. Zižļi joprojām palika savienoti, bet tūkstoš jaunu, smalku dzīparu izliecās augstos lokos pār abiem, savērpdamies krustu šķērsu, līdz izveidoja viņam apkārt kupolveida zelta tīklu, gaismas krātiņu. Ārpusē kā šakāļi aplī lēkāja nāvēži, kuru brēkas tagad izklausījās ērmoti apslāpētas...

— Nedariet neko! — Voldemorts uzbļāva nāvēžiem, un Harijs redzēja, ka viņa sarkanās acis ir apjukumā iepletušās, ka viņš nesaprot, kas notiek, ka pūlas pārraut gaismas pavedienu, kas viņu piesējis Harija zizlim. Harijs savu zizli sagrāba vēl ciešāk, ar abām rokām, un zelta pavediens nesatrūka. — Nedariet neko, iekams es nedodu pavēli! — Voldemorts uzbrēca nāvēžiem.

Un tad gaisu piepildīja pārpasaulīga, brīnumskaista skaņa... Tā nāca no gaismas tīklojuma dzīpariem, kas trīsēja ap Hariju un Voldemortu. Šo skaņu Harijs acumirklī pazina, lai gan bija dzirdējis tikai vienreiz mūžā... Fēniksa dziesma...

Harija sirdī pamodās cerība... Tā bija skaistākā un ilgotākā skaņa, ko viņš jelkad bija dzirdējis... Šķita, ka dziesma skan nevis kaut kur ārpusē, bet kaut kur viņam pašam dziļi dvēselē. Dziesma vienoja viņu ar Dumidoru, un piepeši likās, ka pie auss klusi ierunājas kāds draugs...

*Pieraugi, lai pavediens nepārtrūkst!*

Es zinu, Harijs atbildēja mūzikai, es zinu, ka nedrīkstu... Taču, kolīdz viņš par to iedomājās, uzdevums ar joni sarežģījās. Zizlis sāka vibrēt neparasti stipri... Un arī stars starp viņu un Voldemortu kļuva pavisam citāds. Tagad pa to it kā šurpu turpu slīdēja prāvas gaismas pērles. Harijs samanīja, ka zizlis noraustās — gaismas burbuļi lēnām un nepielūdzami sāka slīdēt uz viņa pusi.

Stars tagad it kā kustējās projām no Voldemorta, uz Harija pusi, un zēns sajuta savu zizli nikni salecamies...

Kad tuvākā gaismas pērle tuvojās Harija zižļa galam, koks viņa pirkstos nokaita pagalam karsts, un zēns sāka baiļoties, ka zizlis varētu uzliesmot. Jo tuvāk slīdēja pērle, jo stiprāk vibrēja Harija zizlis — bija skaidrs, ka gaismas burbuļa pieskārienu zizlis neizturēs, ņems un sasprāgs gabalu gabalos...

Viņš sakopoja pēdējos spēkus, lai piespiestu pērli slīdēt atpakaļ pie Voldemorta. Ausīs skanēja fēniksa dziesma, skatiens negants un stingri piekalts gaismas burbuļiem. Lēnām, ļoti lēnām, pērles trīsuļodamas apstājās, un tad tikpat lēnām sāka slīdēt atpakaļ... Un tagad nevaldāmi raustīties sāka Voldemorta zizlis... Voldemorts izskatījās apstulbis un teju sabijies...

Viena gaismas krelle trīsuļoja turpat pie Voldemorta zižļa gala. Harijs nesaprata, kāpēc tā dara, kam tas vajadzīgs... Bet viņš saņēma visus spēkus, sasprindzinādams gribu kā vēl nekad mūžā, lai piespiestu gaismas pērli ielīt Voldemorta zizlī. Un lēnām... lēnītiņām... tā sāka slīdēt pa zelta pavedienu... brīdi trīsuļoja... un saskārās ar zizli...

Voldemorta zizlis acumirklī izgrūda griezīgus sāpju kliedzienus... Voldemorta sarkanās acis pārsteigumā iepletās — no viņa zižļa izvērpās un tūliņ pagaisa blīva, dūmojoša roka... tās rokas spoks, ko viņš bija uzbūris Tārpastim... atkal sāpju brēcieni... un Voldemorta zižļa galā sāka veidoties kaut kas daudz lielāks, kaut kas milzīgs, pelēcīgs, darināts it kā no sacietinātiem, blīviem dūmiem... galva... pleci un rokas... Sedrika Digorija rumpis.

Ja Harijs būtu spējis apjukumā izmest savu zizli no rokām, tas būtu noticis tieši šajā mirklī, taču viņš instinktīvi turēja zizli, cieši sagrābtu, tā ka zelta gaismas pavediens nepārtrūka pat tad, kad Sedrika Digorija blāvais, pelēkais spoks (vai tas *patiesi* bija spoks? Tas izskatījās tik blīvs!) iznira no Voldemorta zižļa visā pilnībā, itin kā būtu izspraucies dienas gaismā pa šaurum šauru tuneli... Sedrika ēna izslējās, noskatīja zelta gaismas pavedienu un ierunājās.

— Turies, Harij, — tā teica.

Balss bija neskaidra un dunoša, it kā runātājs atrastos kaut kur ļoti tālu. Harijs paskatījās uz Voldemortu... Šausmoņa platajās, sarkanajās acīs joprojām jautās pārsteigums. Arī viņš acīmredzot neko tādu nebija gaidījis... Un no zelta kupola ārpuses, pavisam apslāpētas, atskanēja sabijušos nāvēžu klaigas...

Voldemorta zizlis atkal iebrēcās... un tā galā parādījās vēl kaut kas... blīva ēna — atkal galva, rokas, rumpis... no zižļa, tāpat kā pirmīt Sedriks, tagad spraucās laukā večuks, ko Harijs reiz bija redzējis sapnī. Viņa ēna vai spoks, lai kas tas bija, nolaidās līdzās Sedrikam un, atbalstījies uz kūjas, maķenīt pārsteigts, noskatīja Hariju un Voldemortu, zelta tīklu un savienotos zižļus...

— Padomā — tad viņš bija īsts burvis, ko? — večuks ierunājās, pavērdamies uz Voldemortu. — Nobeidza mani — šitais te... sadod viņam, puis...

Bet no zižļa jau spraucās laukā nākamā galva... un tā, pelēka kā dūmu tēlam, piederēja sievietei... Harijs, ar abām neganti trīcošajām rokām raudzīdams novaldīt zizli, redzēja ēnu nolīstam zemē un izslejamies līdzās abām pārējām...

Bertas Džorkinsas ēna ieplestām acīm nopētīja kaujas lauku.

— Tikai nelaid vaļā! — viņa iekliedzās, un kliedziens atbalsojās tāpat kā pirmīt Sedrika balss, it kā nāktu no kādas ļoti tālas vietas. — Neļauj, lai viņš tevi pieveic, Harij, nelaid vaļā!

Visas trīs ēnas sāka soļot gar zelta tīkla sienu, savukārt nāvēži skraidelēja pa ārpusi... un, riņķodami ap divkaujas dalībniekiem, Voldemorta mirušie upuri čukstēja uzmundrinošus vārdus Harijam un arī Voldemortam ausī šņāca kaut ko, ko Harijs gan nevarēja saklausīt.

Un tad Voldemorta zižļa galā parādījās vēl viena galva... To ieraudzījis, Harijs saprata, kas būs... viņš zināja, it kā būtu to gaidījis jau kopš mirkļa, kad no zižļa iznira Sedriks... Zināja, jo šo cilvēku šonakt bija pieminējis ciešāk un vairāk nekā jebkuru citu...

Tas bija gara auguma vīrs ar izspūrušiem matiem. Viņa dūmainā ēna nolaidās zemē, tāpat kā iepriekš bija darījusi Berta, izslējās un pagrieza galvu pret Hariju... Un Harijs, kam rokas tagad trīcēja kā trakas, ielūkojās sava tēva spokainajā sejā.

— Māte tūliņ būs klāt... — Harija tēvs klusi ierunājās. — Viņa grib tevi redzēt... Būs labi. Tikai turies!

Un viņa nāca. Vispirms galva, tad viss pārējais... Jauna sieviete ar gariem matiem... Voldemorta zižļa galā itin kā uzziedēja Lilijas Poteres dūmainais, pelēcīgais veidols, nolaidās zemē un izslējās tāpat kā vīrs. Viņa pienāca Harijam cieši klāt, pieliecās un arī ierunājās tajā pašā tālīnajā, dunošajā balsī, tikai klusītiņām, lai Voldemorts, kurš, upuru ielenkts, bija bailēs nobālis gluži zils, neko nevarētu sadzirdēt...

— Kad pavediens pārtrūks, mēs uzkavēsimies tikai īsu brītiņu... Bet mēs dosim tev laiku. Tev jātiek līdz ejslēgai, tā aiznesīs tevi atpakaļ uz Cūkkārpu. Vai saprati, Harij?

— Jā, — Harijs izdvesa, pūlēdamies novaldīt zizli, kurš miklajos pirkstos bija kļuvis pavisam slidens.

— Harij... — iečukstējās Sedrika veidols, — aizved, lūdzu, manas miesas atpakaļ. Aizved līķi maniem vecākiem...

— Es to izdarīšu, — Harijs apsolīja, saviebies negantā piepūlē.

— Tūliņ, — nočukstēja tēva balss. — Saņemies, tūliņ būs jāskrien... laidies...

— AIZIET! — Harijs iekliedzās. Viņš nebūtu spējis zizli vairs noturēt ne mirkli ilgāk. Viņš no visa spēka parāva zizli uz augšu, un zelta pavediens pārtrūka. Gaismas krātiņš izgaisa, fēniksa dziesma apklusa, bet Voldemorta upuru ēnas joprojām bija tepat — tās ielenca Voldemortu ciešā lokā, sargādamas Hariju no viņa skatiena...

Un Harijs metās skriet, kā nebija skrējis vēl nekad — pagrūda malā divus apstulbušus nāvēžus, līkumodams šaudījās starp kapakmeņiem, manīdams, kā pakaļ šaujas un pret akmeņiem triecas burvestības, lēca pāri kapu kopiņām, izvairījās no lāstiem un drāzās uz Sedrika līķa pusi, sāpošo kāju pavisam piemirsis, domādams tikai par to, kas jādara...

— *Sastindziniet viņu*! — Viņš dzirdēja Voldemorta spiedzienu.

Metrus trīs no Sedrika Harijs ienira aiz marmora eņģeļa, lai paglābtos no sarkanajām lāstu šautrām, un redzēja, kā eņģeļa spārna gals, lāstu ķerts, sašķīst smalkās šķēpelēs. Sagrābis zizli ciešāk, viņš izlēca no aizsega...

— *Aizturies*! — viņš iekliedzās, pār plecu notēmēdams ar zizli uz nāvēžiem, kas joza viņam pakaļ.

Apslāpēts brēciens liecināja, ka vismaz vienu sekotāju izdevies apturēt, tomēr skatīties nebija laika. Pārlēcis pāri kausam, viņš pieliecās, dzirdēdams, ka aiz muguras nosprakšķ zižļi. Pāri galvai pāršāvās gaismas strēles, viņš pastiepās, lai saķertu Sedriku pie rokas...

— Paejiet nost! Es viņu piebeigšu! Viņš ir mans! — iekērcās Voldemorts.

Harija pirksti satvēra Sedrika roku. Starp viņu un Voldemortu bija atlicis viens kapakmens, bet Sedriks bija pārāk smags, un līdz kausam Harijs nespēja aizsniegties...

Tumsā nozibsnīja Voldemorta sarkanās acis. Harijs redzēja, kā viņa mute sašķobās smīnā, kā viņš paceļ zizli.

— *Šurpum!* — Harijs iebļāvās, ar zizli notēmēdams uz Trejburvju kausu.

Tas uzlidoja gaisā un peldēja klāt... Harijs saķēra rokturi...

Voldemorts izgrūda neganti niknu brēcienu, un tajā pašā mirklī Harijs juta grūdienu pavēderē, kas nozīmēja, ka iedarbojusies ejslēga — tā nesa viņu projām, griezdama viesulī un krāsainā virpulī, arī Sedriks bija tepat... Viņi atgriezās...

## TRĪSDESMIT PIEKTĀ NODAĻA

# VERITASERUMS

Harijs sajuta, ka plakaniski nozveļas gar zemi, ar seju zālē — tās smarža spiedās nāsīs. Ļaudams, lai ejslēga viņu nes, Harijs bija aizmiedzis acis un tagad tās vaļā nevēra. Viņš nekustējās. Spēka nebija ne drusciņas. Galva griezās tā, ka zeme šķita šūpojamies kā kuģa klājs. Saņēmies viņš ciešāk satvēra to, pie kā joprojām bija pieķēries — gludo, vēso Trejburvju kausa rokturi un Sedrika mirušo roku. Uzmācās sajūta, ka, palaidis tos vaļā, viņš iegrims tumsā, kas biezēja turpat apziņas nostūros. Viss pārdzīvotais un spēku izsīkums lika viņam palikt guļam turpat garšļaukus, ieelpot zāles smaržu, gaidīt. Gaidīt kādu, kurš kaut ko iesāks. Gaidīt, kad kaut kas notiks. Rēta pierē nemitējās truli smelgt...

Piepeši pāri gāzās skaņu jūklis, kas darīja viņu kurlu un pagalam apmulsināja — balsis, soļi, kliedzieni. Viņš palika, kur bijis, trokšņa dēļ saviebies, it kā tas būtu murgs, kas tūliņ beigsies.

Tad viņu strauji sagrāba kādas rokas un pagrieza otrādi.

— Harij! *Harij!*

Viņš atvēra acis.

Priekšā rēgojās zvaigžņotas debesis, turpat līkņāja Baltuss Dumidors. Visapkārt vīdēja tumšs pūlis, tas spiedās tuvāk, Harijs ar pakausi samanīja, kā zemē atbalsojas viņu soļu dipoņa.

Viņš bija atgriezies labirinta ārmalā. Tepat līdzās slējās tribīnes, viņš redzēja, kā solu rindās kustas cilvēki un debesīs mirdz zvaigznes.

Harijs palaida vaļā kausu, taču Sedriku satvēra vēl ciešāk. Pacēlis atbrīvoto roku, viņš sagrāba Dumidora piedurkni, bet profesora seja acu priekšā peldēja itin kā līganā miglā.

— Viņš ir atgriezies, — Harijs iečukstējās. — Viņš ir atgriezies. Voldemorts.

— Ko tas nozīmē? Kas noticis?

Virs Harija ar kājām gaisā parādījās Kornēlija Fadža seja — nobālusi, pārbiedēta.

— Debestiņ... Digorijs! — tā nočukstēja. — Dumidor, viņš ir beigts!

Vārdus pārtvēra tuvāk stāvošās ēnas un pačukstēja tālāk... Un tie dzirdēto izsauca — izkliedza naktī... — Viņš ir beigts! Viņš ir *miris*! Sedriks Digorijs! *Miris*!

— Harij, laid viņu vaļā, — atskanēja Fadža balss, Harijs sajuta, kā tiek lauzti vaļā viņa pirksti, kas bija krampjaini iegrābušies Sedrika ļenganajā rokā, bet viņš vaļā nelaidās.

Tad tuvāk piebīdījās Dumidora seja, joprojām izplūdusi un miglaina. — Harij, jūs vairs nevarat viņam palīdzēt. Viss beidzies. Laidiet vaļā.

— Viņš gribēja, lai atvedu viņu atpakaļ, — Harijs nomurmināja — viņam šķita, ka noteikti jāpaskaidro. — Viņš gribēja, lai atvedu viņu atpakaļ pie vecākiem...

— Jā, Harij. Tikai tagad laidiet vaļā...

Dumidors pieliecās, pacēla Hariju ar tik kalsnam sirmgalvim gluži neiedomājamu spēku un nostatīja zēnu uz kājām. Harijs sagrīļojās. Galva dobji dunēja. Savainotā kāja ļima kopā. Tie, kas bija sadrūzmējušies visapkārt, ņēmās grūstīties, raudzīdami tikt tuvāk, spiedās virsū kā melns blāķis. — Kas noticis? Kas viņam kaiš? *Digorijs pagalam*!

— Viņam jādodas uz slimnīcas spārnu! — Fadžs nosaucās. — Viņš ir slims, ievainots... Dumidor, Digorija vecāki... Viņi ir šeit, tribīnēs...

— Es aizvedīšu Hariju, Dumidor, es viņu aizvedīšu...

— Nē, labāk lai...

— Dumidor, Amoss Digorijs skrien šurp. Varbūt izstāstiet jūs... pirms viņš ierauga...?

— Harij, paliecie tepat...

Kliedza un histēriski šņukstēja meitenes... Harijam acu priekšā viss ērmoti drebelējās...

— Būs labi, dēls, es tevi turu... nāc nu... uz slimnīcas spārnu...

— Dumidors man teica palikt tepat, — Harijs izmocīja, juzdams, ka pukstošās sāpes rētā pieņemas spēkā un virsū mācas vēmiens, arī migla acu priekšā sabiezēja.

— Tev jāatguļas... Nāc nu...

Kāds, kurš bija par Hariju lielāks un stiprāks, pa pusei stiepa, pa pusei vilka viņu cauri izbiedētajam pūlim. Harijs dzirdēja visus noelšamies, kliedzam un nez ko saucam, kamēr vīrs, kurš viņu balstīja, spiedās cauri drūzmai atpakaļ uz pili. Pāri zālienam, garām ezeram un Durmštrangas kuģim. Harijs dzirdēja vienīgi sava palīga smago elpu.

— Kas īsti notika, Harij? — vīrs pēdīgi ierunājās, bīdīdams Hariju augšā pa akmens lieveņa pakāpieniem. *Klakts. Klakts. Klakts.* Tas bija Trakacis Tramdāns.

— Kauss bija ejslēga, — Harijs nomurmināja, kad viņi steberēja cauri Ieejas zālei. — Aiznesa mani ar Sedriku uz kaut kādu kapsētu... Un tur bija Voldemorts... lords Voldemorts...

*Klakts. Klakts. Klakts.* Augšup pa marmora kāpnēm...

— Tur bija Tumsas pavēlnieks? Un kas notika?

— Nogalināja Sedriku... viņi nogalināja Sedriku...

— Un tad?

*Klakts. Klakts. Klakts.* Projām pa gaiteni...

— Sabrūvēja mikstūru... atdabūja miesu...

— Tumsas pavēlnieks atdabūja savu miesu? Viņš ir atgriezies?

— Un saradās nāvēži... Un tad mums bija divkauja...

— Tu cīnījies ar Tumsas pavēlnieku?

— Izglābos... mans zizlis... izstrādāja kaut kādu joku. Es redzēju savu mammu un tēti... viņi iznāca no Voldemorta zižļa...

— Nāc te iekšā, Harij... nāc, nāc un apsēdies. Tagad būs labi... izdzer šito...

Harijs izdzirdēja, kā slēdzenē noskrapst atslēga, un sajuta rokās iegulstam krūzi.

— Izdzer šo te. Tūliņ kļūs labāk. Nu tā, Harij, man precīzi jāzina itin viss, kas noticis...

Tramdāns piegrūda krūzi viņam pie lūpām un palīdzēja ieliet šķidrumu mutē. Harijs aizrijās, kad pa rīkli lejup notecēja piparota, ugunīga dzira. Tramdāna kabinets tūliņ noskaidrojās, arī pats Tramdāns vairs nebija tik miglains un izplūdis. Profesors izskatījās tikpat nobālis kā pirmiņ Fadžs, un abas viņa acis nemirkšķinādamās stingi blenza tieši Harijam sejā.

— Voldemorts ir atgriezies, Harij? Tu esi pārliecināts? Kā viņš to paveica?

— Viņš paņēma kaut ko no sava tēva kapa, no Tārpasta un no manis, — Harijs teica. Reibonis mitējās, arī sāpes rētā atlaidās, tagad viņš Tramdānu varēja saskatīt pavisam labi, lai gan kabinets slīga tumsā. Kaut kur tālu projām, kalambola laukumā, joprojām skanēja kliedzieni.

— Ko tad Tumsas pavēlnieks paņēma no tevis? — Tramdāns noprasīja.

— Asinis, — Harijs paskaidroja, pacēlis roku. Vietā, kur bija ieurbies Tārpasta duncis, piedurknē vīdēja plīsums.

Tramdāns gari un sēcoši noelsās. — Un nāvēži? Viņi atgriezās?

— Jā, — Harijs atbildēja. — Vesels lērums...

— Kā viņš tos uzņēma? — Tramdāns klusi ievaicājās. — Piedeva?

Bet Harijs piepeši attapās. Vajadzēja pateikt Dumidoram, vajadzēja izstāstīt uz karstām pēdām... — Cūkkārpā ir nāvēdis! Šeit ir nāvēdis — viņš ielika manu vārdu Uguns biķerī, viņš pieraudzīja, lai es tieku līdz pašām beigām...

Harijs centās piecelties, bet Tramdāns neļāva.

— Es zinu, kurš ir nāvēdis, — viņš klusi novilka.

— Karkarovs? — Harijs neprātīgi iekliedzās. — Kur viņš ir? Vai esat viņu saņēmuši ciet? Viņš ir iesprostots?

— Karkarovs? — Tramdāns savādi iesmējās. — Karkarovs aizbēga. Šovakar, kolīdz sajuta uz rokas iedegamies Tumšo zīmi. Viņš nodevis pārāk daudz Tumsas pavēlnieka uzticamo piekritēju, lai kārotu ar viņiem sastapties... Taču necik tālu viņš neaizbēgs. Tumsas pavēlnieks zina, kā sadzīt pēdas saviem ienaidniekiem.

— Karkarovs ir *projām*? Aizbēdzis? Bet... bet tad jau viņš nav licis manu vārdu Biķerī!

— Nē, — Tramdāns gausi noteica. — Nē, to viņš nav darījis. To izdarīju es.

Harijs to dzirdēja pavisam labi, tomēr nespēja noticēt savām ausīm.

— Nē taču, — viņš izstomīja. — Nē taču... jūs ne... jūs ne...

— Tici man, — Tramdāns sacīja, sabolīdams burvju aci un piekaldams tās skatienu durvīm, un Harijs atskārta, ka profesors pārbauda, vai neviens nenoklausās. To darīdams, Tramdāns izvilka zizli un pavērsa to pret Hariju.

— Tātad viņš šiem piedeva, ko? — Tramdāns iečērkstējās. — Nāvēžiem, kuri tika cauri sveikā... Tiem, kuri izglābās no Azkabanas?

— Ko? — Harijs nesaprata. Viņš skatījās uz Tramdāna zizli. Tas noteikti bija kāds nelāgs joks.

— Es tev prasu, — Tramdāns klusi turpināja, — vai viņš piedeva tiem salašņām, kuri pat nemēģināja viņu sameklēt? Tiem nodevīgajiem gļēvuļiem, kuriem pat nebija dūšas viņa dēļ doties uz Azkabanu. Tiem neuzticamajiem smerdeļiem, kas bija gana drosmīgi, lai, noslēpušies aiz maskām, toreiz, kalambola Pasaules kausa izcīņas laikā, spriņģotu riņķī apkārt, bet ņēma kājas pār pleciem, kad es uzbūru debesīs Tumšo zīmi.

— *Jūs* uzbūrāt... par ko jūs runājat...?

— Es taču tev teicu, Harij... Es taču tev teicu. Ir tikai viena lieta, ko es nevaru ciest ne acu galā, un tas ir nāvēdis, kurš staigā apkārt uz brīvām kājām. Viņi pagrieza muguru manam pavēlniekam, kad bija viņam visvairāk vajadzīgi. Es cerēju, ka viņš šos sodīs. Es cerēju, ka viņš šos spīdzinās. Pasaki man, Harij, ka viņš tiem draņķiem lika pamocīties... — Tramdāna sejā piepeši iegaismojās neprātīgs smīns. — Saki, ka viņš stāstīja, kā tikai es — es vienīgais — saglabāju uzticību... kā biju gatavs riskēt ar visu, lai tikai sagādātu to, pēc kā viņš tik ļoti alka... *tevi.*

— Jūs taču... nē, jūs tas nevarējāt būt...

— Tas, kurš ielika tavu vārdu Uguns biķerī ar citas skolas vārdu? To izdarīju es. Kurš aizbiedēja ikvienu, kas, manuprāt, varētu tev nodarīt pāri vai traucēt tev uzvarēt turnīrā? Tas biju es. Kurš pamudināja Hagridu parādīt tev pūķus? Es. Kurš palīdzēja tev izdomāt vienīgo paņēmienu, ar ko tev bija izredzes uzvarēt pūķi? *Es.*

Tramdāna burvju acs bija novērsusies no durvīm. Tagad tā vērās uz Hariju. Profesora savītušās mutes caurums pletās lielāks un melnāks nekā jebkad. — Nebija nemaz tik viegli, Harij, izdabūt tevi cauri pārbaudījumiem, nemodinot nekādas aizdomas. Man nācās likt lietā visu viltību līdz pēdējai drusciņai, lai es pats ar tavām sekmēm nekādi netiktu saistīts. Dumidoram rastos krietnas aizdomas, ja tu ar visu tiktu galā pārāk viegli. Vajadzēja tevi iedabūt labirintā — vislabāk, protams, ar vērā ņemamu handikapu —, tad es zināju, ka būs izredzes novākt pārējos censoņus un atbrīvot tev ceļu. Taču man nācās cīnīties arī pret tavu stulbumu. Otrajā pārbaudījumā... Lūk, tur es pa īstam sabijos, ka nekas neiznāks. Es nenolaidu no tevis ne acu, Poter. Es zināju, ka tu netiksi galā ar to olu, tāpēc man nācās tev atkal piespēlēt mājienu...

— Jūs taču neko... — Harijs piesmacis ierunājās. — Sedriks man pateica priekšā...

— Un kurš ieteica Sedrikam atvērt olu zem ūdens? Es. Es paļāvos, ka viņš pateiks arī tev. Ar krietniem cilvēkiem ir tik viegli manipulēt, Poter. Man nebija ne mazāko šaubu, ka Sedriks gribēs tev atlīdzināt par to, ka pateici viņam par pūķiem, un tā arī notika. Bet pat tas, Poter, pat tas it kā neko daudz nelīdzēja. Es tevi visu laiku vēroju... visu laiku, kamēr tu dirnēji bibliotēkā. Kā tu neapjēdzi, ka grāmata, kas tev bija vajadzīga, visu laiku atradās turpat, tavā guļamistabā? Es to tur iefiltrēju jau kur tas laiks — iesmērēju to Lēniņu zeņķim, neatceries? "Vidusjūras maģiskie ūdensaugi un to īpašības". Tur tu par žaunaļģēm būtu atradis visu, kas vajadzīgs. Es cerēju, ka tu lūgsi palīdzību visiem un ikvienam. Lēniņš tev visu būtu acumirklī izstāstījis. Bet tu netaujāji... Tu neprasīji... Tu biji lepns un neatkarīgs, un tas visu varēja izpostīt. Tad ko man bija darīt? Atlika iebarot tev ziņas no kāda cita nevainīga avota. Ziemassvētku ballē tu man izstāstīji par mājas elfu Dobiju, kas tev bija kaut ko tur iedāvinājis Ziemassvētkos. Es pasaucu elfu uz pasniedzēju istabu, lai viņš savāc pāris iztīrāmu mantiju. Sāku skaļi runāties ar profesori Maksūru par aizvestajiem gūstekņiem un to, vai Poters diez iedomāsies izmantot žaunaļģes. Un tavs mazais draudziņš taisnā ceļā drāzās uz Strupa skapi, bet pēc tam metās meklēt rokā tevi...

Tramdāna zizlis vēl aizvien bija pavērsts tieši pret Harija sirdi. Profesoram aiz muguras pie sienas piekārtajā Naidnieku logā kustējās neskaidri apveidi. — Ezerā tu notupēji tik ilgi, Poter, ka es jau nospriedu — būsi noslīcis. Taču Dumidors, par laimi, tavu glupību iztulkoja kā augstsirdību un piešķīra gana daudz punktu. Es atkal varēju uzelpot.

— Šovakar labirintā tev, protams, klājās vieglāk, nekā bija paredzēts, — Tramdāns turpināja. — Jo es patrulēju tam apkārt, skatīdamies cauri dzīvžogiem un aizburdams no tava ceļa daudzus šķēršļus. Es apdullināju Flēru Delakūru, kad viņa joza garām. Es uzliku *Pavēlus* lāstu Krumam, lai viņš piebeidz Digoriju un atbrīvo tev ceļu pie kausa.

Harijs blenza uz Tramdānu. Viņš nekādi nespēja aptvert, kā tas iespējams... Dumidora draugs, slavenais aurors... Tas, kurš bija notvēris tik daudzus nāvēžus... Bezjēdzīgi... Nepavisam neizklausījās sakarīgi...

Miglainie apveidi Naidnieku logā kļuva skaidrāki un aizvien labāk izšķirami. Harijs pāri Tramdāna plecam redzēja tuvojamies trīs figūras. Taču Tramdāns to nemanīja. Viņa burvju acs skatiens urbās Harijā.

— Tumsas pavēlniekam, Poter, neizdevās tevi nogalēt, bet viņš to *tik ļoti* vēlējās, — Tramdāns iesēcās. — Iedomājies, kā viņš mani atalgos, kad atklās, ka esmu to paveicis viņa vietā. Es viņam sagādāju tevi — to, kas viņam visvairāk vajadzīgs, lai atdzimtu, — un tad es tevi nogalinu. Es tikšu godināts vairāk par visiem nāvēžiem. Es būšu viņa labākais, viņa tuvākais kalps... vēl tuvāks nekā dēls...

Tramdāna parastā acs izvelbās no pieres, un burvju acs blenza Harijam sejā. Durvis bija aizslēgtas, un Harijs zināja, ka nepaspēs izraut zizli...

— Mums ar Tumsas pavēlnieku, — verveleja Tramdāns, kas tagad izskatījās pavisam nojūdzies un kā melns blāķis liecās Harijam arvien tuvāk, — ir tik daudz kopīga. Mums abiem, piemēram, itin nemaz nebija veicies ar tēviem... Galīgi nemaz. Mums abiem nācās paciest to, ka tikām nosaukti tēva vārdā. Un mums abiem bija tas prieks... nudien, neizmērojams prieks... savus tēvus piebeigt, lai nodrošinātu Tumsas varas turpmāku uzplaukumu!

— Jūs esat traks, — Harijs iesaucās, nespēdams novaldīties. — Jūs esat traks!

— Traks, ko? — Tramdāns nesamanīgi ieķērcās. — To mēs vēl redzēsim! Redzēsim, kurš ir traks — tagad, kad Tumsas pavēlnieks ir atgriezies un es esmu viņam līdzās! Viņš ir atgriezies, Poter, tu viņu nesakāvi — un nu... es sakaušu tevi!

Tramdāns pacēla zizli, pavēra muti, Harijs iegrūda roku mantijas kabatā, pūlēdamies sagrābstīt savu zizli...

— *Dullum!* — Nozibsnīja žilbinoši sarkana gaisma, un Tramdāna kabineta durvis brakšķēdamas sašķīda smalkās šķēpelēs...

Tramdāns tika atsviests atpakaļ un nogāzās uz kabineta grīdas. Harijs, joprojām blenzdams turp, kur tikko atradās Tramdāna seja, ieraudzīja no Naidnieku loga pretim veramies Baltusu Dumidoru, profesoru Strupu un profesori Maksūru. Apcirties apkārt, viņš atklāja, ka tie visi trīs stāv uz sliekšņa — Dumidors pašā priekšā ar paceltu zizli.

Tajā pašā brīdī Harijs pirmoreiz tā pa īstam aptvēra, kāpēc klīda runas, ka Dumidors esot vienīgais burvis, no kura Voldemorts jebkad baidījies. Kad profesors tur stāvēja, nolūkodamies uz Trakača Tramdāna bez samaņas sakņupušajām miesām, viņa skatiens bija briesmīgāks par visu, ko Harijs vien spēja iedomāties. Nebija vairs ne vēlīgā smaida, ne aiz briļļu stikliem dzirkstījošo uguntiņu. Mūžvecās sejas rievās vīdēja ledains niknums, Dumidora stāvs gluži kā svelošu karstumu izstaroja varu.

Viņš spēra soli pār kabineta slieksni, pabāza kurpes purngalu zem Tramdāna ļenganā ķermeņa un apsvieda to otrādi, lai pavērstu ar seju uz augšu. Arī Strups ienāca kabinetā, ielūkodamies Naidnieku logā, kur joprojām vīdēja viņa paša seja, un zvērojošām acīm noskatīja visu telpu.

Profesore Maksūra taisnā ceļā devās pie Harija.

— Nāciet man līdzi, Poter, — viņa nočukstēja. Profesores plānās lūpas noraustījās, it kā viņa grasītos izplūst asarās. — Ejam uz slimnīcas spārnu!

— Nē, — Dumidors noskaldīja.

— Dumidor, viņam vajag... paskatieties taču uz viņu! Šodien viņš ir gana daudz pārdzīvojis...

— Viņš paliks, Minerva, jo viņam jātiek skaidrībā, — Dumidors īsi paskaidroja. — Iegūt skaidrību nozīmē spert pirmo soli pretim saprašanai, un atlabt viņš varēs tikai tad, kad būs nonācis pie saprašanas. Viņam jāzina, kas un kāpēc licis viņam pārdzīvot šāvakara ciešanas.

— Tramdāns, — Harijs nomurmināja. Viņš joprojām tam nekādi nespēja noticēt. — Kā tas varēja būt Tramdāns?

— Šis te nav Alastors Tramdāns, — Dumidors klusi pavēstīja. — Alastoru Tramdānu jūs ne reizes neesat saticis. Īstais Alastors Tramdāns nemūžam nebūtu jūs aizvilcis projām no manis pēc visa tā, kas šonakt notika. Kolīdz viņš jūs aizveda, man viss kļuva skaidrs... Un es sekoju.

Noliecies pie Tramdāna saļimušajām miesām, Dumidors iebāza roku viņa mantijas kabatā, no turienes izvilkdams blašķi un atslēgu riņķi. Tad viņš pagriezās pret profesori Maksūru un Strupu.

— Severus, lūdzu sadabūjiet man spēcīgāko patiesības mikstūru, kāda vien ir jūsu rīcībā, pēc tam nokāpiet lejā virtuvē un atvediet šurp mājas elfu, vārdā Vinkija. Jūs, Minerva, lūdzu aizejiet uz Hagrida namiņu — tur ķirbju lauciņā jūs atradīsit lielu, melnu suni. Aizvediet suni uz manu kabinetu, pasakiet, ka pēc brīža būšu klāt, un pati nāciet atpakaļ.

Ja arī Strupam vai Maksūrai šie rīkojumi šķita visai dīvaini, ne viens, ne otrs apmulsumu neizrādīja. Dumidors aizsoļoja līdz lādei ar septiņām slēdzenēm, ielika atslēgu pirmajā slēdzenē un atvēra vāku. Lāde bija stāvgrūdām pilna ar burvju grāmatām. Aizvēris vāku, Dumidors iebāza otru atslēgu nākamajā slēdzenē un atkal pacēla vāku. Burvju grāmatas izrādījās pazudušas — šoreiz lādē gulēja vairāki salūzuši sūdzoskopi, dažādi pergamenti, rakstāmspalvas un kas līdzīgs sudrabainam Paslēpnim. Harijs apstulbis noraudzījās, kā Dumidors pa kārtai atslēdz lādi trešo, ceturto, piekto un sesto reizi, un tur ikreiz izrādījās salikts kaut kas pavisam cits. Tad profesors iebāza slēdzenē septīto atslēgu, atgrūda vaļā vāku, un Harijs izgrūda pārsteiguma kliedzienu.

Skatienam atklājās tāda kā bedre, kā pazemes istaba, un tajā uz grīdas pāris metru lejāk gulēja īstais Trakacis Tramdāns — itin kā iesnaudies un badā izkāmējis. Koka kāja bija pazudusi, plakstiņš, kas sedza burvju acij paredzēto dobumu, bija dziļi iekritis, un sirmie mati pamatīgi izroboti. Harijs kā zibens ķerts skatījās te uz Tramdānu, kurš gulēja lādē, te uz to, kurš bez samaņas kluknēja uz kabineta grīdas.

Dumidors ierāpās lādē, pieliecās un viegli nolēca uz grīdas līdzās guļošajam Tramdānam. Viņš pārliecās draugam pāri.

— Sastindzināts... un arī *Pavēlus* lāsts... ļoti vārgs, — viņš noteica. — Skaidrs, ka vajadzēja viņu uzturēt pie dzīvības. Harij, pasviediet šurp viltvārža apmetni — Alastoram ir auksti. Vajadzēs nodot viņu Pomfreja madāmas gādībā, bet acumirklī, šķiet, nekādas lielās briesmas nedraud.

Harijs darīja, kā vēlēts. Dumidors apsedza Tramdānu ar apmetni, apspraudīja to viņam apkārt un izkāpa no lādes. Tad viņš no galda paņēma blašķi, atskrūvēja to un apvērsa ar dibenu uz augšu. Uz kabineta grīdas notecēja biezs, lipīgs šķidrums.

— Daudzsulu mikstūra, Harij, — Dumidors noteica. — Redzat, cik viss ir vienkārši un ģeniāli. Jo Tramdāns *patiesi* dzer tikai no savas blašķes — to zina visi. Protams, viltvārdim vajadzēja, lai īstais Tramdāns būtu tepat blakus, lai varētu ik pa laiciņam sabrūvēt mikstūru... Redzat — mati... — Dumidors paskatījās uz lādē guļošo Tramdānu. — Viltvārdis tos pa šķipsnai vien graizījis cauru gadu — re, kā izrobojis? Bet šovakar, kad bija tik daudz pārdzīvojumu, mūsu neīstais Tramdāns, manuprāt, varētu būt piemirsis iedzert mikstūru tik bieži kā parasti... noliktajā laikā... ik stundu... redzēsim.

Atbīdījis no galda krēslu, Dumidors uz tā nosēdās, vērīgi lūkodamies uz nesamaņā guļošā cilvēka stāvu. Arī Harijs nenolaida no tā ne acu. Abi klusēja, aizritēja vairākas minūtes...

Tad Harija acu priekšā uz grīdas guļošā cilvēka vaibsti sāka mainīties. Rētas pazuda, sejas āda izlīdzinājās, ierobītais deguns izgludinājās un sāka sarauties. Garās, sirmās lēkšķes ielīda atpakaļ galvā, un mati vērtās salmu dzelteni. Piepeši noklabēdama nokrita koka kāja, un tās vietā atauga pavisam parasta, nākamajā acumirklī no dobuļa, kur bija parādījusies īsta acs, izsprāga burvju redzoklis un aizripoja labu gabalu projām pa grīdu, turpinādams bolīties uz visām pusēm.

Uz grīdas gulēja bāls, nedaudz mūsains vīrs ar gaišu matu ērkuli. Harijs viņu pazina. Harijs bija viņu redzējis Dumidora Domnīcā — tur viņu no tiesas zāles veda projām atprātotāji, tur viņš raudzīja pārliecināt Zemvalža kungu, ka nav vainīgs... Tikai tagad viņam ap acīm bija iegrauzušās rievas, un viņš izskatījās krietni vecāks...

Gaitenī nodipēja steidzīgi soļi. Tur atgriezās Strups, kam uz papēžiem mina Vinkija. Abiem nopakaļ brāzās profesore Maksūra.

— Zemvaldis! — Strups izsaucās, apstādamies uz sliekšņa, kā zemē iemiets. — Bērtulis Zemvaldis!

— Augstā debess, — noelsās profesore Maksūra, arī sastingdama uz vietas un blenzdama uz zemē guļošo vīru.

Gar Strupa kājām galvu pabāza nosmulējusies un izspūrusī Vinkija. Mute viņai atkrita plati vaļā, un gaisu pāršķēla griezīgs brēciens. — Bērtuļa jaunkungs, Bērtuļa jaunkungs, ko jūs te dara?

Viņa metās jaunajam vīrietim pie krūtīm. — Jūs viņu nogalē! Jūs viņu nogalē! Jūs nogalē saimnieka dēlu!

— Viņš ir tikai apdullināts, Vinkij, — Dumidors noteica. — Esi tik laba un pakāpies malā. Severus, jums ir mikstūra?

Strups pasniedza Dumidoram mazu pudelīti ar pilnīgi bezkrāsainu šķīdumu — veritaserumu, ar ko viņš klasē tika draudējis Harijam. Dumidors piecēlās, pārliecās pār cilvēku, kas gulēja uz grīdas, un nostatīja sēdus, atbalstīdams pret sienu zem Naidnieku loga, no kura joprojām nikni raudzījās viņš pats, Strups un Maksūra. Trīcošā Vinkija palika tupam, noslīgusi uz ceļgaliem un aizsegusi ar rokām seju. Dumidors ar varu papleta vīrieša muti un iepilināja tur trīs pilienus veritaseruma. Tad viņš pavērsa zizli pret gūstekņa krūtīm un iesaucās: — *Modinātum!*

Zemvalža dēls pavēra acis. Seja viņam bija gluži ļengana, skatiens neskaidrs. Dumidors nometās viņam līdzās uz ceļiem, lai abu sejas atrastos viena otrai iepretim.

— Vai dzirdat mani? — Dumidors rāmi ierunājās.

Vīrieša plakstiņi noraustījās.

— Jā, — viņš nomurmināja.

— Es gribētu, lai jūs mums pastāstāt, — Dumidors laipni turpināja, — kā šeit nokļuvāt. Kā jūs izbēgāt no Azkabanas?

Zemvaldis ievilka dziļu, saraustītu elpu, un tad sāka runāt vienaldzīgā, mehāniskā balsī. — Māte mani izglāba. Viņa zināja, ka mirst. Viņa pierunāja tēvu, lai tas mani izglābj — viņas labā. Viņš māti mīlēja tā, kā mani netika mīlējis nekad. Piekrita. Abi ieradās mani apciemot. Viņi iedeva man malciņu daudzsulu mikstūras, kam klāt bija mātes mats. Viņa iedzēra malciņu daudzsulu mikstūras, kur iekšā bija manējais. Mēs pārvērtāmies viens par otru.

Vinkija drebēdama purināja galvu. — Cietiet klusu, Bērtuļa jaunkungs, cietiet klusu, jūsu tēvs iekuļas nelaimē!

Bet Zemvaldis vēlreiz dziļi ievilka elpu un turpināja stāstīt tajā pašā neizteiksmīgajā balsī: — Atprātotāji ir neredzīgi. Viņi samanīja, ka Azkabanā ienāk viens vesels un viens mirstošais. Viņi samanīja, ka viens vesels un viens mirstošais iziet laukā. Tēvs mani izdabūja laukā mātes izskatā, lai neko nemanītu citi ieslodzītie. Drīz pēc tam māte Azkabanā nomira. Viņa rūpīgi dzēra daudzsulu mikstūru līdz pat nāves stundai. Viņa tika apglabāta ar manu vārdu un manā izskatā. Visi noticēja, ka tas biju es.

Vīrieša plakstiņi notrīsēja.

— Un ko iesāka jūsu tēvs, kad bija nogādājis jūs mājās? — Dumidors klusi ievaicājās.

— Inscenēja mātes nāvi. Klusas, pieticīgas bēres. Kaps ir tukšs. Mājas elfs man palīdzēja atlabt. Tad mani vajadzēja slēpt. Mani vajadzēja kontrolēt. Tēvs lika lietā visādus lāstus, lai mani pakļautu. Kad atguvu spēkus, domāju tikai par to, kā atrast manu pavēlnieku... kā atgriezties pie viņa.

— Kā tēvs jūs novaldīja? — Dumidors jautāja.

— Ar *Pavēlus* lāstu, — Zemvaldis atbildēja. — Biju pakļauts tēva gribai. Viņš mani piespieda dienu un nakti valkāt Paslēpni. Ar mani kopā allaž bija mājas elfs. Viņa mani pieskatīja un aprūpēja. Viņa mani žēloja. Viņa pierunāja tēvu ik pa laikam mani palutināt. Par to, ka labi uzvedos.

— Bērtuļa jaunkungs, Bērtuļa jaunkungs, — Vinkija šņukstēja caur pirkstiem. — Jums nebūt brīv to viņiem teikt, mēs iekuļas nelaimē...

— Vai kāds dabūja zināt, ka joprojām esat dzīvs? — Dumidors mierīgi turpināja. — Kāds cits, izņemot jūsu tēvu un mājas elfu?

— Jā. — Zemvalža plakstiņi no jauna noraustījās. — Ragana, kas strādāja kopā ar tēvu. Berta Džorkinsa. Viņa atnāca pie mums ar papīriem, ko tēvam vajadzēja parakstīt. Tēva nebija mājās. Vinkija ielaida viņu iekšā un atgriezās virtuvē pie manis. Bet Berta Džorkinsa sadzirdēja, ka Vinkija ar mani sarunājas. Nāca paskatīties. Un dzirdēja gana daudz, lai saprastu, kurš slēpjas zem Paslēpņa. Tēvs pārnāca mājās. Viņa bruka viņam virsū. Tēvs lika lietā ļoti spēcīgu burvestību, lai viņa aizmirst, ko atklājusi. Par daudz spēcīgu. Viņš teica, ka sapostījis viņas atmiņu uz visiem laikiem.

— Kālab viņa okšķerēt mana saimnieka personiskās lietas? — Vinkija elsoja. — Kālab viņa neatstāt mūs mierā?

— Izstāstiet man par kalambola Pasaules kausa izcīņu, — Dumidors palūdza.

— Uz to tēvu pierunāja Vinkija, — Zemvaldis pavēstīja tajā pašā monotonajā balsī. — Nelikās mierā mēnešiem ilgi. Es jau vairākus gadus nebiju izgājis no mājām. Man ļoti patika kalambols. Palaidiet, viņa teica. Viņam būs mugurā Paslēpnis. Lai viņš paskatās. Lai ieelpo svaigu gaisu. Viņa teica, ka māte būtu to gribējusi. Viņa teica tēvam, ka māte nomira, lai dāvātu man brīvību, nevis tādēļ, lai es visu mūžu pavadītu kā cietumā. Galu galā viņš piekrita. Viss tika rūpīgi izplānots. Jau krietni agrāk tēvs mani ar Vinkiju uzveda augšā ložā. Vinkijai vajadzēja teikt, ka viņa aizņēmusi vietu tēvam. Man vajadzēja sēdēt neredzamam. Projām vajadzēja iet, kad visi pārējie jau būs aizgājuši. Vinkija it kā būtu viena pati. Neviens pat nenojaustu. Bet Vinkija nezināja, ka pamazām atgūstu spēkus. Biju sācis cīnīties pret tēva *Pavēlus* lāstu. Brīžiem jau jutos gandrīz kā senāk. Dažu labu mirkli man šķita, ka esmu izrāvies no pakļautības. Tā notika arī tur, ložā. It kā atmodos no dziļa miega. Atklāju, ka visapkārt ir cilvēki, ka notiek spēle un no priekšā sēdoša zeņķa kabatas laukā rēgojas zizlis. Kopš Azkabanas laikiem man zizlis nebija ļauts. Nozagu. Vinkija nezināja. Vinkija bija galīgi pārbijusies. Viņa bija aizlikusi sejai priekšā rokas.

— Bērtuļa jaunkungs, jūs slikts puika! — iečukstējās Vinkija, kam caur pirkstu starpām spiedās asaras.

— Tātad jūs paņēmāt zizli, — Dumidors noteica. — Un ko jūs ar to iesākāt?

— Mēs aizgājām atpakaļ uz telti, — Zemvaldis pavēstīja. — Tad izdzirdējām viņus. Nāvēžus. Tos, kuri Azkabanā nekad nav bijuši. Tos, kuri nekad nav cietuši mana pavēlnieka labā. Viņi pavēlniekam pagrieza muguru. Viņi netika apcietināti kā es. Viņi bija uz brīvām kājām un varēja pavēlnieku meklēt, taču nemeklēja. Viņi tikai uzjautrinājās, ņirgādamies par vientiešiem. Viņu balsis mani atmodināja. Mans prāts gadiem ilgi nebija bijis tik skaidrs. Es biju nikns. Man bija zizlis. Es gribēju nāvēžiem uzbrukt par to, ka viņi lauzuši uzticību manam pavēlniekam. Tēva teltī nebija, viņš bija devies atbrīvot vientiešus. Vinkija pārbijās, ieraudzījusi, ka esmu tik dusmīgs. Viņa mani nobūra pati saviem spēkiem, lai nevaru no viņas atkāpties. Viņa aizvilka mani projām no telts, uz mežu, tālāk no nāvēžiem. Es mēģināju viņu atturēt. Gribēju atgriezties kempingā. Gribēju parādīt tiem nāvēžiem, ko nozīmē uzticība Tumsas pavēlniekam, un sodīt par to, ka viņi to zaudējuši. Izmantoju nozagto zizli un uzbūru debesīs Tumšo zīmi. Saskrēja ministrijas burvji. Uz visām pusēm izšāva apdullināšanas burvestības. Viena caur mežu atšāvās turp, kur stāvējām mēs ar Vinkiju. Mūsu saikne pārtrūka. Mēs abi tikām apdullināti. Kad Vinkiju atrada, tēvs noprata, ka esmu turpat tuvumā. Pārmeklējis krūmus, kur viņa gulēja, viņš uztaustīja mani. Viņš nogaidīja, kamēr pārējie ministrijas cilvēki no meža aiziet, atkal uzlika man *Pavēlus* lāstu un pārveda mājās. Vinkiju viņš padzina. Viņa bija tēvu pievīlusi. Viņa bija pieļāvusi, ka es tieku pie zižļa. Viņas dēļ es gandrīz biju aizbēdzis.

Vinkija izmisumā iegaudojās.

— Tagad mēs ar tēvu mājās bijām vieni paši. Un tad... un tad... — Zemvalža galva uz kakla saļodzījās, un viņa mute sašķobījās neprātīgā smīnā. — Pavēlnieks ieradās pēc manis. Kādā vēlā vakara stundā viņš ieradās mūsu mājā. Kalps Tārpastis viņu nesa. Pavēlnieks bija atklājis, ka joprojām esmu dzīvs. Viņš Albānijā bija sagūstījis Bertu Džorkinsu. Spīdzinājis. Viņa bija daudz ko izstāstījusi. Par Trejburvju turnīru. Par to, ka vecais aurors Tramdāns grasās doties strādāt uz Cūkkārpu. Viņš Bertu Džorkinsu spīdzināja, kamēr salauza viņas atmiņu, ko tēvs bija apbūris. Viņa izstāstīja, ka esmu aizbēdzis no Azkabanas. Viņa izstāstīja, ka tēvs tur mani ieslodzījumā, lai es nevarētu doties meklēt savu pavēlnieku. Un tā mans pavēlnieks uzzināja, ka joprojām esmu viņam uzticams kalps — varbūt pats uzticamākais. Pavēlnieks izgudroja plānu, izmantodams no Bertas izdabūtās ziņas. Es viņam biju vajadzīgs. Viņš ieradās ap pusnakti. Durvis atvēra tēvs.

Zemvalža smīns izpletās pa visu ģīmi, it kā viņš stāstītu par visbrīnišķīgāko notikumu savā mūžā. Caur Vinkijas pirkststarpām vīdēja viņas šausmās ieplestās brūnās acis. Šķita, ka viņa no pārbīļa ir zaudējusi valodu.

— Viss notika ātri. Pavēlnieks uzlika tēvam *Pavēlus* lāstu. Tagad tēvs bija ieslodzītais, kurš pakļauts svešai gribai. Pavēlnieks viņu piespieda turpināt iesāktos darbus — izturēties tā, it kā nekas nebūtu noticis. Un es tiku atbrīvots. Es atmodos. Es atkal biju es pats — tik dzīvs, kāds nebiju juties gadiem ilgi.

— Un ko lords Voldemorts lūdza jūs darīt? — Dumidors ievaicājās.

— Viņš gribēja zināt, vai esmu viņa labā gatavs uz visu. Es biju gatavs. Tas bija mans lolotākais sapnis, manas kvēlākās ilgas — kalpot viņam, pierādīt viņam, uz ko esmu spējīgs. Viņš teica, ka vajadzīgs uzticams kalps Cūkkārpā. Kalps, kurš neuzkrītoši izvadītu Hariju Poteru cauri Trejburvju turnīram. Kalps, kurš pieskatītu Hariju Poteru. Lai viņš tiek līdz Trejburvju kausam. Ka Trejburvju kausu vajag pārvērst par ejslēgu, kas pirmo, kurš tai pieskarsies, nogādātu pie pavēlnieka. Taču pirms tam...

— Jums bija vajadzīgs Alastors Tramdāns, — Dumidors sacīja. Viņa zilās acis iezvērojās, lai gan balss bija un palika rāma un mierīga.

— To paveicām mēs ar Tārpasti. Laikus sagatavojām daudzsulu mikstūru. Devāmies pie viņa uz mājām. Tramdāns sāka cīņu. Sacēla troksni. Tik tikko paguvām ar viņu tikt galā. Iebāzām paša burvju lādes nodalījumā. Paņēmām matu šķipsnu un pievienojām mikstūrai. Es to izdzēru un pārvērtos par Tramdāna dubultnieku. Paņēmu koka kāju un burvju aci. Biju gatavs tikties ar Artūru Vīzliju, kad viņš ieradās noskaidrot, kas tā par jezgu, ko vientieši dzirdējuši. Izbūru atkritumu tvertnes pa visu pagalmu. Pateicu Artūram Vīzlijam, ka dzirdēju pagalmā knosāmies iebrucējus, kas izgrūstījuši atkritumu tvertnes. Tad sakravāju Tramdāna drēbes un tumsas detektorus, saliku lādē pie Tramdāna un devos uz Cūkkārpu. Pieraudzīju, lai viņš paliek dzīvs, tikai uzliku *Pavēlus* lāstu. Gribēju viņu vajadzības gadījumā izprašņāt. Par pagātni, par ieradumiem, lai varu aptīt ap pirkstu pat Dumidoru. Man vajadzēja arī viņa matus, lai varu brūvēt daudzsulu mikstūru. Par pārējām sastāvdaļām nebija ko bažīties. Dobrēča ādu nozagu pagrabā. Kad mikstūru pasniedzējs mani pieķēra rakājamies pa kabinetu, pateicu, ka man ir pārmeklēšanas orderis.

— Un kas notika ar Tārpasti pēc uzbrukuma Tramdānam? — Dumidors noprasīja.

— Tārpastis atgriezās manās mājās, lai aprūpētu pavēlnieku un pieskatītu manu tēvu.

— Taču jūsu tēvs izbēga, — Dumidors teica.

— Jā. Pēc kāda laika viņš sāka nokratīt *Pavēlus* lāstu, tāpat kā biju darījis es. Brīžiem viņš nojēdza, kas notiek. Pavēlnieks nosprieda, ka vairs nav droši laist viņu laukā no mājas. Viņš piespieda tēvu sūtīt uz ministriju vēstules. Lika rakstīt un aizbildināties ar slimību. Bet Tārpastis zaudēja modrību. Tēvs izbēga. Pavēlnieks lēsa, ka viņš dosies uz Cūkkārpu. Ka izstāstīs visu Dumidoram. Ka atzīsies. Ka pateiks, kā dabūjis mani laukā no Azkabanas. Pavēlnieks man atsūtīja ziņu, ka tēvs izmucis. Lika viņu apturēt, lai ko tas maksātu. Tā nu es gaidīju un vēroju. Izmantoju karti, ko paņēmu no Harija Potera. Karti, kas visu gandrīz izpostīja.

— Karti? — Dumidors žigli ievaicājās. — Kas tā par karti?

— Potera Cūkkārpas karte. Poters mani tajā redzēja. Poters vienunakt redzēja, kā es Strupa kabinetā zogu sastāvdaļas daudzsulu mikstūrai. Viņš nosprieda, ka tas ir mans tēvs, jo mums abiem ir viens un tas pats vārds. Karti es no Potera pievācu. Sapūtu viņam, ka mans tēvs nīst tumšos burvjus. Poters noticēja, ka viņš izseko Strupu. Kādu nedēļu gaidīju tēvu ierodamies Cūkkārpā. Visbeidzot kādā vakarā karte rādīja, ka tēvs iekļuvis skolas teritorijā. Uzvilku Paslēpni un devos viņam pretim. Viņš gāja gar mežmalu. Tad uzradās Poters ar Krumu. Es nogaidīju. Poteram es pāri darīt nedrīkstēju — viņš bija vajadzīgs pavēlniekam. Poters aizjoza pēc Dumidora. Es apdullināju Krumu. Tēvu nogalināju.

— *Nēēēēē!* — iekaucās Vinkija. — Bērtuļa jaunkungs, Bērtuļa jaunkungs, ko jūs runā!

— Jūs nogalinājāt tēvu, — Dumidors tikpat mierpilni turpināja. — Ko jūs iesākāt ar līķi?

— Ienesu dziļāk mežā. Apsedzu ar Paslēpni. Man līdzi bija karte. Redzēju, kā Poters iebizo pilī. Viņš satika Strupu. Abiem piebiedrojās Dumidors. Noskatījos, kā Poters izved Dumidoru laukā. Izgāju no meža, izmetu līkumu un no mugurpuses piegāju abiem klāt. Pateicu Dumidoram, ka Strups man norādījis ceļu.

Dumidors man lika iet meklēt tēvu. Aizgāju atpakaļ pie tēva līķa. Apskatījos kartē. Kad visi bija projām, pārvērtu līķi par kaulu... Apvilcis Paslēpni, apraku to svaigi uzirdinātā dobē pie Hagrida būdas.

Iestājās pilnīgs klusums, ko pārtrauca tikai Vinkijas nevaldāmās elsas.

Tad Dumidors ierunājās: — Un šovakar...

— Pirms vakariņām es piedāvājos aiznest Trejburvju kausu uz labirintu, — nočukstēja Bērtulis Zemvaldis. — Pārvērtu to par ejslēgu. Pavelnieka plāns ir izdevies. Viņš ir atguvis varenību, un nu viņš mani atalgos dāsnāk, nekā burvjiem maz sapņos rādījies.

Viņa sejā no jauna iedegās neprātīgais smīns, tad Zemvalža galva noslīga uz pleca, bet Vinkija turpat līdzās gaudoja un šņukstēja kā nesamanīga.

# TRĪSDESMIT SESTĀ NODAĻA

# ŠĶIRTIE CEĻI

Dumidors piecēlās. Kādu mirkli viņš ar riebumu vērās lejup uz Bērtuli Zemvaldi. Tad atkal pacēla zizli. No tā izvijās virves un cieši aptinās ap gūstekni.

Viņš pagriezās pret profesori Maksūru. — Minerva, vai varu lūgt, lai jūs viņu apsargājat, kamēr uzvedīšu Hariju augšā?

— Protams, — profesore Maksūra atbildēja. Izskatījās, ka viņai tā kā apšķebinājusies dūša — it kā viņa tikko būtu redzējusi kādu apvemjamies. Tomēr tad, kad profesore izrāva zizli un pavērsa to pret Bērtuli Zemvaldi, roka viņai gandrīz nemaz netrīcēja.

— Severus, — Dumidors uzrunāja Strupu, — lūdzu ataiciniet šurp Pomfreja madāmu. Mums vajadzētu aizdabūt Alastoru Tramdānu līdz slimnīcas spārnam. Tad dodieties lejā, uzmeklējiet Kornēliju Fadžu un atvediet šurp. Viņš noteikti gribēs pats iztaujāt Zemvaldi. Gadījumā, ja esmu viņam vajadzīgs, pasakiet, ka pēc pusstundas būšu atrodams slimnīcā.

Strups klusēdams pamāja un izmetās laukā no klases.

— Harij? — Dumidors maigi ierunājās.

Harijs piecēlās kājās un no jauna sagrīļojās — klausīdamies Zemvalža stāstā, viņš sāpes kājā bija pavisam piemirsis, un nu tās sevi lika manīt ar jaunu sparu. Viņš arī atskārta, ka trīc pie visām miesām. Dumidors saķēra viņa roku un palīdzēja tikt laukā — tumšajā gaitenī.

— Vispirms es gribētu, lai jūs uznākat pie manis kabinetā, Harij, — Dumidors klusi teica, kamēr viņi klunkurēja pa gaiteni. — Tur mūs gaida Siriuss.

Harijs pamāja. Galvā valdīja pilnīgs trulums un sajūta, ka viss notiek sapnī, taču viņam bija vienalga — tā bija labāk. Itin nemaz negribējās domāt par to, kas notika pēc tam, kad viņš pieskārās Trejburvju kausam. Negribējās cilāt atmiņas, kas ik pa brīdim uznira apziņā skaidras un spilgtas kā fotouzņēmumi. Trakacis Tramdāns lādē. Sakņupušais Tārpastis, kas auklē rokas stumbeni. Voldemorts, kas ceļas laukā no kūpošā katla. Sedriks... miris... Sedriks, kas lūdz, lai viņu aizved atpakaļ pie vecākiem...

— Profesor, — Harijs iemurminājās, — kur ir Digorija kungs ar kundzi?

— Ar viņiem ir profesore Asnīte, — Dumidors atteica. Viņa balss, kas Zemvalža pratināšanā izklausījās tik rāma, pirmoreiz ietrīsējās. — Viņa bija Sedrika nama priekšniece un pazina viņu vislabāk.

Abi nonāca pie akmens nezvēra. Dumidors nosauca paroli, nezvērs pasviedās sānis, un profesors kopā ar Hariju pa kustīgajām vītņu kāpnēm uzbrauca augšā līdz ozolkoka durvīm. Dumidors tās atgrūda vaļā.

Kabinetā stāvēja Siriuss ar tikpat bālu un izmocītu seju kā toreiz, kad tikko bija izbēdzis no Azkabanas. Vienā acumirklī viņš pāršāvās pāri istabai. — Harij, vai esi sveiks un vesels? Es zināju... es taču zināju, ka kaut kas tāds... Kas notika?

Ar trīcošām rokām viņš palīdzēja Harijam apsēsties krēslā, kas stāvēja pie galda.

— Kas notika? — viņš jautāja vēl uzstājīgāk.

Dumidors ņēmās viņam stāstīt visu, ko bija izklāstījis Bērtulis Zemvaldis. Harijs klausījās ar vienu ausi. Visas maliņas smeldza un sāpēja, un negribējās neko, tikai tā sēdēt vienā mierā stundām ilgi, kamēr uzmāksies miegs un vairs nevajadzēs ne domāt, ne just.

Nošvīkstēja klusas spārnu vēdas. Fēnikss Fokss, kas pirmiņ rāmi sēdēja uz savas laktas, bija pacēlies spārnos. Putns pārlidoja pāri istabai un nolaidās Harijam klēpī.

— Sveiks, Foks, — Harijs izmocīja, noglāstīdams fēniksa skaistās sārtzeltainās spalvas. Fokss miermīlīgi raudzījās viņam acīs. Siltais kunkulis klēpī nezin kāpēc šķita dīvaini nomierinošs.

Dumidors bija apklusis. Viņš nosēdās pie galda iepretim Harijam. Zēns izvairījās raudzīties profesoram acīs. Dumidors gribēja viņu izvaicāt. Dumidors gribēja, lai viņš visu no jauna atsauc atmiņā.

— Harij, man jāzina, kas notika pēc tam, kad jūs labirintā pieskārāties ejslēgai, — profesors teica.

— Dumidor, vai tas nevar pagaidīt līdz rītam, ko? — skarbi iejaucās Siriuss, uzlikdams roku Harijam uz pleca. — Lai taču viņš paguļ. Lai atpūšas.

Harijs sajuta, kā krūtīs iešalcas silts pateicības vilnis, taču Dumidors Siriusa vārdus nelikās dzirdam. Viņš pieliecās Harijam tuvāk. Zēns ļoti negribīgi pacēla galvu un ieskatījās profesora zilajās acīs.

— Ja es uzskatītu, ka varu jums palīdzēt, — Dumidors maigi ierunājās, — iemidzinot jūs burvju miegā un brīdi, kad nāksies atcerēties visu, kas šonakt notika, atliekot uz vēlāku laiku, es to darītu. Taču es domāju citādi. Ja jūs sāpes uz laiku noklusināsit, tās brīdī, kad atgriezīsies, būs daudzkārt spēcīgākas. Jūs esat parādījis izcilu drosmi — un neko citu es no jums arī nebiju gaidījis. Es lūdzu, lai jūs apliecināt dūšu vēlreiz. Es lūdzu, lai jūs izstāstāt, kas notika.

Fēnikss izgrūda klusu, vibrējošu, dziedošu skaņu. Tā palika trīsuļojam turpat gaisā, un Harijam šķita, ka vēderā lejup pa rīkli ietek it kā karsta, spēcinoša lāse.

Viņš dziļi ievilka elpu un sāka runāt. Kamēr viņš stāstīja, acu priekšā uzpeldēja viss tonakt bija pārdzīvotais. Viņš redzēja dzirksteļojošo virumu, kas bija atdzīvinājis Voldemortu. Viņš redzēja kapsētā ieteleportējamies nāvēžus. Viņš redzēja Sedrika līķi, kas gulēja līdzās kausam.

Pāris reižu Siriuss sakustējās, it kā gribēdams ko teikt. Viņa plauksta joprojām gulēja uz Harija pleca, taču Dumidors pacēla roku, Siriusu apklusinādams, un Harijs par to jutās profesoram pateicīgs, jo tagad, kad stāsts bija iesākts, vārdi plūda daudz brīvāk un vieglāk. Viņš jutās pat atvieglots — it kā miesa atsvabinātos no kādas indes. Runāšana prasīja pēdējo gribasspēka kripatu, tomēr viņš juta, ka, izrunājis visu, jutīsies labāk.

Tomēr tad, kad Harijs stāstīja, kā Tārpastis ieurba viņam rokā dunci, Siriuss satraukti iekliedzās un Dumidors pielēca kājās ar tādu joni, ka Harijs iztrūkās. Apgājis apkārt galdam, Dumidors lika Harijam izstiept roku. Harijs viņiem abiem parādīja vietu, kur zem saplēstās mantijas vīdēja brūce.

— Viņš teica, ka manas asinis viņu darīšot spēcīgāku nekā tās, kas ņemtas no kāda cita, — Harijs Dumidoram paskaidroja. — Viņš teica, ka aizsardzība, ko... ko manī atstājusi māte... ka tagad tā arī viņam būšot. Un viņam bija taisnība — viņš man spēja pieskarties. Viņš pieskārās manai sejai.

Vienubrīd Harijam šķita, ka pēc šiem vārdiem Dumidora acīs iemirdzas tāds kā uzvaras prieks, tomēr tūliņ viņš nosprieda, ka pārskatījies, jo tad, kad Dumidors atkal nosēdās savā vietā pie galda, viņš izskatījās tikpat vecs un noguris kā allaž.

— Ļoti labi, — profesors noteica. — Tātad Voldemorts ir ticis pāri šim specifiskajam šķērslim. Harij, lūdzu turpiniet.

Un Harijs turpināja. Viņš izskaidroja, kā Voldemorts izcēlās no katla, un pastāstīja visu, ko vien spēja atsaukt atmiņā no Voldemorta uzrunas nāvēžiem. Tad viņš izstāstīja, kā Voldemorts viņu atsēja, atdeva zizli un sagatavojās divkaujai.

Bet tad, kad Harijs bija nonācis līdz stāstam par zelta staru, kas savienoja abus zižļus, viņam rīklē sakāpa kamols. Viņš centās turpināt stāstu, taču atmiņas par to, kas bija iznācis laukā no Voldemorta zižļa, bija pārāk spilgtas un spēcīgas. Viņš redzēja, kā no zižļa iznirst Sedriks, tad vecais vīrs, Berta Džorkinsa... māte... tēvs...

Viņš jutās priecīgs, kad Siriuss pārtrauca ieilgušo klusumu.

— Zižļi savienojās? — viņš pārmaiņus skatījās te uz Hariju, te uz Dumidoru. — Kā tā?

Harijs palūkojās uz Dumidoru. Profesora sejā bija iegūlusi sapņaina izteiksme.

— Izburvestība, — viņš nomurmināja.

Viņu skatieni krustojās, un Harijam šķita, ka starp viņiem abiem nostiepjas neredzams atskārtas stars.

— Atgriezeniskais burvestības efekts? — Siriuss noskaldīja.

— Tieši tā, — Dumidors atteica. — Harija zizlim un Voldemorta zizlim ir radniecīgas serdes. Abos ir viena un tā paša fēniksa astes spalvas. Starp citu, tās pieder *šim te* fēniksam, — viņš piebilda, norādīdams uz sārtzeltaino putnu, kas rāmi dusēja Harijam klēpī.

— Mana zižļa spalva ir ņemta no Foksa? — Harijs pārsteigts izsaucās.

— Jā, — Dumidors pamāja. — Kolīdz pirms četriem gadiem izgājāt no viņa veikala, Olivanda kungs man atrakstīja, ka esat iegādājies otro zizli.

— Un kas notiek, kad zizlis sastopas ar savu brāli? — Siriuss ievaicājās.

— Tie viens pret otru nedarbojas, kā nākas, — Dumidors paskaidroja. — Ja zižļu īpašnieki tomēr par varītēm liek tiem cīnīties... novērojams ārkārtīgi reti sastopams efekts. Viens no zižļiem piespiež otru atrīt pastrādātās burvestības — atgriezeniskā secībā. Pati pēdējā tiek atrīta pirmā... un tad tās, kas bijušas pirms tam...

Profesors uzmeta Harijam vaicājošu skatienu, un zēns apstiprinoši pamāja.

— Tas nozīmē, — Dumidors gausi novilka, nenovērsdams skatienu no Harija, — ka vajadzēja parādīties tādam kā Sedrikam.

Harijs no jauna pamāja.

— Digorijs atdzīvojās? — Siriuss asi noprasīja.

— Nav tādas burvestības, kas spētu atdzīvināt mirušos, — Dumidors drūmi paskaidroja. — Tas, kas notiek, ir tikai atgriezeniska atbalsošanās. No zižļa vajadzēja parādīties tādai kā dzīvā Sedrika ēnai... Vai man taisnība, Harij?

— Viņš ar mani runāja, — Harijs teica. Viņu no jauna sāka kratīt drebuļi. — Sedrika... spoks vai kas nu tas bija... tas runāja...

— Atbalss, — Dumidors sacīja, — ar Sedrika izskatu un raksturu. Acīmredzot parādījās arī citi veidoli... Voldemorta zižļa iepriekšējie upuri...

— Večuks, — Harijs izmocīja caur joprojām aizžņaugto rīkli. — Berta Džorkinsa. Un...

— Jūsu vecāki? — Dumidors klusi iejautājās.

— Jā.

Siriusa tvēriens kļuva tik dzelžains, ka Harijam iesāpējās plecs.

— Pēdējās zižļa pastrādātās slepkavības, — Dumidors pamāja. — Atgriezeniskā secībā. Protams, parādītos vēl daudzi citi, ja jums būtu izdevies savienojumu saglabāt ilgāk. Ļoti labi, Harij, šīs atbalsis, ēnas... ko tās darīja?

Harijs ņēmās stāstīt, kā no zižļa iznirušie tēli slīdēja gar zelta tīkla malām, kā Voldemorts no tām it kā sabijās, kā tēva ēna pateica, kas darāms, un kā Sedriks pauda savu pēdējo vēlēšanos.

Tad viņš saprata, ka vairs nespēj turpināt. Atskatījies uz Siriusu, zēns ieraudzīja, ka tas ar rokām aizsedzis seju.

Piepeši Harijs atskārta, ka Foksa klēpī vairs nav. Fēnikss bija nolaidies uz grīdas un noguldījis skaisto galvu uz Harija savainotās kājas. No putna acīm ritēja prāvas, pērļainas asaras — tieši zirnekļa cirstajā brūcē. Sāpes pagaisa. Brūce aizdzija. Kāja bija vesela.

— Teikšu vēlreiz, — Dumidors ierunājās, kad fēnikss pacēlās spārnos un atkal nosēdās uz laktas aizdurvē. — Šonakt jūs, Harij, esat bijis drosmīgāks un dūšīgāks, nekā es spēju iedomāties. Jūs esat bijis tikpat drosmīgs kā tie, kas krita cīņā ar Voldemortu, kad viņš vēl bija savas varas augstumos. Jūs esat uzņēmies pieauguša burvja nastu un to godam nesis — un attaisnojis visas mūsu cerības. Tagad jūs nāksit man līdzi uz slimnīcas spārnu. Es negribu, ka šonakt atgriežaties guļamistabā. Miega mikstūru un kādu drusku miera... Sirius, vai gribēsit palikt pie viņa?

Siriuss apstiprinoši pamāja un piecēlās. Atkal pārvērties par lielo melno suni, viņš kopā ar Hariju un Dumidoru izgāja no kabineta un devās abiem līdzi uz kāpnēm, kas veda uz slimnīcu.

Kad Dumidors atgrūda palātas durvis, Harijs ieraudzīja Vīzlija kundzi, Bilu, Ronu un Hermioni, kas bija ielenkuši jaušami nobažījušos Pomfreja madāmu. Visi viņu acīmredzot tincināja, kur Harijs un kas ar viņu noticis.

Kolīdz pār slieksni pārkāpa Harijs, Dumidors un melnais suns, visi apcirtās, un Vīzlija kundze apslāpēti iekliedzās: — Harij! Ak, Harij!

Viņa metās zēnam klāt, bet Dumidors aizstājās Harijam priekšā.

— Mollij, — viņš teica, pacēlis roku, — lūdzu uzklausiet mani. Tikai vienu brītiņu. Harijs šonakt ir pārcietis briesmu lietas. Viņš man tikko visu izstāstīja. Tagad viņam vajag pagulēt. Mierā un klusumā. Ja viņš grib, lai jūs visi paliekat tepat, — profesors palūkojās arī uz Ronu, Hermioni un Bilu, — lai tā būtu. Bet es negribu, ka jūs ņematies viņu izprašņāt, iekams viņš ir gatavs atbildēt, un šonakt jau nu noteikti ne.

Vīzlija kundze pamāja. Viņa bija pavisam bāla.

Pagriezusies pret Ronu, Hermioni un Bilu, viņa iešņācās tā, it kā tie visi saceltu nez kādu jezgu: — Vai dzirdējāt? Viņam nepieciešams klusums!

— Direktor, — ieprasījās Pomfreja madāma, pablenzdama uz Siriusu lielā melnā suņa izskatā, — vai drīkstu vaicāt, kas...?

— Šis suns kādu laiku paliks pie Harija, — Dumidors bezrūpīgi atteica. — Ticiet man, viņš ir ļoti labi audzināts. Harij... pagaidīšu, kamēr tiekat gultā.

Harijs jutās Dumidoram bezgala pateicīgs par to, ka viņš bija lūdzis pārējos aiztaupīt visus jautājumus vēlākam laikam. Nepavisam jau nebija tā, ka viņš gribētu, lai visi iet projām, taču doma vien par to, ka visu vajadzētu stāstīt vēlreiz un ka visu vēlreiz vajadzētu atsaukt atmiņā... Tas bija pāri viņa spēkiem.

— Atgriezīšos, kolīdz būšu aprunājies ar Fadžu, Harij, — Dumidors sacīja. — Es gribētu, lai jūs paliekat tepat arī rītdien, līdz būšu nolasījis uzrunu visai skolai. — Profesors izgāja pa durvīm.

Kamēr Pomfreja madāma veda Hariju uz tuvīno gultu, viņš pamanīja telpas otrā galā gultā nekustīgi guļam īsto Tramdānu. Koka kāja un burvju acs stāvēja turpat līdzās uz naktsgaldiņa.

— Kā viņš jūtas? — Harijs iejautājās.

— Būs labi, — Pomfreja madāma atteica, izsniegdama Harijam pidžamu un aizsliedama gultai priekšā aizkaru. Viņš noģērba mantiju, ielīda pidžamā un ierāpās gultā. Šaipus aizkaram sapulcējās Rons, Hermione, Bils, Vīzlija kundze un melnais suns. Visi sasēdās uz krēsliem abpus gultai. Rons un Hermione uz viņu vērās ar tādu kā piesardzību, it kā Harijs viņus biedētu.

— Man nekas nekaiš, — Harijs viņiem teica. — Esmu tikai piekusis.

Vīzlija kundze pilnīgi lieki ņēmās izlīdzināt palagus. Viņai acīs saskrēja asaras.

Pomfreja madāma, kas pa to laiku bija paguvusi aizbrāzties līdz savam kabinetam, atgriezās ar biķeri un pudelīti, kur vīdēja sazin kāds purpurkrāsas šķīdums.

— Harij, šito tu izdzersi tukšu, — viņa paziņoja. — Tā ir bezsapņu miega mikstūra.

Paņēmis kausu, Harijs iedzēra pāris malku. Acumirklī uzmācās snaudiens. Viss ietinās dūmakā, cauri gultas aizslietņiem draudzīgi iemirkšķinājās slimnīcas gaismekļi, rumpis šķita aizvien dziļāk slīgstam dūnu pēļa siltumā. Iekams viņš paguva izdzert visu zāļu porciju, iekams paspēja bilst kaut vārdu, pārgurums ņēma virsroku, un viņš iegrima dziļā miegā.

* * *

Harijs pamodās. Bija tik silti, un miegs bija tik salds, ka viņš nevēra vaļā acis, cerēdams no jauna iesnausties. Istabā vēl aizvien valdīja krēsla, tāpēc viņš nosprieda, ka laukā joprojām ir nakts. Tā vien šķita, ka necik ilgi nav gulēts.

Tad viņš turpat līdzās sadzirdēja čukstus.

— Ja viņi nebeigs bļaustīties, uzraus puiku kājās!

— Ko šie tur klaigā? Nebūs taču lēcies vēl kaut kas, ko?

Harijs pavēra aizlipušos plakstus. Kāds viņam bija noņēmis brilles. Turpat blakus tādā kā miglā kustējās Vīzlija kundzes un Bila stāvs. Vīzlija kundze bija piecēlusies.

— Tā ir Fadža balss, — viņa iečukstējās. — Un Minerva Maksūra, vai ne? Bet par ko viņi tur ķīvējas?

Tagad arī Harijs sadzirdēja, ka slimnīcas spārnam, klaigādami un kājas dipinādami, steidzīgi tuvojas cilvēki.

— Man, protams, žēl, Minerva, tomēr... — skaļi teica Kornēlijs Fadžs.

— Jūs nedrīkstējāt viņu vest iekšā pilī! — brēca profesore Maksūra. — Kad Dumidors uzzinās...

Ar troksni atsprāga slimnīcas durvis. Bils atvēra aizkarus un visi, kas bija sastājušies ap gultu, ņēmās blenzt uz durvīm, Harijs, neviena nepamanīts, piecēlās sēdus un uzgrūda uz deguna brilles.

Palātā lieliem soļiem iemaršēja Fadžs. Viņam uz papēžiem mina profesore Maksūra un Strups.

— Kur Dumidors? — Fadžs pavēlnieciski jautāja Vīzlija kundzei.

— Te viņa nav, — Vīzlija kundze pikti attrauca. — Te ir slimnīca, ministra kungs, tā ka vai nebūtu labāk, ja jūs...

Bet tobrīd no jauna atvērās durvis, un palātā iesteidzās Dumidors.

— Kas noticis? — viņš skarbi noprasīja, raudzīdamies te uz Fadžu, te uz profesori Maksūru. — Kāpēc jūs traucējat šos ļaudis?

Minerva, man nudien jābrīnās... Es taču lūdzu jūs stāvēt sardzē pie Bērtuļa Zemvalža...

— Tur vairs nav ko sargāt, Dumidor! — Maksūra iekliedzās. — Pats ministrs par to parūpējās!

Harijs nekad nebija redzējis, ka profesore Maksūra būtu tiktāl zaudējusi savaldīšanos. Uz vaigiem viņai izsitās sarkani plankumi, rokas savilkās dūrēs, viņa niknumā drebēja no galvas līdz kājām.

— Kad pavēstījām Fadža kungam, ka esam notvēruši par šāvakara notikumiem atbildīgo nāvēdi, — klusām ierunājās Strups, — ministrs acīmredzot nosprieda, ka apdraudēta viņa personiskā drošība. Viņš uzstāja, ka uz pili ņems līdzi atprātotāju. Viņš ieveda to kabinetā, kur Bērtulis Zemvaldis...

— Es teicu, ka jūs to nepieļautu, Dumidor, — profesore Maksūra nenocietās. — Es teicu, ka jūs nemūžam neļautu, lai atprātotājs kaut kāju sper pār pils slieksni, bet viņš...

— Mīļo sieviņ! — nodārdināja Fadžs, arīdzan izskatīdamies neredzēti saniknots. — Es kā burvestību ministrs pats izlemju, vai nodrošināties ar aizsardzību, kad jāpratina potenciāli bīstams...

Taču profesore Maksūra Fadžu pārkliedza.

— Kolīdz tas... tas tur ienāca istabā, — viņa sauca, norādīdama uz Fadžu un trīcēdama pie visām miesām, — tas uzgāzās Zemvaldim virsū un... un...

Harijam pārskrēja aukstas tirpas. Profesore Maksūra nekādi nespēja piemeklēt vārdus, lai aprakstītu, kas īsti bija noticis, taču tas bija pilnīgi lieki. Harijs saprata, ko atprātotājs pastrādājis. Tas Bērtulim Zemvaldim bija sniedzis liktenīgo skūpstu. Tas bija izsūcis viņam dvēseli. Tagad viņš bija vairāk nekā miris.

— Bet mēs taču nekādā ziņā neko neesam zaudējuši! — Fadžs izgrūda. — Kā saprotu, viņš bija vainojams vairākās slepkavībās!

— Taču tagad viņš nespēs sniegt liecību, Kornēlij, — Dumidors norādīja, stingri nolūkodamies uz Fadžu, it kā pirmoreiz viņu tā pa īstam ieraudzījis. — Viņš nevar liecināt, kādēļ nogalinājis visus šos cilvēkus.

— Kādēļ nogalinājis? Tas taču nav nekāds noslēpums, vai ne? — Fadžs atcirta. — Viņš bija trakojošs vājprātīgais! Spriežot no tā, ko man stāstīja Minerva ar Severusu, viņš bija iedomājies, ka seko Paši-Zināt-Kā norādījumiem!

— Kornēlij, lords Voldemorts viņam *patiešām* sniedza rīkojumus, — Dumidors teica. — Šie cilvēki gāja bojā vienkārši tāpēc, ka gadījās ceļā Voldemortam, kas centās atgūt spēku. Viņa plāns ir īstenots. Voldemorts ir atguvis miesu.

Fadžs izskatījās tā, it kā tikko būtu dabūjis pa ģīmi ar ķieģeli. Apstulbis un acis blisinādams, viņš blenza uz Dumidoru, nespēdams noticēt pats savām ausīm.

Tad, joprojām ieplētis acis, viņš izstomīja: — Paši-Zināt-Kas... atgriezies? Muļķības. Ejiet nu, Dumidor...

— Kā jau Minerva un Severuss jums, bez šaubām, ir pavēstījuši, — Dumidors turpināja, — mēs noklausījāmies Bērtuļa Zemvalža atzīšanos. Veritaseruma iespaidā viņš mums izstāstīja, kā ticis laukā no Azkabanas un kā Voldemorts no Bertas Džorkinsas uzzināja, ka viņš joprojām ir dzīvs, atsvabināja viņu no tēva un izmantoja, lai sagūstītu Hariju. Es jums saku — Voldemorta plāns ir īstenojies. Zemvaldis palīdzēja Voldemortam atgriezties.

— Paklau, Dumidor, — Fadžs ierunājās, un Harijs pārsteigts pamanīja, ka ministra lūpas savelkas smīniņā, — jūs... nevar būt, ka jūs tam no tiesas ticat. Paši-Zināt-Kas atgriezies? Nu, nu, nu... protams, iespējams, Zemvaldis *domāja*, ka rīkojas pēc Paši-Zināt-Kā pavēlēm, bet ticēt uz vārda visam, ko sarunā tāds jukušais? Dumidor, Dumidor...

— Kad Harijs šovakar pieskārās Trejburvju kausam, tas viņu aiznesa taisnā ceļā pie Voldemorta, — Dumidors nesatricināmi turpināja. — Viņš redzēja, kā lords Voldemorts atdzimst. Ja ienāksit pie manis kabinetā, es jums visu izskaidrošu.

Dumidors pašķielēja uz Hariju, pamanīja, ka viņš ir nomodā, tomēr nogrozīja galvu un teica: — Baidos, ka šonakt nevarēšu jums ļaut Hariju nopratināt.

Fadža sejā joprojām rotājās savādais smīniņš. Arī viņš palūkojās uz Hariju, tad atkal uz Dumidoru. — Jūs laikam... ē... esat gatavs Harija vārdus ņemt par pilnu, ja?

Iestājās klusums. Tad ierūcās Siriuss. Vilna uz skausta viņam bija sacēlusies stāvus gaisā, un atņirgtajā rīklē pavīdēja ilkņi.

— Protams, es Harijam ticu, — Dumidors sacīja. Viņa acis iezvērojās. — Es dzirdēju Zemvalža atzīšanos un noklausījos Harija stāstu par to, kas notika pēc tam, kad viņš pieskārās Trejburvju kausam. Abi stāsti sakrita un izskaidro visu, kas noticis kopš pērnās vasaras, kad pazuda Berta Džorkinsa.

Fadžs vēl aizvien dīvaini smīkņāja. Atkal viņš paškieleja uz Hariju, iekams ko bilst. — Jūs esat gatavs noticēt, ka lords Voldemorts atgriezies, jo tā saka viens jucis slepkava un puišelis, kurš... nu...

Fadžs atkal pameta skatu uz Harija pusi, un zēns piepeši saprata.

— Jūs lasāt Ritas Knisles rakstus, Fadža kungs, — viņš klusi teica.

Rons, Hermione, Vīzlija kundze un Bils reizē salēcās. Neviens no viņiem nebija pamanījis, ka Harijs ir pamodies.

Fadžs viegli pietvīka, taču viņa sejā iegūla izaicinājums un spīts. — Nu un? — viņš iesaucās, paskatījies uz Dumidoru. — Kas tad ir, ja esmu atklājis, ka esat noklusējis par puiku šādus tādus faktus? Ak tad protam runāt šņācmēlē, ko? Un visu laiku gadās tādi un šitādi viķeri...

— Jūs acīmredzot runājat par to, ka Harijam sāp rēta? — Dumidors dzedri piezīmēja.

— Ahā! Tātad jūs atzīstat, ka tādas sāpes ir bijušas, ja? — Fadžs žigli atsaucās. — Galvassāpes? Murgi? Varbūt halucinācijas?

— Uzklausiet mani, Kornēlij, — Dumidors teica, pakāpdamies Fadžam soli tuvāk un no jauna it kā izstarodams to vārdos neaprakstāmo varu, ko Harijs tika sajutis pēc tam, kad Dumidors apdullināja jauno Zemvaldi. — Harijs nav vairāk jucis kā mēs abi.

Rēta pierē nav traumējusi viņa smadzenes. Es uzskatu, ka tā sāp, kad lords Voldemorts ir kaut kur tuvumā vai arī kad jūtas sevišķi slepkavniecisks.

Fadžs pussolīti pakāpās atpakaļ, tomēr joprojām izskatījās tikpat stūrgalvīgs. — Atvainojiet, Dumidor, bet man ir nācies dzirdēt, ka lāsta rēta darbojas kā trauksmes zvans pirms...

— Klausieties, es redzēju, kā lords Voldemorts atgriezās! — Harijs iesaucās. Viņš atkal mēģināja izlēkt no gultas, taču Vīzlija kundze neļāva. — Es redzēju nāvēžus! Varu nosaukt jums viņu vārdus! Lūcijs Malfojs...

Strups pēkšņi sakustējās, taču, kolīdz Harijs uz viņu palūkojās, mikstūru profesors aši pagrieza galvu uz Fadža pusi.

— Malfojs tika attaisnots! — Fadžs atcirta, nepārprotami aizskarts. — Tik sena dzimta... dāvinājumi cildeniem mērķiem...

— Maknērs! — Harijs turpināja.

— Arī attaisnots! Tagad strādā ministrijā!

— Klepers! Nots! Krabe! Goils!

— Tu tikai sauc visus tos, kas tika uzskatīti par nāvēžiem pirms trīspadsmit gadiem, — Fadžs pikti paziņoja. — Tos vārdus tu varēji atrast tiesas sēžu protokolos! Žēlīgā debess, Dumidor... Arī pērn tam puikam galvā bija sakūlies kaut kāds ķīselis... Viņa pasakas kļūst aizvien garākas, un jūs tās tik rijat nost, ne acu nepamirkšķinājis. Dumidor, tas zeņķis prot sarunāties ar čūskām, un jūs tomēr domājat, ka viņam var uzticēties?

— Muļķis tāds! — iebrēcās profesore Maksūra. — Sedriks Digorijs! Zemvalža kungs! Šīs slepkavības nebūtu varējis pastrādāt vājprātīgais, kas galē nost vienalga ko!

— Un kāpēc gan ne? Pierādiet! — iebļāvās Fadžs, tumši pietvīcis un aizsvilies. — Man tā vien šķiet, ka jūs visi te esat apņēmušies sacelt paniku, lai sagrautu visu, ko mums pēdējos trīspadsmit gados izdevies kaut cik nostiprināt!

Harijs nespēja noticēt savām ausīm. Viņam Fadžs allaž bija šķitis laipns vīrs — kas par to, ka drusku lielībmaiss un pūslis, tomēr labsirdis. Taču tagad viņa priekšā stāvēja īskājains, nikns burvis, kas spītīgi liedzās atzīt, ka viņa omulīgajai, sakārtotajai pasaulītei draud bojāeja, noticēt, ka Voldemorts būtu spējis atkal celties.

— Voldemorts ir atgriezies, — Dumidors atkārtoja. — Fadž, ja atzīsit šo faktu uz karstām pēdām un rīkosities, mums ir izredzes stāvokli labot. Pirmais un pats svarīgākais — vajag likvidēt atprātotāju kontroli pār Azkabanu...

— Kāda nejēdzība! — Fadžs iebrēcās. — Atteikties no atprātotājiem! Ja es kaut ko tādu ierosinātu, mani acumirklī izsviestu no darba! Puse no mums naktīs var mierīgi gulēt tikai tāpēc, ka zina — Azkabanā droši stāv sardzē atprātotāji!

— Un pārējie, Kornēlij, naktīs guļ nemierīgāk, jo zina, ka par lorda Voldemorta bīstamāko piekritēju sargiem esat iecēluši radījumus, kuri pievienosies Tumsas pavēlniekam, kolīdz viņš nosvilpsies! — Dumidors aizrādīja. — Viņi nodos jūs, Fadž! Voldemorts var viņiem piedāvāt daudz plašākas iespējas gan apmierināt varaskāri, gan izklaidēties! Kad viņš apgādāsies ar atprātotāju atbalstu un sapulcinās bijušos piekritējus, jums būs grūti novērst to, ka Voldemorts atgūs tādu varenību, kāda viņam bija pirms trīspadsmit gadiem!

Fadžs vārstīja muti, it kā nespēdams rast vārdus, lai izpaustu šausalīgo niknumu.

— Otrs, kas darāms, un nekavējoties, — Dumidors neatlaidās, — nepieciešams sūtīt aģentus pie milžiem.

— Pie milžiem? — Fadžs sašutis noelsās, pēdīgi atguvis runas spēju. — Kas tas par ārprātu?

— Vajag pastiept viņiem draudzīgu roku, pirms ir par vēlu, — Dumidors paskaidroja, — citādi Voldemorts viņiem atkal iestāstīs, ka ir vienīgais burvis, kurš ir gatavs atzīt viņu tiesības un cienīt viņu brīvību!

— Jūs... nevar būt, ka jūs to domājat nopietni! — Fadžs nostenējās, kratīdams galvu un atkāpdamies no Dumidora tā patālāk.

— Ja burvju sabiedrībā nonāks ziņa, ka esmu tuvojies milžiem... Cilvēki viņus ienīst, Dumidor. Manai karjerai pienāks gals...

— Jūs esat akls, — Dumidors pacēla balsi. Varas aura ap viņu tagad bija teju sataustāma, un burvja acis atkal iezvērojās. — Jūs esat apmāts ar mīlestību pret savu amata krēslu, Kornēlij! Jūs pārāk lielu nozīmi piešķirat tā dēvētajai sugas tīrībai — lai gan tā jūs esat darījis vienmēr! Jūs nespējat apjēgt, ka no svara ir nevis tas, kāds tu piedzimsti, bet tas, par ko kļūsti! Jūsu atprātotājs tikko iznīcināja pēdējo dzīvo sensenas tīrasiņu dzimtas pārstāvi — un paraugieties, kādu ceļu šis vīrs bija izvēlējies! Tagad es jums saku — dariet, kā es teicu, un jūs neatkarīgi no tā, kādā krēslā sēdēsiet, tiksit pieminēts kā drosmīgākais un dižākais burvestību ministrs, kāds mums jebkad bijis. Ja nerīkosities, ieiesit vēsturē kā cilvēks, kurš nosprucis malā un devis Voldemortam otru iespēju sagraut pasauli, ko mēs esam centušies atjaunot!

— Neprāts, — Fadžs nočukstēja, joprojām kāpdamies atpakaļ. — Jūs esat traks...

Un tad iestājās klusums. Pomfreja madāma kā sasalusi stāvēja Harija gultas kājgalī, piespiedusi rokas pie mutes. Vīzlija kundze vēl aizvien turēja roku Harijam uz pleca, lai neļautu viņam celties augšā. Bils, Rons un Hermione blenza uz Fadžu.

— Ja reiz jūsu apņemšanās neko neredzēt ir novedusi jūs tik tālu, Fadž, — Dumidors ierunājās, — mūsu ceļi šķiras. Jums jārīkojas tā, kā uzskatāt par vajadzīgu. Un es — es rīkošos tā, kā par vajadzīgu uzskatu es.

Dumidora balsī nebija saklausāmi ne mazākie draudi, viņa vārdi izskanēja kā pavisam parasts paziņojums, taču Fadžs sabozās, it kā Dumidors nāktu viņam virsū ar zizli.

— Tagad tā, Dumidor, — viņš draudoši pavicināja pirkstu. — Es vienmēr esmu jums devis brīvu vaļu. Vienmēr esmu jūs dziļi cienījis. Iespējams, ka dažu labu reizi es ar jūsu lēmumiem neesmu bijis vienisprātis, taču esmu turējis muti ciet. Diezin vai atrastos daudz tādu, kas būtu jums ļāvuši pieņemt darbā vilkačus vai Hagridu, vai bez ministrijas akcepta noteikt, kas mācāms audzēkņiem. Bet ja jūs domājat darboties pret mani...

— Vienīgais, pret ko es domāju darboties, — Dumidors sacīja, — ir lords Voldemorts. Ja esat pret viņu, mēs, Kornēlij, paliekam vienā un tajā pašā pusē.

Izskatījās, ka Fadžs nespēj attapt, ko lai atbild. Kādu brīdi viņš šūpojās uz mazajām pēdiņām uz priekšu un atpakaļ, grozīdams rokās katliņcepuri. Visbeidzot viņš tā kā mazliet lūdzoši ieteicās: — Nevar būt, ka viņš ir atgriezies, Dumidor. Vienkārši nevar būt...

Dumidoram garām paspraucās Strups, pa ceļam rotīdams augšā mantijas piedurkni. Izstiepis roku, viņš pagrūda to Fadžam zem deguna. Ministrs atsprāga atpakaļ.

— Lūk, — Strups piesmacis iesaucās. — Lūk. Tumšā zīme. Tik skaidra kā apmēram pirms stundas tā vairs nav — tad tā dega ar melnu uguni, taču redzama joprojām. Tumsas pavēlnieks tādu iededzināja ikvienam nāvēdim. Tā mums ļāva citam citu pazīt, un ar tās palīdzību viņš mūs aicināja pie sevis. Kolīdz viņš pieskārās kāda nāvēža zīmei, mums vajadzēja nekavējoties teleportēties pie viņa. Pēdējā gada laikā mana zīme kļūst aizvien skaidrāka. Karkarovam arī. Kādēļ, jūsuprāt, Karkarovs šovakar aizbēga? Mēs abi sajutām iedegamies zīmi. Mēs abi sapratām, ka viņš atgriezies. Karkarovs bīstas no Tumsas pavēlnieka atriebības. Viņš ir nodevis pārāk daudz nāvēžu, lai cerētu uz siltu sagaidīšanu atpakaļ ierindā.

Fadžs atkāpās arī no Strupa. Viņš purināja galvu. Šķita, ka viņš no Strupa teiktā nav sapratis ne vārda. Ar nepārprotamu riebumu Fadžs blenza uz nejauko zīmi, kas bija iededzināta Strupam uz delma, tad pacēla acis pret Dumidoru un iečukstējās: — Es nezinu, Dumidor, kādas spēlītes jūs ar saviem darbiniekiem te spēlējat, bet esmu dzirdējis pietiekami daudz. Man vairs nav ko piebilst. Rīt, Dumidor, es ar jums sazināšos, lai apspriestos par to, kā jūs pildāt savus pienākumus. Man jāatgriežas ministrijā.

Nonācis gandrīz līdz durvīm, viņš apstājās, pagriezās atpakaļ un devās pie Harija gultas.

— Tava balva, — viņš strupi paziņoja, izvilcis no kabatas maišeli ar zelta naudu un nosviezdams to uz Harija naktsgaldiņa. — Tūkstoš galeonu. Tam vajadzēja notikt svinīgajā ceremonijā, bet ņemot vērā apstākļus...

Ministrs uzstūķēja galvā katliņcepuri un izsoļoja laukā no palātas, aizcirzdams durvis. Kolīdz viņš bija projām, Dumidors pagriezās pret visiem, kas bija sastājušies ap Harija gultu.

— Jāķeras pie darba, — viņš ierunājās. — Mollij... vai es nemaldos, paļaudamies uz to, ka varu rēķināties ar jums un Artūru?

— Protams, varat, — Vīzlija kundze atbildēja. Viņai bija nobālušas pat lūpas, tomēr sejā jautās stingra apņēmība. — Viņš zina, kas Fadžs par putnu. Tieši tāpēc, ka Artūram tik ļoti patīk vientieši, viņš visus šos gadus nav varējis ministrijā tikt uz augšu. Fadžs uzskata, ka viņam trūkstot burvja pareizā pašlepnuma.

— Tad es gribētu viņam nosūtīt ziņu, — Dumidors teica. — Nekavējoties jāapziņo visi, kam mēs varam iestāstīt patiesību, un Artūrs ir parocīgā vietā, lai ministrijā sazinātos ar visiem, kas nav tik tuvredzīgi kā Fadžs.

— Es došos pie tēta, — pieceldamies pieteicās Bils. — Uz karstām pēdām.

— Lieliski, — Dumidors atsaucās. — Izstāstiet viņam, kas noticis. Pasakiet, ka pēc īsa brīža es pats ar viņu sazināšos. Tomēr lai viņš piesargās un ievēro slepenību. Ja Fadžs nospriedīs, ka es iejaucos ministrijas...

— Atstājiet to manā ziņā, — Bils sacīja.

Uzsitis Harijam uz pleca un noskūpstījis māti uz vaiga, Bils uzvilka apmetni un steigšus izsoļoja no istabas.

— Minerva, — Dumidors pievērsās profesorei Maksūrai. — Es pēc iespējas drīzāk vēlētos redzēt savā kabinetā Hagridu. Un — ja vien viņa būs ar mieru nākt — arī Maksima madāmu.

Profesore Maksūra pamāja un devās projām, nebildusi ne vārda.

— Magonīt, — Dumidors uzrunāja Pomfreja madāmu, — vai jūs būtu tik laipna un nokāptu lejā uz profesora Tramdāna kabinetu? Tur, es domāju, jūs atradīsit krietni vien nobēdājušos mājas elfu, vārdā Vinkija. Dariet viņas labā visu, kas iespējams, un aizvediet atpakaļ uz virtuvi. Domāju, ka Dobijs par viņu parūpēsies mūsu vietā.

— L-labi, — Pomfreja madāma, mazliet iztrūkusies, atteica un arī aizgāja.

Dumidors pārliecinājās, vai durvis ir ciet, un nogaidīja, līdz Pomfreja madāmas soļi vairs nav sadzirdami. Tikai tad viņš ierunājās no jauna.

— Un nu, — viņš teica, — diviem no mums vajadzētu iepazīties pa īstam. Sirius, ja jūs varētu parādīties savā ierastajā veidolā...

Lielais melnais suns paskatījās uz Dumidoru un vienā acumirklī pārvērtās atpakaļ par cilvēku.

Vīzlija kundze iekliedzās un atsprāga atpakaļ.

— Siriuss Bleks! — viņa brēca, pastiepusi uz Siriusa pusi pirkstu.

— Mamm, apklusti! — iebļāvās Rons. — Viss kārtībā!

Strups nedz kliedza, nedz lēkāja, tomēr viņa sejā jaucās niknums un šausmas.

— Viņš! — Strups iekērcās, glūnēdams uz Siriusu, kam sejā bija lasāma vienlīdz liela nepatika. — Ko viņš te dara?

— Viņš ir šeit pēc mana ielūguma, — Dumidors atteica, nenolaizdams no abiem ne acu. — Tāpat kā jūs, Strup. Es uzticos jums abiem. Ir pienācis laiks, lai jūs vecās domstarpības noliktu pie malas un uzticētos viens otram.

Harijs nosprieda, ka Dumidors prasa teju neiespējamo. Siriuss ar Strupu glūnēja viens uz otru, zvērojot naidā.

— Es būtu mierā arī ar to, — Dumidors mazliet nepacietīgi ierunājās, — ka jūs vismaz neizrādītu klaju naidu. Sarokojieties. Tagad jūs esat ierakumu vienā pusē. Laika nav daudz, un, ja vien tie nedaudzie, kas zina patiesību, nesaglabās vienotību, mums nav ne mazāko izredžu.

Lēnītiņām, tomēr vēl aizvien blenzdami tā, it kā viens otram vēlētu tikai pašu ļaunāko, Siriuss ar Strupu piegāja viens otram tuvāk un sarokojās. Un tūliņ pat rokas atlaida.

— Iesākumam derēs, — Dumidors atzina, nostādamies abiem pa vidu. — Tā. Tagad man katram no jums ir darbiņš. Fadža attieksme, protams, nebija nekas negaidīts, tomēr visu maina. Sirius, jums tūliņ jādodas ceļā. Saceliet kājās Remusu Vilksonu, Arabellu Krelli, Mahorku Flečeru — veco pulku. Uz laiciņu noslēpieties pie Vilksona, tur es jūs sameklēšu.

— Bet... — Harijs iemurminājās. Viņš gribēja, lai Siriuss paliek. Viņš nevēlējās tik drīz atvadīties.

— Mēs pavisam drīz redzēsimies, Harij, — Siriuss viņu mierināja. — Apsolu. Bet man jādara, ko spēju — to tu taču saproti, vai ne?

— Nu jā, — Harijs atsaucās. — Jā... kā tad, ka saprotu.

Siriuss ātri paspieda viņam roku, pamāja Dumidoram, pārvērtās par lielo melno suni, aizskrēja līdz durvīm un nospieda rokturi ar ķepu. Tad viņš bija projām.

— Severus, — Dumidors pievērsās Strupam, — jūs zināt, kas man jums lūdzams. Ja esat gatavs... ja esat sagatavojies...

— Esmu, — Strups atbildēja.

Viņš izskatījās mazliet bālāks nekā parasti, melnās, saltās acis savādi spīguļoja.

— Tad labu veiksmi, — Dumidors noteica un nedaudz domīgs noraudzījās, kā Strups klusēdams aiziet nopakaļ Siriusam.

No jauna Dumidors ierunājās tikai tad, kad bija aizritējušas vairākas minūtes.

— Man jānokāpj lejā, — viņš paziņoja. — Jāsatiekas ar Digorijiem. Harij... izdzeriet mikstūru līdz galam. Redzēsimies vēlāk.

Kad Dumidors bija aizgājis, Harijs atzvēlās spilvenos. Hermione, Rons un Vīzlija kundze no viņa nenolaida ne acu. Visi labu laiku klusēja.

— Tev jāizdzer mikstūra, Harij, — Vīzlija kundze pēdīgi ierunājās. Kad viņa pasniedzās pēc biķera un pudeles, roka piedūrās pie zelta maisiņa, kas stāvēja uz naktsgaldiņa. — Izgulies krietni un saldi. Mēģini uz brīdi padomāt par kaut ko citu... Padomā, ko visu tu sapirksi par savu balvu!

— Man tas zelts nav vajadzīgs, — Harijs neizteiksmīgi novilka. — Nemiet to jūs. Lai ņem, kas grib. Man tas nemaz nepienākas. Tas pienācās Sedrikam.

Tas, ar ko Harijs bija cīnījies kopš brīža, kad bija ticis laukā no labirinta, piepeši vairs nebija apvaldāms. Acu kaktiņos sāka durstīties itin kā nokaitētas adatas. Viņš samirkšķināja plakstus un ar skatienu ieurbās griestos.

— Tavas vainas tur nebija, Harij, — Vīzlija kundze nočukstēja.

— Es viņam teicu, lai ķeras pie kausa kopā ar mani, — Harijs izmocīja.

Tagad svilinātājs bija iemeties arī rīklē. Kaut nu Rons novērstos.

Vīzlija kundze nolika mikstūru un naktsgaldiņa, pieliecās un Hariju cieši apskāva. Viņš nespēja atminēties ne reizi, kad būtu šādi samīļots — kā to mēdz darīt mātes. Kad Vīzlija kundze piespieda Hariju sev klāt, viss tonakt pārdzīvotais itin kā uzgāzās viņam virsū kā milzu nasta. Mātes seja, tēva seja, Sedriks, kas guļ zemē miris, — viss galvā sagriezās trakā virpulī, tā ka nebija vairs ciešams, tā ka vajadzēja sakost zobus, lai kaut kā apvaldītu žēlu kaucienu, kas lauztin lauzās laukā no krūtīm.

Kaut kas noblīkšķēja, un Vīzlija kundze ar Hariju atrāvās viens no otra. Pie loga stāvēja Hermione. Viņa kaut ko turēja rokā — cieši sažņaugtu.

— Piedodiet, — viņa nočukstēja.

— Mikstūru, Harij, — Vīzlija kundze steidzīgi nobēra, paslepšus notrausdama asaras.

Harijs miega zāles izdzēra vienā paņēmienā. Tās iedarbojās acumirklī. Tūliņ pāri sāka šļākties smagi, neatturami miega viļņi, viņš atkrita spilvenos un vairs nedomāja neko.

## TRĪSDESMIT SEPTĪTĀ NODAĻA

# SĀKUMS

Arī pēc mēneša Harijs nespēja atsaukt atmiņā, kas bija noticis dažās turpmākajās dienās. Pārdzīvojumu nasta acīmredzot bija tik smaga, ka neko vairāk viņš nespēja uztvert. Tās pašas nedaudzās atmiņas bija ļoti sāpīgas. Varbūt pati ļaunākā bija tikšanās ar Digorijiem nākamajā rītā.

Sedrika vecāki Hariju notikušajā nevainoja. Gluži otrādi — abi tencināja, ka viņš pārvedis Sedrika līķi. Digorija kungs lielākoties tikai šņukstēja. Digorija kundze šķita tiktāl satriekta, ka nemaz nespēja raudāt.

— Tātad viņš gandrīz necieta, — viņa noteica, kad Harijs izstāstīja, kā Sedriks gāja bojā. — Un galu galā, Amos... viņš nomira tūliņ pēc tam, kad bija uzvarējis turnīrā. Jādomā, viņš jutās laimīgs.

Kad abi Digoriji jau bija piecēlušies uz promiešanu, Sedrika māte paraudzījās uz Hariju un sacīja: — Tad nu veseļojies.

Harijs pakampa no naktsgaldiņa zelta maišeli. — Ņemiet, — viņš nomurmināja. — Tas pienākas Sedrikam, viņš bija pirmais, ņemiet...

Taču Digorija kundze atkāpās. — Nē, nē, tas pieder tev, mīļais, mēs nevaram... paturi vien.

* * *

Grifidora tornī Harijs atgriezās nākamās dienas vakarā. Pēc Hermiones un Rona teiktā, Dumidors visus skolēnus bija uzrunājis pie brokastgalda. Viņš bija vienkārši lūdzis, lai audzēkņi liek Harijam mieru, lai neizprašņā un neskubina stāstīt par to, kas notika labirintā. Harijs ievēroja, ka lielākā daļa skolasbiedru gaiteņos viņam met līkumu un izvairās raudzīties acīs. Daži ņēmās paslepus sačukstēties, kad viņš bija pagājis garām. Diez cik daudzi bija noticējuši Ritas Knisles rakstam par to, ka viņš ir psihiski traumēts un potenciāli bīstams? Varbūt viņi vērpa paši savas teorijas par Sedrika nāves apstākļiem. Harijs gan aptvēra, ka tas viņu sevišķi neuztrauc. Vislabāk viņam patika dzīvoties kopā ar Ronu un Hermioni, pļāpājot par visu ko citu, vai arī sēdēt pašam savā nodabā un skatīties, kā abi spēlē šahu. Harijam bija sajūta, ka viņu trijotne ir nonākusi tiktāl, ka vārdi, lai saprastos, nemaz nav vajadzīgi, ka visi gaida kādu zīmi, kādu ziņu par to, kas notiek ārpus Cūkkārpas sienām, un nav jēgas prātot, kas varētu notikt, iekams nekas nav skaidri zināms. Šis jautājums tika pieminēts vienu vienīgu reizi — kad Rons stāstīja Harijam, kā Vīzlija kundze pirms prombraukšanas tikusies ar Dumidoru.

— Viņa gribēja pavaicāt, vai tu šovasar nevarot uzreiz doties pie mums, — viņš pavēstīja. — Bet Dumidors grib, lai tu atgriezies pie Dērslijiem, vismaz pagaidām.

— Kāpēc? — Harijs nesaprata.

— Mamma domā, ka viņam ir savi apsvērumi, — Rons drūmi nogrozīja galvu. — Bet laikam der klausīt, vai ne?

Bez Rona un Hermiones vienīgais cilvēks, ar ko Harijs jutās spējīgs sarunāties, bija Hagrids. Tā kā nebija neviena, kurš mācītu aizsardzību pret tumšajām zintīm, šīs stundas bija brīvas. Ceturtdienas pēcpusdienā viņi izmantoja šo brīvstundu, lai aizietu ciemos pie Hagrida. Bija dzirkstoši saulaina diena. Kad viņi tuvojās būdai, pa vaļā durvīm laukā izlēca Ilknis, neprātīgi riedams un asti kulstīdams.

— Kas ta te? — Hagrids nosaucās, iznācis uz sliekšņa. — *Harij*!

Viņš lieliem soļiem pagājās pretim, apķēra Hariju ar vienu roku, pamatīgi saspieda, sabužināja viņam matus un ierūcās:
— Prieks tev redzēt, brāl. Prieks tev redzēt.

Iegājuši būdā, visi uz kamīna priekšā piebīdītā galda ieraudzīja divas spaiņa lieluma tases un šķīvjus.

— Nupatiņ ar Olimpij padzēr drusku tēju, — Hagrids paziņoja. — Šī nule kā aizgāj.

— Kas? — Rons ziņkāri ieprasījās.

— Maksimmadām, protam lieta! — Hagrids paskaidroja.

— Tātad jūs abi beidzot esat izlīguši? — Rons vaicāja.

— Es nezin, ko tu runā, — Hagrids bezrūpīgi attrauca, izvilkdams no bufetes krūzītes. Pagatavojis tēju un palaidis visapkārt paplāti ar mīkstiem cepumiem, viņš atgāzās krēslā un ar spīdīgi melnām vabolēm līdzīgajām acīm cieši nopētīja Hariju.

— Tevim nekas nekaiš? — viņš piesmacis noprasīja.

— Nekas, — Harijs atteica.

— Kaiš gan, — Hagrids norūca. — Kā ta, ka kaiš. Bet būs lab.

Harijs cieta klusu.

— Es zināj, ka šis nāks apakaļim, — Hagrids ierunājās. Harijs, Rons un Hermione viņu pārsteigti uzlūkoja. — Jau ku tie gadi, kā zināj, Harij. Zināj, ka šis kaučkur tup un nogaida sav laiku. Tā tam vaidzēj būt. Un nu tā i notik, un ar šiteno mums vaig tikt galā. Mēs kausies. Varbūt izdosies šo apturēt, iekām šis paliek riktīg stiprs. Vismaz Dumidors šitā ir iecerējs. Dižvīrs — tas Dumidors. Kamēr viš mums i, es neko daudz nekreņķējas.

Ieraudzījis bērnu sejās neticību, Hagrids sarāva uz augšu kuplos uzacu kumšķus.

— Ko ta te sēdēt un kreņķēties, — viņš turpināja. — Kas būs, būs, un ta jau mēs redzēs. Dumidors manim izstāstīj, ko tu paveic, Harij. — Viņš pavērās uz Hariju un lepni izslējās. — Tu paveic tik daudz, cik būt paveics tavs tētuks, un lielāk uzslav es nevar iedomāties.

Harijs viņam uzsmaidīja. Šo dienu laikā viņš vēl ne reizi nebija smaidījis.

— Ko Dumidors tev lika darīt, Hagrid? — viņš ievaicājās. — Viņš sūtīja profesori Maksūru pēc jums ar Maksima madāmu... tonakt.

— Vasarā manim būs darbiņš, — Hagrids atteica. — Bet es nevar teikt. Es nedrīkst par šiteno runāt — pat ar jumsim ne. Olimpij... jūsēj Maksimmadām... varbūtās nāks ar manim kopā. Manim domāt, šī nāks. Manim domāt, es šai iestāstīj.

— Tam ir kāds sakars ar Voldemortu?

Izdzirdējis šo vārdu, Hagrids saviebās.

— Varbūtās, — viņš izvairīgi nomurmināja. — Nu, ta tā... kurš grib nākt ar manim ciemā pie paša pēdēj mūdža? Es tik joko, es tak tik joko! — viņš steigšus piebilda, ieraudzījis ciemiņu sejas.

* * *

Pēdējā vakarā pirms došanās uz Dzīvžogu ielu Harijs ar pavisam smagu sirdi guļamistabā kravāja lādē mantas. Viņu biedēja Atvadu maltīte, kas allaž bija iemesls īstām svinībām, jo tieši tad tika pasludināts nams, kurš ieguvis Skolas kausu. Kopš Harijs bija ticis projām no slimnīcas, viņš centās vispār neiet uz Lielo zāli, kad tur bija daudz tautas, un, lai izvairītos no skolas biedru skatieniem, gāja ēst tikai tad, kad telpa bija gandrīz tukša.

Kad viņš ar Ronu un Hermioni iegāja zālē, visi trīs pamanīja, ka trūkst ierasto rotājumu. Parasti Atvadu maltītē Lielā zāle tika izgreznota uzvarētāja nama krāsās. Šovakar sienu aiz pasniedzēju galda rotāja vienīgi melns priekškars. Harijs tūliņ apjauta, ka tas darīts, lai izrādītu cieņu Sedrikam.

Pie pasniedzēju galda sēdēja īstais Trakacis Tramdāns, atguvis gan koka kāju, gan burvju aci. Večuks bija neparasti tramīgs — salēcās ikreiz, kad kāds viņu uzrunāja. Harijs viņu labi saprata — pēc desmit mēnešu ieslodzījuma koka lādē vajāšanas mānija varēja tikai pieņemties spēkā. Profesora Karkarova krēsls stāvēja tukšs. Sēzdamies pie grifidoru galda, Harijs ieprātojās par to, kur diez Karkarovs patlaban atrodas... Varbūt Voldemorts viņu jau notvēris?

Maksima madāma joprojām bija tepat. Viņa sēdēja līdzās Hagridam, un abi paklusām sarunājās. Turpat tālāk, blakus profesorei

Maksūrai, sēdēja Strups. Kamēr Harijs uz viņu raudzījās, abu skatieni īsu mirkli krustojās. Bija grūti noprast, ko Strups īsti domā. Viņa seja bija tikpat saskābusi un nejauka kā allaž. Harijs turpināja Strupu vērot vēl ilgi pēc tam, kad profesors bija novērsies.

Ko īsti Strups bija darījis pēc Dumidora rīkojuma tonakt, kad atgriezās Voldemorts? Un kāpēc... *kāpēc*... Dumidors bija tik cieši pārliecināts, ka Strups patiesi ir viņa pusē? Strups reiz bija tumšais spiegs — tā Dumidors teica Domnīcā. Un tad viņš bija pārvērties par dubultaģentu un sācis izspiegot pašu Voldemortu, "nopietni riskēdams ar savu dzīvību". Kādu darbu tad viņš tagad bija uzņēmies? Varbūt sazinājies ar nāvēžiem? Izlicies, ka Dumidora pusē nekad pa īstam nav pārgājis un gluži kā pats Voldemorts vienkārši nogaidījis īsto brīdi?

Harija pārdomas iztraucēja profesors Dumidors, kas pie pasniedzēju galda piecēlās kājās. Lielajā zālē, kur troksnis jau tāpat bija daudz mazāks nekā parasti Atvadu maltītēs, iestājās kapa klusums.

— Noslēdzies vēl viens gads, — Dumidors ierunājās, noskatīdams visus sanākušos. Tad viņš apklusa un pagrieza galvu uz elšpūšu galda pusi. Pirms profesors piecēlās, elšpūši tur bija sēdējuši vēl nomāktāki un klusāki nekā visi pārējie skolas audzēkņi, un arī tagad viņu sejas bija pašas saskumušākās un gluži pelēkas.

— Šovakar man jums visiem ir ļoti daudz ko teikt, — Dumidors turpināja, — bet vispirms mums jāpiemin lielisks cilvēks, kam vajadzētu sēdēt, lūk, tur, — viņš pamāja uz elšpūšu galda pusi, — un kopā ar mums visiem baudīt Atvadu maltīti. Es gribētu lūgt jūs visus piecelties un pacelt glāzes — pieminēsim Sedriku Digoriju.

Visi tā arī darīja, Lielajā zālē nobrakšķēja soli, sanākušie piecēlās, pacēla biķerus un visi vienā balsī nomurdēja: — Sedriks Digorijs.

Harijs pūlī pamanīja Čo. Pār viņas vaigiem klusi ritēja asaras. Kad visi apsēdās, viņš ar skatienu ieurbās galda dēļos.

— Sedriks bija cilvēks, kuram piemita daudzi no elšpūšu izcilākajiem tikumiem, — Dumidors atkal ierunājās. — Viņš bija krietns un uzticams draugs, strādīgs puisis un cienīja godīgu spēli. Sedrika nāve ir liels zaudējums mums visiem — arī tiem, kas viņu nepazina. Manuprāt, tāpēc jums ir tiesības uzzināt, kā tas notika.

Harijs pacēla galvu un pārsteigts palūkojās uz Dumidoru.

— Sedriku Digoriju noslepkavoja lords Voldemorts.

Lielo zāli pāršalca baiļpilni čuksti. Visās sejās bija lasāma neticība un šausmas. Dumidors ar nesatricināmu mieru nogaidīja, līdz murdoņa noklust.

— Burvestību ministrija, — Dumidors turpināja, — nevēlas, lai es jums to izpaužu. Iespējams, daži vecāki šausmināsies, ka esmu to darījis — varbūt neticēs, ka lords Voldemorts ir atgriezies, bet varbūt domās, ka man to nevajadzēja teikt tāpēc, ka neesat gana pieauguši. Tomēr es uzskatu, ka patiesība parasti ir labāka par meliem un ka jebkurš mēģinājums izlikties, ka Sedriks gājis bojā tādā kā nelaimes gadījumā vai paša kļūmes dēļ, aptraipītu viņa piemiņu.

Tagad apstulbuši un pārbiedēti uz Dumidoru vērās visi... gandrīz visi. Pie slīdeņu galda Harijs redzēja Drako Malfoju nez ko pačukstam Krabem ar Goilu. Viņa krūtīs ar joni sacēlās karsts, šķebinošs dusmu vilnis. Harijs par varītēm piespieda sevi atkal pievērsties Dumidoram.

— Ja runājam par Sedrika nāvi, te pieminams vēl viens cilvēks, — Dumidors turpināja. — Es, protams, domāju Hariju Poteru.

Pūlim pārskrēja tāda kā ņirboņa — dažs labs pagrieza galvu uz Harija pusi, iekams klausīties tālāk.

— Harijam Poteram izdevās paglābties no lorda Voldemorta, — Dumidors sacīja. — Viņš riskēja ar dzīvību, lai nogādātu Cūkkārpā Sedrika miesas. Viņš visādā ziņā apliecināja dūšu, kādu lorda Voldemorta priekšā ir izrādījuši tikai nedaudzi burvji. Par to viņš ir pelnījis godu un cieņu.

Dumdors drūmi pagriezās uz Harija pusi un no jauna pacēla biķeri. Teju visi Lielajā zālē sekoja viņa paraugam, nomurmināja viņa vārdu tāpat, kā pirmīt bija pieminējuši Sedriku, un iedzēra malku viņam par godu. Taču starp stāvošajiem biedriem Harijs pamanīja, ka Malfojs, Krabe, Goils un vēl daudzi citi pie slīdeņu galda bija izaicinoši palikuši sēžam un biķeriem nepieskārās. Dumidoram, galu galā, nebija nekādas burvju acs, un viņš to neredzēja.

Kad visi atkal bija apsēdušies, Dumidors turpināja: — Trejburvju turnīrs tika rīkots ar mērķi veicināt burvju savstarpējo sapratni. Ņemot vērā notikušo — to, ka lords Voldemorts atgriezies, — šāda sapratne ir nepieciešama vairāk nekā jebkad agrāk.

Dumidors palūkojās uz Maksima madāmu un Hagridu, tad uz Flēru Delakūru un bosbatoniešiem, un uz Viktoru Krumu un Durmštrangas audzēkņiem, kas sēdēja pie slīdeņu galda. Harijs pamanīja, ka Krums šķiet iztrūcies, gandrīz sabijies, it kā gaidītu, ka Dumidors tūliņ teiks kaut ko skarbu.

— Ikviens no viesiem, kas atrodas šeit, Lielajā zālē, — Dumidors sacīja, īpaši cieši paraudzīdamies uz Dumštrangas delegāciju, — tiks laipni sagaidīts atkal, lai kad sadomātu ierasties. Es jums visiem vēlreiz lieku pie sirds, ka, ņemot vērā lorda Voldemorta atgriešanos, mūsu spēks ir tikai vienotībā, un vājums — savstarpējā naidā. Lords Voldemorts lieliski pieprot sēt naidu un neuzticēšanos. Tam pretim mēs varam likt tikai vienlīdz stipru draudzību un uzticēšanos. Ieražu un valodu atšķirības nav nekas, ja vien mums ir viens mērķis un mūsu sirdis paliek atvērtas. Es paredzu — un nekad vēl neesmu tik ļoti vēlējies aloties —, ka mums priekšā ir tumši un grūti laiki. Daļai no tiem, kas atrodas šepat, šajā zālē, lords Voldemorts jau ir nodarījis pāri. Viņš sapostījis daudzas ģimenes. Pirms nedēļas viņš no mūsu vidus izrāva audzēkni. Pieminiet Sedriku! Pieminiet, jo var pienākt laiks, kad jums vajadzēs izšķirties starp to, kas ir pareizi, un to, kā ir vieglāk.

Pieminiet to, kas ar krietnu, labsirdīgu un drosmīgu zēnu notika tikai tāpēc, ka viņš gadījās ceļā lordam Voldemortam. Pieminiet Sedriku Digoriju!

* * *

Harija mantas bija sakravātas. Hedviga atkal bija iesprostota būrī, un būris stāvēja uz lādes. Harijs, Rons un Hermione kopā ar pārējiem ceturtgadniekiem ļaužu pārpilnajā Ieejas zālē gaidīja karietes, kam audzēkņus vajadzēja nogādāt līdz Cūkmiestiņa stacijai. Atkal bija brīnumjauka vasaras diena. Harijs iedomājās par Dzīvžogu ielu — kad viņš tur vakarā nonāks, būs karsts, viss saplaucis un salapojis, dobēs greznosies puķes raibu raibās krāsās. Doma nebūt nešķita iepriecinoša.

— Arrī!

Viņš atskatījās. Pa akmens lieveņa pakāpieniem steigšus tuvojās Flēra Delakūra. Pa vaļā durvīm varēja redzēt, kā labu gabalu projām Hagrids palīdz Maksima madāmai piejūgt karietei priekšā milzu zirgus. Bosbatonieši posās mājup.

— Cerru, ka satiksimies rreiz atkal, — Flēra teica, pienākusi klāt un pastiepusi roku. — Es cerru, ka dabūšu šite darrbu, lai uzlabotu valodas zināšanas.

— Tu jau tāpat lieliski runā, — tādā kā aizžņaugtā balsī ierunājās Rons. Flēra viņam uzsmaidīja, Hermione novaikstījās.

— Uz rredzēšanos, Arrī! — Flēra sacīja, taisīdamās uz promiešanu. — Man prrieks, ka sapazināmies!

Par spīti visam, Harija oma maķenīt uzlabojās, kad viņš noskatījās, kā Flēra, sudrabainajiem matiem vizuļojot saules gaismā, pāri zālienam spurdza atpakaļ pie Maksima madāmas.

— Diezin kā atpakaļ tiks Durmštrangas audzēkņi? — Rons attapās. — Kā jūs domājat — vai bez Karkarova viņi mācēs vadīt kuģi?

— Karkarovs neko nevadīja, — atskanēja ņurdiens. — Viņš sēdēja kajītē, jāstrādā bija mums.

Krums bija atnācis atvadīties no Hermiones. — Varu parunāties? — viņš Hermionei vaicāja.

— Āa... jā... labi, — viņa, drusku uztraukusies, atteica, Krumam nopakaļ aizspraucās cauri drūzmai, un abi nez kur pazuda.

— Tu netūļājies! — Rons viņai nobrēca pakaļ. — Karietes tūliņ būs klāt!

Tagad gaidīšanu Rons atstāja Harija ziņā un pats ņēmās staipīt kaklu, lai sablenztu, kur Krums ar Hermioni palikuši un kas šiem varētu būt padomā. Nepagāja necik ilgs laiks, kad tie abi atgriezās. Rons stingri nopētīja Hermioni, taču viņas sejā nebija salasāms pilnīgi nekas.

— Man Digorijs patika, — Krums strupi noteica Harijam. — Viņš visu laiku pret mani bija laipns. Visu laiku. Kaut gan es biju no Durmštrangas — ar Karkarovu, — viņš sadrūmis piebilda.

— Vai jums jau ir jauns direktors? — Harijs pajautāja.

Krums paraustīja plecus. Viņš pastiepa roku tāpat, kā bija darījusi Flēra, sarokojās ar Hariju un tad ar Ronu.

Rona seja liecināja, ka viņš izcīna kādu sāpīgu iekšēju cīņu. Krums jau bija paspēris dažus soļus, kad Rons piepeši izgrūda: — Vai varu dabūt tavu autogrāfu?

Hermione aizgriezās un smaidīdama nolūkojās uz pašgājējām karietēm, kas brauca šurp pie pils parādes durvīm, bet Krums tāds kā pārsteigts, tomēr iepriecināts uzskribelēja savu parakstu uz Rona pasniegtā pergamenta gabala.

* * *

Kad viņi mēroja ceļu uz Kingskrosu, laiks bija pilnīgs pretstats tam, kādā viņi bija braukuši uz Cūkkārpu pērnajā septembrī. Debesīs nebija neviena vienīga mākonīša. Harijam, Ronam un Hermionei bija izdevies dabūt atsevišķu kupeju. Pumperniķeli Ronam atkal nācās iebāzt dziļi azotē, lai tas reiz mitētos ūjināt. Hedviga snauduļoja, knābi paslēpusi zem spārna, un Blēžkājis saritinājies gulēja uz sola kā liels, ruds kažokādas spilvens. Vilcienam traucoties uz dienvidiem, Harijs, Rons un Hermione ņēmās pļāpāt dedzīgāk un brīvāk nekā visu pēdējo nedēļu. Harijam šķita, ka Dumidora runa Atvadu maltītē viņu ir atbrīvojusi. Tagad runāt par notikušo vairs nebija tik sāpīgi. Apspriedi par to, ko Dumidors tagad diez iesāks, viņi pārtrauca tikai tad, kad ieradās pusdienu ratiņi.

Atgriezusies kupejā un ielikusi atpakaļ skolas somā naudiņu, Hermione izvilka "Dienas Pareģa" numuru.

Harijs skatījās uz avīzi, šaubīdamies, vai maz grib zināt, kas tur varētu būt rakstīts, taču Hermione, pamanījusi viņa skatienu, rāmi noteica: — Tur nekā nav. Ja gribi, apskaties pats, bet tur tiešām nekā nav. Es apskatos katru mīļu dienu. Tikai nākamajā dienā pēc trešā pārbaudījuma bija mazs rakstiņš ar ziņu, ka tu esi uzvarējis turnīrā. Par Sedriku vispār ne vārda. Manuprāt, Fadžs viņiem liek turēt muti.

— Ritu viņš neapklusinās, — Harijs novilka. — Sevišķi, ja viņai patrāpīsies šitāds gabals.

— Ai, Rita kopš trešā pārbaudījuma nav uzrakstījusi ne rindiņas, — Hermione izmeta, izskatīdamās dīvaini saspringta. — Patiesību sakot, — viņa piebilda, un tagad meitenes balss viegli ietrīsējās, — Rita Knisle tagad kādu laiciņu vispār neko nerakstīs. Ja vien negribēs sakaitināt *mani.*

— Par ko tu runā? — Rons nenocietās.

— Es atklāju, kā viņa noklausās privātas sarunas, lai gan skolas teritorijā viņa nedrīkst spert kāju, — Hermione izgrūda.

Harijs nespēja atvairīt sajūtu, ka Hermione visu nedēļu ir vai pušu sprāgusi, alkdama viņiem to pavēstīt, un tomēr valdījusies, ņemot vērā visus pārējos notikumus.

— Kā tad? — Harijs acumirklī noprasīja.

— Kā tu uzķēri? — jautāja Rons, ieplētis acis.

— Nu, redziet, vispār jau uz īstā ceļa mani uzvedināji tu, Harij, — Hermione paskaidroja.

— Vai tad? — Harijs apjuka. — Kā?

— *Mušiņas*! — Hermione līksmi paziņoja.

— Bet tu taču teici, ka noklausīšanās ierīces nedarbojas...

— Nē, ne jau elektroniskās! — Hermione attrauca. — Nē, saprotiet... Rita Knisle, — Hermione balsī ieskanējās apvaldīts uzvaras prieks, — ir nereģistrēts zvēromags. Viņa prot pārvērsties... — Meitene izrāva no somas mazu aizvākotu stikla burciņu. — ...par vaboli.

— Nopietni? — Rons izsaucās. — Nevar būt... viņa taču nevar...

— Un kā vēl var! — Hermione pārgalvīgi papurināja burciņu. Tur iekšā bija pāris zariņu, lapas un prāva, trekna vabole.

— Nemūžam... nopietni? — Rons nočukstēja, paceldams burciņu tuvāk pie acīm.

— Nopietni, nopietni. — Hermione tīri vai staroja. — Noķēru viņu rāpojam pa palodzi slimnīcas spārnā. Paskatieties kārtīgi — plankumi ap taustekļiem ir tieši tādi paši kā tās viņas derdzīgās acenes.

Harijs apskatījās un atzina, ka Hermionei taisnība. Tūliņ viņam kaut kas iešāvās prātā: — Kad mēs dzirdējām, kā Hagrids Maksima madāmai stāsta par savu māmuļu, pa statuju rāpoja vabole!

— Tieši tā, — Hermione atsaucās. — Un pēc tam kad mēs ar Krumu runājāmies pie ezera, viņš vaboli izvilka man no matiem. Un, ja vien nemaldos, par ko es ļoti šaubos, Rita tupēja uz pareģošanas klases loga karnīzes todien, kad tev iesāpējās rēta. Viņu cauru gadu spindz te riņķī apkārt, meklēdama vielu saviem rakstiem.

— Un tad, kad mēs redzējām zem koka Malfoju... — Rons lēni ierunājās.

— Viņš runājās ar Knisli, kas tupēja viņam rokā, — Hermione sacīja. — Skaidrs, ka viņš visu zināja. Tieši tā jau viņa tika pie tiem jaukajiem slīdeņu tekstiņiem. Šiem jau vienalga, ka viņa pārkāpj likumu, ja vien saskribelē visādas nejaucības par mums un Hagridu.

Hermione izņēma burciņu Ronam no rokām un uzsmaidīja vabolei, kas nikni sitās pa savu stikla sprostu.

— Es apsolīju, ka izlaidīšu viņu laukā Londonā, — Hermione paveštīja. — Redz, burkai es esmu uzlikusi nesalaužamo burvestību, lai viņa nevar pārvērsties. Un pateicu, ka visu gadu paturēšu pie sevis viņas rakstāmspalvu. Paskatīsimies, vai viņa spēs atsvabināties no tās indeves rakstīt par cilvēkiem pēdīgos melus.

Bargi smīnēdama, Hermione ielika vaboli atpakaļ somā.

Kupejas durvis atvērās.

— Tu nu gan esi baigā gudriniece, Grendžera! — teica Drako Malfojs.

Viņam aiz muguras stāvēja Krabe ar Goilu. Tik pašapmierinātus, iedomīgus un draudīgus Harijs viņus vēl nekad nebija redzējis.

— Tātad, — Malfojs lēni novilka, sperdams soli pār kupejas slieksni, visus noskatīdams un savilcis lūpas vīpsnā, — esat noķēruši vienu nožēlojamu reportieri, un Poters atkal ir Dumidora paipuisītis. Tad nu gan liela muiža!

Viņa smīns kļuva platāks. Krabe ar Goilu tikai glūnēja.

— Cenšamies par to nerunāt, ko? — Malfojs mīlīgi noprasīja, noskatīdams visus trīs. — Cenšamies izlikties, ka tas nemaz nav noticis?

— Vācies laukā, — Harijs teica.

Viņam ar Malfoju nebija iznācis satikties kopš tās reizes, kad tas ar Krabi un Goilu sačukstējās Dumidora runas laikā Atvadu maltītē. Ausīs viņam ieskanējās dobji zvani. Roka mantijas kabatā taustījās pēc zižļa.

— Poter, tu esi izvēlējies nostāties zaudētāju pusē! Es tevi brīdināju! Es tev teicu, ka draugus vajag izvēlēties uzmanīgāk, atceries? Toreiz, vilcienā, kad mēs pirmoreiz braucām uz Cūkkārpu! Es tev teicu, lai tu nebiedrojies ar šitādiem salašņām! — Drako pameta ar galvu uz Rona un Hermiones pusi. — Un nu jau par vēlu, Poter! Viņi kritīs pirmie — tagad, kad Tumsas pavēlnieks ir atgriezies! Draņķasiņi un vientiešmīļi pa priekšu! Nu, un otrkārt, Digorijs bija s...

Kupejā itin kā eksplodēja ar raķetēm pilna kaste. No visām pusēm izšautās burvestības apžilbināja Harijam acis, no blīkšķiem aizkrita ausis, viņš samirkšķināja acis un paskatījās uz kupejas grīdu.

Durvīs bez samaņas gulēja Malfojs, Krabe un Goils. Harijs pats līdz ar Ronu un Hermioni bija pielēkuši kājās, katrs bija licis lietā citādu lāstu. Un viņi nebūt nebija vienīgie.

— Iedomājāmies paskatīties, kas tiem trim padomā, — lietišķi noteica Freds, kāpdams pāri Goilam un ienākdams kupejā. Viņam rokā bija zizlis, un tāpat arī Džordžam, kas, sekodams Fredam, izmantoja izdevību uzkāpt virsū Malfojam.

— Interesants efekts, — Džordžs atzina, aplūkodams Krabi. — Kurš izmantoja *Pumpus* lāstu?

— Es, — Harijs atzinās.

— Savādi, — Džordžs bezrūpīgi izsaucās. — Es atkal recekļkājas. Abi laikam neder kopā. Viņam uz ģīmja saauguši tādi kā taustekļi. Paklau, šeit viņus diezin vai vajag atstāt — baigi bojā skatu.

Rons, Harijs un Džordžs ņēmās saļimušos iebrucējus stumt, grūst un velt laukā gaitenī — tie trīs patiesi izskatījās tā, it kā no lāstu kokteiļa būtu dabūjuši visu to ļaunāko. Tad viņi atgriezās kupejā un aizbīdīja durvis.

— Varbūt uzspēlēsim sprāgstošos ēzeļus? — Freds ierosināja, izvilkdams kāršu kavu.

Kad jau piektā partija bija pusratā, Harijs izlēma pavaicāt.

— Kad tad jūs mums beidzot izstāstīsiet? — viņš noprasīja Džordžam. — Ko jūs šantažējāt?

— Ak tā, — Džordžs drūmi novilka. — *Par to.*

— Nav svarīgi, — Freds nepacietīgi nopurināja galvu. — Tas nebija nekas būtisks. Vismaz tagad nav nozīmes.

— Tam mēs esam atmetuši ar roku, — Džordžs paraustīja plecus.

Bet Harijs, Rons un Hermione nemitējās viņus tincināt, un Freds beidzot padevās: — Nu, labi, labi, ja tiešām gribat zināt... tas bija Ludo Maišelnieks.

— Maišelnieks? — Harijs iztrūkās. — Jūs gribat teikt, ka viņš bija iesaistīts...

— Ta nē jau, — Džordžs īgni norūca. — Ne jau tā. Viņš tak ir stulbs āpsis. Viņam būtu prātiņa par maz.

— Bet kas tad? — Rons noprasīja.

Freds brīdi vilcinājās, tad teica: — Atceraties, kā mēs ar viņu saderējām kalambola Pasaules kausa izcīņā? Ka Īrija vinnēs, bet Krums dabūs zibsni?

— Nu, jā, — Rons un Harijs lēnīgi atsaucās.

— Redz, tas āpsis mums iesmērēja rūķīšu zeltu no īru talismaniem.

— Nu?

— Nu, — Freds nepacietīgi attrauca, — tas tak pazuda, skaidrs? Nākamajā rītā no zelta vairs nebija ne smakas!

— Bet... bet tas taču droši vien bija kāds pārpratums, vai ne? — Hermione ieminējās.

Džordžs rūgti iesmējās. — Jā, jā, tā jau mēs arī sākumā domājām. Nospriedām, ka aizrakstīsim, pastāstīsim, ka gadījies misēklis, un viņš samaksās. Bet nekā. Par vēstuli viņš nelikās ne zinis. Mēģinājām par to aprunāties Cūkkārpā, bet šis allaž ar kaut ko aizbildinājās un lasījās lapās.

— Galu galā viņš kļuva galīgi nejauks, — Freds sacīja. — Sāka pļurkstēt, ka mēs esot par jaunu, lai slēgtu derības, un ka viņš mums vispār neko nedošot.

— Tad mēs teicām, lai atdod to naudu, ko iemaksājām, — Džordžs paziņoja, dusmās zvērodams.

— Viņš taču neatteicās, ko? — Hermione noelsās.

— Un kā vēl atteicās, — Freds pavēstīja.

— Bet tie taču bija visi jūsu ietaupījumi! — iesaucās Rons.

— Paldies, ka pateici, — Džordžs atcirta. — Beigās mēs,

protams, noskaidrojām, kas tur par štelli. Arī Lī Džordana papucim bija gadījusies ķibele, kad šis gribējis no Maišelnieka atdabūt naudu. Izrādās, tas āpsis ir sapinies ar gobliniem un iekūlies pamatīgā ķezā. Aizņēmies zelta kalnus. Pēc Pasaules kausa izcīņas viena goblinu banda šo mežā iedzina krūmos un atņēma visu zeltu, kas šim bija klāt, tomēr parāds ar to vēl ne tuvu nebija nolīdzināts. Goblini sekoja šim līdz pat Cūkkārpai, lai neizlaistu no acīm. Šis ir nospēlējis pilnīgi visu. Nevar sakasīt ne divus galeonus. Un zini, kā tas stulbenis sadomāja ar gobliniem norēķināties?

— Nu? — Harijs jautāja.

— Viņš, vecīt, saderēja uz tevi, — Freds paziņoja. — Lika baigo naudu uz to, ka tu vinnēsi turnīrā. Saderēja ar gobliniem.

— Tad *tāpēc* viņš man visu laiku centās palīdzēt! — Harijs atskārta. — Nu, bet es taču uzvarēju, vai ne? Tātad tagad viņš jums to naudu varēs atdot!

— Nekā nebija, — Džordžs noliedzoši nogrozīja galvu. — Goblini jau ir tikpat glumi. Viņi apgalvo, ka vinnējāt jūs abi ar Digoriju, kamēr Maišelnieks esot derējis, ka tu vinnēsi viens pats. Tā ka Maišelniekam atlika tikai ņemt kājas pār pleciem. Tā viņš arī darīja — tūliņ pēc trešā pārbaudījuma.

Džordžs smagi nopūtās un ņēmās no jauna dalīt kārtis.

Atlikušo ceļu viņi nobrauca itin jauki — Harijs klusībā vēlējās, kaut tā varētu pavadīt visu vasaru un Kingskrosā viņi nekad nenonāktu... Bet, kā viņš šogad bija sūri grūti iemācījies, laiks nekad nemēdz palēnināt gaitu, kad priekšā gaidāms kas nepatīkams, un pavisam drīz Cūkkārpas ekspresis, bremzēm čīkstot, jau piebrauca pie perona ar numuru deviņi un trīs ceturtdaļas. Audzēkņi sāka gatavoties izkāpšanai, un gaiteņos sacēlās parastais juceklis un troksnis. Rons un Hermione ar savām lādēm aizspraucās garām Malfojam, Krabem un Goilam.

Taču Harijs nekustējās ne no vietas. — Fred... Džordž... pagaidiet mirklīti!

Dvīņi pagriezās. Harijs atrāva vaļā savu lādi un izvilka Trejburvju balvu.

— Nemiet, — viņš teica un iegrūda maišeli Džordžam rokās.

— Ko? — Freds pagalam apmulsa.

— Nemiet, — Harijs nelokāmi atkārtoja. — Es to negribu.

— Tu esi ķerts, — Džordžs pavēstīja, grūzdams maisiņu Harijam atpakaļ.

— Nemaz ne, — Harijs atcirta. — Nemiet un tik gudrojiet visu ko tālāk. Tas ir joku bodei.

— Viņš *ir* nojūdzies, — Freds konstatēja. Viņa balsī bija saklausāma tāda kā aizgrābtība.

— Paklau, — Harijs stingri sacīja, — ja jūs to neņemsit, es naudu izsviedīšu notekā. Es to negribu, un man tā nav vajadzīga. Bet man vajag drusku prieka. Mums visiem vajag drusku prieka. Man tā vien liekas, ka tieši to mums tagad vajag vairāk par visu, jo nevar zināt, kā būs uz priekšu.

— Harij, — Džordžs nostenējās, svārstīdams rokā naudas maišeli, — tur tak ir kāds tūkstotis galeonu.

— Jā, — Harijs nosmaidīja. — Padomā, cik kanārijkūku tur sanāk!

Dvīņi blenza uz viņu kā nolēmēti.

— Tikai nestāstiet mammai, kur to ņēmāt... Lai gan, ja tā padomā, varbūt tad viņa vairs tik dikti negribēs, lai ejat strādāt uz ministriju...

— Harij, — Freds iesāka, bet Harijs izvilka zizli.

— Nu, tā, — viņš bargi noteica, — vai nu ņemiet to ciet, vai arī es jūs tūliņ nolādēšu. Tagad es zinu vienu otru jauku lāstiņu. Tikai izdariet man vienu pakalpojumu, sarunāts? Nopērciet Ronam pāris mantiju un sakiet, ka tās ir no jums.

Iekams dvīņi paguva izteikt kaut vārdu, Harijs pārrāpās pāri Malfojam, Krabem un Goilam, kas joprojām gulēja uz grīdas, noklāti ar visvisādu lāstu pazīmēm.

Aiz nožogojuma gaidīja tēvocis Vernons. Viņam turpat blakus

stāvēja Vīzlija kundze. Ieraudzījusi Hariju, viņa zēnu cieši apskāva un iečukstēja viņam ausī: — Manuprāt, Dumidors atļaus tev vēlāk atbraukt pie mums. Sazināsimies. Nepazūdi, Harij.

— Paliec sveiks, Harij, — Rons atsveicinājās, paplikšķinādams draugam pa muguru.

— Atā, Harij! — teica Hermione un izdarīja ko tādu, ko nekad nebija darījusi — nobučoja Hariju uz vaiga.

— Harij... paldies, — nomurmināja Džordžs, un Freds, stāvēdams brālim pie sāniem, dedzīgi pamāja.

Harijs viņiem piemiedza ar aci, pagriezās pret tēvoci Vernonu un klusēdams viņam nopakaļ devās laukā no stacijas. Pagaidām nav jēgas uztraukties, viņš pats sev lika pie sirds, iesēdies Dērsliju automašīnas aizmugures sēdeklī.

Kā Hagrids bija teicis — kas būs, būs... un tad jau redzēs.

# SATURS

*www.jumava.lv*

---

Izdevējs — SIA "J.L.V.", Dzirnavu ielā 73, Rīgā LV 1011.
Iespiests — VZD poligrāfijas daļā "Latvijas karte", O. Vācieša ielā 43, Rīgā LV 1004.